U0103311

中國現代史書籍論文資料舉要

(一)

胡平生 編著

臺灣學生書局印行

序

民國七十五年（1986）的秋天，甫自美國賓州州立大學（Pennsylvania State University）結束為期一年的訪問研究歸來，便接到系上教授高明士兄的電話，囑我為他所主編的一套大書《中國史研究指南》撰稿，負責編述其中民國三十九年（1950）以來臺灣學界對於中國現代史的研究情形，半年後如期交稿。有了這一次的經驗，再加上在臺灣大學歷史系講授中國現代史已逾廿載，一向對這方面的論著及資料頗為留意，授課時亦曾印發有關的書目講義給學生，此一書目講義雖經多次增刪，始終覺得其涵蓋面極為有限，且係依課堂講授進度零散陸續發給學生，學生保存、使用均不利便。此外，深覺近四十餘年來，中外關於中國現代史研究狀況的論著以及書目、論文索引的出版已有不少，但是有系統而完整細密的來編述中國現代史論著及資料的大部頭專書，卻少之又少，至少在臺灣史學界並未之見。

於是，八十三年（1994）夏開始廣事蒐集並著手編述此一《中國現代史論著及資料述要》，原以為兩年便可完成，孰料工程太鉅，千頭萬緒，且欲求其詳盡完備，以個人有限之時間精力，實在難以速成。所幸八十五年秋至八十六年秋，適逢我修假一年，不必教課，且遠離塵囂，旅居美國東北部波士頓近郊清幽小鎮Boxborough，心無旁騖，距離以藏書豐富著稱的哈佛大學各圖書館又僅四十分鐘的車程，遂得以全力衝刺，編述工作乃大有進展，至目前已編述完「十年建國」部分，祇剩下「八年抗戰」、「戰後的國共對決」、「中華民國在臺灣」、「中華人民共和國在大陸」、「區域研究」五個專題，其論著及資料雖已有所蒐集，但增補及整理工作尚需要一段時間來完成。原擬全部的編述工作完成後再行出版，後來改變初衷，決定先出版其中業已完工的第一、二冊，主要是鑑於此類書籍愈早出版，有興趣於此方面研究的人便能愈早使用之；再者，業已完工的部分，隨時又會發現漏列的有關論著及資料，多次予以補行列入，煩瑣而耗時，影響尚未完工部分的進度甚大，不如先予以出版，以絕此「無窮」的「後患」，實為一舉而兩得。至於本書內容方面，分為「通論部分」及「專題部分」，其中專題部分約占全書十分之八、九左右的篇幅，第一冊為「通論部分」、專題部分中的「辛亥革命」及「民初政局」；第二冊為專題部分中的「軍閥政治」、「五四運動」、「護法與北伐」及「早期的國共關係」；第三冊為專題部分中的「十年建國」、「八年抗戰」及「戰後的國共對決」；第四冊為專題部分中的「中華民國在臺灣」、「中華人民共和國在大陸」及「區域研究」。茲先出版第一、二冊，預期半年後出版第三冊，一年後出版第四冊。

經過四年的辛勤耕耘，本書的第一、二冊終告順利出版，其內容雖不盡令人滿意，但畢竟是「苦勞」的結晶。回首過去的四年中，教課之餘的大部分時間精力盡耗於此一編述工作上，不時奔波於途，常川流連於各圖書館中，長時間獨坐斗室整理編述蒐集來的各種論著及資料，有時甚至廢寢忘食，額上的皺紋因之加多，兩鬢的華髮為之增添，更影響了正規的研究論著的撰寫，是否值得？偶思之不免惘然。四年來，內子周先俐對於我執著地全力從事本書的編述工作予以支持，並提供意見，而且承擔大部分的家務，還得忙於撰寫其博士論文。沒有她的支持和贊助，就不會有如今本書第一、二冊的出版，在此，衷心期盼本書第三、四冊也能早日完成付梓。屆時，或能算是我在臺灣大學從事中國現代史教學工作逾二十五年的些許交代和回饋。最後要謝謝臺灣學生書局孫總經理、鮑副總經理、游均晶小姐的多方惠助，以及蔡明雲小姐的悉心校稿。至於本書的不夠周延、疏漏失誤之處，尚祈學者、專家們多所賜正。

胡　平　生　謹識於臺北

民國八十七年（1998）5月

第一冊目次

序 ……………………………………………………1

編述說明 ……………………………………………1

壹、通論部分 ………………………………………1

一、教科書（含近、現代通史） ……………………1

二、論文集 ……………………………………………23

三、資料集 ……………………………………………27

四、研究概況 …………………………………………30

五、工具書 ……………………………………………37

貳、專題部分……………………………………………57

一、辛亥革命（1894-1912）…………………………57

㈠通　論 ………………………………………………57

1.研究述評 ……………………………………………57

2.書目、論文索引及出版狀況 ………………………61

3.論著、論文集及資料集 ……………………………63

㈡革命團體 ……………………………………………69

1.興中會（含興漢會） ………………………………70

2.中國同盟會（含同盟會中部總會） ………………74

3.華興會 ………………………………………………81

4.光復會 ……………………………………………………82
5.共進會及其他 ……………………………………………84
㈢改良與革命 …………………………………………………86
1.維新（保皇）、革命兩派的關係 ………………………87
2.關於康有為 ………………………………………………97
3.關於梁啟超 ………………………………………………132
㈣起事與宣傳 …………………………………………………178
1.起事方面（含武昌起義） ………………………………178
2.宣傳方面 …………………………………………………193
㈤區域革命 ……………………………………………………199
1.華中地區 …………………………………………………199
2.華南地區 …………………………………………………208
3.華北地區 …………………………………………………212
4.西南地區 …………………………………………………216
5.西北地區 …………………………………………………221
6.東北地區 …………………………………………………224
㈥社會參與 ……………………………………………………226
1.會黨（秘密社會） ………………………………………226
2.知識分子 …………………………………………………245
3.華僑 ………………………………………………………270
4.婦女 ………………………………………………………300
5.立憲派 ……………………………………………………311
6.新軍 ………………………………………………………328
㈦國際關係 ……………………………………………………332

1.列強 ……………………………………332
2.外國人士……………………………………350
3.租界……………………………………365
(八)革命人物 ……………………………………369
1.孫中山 ……………………………………369
2.黃　興……………………………………487
3.章炳麟 ……………………………………501
4.鄒　容 ……………………………………533
5.秋　瑾 ……………………………………537
6.吳祿貞……………………………………548
7.其他人士 ……………………………………551
(九)民國的確立 ……………………………………580
1.南京臨時政府始末 ……………………………………580
2.南北議和與清帝退位……………………………………585
3.讓位袁氏與政府北遷……………………………………587
(十)其他 ……………………………………589
二、民初政局（1912-1916） ……………………………………607
(一)通論 ……………………………………607
(二)民主政治的嘗試 ……………………………………607
1.民初政黨 ……………………………………608
2.民初議會（參議院、國會、省議會） …………615
3.民初內閣 ……………………………………619
4.民初立法和制憲……………………………………620
(三)二次革命 ……………………………………623

1.發生的背景之一—宋教仁被刺案 ……………624
2.發生的背景之二—善後大借款案 ……………633
3.二次革命始末 ………………………………634
4.失敗後革命黨人的活動 ……………………637
㈣洪憲帝制與反帝制戰爭 ……………………641
1.關於袁世凱 …………………………………641
2.洪憲帝制 ……………………………………656
3.反帝制戰爭（護國之役或護國運動） ………661
㈤其他 …………………………………………677
1.民初政治 ……………………………………677
2.民初外交 ……………………………………682
3.民初經濟 ……………………………………697
4.民初社會 ……………………………………702
5.民初教育 ……………………………………709
6.民初思想、文化及其他 ……………………713

編 述 說 明

中國現代史是以中華民國及中華人民共和國為主的一部歷史，由於臺灣海峽兩岸的歷史學者對於中國現代史的起點有著不同的看法，臺灣方面多主張以1911年為起點（以1894年興中會成立及其後十七年的革命運動為其序幕、背景）；中國大陸方面多主張以1919年（五四運動）為起點（其以前為中國近代史，日本史學界大致持同樣的看法），本書係以前者為準（至於歐美史學界所謂Modern Chinese History，是指中國近代史或現代史而言，Contemporary Chinese History，則為當代中國史，多指1949年以後的中華人民共和國史而言）。所收錄的書籍論文資料是以1996年12月及其以前出版者為限，此外，尚有如下幾個通則：

一、本書所列舉者，以專書、資料集、論文集、論文（含一般性的文章，本書中所謂的論文，即是指載於期刊上，論文集等中的單篇論文、文章而言）為主。散篇的資料、文稿（如中國大陸出版的全國各級《文史資料選輯》、《近代史資料》等所刊載者；且李永璞主編有《全國各級政協文史資料篇目索引（1960-1990）》，北京，中國文史出版社，1992；共五大冊，足資參閱）及報紙上的文章，因數量太多，過於瑣細，原則上不予舉述。又各種人物傳記專書（含辭典）中的個人專傳及書評（Book Review）亦同此，原則上也不予舉述。

二、本書所列舉者，以中、日、英文之出版品為限。

三、本書所列舉者，其出版年份，凡1949年及其以前之中國大陸及其以後臺灣之出版品，一律用民國紀年。凡中國以外國家、地區和1950年及其以後之中國大陸出版品，一律用西元紀年，俾易於辨識其為中華民國或中華人民共和國之出版品。

四、名稱過長者，當酌情簡稱之，如「中國人民政治協商會議全國委員會文史資料研究委員會」簡稱為「全國政協文史資料研究委員會」，「中國國民黨中央委員會黨史史料編纂委員會」簡稱為「國民黨黨史會」，「華東師範大學學報」簡稱為「華東師大學報」，「國立臺灣大學歷史學系學報」簡稱為「臺大歷史學系學報」等。

五、本書所列舉1950年及其以後中國大陸出版之各大學學報，均係其哲學社會科學版，而非其自然科學版；列舉時，不再註明其版別。又各專書其出版年份之後未特別註明者，均為初版或一版。

六、本書所列舉之國內外博、碩士論文，均以專書視之，以別於載於期刊、雜誌、學報上之論文。符號之使用，以《 》代表書名，以〈 〉代表論文篇名，其出處、出版年月，概用括號說明之。

七、國內外學術會議上宣讀的各論文，如未彙集成冊且正式出版者，原則上均不予舉述。

八、歐美作者的英文姓名，其姓氏一律置於其名字之後（凡華人有英文名字者亦同此），中、日作者的英文譯姓名，則其姓氏一律置於名字之前，以尊重其習慣，並求其統一。

壹、通論部分

一、教科書（含近、現代通史）

民國三十九年（西元1950年）以前，似乎極少有中國現代史為名的教科書（僅發現有平心《中國現代史初編》，1940年香港國泰刊；曹伯韓《中國現代史常識》，桂林，石火出版社，民28；曹伯韓《中國現代史讀本》，香港，文化供應社，1947），一些相關的教科書，多以中國近代史、近世史、近百年史為名，其內容或有涉及現代史範圍者，所佔的篇幅也都很少，民國三十九年以後的臺灣方面，李守孔撰寫《中國最近四十年史》（臺北，中華書局，民43），幾年後，易名為《中國現代史》（臺北，光華出版社，民47；民53，改由三民書局出版，民62又出有修訂本），是臺灣第一本以中國現代史為名的教科書。其後三十年間，尤其是民國六十二年教育部通令各大學院校所有科系學生一律必修中國現代史，這方面的教科書紛紛問世，茲列舉其要者如下：張玉法《中國現代史》（臺北，東華書局，民66），共分九章，自辛亥革命始，至中國大陸淪陷為止，取材豐富，下筆嚴謹，為中國現代史教科書中之代表作，唯1950年以後的史事付諸闕如，為一大遺憾。作者旋將該書刪減而為《中國現代史略》（臺北，東華書局，民67），篇幅僅有原書的四成左右；國立編譯館編《中國現代史》（臺北，幼獅書店，民62）頗適合對非歷史系學生教學之用。張氏尚主譯有《現代中國史》（臺北，經世書局，民69），係節譯自四種英文教科書組合而成。郭廷鈺《中國現代史》（臺北，正中書局，民69；臺北，黎明文化事業公司，民73）、黃大受《中國近代現代史》（自刊本，民49）、《中國現代史綱》（臺北，世界書局，民50；臺北，五南圖書出版公司，民69）及《中國現代史綱要》（臺北，大中國圖書公司，民62）、中國文化大學中國現代史編輯委員會編著《中國現代史》（臺北，中國文化大學出版部，民73）、呂士朋《中國現代史》（臺北，世界書局，民73）及《中國現代史》（臺北，幼獅書店，民83）、呂士朋、劉超驊合編《中國現代史》（2冊，臺北，空中大學，民80）、屠炳春《中國現代史》（臺北，中華出版社，民64）、魏汝霖、王綱領等編《中國現代史》（臺北，華岡出版社，民66）、魏汝霖《中國現代史》（臺北，中國文化大學出版社，民66年初版，70年修訂再版）、段昌國《中國現代史》（臺北，大中國圖書公司，民69）及《中國通史—現代史》（臺北，長橋出版社，民68）、周徵《中國現代史》（臺北，遠流出版公司，民66）、許朗軒《中國現代史》（臺北，正中書局，民63）、姜麗雪等《中國現代史》（臺北，輔仁大學，民77）、薛化元編著《中國現代史》（臺北，三民書局，民84）、林桶法、林能士、劉維開、彭明輝《中國現代史》（臺北，大中國圖書公司，民85）、朱敷春編著《中國現代史》（臺北，環球書局，民83）、史仲序《中國現代史》（臺北，撰者印行，民84）、林再復《中國現代史》（臺北，廣懋圖書公司，民85）、蘇啟明《中國現代史》（臺北，五南圖書出版公司，民85）、曹伯一《中國現代史綱—近代中國締造均富社會之奮鬥歷程》（臺北，政治大學東亞研究所，民66）、杜松柏《中國現代史概要》（臺北，薈聲文物供應社，民62）、聞震伯《中國現代史》（臺北，德育書局，民63）、徐興武《中國現代史大綱》（臺北，聖文書屋，民74）、賴金男、田思《中國現代史》（臺北，驚聲文物供應社，民72）、田思《中國現代史輯要》（臺北，弘道文化事業公司，民63）、張樂陶《中國現代史》（臺北，復文書局，民72）、范傳培《中國現代史》（臺中，書恒出版社，民62）、胡春惠、林能士《中國現代史》（臺北，華視文化事業公司附設中華出版社，民70）、李萼編著《中國現代史》（臺北，星閣出版公司，民78）、王綱領主編《中國現代史》（臺北，中國文化大學出版部，民77）、歷史科教學研討會（陳正茂、林寶琮）《中國現代史（含臺灣開發史）》（臺北，文京圖書公司，民84）、黎明文化事業公司編輯委員會《中國現代史》（臺北，黎明文化事業公司，民74）、萬鵬程《中國近代現代史》（臺北，義聲圖書公司，民66）、葉蔭民《中國現代史話》（臺北，中華日報社，民63）、李功勤《中國現代史與兩岸關係》（臺北，美鐘出版社，民84年修訂二版）、張其昀《中華民國史綱》（12冊，臺北，中華文化出版事業委員會，民43-45）、蔣君章《中華民國建國史》（臺北，正中書局，民46）、王靜芝《中華民國建國史話》（臺北，黎明文化事業公司，民73）、賀允宜等《中華民國建國史網》（同上）、李守孔、李雲漢、呂士朋、陳捷先、蔣永敬合編《民國史二十講》（臺北，幼獅書店，民62）、黎東方《中華民國簡史》（臺北，幼獅文化公司，民79）及《中華民國》（臺北，臺灣商務印書館，民56）、教育部主編《中華民國建國史》（臺北，國立編譯館，民74-80），共16冊，分成5篇，計第1篇為「革命開國時期」（2冊，民74）、第2篇為「民初時期」（4冊，民76）、第3篇為「統一與建設」（3冊，民78）、第4

篇為「抗戰建國」（3冊，民79）、第5篇為「戡亂與復國」（4冊，民80），係由臺灣著名的學者近百人共同撰寫，篇幅之鉅，為同類著作中之最。

中國大陸方面，對於中國現代史教科書的撰寫，則起步較晚。一九五四年，其教育部通令高等學校開設中國現代史課。一九五六年九月頒布《中國現代史教學大綱》。是年冬，其教育部組織編寫中國現代史教本。一九五九至一九六二年，由李新、彭明、孫思白、蔡尚思、陳旭麓主編的四卷本《中國新民主主義革命時期通史（初稿）》（北京，高等教育出版社出版）問世，全書約一百二十萬字。這是第一部比較全面和詳盡介紹一九一九至一九四九年中國歷史的著作。不過，這部書仍然沿用中國革命史的體系，絕大部分內容與中國革命史沒有區別。其後以中國現代史為名的教科書有黃元起主編《中國現代史》（2冊，鄭州，河南人民出版社，1982年）、北京師範大學歷史系中國現代史教研室編《中國現代史（1919-1949）》（2冊，北京師範大學出版社，1984）、魏宏運主編《中國現代史稿，1919-1949》（2冊，哈爾濱，黑龍江人民出版社，1984）、王維禮主編《中國現代史》（大學歷史系自學叢書，瀋陽，遼寧人民出版社，1984）、章開沅等主編《中國現代史普及讀本》（武漢，湖北人民出版社，1986）、王大同主編《中國現代史》（初中教師進修用書，福州，福建教育出版社，1985）、上海大學等編著《新編中國現代史》（3冊，南昌，江西人民出版社，1987）、胡汶本等主編《中國現代史簡編》（濟南，山東教育出版社，1987）、虞寶棠、林炯如編著《中國現代史綱》（2冊，合肥，安徽教育出版社，1987）、張揚、張建祥主編《中國現代史》（3冊，西安，陝西師大出版社，1987-1989）、王文泉、趙呈元主編《中國現代史》（北京，中國礦業學院，1988）、王維禮主編《中國現代史》（長春，東北師大出版社，1988）、林道發、蔣文瀾主編《中國現代史》（上海，上海社會科學院出版社，1988）、秦英君主編《中國現代史簡編(1912-1949)》（開封，河南大學出版社，1988）、李世平主編《中國現代史（1919-1949）》（重慶，西南師大出版社，1988）、賈立臣主編《中國現代史（1919年5月-1949年10月）》（哈爾濱，黑龍江教育出版社，1989）、李光一主編《中國現代史》（鄭州，河南人民出版社，1989）、陶用舒主編《中國現代史（1919-1949）》（高等師範專科學校通用教材，長沙，湖南大學出版社，1989）、沈慶生等編《中國現代史》（四川廣播電視大學教材，成都，四川人民出版社，1989）、上海大學等編著《中國現代史》（南昌，江西人民出版社，1989）、傅紹昌、蔣昌源《中國現代史綱》（高等師範專科學校教程，2冊，合肥，安徽教育出版社，1989）、王檜林主編《中國現代史》（2冊，北京，高等教育出版社，1989）、叢廣玉主編《中國現代史教程》（哈爾濱，黑龍江人民出版社，1990）、白砥民主編《中國現代史》（全國高等師範專科學校教材，上海，華東師大出版社，1991）、張俊超、虞崇勝《奮鬥、挫折、勝利一中國現代史新編》（武昌，武漢大學出版社，1991）、王檜林《中國現代史：1919-1949》（北京，北京師大出版社，1991）、蘇聯科學院遠東研究所編，張凱譯《中國現代史》（星光書店，1992）、宋仲福、徐世華《中國現代史》（2冊，北京，檔案出版社，1995）。以中華民國史為題的有李新總編《中華民國史》（已出版第一、二編，北京，中華書局，1982-1996）第一篇為「中華民國的創立」（共2冊），第二編為「北洋政府統治時期」，至1996年2月已出版至第二編第5卷－北伐戰爭與北洋軍閥的覆滅（由楊天石主編）、王作坤主編《中華民國簡史》（哈爾濱，黑龍江教育出版社，1989）、高慶達等編著《中華民國簡史》（西安，陝西師大出版社，1991）、張憲文主編《中華民國史綱》（鄭州，河南人民出版社，1985）、童欣、周蓮編著《民國春秋》（南昌，江西人民出版社，1989）。他如丁守和主編《二十世紀中國史綱》（鄭州，河南人民出版社，1994）、紅冬、紫夏編寫《二十世紀中國紀實》（3冊，銀川，寧夏人民出版社，1992）。

至於民國三十八年（1949）及其以前出版的以中國近代史（或近代史、近百年史等）為名的中文教科書（其中不少敘事及於中國現代史範圍者），重要的有李泰棻《中國近百年史》（3冊，上海，商務印書館，民13），敘事起自道光初年，止於二十世紀二〇年代初；孟世杰《中國最近世史》（4冊，北京，文化學社，民14-19），敘事起自鴉片戰爭，止於二〇年代之直奉戰爭；孟世杰《中國近百年史》（2冊，天津，百城書局，民20），係據其《中國最近世史》改編而成，敘事止於北伐完成；孟氏尚撰有《中國近世史綱》（天津，百城書局，民21）；陳光宇《中國近世史（增訂本）》（北京，文化學社，民15），內容偏重民族史、文化史方面；周人俊編《中國近代歷史講義》（上海，滬江大學歷史政治系，民15），敘事止於民初；高博彥《中國近百年史綱要》（2冊，天津，華泰印書館，民16；北京，文化學社，民17），原為作者在南開學校講義，敘事止於清帝退位；陳功甫《中國最近三十年史》（上海，商務印書館，民17），記述中日甲午戰爭至孫中山逝世之歷史；夏德儀編《中國近百年史》（編者印行，民17），記述1840年至1927年之中國歷史；沈味之《近百年本國史》（上海，世界書局，民18），述及北洋政府時期之政局；顏昌嶢《中國最近百年史》（上海，太平洋書店，民18），全書共22章，其中第9-22章為現代史部分；鄭鶴聲《中國近世史》（2冊，南京，中央政治學校，民19），敘事止於清末；魏野疇《中國近世史》（上海，開明書店，民19），記述鴉片戰爭至五四運動之歷史；陳懷、孟沖《中國近百年史要》（上海，中華書局，民19），記述鴉片戰爭至清朝覆亡之歷史；陳懷《中國近百年史要》（上海，中華書局，民19）、徐澄《中國近百年史》（同上）、邢鵬舉《中國近百年史》（4冊，上海，世界書局，民20）、陳訓慈《中國近世史》（南京，中央大學，民20）、李次民編《鴉片戰爭後的八十年》（梧州文化公司，民21），止於民國成立；蔣恭晟《中國近百年史》（2冊，上海，金城書店，民21），敘事起自鴉片戰爭，止於北伐完成；朝陽學院編印《中國近世史》（民21年出版），記述鴉片戰爭至直奉戰爭之歷史；周木齋《最近中國史》（上海，新生命書局，民22），記述清末革命至寧漢分裂之歷史；李鼎聲《中國近代史》（上海，光明書局，民22），記述鴉片戰爭至九一八事變之歷史、羅元鯤《中國近百年史》（2冊，上海，商務印書館，民23），敘事始於清乾、嘉年間，止於九一八事變後日軍進攻華北；開江、文清編《中國近百年史》（青江書店，民23）、陳恭祿《中國近代史》（上海，商務印書館，民24），全書860頁，為大學生用書，敘事始自鴉片戰爭，止於北伐完成，其最後一章為史料評論，評述近代的政書、碑傳、文集、信件、日記、年譜等史料，甚具參考價值；陳氏尚撰有《中國近百年史》（上海，商務印書館，民25），記述清道光至光緒朝及清末民初的內政、外交、經濟、教育狀況；盧紹稷編《中國近百年史》（上海，中華書局，民24），內容較淺顯，為初中學生用書；何子復、呂金錄主編《中國近代史話》（2冊，上海，商務印書館，民26），敍事始於清初，止於北伐完成，為通俗性之小冊子，列為商務印書館之民眾基本叢書；蔣廷黻《中國近代史》（長沙，商務印書館，民27）及《中國近代史大綱》（重慶，青年書店，民28），二書內容基本相同，簡明扼要，敍事從鴉片戰爭至北伐完成；現代歷史社《中國近百年史》（撰者印行，民28）、張健甫《中國近百年史教程》（桂林，文化供應社，民29），共分十講，現代史部分為辛亥革命、五四運動、改組國民黨與北伐，九一八到七七抗戰爆發；郭廷以《近代中國史》（2冊，長沙，商務印書館，民29及36），共1200餘頁，其中述鴉片戰爭事甚詳；沈味之、朱翊新《近百年本國史》（世界書局，民29）、呂見平《中國近百年史讀本》（香港，無名出版社，1941），共分14章，敍事至七七抗戰以來內外情勢的變化為止、曹伯韓《中國近百年史常識》（習作出版社，民30），記述鴉片戰爭至1940年抗日統一戰線建立之歷史；曹氏另撰有《中國近百年史十講》（桂林，華華書店，民31）及《中國現代史讀本》（香港，文化供應社，1947），前者以近百年史（鴉片戰爭至抗戰期間）中十大事件為中心，編成十講，書後附1840-1940之大事年表，後者則記述鴉片戰爭至抗戰勝利之歷史；陸軍軍官學校編《中國近世史》（2冊，成都，編者印行，民33），記述鴉片戰爭至中原大戰之史事；韓啟農《中國近代史講話》（張家口，新華書店晉察冀分店，民34），為通俗讀物，簡述鴉片戰爭至七七抗戰爆發前之史事；李天隨《中國近百年史概述》（臺北，臺灣新生報社，民35），記述鴉片戰爭至抗戰勝利之史事；范文瀾《中國近代史（上編第1分冊）》（2冊，新華書店晉綏分店，民36；上海，讀書出版社，民36），記述鴉片戰爭至義和團運動之歷史；武波《中國近代史（上編第1分冊）》（上海，讀書出版社，民36），內容與范文瀾《中國通史簡編》一書中的《近代史》上編相同；金兆梓《近世中國史》（上海，中華書局，民36；臺北，文海出版社影印，民60），敍事從鴉片戰爭後締結不平等條約時的中國述至抗戰期間為止；李絜非《中國近世史》（貴陽，文通書局，民37），共16章，前4章論述中國近世史的特徵、民族革命思想的源流，5至10章記述鴉片戰爭至義和團運動之歷史，11-16章為近百年政治、經濟、社會、學術思想的回顧；陶官雲《中國近百年史話》（大連，大衆書店，民37），敍事起自鴉片戰爭，止於1946年政治協商會議；黃祖興等編《近百年史話》（華東新華書店，民37），共6章，章名依序為舊民主主義革命、五四運動、一次大革命、七年蘇維埃運動、八年抗日戰爭、人民革命戰爭（即解放戰爭）；陸軍大學編《中國近代史》（編者印行，民37）、華北大學歷史系研究室編《中國近代史（上編）》（新華書店，民38），其撰者為榮孟源、劉桂五、王南、王可風四人，全書述舊民主主義革命史（1840-1919），其下編未見出版；東北軍政大學編《中國近代簡史》（瀋陽，東北書店，民38年4月6版），敍事從鴉片戰爭至抗戰勝利國共內戰爆發為止；士虹編《中國近代史》（編者印行，民38），共18講，簡記九一八事變至抗戰勝利後國共內戰時期之重大事件；華崗《中國近代史（上冊）》（新華書店，民38）、朝啟農《中國近代史講話》（中原新華書店，民38）。

1950年及其以後出版的中國近代史教科書，臺灣方面重要的有李雲漢《中國近代史》（臺北，三民書局，民74），書名雖為近代史，但現代史部分卻占全書百分之八十以上，述事至民國七〇年代初為止，其民國85年之增訂版，增加第13章—中國統一之道路，敍事至民84年為止。李守孔《中國近代史》（臺北，三民書局，民63年初版，民83年增訂初版），其下篇—民國部分，亦占全書百分之六十左右，其增訂版敍事至民83年焦、唐北京會談為止。其他敍事止於民國80年代的有陳嘉言、楊靜賢《中國近代史》（臺北，大中國圖書公司，民85）。敍事止於民國七〇年代的有歷史科教學研討會主編《中國近代史》（臺北，幼獅文化事業公司，民77年初版，84年2版）、薛化元《中國近代史》（臺北，三民書局，民84）、呂清培《中國近代史》（高雄，高雄海事專校，民77）。敍事止於民國六〇年代的有李蕁《中國近代史綱要》（臺北，采風出版社，民73）、顧建東、史仲序《中國近代史》（臺北，史仲序發行，民76）。敍事止於民國五〇年代的有韓逋先《中國近代史》（臺北，大中國圖書公司，民55）、楊培桂《中國近代史》（2冊，臺北，瀚浩出版社，民64）、張樂陶《中國近代史》（臺北，撰者印行，民60年初版，民62年修訂再版）、汪大鑄《中國近代史》（臺北，中國民族文化研究所，民56）、王儀《中國近代史》（臺北，臺灣文源書局，民55）、高啟圭《中國近代史綱》（臺北，環球書局，民57）。敍事止於民國四〇年代的有李方晨《中國近代史》（4冊，臺北，陽明出版社，民45）及《中國近代史新論》（臺北，撰者印行，民53

年再版）、孫希中《中國近代史》（高雄，百成書店，民47）、易蘇民《中國近代史》（臺北，大學文選社，民60）、周徵《中國近代史》（臺北，學生出版社，民61）。敍事止於民國39年中華民國完全失去中國大陸或同年蔣中正在臺灣復行視事重任總統的有黎東方《中國近代史》（臺北，復興書局，民56）、李世勳《中國近代史》（臺北，撰者印行，民58）、王懷中《中國近代史》（臺北，昌言圖書公司，民61）、徐興武《中國近代史實研究》（臺北，帕米爾書店，民56）、吳振芝《中國近代史》（臺南，立人出版社，民51）及《中國近代史》（臺北，中華電視台出版社，民60）。敍事止於抗戰勝利的有陳世昌《中國近代史概要》（臺北，三民書局，民73）、王健民《中國近代史》（臺北，陽明出版社，民47）、陳烈甫《中國近代史》（臺北，正中書局，民56）。敍事止於民初護法運動的有趙牖文《中國近代史綱》（臺北，撰者印行，民62）。敍事止於民國元年清帝退位民國建立的有李守孔《中國近代史》（臺北，臺灣學生書局，民47）及《中國近代史》（臺北，幼獅書店，民56）、蕭一山《中國近代史概要》（臺北，三民書局，民53）、王天民、李符桐、屠炳春等《中國近代史》（臺北，撰者印行，民58）、張玉法《中國近代史》（臺北，東華書局，民85）、沈雲龍《中國近代史大綱》（臺北，文海出版社，民73）、古鴻廷《中國近代史》（臺北，三民書局，民78）、段昌國《中國近代史》（臺北，大中國圖書公司，民64）及《中國通史—近代史》（臺北，衆文圖書，民79年2版）、黃大受《中國近代史大綱》（臺北，大中國圖書公司，民43）、《中國近代史綱》（臺北，世界書局，民49；臺北，五南圖書公司，民69）、《中國近代史要略》（臺北，撰者印行，民

59）、《中國近代史》（3冊，臺北，大中國圖書公司，民42-44）、李定一《中國近代史》（臺北，臺灣中華書局，民42）、宋璽編著《中國近代史》（臺北，學英書局，民74）、林震旦《中國近代史》（臺中，撰者印行，民56）、王成聖《中國近代史要略》（臺北，天聲出版社，民51）、董志群《中國近代史》（臺北，正中書局，民80）。此外尚有沈明璋編《中國近代史》（臺北，臺灣師大教務處出版組印行，民45）、傅志翔編著《中國近代史（含現代史）精解》（臺北，千葉書局，民77年再版）、黎明文化事業公司編《中國近代史》（臺北，編者印行，民62）、何健民《中國近代史》（臺北，撰者印行，民47）、汪大鑄《中國近代史》（臺北，中華民族文化研究所，民57年2版）、陳光棣《中國近代史》（臺北，世界書局，民53）、張玉法《中國近代史》（臺北，東華書局，民67）、國立編譯館編《中國近代現代史》（臺北，幼獅書店，民63）。

中國大陸1950年及其以後出版的中國近代史教科書，其百分之九十以上是敍事止於1919年的，重要的有東北軍政大學編《中國近代簡史》（瀋陽，新華書店，1950）、華北大學歷史研究室原編、華北人民政府教育部教科書編委會修訂《中國近代史（上冊）》（長春，新華出版社，1950）、彭明《中國近代簡史》（天津，聯合圖書出版社，1950；北京，新華書店，1951；上海，實習出版社，1952，附有參考材料）、張守常《中國近代史綱要》（天津，歷史教學月刊社，1952）、劉潔華《中國近代簡史》（上海，益昌書店，1953）、丁曉光《中國近代簡史》（北京，人民教育出版社，1954）、宋雲彬、李賡序編《中國近代史（高級中學課本）》

（華東人民出版社，1954）、胡繩《中國近代史提綱》（北京，中共中央高級黨校出版社，1956）、人民出版社編《新編近代史（第1卷附參考地圖）》（北京，編者印行，1956）、汪伯岩《中國近代史講話》（濟南，山東人民出版社，1957）、戴逸編著《中國近代史稿（第1卷）》（北京，人民出版社，1958）、林增平《中國近代史》（2冊，長沙，湖南人民出版社，1958）、上海市教育局編《中國近代史》（上海，上海教育出版社，1958）及《中國近代史講義》（同上，1959）、華東師大歷史系中國近代現代史教研組編《中國近代史講義》（上海，華東師大出版社，1959）、吉林師大中國近代史教研室編《中國近代史事記》（上海，上海人民出版社，1959）、王仁忱等《中國近代史（第1冊）》（同上，1962）、廣西壯族自治區中小學教材編寫組編《中國近代史》（南寧，廣西人民出版社，1972）、季赫文斯基著、北京師大歷史系翻譯小組譯《中國近代史》（2冊，北京，三聯書店，1974）、遼寧大學歷史系《中國近代史》編寫組編《中國近代史》（瀋陽，遼寧人民出版社，1975）、復旦大學歷史系中國近代史教研組編《中國近代簡史》（上海，上海人民出版社，1975）、張玉春、馬振文編《簡明中國近代史》（瀋陽，遼寧人民出版社，1976）、哈爾濱師院歷史系中國近代史教研室編《簡明中國近代史》（哈爾濱，黑龍江人民出版社，1976）、近代中國史稿編寫小組編《近代中國史稿》（2冊，北京，人民出版社，1976）、中國近代史編寫小組編《中國近代史》（北京，中華書局，1977；第3次修訂本，1983）、湖南師院《近代中國史話》編寫組編《近代中國史話》（北京，人民出版社，1977）、中國社會科學院近代史研究所編《中國近代史稿（第1-3冊）》（3冊，同上，1978-1984）、陳振江等《中國近代史新編》（3册，北京，人民出版社，1981-1988）、吳雁南主編《中國近代史綱》（2册，福州，福建人民出版社，1982-1983）、陳振江《簡明中國近代史》（天津，天津人民出版社，1983）、章開沅、陳輝主編《中國近代史》（武漢，湖北人民出版社，1983）、陳慶華主編《近代中國簡史》（北京，北京出版社，1984）、中國近代史編寫組編《中國近代史》（北京，工人出版社，1984）、孫開素、劉雲編著《中國近代史》（石家莊，河北人民出版社，1985）、吳家振主編《中國近代史（1840-1919）》（鄭州，河南人民出版社，1987）、九院校《中國近代史》編寫組編《中國近代史》（西安，西北大學出版社，1988）、徐泰來主編《中國近代史記》（3册，長沙，湖南人民出版社，1989）、陳理、彭武麟編著《中國近代史綱要》（北京，中央民族學院出版社，1991）、孫占元編著《中國近代史通論》（濟南，山東教育出版社，1991）、孫瑋、張禮恒主編《新編中國近代史教程》（青島，青島海洋大學出版社，1995）。其他與其相關的有王承仁、吳劍杰編著《中國近代八十年史》（武昌，武漢大學出版社，1985）、郭根《百年史話》（上海，平民出版社，1951）。

1950年及其以後在香港出版的中國現代史的教科書極少，僅只嚴靜文（即司馬長風）《中國現代史綱》（香港，波文書局，1975）、曹聚仁《現代中國通鑑（甲編）》（香港，三育圖書文具公司，1967）、錢清廉《中國現代史綱要》（香港，友聯出版社，1958）。其他以近代史等為題的有司馬長風《中國近代史輯要》（香港，創作書社，1977）、郭廷以《近代中國史綱》（香港中文大學，1979）、左舜生《中國近代史四講》（香港，友聯出版社，

1962）、呂見平《中國近百年史讀本》（香港，無名出版社，1941）、楊佐《中國近代史》（香港，三育圖書文具公司，1956）、黃福鑾《中國近代史》（2冊，香港，中國書局，1954）、陳崇興《中國近代史綱要》（香港，大公書局，1956）、公孫儀《簡明中國近代史》（香港，上海書屋，1958）。

日文撰寫的中國現代史教科書有岩村三千夫、野原四郎《中國現代史》（東京，岩波書店，1954；改訂本，1964）、岩村三千夫《現代中國の歷史》（3冊，東京，德間書店，1966）及《中國現代史入門》（2冊，東京，至誠堂，1963）、彭澤周《中國現代史－五四運動から四人組追放まで》（東京，泰流社，1978）、新島淳良、野村浩一編《現代中國入門－何を讀むべきか》（東京，勁草書房，1965）、宇野重昭等《現代中國の歷史》（東京，有斐閣，1986）、中嶋嶺雄《現代中國入門》（東京，講談社，1966）及《中國現代史－壯大なる歷史のドラマ》（新版，同上，1996）、守田藤之助《現代中國通論》（東京，三響社，1968）、小竹文夫《現代支那史》（東京，弘文堂，1940）、竹內實《中國現代史プリズム》（東京，蒼蒼社，1988）、藤原康晴《中國現代史への證言》（大阪，大阪書籍，1974）、野原四郎等《中國現代史》（東京，岩波書店，1954；改訂版，1964年出版）；毛里和子、國分良成編《原典中國現代史·第1卷－政治上》（東京，岩波書店，1994）、岡部達味、天兒慧編《原典中國現代史·第2卷－政治下》（同上）、小島鹿逸、石原享一編《原典中國現代史·第3卷－經濟》（同上）、達康吾、加藤千洋編《原典中國現代史·第4卷－社會》（東京，岩波書店，1995）、吉田富夫、萩野脩二編《原典中國現代史·第5卷－思想、文學》(同上)、太田勝洪、朱建榮編《原典中國現代史·第6卷－外交》(同上)、若林正丈、谷垣真理子、田中恭子編《原典中國現代史·第7卷－臺灣、香港、華僑華人》(東京，岩波書店，1995)、安藤正士、小竹一彰編《原典中國現代史·第8卷－日中關係》(同上)、岡部達味、安藤正士編《原典中國現代史·別卷》(同上，1996)；東亞同文書院支那研究部編《現代支那講座》(上海，東亞同文書院，1939；共6講，每講1册，第1講：地理、歷史；第2講：政治、法治；第3講：財政、金融；第4講：產業(1)；第5講：產業(2)、貿易；第6講：社會、文化)、山田辰雄編《歷史のなかの現代中國》(東京，勁草書房，1996)、野澤豐、田中正俊等編《講座中國近現代史》(東京，東京大學出版會，1978)共7卷(冊)，其各卷的主題依序為中國革命の起點(田中正俊撰)、義和團運動(高橋孝助撰)、辛亥革命(久保田文次撰)、五四運動(野澤豐撰)、中國革命の展開(姬田光義撰)、抗日戰爭(吉澤南撰)、中國革命の勝利(吉澤南撰)；姬田光義、阿部治平等《中國近現代史》(2册，東京，東京大學出版會，1982)、小島晉治、丸山松幸《中國近現代史》(東京，岩波書店，1986；其中譯本爲葉寄民譯，臺北，帕米爾書店，民81年出版)、陳舜臣《中國の歷史－近現代篇》(東京，平凡社，1991)、竺沙雅章監修、堀川哲男編《中國史－近現代(アジアの歷史と文化(5))》(東京，同朋社，1995)。其他以近代史等為書名的有風間阜《近世中國史》(東京，叢文閣，1937)、藏居良造《近代中國史》(東京，紀伊國屋書店，1965)、星斌夫《中國近代史話》(東京，近藤出版社，1972)、市古宙三《中國の近代》

（東京，河出書房新社，1969）、佐伯有一《近代中國》（東京，講談社，1975）、川上忠雄《近代中國百年史》（東京，高文堂出版社，1979）、陳舜臣《中國近代史ノート》（東京，朝日新聞社，1976）、狹間直樹等《データでみる中國近代史》（東京，有斐閣，1996）、佐野袈裟美《支那近代百年史》（2冊，東京，白揚社，1940）、長野朗《支那三十年史》（東京，大和書店，1942）、姬田光義、阿部治平、石井明、岡部牧夫、久保亨、中野達、前田利昭、丸山伸郎《中國20世紀史》（東京，東京大學出版會，1993）、風間阜《近世中華民國史》（東京，叢文閣，1939）、橘樸《中華民國三十年史》（東京，岩波書店，1943）、布施俊《中華民國史概說》（1936年出版）、橫山宏章《中華民國史－專制と民主の相剋》（東京，三一書房，1996）、松井等著《東洋近世史㈡》（東京，平凡社，1939）自鴉片戰爭述起，至1933年閩變為止。

英文撰寫的教科書，如John K. Fairbank, Albert M. Craig, and Edwin O. Reischauer, East Asia: The Modern Transformation.（Boston: Houghton Mifflin, 1965），係以東亞為對象，亦包括中國近現代史，美國各大學遠東史課程普遍採用為教本；Immanuel C. Y. Hsü（徐中約），The Rise of Modern China.（Oxford: Oxford University Press, 1970），從明末清初寫至1969年，其中文書名題為「中國近代史」，全書有註，每章節之後有參考書目。其他尚有Owen and Eleanor Lattimore, The Making of Modern China.（New York, 1944）、O. Edmund Clubb, Twentieth Century China.（New York: Columbia University Press, 1964），自

1900年義和團之變寫起，至1963年為止；Henry McAleavy, The Modern History of China.（New York, 1967）、K. S. Latourette, History of Modern China.（London, 1956）、Emily Hahn, China Only Yesterday: 1850-1950 A Century of Change,（London: Weidenfeld And Nicolson, 1963）、Jonathan D. Spence, The Search for Modern China.（New York, London: W. W. Norton & Company, 1990）、從明末述至1985年左右，共800多頁；Kenneth Lieberthal, Governing China: From Revolution to Reform.（New York, London: W. W. Norton & Company, 1995），自清末述至當代；Richard T. Phillips, China Since 1911.（New York: St. Martin's Press, 1996）、自1911年述至1990年代初期；Edwin E. Moise, Modern China: A History.（London: Longman, 1986）、Rafe de Crespigny, China this Century.（Hong Kong: Oxford University Press, 1992）、History of Cambridge: John K. Fairbank, Albert Feuer werker, eds. The Cambridge History of China, Vol. 12、13: Republican China, 1912-1949.（1983及1986年出版；其中譯本爲章建剛等譯《劍橋中華民國史·第1部、第2部》，上海人民出版社，1991及1992）、Edwin P. Hoyt, The Rise of the Chinese Republic: From the Last Emperor to Deng Xiaoping.（New York: McGrew-Hill Pub. Co., 1989）、John K. Fairbank, Roderick Mac Farquhar, eds., The Cambridge History of China, Vol. 14: The Emergence of Revolutionary China, 1949-1965.（1987年出版；其中譯本爲王建朗等譯、陶文釗等校《劍橋中華人民共和國史（1949-1965）》，上海人民出版社，1990）及The Cambridge History of China,Vol. 15:

Revolutions Within the Chinese Revolution, 1966-1982.（1991年出版；其中譯本爲金光耀等譯、王建朗等校《劍橋中華人民共和國史（1966-1982）》，上海人民出版社，1992）；其他的中華人民共和國史之專書尚有不少，將在專題部分中再行舉述。

其他與上述相關的著述如革命史（視之為專史亦無不可），其內容往往與許多中國近現代史教科書相去無多，1949年以前出版或臺灣史學家撰寫的革命史，多為國民革命史（即以國民黨黨史為中心的一部現代史，1949年以後中國大陸出版的革命史，卻是以中共黨史為中心的一部現代史。其重要的有李守孔《國民革命史》（臺北，中華民國各界紀念國父百年誕辰籌備委員會學術論著編纂委員會，民54），自興中會時代寫至1964年（民53年），敘事詳盡，取材豐富，為具有學術性的一本國民革命史，堪稱同類著述中的代表之作；鄺德生編《國民革命史》（南京，肇文書店，民18）、曹世昌《國民革命史》（臺北，國立編譯館，民85）、黃修榮《國民革命史》（重慶，重慶出版社，1992）、師鄭編《國民革命要覽》（新時代教育社，民16）、吳毅編《中國革命史》（新文書局，民16），敘事止於1925年孫中山逝世；貝華編《中國革命史》（上海，光民書局，民15），敘事始於辛亥革命，止於護法戰爭；印維廉《中國革命史》（上海，世界書局，民18）、陳功甫《中國革命史》（上海，商務印書館，民19）從清末述至北伐統一；馬雪瑞《我國革命史》（上海，新中國書局，民21）為通俗小學生讀物，敘事自興中會起至1927年寧漢分裂結束為止；文公直《中華民國革命全史》（上海，益新書社，民18），始自興中會，止於北伐完成；文氏另編有《中華民國革命史》（上海，民國國史研究會，民17年3版）、大同學會編《中華民國革命建國史》（2冊，上海，新光書店，民18）、中國現代史研究委員會編《中國現代革命史》（編者印行，民27）、杜冰波編《中華民族革命史》（上海，北新書局，民19）、鄒魯《中國革命史》（臺北，帕米爾書店，民41）、黃公偉《中國革命小史》（臺北，正中書局，民40）、萬樾圃《中國革命史話》（臺北，民50年2版）、李方晨《中國近代革命史》（臺北，民56年3版，革命史叢書）、楊銳《中國近代革命史》（臺北，建國出版社，民48）；蕭白帆《中國近百年革命史》（香港，求實出版社，1951）、葉蠖生《現代中國革命史話》（北京，開明書店，1951）、榮孟源《中國近百年革命史略》（北京，三聯書店，1954）、何幹之主編《中國現代革命史》（2冊，北京，高等教育出版社，1957-1958）、王德慶等《中國現代革命史講話》（濟南，山東人民出版社，1957）、胡華主編《中國革命史講義》（2冊，北京，中國人民大學出版社，1980）、蕭校欽、李良志、《中國革命史》（2冊，北京，紅旗出版社，1983-1984）、蕭超然、沙健孫主編《中國革命史稿》（北京，北京大學出版社，1984）、中國革命史編寫組編《中國革命史》（上海，學林出版社，1986）、王宗華主編《中國革命史》（武昌，武漢大學出版社，1986）、趙永憲主編《中國革命史》（濟南，山東大學出版社，1986）、蕭校欽主編《中國革命史新論》（濟南，山東人民出版社，1986）、劉孝良主編《中國革命史講義》（合肥，安徽人民出版社，1986）、陶凱主編《中國革命史》（武漢，武漢地質學院出版社，1986）、王家勛主編《中國革命史新論》（北京，檔案出版社，1986）、劉仁榮主編《中國革命簡史》（長沙，湖南大學出版社，1986）、丁鳳麟等編

《中國革命史綱》(上海,上海交通大學出版社,1986)、姜華宣主編《中國革命史簡編》(北京,光明日報出版社,1986)、西南四省區十四院校《中國革命史》編寫組編《中國革命史簡編》(成都,四川人民出版社,1986)、陳明顯等編著《新編中國革命史》(北京,工人出版社,1987)、單殿學、畢斯基主編《中國革命史簡明教程》(大連,東北財經大學出版社,1987)、中國革命史編寫組編《中國革命史》(北京,社會科學文獻出版社,1987)、李紹堂主編《中國革命史教程》(瀋陽,遼寧大學出版社,1987)、楊先材等編《中國革命史》(北京,中國人民大學出版社,1987)、吳雲鵬、康昭建主編《中國革命史》(上海,上海社會科學院出版社,1987)、復旦大學馬列主義理論教學部中國革命史教研室編《中國革命史教程》(上海,復旦大學出版社,1987)、叢笑蘭主編《簡明中國革命史》(北京,解放軍出版社,1988)、鄧永賢、辛文志、宋連勝主編《中國革命史》(北京,北京工業學院出版社,1988)、陳志平主編《中國革命史簡明教程:1840-1987年》(北京,中國法政大學出版社,1988)、傅元朔、劉孝良、丁佳訊主編《中國革命史》(北京,北京農業大學出版社,1988)、湖北省中國革命史編寫組編(馮定中主編)《中國革命史》(武漢,湖北人民出版社,1988)、馬菊英、楊世蘭、譚康主編《中國革命史》(廣州,廣東高等教育出版社,1989)、馬洪武主編《中國革命史》(南京,南京大學出版社,1990)、蕭效欽、甘國治、陳乃宣主編《中國革命史(1840-1956)》(北京,中共黨史資料出版社,1990)、孫少華主編《中國革命史》(北京,北京理工大學出版社,1990)、趙京鋒主編《中國革命史》(哈爾濱,黑龍江人民出版社,1991)、張蘭英、張寶珍《中國革命史》（北京，北京出版社，1991）、丁蔭燧主編《中國革命史教程》（上海，上海人民出版社，1995）、林辰主編《中國革命三十年：1919-1948》（北京，北京出版社，1983）、胡華編著《中國新民主主義革命史：初稿》（廣州，新華書店，1950）及《中國新民主主義革命史》（北京，中國青年出版社，1981）、李新《中國新民主主義革命史講話》（廣州，廣東人民出版社，1977）、蕭超然、沙健孫主編《中國新民主主義革命史簡編》（同上，1982）、黃河編著《中國新民主主義革命史通俗講話》（北京，農村讀物出版社，1984）、李新等主編《中國新民主主義革命時期通史（第1-4卷）》（4冊，北京，人民出版社重印，1980-1981）。長野朗《國民革命全史》（東京，坂上書院，1937）、吉野作造、加藤繁《支那革命史》（京都，内外出版社，1922）、本鄉賀一《中國革命史》（東京，朝日新聞社，1947）、吉野作造《中國革命史論》（東京，新紀元社，1948）、池田誠、儀我壯一郎、松野昭二《中國革命史：太平天國から人民公社へ》（京都，法律文化社，1965）、矢野仁一《中國人民革命史論》（1966年出版）、岩村三千夫《中國革命史》（東京，青年出版社，1968）、藤村俊郎《中國革命》（東京，三省堂，1971）。T'ang Leang-li（湯良禮），The Inner History of the Chinese Revolution.（London: George Routledge & Sons, 1930）、Godfrey Kwok, Chinese Tapestry: A Short Chronicle of the Chinese Revolution, 1911-49.（London: Merrythought Press, 1966）、Harley Farnsworth MacNair, China in Revolution: An Analysis of Politics and Miltarism under the Republic.（Chicago: University of Chicago Press, 1931）、C. P.

Fitzgerald, Revolution in China.（New York, 1952；1964年易名爲The Birth of Communist China出版）、Lucien Bianco, Origins of the Chinese Revolution, 1915-1949.（Stanford, Calif.: Stanford University Press, 1971）敍述中共勢力在中國崛起的經過；John K. Fairbank, The Great Chinese Revolution, 1800-1985.（New York: Harper & Row, 1986；其中譯本爲劉尊棋譯《偉大的中國革命（1800-1985）》，北京，國際文化出版社，1989）作者在該書中，其數十年來一貫的偏袒中共的態度已略有改變，對國共政權有較為持平的看法。

二、論文集

⑴張玉法主編《中國現代史論集》（臺北，聯經出版事業公司，民69～71）、共分10輯，收錄的文章，包括已發表的論文、以前未經發表或新撰寫的論文、以及書評，甚具參考價值，為中國現代史入門必備之物。第1輯《總論》，第2輯《史料與史學》，第3輯《辛亥革命》，第4輯《民初政局》，第5輯《軍閥政治》，第6輯《啟蒙運動》，第7輯《護法與北伐》，第8輯《十年建國》，第9輯《八年抗戰》，第10輯《國共鬥爭》。⑵中華文化復興運動推行委員會主編《中國近代現代史論集》（臺北，臺灣商務印書館，民75），共有30編，收錄中文撰寫的有關論文（不含譯稿、書評、掌故、資料編纂），以民國三十八年以後發表者為主，但民國三十八年以後於中國大陸出版的論文則不收錄。其中現代史部分為第17編《辛亥革命》、第18編《近代思潮》、第19至21編《民初政治》、第22編《新文化運動》、第23編《民初外交》、第24編《護法與北伐》、第25編《建國十

年》、第26編《對日抗戰》、第27編《中共問題》、第28編《區域研究》、第29編《近代歷史上的臺灣》、第30編《復興基地建設》，亦甚有參考價值。(3)《中華民國建國史討論集》（臺北，國民黨黨史會，民70），係輯印民國七十年八月間在臺北舉行的中華民國建國史討論會73篇論文及討論經過：該論文集共6冊，第1冊《辛亥革命史》的論文，第2冊《開國護法史》，第3冊《北伐統一與訓政建設史》，第4冊《抗戰建國史》，第5冊《中興建設史》，第6冊《附錄》（內容為該討論會的組織、規章、出席人名錄以及新聞專訪與評論）。(4)中華民國歷史與文化討論集編輯委員會《中華民國歷史與文化討論集》（臺北，該會，民73），係輯印民國七十三年五月間在臺北舉行的中華民國歷史與文化學術討論會60篇論文並討論經過及相關文件，共有4冊，第1冊《國民革命史》，第2冊《政治外交史》，第3冊《文化思想史》，第4冊《社會經濟史》。(5)吳相湘主編《中國現代史叢刊》（共6冊：1-4冊，係正中書局出版，民50；5～6冊，文星書店，民53），以刊載論文和史料為主。可讀性亦高，惟其出版較早，收錄之論文和史料亦較少，為其缺點。(6)中華民國史料研究中心編印《中國現代史專題研究報告》（已出版18輯，民60～85），刊載該中心所舉辦歷次學術研討會（多為專題演講會）的記錄和論文。(7)張其昀主編《中華民國建國六十週年紀念論文集》（臺北，國防研究院，民59），共分政治、經濟、軍事、教育與文化四類，計58篇論文，均以「近六十年……」為題。(8)張其昀主編《中華民國開國五十年史論集》（臺北，國防研究院，民51）。(9)王曾才等著《中國現代史（Chinese history, Vol. Ⅲ: Modern Period）》（臺北，中國文化大學，民70），蒐集有關近現代史論文23篇，其中泰半為討論中外關係的論著。⑽中華民國建國八十年學術討論集編輯委員會編《中華民國建國八十年學術討論集》（共4冊，臺北，近代中國出版社，民80），為該年8月11至15日，在臺北舉行的國際學術討論會的論文集，第1冊《政治軍事史》，第2冊《國際關係史》，第3冊《教育文化史》，第4冊《社會經濟史》，每冊載論文20篇，共計80篇。⑾中華民國史專題第一屆討論會秘書處編輯《中華民國史專題論文集：第一屆討論會》（臺北，國史館，民81），該討論會於民國81年8月6日至8日在臺北舉行，共載有論文28篇。⑿中華民國專題第二屆討論會秘書處編輯《中華民國史專題論文集：第二屆討論會》（臺北，國史館，民82），該討論會於民國82年9月9日至11日在臺北舉行，共載有論文29篇。至於《中華民國史專題論文集：第三屆討論會》（臺北，國史館，民85），係民國84年10月19日至21日為慶祝抗戰勝利暨臺灣光復五十週年而在臺北舉行學術討論會之論文集，共有論文43篇，其題目均為抗戰建國史及臺灣光復史方面，其內涵較第一、二屆更專、更狹。⒀李雲漢主編、高純淑編輯《中國國民黨黨史論文選集》（共5冊，臺北，近代中國出版社，民83），係蒐集臺灣地區研究中國國民黨歷史之相關中文論文已發表者，共計100篇，以慶祝該黨建黨一百週年。⒁國父建黨革命一百周年學術討論集編輯委員會編《國父建黨革命一百周年學術討論集》（4冊，臺北，近代中國出版社，民84），為民國83年11月19日至23日，在臺北舉辦之國父建黨革命一百周年學術討論會所宣讀討論的論文集，其論文共99篇（原約定討論論文100篇，屆時有1篇未能及時提出），第1冊為革命開國史組，第2冊為北伐統一史組，第3冊為抗戰建國史組，第4冊為光復建設史組，所涉及的範圍甚廣。⒃中國現代史學會編《中國現代史論文摘編》（鄭州，河南人民出版社，1984）。⒄中國人民大學清史研究所編《中國近代史論文集》（2冊，北京，中華書局，1979）。⒅辛亥革命研究會編《中國近現代史論集—菊池貴晴先生追悼論集》（東京，汲古書院，1985），共載有論文21篇，撰者有山根幸夫、久保田文次、野澤豐、田中正美、中村義、小島淑男、松本武彥、藤井昇三、渡邊惇、濱口允子等著名學者，並包括菊池貴晴的一篇遺稿。

其他專供大學院校教學之用的，有逢甲大學歷史教學研究會編《中國現代史論文暨史料選集》（臺中，逢甲大學出版組，民73）、歷史教學小組編《中國現代史論文選》（新竹，國興出版社，民74）、國彰出版社編印《中國現代史論文選輯》（臺中，民74）、中興大學歷史系中國通史教學研討會編輯《中國現代史論文選輯》（臺中，中興大學歷史系發行，民74）、林能士、胡平生合編《中國現代史論文選輯》（臺北，南京出版公司，民67；華世出版社，民69再版，民71三版）。

至於個人論文集（多為已發表的散篇論文予以彙集而出版），如⑴吳相湘《近代史事論叢》（3冊，臺北，文星書店，民53；傳記文學出版社，民67再版）、《民國人和事》（臺北，三民書局，民60）《近代人和事》（同上）、《近代史料舉隅》（臺北，自由太平洋文化事業公司，民54）、《民國史縱橫談》（臺北，時報文化出版公司，民69）、《歷史與人物》（臺北，東大圖書公司，民67）、《現代史事論述》（臺北，傳記文學出版社，民76）。⑵沈雲龍《近代史料考釋》(3冊，臺北，傳記文學出版社，民61)、《近代史事與人物》(臺北，文海出版社，民60)、《民國史事與人物論叢》(臺北，傳記文學出版社，民70)。(3)左舜生《中國近代史話》(2冊，臺北，文星書店，民56)。(4)蔣永敬《近代人物史事》(臺灣商務印書館，民68)、《現代史料論集》(同上，民67)。(5)李雲漢《中國現代史論和史料》(臺北，臺灣商務印書館，民68)。(6)李守孔《中國近百餘年大事述評—中國近代現代史論文集》(5冊，臺北，臺灣學生書局，民85)。(7)李國祁《民國史論集》(臺北，南天書局，民79)。(8)李恩涵《近代中國史事研究論集》(2冊，臺北，臺灣商務印書館，民71、76)。(9)丁守和《中國現代史論集》(北京，中國社會科學出版社，1980)、《中國革命史叢論》(廣州，廣東人民出版社，1985)。(10)彭明《中國近現代史論文集》(廣州，廣東人民出版社，1982)。(11)李時岳《近代史新論》(汕頭，汕頭大學出版社，1993)。(12)黎澍《近代史論叢》(北京，學習雜誌社，1956)。(13)來新夏《中國近代史述叢》(濟南，齊魯學社，1983)。(14)苑書義《中國近代史論稿》(石家庄，河北教育出版社，1988)。(15)李侃《中國近代史散論》(北京，人民出版社，1982)。(16)陳旭麓《近代史思弁錄》(廣州，廣東人民出版社，1984)。(17)宋晞《中國現代史論叢》(臺北，正中書局，民78)。(18)楊天石《尋求歷史的謎底—近代中國的政治與人物》(2冊，臺北，文史哲出版社，民83)。其他不是以中國近、現代史(或民國史)為題的個人論文集尚多，在此不再一一舉述。

三、資料集

以中國現代史為題的資料集有中原大學政治研究室編《中國現代史資料選輯》（5冊，編者印行，民38），係從中共中央文件及中央領導人物的文章中摘出有關章節編成，第1冊述五四及中共的成立至1925年，第2冊記述1925年至1927年的大革命，第3冊為土地革命，第4冊為抗日戰爭，第5冊為解放戰爭，即戰後的國共內戰。上海師大中國現代史教學小組編《中國現代史資料選輯》（上海，上海師大出版社，1977），共4冊，第1冊為黨的創立和第一次國內革命戰爭時期第2冊為第二次國內革命戰爭時期，第3冊為抗日戰爭時期第4冊為第三次國內革命戰爭時期。魏宏運主編《中國現代史資料選編》（哈爾濱，黑龍江人民出版社，1981），計5冊，第1冊為五四運動與中國共產黨創建時期，第2冊為第一次國內革命戰爭時期，第3冊為第二次國內革命戰爭時期，第4冊為抗日戰爭時期，第5冊為第三次國內革命戰爭時期。彭明主編《中國現代史資料選輯》（北京，中國人民大學出版社，1987-1989），共6冊，第1冊係1919-1923年第2冊係1924-1927年，第3冊係1927-1931年，第4冊係1931-1937年，第5冊係1937-1945年，第6冊係1945-1949年。彭明主編《中國現代史資料選輯。第1、2冊補編（1919-1927）》（北京，中國人民大學出版社，1991）；其第5冊之補編，則於1993年出版。王檜林主編《中國現代史參考資料》（北京，高等教育出版社，1988）、成功大學歷史系編印《中國現代史參考資料》（臺南，民71）、武漢大學歷史系編印《中國現代史教學參考資料》（3冊，武漢，1957）；《中國現代史教學參考資料》（2冊，上海，上海教育出版社，1960）、東北師大中國近代史教研室編印《中國現代史補充參考資料（1-4輯）》（4冊，長春，1957）；

《現代史料》（3冊，海天出版社，民22-23）、趙子明主編《中國近現代史參考資料》（長春，吉林人民出版社，1990）。以中國近代史、中國近百年史或中華民國史為題的有包遵彭、李定一、吳相湘合編《中國近代史論叢》（臺北，正中書局，民34-57），共有兩輯，第1輯共10冊，第1冊：史料與史學，第2冊：中西文化之交流，第3冊：早期中外關係，第4冊：太平軍，第5冊：自強運動，第6冊：第一次中日戰爭，第7冊：維新與保守，第8冊：中華民國之建立，第9冊：第二次中日戰爭，第10冊：俄帝之侵略；第2輯共6冊，第1冊：不平等條約與平等新約，第2冊：社會經濟，第3冊：財政經濟，第4冊：華僑，第5冊：政治，第6冊：教育。北京師大歷史系中國近代史組編《中國近代史資料選編》（2冊，北京，中華書局，1977）、楊鄧編《中國近代參考資料·第1集》（上海，讀書出版社，民36）、楊松、鄧力群編《中國近代史參考資料》（解放社，民29）、中國人民大學中國歷史教研室編《中國近代史參考資料》（北京，中國人民大學出版社，1955）、榮孟源編《中國近代史資料選輯》（北京，三聯書店，1954）、中國史學會濟南分會編《中國近代史資料（第3分冊）》（濟南，山東人民出版社，1961）、翦伯贊、鄭天挺主編《中國通史參考資料（近代部分）》（2冊，修訂本，北京，中華書局，1980）、徐錫祺、顏家珍編輯《中國歷史資料選（現代部分）》（石家庄，河北人民出版社，1987）、孫曜編《中華民國史料》（3冊，上海，文明書局；臺北，文海出版社影印，民55）、中國第二歷史檔案館編《中華民國史檔案資料彙編》（南京，江蘇古籍出版社，1991），共4輯20冊，第1、2輯為辛亥革命、南京臨時政府，合為1冊，第3輯共17

冊，為北洋政府和南京兩個時期的政治（2冊）、軍事（4冊）、經濟（1冊）、外交（1冊）、文教（1冊）、民眾運動（1冊）、工礦業（1冊）、農商（2冊）、教育（1冊）、文化（1冊）、金融（2冊）、財政（2冊），第4輯為從廣州軍政府至武漢國民政府（1917-1927年），共2冊；萬仁元、方慶秋主編、中國第二歷史檔案館編《中華民國史史料長編》（70冊，南京，南京大學出版社，1993）。其他如北京大學國際政治系編《中國現代史統計資料選編》（鄭州，河南人民出版社，1985）、中國科學院近代史研究所（1979年改隸於中國社會科學院）近代史編輯組編《近代史資料》，為一定期出版的資料集，其第1號於1954年出版，現已出至第1000餘號；全國政協文史資料研究委員會編《革命史資料》（北京，中國文史出版社），其第1輯於1980年出版；梁餘主編《中國革命史參考資料精選》（2冊，重慶，重慶大學出版社，1988）、胡華等編《中國新民主主義革命史參考資料》（上海，商務印書館，1951）、國民黨黨史會編印《革命文獻》，其第1輯於民國42年5月出版，至78年6月出至第117輯後即停止編印刊行，因輯數太多，每輯的標題及內容不擬在此一一舉述。

四、研究概況

以中國現代史為題的有張玉法〈現代中國史研究的趨勢〉（《人與社會》2卷5期，民63年12月；亦收入張玉法主編《中國現代史論集．第2輯—史料與史學》內，臺北，聯經出版事業公司，民69）、陳鐵健〈中國現代史研究的歷史回顧〉（《近代史研究》1991年3期）、張注洪〈建國以來中國現代史研究述略〉（《歷史教學》1989年10

期）、張憲文〈四十年來中國現代史研究的重大發展〉（《史學月刊》1991年1期）、徐矛〈中國現代史研究的三十五年〉（《復旦學報》1984年5期）、戴緒恭、譚克繩主編《中國現代史研究概覽》（武昌，華中師大出版社，1990）、伊藤一彥等編《現代中國研究案內》（東京，岩波書店，1990）、今崛誠二《中國現代史研究序說》（東京，勁草書房，1980）、吳振漢〈中國現代史的研究現況〉（《史匯（中央大學歷史研究所）》第1期，民85年6月）、賴澤涵〈中國現代史研究的過去、現在與未來〉（同上）、野原四郎〈現代中國研究の動向〉（《專修大學社會科學研究所月報》126號，1974年3月）、黃世憲〈略談中國現代史研究的發展趨勢〉（《成都大學學報》1986年2期）、吳相湘〈中國現代史研究中的幾個問題〉（《傳記文學》50卷1期，民76年1月）、陳木杉〈從國外「中國研究」觀中共對「中國現代史」的研究〉（《共黨問題研究》13卷11期，民76年11月）、張玉法〈有關中國現代史一般論著例舉〉（載張玉法主編《中國現代史論集．第2輯—史料與史學》內，民69）及〈有關中國現代史日文論著例舉〉（同上）、韓鳳琴編譯〈90年代日本研究中國現代史的傾向〉（《國外中共黨史研究動態》1994年3期）、國際歷史學會議日本國內委員會編，宮長為、趙德生、高樂才譯《戰後日本的中國現代史研究綜述》（延吉，延邊大學出版社，1988）、欒炳南〈日本對「現代中國」研究之方法理論與趨向〉（《人與社會》2卷6期，民64年2月）、孫准植〈簡介韓國的中國現代史研究〉（《中國歷史學會史學集刊》20期，民77年5月）、李炳柱〈韓國的中國現代史研究動向〉（《歷史教學》1996年8期）、裴景漢〈韓國的中國現代史研究現狀與前景〉（《近代史研究》

1996年4期)、鮑家麟〈有關中國現代史的西文著作〉(《人與社會》2卷5期,民63年12月;亦收入張玉法主編《中國現代史論集·第2輯—史料與史學》內)、Paul A. Cohen, Discovering History in China: American Historical Writing on the Recent Chinese Past. (New York: Columbia University Press, 1984),其中譯本為柯保安著,李榮泰等譯《美國的中國近代史研究》(臺北,聯經出版事業公司,民80)、Ramon H. Myers & Thomas A. Metzger著,劉紀曜、溫振華合譯〈漢學的陰影:美國現代中國研究近況〉(《食貨月刊》復刊10卷10期、11期,民70年1、2月)、布羅夫演講,陳淑銖紀錄整理〈俄羅斯中國現代史研究概況〉(《國史館館刊》復刊18期,民84年6月)、重森宣人〈リ連の現代中國研究—最近の中國現代史資料〉(《アジア ·クオータリ》10卷2號,1978年4月)。以中國近現代史為題的有久保亨〈〝天安門〞以降の中國近現代史研究〉(《歷史評論》500號,1991年12月)、坂野良吉〈新中國40周年と中國近現代史研究の反省〉(《埼玉大學人文科學紀要》39號,1990年10月)、陳三井〈法國的近代現代中國史研究〉(《中央研究院近代史研究所集刊》第1期,民58年8月;亦收入張玉法主編《中國現代史論集·第2輯》內)、張振鵾、劉存寬《法國研究中國近現代史近況》(《近代史研究》1981年2期)、吳金城〈近十年來韓國的中國近現代史研究〉(《近代中國史研究通訊》15期,民82年3月)、田中仁著,祁建民譯〈十年來日本關於中國近現代史和當代史的研究〉(《歷史教學》1993年4期)、安藤正士〈中國の現代化政策と近現代史研究の動向〉(《現代中國》61號,1987年6月)、《季刊中國研究·第7號(1987年春季號)》特集二《中國近現代史研究の新潮流（小島晉治、杉山文彥等著）》。以中國近代史（通常含現代史）為題的有中央研究院近代史研究所六十年來的中國近代史研究編輯委員會編《六十年來的中國近代史研究》（2冊，臺北，中央研究院近代史研究所，民78）、香港中國近代史學會編《中國近代史研究新趨勢》（臺北，臺灣商務印書館，民84臺初版）、小島晉治、并木賴壽編《近代中國研究案內》（東京，岩波書店，1993）、坂野正高、田中正俊、衛藤瀋吉編《近代中國研究入門》（東京，東京大學出版會，1974）、宮明編《中國近代史研究述評選》（北京，中國人民大學出版社，1986）、今堀誠二《中國近代史研究序說》（東京，勁草書房，1968）、佐伯有一〈中國近代史研究についての若干問題－研究狀況に即して〉（《歷史學研究》311號，1966年4月）及〈中國近代史研究の諸問題－東アジア歷史像の再檢討〉（同上，316號，1966年9月）、市古宙三等〈中國近代史研究をぬぐつて〉（《歷史評論》89號，1957年10月）、市古宙三〈近代中國研究の手びき－日本人の研究論文を探す方法〉（《近代中國研究センター彙報》10號，1967年10月）及〈近代中國研究の手びき－人物について調べる方法〉（《お茶の水史學》第7號，1964年12月）、小林一美〈中國近代史の視點－戰後歷史學における方法論の批判と反省〉（《史潮》101號，1967年11月）、張海鵬〈中國近代史研究的回顧〉（《近代史研究》1989年6期）、郭世佑〈近年來中國近代史宏觀研究綜述〉（《歷史教學》1990年6期）、胡春惠、林能士〈四十餘年來大陸中國近代史（1840-1949）研究之調查及評估－以中國社會科學院近代史研究所為中心的探討〉（載沈清松主編《中國大陸人文及社會科學發展現況》，臺北，政治大學學術研究發展委員會，民84）、吳景宏〈七十年來中國近代史研究述略〉（《珠海學報》12期，民70年8月）、李守孔〈近七十年來國人對中國近代史之研究〉（《中國歷史學會史學集刊》13期，民70年5月）、李侃、李占領〈中國近代史研究的回顧與展望〉（《歷史教學》1992年4期）、劉大年〈中國近代史研究的現狀〉（《近代史研究》1980年2期）、蘇全有〈中國近代史研究狀況憂思錄〉（《中州學刊》1995年5期）、曾景忠〈1986-1990年中國近代史研究概述〉（《史學月刊》1991年5期）、張玉法〈中國近代史研究的新方向〉（收入氏著《歷史演講集》，臺北，東大圖書公司，民80）、辛亥革命研究會編《中國近代史研究入門》（東京，汲古書院，1992）、李恩涵〈研究中國近代史的趨勢與必要參考書目〉（《思與言》4卷5期，民56年1月；亦收入張玉法主編《中國現代史論集·第2輯》內）、楊意龍〈「西方」研究中國近代史的趨勢與必要參考書目〉（《思與言》15卷6期，民67年3月）、劉廣京〈三十年來美國研究中國近代史的趨勢〉（《近代史研究》1983年1期）；〈黃宗智談美國研究中國近代史和近代經濟史情況〉（《社會科學》1981年4期）、秦惟人著，中村達雄、王玉華合譯〈近年來日本對研究中國近代史的狀況〉（《南開史學》1989年2期）、林啟彥〈近十年來日本研究中國近代史的概況〉（《香港中國近代史學會會刊》第2期，1988）及〈香港的中國近代史研究述要〉（《近代中國史研究通訊》12期，民80年9月）、李木妙〈中國近代史研究在香港〉（同上，第8期，民78年9月）、梁元生〈中國近代史研究在新加坡〉（同上，第2期，民75年9月）、張存武〈韓國研究中國近代史之現狀〉（《中央研究院近代史研究所集刊》第1期，民58年8月；亦收入張玉法主編《中國現代史論集·第2輯》內，民69）、李國祁〈西德近代中國問題研究之概況〉（同上）。以中華民國史為題的有李雲漢〈七十年來之民國史研究述略〉（《中國歷史學會史學集刊》13期，民70年5月）及〈八十年來的民國史研究〉（《國史館館刊》復刊10期，民80年6月）、曾景忠編《中華民國史研究述略》（北京，社會科學出版社，1990）、萬仁元〈近年來民國史研究綜述〉（《民國春秋》1992年6期）、李宗一〈民國史研究的回顧與展望〉（《中國建設》1984年4期）、張玉法〈民國史研究的過去與未來〉（收入氏著《歷史演講集》，臺北，東大圖書公司，民80）、吳相湘〈民國史研究的啟示—中華民國建國史的撰述不容再遲緩了〉（《東方雜誌》復刊3卷7期，民59年1月）、張憲文〈民國史研究述評〉（《歷史研究》1995年2期）及〈中國大陸民國史研究述評〉（《近代中國史研究通訊》18期，民83年9月）、王壽南、王家儉、胡春惠〈論述大陸地區對民國史的研究—中華民國史料研究中心第138次學術討論會紀錄〉（《近代中國》81期，民80年2月）、朱信泉〈中華民國史研究簡況〉（《歷史研究》1982年4期）、徐輝琪〈大陸孫中山與中華民國史研究概況〉（《中山社會科學季刊》5卷4期，民80年冬季刊）、張玉法〈中國大陸學者對民國史的研究（1949-1992）〉（《興大歷史學報》第3期，民82年4月）及〈中華民國史研究在臺灣〉（《近代中國史研究通訊》第8期，民78年9月）、王克文〈最近西方的民國史研究〉（《中國論壇》4卷3期，民66年5月；亦收入張玉法主編《中國現代史論集·第2輯》內，民69）、William C. Kirby著，賴惠敏、張力譯〈最近美國的民國史研究：國民黨治下的中國〉（《近代中國史研究通訊》第9期，民79年3月）、Stephen Averill著，張淑雅、張力譯〈最近美國的民國史研究(2)：中共領導下的革命運動〉（同上，10期，民79年9月）、久保亨〈アメリカにおける近年の中華民國史研究〉（《近きに 在りて》16號，1989年11月）、Peter M. Ivanov, "Studies on Republican China in the Soviet Union"（Republican China, Vol.15, No.2, 1990）、野澤豐編《日本の中華民國史研究》（東京，汲古書院，1996）、王春南〈蘇聯近年民國史研究及出版〉（《學海》1993年2期）。其他如《アジア歴史研究入門》（京都，同朋舍，1983）第2卷中狹間直樹、小野信爾、竹內實等所撰之中國近代、現代部分；山根幸夫編《中國史研究入門》（東京，山川出版社，1983）中有關近代、現代部分的介紹、高明士主編《中國史研究指南·第5冊—近代史·現代史》（臺北，聯經出版事業公司，民79）、陳木杉《大陸學界編寫「中國歷史」的理論與實際》（臺北，國立編譯館，民85），其中第六章為中國大陸史學界編寫中國現代史之實際（1840-1949）第七章為中國大陸史學界編寫中華民國之實際（1911-1949），兩章約占全書一半以上的篇幅。。英文著述而無中譯文者，有Andrew J. Nathan, Modern China, 1840-1972: An Introduction to Sources and Research Aids（Ann Arbor: University of Michigan Press, 1971）、Albert Feuerwerker & Cheng S., Chinese Communist Studies of Modern China.（Cambridge, Mass.: Harvard University Press, 1961）、Albert Feuerwerker, Approaches to Modern Chinese History.（Berkeley: University of California Press, 1967）、Hans Van de Ven, "Revent Studies of Modern Chinese History."（Modern Asian Studies, Vol.30, Part 2, May 1996）、Peter Berton & Eugene Wu

（吳文津），Contemporary China: A Research Guide.（Stanford: The Hoover Institution, 1967）、Joshua A. Fogel, ed., Recent Japanese Studies of Modern Chinese History.（Leiden: E. J. Brill, 1985）、Joshua A. Fogel, ed. & tr., Recent Japanese Studies of Modern Chinese History.（A Special Issue of Chinese Studies in History, Vol.18, Nos. 1-2, New York, M. E. Sharpe,1984）、Lucien Bianco, "French Studies of Contemporary China."（The China Quarterly, No.142, 1995）、David Shambaugh, ed. American Studies of Contemporary China.（Wahington, D. C.: The Woodrow Wilson Center Press, 1993）、Peter M. Ivanov, " Studies on Republican China in the Soviet Union."（Republican China, Vol.15, No.22, 1990）。Ole Bruun, ed., Modern China Research: Danish Experiences（Copenhagen: University of Copenhagen, Discussion Papers Special Issue, 1991）。此外，中國大陸尚出版有幾本關於中國現代史史料學的專書，如陳明顯主編《中國現代史料學概論》（北京，北京大學出版社，1985）、何東《中國現代史史料學》（北京，求實出版社，1987）。中國革命史方面則以李雲漢〈中國近代革命史資料與研究之初步觀察〉（載《漢學研究》7卷2期，民78年12月）最為重要。

五、工具書

研究中國現代史的工具書有許多種，茲分類介紹如下：其一是有關近現代中國史的書目：有榮天琳主編，成漢昌、張注洪、曹夢陽、強重華等合編《中國現代史論文著作目錄索引（1949-

1981）》（北京，北京大學出版社，1986），收錄1949年10月至1981年12月中國大陸發表的有關從五四運動到中華人民共和國建立這一段歷史時期的論文、著作及史料等，共約20000餘個條目。成漢昌、王秀美、何實《中國現代史論文著作目錄索引（1982-1987）》（同上，1990），為上書的續編，收錄1982年1月至1987年12月發表和出版的論文、著作及史料，共約40000個條目。徐舸主編《中國近現代史論著目錄總匯（1980-1990）》（南京，南京大學出版社，1992），收錄1980年至1990年間中國大陸所發表和出版的有關中國近現代史（1840-1980）的論文和著作，分上下兩冊出版，一為論文部分，一為專書部分。李光一主編《中國現代史論文書目索引》（開封，河南大學出版社，1986），所蒐內容起自1949年10月，終至1984年12月。南開大學歷史系中國現代史教研室資料室合編《建國以來中國現代史論文目錄索引（1949-1982年6月）》（天津，南開大學出版社，1982），分總類、五四運動和中共的成立、第一次國內革命戰爭時期、第二次國內革命戰爭時期、抗日戰爭時期、第三次國內革命戰爭時期、人物七個部分來舉述，復旦大學歷史系資料室編《中國近代史論著目錄，1949-1979》（上海，上海人民出版社，1980），全書計分三個部分：其一為報刊論文資料索引（10000餘條）；其二為論文集篇目分類索引（引用論文集80多種）；其三為書目（收錄書籍1200餘種）。遼寧大學歷史系中國近代史教研室編《中國近代史論文資料索引》（瀋陽，遼寧大學歷史系，1981），收集了自1949年至1979年12月中國大陸出版的主要報刊上有關中國近代史方面的論文資料篇目，全書分總類和分類兩部分，書後並附錄有1949年以前的部分論文資料索引和論文資料集篇目分類索引。近代中國研究委員會編纂《東洋文庫所藏近代中國關係圖書分類目錄：中國文》（東京，東洋文庫，1975；其續編，即該文庫於1974-1991年新收藏的書籍書目，1992年出版）及《東洋文庫所藏近代中國關係圖書分類目錄：日本文》（同上，1973；再版，1978）；楊詩浩、韓榮芳編《國外出版中國近現代史書目：1949-1978》（上海，上海人民出版社，1980），全書分西文（英、法、德、意、匈、捷、瑞典等）、俄文和日文三部分來舉述；中國社會科學院近代史研究所編印《國內外有關中國近現代史書目一覽（1949-1977）》（北京，1978）共2分冊，第1分冊為中文部分，第2分冊為外文部分，另附國外中國近代史研究概況和國外出版有關中國近現代史工具書簡介兩個附錄；近代中國關係文獻目錄刊行委員會編集《近代中國關係文獻目錄，1945-1978》（東京，中央公論美術出版，1980），收集1945年8月至1978年3月間用日文所發表關於近代中國（含現代中國）的書籍和論文，主要係取材自《東洋學文獻目錄》（京都大學人文科學研究所附屬東洋學文獻センター）、《日本における東洋史論文目錄》（東洋史研究論文目錄編集委員會）、《史學雜誌》（史學會）所載之文獻目錄、《雜誌記事索引》（國立國會圖書館）、《戰後雜誌目次總覽》（東京大學社會科學研究戰後改革研究會），其篇幅甚鉅，數量驚人（共21040種（篇）），惜並未分類編目（係以作者為綱，列述其所撰之書籍和論文），查閱、使用，極其不便；アジア經濟研究所編《中國近．現代史關係中文論文目錄（1949-1982）》（東京，編者印行，1984），係取材自此時期間之《人民日報》、《光明日報》、《學術情報雜志》、文史資料和複印報刊資料，全書分為時期與事件、人物兩部分，內容涉及有關從辛亥革命到中華人民共和國成立前的史事；姚佐綬、周新民、岳小玉合編《中國近代史文獻必備書目（1840-1919）》（北京，中華書局，1996）；John K. Fairbank and Liu Kwang-ching（劉廣京），eds., Modern China: A Bibliographical Guide in Chinese Works, 1898-1937.（Cambridge, Mass.: Harvard University Press, 1950）、John K. Fairbank, ed., Bibliographical Guide to Modern China: Works in Western Language.（Harvard University Press, 1948）、Noriko Kamachi, John K. Fairbank, Chúzó Ichiko, Japanese Studies of Modern China Since 1953-A Bibliographical Guide to Historical and Social Science Research on the 19th and 20th Centuries.（Harvard University Press, 1975）；Modern China, 1912-1949: A Bibliographical Guide.（New York: East Asian Library, Columbia University, 1965）、G. William Skinner, ed., Modern Chinese Society: An Analytical Bibliography.（Stanford, Calif.: Stanford University Press, 1973）共3卷，第1卷為西文目錄，1644-1972年，第2、3卷分別為中文及日文著作目錄（中文部分由Skinner與謝文孫合編，日文部分係與富田重亮合編，共有120人參與註解的工作），共選錄書目31400種；天津市人民圖書館編印《中國近代史資料目錄（1840-1919）》（天津，1957），所收為1949年以前出版的有關中國近代史方面的圖書，包括中、日、英文三大部分，中文部分收圖書915種。山東大學歷史系中國近代史教研組編印《中國近現代史論文資料索引》（共5輯，濟南，1959-1963），收錄1949-1962年間中國大陸主要報刊上發表的有關

中國近現代史的論文資料。杭州大學歷史系資料室編印《中國近代史論文資料索引(1949-1960年12月)》(杭州,1961)收此時期間中國大陸主要期刊,報紙中刊載之有關論文和資料篇目計3552條。華東師大歷史系資料室編印《中國近代史參考書目初編》(上海,1962),全書分一般目錄、方志目錄、日文書目錄、西文書目錄四種目錄。鄭州中心圖書館委員會編印《中國近代史聯合目錄》(鄭州,1963),全書分1949年以後中國大陸所出版的中文平(精)裝書和中文線裝書兩大部分。杭州大學歷史系中國古代近代史組編印《中國近代史論文資料篇目索引(1949-1975)》(杭州,1976),全書分通論、分論、1975年篇目索引及補遺(亦分通論、分論)三部分來舉述、姚佐授等編《中國近代史文獻必備書目(1840-1919)》(北京,中華書局,1996)。

其二是年表及大事記:有東亞研究所編印《支那近百年表草稿》(東京,1941)、小島昌太郎編《支那最近大事年表》(東京,有斐閣,1942)、伊達宗義編《中國近·現代史略年表:アヘン戰爭から文化革命まで》(東京,拓殖大學海外事情研究所,1989)、竹內實編《中國近現代論爭年表(1895-1989)》(2冊,京都,同朋舍出版,1992)、劉海玉編《中國近代史大事記》(臺中,撰者印行,民61)記18842-1952年史事;Colin Mackerras, Modern China, A Chronology from 1842 to the Present.(With the Assistance of Robert Chan, London: Thames and Hudson／San Francisco: W. H. Freeman and Company, 1982)、近代中國出版社編《中國近代大事年表》(臺北,編者印行,民70)記事始於1866年,止於1981年;中國圖書進出口總公司編譯《中國現代史年表》(東京,國書刊行會，1981）；北京大學圖書館編印《中國現代史大事年表》（北京，1955）、房俊宜編《二十世紀中國大事年表（第3卷）》（香港，地平線出版社，1985）、國民黨黨史會編《中國國民黨八十年大事年表》（係由民53年出版之《中國國民黨七十年大事年表》增補而成，臺北，編者印行，民63），列述1894年至1974年6月史事，每隔10年加以增補出版，書名易為《中國國民黨九十年大事年表》（民73年出版）、《中國國民黨一百週年大事年表》（民83年出版，共2册）；田家英《民國以來大事年表》（新華書店，民35）；人文月刊社編《民國大事類表》（2册，臺北，文海出版社影印，民67）、半粟（李劍農）編著《中山出世後中國六十年大事記》（上海，太平洋書店，民17；增訂本，民18年2版），記事止於北伐完成；馬洪林、郭緒印編《中國近現代史大事記，1840-1980》（上海，知識出版社，1982）、于龍韶編《百年大事錄》（上海，實習出版社，1954）、謝仁釗編《百年中外大事記》（臺北，中美文化出版社，民55）、臺灣省文獻委員會編印《中外近百年大事記》（臺中，民79）列述1840-1990年4月之中外大事；李振華輯《近代中國國內外大事記（1903-1941年）》（臺北，文海出版社，民68）、梁寒冰、魏宏運編《中國現代史大事記》（哈爾濱，黑龍江人民出版社，1984）全書始於1919年五四運動，止於1949年中華人民共和國成立；吉林師範大學中國近代史教研室編《中國近代史事記》（上海，上海人民出版社，1959），記1839-1919年間重要事件，以政治事件為主，旁及經濟、文化等方面；郭廷以編著《近代中國史事日誌（清季）》（臺北，編著者印行，民52）共2册，第一册記1829-1885年史事，第二册記1886-1911年史事，書後並附有「軍機大臣表」、「主要督撫表」、「總理衙門大臣表」、「出使各國大臣（公使）表」、「各國使節表」，甚具參考價值；A Chronology of Twentieth-Century China, 1904-1949.（Washington, D. C.: Center for Chinese Research Materials, ARL, 1973）共6卷（冊），前5卷係根據1904-1948年《東方雜誌》各卷號所載「國內大事記」編輯而成，第6卷則為根據《中華民國大事記》、《第三次國內革命戰爭大事月表》等編輯而成；傅安明編著《中國近代大事記—從鴉片戰爭到臺灣經驗（上冊）》（臺北，金禾出版公司，民85）、壽孝鶴、奚蘭《20世紀中國大事概觀》（青島，青島出版社，1992）記1900-1991年之大事；北京人民廣播電臺編《空中日曆—中國近現代重大歷史事件（1840-1992）》（北京，改革出版社，1993）、劉衍《中華民國二十年來大事記》（2冊，五州書局，民21）、雲躍出版社編輯委員會編《開國五十年大事記》（2冊，臺北，雲躍出版社，民51）、吳鎮漢編《中華民國國六十年史事輯要》（臺北，編者印行，民62）、記事止於1971年；中華民國史事紀要編輯委員會編《中華民國史事紀要》（共97冊，臺北，國史館，民60-83）所記史事起自1894年，止於當代，現仍陸續編纂出版中，其篇幅的繁鉅，堪稱同類撰述中之最；高蔭祖、劉世昌編著《中華民國大事記》（臺北，世界社，民46）記事始於1912年，止於1956年；高越天《中華民國大事記要》（臺北，撰者印行，民60），全書共32卷，自清末「革命運動」至「準備復國」，止於1969年；余戾林編著《中華民國年表》（時事資料社，民35），記述1912年1月1日南京臨時政府成立至1945年9月9日間的中國大事；存萃學社編《中華民國史事日誌》（5冊，香港，大東圖書公司，1978），係抄錄《東方雜誌》各卷、號所載之「國內大事記」彙集而成，記事止於1948年；郭廷以編著《中華民國史事日誌》（4冊，臺北，中央研究院近代史研究所，民68-74），記事止於1949年12月，史事條目極多，取材自各重要報刊雜誌所載，可信度甚高，洋洋鉅構，堪稱同類撰述中的代表之作；劉紹唐主編《民國大事日誌》（4冊，臺北，傳記文學出版社，民62、68、77及84），記事止於1991年；國防大學黨史黨建政工教研室編著《中國舊民主主義革命八十年大事簡介》（北京，解放軍出版社，1988），記事止於1919五四運動前夕；人文月刊社編《民國大事類表》（2冊，臺北，文海出版社，民67）；周樹聲編《中國新民主主義革命大事記》（西寧，青海人民出版社，1982），記1919年五四運動至1949年中華人民共和國建立之三十年間中國革命史上發生之大事；吳民、蕭楓主編《從五四運動到中華人民共和國的誕生：中國新民主主義革命史年表》（北京，新潮書店，1951）、中共中央黨史研究室編《中國共產黨大事記（1919.5-1987.12）》（北京，人民出版社，1989）、高凱、熊光甲主編《新中國的歷程（1949年10月1日-1989年10月1日）》（北京，中國人民大學出版社，1990）、虞寶業、李學昌主編《當代中國四十年紀事（1949-1989）》（上海，上海人民出版社，1990）。

其三是史地辭典和地圖：史事詞典重要的有李盛平主編《中國現代史詞典》（北京，中國國際廣播出版社，1987）共收1919-1986年比較重要的歷史人物、歷史事件、政治運動、路線政策、黨派團體、軍隊、戰爭、法律制度、會議、文件報刊、工礦企業、名詞術語等方面有關詞目共3216條；王金鋙、陳瑞雲主編《中國現代史詞典》（長春，吉林文史出版社，1988）共收1919-1949年及有關詞目共3350條，書後並附有「北洋政府歷屆國務總理簡表」、「中華民國南京政府主席、副主席、總統、副總統、五院院長更迭年表」；中國現代史辭典編輯委員會編《中國現代史辭典：史事部分》（2冊，臺北，近代中國出版社，民76）、中國研究所編《現代中國辭典》（東京，新評論社，1952），其續編於1954年出版；王宗華主編《中國現代史辭典》（鄭州，河南人民出版社，1991）；以近代現代史或近代史、近百年史、民國史、中華人民共和國史、革命史為範疇的則有北京師院歷史系中國近現代史教研室編《簡明中國近現代史詞典》（2冊，北京，中國青年出版社，1985）共收1840-1984年歷史上較常見的詞目2763條、中國近現代史大典編委會編《中國近現代史大典》（2冊，北京，中共黨史出版社，1992），共選收上起1840年鴉片戰爭，下迄1949年中華人民共和國成立之間之110年間中國近現代史上的重大正史事件和重要歷史人物、社團組織、典章制度等詞目共計12480條，分為政治、經濟、軍事、法律、教育、新聞出版、文學藝術、科技、衛生、體育、民族、宗教、人物共十三大類來編述；陳旭麓、方詩銘、魏建猷主編《中國近代史詞典》（上海，上海人民出版社，1982）收1840-1919年之歷史人物、事件、典章制度、報刊論著、工礦企業等方面詞目共3046條；中國近代歷史辭典編寫組編寫《中國近代歷史辭典（1840-1949）》（南昌，江西人民出版社，1986）共收近現代歷史詞目4000餘條；李華興主編《近代中國百年史辭典》（杭州，浙江人民出版社，1987）共收1840-1949的110年間之歷史人物、歷史事件、典章制度、社團組織、約章文件、報刊論著、政黨派別、財政金融、工礦企業、思想文化、專業術語等詞目共3265條，書後並附錄有「近代中國歷史紀年表（1840-1949）」、「清代帝系表」、「中華民國歷屆國家元首、政府首腦簡表」等；王承仁、曹木清、吳劍杰等編《中國近百年史大辭典》（武漢，湖北人民出版社，1986）、陳旭麓、李華興主編《中華民國史辭典》（上海，上海人民出版社，1991）以1912-1949之三十八年史事為主，酌收興中會成立至辛亥革命期間與創建民國相關的詞目，共收錄歷史人物、歷史事件、歷史文獻、典章制度、社會經濟、政權機構、社團組織、思想文化、報刊論著、中外關係等方面的詞目約5000條；尚海、孔凡軍、何虎生主編《民國史大辭典》（北京，中國廣播電視出版社，1991）共收1894-1990年代初之詞目5315條，全書分六部分，一為辛亥革命時期（1894.11-1911.12）、二為民國創立時期（1912.1-1927.7），三為南京國民政府時期（1927.8-1937.6）、四為抗日戰爭時期（1937.7-1945.9），五為國民政府崩潰時期（1945.10-1949.10），六為人物，附錄：國民黨統治集團在臺灣時期（1949.11—現在）、黃美真、郝盛潮主編《中華民國史事件人物錄》（上海，上海人民出版社，1987）共收民國史事人物1313條，其中事件688條，人物625條；李宇銘主編《中華人民共和國史詞典》（北京，中國國際廣播出版社，1989）收1949年10月-1988年10月左右比較重要的歷史人物、事件、運動、會議、路線政策、法律制度、文件文獻、黨派團體、報刊雜誌、著作作品、企業設施、文教衛生及名詞術語等方面有關詞目，共2555條；朱建華、郭彬蔚主編《中華人民共和國史辭典》（長春，吉林文史出版社，1989）所收範圍自1949年10月至1985年12

月，共計2255條詞目；黃文安主編《中華人民共和國史辭典》（北京，檔案出版社，1989）其所涉時間自1949年10月1日至1988年9月，分會議、運動和事件、文獻資料、黨派團體組織、人物五類來編排，張晉藩、海威、初尊賢主編《中華人民共和國大辭典》（哈爾濱、黑龍江人民出版社，1992）；戢祥成等編《中國革命史辭典》（武漢，湖北教育出版社）共收1840-1956年有關詞目3489條；靳德行、陳萬安主編《中國革命史辭典》（開封，河南大學出版社，1986）共收1840-1956年之有關詞目1419條；劉玉田、李龔、許建國主編《中國革命史簡明辭典》（北京，解放軍出版社，1986）收1840-1956年之有關詞目616條；謝樹森主編《簡明中國革命史辭典》（長沙，湖南大學出版社，1986）共收詞目約700條；馬洪武、王德寶、孫其明主編《中國革命史辭典》（北京，檔案出版社，1988）共收條目4250個；朱建華主編《中國革命史辭典》（哈爾濱，黑龍江人民出版社，1989）收1840-1956年之有關詞目共2668條；Edwin Pak-wah（梁伯華），ed., Historical Dictionary of Revolutionary China, 1839-1976.（Westport, Connecticut: Greenwood, 1992）。地名辭典重要的有普雷菲爾（G. M. H. Playfair）編《中國的城鎮—地名詞典（The Cities and Towns of China, A Geographical Dictionary）》（上海，1910年出版；臺北，藝文印書館重印，民54）載有地名8000個；劉鈞仁編《中國地名大詞典》（北平，國立北平研究院，民19）載有地名20000個；臧勵龢等編《中國古今地名大辭典》（上海，商務印書館，民20）所載最為詳盡；龍倦飛編著《中國史地詞典》（臺北，華國出版社，民40）、李炳衛主編《中華民國省縣地名三彙》（北平，北平民社，民24）、星斌夫編《支那地名辭典》(東京，富山房，1941)；《中國市縣大辭典》(北京，中共中央黨校出版社，1991)收錄截止於1988年12月31日全中華人民共和國2370個建制市、縣之辭條；中國綜合研究所編印《中國地名辭典》(東京，1963)、外務省情報處編《支那地名集成》(東京，日本外事協會，1936)、張治國監修《最新中國地名事典》(東京，日外アリシエーツ，1994)；《中華人民共和國地名詞典》(上海，商務印書館，1987年起陸續出版)，每省、市、自治區各為一冊，至1995年2月已出版江蘇省、安徽省、河南省、湖南省、四川省、雲南省、陝西省、吉林省、浙江省、福建省、山東省、湖北省、廣東省、貴州省、甘肅省、臺灣省、北京市、天津市、上海市、寧夏回族自治區共20冊。地圖方面有地圖出版社編製《中國近現代史地圖冊》(北京，編製者印行，1989)、張海鵬編著《中國近代史稿地圖集》(同上，1984)、東北師大歷史系中國近代及現代史教研室編《中國近代史地圖》(長春，東北師大教育處，1958)、郭利民編製《中國近代史參考地圖(1840-1919)》(長沙，湖南師院歷史系中國近代史教研室，1983)計有各種形勢圖、示意圖和路線圖共57幅；山東大學歷史系中國近代史教研組編《中國近代史地圖集》(出版年月不詳)、陳鎬基編《中國新輿圖》(上海，商務印書館，民2)、童世亨編《袖珍中華新輿圖》(同上，民5)及《中華民國新區域圖》(上海，中外輿圖局，共6)、丁文江、翁文灝、曾世英編《中華民國新地圖：申報六十週年紀念》(上海，申報館，民23)、張其昀主編《中華民國地圖集》(5冊，臺北，國防研究院，民49-51)、吳信政總編繪、邱淑敏、林翠珣、陳美雲繪圖《中華民國地圖集》(臺北，甘霖出版社，民76）、地圖出版社編製出版《中華人民共和國地圖集》（北京，1979）、《最新中國分省地圖》（香港，大中書局，1956）、《最新中國分省地圖：地形版》（同上，出版年份不詳）、中華教育文化基金會董事會編譯委員會編《中國分省圖》（上海，商務印書館，民23）、張其昀監編《共匪竊據下的中國大陸分省地圖》（臺北，國防研究院敵情研究所，民55）。

其四是人名錄（或人物辭典）和傳記資料：中文方面有沃丘仲子（即費行簡、費敬仲）編《當代名人小傳》（2册，上海，崇文書局，民8；香港，中山圖書公司翻印，1973）收有100餘人之小傳；及《近代名人小傳》（上海，崇文書局，民7；臺北，文海出版社影印，民56）；《中國近代名人圖鑑》（上海，民14；臺北，天一出版社翻印，民66）、中國社會科學院近代史研究所《近代史研究》編輯部編《近代中國人物》（第1-3卷，共3册，重慶，重慶出版社，1983-1986）、徐鳳晨、王維禮主編《中國近百年名人傳》（哈爾濱，黑龍江教育出版社，1986）、王永均、劉建皋編著《中國現代人物傳》（成都，四川人民出版社，1986），包括各界人士240人；鄧偉志、朱崇儒主編《現代中國著名人物》（上海，上海人民出版社，1987）、周遠孚編著《現代中國名人傳記》（香港，香港珠海書院，1976）、劉葆編著《現代中國人物志》（上海，博文書店，民29）收各界名人469人之小傳；康國棟《中國現代名人傳》（東北力行圖書社，民35）收84位名人之傳略；樊蔭南編《當代中國名人錄》（上海，良友圖書印刷公司，民20；香港，波文書局，1978年翻印出版，易名爲《當代中國四千名人錄》）、厂民編《當代中國人物誌》（中流書店，民28）收軍政要人傳略共343篇；蕭瀟、胡自立編

《當代中國名人誌》（上海，世界評論社，民28年2版）收當代名人347位之傳略；丁滌生、傅潤華編《中國當代名人傳》（上海，世界文化服務社，民37）收黨軍政要人小傳200篇；北京敷文社編《最近官紳履歷彙編》（北京，民9；臺北，文海出版社影印，民59）搜羅當時名人五千餘人，惟各名人的介紹文字過於簡略；賈逸君編《中華民國名人傳》（2冊，北平，文化學社，民21、22）錄有當時名人318人；楊家駱編《民國名人圖鑑》（2冊，南京，中國辭典館，民25、26）搜羅一萬餘人，附有照片一千四百幀；中華民國當代名人錄編輯委員會編《中華民國當代名人錄》（5冊，臺北，臺灣中華書局，第1-3冊，於民67年初版，第4冊於民68年初版，第5冊於民74年初版）共蒐錄海內外各界知名人士5000餘人；中國名人傳記中心編輯委員會編印《中華民國現代名人錄》（臺北，中國名人傳記中心，民71年1版、73年2版、80年增訂3版）係中英文對照，前兩版已登錄7200人，至增訂三版時登錄已逾萬人；秦孝儀主編《中華民國名人傳》（12冊，臺北，近代中國出版社，民73-81）由臺灣各史學家負責撰寫，為學術性的詳傳性質；世界文化服務社編印《自由中國名人傳》（臺北，民41）、中華民國人事錄編纂委員會編《中華民國人事錄》（臺北，中國科學公司，民42）、黃美真、郝盛潮主編《中華民國史事件人物錄》（上海，上海人民出版社，1987）、譚慧生編著《民國偉人傳記》（高雄，百成書局，民65）、吳相湘《民國百人傳》（4冊，臺北，傳記文學出版社，民60）及《民國人物列傳》（2冊，同上，民75）、唐祖培《民國名人小傳》（香港，自聯出版社，1961年2版）、劉紹唐主編《民國名人小傳》（臺北，傳記文學出版社）其第1冊於民64年出版，每隔一、兩年出版一冊，至民國83年4月已出版至第15冊；李新等主編《民國人物傳》（第1-8卷，共8冊，北京，中華書局，1978-1996）、費雲文《民國人物新傳》（臺北，聖文書局，1986）、國史館編印《國史擬傳》（1-5輯，共5冊，臺北，民77-84）、卞孝萱、唐文權編《民國人物碑傳集》（北京，團結出版社，1995）、蒼厂編《新中國人物誌》（上海，奔流書店，民30）收辛亥革命以後知名人士600餘人之小傳；柏脫（T. B. Burt）等編、勃德（A. R. Burt）譯《中華今代名人傳》（上海，傳記出版公司）為中英文對照，輯民國初期200位名人的生平；陶建華編《中國名人年鑑》（上海，中國名人年鑑社，民21）收有當代軍政界131人之小傳；園田一龜著，黃惠泉、刁英華譯《（分省）新中國人物志》（上海，良友圖書印刷公司，民19）收民國以來近20年各界知名人物近300人之主要事略；京聲、溪泉編著《新中國名人錄》（南昌，江西人民出版社，1987）、李國強等《中國當代名人錄》（3-12集，共10冊，香港，廣角鏡出版社，1988）；《中國人名大辭典·當代人物卷》（上海，上海書辭出版社，1992）收中華人民共和國各方面著名人物共17970餘人；中國人名大詞典編輯部編《中國人名大詞典：現任黨政軍領導人物卷》（北京，外文出版社，1989）共收2100餘人，係中英文對照，大多數人物配有照片。中國社會科學院近代史研究所中華民國史研究室編《人物傳記》（北京，中華書局）至1988年已出版23輯。中國現代史辭典編輯委員會編《中國現代史辭典：人物部分》（臺北，近代中國出版社，民74）、李盛平主編《中國近現代人名大辭典》（北京，中國國際廣播出版社，1989）選收1840-1988年間已故的歷史人物10750人，其中中國人9904人，外國來華人物846人；任嘉堯編《當代中國名人辭典》（上海，東方書店，民36）共收錄當時各界人物1000餘人、馬洪武、王德寶、孫其明主編《中國近現代史名人辭典》（北京，檔案出版社，1993）共選錄1840至1991年間已經去世，包括政治、軍事、經濟、文化、教育、科技、藝術等各界中國名人和與中國近現代史關係密切的部分外國名人合計3500餘位；石肖岩主編《中國現代名人辭典》（太原，山西人民出版社，1989）為一綜合性現代名人辭典，收錄1919-1988年上半年已故的中國政治、經濟、軍事、科技、教育、文藝、體育、民族、宗教、華社等社會各界各方面的知名人物，其辭目共7100條；蔡開松、于信風主編《二十世紀中國名人辭典》（瀋陽，遼寧人民出版社，1991）共收詞目4700餘條；何求編《近代中外人名辭典》（上海，春明書店，1951）、儲禕、范煥基編《現代中外名人小辭典》（上海，東方書局，民26）、徐友春主編《民國人物大辭典》（石家庄，河北人民出版社，1991）收民國時期（1912-1949）黨軍政及教育、文化、科學、宗教、實業各界知名人士共12000餘人。其他如國民黨黨史會編印《革命人物誌（1-23集）》（共23冊，臺北，民58-71）、奚楚明《中國革命名人傳》（上海，上海商業書局，民17）、范濟國主編《中國革命史人物傳略》（武漢，湖北教育出版社，1987）、中共黨史人物研究會編《中共黨史人物傳（第1-43卷）》（共43冊，西安，陝西人民出版社，1980-1990）、中共人名錄編修委員會編《中共人名錄》（臺北，國際關係研究所，民56）、徐為民編《中國共產黨人名詞典》（瀋陽，遼寧教育出版社，1988）、中國社會科學院近代史研究所翻譯室編《近代來華外國人辭典》（北京，中國社會科學出版社，1981）、吉林省歷史學會編《中國近代愛國人物傳》（長春，吉林文史出版社，1985）、郭桐《國共風雲名人錄》（4冊，香港，廣角鏡出版社，1977）、張靜如等編《五四以來歷史人物筆名別名錄》（西安，陝西人民出版社，1986）、陳玉堂編著《中國近現代人物名號大辭典》（杭州，浙江古籍出版社，1993，共收10112人）等，為數尚多，因性質較專，不擬在此一一舉述。傳記資料索引或目錄重要的有中央圖書館編《中國近代人物傳記資料索引》（臺北，中華叢書編審委員會，1973）共收錄中國近代史上1588人的傳記資料，取材自50餘種中文期刊；林言椒、李喜所主編《中國近代人物研究信息》（天津，天津教育出版社，1988）、王繼祥主編《中國近現代人物傳記資料索引》（長春，東北師範大學圖書館，1988）根據書刊報章，共集錄1840-1949年之人物傳記資料24000餘條；復旦大學歷史系資料室編（王明根主編）《辛亥以來人物傳記資料索引》（上海，上海辭書出版社，1990）共收錄各類人物18000餘人（凡活動於1911年辛亥革命至1949年並有傳記資料的人），共收中文傳記資料80000餘條、係取材自1900-1985年中國大陸及臺、港出版之中文專著、論文集、報刊、年鑒、索引、百科全書和文史資料等，極具參考價值和指引作用。

日、英文方面，有稻田瑨編《現代支那名士鑑》（東京，大陸社，1913）、外務省情報部編印《現代支那名人鑑》（3冊，東京，東亞同文會調查編纂部1916年版、1924年版；增訂版，1928）、日本銀行調查局編印《支那重要人名錄：民國13年12月至現在》（東京，1925）、支那研究會編《最新支那官紳錄》（北京，編者印行，1918）及《支那官紳錄》（東京，富山房，1919）、田原天南（田原禎次郎）編纂《清末民初中國官紳人名錄》（北京，中國研究會，1918；臺北，文海出版社影印，民62）、滿蒙資料協會編印《中國紳士錄》（東京，1942）、佐藤三郎編《民國之精華》（北京，北京寫真通信社，1916；臺北，文海書局影印，民56）全書係中日文對照；朝日新聞社東亞問題調查會編《最新支那要人傳》（大阪，朝日新聞社，1941）、清水安三《支那當代新人物》（東京，大阪屋號書店，1924）、大陸文化研究所編《現代支那人名辭典》（東京，泰山房，1939）、霞山會編、外務省アジア局監修《現代中國人名辭典》（3冊，東京，江南書院，計有1957、1962、1966年三種版本）、竹之內安巳《現代中國人名辭典》（東京，國書刊行會，1981）、藤田正典編《現代中國人物表》（東京，大安出版，1969）、山田辰雄編《近代中國人名辭典》（東京，霞山會，1995）、アジア研究所編《現職·新中國人名辭典》（東京，澤書店，1968）及《中華人民共和國現職人名辭典》（東京，編者印行，1964）、外務省アジア局編印《現代中國朝鮮人名鑑》（東京，1953）、Howard L. Boorman and Richard Howard, eds., Biographical Dictionary of Republican China,（4 Vols., New York: Columbia University Press, 1967-1971）起自1911年10月武昌起義，迄於1949年10月，全書收錄政治、經濟、軍事、文化、藝術、宗教、科技、社會等各界知名之士約600人，每卷之後均列有參考書目；其中譯本為沈自敏譯《民國名人傳記辭典》，北京，中華書局，1979年出版，選取其中約400人譯出；M.C. Powell, Tong H. K., eds., Who's Who in China.（中文書名題爲《中國名人錄》，上海，1920；東京，龍溪書舍重印，1973）、Engene W. Wu（吳文津），Leaders of Twentieth-

Century China: An Annotated Bibliography of Selected Chinese Biographical Works in the Hoover Library.（Stanford, Calif.: Stanford University Press, 1956）、Ministry of Information（新聞局），ed., Chinese Who's Who.（Chungking, 1943）、The China Weekly Review, ed., Who's Who in China: Biographies of Chiinese Leaders.（Shanghai; 1918）、Max Perleberg, ed., Who's Who in Modern China（From the beginning of the Chinese Republic to the end of 1953）（Hongkong: Ye Olde Priaterie, 1954）、Jerome Cavanaugh, Who's Who in China: 1918-1950.（Hong Kong: Chinese Materials Center, 1982）、Harvard University, ed., Biographies of Kuomintang Leaders.（3Vols., Cambridge, Mass.: 1948）、U. S. Department of State, ed., Directory of Chinese Communist Officials.（Washington, D. C.: 1966）、Union Research Institute（友聯研究所），ed., Who's Who in Communist China.（Hong Kong: 1969-1970）。市古宙三〈中國近現代人物工具書解題：1978-1990年刊〉（《近代中國研究彙報》13號，1991年3月）。

其五是歷史圖片集：有北京歷史博物館等編《中國近代史參考圖片集》（上海，上海教育出版社，1958）、中國歷史博物館編《中國近代史參考圖錄》（3冊，同上，1981-1984）共選用圖片約2000幅；張海鵬編著《簡明中國近代史圖集》（北京，長城出版社，1984）、香港專上學生會編印《中國近代史圖片展覽特輯：中華民族近百年的苦難·奮鬥與新生》（香港，1971）、中國近百年歷史圖集編輯委員會主編《中國近百年歷史圖集：1840-1975》（香港，七十年代雜誌社，1976）及其增訂本（香港，天地圖書公司，1979），增訂本收錄中國自鴉片戰爭至1978年6月間有關圖片（包括照片、美術作品、地圖、文物資料）1900餘幅，每幅圖片均有簡要的文字介紹；杜永鎮等編《簡明中國歷史圖冊·第9、10冊—半殖民地半封建社會（舊民主主義革命期）》（2冊，天津，天津人民美術出版社，1979），係《簡明中國歷史圖冊》分冊，收1840-1919年間有關之照片、繪畫和圖表，共計約500幅左右，下冊書後並附有此一時期的大事年表；翁玉榮主編《中國革命史圖集》（長春，吉林美術出版社，1989），共收集1840-1989年間近1200幅圖片和重要參考資料；朱傳譽編《中國近代畫史》（臺北，國民黨黨史會，民55）、池田誠《圖說中國近現代史》（東京，法律文化社，1988）、中華民國史畫編輯小組編《中華民國史畫》（3冊，臺北，近代中國出版社，民67）、國父紀念館文教活動組編《建國復國大業史畫》（臺北，國父紀念館，民65）、翁玉榮主編《中國革命史圖集》（長春，吉林美術出版社，1989）。

貳、專題部分

一、辛亥革命（1894—1912）

辛亥革命，就狹義而言，是專指辛亥武昌起義及其後各省紛紛響應宣布獨立至清帝退位為期四個月左右（辛亥年，即清宣統三年8月19日至12月25日，亦即1911年10月10日至1912年2月12日）的革命行動；就廣義而言，是泛指清末為期十七年左右（清光緒二十四年10月至宣統三年12月，即1894年11月至1912年2月）的革命運動始末；本專題的內容係為廣義的辛亥革命。

㈠通　論

1.研究述評

最重要的西文撰述為Winston Hiseh（謝文孫），Chinese Historiography on the Revolution of 1911（Stanford, California：Hoover Institution Press，1975）該書以1902—1972年出版之中文論著為研究對象，書後並附有辛亥革命研究書目368種（其中60種為期刊）。Edmund S. K. Fung（馮兆基），"Post—1949 Chinese Historiography on the 1911 Revolution"（Modern China, Vol. 4, No. 2, Fall 1978），則對中國大陸自1949年後至1977年間的出版物加以述評。其他如Hsueh Chun-tu（薛君度）ed. , Chinese Studies in History: the Chinese Revolution in 1911（New York: M.

E. Sharpe, 1983）、George T. Yu（于子橋），"The 1911 Revolution: Past, Present and Future"（Asian Survey, Vol. 31, No. 10, 1991）。Michael Gasster, "Recent Studies of the 1911 Revolution by Historians in the People's Republic of China "（Chinese Studies in History, Vol. 17, No. 2, 1983-1984）。Zhang Kaiyuan（章開沅），"A General Review of the Stuady of the Revolution of 1911 in the People's Republic of China"（The Journal of Asian Studies, Vol. 34, No. 3, May 1980）。中國大陸學者這方面的撰述，以李喜所、凌東夫主編《辛亥革命研究一覽》（天津，天津教育出版社，1990）、章開沅等編《國內外辛亥革命史研究綜覽》（武漢，湖北教育出版社，1991）、林增平、郭漢民、饒懷民主編《辛亥革命史研究備要》（長沙，湖南人民出版社，1991）最為重要。其他尚有羅福惠〈辛亥革命研究四十年〉（《歷史教學》1991年3期）、劉望齡等〈辛亥革命研究述略〉（載近代史研究所編輯部編《中國近代史專題研究述評》，北京，人民出版社，1986）、郭漢民、李育民〈辛亥革命史研究概述〉（載林增平、郭漢民、李育民編《辛亥革命》，成都，巴蜀書社，1989）、劉望齡等〈辛亥革命研究述略〉（載《中國近代史研究述評》，北京，人民出版社，1985）、章開沅〈辛亥革命史研究的三十年〉（載《一九八一年中國歷史學年鑑》，北京，人民出版社，1981；亦載《紀念辛亥革命七十周年學術討論會論文集》下册，北京，中華書局，1983）、林增平〈辛亥革命史研究述評〉（載《一九七九年中國歷史學年鑑》，北京，1979）、房德鄰〈近近五年辛亥革命史研究述評〉（《北京社會科學》1991年3期）、梁芳、邱遠猷〈近五年辛亥革命史研究新趨勢〉（《北方論叢》1991

年6期）、閔杰〈最近五年辛亥革命史研究的進展〉（《貴州社會科學》1991年10期）、劉學照〈近年來辛亥革命史討論綜述〉（《歷史教學問題〉1981年3期）、蘇威〈1983年辛亥革命研究述評〉（《歷史教學問題》1984年2期）、夏良才〈辛亥革命研究80年述評——在日本東京″辛亥革命再檢討″國際學術討論會上的發言〉（《近代史研究》1992年2期）、章開沅〈擴展學術視野，推進辛亥革命研究〉（《華中師大學報》1991年5期）、〈大陸辛亥革命研究二三事〉（《亞洲研究》13期，1995年4月）及〈大陸辛亥革命研究的回顧與前瞻〉（《國史館館刊》復刊19期，民84年12月）、林增平〈辛亥革命史研究瑣談〉（載《習史啟示錄》，天津教育出版社，1988）、羅福惠〈臺灣、香港辛亥革命研究述評〉（同上，1991年3期）。臺港學者這方面的撰述有王德昭〈辛亥革命史研究的新動向〉（《史潮》第8期，香港，中文大學聯合書院歷史系，1982）、逯耀東〈中共對「辛亥革命」的研究〉（《臺灣大學歷史學系學報》第8期，民70年12月）、〈辛亥革命七十年〉（載逯耀東《史學危機的呼聲》，臺北，聯經出版事業公司，民76）、李文師《論中共對辛亥革命的評價》（政治作戰學校政治研究所碩士論文，民77）、毛知礪〈「資產階級民主革命」意義初探——大陸歷史學界對辛亥革命的定義與解釋〉（《政大歷史學報》第9期，民81年1月）、李金強〈辛亥革命的研究〉（載《六十年來的中國近代史研究》下冊，臺北，中央研究院近代史研究所，民78）、〈新正統學派——中共「建國」以來辛亥革命研究之發展及其變化〉（《漢學研究通訊》11卷3、4期，民81年9月、12月）。日本學者這方面的撰述有中村義〈辛亥革命史研究をぬぐつてそくに戰後の研究動向〉（《東洋學報》45卷

4號，1963年3月）、清水稔〈有關辛亥革命史の備忘錄〉（同上）、曾田三郎〈近年の中國における辛亥革命研究について〉（《季刊中國》26期，1991年秋季號）、衛藤瀋吉〈辛亥革命研究の動向たついて—81シンポウムを中心〉（《學術月報》35卷11號，1983年2月）、橫山英編著《辛亥革命研究序說》（東京，新歷史研究會，1977）及《辛亥革命研究覺書》（《廣島大學文學部紀要》36卷特輯1，1976）。

關於歐美對辛亥革命的研究狀況有Joseph Esherick所撰〝1911：A Rrview〞（Modern China, Vol. 2, No. 12, 1976），係為瞭解美國1950—1970年代所出版這方面的專書、論文必讀之作，文後尚有部分被評者的回應，該文之中譯為江楓所譯，載《國外中國近代史研究》第2輯（1981年）、Chan Wing-ming（陳蘊明），〝The Interpretation of the 1911 Revolution in the West〞（《香港中國近代史學會會刊》第6期，1993年7月）、沈自敏〈近二十年來歐美的辛亥革命〉（《讀書》1981年10期）、中村義〈アメリカにおける辛亥革命史研究〉（《史潮》新11號，1976年11月）、徐萬民〈蘇聯辛亥革命史研究述論〉（《北京社會科學》1991年3期）、中菲莫夫〈蘇聯歷史科學中的中國1911-1913革命〉（《國外社會科學》1981年10期）、周士琳、董進泉〈研究辛亥革命的蘇聯學者及其論著〉（《現代外國哲學社會科學文摘》1981年3期）。日本的研究狀況有石田米子〈最近の日本における辛亥革命研究の諸成果をめぐつて〉（《東洋史研究》39卷1號，1980；其中譯文〈近年來日本對辛亥革命研究的成果〉，載《國外社會科學動態》1981年3期），縷述日本自戰後有關辛亥革命研究流派及其理論，該文有宋紹柏之中譯文（載《國外中國近代史研究》第2輯，1981）、狹間直樹、森時彥編《中國歷史學の新しい波——辛亥革命について》（東京，霞山會，1985）。其他尚有陶德民〈近年來日本研究辛亥革命的成果〉（《社會科學》1981年4期）、劉鴻新、王建宗〈近期日本對中國辛亥革命的研究成果〉（《東岳論叢》1981年3期）、孫玉玲〈日本史學界研究辛亥革命的三種不同觀點〉（《國外社會科學情報》1981年7期）、山根幸夫〈日本關於辛亥革命與日本研究動向〉（《東北師大學報》1983年6期）及〈日本關於辛亥革命與日本的研究動態（摘譯）〉（《歷史教學》1983年12期）、久保田文次〈1980—1990年日本對辛亥革命研究的新動向〉（《歷史教學》1992年12期）、孫安石〈韓國における辛亥革命研究〉（《近きに在りて》27號，1995年5月）。

此外，Lee Kam-keung（李金強），"A Brief Report on Conference on China's 1911 Revolution: Two Important Issues, 1961-1982"（Modern Chinese History Society of Hong Kong, 1987），則羅列1961—1982年世界各地所召開之研討會，共二十三次，以這些研討會的各論文題目來作計量分析，藉以說明辛亥革命史的研究動向，為一別開生面之作。胡春惠〈《歷史研究》中有關辛亥革命的研究趨勢〉（《政大歷史學報》13期，民85年4月）。

2.書目、論文索引及出版狀況

國人較早編纂有關這方面的書目為張於英〈辛亥革命書徵〉（載張靜廬輯注《中國近代出版史科初編》，北京，中華書局，1957）、張次溪〈記述辛亥革命史蹟書錄〉（載張靜廬《中國出版史科補編》，同上）、柴德賡、張次溪〈辛亥革命徵引書目〉（載《辛亥革命》第8册，上海人民出版社，1957）、劉望齡編〈辛亥革命主要中文書目〉及〈辛亥革命主要論文目錄1949—1981〉（均載劉氏編《辛亥革命大事錄》，北京，知識出版社，1981）、辛亥革命史研究會編〈有關辛亥革命史的文章目錄索引〉（載《辛亥革命史論文選》下册，北京，三聯書店，1981）、余幼欽、郭漢民〈辛亥革命史論著目錄索引（1949-1987）〉（載林增平、郭漢民、李育民編《辛亥革命》，成都，巴蜀書社，1989）、劉德麟、何雙生〈建國以來辛亥革命史資料出版述略〉（載《紀念辛亥革命七十週年學術討論會論文集》下册，北京，中華書局，1983），章開沅〈一九四九年以後大陸辛亥革命資料——出版工作的歷程與展望〉（《國史館館刊》復刊17期，民83年12月）。臺灣方面則有林泉〈研究辛亥革命重要中文資料簡介〉（《近代中國》13期，民68年10月）。日本方面，以山根幸夫《新編辛亥革命文獻目錄》（東京，東京女子大學東洋史研究室，1983）最為重要，搜列中、日有關文獻，十分詳盡；在此之前，山根幸夫曾編有《辛亥革命文獻目錄》（同上，1972）。其次為市古宙三〈近刊中國文辛亥革命文獻紹介〉及〈辛亥革命關係文獻目錄〉（均載氏著《近代中國の政治と社會》，東京，東大出版會，1977增補版）。市古宙三另撰有〈辛亥革命に關する中國の新刊書〉（《近代中國研究彙報》第5號，1983年3月），對1977—1982年間中國大陸、臺、港三地重要出版的搜羅，十分完備。東京女子大學中國史ゼミ〈辛亥革命史研究文獻目錄（邦文）〉（《史論》13號，1965年3月）、山口一郎〈清末革命運動資料點描〉（《中國研究所所報》13號，1948年5月）。

3.論著、論文集及資料集

論著方面，張玉法《辛亥革命史論》（臺北，三民書局，民82），以嚴謹的態度，對清末革命運動的演變，作了系統而詳盡的論析，為此類論著中的代表作。金沖及、胡繩武《辛亥革命史稿》（2卷，上海，上海人民出版社，1980，1986），第1卷為「中國資產階級革命派的形成」述及1905年同盟會成立為止，第2卷為「中國同盟會」。章開沅、林增平主編《辛亥革命史》共3冊（北京，人民出版社，1980—1981），上冊述光復會的成立，中冊述同盟會的成立至保路運動，下冊述武昌首義至護法戰爭，下冊書後附有大事年表（1894—1918），主要徵引書目、索引，全書一百二十餘萬字，是關於辛亥革命篇幅最大的著作，惟其將辛亥革命的下限推至民國七年（1918），是否妥當，值得商榷；章、林二人尚主編有《辛亥革命運動史稿》（北京，中國人民大學出版社，1988）。方志欽《辛亥革命簡史》（廣州，廣東人民出版社，1980），雖然份量較少，但用較為通俗的文字，簡明扼要地敍述了辛亥革命的過程。吳玉章《辛亥革命》（北京，人民出版社，1961），作者先後參與維新、同盟會、中國共產黨，頗多體驗，該書包括「論辛亥革命」和「從甲午戰前後到辛亥革命前後的回憶」兩部分，作者以馬克思主義剖析辛亥革命的過程，並肯定其歷史意義，其後中國大陸學者研究辛亥革命之解釋模式，多受其啟迪。高勞編《辛亥革命史》（上海，商務印書館，民14；臺北，文海出版社影印，民56）、郭真《辛亥革命史》（上海，北新書局，民18）、左舜生《辛亥革命史》（上海，中華書局，民23），是三本撰寫較早的辛亥革命之論著。其他尚有陳旭麓《辛亥革命》（上海，上海人民出版社，1955）、包村《辛亥革命》（同上，1962）、中國近代史叢書編寫組《辛亥革命》（同上，1972）、林增平編《辛亥革命》（北京，中華書局，1962）、蕭乾《辛亥革命》（香港，商務印書館，1995）、林家有、周興樑、余齊孔《共和國的追求與挫折：辛亥革命》（北京，文物出版社，1991）、金沖及《辛亥革命的前前後後》（北京，中國文史出版社，1991）、范守正《辛亥革命的研究》（臺北，學英文化事業公司，民75）、梨本祐平《辛亥革命》（東京，雄山閣出版，1973）、近藤邦康《辛亥革命一思想の形成》（東京，紀伊國屋書店，1972）、尾鍋輝彥《辛亥革命》（東京，中央公論社，1977）、菊池貴晴《現代中國革命の起源一辛亥革命の史的意義》（東京，巖南堂，1970；及1973新訂本）、李吉奎、周興樑《辛亥革命運動史》（廣州，中山大學出版社，1991）、野澤豐《辛亥革命》（東京，岩波書店，1972）、劉泱泱主編《辛亥革命新論》（長沙，湖南人民出版社，1996）、林啟彥、周佳榮《共和國的追求與挫折：辛亥革命與中華民國的成立》（香港，商務印書館，1992）、Hsueh Chun-tu（薛君度），The Chinese Revolution of 1991：New Perspectives.（Hong Kong：Joint Publishing Co., 1986）、陳舜臣《中國の歷史近·現代篇：第2巻·落日に立つ一革命前夜；第3巻·黎明のうた一辛亥革命》（東京，平凡社，1986）、田中正俊等《講座中國近現代史·第7巻：辛亥革命（久保田文次撰）》（東京，東京大學出版會，1982）、陸曼炎《辛亥開國史》（重慶，名山出版公司鉛印本，民34）。論文集方面有Mary C. Wright（ed.）, China in Revolutioin：Tth First Phase, 1900-

1913（New Haven：Yale University Press, 1968），蒐集各國學者論文11篇，並附以編者所撰之導論，剖析革命潮流及社會變動；辛亥革命史研究會編《辛亥革命論文選（1949—1979）》（2冊，北京，三聯書店，1981），共收錄已發表的論文62篇，下冊書後並附錄「有關辛亥革命史的文章目錄索引（1949—1979）」，頗見指引作用；湖北省歷史學會編《辛亥革命論文集》（武漢，湖北人民出版社，1981）共收錄論文12篇；湖北省哲學社會科學學會聯合會編《辛亥革命五十周年紀念論文集》（2冊，北京，中華書局，1962），係編者自辛亥革命五十週年學術討論會（1961年10月於武漢召開）上發表的論文中選出32篇，編為此集，書後並附：「辛亥革命五十周年學術討論會討論的一些問題」，以供讀者參考；此外《紀念辛亥革命七十周年學術討論會論文集》（3冊，北京，中華書局，1983），共收錄論文107篇，其中國外學者之論文有26篇；與前揭二十年前出版之《辛亥革命五十周年紀念論文集》相較，無論在研究的深度和廣度上，都有長足的進步、中南地區辛亥革命史研究會、湖南省歷史學會編《紀念辛亥革命七十周年青年學術討論會論文選》（2冊，北京，中華書局，1983）、民革黑龍江省委員會、黑龍江省歷史學會編《紀念辛亥革命七十周年學術研討會文集》（1981）、張玉法主編《中國現代史論集·第3輯：辛亥革命》（臺北，聯經出版公司，民69）、中華文化復興運動推行委員會主編《中國近代現代史論集·第17編：辛亥革命》（臺北，臺灣商務印書館，民75）、中華民國建國史討論集編輯委員會編《中華民國建國史討論集·第1冊：辛亥革命史》（臺北，編者印行，民70）、中央研究院近代史研究所編印《辛亥革命研討會論文集》（臺北，民72）、存萃學社編《辛亥革命研究論集》（2冊，香港，崇文書店，1971），武昌辛亥革命研究中心編《辛亥革命與近代中國——1980-1989年論文選》（武漢，湖北人民出版社，1991）、林增平、郭漢民、李育民編《辛亥革命》（成都，巴蜀書社，1989），Etō Shinkichi（衛藤瀋吉）& Harold Z. Schifferin（eds.），The 1911 Revolution in China, Interpretive Essays.（Tokyo: University of Tokyo Press, 1985）及China's Republican Revolution（同上，1994），中國新聞社編《紀念辛亥革命七十周年》（香港，三聯書店香港分店，1981）、横山英編《辛亥革命研究序説》（新歷史研究會，1977）、小野川秀美、島田虔次編《辛亥革命の研究》（東京，筑摩書房，1978）、辛亥革命武昌起義紀念館編《辛亥革命研究及其它》（武昌，武漢大學出版社，1994）、中山大學學報編輯部編《辛亥革命論文集》（廣州，編者印行，1981）、武漢師範學院編《辛亥革命論文集—紀念辛亥革命七十周年》（2冊，編者印行，1981）、中國新聞社編《辛亥風雲》（北京，中國展望出版社，1982）、張建宣等編《紀念辛亥革命八十周年》（《連雲港市文史資料專輯》，1991）、山東省政協委員會、山東省歷史研究所編《辛亥革命五十周年紀念論文集》（濟南，山東人民出版社，1962）、四川大學學報編輯部、四川大學歷史系編《辛亥革命研究論文集（四川大學學報叢刊，第9輯）》（成都，四川人民出版社，1981）、辛亥革命史研究會編《辛亥革命史論文選（1949-1979）》（2冊，北京，三聯書店，1981）、辛亥革命史叢刊編輯組編《辛亥革命史叢刊》1—8輯（北京，中華書局，1980—1991）、武漢大學歷史系編《辛亥革命研究》（武漢，武漢大學出版社，1991）、趙杰主編《辛亥革命與近代中國》（南京，江蘇人民出版社，1993）、中華書局編輯部編《辛亥革命與近代中國—紀念辛亥革命八十周年國際學術討論會論文集》（2冊，北京，中華書局，1994）、江蘇省歷史學會編《一次反封建的偉大實踐：江蘇省紀念辛亥革命七十周年學術論文選》（南京，江蘇人民出版社，1983）、革命開國文獻編輯小組編輯《中華民國建國文獻：革命開國文獻·第2輯—史著一》（臺北，國史館，民85）。資料（史料）集方面，以中華民國開國五十年文獻編纂委員會編《中華民國開國五十年文獻》（共22冊，臺北，正中書局，民50－53）最為重要，分為兩個部分：第1編「革命源流與革命運動」，其第1－2冊為「革命遠源」，3－6冊為「列強侵略」，7－8冊為「清廷之改革與反動」，9－14冊為「革命之倡導與發發展」；第2編「辛亥革命與民國建元」，其第1冊為「武昌首義」，第2冊為「開國規模」，3－5冊為「各省光復」；革命開國文獻編輯小組編輯《中華民國建國文獻：革命開國文獻·第1輯—史料一、二》（2冊，臺北，國史館，民84、85）；中國史學會主編《辛亥革命》（共8冊，上海，上海人民出版社，1957；北京，人民出版社重刊，1981），是教學研究工作者常用的基本資料集；陳雄輯《民族革命文獻》（臺北，反攻出版社，民43），全書分宣言、檄文、刊詞、論著、序跋、供詞、函札、詩歌八個部分，此外並附有「日知會函札」，使讀者可免去零散找尋之苦；存萃學社編《辛亥革命資料彙輯》（5冊，香港，大東圖書公司，1980）、孔憲善主編《辛亥革命文獻》（臺北，中華文化復興運動推行委員會臺北分會學術研究出版促進委員會，民69）、蕭乾主編《辛亥革命》（臺北，臺灣商務印書館，民84）、中國人民政治協商會議全國委員會文史資料研究委員會編《辛亥革命回憶錄》（6册，北京，中華書局，1961—1963；北京，文史資料出版社重印，1981），其第7、8集則於1982年出版（北京，文史資料出版社）及《回憶辛亥革命》（同上，1981）、張奚若等《辛亥革命回憶錄》（上海，生活書店，民36）、譚永年主編《辛亥革命回憶錄》（2册，香港，榮僑書店，1958；臺北，文海出版社影印，民63）；中國科學院近代史研究所近代史資料編輯組編《辛亥革命史資料類編》（北京，中國社會科學出版社，1981）及《辛亥革命資料》（北京，中華書局，1961）、丘權政、杜春和編《辛亥革命史料選輯》（3册，長沙，湖南人民出版社，1981-1983），其上冊共收史料30篇，下冊共收史料43篇，第3冊為續編；張國淦編《辛亥革命史料》（上海，龍門聯合書局，1958）、中國第二歷史檔案館編《中華民國檔案滙編·第1輯：辛亥革命》（南京，江蘇人民出版社，1979）、中國第一歷史檔案館《清代檔案史料叢書·第8輯—辛亥革命史料專輯》（北京，中華書局，1982）、日本外務省編纂《日本外交文書·第44、45卷別冊—清國事變（辛亥革命）》（東京，巖南堂書店，1961）係自日本外務省記錄中摘出，多為當時日本駐華公使，各地領事、總領事與外務省往來之電報；橫山英〈辛亥革命研究覺書〉（《廣島大學文學部紀要》36號，1976年12月）、中國第二歷史檔案館編《中華民國史資料匯編·第1輯：辛亥革命》（南京，江蘇古籍出版社，1979）、中國第一歷史檔案館編《辛亥革命檔案史料展覽》（4卷）、上海市政協文史資料研究委員會編《辛亥革命七十周年：文史資料紀念專輯》（上海，上海人民出版社，1981）、廣州市政協文史研究委員會編《紀念辛亥革命七十周年史料專輯》（2冊，廣州，廣東人民出版社，1981）、葉竟群編《辛亥風雲紀實》（北京，學苑出版社，1994）。其他尚有《辛亥革命畫史》（香港，江漢出版社影印；臺北，文海出版社影印，民70）、周興樑等編《辛亥革命八十周年紀念冊》（廣州，廣東旅遊出版社，1991）及《共和國的追求與挫折一辛亥革命》（北京，文物出版社，1991）之歷史圖集、劉望齡編《辛亥革命大事錄》（上海，知識出版社，1981）、草莽餘生《辛亥革命大事記》（民元年出版，臺北，文海出版社影印，民77）、章開沅主編《辛亥革命史辭典》（武漢，武漢出版社，1991）選收辛亥革命史實和辛亥革命史研究方面有關詞目共計3218條，分歷史背景、歷史事件、歷史人物、會社黨團、思想理論、歷史文獻、報紙期刊、典章制度、史跡·紀念設施、研究著述、研究機構、學術會議等12類編排；書中之附錄二為「1949-1989年國內辛亥革命史主要論文目錄索引」，頗有其指引作用；辛亥革命武昌起義紀念館編《辛亥革命史地圖集》（北京，中國地圖出版社，1991）、劉運祺、蔡炘生編注《辛亥革命詩選》（武漢，長江文藝出版社，1980）、廣東省文史研究館、廣東省政協文史資料研究委員會編、劉斯翰注《辛亥革命詩歌選集》（廣州，廣東人民出版社，1983）。

㈡革命團體

全面探討清末各重要革命團體的論著，目前僅有張玉法《清季的革命團體》（臺北，中央研究院近代史研究所，民64），該書引用大量的中外文資料和研究成果，來論述清末革命運動中不同革命團體派系的分合大勢，尤其是書中有不少的統計分析，以及新的闡釋，是辛亥革命史研究中不可多得的學術性鉅著。

1.興中會（含興漢會）

清光緒二十年10月（1894年11月），被認為是清末第一個革命團體的興中會，成立於檀香山，其後陸續有香港興中會（1895年）、橫濱興中會（1895）、南非興中會（1897）、臺灣興中會（1897）、河內興中會（1902）、舊金山興中會（1904）的成立，其會員多為廣東人。此外光緒二十五年10月（1899年11月），興中會與部分哥老會等合組興漢會，以孫中山為總會長，是為興中會的聯盟組織。其史料方面有中華民國開國五十年文獻編纂委員會編《中華民國開國五十年文獻·第1編9—10冊——革命的倡導與發展㈠-㈡——興中會》（臺北，編者印行，民50）、國民黨黨史會編《革命文獻·第64輯—興中會革命史料》（臺北，編者印行，民62），另有部分興中會史料載《革命文獻》第3輯（臺中，民43）。論著方面有陳少白《興中會革命史要》（南京，建國月報社，民24，臺北，帕米爾書店影印，民41；臺北，中央文物供應社影印，民45）及〈興中會革命史別錄〉（《建國月刊》3卷1期，民19年5月）、胡心泉〈興中會革命史之一頁〉（同上，4卷2期，民19年12月）、牧甫〈興中會史話〉（《廣東文獻》4卷4期，民63年12月）、黃彥〈興中會研究述評〉（載《回顧與瞻望——國內外孫中山研究述評》，北京，中華書局，1986）、羅香林〈國父由滬赴檀與興中會的成立〉（《中華學校》1卷2期，民63年7月）、黃彥〈孫中山和檀香山興中會的成立〉（《廣東社會科學》1981年4期）及

〈孫中山改組革命團體的一次嘗試——從興中會到中華革命軍〉（同上，1986年3期）、金沖及、胡繩武〈論孫中山革命思想的形成和興中會的成立〉（《歷史研究》1960年5期；亦載《辛亥革命史論文選（1949－1979）》北京，三聯書店，1981）、榮孟源〈興中會創立的時間和地址考〉（載《辛亥革命史論文選（1949-1979）》，北京，三聯書店，1981）、志圭〈興中會創立地點事迹考〉（《建國月刊》11卷1期，民23年7月）、劉子健〈興中會時地和宣言的考訂〉（《中央週刊》5卷19期，民31年12月）、鄒魯〈關於興中會初創時間地點問題之第三商榷書－為答馮自由先生〝興中會始創於檀香山之鐵證〞而作〉（同上，6卷1期，民32年8月）及〈關於興中會起源問題之第四商榷書〉（《中央週刊》6卷18期，民32年12月）、馮自由〈總理修正倫敦被難記第一章恭註－附答鄒君海濱〝關於興中會初創時間地點問題之第三商榷書〞〉（同上）、馮自由、鄒魯〈關於興中會成立時地之最後商榷〉（同上，6卷24期，民33年2月）、眭雲章〈興中會成立之時期與地點的考證〉（《三民主義半月刊》第4期，民42年6月）、李守孔〈革命之序幕－興中會之創立與首次廣州起義〉（《中山學術會議三民主義學術研討會論文集》，民70）、小野川秀美〈興中會の起源〉（《立命館文學》265號，1967年7月）、深町英夫〈中國革命の起源－興中會の成立をめぐって〉（《近きに在りて》27號，1995年5月）、永井算巳〈興中會の設立をめぐる一考察〉（《信州大學紀要》第3號，1953年5月）、史群〈論興中會〉（《湖南師院學報》1981年4期）、章開沅〈興中會的歷史地位〉（載《孫中山與近代中國》，新疆人民出版社，1986）、張玉法等〈興中會的歷史地位與成就〉（載《中國現代史專題研究報告》12

輯，民79）、周興樑〈興中會是中國正規資產階級民主革命的開端〉（載《孫中山研究論叢》第1集，廣州，中山大學學報編輯部，1983）、馮自由〈檀香山老興中會會員及其遺族〉（《國史館館刊》1卷3期，民37年8月）及〈興中會時期之革命同志（革命逸史）〉（《大風半月刊》65-69期，民29年4-6月）、江天蔚〈興中會時代革命志士提名錄〉（《中央週刊》3卷19-21期，民29年11、12月）、宋譚秀紅、林為棟編著《興中會五傑（孫眉、鄧蔭南、宋居仁、許螯辰、鍾木賢）》（臺北，僑聯出版社，民78）、眭雲章〈檀香山興中會會長問題之考證〉（《三民主義半月刊》第6期，民42年7月）、松本武彥〈孫文の革命運動における興中會の意義ー特仁華僑の問題と關連して〉（《近代中國》第9號，1981；其中譯文爲朱貴昌、劉學貴譯〈興中會在孫中山革命運動中的意義ー兼論與橫濱華僑有關的幾個問題〉，載《雲南教育學院學報》1986年4期）、宋晞〈興中會的組織及其發展〉（收入《中華民國建國七十建國史專題演講集》，臺北，教育部高教司，民71）、王成聖〈興中會傳真〉（《中外雜誌》43卷4期，民77年4月）、金沖及〈從興中會到同盟會〉（《文史知識》1984年9期）、大隅逸郎〈興中會から同盟會の成立に至る政治過程ー辛亥革命への序曲〉（《同志社法學》63號，1961年2月）、章開沅〈振興中華與認識國情ー紀念興中會成立九十周年〉（《華中師大學報》1985年1期）及〈興中會的歷史地位〉（載《孫中山與近代中國》，新疆人民出版社，1986）、李雲漢〈關於興中會史事的一點辯正〉（《近代中國》98期，民82年12月）、呂士朋〈興中會香港入會諸志士之研究〉（《近代中國》26期，民70年12月）、袁鴻林〈興中會時期孫楊兩派關係〉（載《紀念辛亥革命七十周年青年學術討論會論文選》，北京，中華書局，1983）、賀躍夫〈輔仁文社與興中會關係辨析〉（載《孫中山研究論叢》第2集，1984）、王興瑞〈清季輔仁文社與革命運動的關係〉（《史學雜誌》第1期，民34年12月）、廖漢臣〈興中會臺灣分會與容祺年〉（《臺北文物》4卷3期，民44年11月）、樂正〈興中會與自立軍起義〉（《孫中山研究論叢》第2集，1984）、王爾敏〈興中會同盟會與中華民國國號之創生〉（載《孫中山先生與近代中國學術討論集》第2冊，民74）、李曉蓉〈興中會與會黨的關係〉（《思與言》4卷5期，民56年1月）、莊政〈興中會與會黨人革命活動與洪門的關係〉（《淡江學報》18期—文商理工部門，民70年5月）、屠傳德〈改良派與興中會的合作談判小議〉（《復旦大學學報》1982年2期）、朱正生〈也談孫中山與〝興中會〞〉（《近代史研究》1993年4期）、張永坤〈從興中會到中國國民黨〉（載《中國國民黨黨史研究》，上海，神州出版社，1992）、孫子和〈興中會的政治主張〉（《中華學報》3卷2期，民65年7月）、周興樑〈興中會在同盟會成立過程中的作用〉（《中山大學研究生學刊（文科版）》1980年1期）、Shelly Hsien Cheng（鄭憲）著、陳世岳譯〈同盟會的背景(1)—興中會（1894—1905）〉（《中山社會科學》5卷2期，民79年6月）、趙軍〈宮崎滔天與興中會〉（《華中師院學報》1982年5期）。至於興漢會（1899年冬興中會聯合長江流域哥老會龍頭楊鴻鈞、李雲彪、張堯卿等別立「興漢會」，由孫中山任會長）有桑兵〈興漢會的前因後果〉（《中山大學學報論叢》第9期，1992）、劉江船〈關於興漢會的幾個問題〉（《江西師大學報》1993年4期）、上村希美雄〈興漢會の結成をめぐって—舊對陽館所藏史料を中心に〉（《辛亥革命研究》第5號，1985年10月）、陳鵬仁〈興漢會創建初探〉（載《國父建黨革命一百週年學術討論集》第1冊，臺北，民84）。

2.中國同盟會（含同盟會中部總會）

清光緒三十一年7月20日（1905年8月20日），中國同盟會（一般簡稱其為同盟會）於日本東京正式成立，是清末最大最重要的革命團體，其在國內各省及海外各地設有支分會（其名稱並不統一），至宣統三年閏6月初6日（1911年7月31日），中國同盟會中部總會成立於上海，由陳其美、宋教仁、譚人鳳主之，雖號稱為同盟會的分支，但由其成立動機，及放棄同盟會原有之民生主義主張來看，實為同盟會的別派。史料方面有《中華民國開國五十年文獻·第1編11—16冊：革命之倡導與發展㈢—㈧—同盟會》（臺北，民50）、國民黨黨史會編《革命文獻·第2輯—中國同盟會史料》（臺中，編者印行，民43）及《革命文獻·65、66輯—中國同盟會革命史料》（臺北，編者印行，民63）、南京市文物管理委員會〈中國同盟會文獻〉（《近代史資料》1978年2期）。論著方面以Shelly Hsien Cheng（鄭憲），The Tung-Meng-Hui: Its Organization Leadership and Finance, 1905-1912（Ph. D. Dissertation, University of Washington [Seattle], 1962）為其中之代表作，該書中譯本為陳孟堅譯《同盟會及其領導、組織與財務》（臺北，近代中國出版社，民74），書中對同盟會成立的背景、革命背景，以及同盟會的組織領導、經費都有所論述，並專章述說同盟會九次起義的經過，對起義的領導、成員及經費都有所交待，作者不僅參酌了國民黨黨史會的大宗原始資料，校正了同盟會記載的若干錯誤，同時參用了400種左右的中文資料，80種以上的外文資料，徵引資料的豐富，更是其一大特色。其次為Lee Ta-ling（李大陵），Foundations of the Chinese Revolution, 1905-1912: An Historical Record of the T'u-ng-Meng-Hui.（New York: St. John's University Press, 1970），原為李氏1967年在紐約大學（New York University）的博士論文，全書對同盟會的起源、組織、目標、綱領、軍事行動、以及同盟會的支會等都有詳細的論述，其中討論保皇黨與革命派的論爭、同盟會與光復會的關係，尤見特出。劉望齡、馬敏〈建國以來同盟會研究述評〉（載《回顧與展望—國內外孫中山研究述評》，1986）、金沖及、胡繩武《辛亥革命史稿·第2卷—中國同盟會》（上海，上海人民出版社，1985）、中村哲夫《同盟會の時代：中國同盟會の成立過程の研究》（神户學院大學人文學部人間文化研究叢書，京都，人文書院，1992）及〈黃興と中國同盟會の成立〉（《人文學部紀要（神户學院大學）》第1期，1990年10月）、章開沅〈孫中山與同盟會的建立〉（《華中師院學報》1978年1期）、蔣永敬〈同盟會成立的時代意義〉（《近代中國》49期，民74年10月）、桑兵〈孫中山與留日學生及同盟會的成立〉（《中山大學學報》1982年4期）、吳雁南〈孫中山談中國同盟會的成立及其意義〉（載《孫中山與辛亥革命》，貴陽，貴州人民出版社，1986）及〈中國同盟會成立時間補正〉（《史學月刊》1982年1期）、何澤福〈同盟會成立新論〉（《近代史研究》1985年2期）及〈再論同盟會的成立〉（同上，1988年6期）、桑兵〈也論孫中山與同盟會的成立—與何澤福同志商榷〉（《近代史研究》1987年1期)、郭漢民〈同盟會成立芻議〉(《益陽師專學報》1987年2期)、柯惠珠〈同盟會籌備會之探討〉(《黃埔學報》20輯,民76年6月)、周興樑〈興中會在同盟會成立過程中的作用〉(《中山大學研究生學刊(文科版)》1980期1期)、金沖及〈從興中會到同盟會〉(《文史知識》1984年9期)、王爾敏〈興中會同盟會與中華民國國號之創生〉(載《孫中山與近代中國學術討論集》第2冊,民74)、沈裕民〈同盟會在東京成立之經過及對辛亥革命的影響〉(《中國一周》546期,民49年10月)、董家安《國父的同盟會領袖地位之形成與保持》(臺中,日新文化出版社,民71)、曾振〈孫黃革命與同盟會〉(《戰史彙刊》14期,民71)、章開沅〈同盟會名稱探源〉(《辛亥革命與近代社會》,天津人民出版社,1985)、久保田文次〈中國同盟會成立大會の場所〉(《辛亥革命研究》第1期,1981年3月)、王本敏〈論同盟會〉(《青海社會科學》1981年4期)、唐德剛〈同盟會這個革命大拚盤—「細説辛亥革命」(中)〉(《傳記文學》60卷1期,民81年1月)、馮自由〈記中國同盟會(革命逸史)〉(《大風半月刊》60、61期,民29年1、2月)、李大方〈關於同盟會的性質及其革命綱領實質的一些意見〉(《中學歷史教學》1957年1期)、段本洛〈論同盟會的性質〉(《中學歷史》1981年2期)、郭漢民〈同盟會〞非團體聯合〞史實考〉(《湖北社會科學》1987年6期)、蔣永敬〈從中國同盟會成立初期之會員名冊探討幾個問題〉(《新知雜誌》1年4期,民60年8月)、韓文昌、沙蘭芳輯〈中國同盟會部分會員錄〉(《歷史檔案》1981年3、4期)、周朝棟〈同盟會員對三民主義的認識與態度〉(《貴州師大學報》1995年2期)、李君能〈中國最早的政黨應是中國同盟會〉（《唯實》1988年1期）、孫子和〈中國同盟會之政治主張〉（《中華學報》5卷1期，民67年1月）、來新夏〈同盟會及其政綱〉（《歷史教學》1955年6期）、王永年〈論同盟會內部關於″平均地權″綱領的分歧〉（《華中師大學報》1989年3期）、北山康夫〈同盟會時代の民生主義について〉（《大阪學藝大學紀要（人文科學）》第9號，1961年3月）、陳曉東〈資產階級化的大漢族主義—同盟會民族主義的特點簡析〉（《鐵道師院學報》1985年1期）、林家有、秦通海〈論同盟會的民主主義綱領〉（《民族研究》1983年1期）、郭松茂〈中國同盟會革命方法研究〉（《中山學報（國父遺教研究高雄市分會）》12期，民80年3月）、吳劍杰〈論同盟會的內部矛盾及其分化〉（《武漢大學學報》1978年4期）、章開沅〈論同盟會的性質及其內部分歧〉（《歷史研究》1978年11期）、李時岳〈同盟會內部風潮與孫中山〉（《廣東社會科學》1990年3期）、方志欽〈析同盟會的衰亡〉（《學術研究》1980年2期）、久保田文次〈辛亥革命と孫文・宋教仁—中國革命同盟會の解體過程〉（《歷史學研究》408號，1974年5月；其中譯文爲朴成煹譯，文載《國外中國近代史研究》第1輯，1980）及〈辛亥革命前における章炳麟と同盟會との對立〉（載《木村正雄先生退官記念東洋史論集》，1976年12月）、耘農（沈雲龍）〈章太炎與同盟會〉（《新中國評論》12卷6期，民46年6月，13卷1期，民46年7月）及〈章太炎與同盟會齟齬之經過〉（《民主潮》5卷6期，民44年3月）、徐立亭〈章太炎與同盟會的分歧〉（《龍江社會科學》1994年1期）、戴學稷、徐如〈略論光復會與同盟會的分歧〉（《浙江學刊》1985年2期）、曾永玲〈論光復會與同盟會的思想分歧〉（《松遼學刊》1986年4期）、楊天石、王學庄〈同盟會分裂與光復會的重建〉(《近代史研究》1979年1期)、潘鶴年〈光復會併入同盟會質疑》(《浙江學刊》1982年1期)、金沖及、胡繩武〈同盟會與光復會關係考實—兼論同盟會在組織上的特點〉(載《中華學術論文集》,北京,中華書局,1981)、徐和雍〈光復會的革命活動及其與同盟會的關係〉(《杭州大學學報》1981年3期)、耘農(沈雲龍)〈記同盟會與光復會之黨爭〉(《民主潮》5卷18期,民44年9月)、李金強〈同盟會與光復會之爭—清季廈門之革命運動(1906-1911)〉(《香港中國近代史學會會刊》第6期,1993年7月)、苑書義〈共進會與同盟會的關係〉(載《北京市歷史學會第一第二屆年會論文選集》,北京出版社,1964)、黨德信〈也談共進會和同盟會的關係〉(《青海社會科學》1984年4期)、譚彼岸〈俄國民粹主義對同盟會的影響〉(《歷史研究》1959年1期)、王中茂〈論武昌起義前孫中山在同盟會整頓和建設方面的得失〉(《史學月刊》1991年5期)、周興樑〈武昌起義前同盟會在國內的活動和鬥爭〉(載《紀念辛亥革命七十周年青年學術討論會論文選》上册,北京,中華書局,1983)、葛仁鈞〈論同盟會在辛亥革命中的得失〉(《遼寧大學學報》1995年5期)、榮孟源〈同盟會與辛亥革命〉(載氏著《歷史筆記》,北京,中國社會科學出版社,1983)、劉永義〈論同盟會的歷史功績及其局限性〉(《西北大學學報》1991年增刊)、李君能〈中國最早的政黨應是中國同盟會〉(《唯實》1988年1期)、侯外廬〈中國革命同盟會的精神〉(《時事類編特刊》36期,民28年4月)、陸丹林〈同盟會成立前後〉(《勝流》6卷1期,民36年1月)、韓文昌、沙蘭芳〈中國同盟會部分會員錄〉(《歷史檔案》1981年3、4期)、馬宣偉〈中國同盟會初期的四川籍會員〉（《四川地方志通訊》1984年3期）、李雲漢〈中國同盟會魯籍會員之初步調查〉（《山東文獻》13卷3期，民76年12月）、原馥庭〈山西籍同盟會會員〉（《山西文獻》47期，民85年1月）、徐鳳晨〈中國同盟會在東北的三次活動略述〉（《東北師大學報》1985年2期）、李樹權〈同盟會在吉林的活動〉（《吉林師院學報》1986年4期）、李銘新〈同盟會在黑龍江省學生中進行革命活動片斷〉（民革黑龍江省委員會編《紀念辛亥革命七十周年學術討論會文集》，1981）、葉祖蔭〈同盟會在雲南辛亥革命中的活動〉（《雲南地方志通訊》1986年6期）、戴建國〈同盟會在雲南〉（《研究集刊》1981年2期）、曹成章〈同盟會在滇西傣族地區的活動〉（《民族研究》1985年5期）、中國人民政治協商會議山東省委員會文史資料委員會編、馬庚成著〈同盟會在山東〉（濟南，山東人民出版社，1991）、林成西、彭文〈試論同盟會在四川保路運動中的作用〉（《成都大學學報》1981年2期）、朱文原〈同盟會與川路風潮〉（《近代中國》25期，民70年10月）、徐和雍〈浙皖起義與同盟會〉（《浙江學刊》1981年4期）、喬釗〈試論同盟會1909年北方起義計劃與熊成基〉（《博物館研究》1984年1期）、金沖及〈同盟會領導的武裝起義二題〉（《歷史研究》1984年1期）、馬力〈同盟會領導武裝起義是牽強附會嗎？〉（《教學生活（西安政治學院）》1985年6期）、隗瀛濤、何一民〈論同盟會與四川會黨〉（載《紀念辛亥革命七十周年學術討論會論文集》，民72）、李宗一〈中國同盟會與民國創建〉（《民國春秋》1987年1期）、徐輝琪《論武昌起義後同盟會的演變〉（《近代史研究》1981年3期）、王中茂〈1912年3月同盟會改組再認識〉（《史學月刊》1995年5期）、眭雲章〈同盟會改組後不久失敗的原因〉（《政論週刊》177期，民47年5月）、金沖及〈民初同盟會人的幾種社會政治方案〉（《歷史研究》1991年5期）、周源〈同盟會河南支部成立時間考〉（《中州學刊》1985年4期）、荊德新〈同盟會雲南分部與雲南陸軍講武堂〉（《研究集刊》1988年2期）、目黑克彥〈中國革命同盟會山西分會と罌粟栽培禁止問題〉（《集刊東洋學》71號，1994年5月）、劉毅翔〈略論自治學社與同盟會貴州分會〉（《辛亥革命史叢刊》第6輯，1986）、朱立文〈新加坡同盟會史略〉（《史學月刊》1984年1期）、徐市隱《緬甸中國同盟會開國革命史》（思明，日新書局，民20）、寺廣映雄〈「歐洲同盟會」の成立と意義について〉（《孫文研究》第4號，1986年5月）；其中譯文為郭傳璽譯〈關於歐洲同盟會的成立和意義〉（《中州學刊》1996年2期）、李穗梅〈李是男與美國舊金山同盟會的建立〉（《廣州文博》1986年1、2期合刊）、廖宗麟、張壯強〈從〝護兵被枉殺案〞看劉永福與同盟會的關係〉（《學術論壇》1996年6期）、林家有〈同盟會的建立和少數民族人民的反封建鬥爭〉（《學術研究》編輯部編《史學論文集》，廣東人民出版社，1980）。關於同盟會中部總會有王學庄、石芳勤〈略論中部同盟會的成立和歷史地位〉（《河北大學學報》1982年2期）、楊曉敏〈同盟會中部總會的成立〉（《上海師大學報》1980年1期）、王滌庸〈試論同盟會中部總會成立的意義和作用〉（《南充師院學報》1981年3期）、沈渭濱〈論同盟會中部總會的成立〉（《江海學刊》1963年8期）、趙宗頗〈試論同盟會中部總會〉（同上，1963年2期）、歐陽躍峰〈論同盟會中部總會〉（《求是學刊》1984年2期）、岑生平〈關於中部同盟會的評價問題〉（《求索》1986年6

期）、謝承國等〈怎麼看待中部同盟會的成立及作用〉（《青海師院學報》1981年4期）、王聿均〈中部同盟會與辛亥革命〉（載《辛亥革命研討會論文集》，民72）、Edmun S. K. Fung（馮兆基），〝The T'ung-meng-hui Central China Bureau and the Wuchang Uprising〞.（《香港中文大學中國文化研究所學報》7卷2期，1974年12月）、楊曉敏〈同盟會中部總會與上海光復〉（《史學月刊》1982年5期）、松本英紀〈中部同盟會と辛亥革命ー宋教仁の革命方策〉（載小野川秀美、島田虔次編《辛亥革命の研究》，東京，筑摩書房，1978）。

3.華興會

清末成立於長沙，成員多半為湖南人的華興會，其主要活動的地區在兩湖及江西，由於其存在的歷史太短（1903－1905），以該會為題的論著遂非常少，僅有劉元珠《華興會》（臺灣大學歷史研究所碩士論文，民國60年6月）、彭國興〈華興會幾個問題的研究〉（載《紀念辛亥革命七十周年學術討論會論文集》上册，北京，中華書局，1983）、姬春華〈華興會始末〉（載《辛亥革命在湖南》，長沙，湖南人民出版社，1983）、中村哲夫〈華興會と光復會の成立過程〉（《史林》55卷2期，1972年3月）、夏文信〈華興會成立年代考〉（《揚州師院學報》1961年2期）、周震鱗〈關於黃興華興會和辛亥革命前後的孫黃關係〉（載《辛亥革命回憶錄》第2册，北京，中華書局，1961；亦收於左舜生《黃興評傳》附錄，臺北，傳記文學出版社，民57）、劉英志〈華興會的創立及其在中國歷史上的作用〉（《江漢大學學報》1996年5期）、饒懷民〈科學補習所非華興會湖北支部考〉(《湖南師大學報》1995年3期)。

4.光復會

光復會係清光緒三十年(1904)秋成立於上海，會員多半為浙江人，其主要活動地區在浙江、江蘇、安徽、福建四省。有關這方面的論著及資料有梁惠錦《光復會》(臺灣大學歷史研究所碩士論文，民61年6月)及〈研究光復會的重要史料〉(《出版與研究》49期，民68年7月)其列舉有關資料96種、張玉法〈光復會與辛亥革命〉(載《中華民國建國史討論集》第1册，民70)、沈寂〈光復會創建考〉(《合肥教育學院學報》1984年1期)、小野川秀美〈光復會の成立〉(《東方學報》41册，1970年3月)、中村哲夫〈華興會と光復會の成立過程〉(《史林》55卷2號，1972年3月)、姚輝〈〝光復會肇始於東京京浙學會〞說質疑—兼及魯迅入光復會的時間問題〉(《浙江學刊》1984年2期)、晨朵〈光復會成立日期、地址考〉(《浙江師大學報》1987年1期;《浙江學刊》1987年1期)、徐友仁〈辛亥革命中的光復會〉(《社會科學》1981年4期)及〈光復會在辛亥革命中的作用〉(《浙江學刊〉1981年4期)、李時岳〈論光復會〉(《史學月刊》1959年8期)、楊渭生〈評光復會〉(《群衆論叢》1981年5期)、胡國樞〈論光復會〉(《浙江學刊》1982年1期)、羅耀九〈光復會性質探討〉(《廈門大學學報》1960年1期)及〈光復會性質再探討〉(同上，1961年1期)、張維訓〈評《光復會性質的探討》〉(同上，1960年2期)、單寶〈略論光復會的性質〉(《中學歷史教學》1984年3期)、朱順佐〈試論光復會群體思想的歷史淵源和基礎〉(《浙江社會科學》1995年5期)、羅福惠〈光復會的特點及其悲劇—紀念光復會成立八十周年〉(《華中師大學報》1985年1期)、胡國樞〈一幅被淹沒的中國近代化藍圖—紀念辛亥革命團體光復會建立九十周年〉(《浙江學刊》1994年5期)及〈光復會的文績武功〉(《紹興師專學報》1981年4期)、潘鶴松〈"光復會併入同盟會"質疑〉(《浙江學刊》1982年1期)、胡國樞〈光復會會員名錄〉(《辛亥革命史叢刊》第8輯,1991年9月)、徐和雍〈光復會的革命活動及其與同盟會的關係〉(《杭州大學學報》1981年3期)、金沖及、胡繩武〈同盟會與光復會關係考實—兼論同盟會在組織上的特點〉(載《中華學術論文集》,1981)、戴學稷、徐如〈略論光復會與同盟會的分歧〉(《浙江學刊》1985年2期)、曾永玲〈論光復會與同盟會的思想分歧〉(《松遼學刊》1986年4期)、秠農(沈雲龍)〈記同盟會與光復會之黨爭〉(《民主潮》5卷18期,民44年9月)、楊天石、王學庄〈同盟會與光復會的重建〉(《近代史研究》1979年1期)、姚輝〈重建光復會述評〉(《浙江學刊》1985年1期)、大里浩秋〈光復會成立前後の事情—光復會論の㈠〉(《東京大學東洋文化研究所紀要》112冊,1990年3月)及〈光復會の前期の活動について—光復會論の㈡〉(同上,115冊,1991年3月)、徐嘉恩〈光復會以紹興為根據地之我見〉(《紹興師專學報》1985年2期)、沈作霖、李燁〈紹興大通學堂—光復會武裝起義的大本營〉(《浙江師院學報》1981年4期)、曾成貴〈大通師範學堂述略〉(《中學歷史》1982年3期)、徐友仁〈大通學堂特點〉(《歷史教學》1986年12期)、石田米子著、王鐵校〈光復會與浙江辛亥革命綜述〉(《浙江學刊》1984年6期)、石田米子〈關於清末浙江農民鬥爭與光復會的作用〉(《紀念辛亥革命七十周年學術討論會論文集》下册，北京，中華書局，1983）、張湘炳〈光復會與安徽〉（《安徽史學》1989年4期）、潘鶴松〈光復會與江浙光復〉（《浙江學刊》1985年1期）及〈光復會與上海光復〉（同上，1981年4期）、孟峴〈蔡元培與軍國民教育會及光復會〉（《復旦學報》1981年6期）、胡國樞〈光復會首任會長非蔡元培莫屬〉（《浙江學刊》（1984年5期）、李時岳〈論章炳麟和光復會〉（《吉林大學學報》1979年4期）、彭英明〈讀史箚記二則一章太炎與光復會〉（《華中師院學報》1978年4期）、沈寂〈徐錫麟與光復會〉（《中學歷史》1987年6期）、陳梅龍〈論陶成章與光復會：陶成章研究之一〉（《寧波師院學報》1989年1期）、錫金〈魯迅與光復會〉（《吉林師大學報》1979年2期）、增田涉〈魯迅と「光復會」〉（《文學》44卷8號，1976年8月），福田經〈魯迅と光復會〉（《中國資料》第4號，1948年2月）、林辰〈魯迅曾入光復會的考證〉（《中原月刊》2卷2期，民34年10月）及〈魯迅曾入光復會之考証〉（《文萃叢刊》30期，民34年11月）、吉田富夫〈魯迅と光復會の革命家群像〉（《現代の眼》13卷6期，1972年6月）、竹內良雄〈魯迅の光復會加入年の考察〉(《慶應大學紀要》11號，1993年3月）、倪墨炎、陳久英〈關於魯迅加入光復會的問題〉（《北方論叢》1981年6期）、董熾昌〈魯迅加入光復會的新旁證〉（《復旦學報》1981年2期）、裘士雄〈魯迅與紹興籍光復會同盟會十會員〉（《紹興師專學報》1981年3期）。

5.共進會及其他

共進會（1907年4月成立於日本東京，會員多為同盟會中之湖北、湖南、四川、江西等省人士）方面有Edmund S. K. Fung（馮兆基），"The Kung-Chin-hui: A Late Ch'ing Revolutionary Society"（Journal of Oriental Studies, Vol. 11, No. 2, July 1973）其中譯文為劉唐芬譯〈共進會——個晚清的革命團體〉（載張玉法主編《中國現代史論集》第3輯，臺北，聯經出版公司，民69）、魏建猷〈共進會的成立及其特點〉（《教學與研究》1962年1期）、石芳勤〈略論共進會的性質和作用〉（《河北大學學報》1979年2期；亦載《歷史教學〉1979年11期）、張靜廬〈共進會宣言書〉（《歷史教學》1957年2期）、周秋光〈共進會平議〉（載《紀念辛亥革命七十周年青年學術討論會論文選》下册，1983）、曾支農〈共進會議〝平均地權〞為〝平均人權〞原因析〉（《荊門大學學報》1989年4期）、清水稔〈共進會おぼえがき－辛亥革命前における湖南の革命運動〉（《院生論集》第1號，1971年3月）、苑書義〈共進會與同盟會的關係〉（載《北京市歷史學會第一屆第二屆年會論文選集》，北京出版社，1964）、黨德信〈也談共進會和同盟會的關係〉（《青海社會科學》1984年4期）、卜燦雄〈湖北文學社學共進會的離合及其影響〉（《中學歷史教學》1983年5期）、鄧文翬〈共進會的原起及其若干制度〉（《近代史資料》1956年3期）、勁松〈張百祥與共進會〉（《四川文獻》62期，民66年3月）、郭緒印〈民國史上的三個〝共進會〞〉（《民國春秋》1990年3期）。其他的革命團體有梁華平〈勵志會成立年月考－兼訂紅葉館送別日期〉（載《辛亥革命在兩湖學術討論會文集》，1986年3月）、桑兵〈軍國民教育會若干問題的探討〉（《孫中山研究論叢》第2集，1984）、童富勇〈近代國內最早的革命團體〉（《紹興師專學報》

1987年1期)、高良佐〈同盟會前之留歐革命團體〉(《建國月刊》11卷3期,民23年9月)、歐陽瑞驊〈武昌科學補習所革命運動始末記〉(《越風半月刊》20期,民25年10月)、川村規夫〈日知會的革命活動〉(《近代史研究》1994年4期)、武文〈日知會:辛亥革命前一個與教會有密切關係的革命團體〉(《天風》1981年4期)、嚴文郁〈武昌日知會有關的幾個人物〉(《傳記文學》52卷4期,民77年4月)、孫玉華〈試論文學社的性質〉(《華中師院學報》1982年5期)、沈寂〈辛亥革命時期的岳王會〉(《歷史研究》1979年10期)。

㈢改良與革命

以康有為、梁啟超為代表的維新派(保皇派),與清末革命運動的發展頗有所關連;戊戌變法以前的三、四年間,兩派人士曾有所接觸,戊戌政變以後,梁啟超等人一度在日本與孫中山往來協商合作。1900年保皇黨大規模的勤王行動—自立軍之役雖非革命派所主導,但自立軍的主帥唐才常,在思想上曾受孫中山影響,且參與是役的主力亦多為經革命派人士奔走連絡已與興中會約定合作的哥老會會眾;孫中山且曾在側面協贊是役的進行。自立軍之役失敗後,兩派的關係愈趨惡化。1907年,保皇會一律改名為帝國憲政會,以呼應國內的立憲運動,雙方立場相反,革命與君憲的論戰更形熾烈。以下擬分就兩派的關係、康有為、梁啟超三方面,來介紹有關的史科和論著(立憲派及立憲運動,則容後在「社會參與」條目中再行列舉):

1.維新（保皇）、革命兩派的關係

有李守孔〈光緒戊戌前後革命保皇兩派之關係〉（《大陸雜誌》25卷1、2期，民51年7月）、王興瑞〈清末革命黨與保皇黨的關係〉（《現代史學》5卷1期，民31年3月）及《清末革命保皇黨關係史》（重慶，史學書局，民34）、寺廣映雄〈革命瓜分論の形成をめぐつて—保皇·革命兩派之對立〉（載小野川秀美、島田虔次編《辛亥革命の研究》，東京，筑摩書房，1978）、亓冰峰《清末革命黨與保皇黨的言論鬥爭》（政治大學新聞研究所碩士論文，民53年7月）、薩孟武〈前清末葉革命與維新兩派的理論鬥爭〉（《中華文化復興月刊》3卷1期，民59年1月）、任放、陳鈞〈試論維新—革命派的經濟倫理〉（《華中師大學報》1995年2期）、林添貴譯〈維新與革命：中國的政治現代化〉（《幼獅月刊》38卷1、2期，民62年7、8月）、野村浩一〈革命派と改良派の思想〉（載氏著《近代中國的政治の思想》東京，筑摩書房，1964）、高申鵬〈1900年前後良派與革命派分合剖析〉（《貴州師大學報》1991年1期）、王德昭《從改革到革命》（北京，中華書局，1987）、陳旭麓〈中國近代史上的改良與革命〉（《近代中國資產階級研究》，上海、復旦大學出版社，1983）、張枬、王忍之〈辛亥革命前資產階級革命派和改良派的鬥爭〉（《歷史研究》1962年6期）、顧大全〈辛亥革命前後資產階級革命派與改良派的分裂與聯合〉（《貴州社會科學》1984年2期）、段雲章、桑兵〈論十九世紀末二十世紀初革命與改良的消長〉（《孫中山研究論叢》第2輯，1984）、茅家琦〈〞與其贈來者以勁革命，孰若自改革〞—試論資產階革命派和改良派的分水嶺〉（《南京大學學報》1981年3期；亦載《一次反封建的偉大實踐》，江蘇人民出版社，1982）、有田和夫〈改良派と革命派〉（《東京支那學報》11號，1965）、吳嘉勛〈革命派與改良派合作商談芻議〉（《歷史教學問題》1985年5期）、越前正己〈變法派·革命派の動向をめぐる日清關係—1890年代後半を中心にして〉（《秋大史學》16號，1968）、手代木公助〈戊戌より庚子に至る變法派と革命派の交涉—當時の日清關係の一斷面〉（《近代中國研究》第7號，1966年12月）、志圭〈清代康梁維新運動與革命黨之關係及影響〉（《建國月刊》9卷2期，民22年8月）、屠傳德〈改良派與興中會的合作談判小議〉（《復旦大學學報》1982年2期）、劉福祥等〈宮崎滔天與中國革命改良兩派之交惡〉（《歷史教學》1988年6期）、沈渭〈略論近代中國改良與革命的關係〉（《江蘇師院學報》1981年2期）、劉民山《論辛亥期間天津地區的改良與革命》（天津，天教育出版社，1992）、Charlton Miner Lewis, The Opening of Hunan: Reform and Revolution in a Chinese Province, 1895-1907.（Ph. D. Dissertation, University of California-Berkeley, 1966）、鄭德華〈辛亥革命前革命派與保皇黨在南洋的論戰〉（《學術研究》1984年2期）、李恩涵〈辛亥革命前革命派與維新派在新馬的思想論戰〉（《珠海學報》15期，1987年10月）、寺廣映雄〈革命瓜分論の形成をめぐつて—保皇·革命兩派の對立〉（載小秀川秀美、島田虔次編《辛亥革命の研究》，東京，筑摩書房，1978；其中譯文爲王富山、吳雁南譯，文載《辛亥革命史叢刊》第2輯，1983）、洪波〈中國近代史上改良派與革命派進化史觀比較〉（《吉林師院學報》1987年2期）、林增平〈革命派、改良派的離合與清末民初政局〉（《歷史研究》1986年3期）、郭景榮〈孫中山革命派在華僑中優勢地位的確立——十九世紀末二十世紀初保皇革命兩派的消長〉（《孫中山研究論叢》第5集，1987）、段雲章、譚彼岸、黃冠炎〈辛亥革命前資產階級革命派和改良派在華僑中的鬥爭〉（載《辛亥革命五十周年紀念文集》，北京，中華書局，1962）、王先明〈試論革命派對改良派的策略原則〉（《安徽史學》1991年1期）、陳錫祺〈廿世紀初孫中山和資產階級改良派的鬥爭〉（《學術研究》1965年4、5期合刊）、鄭劍順〈孫中山與改良派〉（《學術月刊》1982年7期）、宋德華〈論孫中山與康梁派合作的嘗試及失敗原因〉（《廣東社會科學》1992年4期）、陳錫祺〈二十世紀初孫中山和資產階級改良派的鬥爭〉（《學術研究》1965年4、5期）、河北省安次縣北昌南隊貧下中農理論組北京師大歷史系二年級開門辦學小分隊〈辛亥革命時期孫中山同改良派的鬥爭〉（《北京師大學報》1975年1期）、孔祥吉〈孫中山康有為早期關係探微〉（中國人民大學清史研究所編《清史研究集》第6輯，北京，光明日報出版社，1988）、馬天增〈孫中山的革命活動和康有為政治活動的關係〉（《新史學通訊》1953年8期）、周興樑〈試論1900年前後孫中山與梁啟超關係〉（《貴州社會科學》1984年5期）、侯宜杰〈辛亥前梁啟超與革命派的矛盾〉（《益陽師專學報》1990年1、2期）、朱班遠〈孫中山梁啟超之友敵演變與論戰始末〉（《中央大學社會文化學報》創刊號，民83 年5 月）、Robert A.Scalapino and Harold Schiffrin, " Early Socialist in the Chinese Revolution Movement: Sun Yat-sen Versus Liang Ch'i-ch'ao." （The Journal of Asian Studies , Vol. 18, No. 3, May 1959）、李喜所〈孫中山與梁啟超〉（《天津師大學報》1991年3期）、閔斗基〈辛亥革命以前時期之孫中山與梁任公—應付理想與現實分岐〉（《東亞文化（漢城大學東亞文化研究所）》33輯，1995年12月）、陳長年〈辛亥革命中康梁一派的政治活動〉（《紀念辛亥革命七十周年青年學術討論會論文選》下冊，北京，中華書局，1983）、陳錚〈康梁的民智觀及其與革命派的論爭〉（《戊戌後康梁維新派學術研討會論文》，廣州，1993）、張作人〈清末中國對社會主義思想の受容と批判—梁啟超と同盟會革命派の大論爭について〉（《大東法政論集》第1號，1993年3月）、步近智等〈辛亥革命準備時期資產階段革命派對「君憲」和封建道德的批判〉（《新建設》1961年10期）、亓冰峰《清末革命與君憲的論爭》（臺北，中央研究院近代史研究所，民55），探討革命與君憲的思想論戰，以見革命派改良派兩大勢力消長和影響，為同類研究中的佳作。高良佐〈開國前革命與君憲之論戰〉（《建國月刊》7卷3-6期、8卷5-6期，民21年8-11月、22年5-6月）、趙夢涵、李天安、郭德宏〈辛亥革命前資產階級革命派與改良派論戰的再評價〉（《山東大學學報》1988年1期）、顏華〈辛亥革命前的一場思想大論戰〉（《學習與研究》1981年4期）。至於保皇會及其活動（含自立軍之役）、有康有為學生伍憲子（伍莊）所撰之《中國民主憲政黨黨史》（舊金山，世界日報社，1963）。伍氏曾參與清末保皇會活動，後來且繼康氏、徐勤而為憲政黨（即帝國憲政會，其前身為保皇會）領袖，故本書敍述保皇會史最為詳盡，最具代表性；余慧子〈美國柏克來加州大學圖書館所藏保皇會、中國民主憲政黨、中國民主社會黨史科〉（載《近代中國史研究通訊》第7期，民78年3月），作者為柏克萊加州大學華美研究圖書館主任，就該館所藏此批原始文件（其中並有伍憲子著作、手稿，張君勵手稿等珍貴資料）為文加以介紹，甚具參考價值；上海市文物保管委員會編《康有為與保皇會》（2册，上海，上民出版社，1982）則是將康有為後人康同凝、康保莊、康保娥等寄贈給該會關於康氏的遺稿、手跡、來往函札、圖片等珍貴資料加以整理編纂而成，極具參考價值、Jane Leung Larson，"New Source Materials on Kang Youwei and Baohuanghui（保皇會）：The Tan Z'hangxiao （Tom Leung）, Collectiion of Letters and documents at UCLA'S East Asian Library."（Chinese America：History and Perspective, 1993）、 L. Eve Armentrout, Ma Revolutionaries, Monarchists, and Chinatown： Chinese Politics in the Americas and the 1911 Revolution.（Honolulu：University of Hawaii Press, 1990），係以其博士論文－Competition Between Chinese Reformers and Revolutionaries in Americas（University of California-Davis, 1977）為基礎而撰成，對保皇黨人、革命黨人在美國華埠的活動有詳盡的論述；湯志鈞〈試論保皇會〉（《近代史研究》1981年3期）及〈康有為的海外活動和保皇會前期評價〉（《歷史研究》1994年2期）、林克光〈關於保皇會的反思〉（載廣東康梁研究會編《戊戌維新運動研究論文集》）、湯志鈞〈論康有為與保皇會〉（載《紀念辛亥革命七十周年學術討論會論文集》中册，北京，中華書局，1983）、莫世祥〈康門在商海中破裂－對有關芝加哥瓊彩樓債務糾紛的若干信函的述評〉（《近代史研究》1995年2期），雷家禎〈保皇會〝忠君愛國〞略論〉（《吉林大學社會科學學報》1984年6期）、吳澤〈保皇黨與康梁路線〉（《中國建設》7卷1期，民37年10月）、宋德華〈論維新派〝保救光緒〞的目的〉

（《暨南學報》1994年2期）、周輝相〈保皇派與維新派政綱比較論略〉（《湖湘論壇》1992年4期）、董方奎〈君主立憲與現代化一為康有為〝保皇〞一辯〉（《華中師大學報》1995年2期）、劉渭平〈清末保皇黨在澳洲僑界的活動〉（《傳記文學》59卷6期，民80年12月）、任貴祥〈華僑與保皇會〉（《華僑華人歷史研究》1996年4期）、蔣貴麟〈保皇會歐榘甲等組設振華公司騙財謀殺案始末〉（《大陸雜誌》69卷2期，民73年8月）、小野川秀美〈義和團時期における勤王と革命〉（《ブルジュワ革命の比較研究》，東京，筑摩書房，1964；其中譯文爲李永熾譯〈義和團時期的勤王與革命〉，文載《大陸雜誌》40卷9期，民59年5月）、陳長年〈康、梁在兩廣的勤王活動〉（《北京大學學報》1992年6期）。自立軍之役以李守孔〈唐才常與自立軍〉（《中國現代史叢刊》第6册，民53）取材豐富，論析嚴謹，為極早致力於此一史事研究的開山之作；李氏另撰有〈唐才常思想之兩極端〉（《大陸雜誌》28卷2、3期，民53年1、2月），專論戊戌政變唐氏東渡日本與孫中山交往後，思想徘徊於革命、保皇之間的情狀；唐才常曾在《湘報》、《湘學新報》發表過一些文章，其《覺顛冥齋內言》（清光緒戊戌長沙刊本；臺北，文海出版社影印，民58）一書；4卷，共錄有其文章30篇，是研究唐氏不可或缺的第一手資料；湖南省哲學社會科學研究所編《唐才常集》（北京，中華書局，1980），其附錄有康有為〈唐烈士才常墓誌銘〉、唐才質〈唐才常烈士年譜〉、文操〈唐才常遺著目錄草編〉；皮明庥《唐才常和自立軍》（長沙，湖南人民出版社，1984）則是同類著作中份量最重的，該書對戊戌政變後的唐才常作了較為系統的研究，並對自立軍起事的領導、性質、意義以及唐氏變法思想和哲學思想，也進行了分析；張承宗、陳映芳〈唐才常的史論〉（《史學史研究》1988年1期）、朱仲壬〈論唐才常的歷史觀〉（《史學月刊》1983年6期）、王凱〈論唐才常的政治思想〉（《牡丹江師院學報》1988年3期）、鄺柏林〈唐才常和平改良到反清革命思想述評〉（《辛亥革命史叢刊》1982年4期）、蘇開華〈論唐才常的社會政治思想（兼談自立軍運動的性質）〉（《安徽史學》1984年5期）、鄧潭洲〈略論唐才常的哲學觀點和社會思想〉（《史學月刊》1959年6期）、何曉明〈唐才常維新變法思想淺論〉（《武漢師院學報》1982年5期）、吳申元〈唐才常經濟思想簡論〉（《經濟問題探索》1988年3期）、吳雁南〈唐才常的心力決定論〉（《中州學刊》1993年1期）、藤井友子〈唐才常の〝通〞について〉（《中哲文學會報（東京大學）》第9號，1984年6月）、陳善偉〈唐才常與譚嗣同的交誼與事功〉（《香港中文大學中國文化研究所學報》19期，1988）、郭漢民、陳宇翔〈唐才常入兩湖書院時間考實〉（《近代史研究》1996年4期）、何敏〈唐才常在瀏陽辦礦〉（《求索》1989年5期）、曾長秋〈主編《湘報》的唐才常〉（《船山學報》1995年1期）、唐才質〈唐才常和時務學堂〉（《湖南歷史資料》1958年3期）、楊天石〈唐才常佚札與維新黨人的湖南起義計劃〉（《歷史檔案》1988年3期）、文操〈唐才常佚詩〉（《圖書館雜誌》1982年2期）、唐才質搜集、鄧潭洲整理〈唐才常的家書和課卷〉（《湖南歷史資料》1958年3期）、陳孝惇《唐才常之生平與思想》（政治大學歷史研究所碩士論文，民72年6月）、金沖及〈論唐才常〉（《近代史研究》1980年4期）、何曉民〈唐才常論〉（《江漢論壇》1985年10期）、朱國棟〈唐才常是什麼派？〉（《四川大學學報》1985年1期）、胡珠生〈自立會歷史新探〉（《歷史研究》1988年5期）、杜邁之、劉泱泱等編《自立會史料集》（長沙，岳麓書社，1983）、嘉弘〈自立會唐才常等與會黨的關係〉（《歷史研究》1956年8期）、胡珠生〈正氣會及其《會序》三題〉（同上，1984年6期）、陶季邑〈正氣會二題（和胡珠生同志商榷）〉（《歷史研究》1990年6期）、皮明庥〈自立軍起事中的唐才常〉（《武漢師院學報》1982年5期）、湯志鈞〈戊戌政變後的唐才常與自立軍〉（《近代史研究》1979年1期）及〈唐才常和自立軍起義一兼試論改良派和革命派的關係〉（收於湯氏《戊戌變法史論叢》，湖北人民出版社，1957）、惠政〈唐才常與自立軍〉（《縱橫》1988年6期）、鄭曉樺〈自立軍起義領袖唐才常〉（《人物》1987年6月期）、胡夢琪〈自立軍事件與唐才常〉（《人文雜誌》1981年5期）、徐鶴年〈唐才常自立軍起義試析〉（《寧波師院學報》1987年1期）、鄧潭洲〈關於唐才常領導自立軍起義幾個問題〉（收於存萃學社編集《戊戌維新研究論集》，香港，崇文書店，1973）、永井算巳〈唐才常と自立軍起義一清末留日學生の研究の一節〉（《日本歷史》85、88號，1955年6月、10月）及〈唐才常自立軍事件について〉（《史學雜誌》62卷12號，1953年12月）、菊池貴晴〈唐才常の自立軍起義一變法、革命兩派の交流を中心として〉（《歷史學研究》170號，1954年4月）、近藤邦康〈「井上雅二日記」一唐才常自立軍蜂起〉（《國家學會雜誌》98卷1、2號，1985年2月）、大塚博久〈自立軍起義について一主に指導者唐才常との關係において〉（《現代中國》38號，1963年5月）及〈戊戌政變以後における改良主義運動一自立軍起義を中心として〉（《山口大學文學會志》13卷2號，

1962年12月）、劉泱泱〈試論自立軍起義〉（《求索》1981年3期）、王先明〈革命派和維新派的早期關係與自立軍〉（《山西大學學報》1983年2期）、樂正〈興中會與自立軍起義〉（《華中師院學報》1985年1期）、湯志鈞〈孫中山和自立軍〉（《歷史研究》1991年1期）、何敏〈孫中山與自立軍起事〉（《史學月刊》1986年5期）、陳達凱〈改良派左翼與自立軍起義〉（《江淮論壇》1988年2期）、蔡少卿〈論自立軍起義與會黨的關係〉（《近代史研究》1984年5期）、張篤勤〈關於自立軍研究的幾個問題〉（《蘭州大學學報》1989年2期）、迺荃〈評1900年長江中游地區自立軍起義〉（《荊州師專學報》1990年4期）、張珊〈論大通自立軍起義—兼論自立軍起義的性質問題〉（《安徽大學學報》1979年4期）、皮明庥〈自立軍在湖北起事始末〉（《黃石師院學報》1982年4期）及〈自立軍漢口起事始末〉（《武漢春秋》1982年3期）、菊池貴晴〈唐才常の漢口起義—その過渡的性格について〉（《福島大學學藝部論集》第4號，1953年1月）、汪叔子〈關於自立軍漢口失敗的教訓〉（《江西社會科學》1982年4期）、王永康〈戊戌變法時期的湖南—兼論自立軍起義〉（《湖南師院學報》1962年4期）、薛國中〈1900年自立軍起義失敗的原因〉（《理論戰線》1960年5期）、陶季邑〈試論自立軍起義失敗原因及其影響〉（《黔東南民族師專學報》1990年1期）、汪叔子〈〝自立軍敗于龍澤厚、文廷式告密〞說辨訛〉（《近代史研究》1982年4期）、桑兵〈庚子保皇會的勤王謀略及其失敗〉（《歷史研究》1993年1期）、徐放〈庚子勤王起事與謀劃及其失敗〉（《戊戌後康梁維新派學術研討會論文》，廣州，1993）、周康燮〈陳三立的勤王運動及其與唐才常自立會的關係一跋「陳三立與梁鼎芬密札」〉（《明報》9卷10期，民62年10月）、桑兵〈甲午戰後臺灣內渡官紳與庚子勤王運動〉（《歷史研究》1995年6期）、陳長年〈庚子勤王運動的幾個問題〉（《近代史研究》1994年4期）、湯志鈞〈康梁〝勤王〞與日本英國〉（《中華文史論叢》47期，1991期5月）、彭澤周〈論漢口、惠州兩役與日本〉（《大陸雜誌》77卷4期，民77年10月）。唐才常而外，參與是役的自立軍統領及要人史料和對他們的研究論著有彭國興、劉晴波編《秦力山集》（北京，中華書局，1987）、彭國興〈論秦力山〉（載《紀念辛亥革命七十周年青年學術討論會論文集》，北京，中華書局，1983）、王德昭〈秦力山—從改良到革命〉（載《紀念辛亥革命七十周年學術討論會論文集》下冊，同上，1983）、凌少薇《從改良主義至革命—秦力山研究》（香港中文大學碩士論文，1972）、蘇全有〈秦力山從改良向革命的思想轉變及其特徵〉（《南開學報》1996年4期）、陶季邑〈關於秦力山評價的兩點質疑〉（《貴陽師專學報》1989年1期）及〈對秦力山的再認識〉（《貴州師大學報》1989年2期）、林克光〈林圭與自立軍起義〉（《歷史教學》1989年8期）、彭平一〈沈藎與〝沈藎案〞〉（《求索》1988年6期）、孔祥吉〈清末沈藎血案內幕〉（《歷史月刊》40期，民80年5月）、傅光培〈庚子漢口起事中的傅慈祥〉（《武漢師院學報》1982年5期）、王先明〈〝自立軍運動〞中和武昌起義後吳祿貞活動試析—革命派還是立憲派〉（《山西大學學報》1982年1期）。其他相關者如Douglas R. Reynolds, China: 1898-1912: The Xinzheng Revolution and Japan.（Cambridge: Council on East Asian Studies, Harvard University Press, 1993）等。

2.關於康有為

康有為著、蔣貴麟主編《康南海先生遺著彙刊》（共22冊，臺北，宏業書局，民65）是目前出版的康氏文集、資料集中最完整、最詳盡者，康氏尚有（康同璧、何擎一編）《萬木草堂遺稿》（臺北，成文出版社，民67）、（蔣貴麟編）《萬木草堂遺外編》（同上）、（蔣貴麟輯錄）《康南海先生未刊遺稿》（原載《大陸雜誌》50卷4期，民64年4月；51卷2期，64年8月、52卷1期，65年1月；臺北，文史哲出版社，民68）、《康南海自訂年譜》（上海，廣智書局，民2；臺北，文海出版社影印，民55）、《康南海文集》（臺北，文海出版社影印，民61）、《康南海書牘》（同上）、《康南海文集彙編》（上海，時還書局，民14）、《康南海先生詩集》（上海、長興書局，民2；臺北，文海出版社影印，民63）、《康南海官制議》（臺北，文海出版社影印，民63）、（鄧毅、張鵬一筆記）《康南海長安演説集》（同上，民61）、（姜義華、吳根樑編校）《康有為全集》（已出版3集，上海，上海古籍出版社，1987-1992）、（鄺柏林選注）《大同書：康有為集》（瀋陽，遼寧人民出版社，1994）、康保延編《康南海先生詩集》（臺北，中華民國丘海學會，民84）、鍾賢培等編《康南海詩文選》（廣州，廣東高等教育出版社，1988）、沈駿茂主編、劉聖宜編校《康南海政史文選》（廣州，中山大學出版社，1988）；其他尚有陳千秋、梁啟超《康有為長興里講學記》（臺北，文海出版社影印，民61）、俠安居士編《康南海先生墨蹟》（上海，寰球書局，民20初版石印本；臺北，世界書局影印，民60）、申松欣、李國俊《康有為先生墨跡》（鄭州，中州書畫社，1983）、王爾敏編《康有為手書真跡》（臺北，中央研究院近代史研究所，民83）、人民文學出版社編輯部編注《康有為詩文選》（北京，人民文學出版社，1958）、陳永正編注《康有為詩文選》（廣州，廣東人民出版社，1983）、馬洪林主編《康有為先生文集》（廣州，花城出版社，1994）、黃彰健《康有為戊戌真奏議》（臺北，中央研究院歷史語言研究所，民63）、湯志鈞編《康有為政論集》（2冊，北京，中華書局，1981）、樓宇烈整理《康有為學術著作選》（北京，中華書局，1988）、蔣貴麟編《康南海先生游記彙編》（臺北，文史哲出版社，民68）、上海市文物保管委員會編《康有為與保皇會》（2冊，上海，上海人民出版社，1982）及《戊戌變法前後：康有為遺稿》（同上，1986）、周德昌編《康南海教育文選》（廣州，廣東高等教育出版社，1989）、吳熙釗、鄧中好校點《南海先生口說》（廣州，中山大學出版社，1985）等。

論著方面，Hsiao Kung-Chuan（蕭公權），A Modern China and A New World: Kung Yu-wei, Reformer and Utopian, 1858-1927.（Seattle: University of Washington Press, 1975）；其中譯本為汪榮祖譯《康有為思想研究》（臺北，聯經出版公司，民77）將康視為空想的、急進的理性主義者和現實的、穩健的政治改革者，為康氏研究中不可多得之學術鉅著；張伯楨《南海康（有為）先生傳》（臺北，文海出版社影印，民55）、康文佩《康南海先生年譜續編》（同上，民61）、梁啟超《康南海傳》（上海，廣智書局，光緒34，1908）、宋雲彬《康有為》（上海，商務印書館，1951；北京，三聯書店，1955）、宋青藍《康有為》（南京，江蘇古籍出版社，1983）、何雙生《康有為》（北京，中華書局，1959；1982再版）、簡夷之《康有為年譜簡編》（北京，人民文學出版社，1963）、楊復禮《康梁年譜稿》（民27油印本）、吳天任編《康有為先生年譜》（2冊，臺北，藝文印書館，民85）、楊克己《康長素先生有為·梁任公先生啟超師生合譜》（臺北，臺灣商務印書館，民71）、沈雲龍《康有為評傳》（臺北，傳記文學出版社，民58）、董士偉《康有為評傳》（北京，百花洲文藝出版社，1994）、朱義祿《康有為評傳—時代的弄潮兒（中華歷史文化名人評傳·改革家系列）》（南寧，廣西教育出版社，1996）、齊春曉、曲廣華《康有為（晚清巨人傳）》（哈爾濱，哈爾濱出版社，1996）、坂出祥伸《康有為》（東京，集英社，1985）、馬洪林《康有為》（上海，上海人民出版社，1986）及《康有為大傳》（瀋陽，遼寧人民出版社，1988）、周中民《康有為》（北京，中華書局，1959）、何一民《維新之夢—康有為傳》（強國之夢系列叢書，成都，四川人民出版社，1995）、李雲光《康有為家書考釋》（香港，匯文閣書店，1979）、康同家《康有為與戊戌變法》（香港，香港寰球文化服務社，1959；臺北，文海出版社影印，民62）、齊赫文斯基（S. L. Tikhvinii）著、張時裕等譯《中國變法維新運動和康有為》（北京，三聯書店，1962）、范守正《康有為與戊戌變法》（臺北，傳統書局，民65）、湯志鈞《康有為與戊戌變法》（北京，中華書局，1984）及《改良與革命的中國情懷—康有為和章太炎》（香港，商務印書館，1990；臺北，臺灣商務印書館，民80）、吳澤《康有為與梁啟超》（上海，華夏書店，民37）、陳錫祺等著《論維新運動及康有為梁啟超》（廣州，廣東人民出版社，1985）、汪榮祖《康章合論》（臺北，聯經出版公司，民77）、竹內弘行《後期康有為論—亡命·辛亥·復辟·五四》（東京，同朋舍，1987）、楊雲開《康有為政治人格之研究》（政治大學政治研究所碩士論文，民70年6月）、孔祥吉《康有為變法奏議研究》（瀋陽，遼寧人民出版社，1988）、黃明同、吳熙釗主編《康有為早期遺稿述評》（廣州，中山大學出版社，1988）、陳慧道《康有為〝大同書〞研究》（廣州，廣東人民出版社，1994）、房德鄰《儒學的危機與蛻變—康有為與近代儒學》（臺北，文津出版社，民81）、何朋《論康有為文學》（香港，崇基學院，1968）、布裕民《康有為的春秋學》（香港大學碩士論文，1974）、冼梓林《康有為之歷史進化觀》（同上，1970）、坂出祥伸《康有為，エートピの開花》（東京，集英社，1985）、原田正己《康有為の思想運動と民眾》（東京，刀水書房，1983）、田所義行《中國における世界國家思想—康有為の大同思想を中心として　》（東京，昌平堂公司，1947）、Richard Campbell Howard, The Early Life and Thought of K'ang Yu-wei, 1858-1895.（Ph. D. Dissertation, Columbia University [New York], 1972）、鍾賢培主編《康有為思想研究》（廣州，廣東高等教育出版社，1988）、崔圭淳《康有為政治思想之研究》（臺灣師大國文研究所碩士論文，民83年6月）、安雲煥《康有為的大同思想》（臺灣大學政治研究所碩士論文，民80）、林瑞成《康有為的大同思想》（中國文化學院哲學研究所碩士論文，民62年6月）、王文賢《康有為大同思想》（輔仁大學哲學研究所碩士論文，民64年5月）、王妙如《康有為公羊思想研究》（淡江大學中國文學研究所碩士論文，民85年6月）、鄺柏林《康有為的哲學思想》（北京，中國社會科學出版社，1980）、柳香秀《康有為哲學思想之研究》（中國文化大學哲學研究所博士論文，民77）、Winston Ping Fan, The Political Philosophy of K'ang Yu-wei: A Sociological Study of Religious Syncretism.（Ph. D. Dissertation, Michigan State University [East Lansing], 1966）、丁亞傑《康有為經學述評》（中央大學中文研究所碩士論文，民81年5月）、青島康有為研究會編《康有為研究》（山東，嶗山印刷廠印行，1987）、林克光《革新派巨人康有為》（北京，中國人民大學出版社，1990）、Li San-Pao（李三寶），K'ang Yu-Wei's Iconoclasm: Interpretation and Translation of His Earliest Writings, 1884-1887.（Ph. D. Dissertation, University of California-Davis, 1978）、余美玲《康有為書學研究》（中國文化大學中文研究所博士論文，民81年11月）、黃煥智《孫中山與康有為政治人格之形成與內涵研究》（臺灣師範大學三民主義研究所碩士論文，民83年6月）、陳漢才《康門弟子述略》（廣州，廣東高等教育出版社，1991）、李澤厚《康有為譚嗣同思想研究》（上海，上海人民出版社，1958）、梁偉德《康有為與梁啟超思想之傳承與蛻變》（香港中文大學碩士論文，1971）、Lo Jung-Pang（羅榮邦），K'ang Yu-Wei: A Biography and A Symosium.（Tucson: University of Arizona Press, 1967）、潘臺雄《康有為與梁啟超的君主立憲思想，1989-1911》（政治大學政治研究所博士論文，民85年5月）、Jonathan D. Spence, The Gate of Hearenly Peace: The Chinese and Their Revolution, 1895-1980.（The Jonathan D. Spence Children's Trust, 1981；其中譯本爲張連康譯《知識分子與中國革命》，臺北，絲路出版社，民83），雖非以康有為為書名，然全書係以康氏、魯迅、丁玲三人的生平事迹為骨幹，兼及其他的一些知識分子。

以上所列舉的論著均為專書，論文方面重要的有任訪秋〈康有為論〉（《河南師大學報》1982年5期）、徐光仁〈論康有為〉（載《論戊戌維新運動及康有爲梁啟超》，廣東人民出版社，1985）、羅榮邦〈南海康有為先生著作總目〉（《中華文史論叢》1983年2期）、馬洪林〈近年康有為紀念及研究情況述略〉（《文教資料》1987年4期）、竹內弘行著、孫國群譯〈近年來康有為研究動態〉（同上）、韋少波〈康有為研究報刊論文資料索引〉（同上）、林飛鸞〈建國以來康有為研究中幾個問題概述〉（《中山大學學報》1983年4期）、胡濱〈關於康有為的評價問題〉（《南海文史資料》12輯）、劉孔伏、潘良熾〈關於康有為的評價問題〉（《天津社會科學》1993年6期）、馬洪林〈再論康有為的歷史評價問題〉（《上海師大學報》1988年1期）、凌芝〈關於戊戌維新運動與康梁評價的若干問題的綜述〉（《學術研究》1982年3期）、陳木杉〈大陸學者對康有為之評價〉（《共黨問題研究》12卷3期，民75年3月）、王翔〈論康有為的歷史地位〉（《蘇州大學學報》1988年4期）、楊恒〈康有為、孫中山和近代中國歷史潮流〉（載《中國近代國主義論文集》，1984）、湯志鈞〈從康有為到孫中山〉（《近代史研究》1987年1期）、周德昌〈論康有為、梁啟超在中國近代教育史上的貢獻〉（《教育研究》1983年10期）、侯宜杰〈應為康梁和立憲派正名〉（《近代史研究》1994年2期）、王樹槐〈康有為〉（載《中國歷代思想家》47冊，臺北，臺灣商務印書館，民67）、山口一郎〈康有為〉（載《中國の思想家：宇野哲人博士米壽記念論集》，東京，勁草書房，1963）、段昌國〈康有為〉（《現代中國思想家》第3輯，臺北，巨人出版社，民67）、有田和夫〈康有為〉（《講座東洋思想》第2

卷，東京大學出版會，1967）、溫心源〈關於康有為〉（《珠海學報》第4期，1971年7月）、曾克耑〈康有為先生〉（《大學生活》2卷1期，1956年5月）、徐光仁〈論康有為〉（載《論戊戌變法運動及康有爲、梁啟超》，廣東人民出版社，1985）、唐德剛〈解剖康有為－「戊戌變法」四論之二〉（《傳記文學》60卷4期，民81年4月）、王森然〈康有為評傳〉（載氏著《近代二十家評傳》，北平，杏巖書局，民23；臺北，文海出版社影印，民63）、季鎮淮〈康有為評傳〉（載《中國歷史著名文學家評傳·續編3》，濟南，山東教育出版社，1989；亦收入氏著《來之文錄》，北京，北京大學出版社，1992）、董士偉〈康有為：近代中國啟蒙第一人〉（《教學與研究》1989年1期）、郭桂蘭〈中國早期資產階級革命家康有為〉（《歷史教學》1984年11期）、陳崇橋〈變則興，不變則亡－近代著名的改革家康有為〉（《理論與實踐》1984年3期）、林安梧〈抽象的感性下的變革論者－康有為〉（載張永儁主編《中國新文明的探索－當代中國思想家》，臺北，正中書局，民80）、佐藤震二〈康有為－中國近代史研究の手引〉（《大安》5卷12號，1959年12月）、康保延〈康有為苦學記〉（《中外雜誌》43卷4期，民77年4月）及〈記先祖南海先生二三事〉（《廣東文獻》7卷2期，民66年6月）、蔣貴麟〈康南海先生軼事〉（《文教資料》1987年4期）、康保延〈康有為的命名與功名〉（《廣東文獻》25卷3期，民84年9月）及〈康有為中舉文憑〉（同上，6卷3期，民65年9月）、廡翁〈廡齋脞記㈢－康有為中進士之謎〉（同上，18卷2期，民77年6月）、長瀨誠〈康有為展望〉（《拓殖大學論集》第9號，1955年11月）、耘農（沈雲龍）〈康有為誕生百年紀念〉（《新中國評論》14卷5、6期，15卷1-4期，民47年5-10

月）、李可良〈我印象中的康有為〉（《人物》1983年2期）、唐德剛〈解剖康有為—〝戊戌變法〞四論之二〉（《傳記文學》60卷4期，民81年4月）、劉海粟〈我的老師康有為〉（《大成》218期，民81年1月）及〈回憶康南海先生〉（《文教資料》1984年6期）、趙豐田編〈康長素先生年譜〉（《史學年報》2卷1期，民23年9月）、原田正己〈康南海自編年譜の一考察〉（《早稻田大學文學院文學研究科紀要》16號，1970年12月）、趙捷民〈宋著《康有為》的一些問題〉（《文史哲》1956年5期）、松材〈中國近代改良主義運動領袖—康有為〉（《通化師院學報》1982年1期）、陳旭麓〈康有為的愛國維新精神〉（收入氏著《陳旭麓學術文存》，上海人民出版社，1990）、黃彰健〈論光緒十四年康有為代御史屠仁守草摺事〉（載氏著《戊戌變法史研究》，臺北，民59）、劉凌〈康有為〝萬木草堂〞考略〉（《湖南大學學報》1987年1期）、李明〈萬木森森散萬花—萬木草堂初探〉（《暨南學報》1984年2期）、蘇雲峰〈康有為主持下的萬木草堂〉（《中央研究院近代史研究所集刊》第3期下冊，民61年12月）、羅小瓊〈康有為〝萬木草堂〞辦學的啟示〉（《包頭教育學院學報》1987年1期）、沈茂駿〈論萬木草堂的本質屬性〉（《廣東社會科學》1995年3期）、柯安〈〝萬木草堂精神〞及其他〉（《學林漫步》第3集，1982）、林斌〈康有為與萬木草堂學風〉（《東方雜誌》復刊3卷4期，民58年10月）、康有為講、康弟子記錄〈萬木草堂口説〉（《大陸雜誌》63卷6期，民70年12月）、康保延〈康有為創立不纏足會〉（《廣東文獻》26卷1期，民85年3月）、德華〈試論康有為要求變法的兩大現實依據〉（《中學歷史教學》1988年3期）、馬繼生〈明治維新給康有為的啟示〉（《歷史教育》

1988年5期）、王秀華〈康有為對日本明治維新的學習與借鑒〉（《遼寧大學學報》1987年5期）、山根幸夫〈戊戌變法と日本—康有為の〈明治維新〉把握を中心にして〉（載氏著《論集近代中國と日本》，東京，山川出版社，1976）、蕭承置〈譯書與康梁維新派的西學傳播〉（《江西社會科學》1990年1期）、湯志鈞〈重論康有為與今古文問題〉（《近代史研究》1984年5期）及〈康有為和今文經學〉（載《近代人物論集》，成都，四川人民出版社，1983）、吳雁南〈心學、今文經學與康有為的變法維新〉（《近代史研究》1989年2期）、顧頡剛〈清代〝經今文學〞與康有為的變法運動〉（《中國文化》第3期，1990年秋季號）、楊向奎〈康有為與今文經學〉（《中國哲學史研究》1983年1期）、中村聰〈康有為における經書の認識—經濟と西學受容との關係中心として〉（《東洋大學學院紀要》20號，1984年2月）、顧頡剛〈論康有為辨偽之成績〉（《中山大學週刊》11卷123期，民19）、別府淳夫〈朱次琦和康有為—晚清的朱子學研究〉（《孔子研究》1987年2期）、房德鄰〈康有為和廖平的一樁學術公案〉（《近代史研究》1990年4期）、徐光仁、黃明同〈論廖平與康有為的治經〉（《廣東社會科學》1988年3期）、朱維錚〈康有為和朱一新〉（《中國文化》第5期，1991年12月）、胡楚生〈康有為「長興學記」與葉德輝「長興學記駁義」〉（《文史學報（中興大學）》18期，民77年3月）、呂佐〈康有為兄弟的手足情〉（《嶺南文史》1985年2期）、何新〈康有為譚嗣同經學佛哲學思想新上篇：論康有為的今文經學改革思想〉（《學習與探索》1982年5期）、馬洪林、何金彝〈康有為譚嗣同的新仁學〉（《上海師大學報》1995年1期）、小林武〈清末變法派の行動と存在の原理—康有為·譚嗣同について〉(《日本中國學會報》27號,1975年10月)、陳敦偉〈論康有為信仰陸王心學的原因〉(《寧波師專學報》1983年1期)、吳義雄〈康有為與理學初論〉(《中山大學學報》1996年4期)、施忠連〈康有為與陸王心學〉(《中國哲學》1984年11期)、李雲光〈康有為桂林講學述評〉(《大陸雜誌》79卷3期,民78年9月)、林浩〈康有為的桂林之行和《廣仁報》〉(《廣西社會科學》1986年4期)、孫會文〈康有為對西方議會制度的態度〉(《中國歷史學會史學集刊》第7期,民64年5月)、鄭大湖〈康有為對《萬國公報》的揚與棄〉(《上海師大學報》1993年2期)、申松欣〈康有為與西學〉(《史學月刊》1990年2期)、陳樹德〈康有為和章太炎最先傳入社會學〉(《社會科學》1981年4期)、Hsiao Kung-chüan(蕭公權),"K'ang Yu-wei and Confucianism."(Monumenta Senica, Vol.18, 1959)、房德鄰〈康有為與近代儒學〉(《孔子研究》1989年1期)、李翔海〈康有為與現代新儒學〉(《南開學報》1992年5期)、桑咸之〈論康有為的儒學和近代化〉(《中國人民大學學報》1989年6期)、趙子明〈康有為對傳統儒學的利用與革新〉(《東方論壇》1993年4期)、王鈞林〈康有為對儒學的改造〉(《中國哲學史》1996年4期)、胡維革〈康有為與儒家思想近代化〉(《求是學刊》1992年3期)、馬洪林〈康有為重新塑造孔夫子〉(載林慶彰編《中國經學史論文選集》下冊,臺北,文史哲出版社,民82)、劉興華〈論康有為的中西會通〉(《近代史研究》1989年6期)、吳根梁〈論康有為戊戌維新前對中西文化狀態的比較〉(《復旦學報》1986年3期)、孫亦平〈試析康有為對中外文化的雙向選擇〉(《南京大學學報》1996年1

期）、黃達誠〈試論維新變法時期康有為對中外文化的吸收和再創造〉（《廣州師院學報》1990年1期）、何金彝〈戊戌後康有為對西方哲學的容與折射〉（《上海師大學報》1994年2期）、佐藤震二〈康有為哲學序説〉（《日本中國學會報》10號，1958年10月）、吳義雄〈康有為與理學初論〉（《中山大學學報》1996年4期）、章揚定〈試析康有為明治維新知識之來源〉（《廣東社會科學》1990年3期）、樂正等〈康梁維新派與近代中國向西方學習高潮的興起〉（《中山大學學報》1983年4期）、永井算巳〈清末における在日康梁派の政治動靜〉（《人文科學論集（信州大學）》1-3號，1966年12月-1968年12月）、涂鳴皋、吳遠清〈康有為與中國近代化意識〉（《西南師大學報》1989年4期）、陳華新〈康有為近代意識芻議〉（《近代史研究》1989年2期）、徐梁伯〈康有為近代主體意識芻議〉（《北方論叢》1992年4期）、馬洪林〈康有為的世界意識〉（《江海學刊》1992年5期）、馬洪林〈戊戌後康有為對西方世界的觀察和思考〉（《戊戌後康梁維新派學術研討會論文》，廣州，1993）、張華騰〈康有為與《上清帝第一書》〉（《商丘師專學報》1988年3期）、孔祥吉〈翁同龢與康有為的上清帝第一書〉（《漢學研究》13卷1期，民84年6月）、錢文匯〈康有為七次上書光緒皇帝〉（《歷史教學研究》1987年4期）、李正中〈〃公車上書〃新解〉（《近代史研究》1984年2期）、金保華〈〃公車上書〃本義考〉（《安徽史學》1984年1期）、陳可畏〈康有為《公車上書》與《應詔統籌全局摺》之比較〉（《歷史教學問題》1996年4期）、何振東〈《公車上書》百年祭〉（《江海學刊》1995年4期）、陳國鈞〈論康有為及其〃公車上書〃之書〉（《江西師大學報》1996年2

期）、汪叔子、王凡〈〝康有為領導公車上書〞說辨偽〉（《安徽史學》1987年3期）、馬洪林〈康有為〝公車上書〞記〉（《中學歷史教學》1983年2期）、馬鴻麟〈康有為的《公車上書》的文化思考〉（《廣東文獻》25卷3期，民84年9月）、中國第一歷史檔案館〈康有為第三次上清帝書原本〉（《歷史檔案》1986年1期）、黃彰健〈論〝杰士上書匯錄〞所載康有為上光緒第六書第七書曾經光緒改易並論上光緒第五書確由總署遞上〉（《故宮學術季刊》9卷1期，民80秋）、張嘯虎〈評康有為七上清帝書〉（《江漢論壇》1990年1期）、黃彰健〈康有為與保中國不保大清〉（《大陸雜誌》49卷5期，民63年11月）、〈論康有為「保中國不保大清」的政治活動〉（載氏著《戊戌變法史研究》，臺北，民59）、〈論光緒丁酉十一月至戊戌閏三月康有為在北京的政治活動〉（同上）及〈論康有為「保中國不保大清」的策略的轉變以後至曾廉上書以前康的政治活動〉（同上）、吳雁南〈〝心學〞、今文經學與康有為的變法維新〉（《近代史研究》1989年2期）、馬景祥〈康有為的變法圖強〉（《教學通訊》1982年1期）、湯志鈞〈康有為早期的變法活動〉（載氏著《戊戌變法史》，北京，人民出版社，1984）、李之勃〈康有為與維新變法運動〉（《新長征》1982年3期）、彭澤周〈康有為の變法運動と明治維新〉（《人文學報（京都大學）》30號，1970年3月）、胡繩〈康有為與戊戌維新〉（《讀書與出版》3卷1期、2期，民37年1月、2月）、黃彰健〈康有為與戊戌變法—答汪榮祖先生〉（《大陸雜誌》86卷3期，民82年3月）、汪榮祖〈翻案與修正之辨：再論康有為與戊戌變法答黃彰健先生〉（《漢學研究》11卷2期，民82年12月）、賴博平〈康有為與戊戌變法〉（《讀史劄記》第1

期，新加坡南洋大學歷史學會，1967年4月）、孔祥吉〈甲午戰後康有為變法條陳考略〉（《浙江學刊》1985年5期）、王曉秋〈康有為的〝仿洋改制〞〉（《百科知識》1993年12期）、〈試論康有為的〝仿洋改制〞〉（載《論戊戌維新運動及康有爲梁啟超》，1985）、〈評康有為的三部外國變政考〉（《北方論叢》1984年6期）及〈康有為的一部未刊印的重要著作—《日本變政考》評介〉（《歷史研究》1980年3期）、陳華新〈康有為與《日本變政考》的幾個問題〉（《近代史研究》1984年2期）、王魁喜〈關於康有為寫《日本變政考》的兩個問題〉（《近代史研究》1985年4期）、村田雄二郎〈康有為的日本研究及其特點—《日本變政考》、《日本書目志》管見〉（《近代史研究》1993年1期）、黃彰健〈讀康有為「日本變政考」〉（《大陸雜誌》40卷1期，民59年1月）及〈論光緒十四年康有為代屠仁守草摺事〉（同上40卷2期，民59年1月）、白國應〈康有為《日本書目志》分類的研究〉（《山西圖書館學刊》1982年4期）、楊玉良〈未刊行的兩部康有為著作—《波蘭分滅記》、《列國政要比較表》簡介〉（《故宮博物院院刊》1982年4期）、孔祥吉〈從《波蘭分滅記》看康有為戊戌變法時期的政治主張〉（《人文雜誌》1982年5期）、張錫勤〈康有為《中日和約書後》的寫作時間〉（《歷史研究》1991年3期）、楊憲邦〈康有為最重要的著作〉（《讀書月報》1957年12期）、何哲〈《大同書》成書年代及其思想特性〉（《近代史研究》1980年3期）、朱謙之〈〝大同書〞十卷—中國近代學術著作簡介〉（《讀書月報》1957年1期）、許冠三〈「多元史絡分析法」在史料考證上的運用—有關《大同書》、《禮運注》撰述年代的幾層分析〉（《香港中文大學學報》3

卷1期，1975年12月）、金觀濤、劉青峰〈理想主義與烏托邦—《大同書》中儒家與佛教的終極關懷〉（《二十一世紀》27期，1995年2月）、馬悦然〈從《大同書》看中西烏托邦的差異〉（同上，第5期，1991年6月）、房德鄰〈《大同書》起稿時間考：兼論康有為早期大同思想〉（《歷史研究》1995年3期）、李澤厚〈論康有為的《大同書》〉（《文史哲》1955年2期）、陳秀涓〈康有為的國外遊歷與《大同書》〉（《史學月刊》1996年1期）、楊志鈞〈關於康有為的《大同書》〉（《文史哲》1957年1期）、李澤厚〈「大同書」的評價問題與寫作年代—簡答湯志鈞先生〉（《文史哲》1957年9期）、張玉田〈關於〝大同書〞的寫作過程及其內容發展變化的探討—兼與李澤厚、湯志鈞二位先生討論關於〝大同書〞的估價問題〉（同上，1957年9期）、湯志鈞〈再論康有為的《大同書》—兼與李澤厚、張玉田二先生商榷〉（《歷史研究》1959年8期）、陳谷嘉〈關於《大同書》的成書年代—兼與湯志鈞商榷〉（《江漢學報》1963年3期）、徐粱伯〈《大同書》時代價值芻議〉（《江海學刊》1984年3期）、朱仲玉〈《大同書》手稿南北合壁及著書年代〉（《復旦學報》1985年2期）、中村聰〈「大同書」草稿の發見及び既刊本との校異序説—甲部を中心として〉（《東洋文化》65、66號，1990年10月）、何金彝〈傅立葉《新世界》與康有為《大同書》之比較〉（《上海師大學報》1996年1期）、湯志鈞〈康有為《禮運注》成書年代考〉（載氏著《戊戌變法史論叢》，湖北人民出版社，1957）、蘇鐵戈〈康有為《理財救國論》版本流傳撰述時間小考〉（《東北師大學報》1989年4期）、Li San-Pao（李三寶），"K'ang Yu-Wei's Shih-li Kung-fa Chüan-Shu: A Complete Book of Substantial Truths and Universal Principles."（《中央研究院近代史研究所集刊》第7期，民67年6月）、毛健予〈在維新變法運動過程中康有為為什麼著〝新學偽經考〞，〝孔子改制考〞和〝大同書〞？〉（《近代史學通訊》1953年5期）、趙樹貴〈評康有為《兩考》的消極作用〉（《江西社會科學》1991年1期）、羅素珍〈從康有為的〝兩考〞看戊戌維新運動的性質〉（《桂海論叢》1996年3期）、遲雲飛〈康有為的〝孔子改制考〞新議〉（《湖南師大學報》1988年3期）、齋藤秋男〈「孔子改制考」にあらはれたる康有為改革思想の本質〉（《中國文學》70號，1941）及〈「孔子改制考」について〉（《東洋大學論集》第1號，1941）、馬林〈康有為撰寫《孔子改制考》的目的及此書主要內容是什麼？〉（《歷史教學》1964年3期）、黃彰健〈論康有為進呈「孔子改制考」月日，並論「戊戌奏稿」「請尊孔聖為國教摺」為康事隔多年偽作〉（《大陸雜誌》61卷5期，民69年11月）、湯志鈞〈試論康有為的《新學偽經考》〉（《江海學刊》1962年10期）、劉振嵐〈康有為《戊戌奏稿》的修改時間一文質疑〉（《北京師院學報》1989年4期）、黃彰健〈康有為「戊戌奏稿」辨偽，並論今傳康戊戌以前各次上書是否與當時遞呈原件內容相合〉（載氏著《戊戌變法史研究》，臺北，民59）及〈康有為戊戌奏議一「日本變政考」、「傑士上書彙錄」等書，已在北平故宮博物院發現〉（《大陸雜誌》62卷6期，民70年6月）、孔祥吉〈康有為戊戌年變法奏議考訂〉（載《戊戌維新運動史論集》，湖南人民出版社，1983）及〈《戊戌奏稿》的改纂及其原因〉（同上）、湯志鈞〈關於康有為與戊戌變法諸問題〉（《香港中文大學中國文化研究所學報》16卷，

1985年）、胡繩〈康有為與戊戌維新〉（《讀書與出版》3卷1、2期，民37年1、2月）、王其榘〈康有為等的變法運動的本質是進步還是反動的〉（《歷史教學》1954年2期）、來新夏〈康有為梁啟超改良派所繼承的傳統是什麼？—與鄧初民先生商榷〉（《爭鳴》1957年5期）、湯志鈞〈康有為的新政建議和光緒皇帝的新政〝上諭〞〉（載氏著《戊戌變法史論叢》，湖北人民出版社，1957）、侯宜杰〈論康有為的變法綱領〉（載《清史研究集》第7輯，北京，光明日報出版社，1990）、劉仁達〈戊戌變法運動中康有為所提出的政治綱領〉（《歷史研究》1958年4期）、鄭之洪〈康有為〝戊戌維新〞政治綱領淺談〉（《廣州師院學報》1984年2期）、張鳳翔〈康有為戊戌變法政治主張芻議〉（《內蒙古大學學報》1984年1期）、王曉秋〈戊戌維新時期康有為政治主張的再探討〉（《社會科學研究》1984年4期）、陳勇勤〈康有為與清議的動機〉（《北方論叢》1994年2期）、鄭雲山、陶水木〈百日維新期間康有為變法策略二題〉（《安徽史學》1995年3期）、闞興家〈康有為在戊戌變法運動中的策略淺議〉（《遼寧財專學報》1991年1期）、郭鐵桩〈康有為〝溫和奪權〞策略考〉（《遼寧師大學報》1989年2期）、石聞〈窮途單路，更無歧趨—康有為決策品格談〉（《決策與信息》1987年9期）、陳金戈〈康有為與翁同龢關係考〉（《忻州師專學報》1986年1期）、王鐵群〈翁同龢舉荐康有為始末〉（《關中學學刊》1990年2期）、吳相湘〈翁同龢康有為關係考實—梁啟超「戊戌政變記」考訂（上）〉（《學術季刊》4卷2期，民44年12月）、清水稔〈康有為の變法に關する一考察〉（《研究紀要（佛教大學）》74號，1990年3月）、山根幸夫〈戊戌變法と日本—康有為の明治維新を中心として〉（《東京女子大學史學科開設記會論文集》，1962）、彭澤周〈康有為の變法運動と日本明治維新〉（《京都大學人文學報》30號，1970年3月）、張嬪嬪〈康有為在戊戌變法中的地位〉（《史薈》第8期，民67年5月）、蔣瑋〈對戊戌維新運動及康有為的新認識〉（《社會科學輯刊》1989年5期）、楊天石〈光緒皇帝與康有為的〝戊戌密謀〞〉（《歷史教學》1986年12期）及〈康有為「戊戌密謀」補證〉（收於氏著《尋求歷史的謎底—近代中國的政治與人物》上冊，臺北，文史哲出版社，民83）、鍾卓安〈戊戌變法中的光緒皇帝和康有為〉（《近代史研究》1983年4期）、Wong Young-tsu（汪榮祖），〝Revisionism Reconsidered：K'ang Yu-wei and the Reform Movement of 1898.〞（The Journal of Asian Studies, Vol.51, No. 3, August 1992）、黃彰健〈論光緒賜楊銳密詔以後至政變爆發以前康有為的政治活動〉（《大陸雜誌》38卷9期，民58年9月）、楊天石〈康有為謀圍頤和園捕殺西太后確證〉（收於《歷史科學研究的新歷程》，北京，光明日報社，1987）、曾一民〈康有為致丘逢甲書考釋〉（《逢甲學報》27期，民83年11月）、靳柏年〈康聖人與孔聖人—評康有為的資產階級改良主義道路〉（《學習與批判》1976年3期）、郭學旺〈論康有為由維新到保皇的演變〉（《山西師大學報》1990年1期）、不平〈康有為與戊戌政變〉（《宇宙風》146期，民36年1月）、耘農（沈雲龍）〈康有為與戊戌政變〉（《民主潮》3卷6-12期，民47年3-6月）、鄺兆江〈戊戌政變前後的康有為〉（《歷史研究》1996年5期）、王翔〈評戊戌變法後的康有為〉（《晉陽學刊》1988年5期）、徐高阮〈戊戌後的康有為〉（《大陸雜誌》42卷7期，民60年4月）、孟祥才〈一個熱誠愛國者的悲劇—評戊戌政變後的康有為〉(《煙臺大學學報》1994年2期)、黃彰健〈康有為衣帶詔辨偽〉(載氏著《戊戌變法史研究》，臺北，民59)、田中明〈康有為論一戊戌政變後に於ける康氏の為政論を中心として〉(《史學研究》103號，1939)、彭澤周〈關於康梁亡命日本的檢討〉(《大陸雜誌》41卷8期，民59年10月)及〈由近衛日記看康有為的滯日問題〉(同上，81卷6期，民79年12月)、永井算巳〈清末における在日康梁派の政治動靜(その一)一康有為梁啟超の日本亡命とその後の動靜〉(《信州大學人文科學論集》第1號，1966年12月)、湯志鈞〈康有為的海外活動和保皇會前期評價〉(《歷史研究》1994年2期)、原田正己〈康有為と日本·東南アジア〉(《早稻田大學文學部紀要》28卷，1983年5月)、李元瑾、周運梅〈康有為在新加坡的活動力〉(《讀史劄記》第4期，星加坡，南洋大學歷史學會，1970年3月)、細野浩二〈帝國主義と「大同」の問の康有為一國際法規範超克のための兩つの理路〉(載《第三屆近百年中日關係研討會論文集》上冊，中央研究院近代史研究所，民85年3月)、郭永亮〈新見康有為上粵督李鴻章兩書〉(《東方雜誌》復刊8卷1期，民63年7月)、陳長年〈康梁在兩廣的勤王活動〉(《北京大學學報》1992年6期)、林克光〈論康有為庚子廣西勤王戰略〉(《社會科學探索》1991年3期)、鍾卓安〈對康有為後期策動武裝勤王的再評價〉(《學術研究》1987年2期)、湯志鈞〈康梁〝勤王〞與日本英國〉(《中華文史論叢》47輯，1992)、湯志鈞〈論康有為與保皇會〉(《近代史研究》1981年3期)、原田正己〈康有為と會黨〉(《早稻田大學院研究科紀要》21號，1976)、林克光〈康有為創辦〝述農公司〞調查〉(《桂海論叢》1991年4

期）、趙春晨〈戊戌變法前後康有為、梁啟超與基督教〉（《汕頭大學學報》1992年1期）、黃士芳〈康有為與《時務報》〉（《史學月刊》1995年4期）、孫文鑠〈康有為與海外華僑報業〉（《暨南學報》1988年1期）、郭衛東〈丁未政潮中康梁派活動考略〉（《歷史檔案》1990年1期）、祝秀俠〈康有為漫遊海外十六年〉（《廣東文獻》創刊號，民60年1月）、康葆賢〈康有為遊蹤記趣〉（同上，17卷3期，民76年9月）、黃遜萍〈康有為匿跡西湖〉（《浙江月刊》25卷1期，民82年1月）、馬天增〈民國初年的康有為〉（《黃石師院學報》1983年3期）、馮祖貽〈從《不忍》雜誌看康有為民初的政治主張〉（《近代史研究》1994年3期）、房德鄰〈康有為與孔教運動〉（《北京師大學報》1988年6期）、黃克武〈民國初年康有為之孔教運動〉（《中央研究院近代史研究所集刊》12期，民72年6月）、後藤延子〈康有為と孔教―その思想史の意義〉（《新中國學報》25號，1973）、蔡世華〈康有為〝尊孔〞和五四〝打倒孔家店〞〉（《歷史教學》1994年10期）、蔣國宏〈也談康有為的〝尊孔〞和新文化運動的〝反孔〞：與蔡世華先生商榷〉（《江蘇社會科學》1996年1期）、董士偉〈新文化運動と〝孔教〞―康有為と陳獨秀の論爭について〉（《中國：社會と文化》第7號，1992年6月）及〈新文化運動與〝孔教觀〞―評康有為、陳獨秀之間的一場爭論〉（《學人》第1輯，江蘇文藝出版社，1991年11月）、村田雄三郎〈康有為與孔子紀年〉（同上，第2輯，1992年7月）、孔祥吉〈康有儀出賣康有為〉（《歷史月刊》25期，民79年2月）、Warren Sun, 〝The New Versus the Old Text Controversy Kiang Yu-Wei and Chang Ping-lin in the Weilight of Confucian Classical

Learning.〞(Papers on Far Eastern History, Vol. 42, 1990)、申松欣〈日本警視廳與康有為〉(《西北大學學報》1987年3期)、Robert L. Worden, "K'ang Yu-wei, Sun Yat-sen, et al. and the Bureau Immigration.(Ch'ing-Shin Wen-t'i〔清史問題〕, Volo 2, No.6, June 1971)、鴻山俊雄厚著、陳家麟等譯、曾立慧摘編〈康有為和他的日籍夫人鶴子〉(《春秋》1987年2期)、王樹槐〈康有為對女性及婚姻的態度〉(《近代中國婦女史研究》第2期，民83年6月)、吳翎君〈康有為與復辟運動(1912-1927)〉(《史原》15期，民75年4月)、羅繼祖〈康有為、沈曾植參預〝丁巳復辟〞〉(《史學集刊》1986年2期)、林克光〈丁巳後康有為的復辟活動〉(《歷史教學》1990年11期)、吳澤〈民元後康梁的再反動：復辟與護法〉(《中國建設》7卷5期，民38年2月)、朱順興〈康有為由狂入怪論〉(《湖湘論壇》1993年4期)、李雲光〈康有為一生的言行和他創立的大同教〉(《大陸雜誌》64卷5期，民70年11月)、祝秀俠〈康有為海外十六年〉(《中外雜誌》30卷3期，民70年9月)、李常清〈康有為晚年辦天游學院的概況〉(《南海文史資料》12輯，1988)、高越天〈康有為的晚年〉(《中外雜誌》17卷1期，民64年1月)、康同環〈說先父（康有為）晚年的政治主張〉(《廣東文獻》7卷2期，民66年6月)、竹內弘行〈康有為と吳佩孚〉(載狹間直樹編《中國國民革命の研究》，京都大學人文科學研究所，1992)、石原道博〈朱舜水と康南海〉(《歷史教育》8卷12號，1960年12月)、蔣英豪〈康梁與魯兩生〉(《廣東社會科學》1988年3期)、高國藩〈陳三立與康有為、梁啟超〉(《九江師專學報》1995年1期)、涂春風〈康梁師徒合離始末〉(《史苑》14期，民59年6月)、孔祥吉

〈孫中山康有為早期關係探微〉（中國人民大學清史研究所編《清史研究集》第6輯，北京，光明日報出版社，1988）及〈改革·反改革：康有為與袁世凱〉（《中外雜誌》56卷4-6期，民83年10-12月，57卷1期，民84年1月）、Wong J. Y., "Three Visionaries in Exile: Yung Wing, K'ang Yu-Wei and Sun Yat-sen, 1894-1911."（Journal of Asian History, Vol. 20, No.1, 1986）、陳子展〈葉德輝與康有為〉（《人間世》第7期，民23年7月）、朱維錚〈康有為與朱一新〉（《中國文化》1991年秋季號）、湛震〈中國知識分子的事業：康有為張元濟之比較〉（《同舟共濟》1996年1期）、周予同〈康有為與章太炎〉（收於朱維錚編《周予同經學史論著選集》，上海人民出版社，1983）、康保延〈康南海與羅癭公〉（《廣東文獻》22卷1期，民81年3月）、鄭逸梅〈康有為推崇沈寐叟〉（《中華文史論叢》1979年第2輯）、王和生〈程子良與康有為之間〉（《廣西文獻》33期，民75年7月）、蔣貴麟〈康有為先生弟子考略〉（《大陸雜誌》61卷3期，民69年9月）、李雲光〈康有為弟子姓名錄〉（同上，67卷5期，民72年11月）、康保延〈康有為與大藏經〉（《廣東文獻》20卷1期，民79年3月）、鄭仲〈康有為70壽辰和死亡之謎〉（《民國春秋》1987年1期）。陳賡平、陳無畏〈漫談康有為的詩〉（《西北師院學報》1984年2期）、趙修慎〈關於康有為的一首詩〉（《文學遺產》1985年2期）、于植元〈再談康有為的一首詩〉（同上）、李立信〈戊戌後康有為海外詩歌研究〉（《戊戌後康梁維新派學術研討會論文》，廣州，1993）及〈康有為海外詩歌研究〉（收入林天蔚主編《嶺南文化新探究論文集》，香港，現代教育研究社，1996）、郭延禮〈論康有為的海外詩〉（《東岳論叢》1984年6期）、陳永正〈康有為《蝶戀花》詞辨〉(《學術研究》1985年1期)、鄭孟彤〈抒懷抱、嘆不遇:讀康有為《秋登越王臺》〉(《嶺南文史》1995年2期)、坂出祥伸〈康有為と廣藝舟雙輯(1)(2)〉(《書論》第9、10號,1976年11月、1977年5月)及〈康有為「廣藝舟雙輯」譯注〉(《關西大學文學論集》30卷2號、3號、31卷1號,1980年12月、1981年2月、10月)、龔鵬程〈試論康有為的廣藝舟雙輯〉(《漢學研究》2卷1期,民73年6月)、張伯楨〈南海康先生學案〉(《正風半月刊》2卷2、3、5-8期,民25年3-6月)、坂出祥伸著、馬國平譯〈海外所見的康有為手迹—巴黎南海書法見聞〉(《嶺南文史》1995年3期)、余美玲〈康有為的書法〉(《國防管理學院學報》13卷2期,民81年8月)、康保延〈康南海先生書藝瑣聞〉(《廣東文獻》9卷1期,民68年3月)、李雲光〈康有為書法藝術欣賞〉(《大陸雜誌》75卷1期,民76年7月)及〈康南海先生書學異聞記〉(《廣東文獻》7卷4期,民66年12月)、西林昭一〈碑學派に關ける一考察—康有為の書論を中心として〉(《跡見學園國語科紀要》16號,1968年3月)及〈康有為の書論〉(《東洋研究(大東文化大學)》19號,1969年3月)、佐佐木正哉〈康有為のイギリス公使宛書簡二通〉(《東洋學報》53卷3號,1967年12月)、李名方〈康有為著作出品情況介紹〉(《文教資料》1984年6期)、康葆賢〈康有為的著述及評論〉(《廣東文獻》17卷2期,民76年6月)、蔣貴麟〈康南海先生逸書述〉(《大陸雜誌》65卷5期,民71年11月)、湯志鈞〈日本康梁遺迹訪問〉(《文物》1985年10期)。

論述康有為思想的論文重要的有馮友蘭〈康有為底思想〉(載北京大學哲學系中國哲學史教研室編《中國近代思想論文集》,上海，上海人民出版社，1958）、佐藤震二〈康有為思想の形成〉（《日本中國學會報》20號，1968年10月）、坂出祥伸〈「長興學記」から「桂學答問」へ一康有為の思想形成(1)〉（《中國哲學史の展望と模索》，東京，創文社，1976）、吳康〈晚清今文經學及其代表康有為之思想〉（《孔孟學報》11期，民55年4月）、別府淳夫〈康有為の思想一改制について〉（《倫理學研究》16號，1968）、李翔海〈康有為思想的內在矛盾及其文化指向〉（《學術研究》1993 年3 期）、Richard C. Howard, "K'ang Yu-wei, His Intellectural Background and Early Thought"（In Arthur Wright and Dennis Twitchett, eds. , Confucian Personalities. Stanford University Press, 1962）、山口一郎〈康有為の生涯と思想の發展〉（《中國文學》62號，1940）、金涵〈康有為思想研究〉（《國內哲學動態》1986年2期）、李澤厚〈康有為思想研究〉（載氏著《中國近代思想史論》，北京，人民出版社，1979）、竹內弘行〈對康有為思想研究的回顧與展望〉（《文教資料》1984年6期）、楊向奎〈康有為的思想批判〉（《文史哲》1952年5期）、蔡尚思〈康有為黃金時代的思想體系和評價〉（《學術月刊》1963年9期）、韋偉時〈萬身公法書籍與康有為前期思想〉（《中山大學學報》1989年4期）、坂出祥伸〈康有為初期の思想一「康子內外篇」の考察〉（《文學論集（關西大學）》32卷1號，1982年11月）、富田昇〈康有為「康子內外篇」の思想史的意義一「天欲」と「人理」〉（《東北大學論集》一般教育89、90，1988）、汪榮祖〈吾學三十歲已成：康有為早年思想析論〉（《漢學研究》12卷2期，民83年12月）、廖維藩〈論康有為思想與「人民公社」〉（《學粹》2卷1期，民48年12月）、劉準基〈康有為思想對韓國儒教改革的影響—以孔教為中心〉（《韓國學報》第9期，民79年6月）、李三寶〈經世傳統中的新契機：康有為早期思想研究之一〉（載《近代中國經世思想研討會論文集》，臺北，中央研究院近代史研究所，民73年4月）、李文義〈康有為經世思想及其特點〉（《齊魯學刊》1992年6期）、何志慧〈晚清經世致用思潮對康有為早期思想的影響〉（《學術研究》1988年5期）、黃開國〈評康有為與廖平的思想糾葛〉（《社會科學輯刊》1990年2期）及〈廖康羊城之會與康有為經學思想的轉變〉（《社會科學研究》1986年4期）、張勇〈戊戌時期章太炎與康有為經學思想的歧異〉（《歷史研究》1994年3期）、陶清〈康有為經學思想和意義闡釋〉（《中國文化研究》1995年3期秋之卷）、鄭祥玉〈清末康有為書論的〝法古〞思想〉（《齊魯學刊》1995年6期）、劉學軍〈論康有為維新變法思想的形成〉（《求是學刊》1995年3期）、嚴安林〈康有為維新思想動因新探〉（《學術月刊》1991年2期）、孫菘和〈康有為的變法維新思想〉（《政法教學》1958年2期）、小野川秀美〈康有為の變法論〉（《近代中國研究》第2號，1958年12月）、史國瑞〈論康有為的變法思想〉（《人文雜誌》1985年5期）、詹德湖〈康有為的維新思想〉（《臺中商專學報》第6期、7期，民63年6月，64年1月）、佐藤震二〈康有為の變法思想〉（《アカデシア》11號，1955年12月）、張豈之〈康有為的變法思想〉（載《戊戌變法六十周年紀念集》，北京，科學出版社，1958）、湯志鈞〈康有為變法思想溯源〉（載氏著《戊戌變法史論叢》，湖北人民出版社，1957）、陳敦偉〈心學與康有為的變法思想〉（《寧波師專學報》1983年2期）、鄭海麟〈康有為變法思想與日本〉（《歷史教學》1989年7期）、陳志華〈康有為改革的思想〉（《法商學報》20期，民74年12月）、黃明同、盧昌健〈康有為的變革發展觀〉（《廣州研究》1987年5期）、陳璐〈淺析康有為的變革觀〉（《惠州大學學報》1996年3期）、林安梧〈康有為「抽象的感性」下的變革論者——一個精神現象學式的思想性格〉（《近代中國文學與思想》第1號，中央大學中文系，民84）、吳乃華〈中西文化與康有為的變易思想〉（《人文雜誌》1996年5期）及〈試析康有為的變易思想〉（《學術研究》1996年8期）、吳雁南〈〝從洋〞托古〝參採中外〞—19世紀末康有為的思想邏輯〉（《貴州師大學報》1989年2期）、吳乃華〈試論康有為托古仿洋的維新思想〉（《人文雜誌》1991年2期）及〈中西思想融匯與康有為改革觀的形成〉（《山東師大學報》1992年6期）、陳金川〈試析康有為的〝托古改制〞—兼論作為思想武器的近代經學〉（《廣東社會科學》1992年1期）、李澤厚〈論康有為的托古改制思想〉（《文史哲》1956年5期）、吳康〈今文學家康有為孔子改制學說提要〉（《孔孟學報》16期，民57年9月）、齊國華〈論〝孔子改制〞與西學意識—康有為的思想演變及其評價〉（《史林》1992年1期）、吳義雄〈重論康有為與〝孔子改制論〞〉（《中山大學學報》1995年1期）、符宇澂〈新學偽經考駁誼〉（《制言》16期，民25）、房德鄰〈康有為的疑古思想及其影響〉（《北京師大學報》1994年2期）。徐光仁〈論康有為〝公羊三世〞說〉（《華南師大學報》1989年1期）、曾樂山〈略論康有為的〝三世說〞〉（《學術月刊》1984年6期）、胡思庸〈關於康有為〝通三統〞、〝張三世〞的淺釋〉（《新史學通訊》1953年5期）、呂彥博〈康有為〝三世說〞的歷史觀〉（《學術研究叢刊》1983年1期）、吳澤〈康有為公羊三世說的歷史進化觀研究〉(《中華文史論叢》第1輯，1962，又載周康燮主編《中國近三百年學術思想論集》，香港，崇文書店，1971)、許冠三〈康南海的三世進化史觀〉(《香港中文大學學報》4卷1期，1977)、俞祖華〈文化保守主義思潮的重要轉向—從康有為的三世進化史觀到梁漱溟的〝文化三路向〞說〉(《煙臺師院學報》1996年1期)、雷慧兒〈論康有為三世進化說所對應的政治體制〉(《漢學研究》11卷2期，民82年12月)、野村浩一〈清末公羊學派の形成と康有為の歷史的意義—「持續の帝國」の沒落〉(《國家學會雜誌》71卷7號，1957年7月，72卷1號、3號，1958年2月、5月)、若松信爾〈康有為の公羊思想—三統說を中心として〉(《中國學論集(大東文化大學)》11號，1992年3月)、濱久雄〈康有為の公羊思想と孟子觀—〝孟子微〞を中心として〉(《大東文化大學漢學會志》32號，1993年3月)、〈康有為の公羊思想と春秋學—〞春秋筆削大義微言考〞を中心として〉(《大東文化大學紀要(人文科學)》31號，1993年3月)及〈康有為の變法思想と春秋學—〞春秋董氏學〞を中心として〉(同上，30號，1992年3月)、竹內弘行〈康有為の大同三世說—漢代公羊學說の繼承を中心として〉(《日本中國學會會報》25號，1973年10月)、湯志鈞〈論康有為的大同三世說〉(《中華文史論叢》1979年2輯)、中村孝志〈大同の理想と現實—〝三世〞說の變化と〝大同書〞に見える康有為の苦惱〉(《東洋文化》復刊62卷，1989年3月)、黃俊傑〈從《孟子微》看康有為對中西思想的調融〉(《近代中國經世思想研討會論文集》，民73年4月)、吳康〈晚清今文經學代表康有為之改制大同思想〉(《孔孟學報》12期，民55年9月)、板野長八〈康有為の大同思想〉（載《近代中國研究》，東京，好學社，1948年10月）、曾村保信〈康有為の大同思想と人民公社〉（《アジア研究》10卷1號，1963年4月）、安雲煥《康有為的大同思想》（臺灣大學政治研究所碩士論文，民80年6月）、湯志鈞〈康有為早期的大同思想〉（《江海學刊》1963年10期）及〈康有為的〝大同〞思想和《大同書》〉（收於氏著《戊戌變法史論叢》，湖南人民出版社，1957）、劉其發〈關於康有為的《大同書》與大同思想〉（《政治學參考資料》1982年2期）、任軍〈康有為大同思想的東方文化色彩〉（《歷史研究》1993年5期）、楊念群〈佛教神秘主義—《大同書》的邏輯起點〉（《廣東社會科學》1989年3期）、陳正夫〈評康有為《大同書》的人道主義思想〉（《江西社會科學》1984年1期）、譚維理著、李滿康譯〈大同書與共產黨宣言的若干比較〉（《民主潮》12卷16期，民51年8月）、齋藤秋男〈「大同書の鍵」〉（《中國文學》104號，1948年3月）、林克光〈論《大同書》〉（中國人民大學中國歷史教研室編《中國近代思想家研究論文選》，北京，三聯書店，1957）、陳慧道〈康有為《大同書》對歐美資本主義制度的批判〉（《嶺南文史》1987年1期）及〈康有為設想的〝大同〞世界是不是略如美國、瑞士式的資本主義制度？〉（同上，1988年1期）、徐允明〈《大同書》的深意〉（《北京社會科學》1988年4期）、柴田幹夫〈康有為《大同書》研究述論〉（《上海師大學報》1991年1期）、湯志鈞〈論康有為《大同書》的思想實質〉（歷史研究，1959年11期）、侯外廬〈關於康有為《大同書》思想實質的商榷〉（收於侯氏主編《戊戌變法六十周年紀念集》，北京，科學出版社，1958）、張豈之〈〝大同書〞的思想實質—兼談中國近代思想史上的三種烏托邦社會主義思想〉(《人文雜誌》1957年2期)、馬悅然〈從《大同書》看中西烏托邦的差異〉(《二十一世紀》第5期,1991年6月)、陳慧道〈論康有為設想的〝大同〞世界一兼與湯志鈞同志商榷〉(《華南師院學報》1982年3期)、陳周棠〈試論康有為空想理論一大同書的階段基礎〉(《中學歷史教學》1957年11期)、費路〈論康有為大同社會的性質問題〉(《上海師大學報》1989年1期)、井上源吾〈康有為における大同思想の成立〉(《人文科學研究報》13號,1964年1月)、高田淳〈康有為の大同思想〉(《東大中文學會會報》10期,1957年)、任軍〈論康有為大同思想的形成〉(《史學月刊》1996年1期)、蔣曉慧〈康有為早期大同思想的形成及其與第一次上書的關係〉(《清華大學學報》1987年6期、1988年1期)、李澤厚〈論康有為的〝大同〞理想〉(收於氏著《康有爲譚嗣同思想研究》,上海人民出版社,1958)、原田正己〈康有為大同說の一考察一古文獻に見ら大同の語と康有為の解釋〉(《東洋文學研究》第8號,1960年3月)、後藤延子〈康有為の大同世界像一その存在構造と思想史的意義〉(《信州大學人文科學論集》15號,1981年3月)、李滿康〈譚維理英譯康有為大同哲學評介〉(《民主潮》12卷4-6期,民51年2-3月)。王秀杰〈康有為進化思想的二重性〉(《江西師大學報》1991年2期)、坂出祥伸〈康有為の進化論受容と三代盛世觀の逆轉〉(《日本思想史》37號,1991年)、一平〈關於康有為進化觀念的形成時間〉(《華東師大學報》1987年6期)、馬自毅〈康有為進化觀形成時間考〉(同上,1984年3期)、吳熙釗〈戊戌維新時期康有為的進化論評議〉(《學術研究》1984年4期)、何金彝〈康有為的全變思想和創造進化論〉（《社會科學戰線》1995年6期）、陳可畏〈康有為〝七上書〞的進化論思想〉（《浙江師大學報》1996年5期）、胡楚生〈試論康有為「論語注」中之進化思想〉（《文史學報（中興大學）》20期，民79年3月）、李明友〈康有為的進化論和人道主義〉（《中共浙江省委黨校學報》1988年4期）、陳杰〈關於康有為進化史觀的評價〉（《理論信息報》1987年5期、11期）、梁修琴〈從康有為、孫中山的民權思想看進化論在中國的發展〉（《史學月刊》1994年4期）、柳仲文〈略論康有為的〝歷史進化論〞〉（《合肥師院學報》1958年2期）。鄭克強〈論康有為的愛國主義〉（《社會科學（上海）》1983年10期）、謝方正〈發憤救亡、變法圖強一戊戌變法時期康有為愛國思想述評〉（《江西大學學報》1986年2期）、梁宇江〈略論康有為愛國主義思想的特點〉（《上海師大學報》1991年3期）、鄭克強〈論康有為的愛國主義〉（《社會科學（上海）》1983年10期）、申松欣〈論康有為後期的愛國主義思想〉（《東岳論叢》1988年6期）。李澤厚〈論康有為的哲學思想〉（《哲學研究》1957年1期）、鄺柏林〈略論康有為的哲學思想〉（《中國哲學史研究集刊》第1輯，上海人民出版社，1980）、呂彥博〈試論康有為的哲學思想〉（收於《哲學史論叢》，吉林人民出版社，1980）、鄭克強〈論康有為哲學思想的特點〉（《復旦學報》1982年6期）、孫長江〈試論康有為哲學思想的特點及其走向惟心主義的道路〉（《教學與研究》1961年8期）、黃小榕〈康有為人道主義哲學體系的完成與終結〉（《廣東社會科學》1989年4期）及〈康有為人道主義哲學評價析〉（《中國哲學史研究》1988年1期）、蕭萬源〈孔子和康有為的人道神道觀〉（載《孔子誕辰2540周年紀念與學術討論會論文集》，上海，三聯書店，1992）、何建安〈近代中國資產階級哲學變革的開端—康有為《內外篇》評析〉（同上，1988年3期）、樊金娥〈康有為的〝重仁而愛人〞的博愛哲學〉（《吉林大學學報》1989年4期）、陳榮捷〈康有為論仁〉（《人生》33卷3期，民57年7月）、Chan Wing-tsit（陳榮捷），"K'ang Yu-Wei and the Confucian Doctrine of Humanity（jeh）."（In Lo Jung-pang, ed., K'ang Yu-wei: A Biography and A Symposium, Tucson: University of Arizona Press, 1967）、中村聰〈康有為哲學中の仁の範疇〉（《東洋大學大學院文學部紀要》23集1986年度，1987年3月）、楊榮國〈康有為的「汎仁論」和他的「孔教大同主義」〉（《大學月刊》4卷4期，民34年7月）、陳偉桐〈對康有為哲學體系的思考〉（《東岳論叢》1988年2期）、佐藤震二〈康有為哲學序説〉（《日本中國學會報》10號，1958年10月）、神谷正男〈康有為の歷史哲學〉（《漢學會雜誌》10卷2號，1942）、劉景心〈康有為的〝一體二元〞及其歷史淵源〉（《學術月刊》1984年7期）、任軍〈康有為思考未來的思維軌跡—〝公—平——〞〉（《人文雜誌》1996年4期）、莊光茂樹〈康有為の政治思想〉（《日本大學經濟學部研究紀要》19號，1994年10月）、王才〈試論辛亥革命時期康有為的政治思想〉（《首都師大學報》1993年5期）、謝俊美〈略論康有為的政治制度思想〉（《華東師大學報》1989年2期）、吳根梁〈功利主義與康有為的近代社會政治學説（《民功篇》析）〉（《復旦學報》1984年5期）、舒莉霞〈康有為和梁啟超政治思想之異同〉（《攀枝花大學學報》1995年3期）、雷慧兒〈論康有為的集權思想〉（《師大歷史學報》20期，民81年6月）、曾凡炎〈康有為官制改革思想略論〉（《貴州大學學報》1989年2期）、譚本忠〈康有為設制度局思想試析〉（《史學月刊》1986年2期）、陳志華〈康有為的行政改革思想〉（《法商學報（中興大學）》20期，民74年12月）、楊鳳春〈康有為行政改革思想研究〉（《政治學研究》1988年3期、4期）、Hsiao Kung-Chuan（蕭公權）, "Administrative Modernization: K'ang Yu-Wei's Proposals and Thier Historical Meaning"（《清華學報》新8卷1、2期合刊，民59年8月）及"The Case for Constitutional Monarchy : K'ang Yu-wei's Plan for the Democratization of China"（Monumenta Senica, No. 25, 1965）、趙洪剛〈論戊戌時代康有為的君主立憲思想〉（《遼寧師大學報》1993年4期）、楊文銀〈試論康有為的君主立憲思想及實施策略〉（《江西社會科學》1994年2期）、許介鱗〈日本と中國における初期の比較研究一とくに加藤弘之と康有為の政治思想の比較中心にして〉（《國家學會雜誌》83卷5・6號、7・8號、9・10號，1970年9月、12月）、馬生祥、葉文郁〈康有為的立憲思想與法國大革命〉（《安徽史學》1991年3期）、崔之清、陳蘊〈維新時期康有為民主思想的結構考察〉（《江海學刊》1991年1期）、劉靜貞〈康有為「君民共治」理念試析〉（《史原》16期，民76年11月）。楊廣璽〈康有為維新變法的經濟思想〉（《錦州師院學報》1989年4期）、嚴清華〈康有為變法維新的經濟思想〉（《經濟文稿》1983年7期）、彭澤周〈康有為の經濟思想に關する一考察〉（載《中國の近代化と明治維新》，東京，同朋社，1976）及〈經濟思想から見た福澤諭吉と康有為〉（《史林》58卷6號，1975）、江筱薇、孔祥吉〈康有為經濟思想淺析〉（《社會科學戰線》1983年1期）、趙靖〈康有為的經濟思想〉（《經濟研究》1962年5期）、陶清〈康有為經濟思想的意義闡釋〉（《中國文化研究》1995年3期）、湯照連、郭小東〈論康有為宏觀經濟管理思想〉（《中山大學學報》1989年3期）、Hsiao Kung-Chuan（蕭公權）, "Economic Modernization : K'ang Yu-wei's Ideas in Historical Perspective"（Monumenta Senica, No. 27, 1968）、王根林〈從《日本書目志》看康有為的經濟思想〉（《上海師大學報》1993年2期）、陶水木〈略論康有為的對外開放思想〉（《江西社會科學》1994年9期）、王樹槐〈康有為改革貨幣的思想〉（載《近世中國經世思想研討會論文集》，民73）。沈茂駿〈康有為維新運動時期的社會改革思想〉（《華南師大學報》1988年4期）、Hsiao Kung-Chuan（蕭公權）, "In and Out of Utopia: K'ang Yu-wei's Social Thought, "（Chung-Chi Journal（崇基學報）, Vol. 6, No. 1, Nov. 1967; Vol. 7, No. 2, May 1968）、濱田直也〈康有為の社會思想ーイニド流寓時期の康有為の思想〉（《歷史學研究》647號，1993年7月）、張華〈康有為的人口思想〉（《人口研究》1990年1期）、林正珍《近代中日社會思想中的人性論ー以康有為及福澤諭吉為中心》（臺灣師範大學歷史研究所博士論文，民81年12月）、沈潔〈孫文と康有為の社會事業思想をめぐつて〉（載《孫逸仙思想與亞太地區安全發展論文集》，臺北，民84）。王安東、劉恒〈簡評康有為的教育思想〉（《青島研究》1988年2期）、陳敬業〈論康有為的教育思想〉（《中學歷史》1989年3期）、周德昌〈論康有為的教育思想〉（《華南師院學報》1982年1期）、林克光〈康有為教育改革思想及實踐〉（載《戊戌維新運動史論集》，1983）、莊維民〈康有為、梁啟超早期教育思想簡論〉（《河北師大學報》1989年2期）、舒適

〈從〃萬木草堂〃辦學看康有為的教育思想〉(《內蒙古電大學報》1994年2期)、李劍萍〈康有為的經學及其教育思想〉(《青島大學師範學院學報》1995年3期)、李建國〈康有為教育目的論的哲學淵源〉(《貴州師大學報》1988年1期)、葉曉昀〈試論康有為梁啟超的教育與人才思想〉(《揚州師院學報》1986年4期)、楊生祥〈康有為、梁啟超的人才思想述論〉(《歷史教學》1989年10期)、陳周棠、劉建輝〈試論康有為的人才思想〉(《廣州研究》1984年1期)、張鳳翔〈略論康有為維新變法的人才思想〉(《內蒙古師大學報》1988年2期)、柴田幹夫〈從《日本變政考》看康有為重視教育的思想〉(《上海師大學報》1993年2期)、陸鵬〈康有為的教育思想和政治思想〉(《新中國評論》10卷5期,民45年5月)、張至〈康有為的教育思想〉(《教育與進修》1983年2期)、俞祖華〈康有為的〃開民智〃思想〉(《社會科學輯刊》1996年64期)、何金彝〈康有為的重智思想〉(《江海學刊》1995年4期)、闞文明〈試論康有為體育思想及其影響〉(《嶺南文史》1988年1期)。黃保信〈康有為的婦女解放思想略論〉(《河南大學學報》1988年1期)、蔣瑋〈試評康有為《大同書》中的婦女解放思想〉(《東岳論叢》1988年2期)、何一民〈五四婦女解放運動的先驅—論康有為的婦女解放思想〉(《天府新論》1990年2期)、王俊祥〈康有為的婦女解放思想〉(《淮南師專學報》1983年5期)、金方、章雲〈析康有為提倡婦女獨立之説(上)—泛論婦女之苦〉(《青島師專學報》1986年2期)、張媛〈康有為的男女平等思想〉(《河南教育學院學報》1996年2期)、篠崎守利〈中國近代における女性觀、家族觀—康有為と譚嗣同の間に見える異相について〉(《呴沫集》第9號，1996年5月）、谷翔鴻〈關於康有為史觀的兩個問題〉（《江漢論壇》1988年8期）、羅久蓉〈康有為的歷史觀及其對時局與傳統的看法〉（《中央研究院近代史研究所集刊》14期，民74年6期）、中村聰〈康有為における進步史觀〉（《東洋文化》通卷288，1985年3月）、吳乃華〈甲午戰爭與康有為人格觀的演變〉（《江西社會科學》1995年8期）、〈論康有為戊戌時期的人格觀〉（西北大學學報》1993年3期）及〈論康有為與孔孟的人格觀〉（《上海師大學報》1994年1期）、實藤惠秀〈康有為の孔子觀〉（《新中國》15號，1947年8月）、陳崇鈁〈論康有為的宗教觀〉（《東岳論叢》1988年6期）、陳敦佛〈論康有為的泛神論思想〉（《寧波師院學報》1984年2期）、趙春晨〈論戊戌時期康有為的〝創教〞〝保教〞主張〉（《汕頭大學學報》1989年3期）、周源〈康有為〝保教〞説論議〉（《清史研究》第7輯，1990年10月）、葉曉青〈康有為《諸天講》思想初探〉（《自然辯証法通訊》1988年1期）、何若鈞〈《民功篇》的思想境界〉（《廣東社會科學》1988年3期）、梁家貴〈戊戌前期康有為理欲觀之探析〉（《貴陽師專學報》1996年2期）、呂彥博〈論康有為的認識論〉（《學術研究叢刊》1982年2期）、〈康有為的辯証法思想初探〉（《哲學研究》1982年5期）及〈論康有為的相對主義理論〉（《吉林大學社會科學學報》1986年4期）、陳厚忠〈康有為前期自然觀簡評〉（《貴州教育學院學報》1987年4期）、林正珍〈康有為的自然觀〉（《興大歷史學報》第2期，民81年3月）、黃小榕〈康有為的中西文化觀（1898年）〉（《嶺南文史》1988年1期）、段治文〈論康有為的科學文化觀〉（《浙江社會科學》1994年3期）、何金彝〈康有為的功利主義倫理文化觀〉（《社會科學（上海）》1995年7期）、高柏園〈論康有為《大同書》中的文化觀〉（載淡江大學中文系主編《近代中國文學與文化變遷論文集》，臺北，臺灣學生書局，民85）、丁文〈論康有為《大同書》中的家庭觀〉（收於《論中國哲學史—宋明理學討論會論文集》，浙江人民出版社，1983）、呂彥博〈論康有為的〝元〞及其實質〉（收於《中國近代哲學史論文集》，天津人民出版社，1984）、平野和彥〈康有為の繪畫論〉（《中國文化研究と教育》49號，1911年6月）、蔣勳〈談康有為的藝術觀〉（《廣東文獻》8卷3期，民67年9月）、陳永標〈略論康有為的詩歌美學觀〉（《學術研究》1993年6期）、周荃〈論康有為《意大利游記》中博物館學思想〉（《中國博物館》1988年3期）、陳耀盛〈論康有為目錄學思想〉（《近代史研究》1995年3期）、李雲光〈康南海先生的報恩思想〉（《中國學術年刊》第2期，民66年12月）、李鶯鶯〈康有為的家庭觀〉（《衡陽師專學報》1994年2期）。周弘然〈康有為和嚴復的民主思想〉（《政治評論》6卷8期，民50年6月）、李雙璧〈康有為嚴復變革思想比較〉（《歷史研究》1990年3期）、湯奇學〈戊戌變法時期康有為嚴復思想之異同〉（《安徽大學學報》1983年2期）、歐陽哲生〈戊戌時期嚴復與康有為學術思想之歧異述評〉（《中州學刊》1995年4期）。章楊定〈論康有為明治維新觀的文化思想表現〉（《廣東社會科學》1993年4期）、坂出祥伸〈戊戌變法時期における康有為の明治維新論〉（《文學論集（關西大學）》41卷4號，1992年3月）、臧世俊〈康有為的日本觀〉（《學術論壇》1995年3期）、林家有〈試論康有為的民族觀〉（《史學月刊》1984年5期）、細野浩二〈華夷觀念と帝國主義の間の康有為（下）〉

（《早稻田大學文學部紀要（哲學·史學）》39號，1994）、宋德華〈論維新時期康有為的西方富強觀〉（《暨南學報》1996年4期）。李國俊〈從《物質救國論》看康梁的原則分歧〉（《史學月刊》1992年2期）、王隆平〈康有為的〝物質之學〞思想述評〉（《淮北煤師院學報》1996年3期）、王有為〈論1900年前後康梁思想的分歧〉（《學術月刊》1984年3期）、劉福祥、趙矢元〈辛亥革命的康梁比較觀〉（《東北師大學報》1984年3期）、李佩〈康梁思想異同述論〉（《近代史研究》1989年2期）、Wong Young-tsu（汪榮祖），〝Universalistic and Pluralistic Views of Human Culture: K'ang Yu-wei and Chang Ping-lin.〞（Paper on Far Eastern History，No.41,1990）；陶季邑〈略論戊戌變法時期康有為的興建海軍的思想〉（《廣東史志》1995年3期）、侯外廬〈康有為氏在民國初年的反民主理論〉（《中華論壇》第2期，民34年2月）、張懷承〈康有為道論的近代走向〉（《中國文化月刊》118期，民78年8月）、張伯楨〈南海康先生學案〉（《正風》2卷2、3、5-8期，民25）、錢穆〈康有為學術述評〉（《清華學報》11卷3期，民25年7月）。

3.關於梁啓超

有梁啟超著、林志鈞編《飲冰室合集》（共40冊，上海，中華書局，民25），分專集（專書）、文集（論文）兩部分，梁氏一生重要的論著幾乎都收入此合集中，是研究梁氏最重要而必備的參考資料；此外梁啟超《梁啟超文集》（臺北，臺北書局，民46）、《梁啟超詩文選注》（北京，人民文學出版社，1987）、《梁任公文集》（3冊，香港，三達公司，1968）、《梁啟超政論選》（北京，新華書店，1994）、《梁任公語粹》（高雄，三信出版社，民61）、《梁任公先生學術講演集》（3冊，上海，商務印書館，民12-13）、《梁啟超給孩子們的信》（臺南，南開出版社，民58）、《梁任公詩稿手蹟》（臺北，文海出版社影印，民56）、《梁任公近著》（3冊，同上，民67）、《梁啟超史學論著三種》（香港，三聯書店，1984）、《梁啟超史學論著四種》（長沙，岳麓書社，1985）、羅綺選主《梁任公文存》（臺北，華國出版社，民45）、李華興、吳嘉勛編《梁啟超選集》（上海，上海人民出版社，1984）、方志欽、劉斯奮編注《梁啟超詩文選》（廣州，廣東人民出版社，1983）、黃坤選注《梁啟超詩文選》（上海，華東師大出版社，1990）、新會梁氏藏《梁任公（啟超）先生知交手札》（臺北，文海出版社影印，民63）、國立中央圖書館特藏組編《梁啟超知交手札》（臺北，中央圖書館，84）、北京中華書局編輯部整理《梁啟超未刊書信手稿》（2冊，北京，中華書局，1994）、夏曉虹編《梁啟超文集》（2冊，北京，中國廣播電視出版社，1992）、王德峰編選《國性與民德—梁啟超文選》（上海，遠東出版社，1995）、南嶽出版社編輯部編《梁啟超學術論叢》（6冊，臺北，南嶽出版社，民67）、朱維錚校注《梁啟超論清學史二種》（上海，復旦大學出版社，1985）、許嘯天選《梁任公學術精華錄》（香港，三達出版公司）、葛懋春、蔣俊編《梁啟超哲學思想論文選》（北京，北京大學出版社，1984）、關曉虹編《梁啟超學術文化隨筆》（二十世紀中國學術文化隨筆大系第一輯，北京，中國青年出版社，1996）、梁啟超著、宋明選注《新民說》（瀋陽，遼寧人民出版社，1994）、山田勝美《譯注清代學術概論》（東京，大東文化大學東洋研究所，1973）、小野和子《梁啟超「清代學術概論」譯注》（東京，平凡社，1974）。丁文江、趙豐田編《梁任公先生年譜長編初稿》（2冊，臺北，世界書局，民47）及《梁啟超年譜長編》（上海，上海人民出版社，1983）為前書之修訂本、吳天任編《民國梁任公先生啟超年譜》（4冊，臺北，臺灣商務印書館，民77）、楊復禮編《梁任公先生年譜》（新河南日報社，民30鉛印本）及《康梁年譜稿》（3冊，民27油印本）、鄭振鐸《梁任公先生傳（附年譜）》（武漢圖書館藏）、毛以亨《梁啟超》（香港，亞洲出版社，1957；臺北，華世出版社翻印，民64）、吳其昌《梁啟超》（重慶，勝利出版社，民33）、牛仰山《梁啟超》（北京，中華書局，1962）、孫洪智、張春雷《梁啟超》（大連，大連海運學院出版社，1993）、孟祥才《梁啟超傳》（北京，北京出版社，1980）、《梁啟超傳：學術篇》（臺北，風雲時代出版公司，民79）及《梁啟超傳：救國篇》（同上）、孟祥才、楊希珍《梁啟超》（南京，江蘇人民出版社，1982）、耿雲志、崔志海《梁啟超》（廣州，廣東人民出版社，1994）、徐剛《梁啟超》（廣州，廣東旅遊出版社，1996）、董四禮《梁啟超（晚清巨人傳）》（哈爾濱，哈爾濱出版社，1996）、楊天宏《新民之夢—梁啟超傳》（成都，四川人民出版社，1995）、陳占標等《一代奇才—梁啟超傳》（廣州，花城出版社，1989）、李喜所、元青《梁啟超傳》（北京，人民出版社，1993）、陳其泰《梁啟超評傳—筆底波瀾石破天驚（中華歷史文化名人評傳·史學家系列）》（南寧，廣西教育出版社，1996）、李國俊編《梁啟超著述繫年》（上海，復旦大學出版社，1986）、韓安荊《梁啟超研究資料匯編》（上海，上海社會科學院，1962油印本）、朱傳譽編《梁啟超傳記資料》（19冊，臺北，天一出版社，民74）；張朋園《梁啟超與清季革命》（臺北，中央研究院近代史研究所，民53）及《梁啟超與民國政治》（臺北，食貨出版社，民67）為兩本有關梁氏研究極其重要的專書，堪稱同類中文論著中的代表作；孫會文《梁啟超的民權與君憲思想》（臺北，臺灣大學文學院，民55）、黃克武《一個被放棄的選擇：梁啟超調適思想之研究》（臺北，中央研究院近代史研究所，民83）、楊日青《梁啟超的政治思想》（臺北，嘉新水泥公司文化基金會，民56）、李哲浩《梁啟超與近代中國政治思想－民權與君憲思想為探討的中心》（中國文化大學中山學術研究所博士論文，民85年7月）、宋文明《梁啟超的思想》（臺北，水牛出版社，民58）、張美慧《中國啟蒙思想家—梁啟超の研究》（早稻田大學文學研究所碩士論文，1975）、鍾珍維、萬發雲《梁啟超思想研究》（海口市，海南人民出版，1986）、王心美《梁啟超思想之演進與轉變》（東海大學歷史研究所碩士論文，民71年6月）、韓華《梁啟超思想由文化主義轉到國家主義之探討》（中國文化學院史學研究所碩士論文，民67年7月）、劉邦富《梁啟超哲學思想新論》（武漢，湖北人民出版社，1994）、崔香順《梁啟超（1873-1929）教育思想與其轉變因素之剖析》（政治大學教育研究所博士論文，民84年3月）、宋仁主編《梁啟超教育思想研究》（瀋陽，遼寧教育出版社，1993）、鄭世興《梁啟超的教育思想》（臺北，幼獅文化公司，民69）、蔡協族《梁啟超教育思想演變與發展之研究》（政治大學教育研究所碩士論文，民67年6月）、劉振嵐等《梁啟超政治法律思想研究》（北京，學苑出版社，1990）、鄧明炎《梁啟超的生平及其政治思想》

（臺北，天山出版社，民70）、易新鼎《梁啟超和中國學術思想史》（鄭州，中州古籍出版社，1992）、林明德《梁啟超的文學思想》（政治大學中文研究所博士論文，民76年6月）、杜瑜《梁啟超的道德觀》（中國文化學院哲學研究所碩士論文，民62年5月）、吳銘能《梁啟超的古書辨偽學》（臺灣師大國文研究所碩士論文，民79年5月）、朴成蘭《梁啟超新民叢報體風格之研究》（同上，民78年6月）、林明德《梁啟超與晚清文學運動》（政治大學中文研究所博士論文，民78）、廖婉薇《梁啟超之文學》（珠海書院中國文學研究所碩士論文，香港，1981）、廖卓成《梁啟超的傳記學》（臺灣大學中文研究所碩士論文，民76年6月）、康虹麗《論梁任公的新史學和柳翼謀的國史論》（中國文化學院史學研究所碩士論文，民59年6月）、樊中原《孫中山與梁啟超民族主義之比較研究》（政治大學三民主義研究所博士論文，民81年6月）、吳家鳴、王行鑒《梁啟超青少年時代》（北京，文津出版社，1991）、連燕堂《梁啟超與晚清文學革命》（桂林，漓江出版社，1991）、吳八駿《梁啟超與戊戌變法》（臺北，文史哲出版社，民73）、董方奎《清末政體變革與國情之論爭—梁啟超與立憲政治》（武昌，華中師大出版社，1991）、賴光臨《梁啟超與近代報業》（臺北，臺灣商務印書館，民57）、張瑛《梁啟超與新民叢報》（廣州，中山大學碩士論文，1983）、韓炎聯《梁啟超與清季之西學》（香港大學碩士論文，1972）、雷慧兒《梁啟超的治國之道—人才主義的理想與實踐》（臺北，東大圖書公司，民78）、林厚振《梁啟超與民國政治》（珠海書院中國文學研究所碩士論文，1974）、董方奎《梁啟超與護國戰爭》（重慶出版社，1984）、劉紀曜《梁啟超與儒家傳統》（臺灣師大歷史研究所博士論文，民74年6月）、陳晉《梁啟超與胡適》（臺北，作者自刊，民57）、吳澤《康有為與梁啟超》（上海，華夏書店，民37）、陳錫祺等著《論戊戌維新運動及康有為與梁啟超》（廣州，廣東人民出版社，1985）、文訊雜誌社編輯《但開風氣不為師－梁啟超、張道藩、張知本》（臺北，編輯者印行，民80）、胡平生《梁蔡師生與護國之役》（臺北，臺灣大學文學院，民65）、羅炳綿《梁啟超的新史學》（香港中文大學碩士論文，1967）、張震《梁啟超與蔡鍔》（同上，1973）、梁德偉《康有為與梁啟超思想之傳承與蛻變》（同上，1971）、潘臺雄《康有為與梁啟超的君主立憲思想，1898-1911》（政治大學政治研究所博士論文，民85年5月）、杜英穆《梁啟超、辜鴻銘、章炳麟》（臺北，名望出版社，民77）、馬勇《梁啟超隨想錄》（太原，山西高校出版社，1994）、陳祥美《梁啟超生命夢想的形成與發展：一種心理傳記學研究》（輔仁大學應用心理研究所碩士論文，民83）、杜惠雯《梁啟超的人物評鑑》（淡江大學中文研究所碩士論文，民85年5月）。西文論著則以Joseph R. Levenson, Liang Ch'i-Chao and the Mind of Modern China.（Cambridge : Harvard University Press, 1953；其中譯本有劉偉、劉麗、姜鐵軍合譯《梁啟超與中國近代思想》，成都，四川人民出版社，1986；臺北，谷風出版社翻印，民76；另張力譯《梁啟超》，臺北，長河出版社，民67）最為重要，係其1949年之哈佛大學博士論文－Crisis of the Mind in Modern China: The Life and Writings of Liang Ch'i-Ch'ao, down to the Fall of the Empire。加以修訂改名而成；其他尚有Chang Hao（張灝），Liang Ch'i-Ch'ao and Intellectual Transition in China, 1890-1907（Cambridge: Harvard University

Press, 1971；臺北，虹橋書店翻印，民62）、Philip C. Huang（黃宗智），Liang Ch'i-Ch'ao and Modern Chinese Liberalism（Seattle: University of Washington Press, 1972；臺北，宗青圖書公司翻印，民68）、Tang Xiaobing（唐小兵），Global Space and the Nationalist Discourse of Modernity: The Historical Thinking of Liang Qichao.（Stanford, California: Stanford University Press, 1996）、Frank Fe Wong, Liang Ch'i-Ch'ao and the Conflict of Confucian and Constitutional Politics.（Ph. D. Dissertation, University of Wisconsin-Madison, 1965）、Ernest P. Young, Politics in the Early Republic:Liang Ch'i-ch'ao and the Yuan Shih-K'ai Presidency.（Ph. D. Dissertation, Harvard University[Cambridge, MA.], 1964）、Xiao Xiaosui, China Encounters Western Ideas（1895-1905）:A Rhetorical Analysis of Yan Fu, Tan Sitong, and Liang Qichao（Ph D. Dissertation, Ohio State University-Columbus, 1992）。

論文方面，重要的有張衍前、于志國〈近年來梁啟超研究綜述〉（《文史哲》1996年2期）、吳杰〈大陸梁啟超研究情況述評〉（《國文天地》7卷10期，民81年3月）、何永傳〈建國以來梁啟超研究中幾個問題的概述〉（《中山大學學報》1984年1期）、張朋園〈梁啟超〉（收於《中國文化綜合研究》，臺北，中華學術院，民60）及〈梁啟超——個知識份子的典型〉（《大學雜誌》61期，民62年1月）、胡平生〈梁啟超〉（《中國歷代思想家》第52冊，臺北，臺灣商務印書館，民67）、〈梁啟超〉（《現代中國思想家》第3輯，臺北，巨人出版社，民67）及〈一代才人梁啟超〉（《明道文藝》第8期，民65年11月）、宋慈襃〈梁啟超傳〉（《國史館館刊》1卷4期，民37年11

月）、戴君仁〈梁啟超〉（載《中國文學史論集》第4冊，民47）、永井算巳〈梁啟超－中國近代史研究の手引〉（《大安》5卷7號，1959年7月）、陳舜臣〈中國近代史ノート(7)：追い越されるジヤーナリスト＝梁啟超〉（《朝日アジアレビュー》5卷3號，1975年3月）、王森然〈梁任公先生評傳〉（《中國公論》19卷3-5期，民32）、鍾賢培〈梁啟超小傳〉（《中國近代文學研究》1984年1期）、俞頌華〈論梁啟超〉（《人物雜誌》1卷1期，民35）、佐藤震二〈梁啟超（1873-1929）〉（《中國の思想家》下冊，東京，勁草書房，1963）、江勇振〈期待另一個梁啟超－綜評四本有關梁啟超的著作〉（《歷史學報（臺灣師大）》第2期，民63年2月）、周億孚〈梁啟超先生著作考〉（《珠海學報》第7、8期，1974年4月，1975年1月）、費海璣〈談梁啟超先生〉（《交通世界》7卷94期，民67年10月）、謝康〈閒話梁啟超〉（《中外雜誌》23卷5期，民67年5月）、劉子健〈黨史上之梁任公〉（《中央周刊》5卷21期，民31）、吳其昌〈梁任公先生晚年言行記〉（同上）及〈梁任公先生別錄拾遺〉（《思想與時代》13期，民31年8月）、張其昀〈梁任公別錄（附張蔭麟跋）〉（同上，第4期，民30）、劉盼遂〈梁任公先生事略〉（《圖書館學季刊》3卷1期，民18）、鄭振鐸〈梁任公先生〉（《小說月報》20卷2期，民18年2月）、謝國楨〈梁任公先生遺事〉（《國風半月刊》5卷5期，民23）、超觀〈記梁任公先生軼事〉（《民主中國》2卷1期，民48年1月）、力行〈梁任公先生的生平與精神〉（《圖書展望》2卷5期，民26年3月）、任訪秋〈談梁任公〉（《力行》7卷4期，民32）、陶元珍〈懷梁任公〉（《新中國評論》24卷2期，民52年2月）、梁容若〈梁任公先生印象記〉（《東風》10期，民49年3月）、繆鳳林〈悼梁卓如先生〉（《學衡》67期，民18年1月）、張其昀〈悼梁任公先生〉（《史學雜誌》1卷5期，民18年11月）、霍儷白〈梁任公先生印象記一為先生逝世20周年紀念作〉（《文教資料》1988年4期）、李昌奇〈令人懷念的梁任公先生〉（《再生》18期，民62年1月）、林光灝〈紀念梁啟超百歲誕辰〉（《廣東文獻》3卷3期，民62年9月）、李達生〈我看梁任公〉（《大學生活》7卷23期，1962年4月）、王介平〈論改良主義者梁啟超〉（《教學與研究》，1956年12期）、左舜生〈梁啟超的生平及其思想與著作（1—8）〉（《新中國評論》30卷2期—31卷2期，民55年2-8月）、邵鏡人〈梁啟超小傳〉（《中外雜誌》2卷2期，民56年8月）及〈善於除舊佈新的梁任公先生〉（《民主憲政》25卷4期，民53年1月）、梁容若〈梁任公的生平與文學〉（《文壇》68期，民55年3月）、黎東方〈新會學案—梁啟超的生平與學術〉（《文星》99期，民75年9月）、切甫〈梁任公及其行年簡譜〉（《古今談》第1期，民54年3月）、黃寶實〈梁任公年譜長編初稿糾謬〉（《民主評論》12卷8期，1961年4月）、范岱華〈梁啟超：中國現代啟蒙運動的先驅〉（《自然辯証法通訊》1990年4期）、阿部賢一〈梁啟超の啟蒙活動の一端について〉（載野口鐵郎編《中國史における亂の構圖—筑波大學創立十周年記念東洋史論集》，東京，雄山閣出版，1986）、葉海芹、查仲春〈近代名師梁啟超〉（《泰安師專學報》1993年2期）、劉紀曜〈權法多變的豪傑—梁啟超〉（載張永雋主編《中國新文明的探索—當代中國思想家》，臺北，正中書局，民80）、沈津〈梁啟超的最愛〉（《中外雜誌》59卷2期，民85年2月）、高信〈梁啟超先生及其家鄉的新會茶抗鄉〉（《廣東文獻》20卷1期，民

79年3月）、郭鴻韻〈評介梁啟超其人、其言、其事〉（《大華學報》11期，民82年10月）、牟潤孫〈從癸丑修禊說到紀念梁啟超—王羲之梁啟超修禊時的心情〉（《明報》8卷5期，1973年5月）、嚴靜文〈民主憲政的旗手梁啟超—梁啟超誕辰百週年紀念感言〉（同上，8卷4期，1973年4月）、孫文鑠〈輿論之驕子，天縱之文豪：紀念梁啟超誕生120周年〉（《暨南學報》1993年3期）、橫山英〈脱出への苦悩—梁啟超とその時代〉（《廣島大學文學部紀要》31卷2號，1972年2月）、黃炯旋〈梁啟超〉（《廣東圖書館學刊》1981年4期）、鍾維珍〈梁啟超傳略〉（《中學歷史教學》1983年2期）、季鎮淮〈梁啟超簡論〉（《文獻》1985年3期）、城北〈論梁啟超（中興與洋務之七）〉（《知識與生活》第8期，民37年8月）、金沖及、陳匡時〈論梁啟超〉（收於《中國近代人物論叢》，北京，三聯書店，1965）、陳占標〈應實事求是評價梁啟超—《梁啟超傳》讀後感〉（《學術研究》1983年4期）、陳占標整理〈梁啟超家庭出身的調查材料〉（《文教資料》1988年4期）、李澤厚〈梁啟超青年時代的學習生活〉（《新聞大學》1982年3期）、胡繩武、金沖及〈關于梁啟超的評價問題〉（《學術月刊》1960年2期）、陳匡時〈關于對梁啟超的評價問題簡介〉（同上）、蔡尚思〈對梁啟超的評價〉（載《論戊戌維新運動及康有爲梁啟超》，廣東人民出版社，1985）、耿心〈梁啟超功過是非〉（《中外雜誌》20卷6期，民65年12月）、康保延〈梁啟超遺札〉（《中外雜誌》29卷1期，民70年1月）及〈梁啟超先生廿歲遺札〉（《廣東文獻》9卷3期，民68年9月）、馬以君〈梁啟超佚札十七封〉（《華南師大學報》1989年1期）、陳少松〈梁啟超詞評輯要〉（《文教資料》1988年1期）、許勢常安

〈梁啟超の現存する詩歌について〉(《專修大學商學論集》49號,1990年3月)、島田虔次譯注〈梁啟超文三篇〉(《東洋史研究》17卷3號,1958年12月)、費海璣〈梁啟超的一首詩〉(《廣東文獻》7卷3期,民66年9月)、河村一夫〈中國近代史資料叢刊〞戊戌變法〞揭載の梁啟超執筆新史料について〉(《政治經濟史學》315號,1992年9月)、吳銘能〈學術的良知和嚴謹—梁啟超《年譜》和《手跡》校讀感言〉(《北京大學學報》1996年3期)、坂出祥伸〈梁啟超著述編年初稿(1)〉(《關西大學文學論集》27卷4號,1978年3月)、左舜生〈梁任公先生的童年和少年時代〉(《大學生活》1卷11期,1956)、寧樹藩〈梁啟超青年時代的學習生活〉(《新聞大學》1982年3期)、劉福祥〈梁啟超生活情操點滴〉(《人物》1982年5期)、張朋園〈梁啟超的家庭生活〉(載《近代中國歷史人物論集》,臺北,民82年6月)、陳頤〈梁啟超的感情世界〉(《中外雜誌》43卷2期,民77年2月)、陳正凡〈談梁啟超的五次落第〉(《歷史月刊》80期,民83年9月)、馬洪林〈梁啟超主編《時務報》〉(《歷史知識》1982年4期)、皮后鋒〈略論梁啟超對《時務報》的貢獻〉(《學術論壇》1995年5期)、申松欣〈梁啟超與《變法通議》〉(《歷史教學》1995年7期)、蔣成德〈梁啟超與維新派的〝編輯大業〞:兼及戊戌變法後的報刊編輯活動〉(《淮陰教育學院學報》1995年1期)、張鵬濤〈梁啟超的編輯生涯〉(《編輯學刊》1995年5期)、賴光臨〈梁啟超主持之報刊及其影響研究〉(《報學》3卷7期,民55年12月)、蔡開松〈梁啟超蒞湘緣由辨異〉(《求索》1990年3期)、朱蔭貴〈梁啟超與時務學堂〉(《近代史研究》1984年3期)、胡平生〈梁啟超與湖南時務學堂〉(《幼獅月刊》39卷2期，民63年2月）、市古宙三〈梁啟超の變法運動〉（《國史學》54號，1951年2月）、吳八駿〈梁啟超與戊戌變法〉（《臺北師專學報》11、12期，民73年6月，74年6月）、張豈之等〈〝戊戌變法〞前夕梁啟超的折衷主義政論〉（載《戊戌變法六十周年紀念集》，北京，科學出版社，1958）、龔郭清〈近代化與傳統－戊戌時期梁啟超的個案研究〉（《浙江師大學報》1995年6期）、張松之〈簡論戊戌政變後（1898－1902）的梁啟超〉（《河北師院學報》1988年4期）、胡濱〈戊戌政變與辛亥革命期間的梁啟超〉（《新建設》1957年4期）、彭澤周〈關於康梁亡命日本的檢討〉（《大陸雜誌》41卷8期，民59年10月）、增田涉著、張良澤譯〈梁啟超逃亡日本始末〉（同上，37卷11、12期合刊，民57年12月）、鈴木俊〈新中國建設への努力—梁啟超と日本〉（《國民の歷史》1卷3號，1947年4月）、謝俊美〈梁啟超與日本〉（《上海師大學報》1994年2期）、周佳榮〈戊戌維新時期梁啟超對日本的認識〉（《香港中國近代史學會會刊》第7期，1995年1月）、許介鱗〈戊戌變法與梁啟超在日的「啟蒙」活動〉（載《近代中國歷史人物論文集》，臺北，中央研究院近代史研究所，民82年6月）、陳明莉〈評梁啟超流亡日本早期的革命傾向〉（《貴陽師院學報》1982年3期）、蕭良章〈戊戌政變後梁啟超流亡日本時期動向之研究〉（《國史館館刊》復刊第5期及6期，民77年12月、78年6月）、阿部賢一〈梁啟超の啟蒙活動について〉（載野口鐵郎編《中國史における亂の構圖》，東京，雄山閣，1986）、侯宜杰〈辛亥前梁啟超與革命派的矛盾〉（《益陽師專學報》1990年1、2期）、周興樑〈試論1900年前後孫中山與梁啟超關係〉（《貴州社會科學》1984年5期）、李喜所〈孫中山與梁啟超〉

（《天津師大學報》1991年1期）、朱班遠〈孫中山梁啟超之友敵演變與論戰始末〉（《中央大學社會文化學報》創刊號，民83年5月）、董方奎〈梁啟超與孫中山革命初期的聯合〉（《辛亥革命研究動態》1995年3期）、鄧毓浩〈梁啟超對中國近代民主革命的影響〉（《臺灣師大公民訓育學報》創刊號，民72年6月）、劉雲波〈論梁啟超二十世紀初鼓吹革命〉（《史學月刊》1993年2期）、鍾永山〈1902—1903年間梁啟超對康有為離異與回歸〉（《杭州師院學報》1990年2期）、Kenneth K. S. Ch'en（陳觀勝），"Liang Ch'ao's Brief Encounter with Love in Honolulu."（《清華學報》18卷1期，民77年6月）、劉渭平〈梁啟超的澳洲之行〉（《傳記文學》38卷1、4期，民70年1、4月）、彭澤周〈梁啟超與東京大同高等學校〉（《大陸雜誌》42卷2期，民60年8月）、Chuang Chen-kuan, " Liang Ch'i-Ch'ao and the Chinese Constitutional Movement "（Chinese Studies in History, Vol. 25, No. 4, 1992）、陳敬之〈梁啟超與"政聞社"〉（《廣東文獻》5卷2期，民64年9月）、羅華慶〈梁啟超與資政院〉（《廣東社會科學》1990年3期）、李華興、姜義華〈梁啟超與清末民權運動〉（《復旦學報》1979年5期）、陳興公〈梁啟超來臺前後〉（《中外雜誌》20卷4期，民65年10月）、黃得時〈梁任公遊臺考〉（《臺灣文獻》16卷3期，民54年9月）、林藜〈梁啟超屐印臺灣〉（《廣東文獻》8卷3期，民67年9月）、闞照旗〈梁任公臺島吟痕〉（同上，13卷4期，民72年12月）、陳漢光〈梁啟超與臺灣及其影響〉（《再生》18、19期，民62年1、2月）、陳少廷〈梁啟超對臺灣知識份子的影響〉（《大學雜誌》61期，民62年1月）、永井算巳〈梁啟超と辛亥革命〉（多秋賀五郎編著《近代アジア教育史研究》下卷，東京，岩崎學術出版社，1975）、李國俊〈梁啟超與辛亥革命〉（《史學月刊》1981年5期）、劉海峰〈梁啟超在辛亥革命前夕〉（《歷史知識》1985年1期）、鍾珍維〈試論梁啟超在辛亥革命前後的功過〉（《華南師大學報》1983年4期）、周永華〈"灤州兵諫"與梁啟超的關係質疑〉（《辛亥革命史叢刊》第5輯，1983）、董方奎〈論梁啟超的〝和袁、慰革、逼滿服滿〞方針〉（載湖北省歷史學會編《辛亥革命論文集》，湖北人民出版社，1981）、王泳〈梁任公與民國〉（《近代中國》20期，民69年12月）、鄭天栻〈梁任公對民國之貢獻〉（《再生》18期，民62年1月）、楠瀨正明〈中華民國初期の梁啟超と第一國會〉（《史學研究》206號，廣島史學研究會，1994年10月）、胡繩武〈梁啟超與民初政治〉（《近代史研究》1991年6期）、曾業英〈梁啟超與民主黨〉（同上，1995年1期）、董方奎〈1911至1914年間的梁啟超與進步黨〉（《文史哲》1980年1期）、李守孔〈梁任公與民初之黨爭〉（《新時代》3卷6期，民52年6月）、姜波〈梁啟超與民國初年的政黨政治〉（《江蘇社會科學》1992年1期）、元青〈梁啟超財政生涯述略〉（《天津師大學報》1992年5期）、張朋園〈梁啟超「國務大臣」志氣及其對民初財政司法外交的影響〉（《食貨月刊》復刊3卷7期，民62年10月）、章君穀〈梁任公財長坐蠟記〉（《中外雜誌》，7卷6期，民59年6月）、董方奎〈梁啟超在反對〝二十一條〞鬥爭中的愛國言行〉（《華中師院學報》1984年4期）、吳澤〈梁啟超的〝擁袁〞與〝倒袁〞運動〉（《中國建設》7卷4期，民38年1月）、張朋園〈維護共和—梁啟超之聯袁與討袁〉（《中央研究院近代史研究所集刊》第3期下冊，民62年12月）、吳澤〈梁啟超的〝擁袁〞與〝倒袁〞〉

（《中國建設》7卷5期，民38年2月）、謝本書〈梁啟超與《異哉所謂國體問題者》〉（《昆明師院學報》1984年2期）、曾業英〈梁啟超《異哉所謂國體問題者》一文真義何在？〉（《貴州社會科學》1984年3期）、劉振嵐〈試論梁啟超《異哉所謂國體問題者》一文的內涵與要害〉（《首都師大學報》1993年3期）、川上哲正〈梁啟超と反袁運動〉（《學習院史學》15號，1979年1月）、朱英〈護國戰爭的運籌決策者—梁啟超〉（《決策與信息》1986年7期）、馮祖貽〈試析梁啟超參加反袁護國的原因〉（《貴州社會科學》1984年1期）、趙書剛〈梁啟超與護國戰爭〉（《歷史教學與研究》1984年1期）、廖京山〈梁啟超與護國戰爭〉（《廣州師院學報》1985年2期）、謝本書、唐克敏〈梁啟超與護國戰爭〉（《貴州文史叢刊》1981年1期）、馮惠珠〈護國戰爭與梁啟超〉（《四川師大學報》1990年3期）、饒珍芳、余根有〈梁啟超與護國戰爭〉（《華南師大學報》1983年4期）、曹靖國〈梁啟超與護國運動〉（《東北師大學報》1983年6期）、胡平生〈梁啟超與討袁護國〉（《臺灣大學歷史學系學報》第2期，民64年6月）、殷常符〈梁啟超與護國運動〉（《北京師院學報》1987年2期）、叢曙光〈論護國運動中的梁啟超〉（《山東師大學報》1996年2期）、鄒硬儒〈梁啟超在護國運動中的作用及其影響〉（《雲南文史叢刊》1985年3期）、周武〈論梁啟超在護國運動中的歷史作用〉（《江海學刊》1989年5期）、劉福祥、趙矢元〈論梁啟超在護國運動中的歷史作用〉（《北方論叢》1983年1期）、李佩、李占領〈護國時期的唐繼堯與孫中山、梁啟超〉（《民國檔案》1995年3期）、鄒明德〈梁啟超與雲南護國起義〉（載《護國文集—護國起義七十周年學術討論會論文選集》，石家庄，河北教育出版社，1988）、陶任之〈護國運動是梁啟超領導的嗎？〉（《社會科學》1987年4期）、李宗黃〈護國之役梁啟超扮演的角色〉（《中外雜誌》7卷1、2期，民59年1、2月）及〈梁啟超如何利用雲南起義？〉（同上，6卷6期，民58年12月）、李天健〈李宗黃筆下的梁啟超〉（《雲南文獻》24期，民83年12月）、丘峻〈雲南起義與梁蔡師生〉（《民主潮》4卷19期，民43年12月）、徐楓〈梁啟超與反袁鬥爭〉（同上，1987年5期）、董方奎〈梁啟超從軍廣西對護國戰爭的戰略意義〉（《華中師大學報》1985年6期）、吳強編選〈梁啟超草擬護國起義文稿〉（《雲南檔案》1995年6期）、博浪樓主〈梁任公推翻洪憲軼聞〉（《人道》第1、2期，民37年1月）、吳澤〈民元後康梁的再反動：復辟與護法〉（《中國建設》7卷5期，民38年2月）、張守常、邢克斌〈民國初年梁啟超反對帝制復辟的鬥爭〉（《近代史研究》1983年4期）、永井算巳〈丁巳復辟事件と梁啟超〉（《信州大學人文學部人文科學論集》13、15、16號，1979年3月、1981年3月、1982年3月）、董守義〈梁啟超民初時期的憲政思想與保衛共和制度的鬥爭〉（《遼寧大學學報》1984年5期）、劉福祥、趙矢元〈第一次世界大戰期間的梁啟超與日本〉（《東北師大學報》1985年1期）、劉福祥、實元〈梁啟超與巴黎和會〉（《歷史教學》1983年1期）、張朋園〈梁啟超與五四時期的新文化運動〉（《中央圖書館館刊》新6卷1期，民62年3月）、秦賢次〈梁啟超與〝五四運動〞〉（《傳記文學》34卷5期，民68年5月）、趙景峰〈五四時期的張東蓀、梁啟超不是地主買辦階級代表〉（《黨史研究》1987年1期）、王明璋〈嚴復梁啟超與文學革命團體的醞釀〉（《山東師大學報》1995年增刊）、Hsia C. T.（夏志清），“Yen

Fu and Liang Ch'i-Ch'ao as Advocates of New Fiction." (In Adele A. Rickett ed., Chinese Approaches to Literature from Confucius to Liang Ch'i-Ch'ao, Prineeton, N. J.: Princeton University Press, 1978)、周武〈論梁啟超三次脫離政治宣言〉(《華東師大學報》1989年2期)、約瑟夫、利文森(Joseph R. Levenson)著、單德興譯〈重返故國的梁啟超〉(《仙人掌雜誌》1卷12期,民66年4月)、吳銘能〈梁啟超對國學的新解—兼談梁氏肯定中國文化價值的心路歷程〉(《鵝湖》246期,民84年12月)。

李華興〈近代中國的風雲與梁啟超的變幻〉(《近代史研究》1984年2期)、黃坤〈梁啟超多變論〉(《歷史研究》1987年4期)、郭馳〈也論梁啟超的"流質易變"〉(《學術月刊》1992年7期)、陳嘉健〈梁啟超進取性及保守性與康德哲學的關係〉(《學術研究》1983年2期)、吳前進〈論梁啟超的政治品格與學術品格〉(《史林》1992年3期)、周興樑〈戊戌後幾年間梁啟超政治性格的雙重性〉(《中山大學學報》1995年1期)、張灝著、張爔箴譯〈改革與革命:梁啟超對政治和傳統的態度〉(收入《近代中國思想人物論—民族主義》,臺北,時報文化事業公司,民69)、柯安〈梁啟超的治學風格—重讀《清代學術概論》〉(《讀書》1982年2期)、奚椿年〈梁啟超治學方法簡論〉(《社會科學探索》1990年1、2期)、林德政〈論梁啟超的治學方法〉(《歷史月刊》14期,民78年3月)、吳銘能〈梁啟超的治學方法與現時代之意義〉(載《國立中央圖書館臺灣分館建館七十八週年暨改隸中央二十週年紀念論文集》,臺北,民82)、黃延復〈梁啟超治學雜拾〉(《人物》1985年1期)、王華敏〈梁啟超和讀書方法〉(《語文月刊》1983年4期)。張錫勤

〈梁啟超對中國近代進程的複雜影響〉(《北方論叢》1993年5期)、李華興〈梁啟超與中國近代化〉(《歷史研究》1991年3期)、郭漢民〈梁啟超對中國近代的貢獻〉(《湖南師大社會科學學報》1996年4期)、龔郭清〈近代化與傳統—戊戌時期梁啟超個案研究〉(《浙江師大學報》1995年6期)、葉蘭溪〈梁啟超與西學〉(《文史知識》1983年11期)、吳嘉勛〈梁啟超與晚清西學〉(《史林》1986年1期)、王世宗〈梁啟超對西學的認識與看法〉(《史繹》19期,民74年3月)、唐文權〈梁啟超在辛亥革命準備時期的西學宣傳〉(收入胡偉希編《辛亥革命與中國近代思想文化》,北京,中國人民大學出版社,1991)、黃見德〈論梁啟超在中國傳播西方哲學的啟蒙意義〉(《安徽師大學報》1989年3期)、周行易〈論梁啟超對我國中西文化比較研究的貢獻〉(《學術研究》1988年1期)、楊肅獻〈梁啟超與中國近代民族主義〉(收入《近代人物論:民族主義》,臺北,時報文化出版公司,民69)、李朝津〈梁啟超的民族主義—由群體改向民族〉(《「世變、群體與個人—第一屆全國歷史學學術討論會」論文集》,臺北,臺灣大學歷史系,民85年6月)、胡克善〈梁啟超民族精神簡論〉(《山東教育學院學報》1996年1期)、張佛泉〈梁啟超國家觀念之形成〉(《政治學報》第1期,民69年9月)、佐藤震二〈梁啟超と社會進化論〉(《法學》59卷6號,1995)、楊漢鷹〈梁啟超介紹西方社會主義學說的幾個問題〉(《江漢論壇》1985年2期)、張朋園〈梁啟超對社會主義的認識及中國現代化的見解〉(《食貨月刊》復刊3卷9期,民62年12月)、湯庭芬〈梁啟超與早期中國無政府主義〉(《近代史研究》1989年3期)、張朋園〈梁啟超之迎拒虛無主義〉(《大陸雜誌》38

卷8期，民58年4月）、楊慧清〈兩次社會主義論爭中的梁啟超〉（《史學月刊》1989年4期）、董方奎〈梁啟超社會主義觀再認識〉（載《郭廷以先生九秩誕辰紀念文集》下册，民84；亦載《華中師大學報》1996年5期）、袁偉時〈試論梁啟超對第一次思想解放運動的貢獻〉（《中山大學學報》1983年4期）、王永貞〈戊戌變法後梁啟超在資產階級思想啟蒙中的作用〉（《聊城師院學報》1987年3期）、應學犁〈梁啟超在二十年代初社會問題爭論的角色〉（《南京大學學報》1995年2期）。王躍生〈報壇巨匠梁啟超〉（《新疆新聞界〉1986年5期）、彭澤益〈梁啟超與中國新聞事業〉（《中山文化季刊》1卷2期，民32年7月）、侯明古〈梁啟超"報章"評議〉（《復旦學報》1984年6期）、曾建雄〈論王韜和梁啟超對報刊政論的貢獻〉（《新聞大學（上海）》1996年春季號）、Liu Mei-Ching, " Liang Ch'i-Ch'ao and the Media: A Historical Retrospection "（International Journal for Mass Communication Studies, Netherlands, Vol. 31, No. 1, 1983）、亓冰峰〈清季梁啟超的言論及其轉變〉（《幼獅學誌》第4期，民54年12月）、耿雲志〈梁啟超在清末的政治宣傳〉（《近代中國人物》，重慶出版社，1983）、王芸生〈梁啟超的時評〉（《新聞戰報》1960年1期）、盧萬玉〈梁啟超筆舌生涯中的閃光〉（《湖北大學學報》1988年3期）、飲茶室主〈梁任公的筆端何以常帶情感？〉（《廣東文獻》13卷2期，民72年6月）。鄭匡民〈梁啟超と今文經學〉（《中國學論集（大東文化大學）》12號，1993年3月）、鄭師渠〈梁啟超與今文經學〉（《中州學刊》1994年4期）、沈世鋒〈梁啟超與孔教〉（《學術界》1990年4期）、董德福〈晚年梁啟超與現代新儒家〉（《天津社會科學》1996年6期）、李健〈關于梁啟超論孟子遺稿〉（《學術研究》1993年5期）、羅檢秋〈梁啟超與近代墨家〉（《近代史研究》1992年3期）、彭汶〈試論梁啟超對墨家邏輯、印度因明和西方邏輯的對比研究〉（《青海社會科學》1987年2期）、皮介行〈飲冰室全集讀後感（梁啟超）〉（《浙江月刊》8卷5期，民65年5月）、祁龍威〈梁啟超與清代學術史：《清代學術概論》疏正發凡〉（《揚州師院學報》1988年2期）、李錦金〈評〝以復古為解放〞說—讀梁啟超《清代學術概論》〉（《求索》1984年3期）、王逸祥〈「清代學術概論」讀感〉（《東方雜誌》復刊8卷1期，民63年7月）、陳其泰〈梁啟超《清代學術概論》的出色成就〉（《學術研究》1993年6期）、楊勇〈清代學術概論考證〉（《新亞書院學術年刊》第3期，1961年9月）、喬衍琯〈梁啟超《中國近三百年學術史》札記〉（載《國立中央圖書館臺灣分館建館七十八週年暨改隸中央二十週年紀念論文集》，臺北，民82）、瞿林東〈概述清代學術的力作—讀梁啟超《中國近三百年學術史》〉（《文史知識》1986年12期）、黃衛平等〈評梁啟超的〝近三百年〞中國學術史論〉（《社會科學戰線》1984年3期）、路新生〈梁任公、錢賓四《中國近三百年學術史》合論〉（《孔孟學報》68期，民83年9月）、崔榮華〈論第一部中國學術思想通史：讀梁啟超《論中國學術思想變遷之大勢》〉（《貴州師大報》1989年2期）、車行健〈梁啟超「浙東學派」說檢討〉（載《王靜芝先生八秩壽慶論文集》，臺北，輔仁大學中文系所，民84年6月）、夏曉虹〈梁啟超的學術史研究〉（《學人》第2輯，江蘇文藝出版社，1992年7月）。佐藤一郎〈梁啟超における桐城派〉（《史學》56卷3號，1986年11月）、孫文光〈康有為、譚嗣同、梁啟超不屬桐城派〉

（《江淮論壇》1982年6期）、劉懋疇〈梁啟超與〝新文體〞：兼析《少年中國說》〉（《景德鎮教育學院學報》1993年3期）、易樹人〈梁啟超新文體的產生〉（《江漢論壇》1992年7期）、〈兼收並蓄、推陳出新：梁啟超新文體的語言特色〉（同上，1993年10期）及〈梁啟超新文體與新文化運動〉（同上，1991年12期）、周光慶〈梁啟超〝新文體〞的基本特徵和歷史價值〉（《武漢教育學院學報》1995年2期）、王杏銀〈漫談梁啟超的〝新文體〞〉（《語言學習》1983年8期）及〈梁啟超〝新文體〞的形成、特點及其影響〉（《中國近代文學研究》1986年2期）、徐鵬緒〈梁啟超〝新文體〞研究述評〉（《聊城師院學報》1992年3期）、大原信一〈梁啟超の新文體と德富蘇峰（その一）〉（《東洋研究》97號，1991年1月）、徐振宗〈梁啟超對寫作教學的貢獻〉（《北京師大學報》1987年2期）、蔡庚辛〈梁啟超走向小說創作的路程〉（《河北大學學報》1987年2期）、王中忱〈梁啟超在日本的小說出版活動考略〉（《清華大學學報》1996年4期）、蔣心渙〈梁啟超的小說本體觀及其影響〉（《徐州師院學報》1994年3期）、尹建民〈梁啟超小說理論的價值闡釋〉（《青海師大學報》1993年4期）、簡茂森〈高論千言出胸臆—評梁啟超的小說理論〉（收於《古代文學理論研究》第1集，上海古籍出版社，1979）、齊魯青〈試論梁啟超的小說理論〉（《文科教學》1983年4期）、連燕堂〈梁啟超小說理論試評〉（《中國近代文學研究》1984年1期）、王齊州〈重評梁啟超的小說理論〉（《荊州師專學報》1985年1期）、顏延亮〈我國小說理論近代化的正式開端—略論梁啟超的小說理論〉（《社會科學（甘肅）》1989年2期）、李開軍〈梁啟超的小說本體理論初探〉（《聊城師院學報》1996年3期）、王立興〈梁啟超的小説理論與〝小説界革命〞〉（收於《中國近代文學論文集（1949-1979）小説卷》，北京，中國社會科學出版社，1983）、謝華〈梁啟超的小説理論與《新中國未來記》〉（《中國近代文學評林》第1輯，中州古籍出版社，1984）、歐陽健〈晚清新小説的開山之作－重評《新中國未來記》〉（《山東社會科學》1988年3期）、大村益夫〈梁啟超および「佳人之奇遇」〉（《人文論集（早稻田大學）》11號，1974年2月）、橋本高勝〈梁啟超の小説への道程〉（《野草》第2號，1971年1月）、夏曉虹〈梁啟超與日本明治小説〉（《北京大學學報》1987年5期）、陳應年〈梁啟超與日本政治小説在中國的傳播及評價〉（《中日文化交流》第1輯，1984）、王曉平〈梁啟超對日本政治小説理論的取與棄〉（《中國比較文學》1988年3期）、金炳民、吳紹釚〈梁啟超與朝鮮近代小説〉（《延邊大學學報》1992年4期）、鍾賢培〈梁啟超對中國近代小説革新的貢獻－梁啟超與晚清〝小説界革命〞〉（《廣東社會科學》1996年2期）、林明德〈梁啟超與晚清小説界革命〉（《輔仁學誌（文學院之部）》20期，民80年6月）、中野美代子〈清末小説研究⑸：小説界革命と梁啟超－思想的一考察〉（《北海道大學外國語．外國文學研究》第9號，1961年12月）、朱眉叔〈梁啟超與小説界革命〉（《文學遺產增刊》第9期，1962年6月）、莊麗〈晚清小説界革命主將梁啟超〉（《寧波師院學報》1990年4期）、黃錦珠〈論梁啟超「小説界革命」的理念內涵〉（《臺北師院學報》第6期，民82年6月）、王學鈞〈新見梁啟超小説論一則評介〉（《明清小説研究》1991年2期）、夏志清〈新小説的提倡者：嚴復與梁啟超〉（林明德編《晚清小説研究》，臺北，聯經出版事業公司，民77）、左鵬軍〈高揚小說：梁啟超的得與失〉（《廣州師院學報》1990年3期）、Hiroko Willcock, "Japanese Modernization and the Emergence of New Fiction in Early Twentieth Century China: A Study of Liang Qichao." (Modern Asian Studies, Vol.29, Part 4, 1995）、王炎、王成軍〈梁啟超傳記文學初探〉（《徐州師院學報》1993年2期）、戴光中〈梁啟超與傳記文學〉（《文藝理論研究》1995年3期）、李家祺〈梁啟超與中國傳記文學〉（《東方雜誌》復刊3卷2期，民58年8月）、劉可〈梁啟超傳記文學理論及作品探源〉（載《清史研究集》第6輯，北京，光明日報出版社，1988）、陳蘭村〈傳記文學由古代向現代發展的橋樑：梁啟超傳記文學初探〉（《浙江師大學報》1992年1期）、羅大同〈梁啟超《作文教學法》述評〉（《武漢師院學報》1984年6期）、連燕堂〈試論梁啟超對中國古代文學研究的貢獻〉（《文學遺產》1986年6期）、夏曉虹〈但開風氣不為師：論梁啟超的文學史地位〉（《文藝研究》1990年3期）、鍾賢培〈梁啟超和近代文學革新運動〉（《語文月刊》1983年4期）及〈梁啟超在近代文學革新運動中的作用及其貢獻〉（《廣州研究》1983年2期）、林明德〈梁啟超與晚清文學運動〉（《中外文學》14卷4期，民74年6月）、佐藤一郎〈梁啟超における「文學」〉（《藝文研究》27號，1969年3月）、佐藤一郎〈啟蒙宣傳家としての梁啟超の文學〉（《現代中國》35號，1960）、增田涉〈梁啟超について―文學史的に見たる〉（《人文研究》6卷6號，1955）、佘樹森〈如何在文學上評價梁啟超〉（收於《中國近代文學論文集（1949-1979）詩文卷》，北京，中國社會科學出版社，1984）、宮內保〈梁啟超の《文學評論》について—1920年代を中心に〉（《語學文集》15號，北海道教育大學，1977年3月）、郭延禮〈梁啟超後十年的文學研究〉（《山東社會科學》1991年5期）、陳少松〈評梁啟超的文學創作論〉（《南京師大學報》1989年1期）、王明璋〈嚴復、梁啟超與文學革命的醞釀〉（《中國文學研究》1995年增刊）。李建中〈梁啟超一近代圖書館分類法的開創者〉（《雲南圖書館》1982年3期）、白國應〈梁啟超是我國近代圖書分類學的啟蒙者〉（《山西圖書館學刊》1982年1期）、徐健〈梁啟超與中國近代圖書館運動〉（《福建圖書館學刊》1989年2期）、楊政平〈梁啟超與圖書館的淵源及其貢獻〉（《書府》1983年4期）、嚴文郁〈梁啟超與北京圖書館〉（《傳記文學》27卷1期，民64年7月）、陳長河〈梁啟超與北京松坡圖書館〉（《民國春秋》1994年2期）、郭一梅選編〈梁啟超等創辦松坡圖書館檔案史料一組〉（《北京檔案史料》1994年3期）、黃炯旋〈試論梁啟超對中國目錄學的貢獻〉（《雲南圖書館季刊》1982年4期）、劉靜〈略論梁啟超在中國目錄學史上的貢獻〉（《山東大學學報》1992年3期）、車回成、柯俞文〈梁啟超關於檔案工作的一些議論〉（《檔案工作》1962年2期）、王瑞生〈梁任公最低限度必讀書目解題〉（《臺南師專學報》第7期，民63年12月）。Chen Chi-Yun, " Liang Chi-Chao's Missionary Education: A Case Study of Missionary Influence on the Reformers. "（Papers on China, Harvard University；其中譯文為周如歡譯〈梁啟超與基督教教育〉，收於林治平主編《基督教入華百七十年紀念集》，臺北，宇宙光出版社，民66）、金相成等〈梁啟超與近代歷史教育〉（《歷史教學》1986年4期）。崔榮華〈梁啟超史學改革的特點〉（《南通師專學報》1988年

4期）、竺柏松〈梁啟超的中國史學史理論評介一兼談目前中國史學史研究中的問題〉（《江漢論壇》1982年9期）、陳其泰〈梁啟超與中國史學的近代化〉（《南開學報》1996年5期）、胡濱〈論梁啟超的史學〉（《文史哲》1957年4期）、張開乾〈梁任公之生平事蹟及其史學〉（《臺北市立師院學報》15期，民72）、黃廷柱〈梁啟超與中國近代史學〉（載《論戊戌維新運動及康有爲梁啟超》，廣東人民出版社，1985）、竹內弘行〈梁啟超と史界革命―「新史學」の背景をめぐつて〉（《日本中國學會報》28號，1976年10月）、林德政〈梁啟超對傳統史學的態度及其新史主張〉（《成大歷史學報》16期，民79年3月）、汪榮祖〈梁啟超新史學試論〉（《中央研究院近代史研究所集刊》第2期，民60年6月）、李家祺〈梁啟超的新史學〉（《再生》41期，民63年12月）、黃如娟〈梁啟超「新史學」的精神〉（《史薈》第3期，民62年5月）、黃敏蘭〈梁啟超《新史學》的真實意義及歷史學的誤解〉（《近代史研究》1994年2期）、龔郭清〈梁啟超新史學與國民教育〉（《浙江師大學報》1994年3期）、王也揚《梁啟超對中國傳統史學的認識》（《歷史教學》1994年9期）、〈梁啟超對史學認識論的探討〉（《長白學刊》1994年2期）及〈康梁與史學致用〉（《近代史研究》1994年2期）、朱發建〈梁啟超晚年對歷史理論的探索及其困惑〉（《中國文學研究》1995年增刊）、周一平〈論戊戌變法前夕梁啟超資產階級史學理論之形成〉（《華東師大學報》1995年5期）、張錫勤〈論梁啟超在中國近代資產階級〝史學革命〞中的貢獻〉（《求是學刊》1985年1期）、師寧〈梁啟超在近代中國史學研究中的影響〉（《學術研究》1963年3期）、克凡〈梁任公先生在我國近代史學上的貢獻〉

（《大夏》1卷9期，民24年2月）、朱宏才〈梁啟超晚年對史學及史學教育的貢獻〉（《攀登》1994年3期）、張星烺〈梁任公歷史研究法糾謬〉（《地學雜誌》14卷1、2期，民12年2月）、來新夏〈讀梁啟超《中國歷史研究法》及《補編》〉（《書林》1983年6期）、言文〈梁啟超的史學方法論〉（《華東師大學報》1984年3期）、羅炳綿〈梁啟超對史學研究的創新〉（《新亞學報》10卷1期，1971年12月）、牛潤珍〈梁啟超治史二三例〉（《史志文萃》1986年2期）、培蘭〈梁啟超論中國舊史學四弊〉（《歷史教學》1996年4期）、胡逢祥〈梁啟超史學理論體系新探〉（《學術月刊》1986年12期）、李凡〈梁啟超對中國通史編纂和設想〉（《史學史研究》1981年3期）、高冀〈梁啟超世界史著述簡評〉（《史學月刊》1984年3期）、智建中〈梁啟超與史家四長〉（《東北師大學報》1981年1期）、李家祺〈梁啟超論史家四長〉（《再生》27期，民62年10月）及〈梁啟超論舊史的弊病〉（同上，31期，民63年2月）、陳其泰〈梁啟超先秦思想史研究的近代學術特色〉（《北京師大學報》1994年2期）、北京師大歷史系中國近代史學批判小組〈梁啟超《先秦政治思想》批判〉（同上，1961年1期）、周傳儒〈史學大師梁啟超與王國維〉（《社會科學戰線》1981年1期）。羅欣〈梁啟超對文獻學的貢獻〉（《武陵學刊》1993年1期）、皮明勇〈梁啟超論儒家文化與民族主義〉（《齊魯學刊》1996年3期）、蔣廣學〈論梁啟超對中國文化向現代發展的探討〉（《東方論壇》1996年3期）、程禹文〈論梁啟超對封建科舉教育的批判〉（《首都師大學報》1996年2期）、石毓彬〈抨擊奴性，倡導自尊—評梁啟超對半殖民地半封建道德的批判〉（收於《中國近代哲學史論文集》，天津人民出版社，1984）、超麟〈梁啟超怎樣了解中國的階級鬥爭〉（《中國青年》79期，民14年6月）。辛益〈梁啟超論1848年歐洲革命〉（《河南大學學報》1985年1期）、盧善慶〈梁啟超論情感教育〉（《廣州研究》1985年5期）、王記錄〈梁啟超論地理環境在社會歷史發展中的作用〉（《河南師大學報》1989年2期）、程禹文〈略談梁啟超論兒童教育〉（《北京師院學報》1992年2期）及〈論梁啟超與我國近代教育制度的創建〉（《華東師大學報（教育科學版）》1996年4期）、宮村治男〈梁啟超の西洋思想家論—その〝東學〞との關連において〉（《中國社會と文化》第5號，1990年6月）、鍾珍維等〈梁啟超論李鴻章的得失〉（《海南大學學報》1987年1期）、丘為君〈梁啟超的戴震研究—動機、方法與意義〉（《東海學報》35卷—文學院部分，民83年7月）、陳樹良、陳春聲〈梁啟超的袁崇煥研究〉（《學術研究》1995年3期）、毛慶耆〈梁啟超及其《飲冰室詩話》〉（《書和人》667期，民80年3月）、倉田貞美〈飲冰室詩話について〉（《香川大學學藝部研究報告（第一部）》13號，1960年8月）、沈崇照〈梁啟超注《桃花扇》研究〉（《戲劇藝術》1991年2期）、增田涉〈梁啟超について—文學史的にみて〉（《人文研究》6卷6號，1955年7月）、栗正〈梁啟超的〝逗號〞等等〉（《文教資料》1986年1期）、王國義〈梁啟超政治品質論略〉（《錦州師院學報》1989年1期）、明興〈危害社會變革的醜陋心態錄：讀梁啟超《呵旁觀者文》〉（《學習與實踐》1989年9期）、鍾賢培〈為救亡圖強而呼號—梁啟超《呵旁觀者文》析〉（《文史知識》1984年9期）、曾景忠〈從《庸言》看梁啟超〉（《天津社會科學》1986年6期）、戚其章〈梁啟超《烈宦寇連材傳》考疑〉

（《歷史檔案》1987年4期）、一平〈梁啟超《與嚴幼陵先生書》一文寫作時間考〉（《近代史研究》1987年2期）、張瑛〈梁啟超的《記華工禁約》〉（《史學史研究》1984年4期）、梁容若〈讀梁任公著《朱舜水年譜》〉（《大陸雜誌》7卷9期，民42年11月）、劉鳳翰〈梁啟超《戊戌政變記》考異〉（《幼獅學報》2卷1期，民48年10月）、吳相湘〈翁同龢康有為關係考實—梁啟超「戊戌政變記」考訂（上）〉（《學術季刊》4卷2期，民44年12月）及〈戊戌變政與政變之國際背景—梁啟超「戊戌政變記」考訂（下）〉（同上，4卷3期，民45年3月）、振甫〈從梁啟超談到〝譚嗣同傳〞〉（《語文學習》1957年11期）、曾昭旭〈梁啟超「最苦與最樂」一文的幾個小問題〉（《鵝湖》44期，民68年2月）、鄭孟彤〈憂國懷主·情深意摯—讀梁啟超《金縷曲·丁未五月歸國旋復東渡卻寄滬上諸子》〉（《嶺南文史》1995年4期）及〈心懷故國·語含悲憤—讀梁啟超的《賀新郎》〉（同上，1995年3期）、石毓彬〈抨擊奴性、倡導自尊—評梁啟超對半殖民地半封建道德的批評〉（載《中國近代哲學史論文集》，1984）、閻小波〈簡論梁啟超對現代人的構想〉（《社會科學探索》1988年5期）、陳茂柏〈梁任公論為大人物之道〉（《新認識》7卷1期，民32年3月）、董方奎〈梁啟超為什麼放棄美式共和方案〉（《華中師大學報》1991年3期）、梁義群〈梁啟超整頓清末財政方策評議〉（《北京檔案史料》1993年2期）、李宇平〈試論梁啟超的反通貨膨脹言論〉（《中央研究院近代史研究所集刊》20期，民80年6月）、賈雲平〈論梁啟超的國民精神批判〉（《社會科學家》1992年5期）、楊義銀〈梁啟超改造國民性構想之評說〉（《河北學刊》1994年6期）、智藏〈梁任公與佛學〉（《海潮音》16卷3-5期，民24年3-5月）、魏曼特〈梁任公的佛學研究〉（《再生》18期，民62年1月）、李喜所〈梁啟超晚年的佛學研究〉（《天津會科學》1995年1期）、天祥〈梁啟超的佛教史研究〉（《學術研究》1993年2期）、李鈷錚〈讀梁啟超論因果義書後〉（《中國佛學》21卷3期，民65年12月）。達威〈梁啟超、曾志忞對近代音樂文化的貢獻〉（《人民音樂》1983年2期）、盧善慶〈梁啟超關於美的分析及其歷史評價〉（《古代文學理論研究叢刊》第6輯，1982年9月）、趙景深〈梁啟超寫過廣東戲〉（收於《中國近代文學論文集（1949-1979）·戲劇、民間文學卷》，北京，中國社會科學出版社，1982）、陳華新〈梁啟超編寫粵劇〉（同上）、陳芳〈梁啟超戲劇三種研究〉（《警專學報》1卷1期，民77年6月）、陳四海〈梁啟超的戲劇理論和創作〉（《戲劇藝術》1983年3期）、康保延〈梁啟超的詩學往事〉（《廣東文獻》24卷2期，民83年5月）、黃文吉〈梁任公的詞學〉（《中華文化復興月刊》16卷4期，民72年4月）、謝桃坊〈梁啟超與近代詞學研究〉（《文學評論》1993年5期）、麥生登美〈梁啟超の詩論と〝詩界革命〞—杜甫と黃遵憲評を中心に〉（《目加田誠博士古稀記念中國文學論集》1974年10月）、曹憲就〈梁啟超詩文的核心思想及藝術特色〉（《廣東社會科學》1995年5期）、宋蔭芝〈形象·哲理·情感·聲音—略論梁啟超散文的藝術魔力〉（《中國人民警官大學學報》1991年3期）、劉增杰〈略論梁啟超散文的藝術魅力〉（《河南師大學報》1983年2期）、牛仰山〈梁啟超散文的藝術特色及其評價問題〉（《中國近代文學研究》1984年1期）、郭一鳴〈試論梁啟超散文的愛國主義的時代特色〉（《暨南學報》1985年3期）、連燕堂〈梁啟超對白話詩和白話文的意見〉

（《文史雜志》1995年4期）、黃得時〈梁任公論學詩及治學〉（《傳記文學》11卷6期，民56年12月）及〈梁任公與國民常識學會—留存在臺灣的一些珍貴資料〉（《東方雜誌》復刊1卷3期，民56年9月；亦載《廣東文獻》6卷1期，民65年5月）、袁錦羽〈梁啟超與翻譯〉（《武漢大學學報》1984年1期）、劉光祿〈梁啟超與方志學〉（《廣州研究》1984年1期）、盧胡彬〈梁啟超的方志學〉（《中國歷史學會史學集刊》28期，民85年9月）、黃葉〈梁啟超的學術比較研究〉（《讀書》1982年7期）、徐一士〈左宗棠與梁啟超〉（《古今》32期，民32年10月）、經堂〈康有為與梁啟超〉（《古今》第1期，民31年3月）、程文熙〈〝新中國〞的維新嘉士康有為、梁啟超、張君勱三先生〉（《再生》54期，民65年1月）及〈張君勱先生與梁任公先生—梁任公先生百年誕辰紀念〉（同上，18期，民62年1月）、彭澤周〈論梁啟超與伊藤侯—以戊戌政變為中心〉（《大陸雜誌》90卷4期，民84年4月）、蘇精〈記三位化私為公的藏書家—梁鼎芬、梁啟超、章鈺〉（《傳記文學》36卷3期，民69年3月）、張朋園〈梁啟超在民國初年的師友關係〉（《歷史學報（臺灣師大）》第3期，民64年5月）、子真〈梁啟超和他的〝閨中良友〞〉（《中國婦女》1982年9期）、周輝湘〈鄭觀應與梁啟超的一樁公案〉（《歷史教學》1996年6期）、武曦〈鄭觀應與梁啟超、經元善〉（《近代史研究》1983年1期）、楊念群〈蔡鍔與梁啟超關係初探〉（《雲南社會科學》1985年6期）、羅文榮〈梁啟超與李端棻〉（《讀書》1985年7期）、萬登學〈李端棻與梁啟超〉（《貴州文獻》20期，民84年1月）、閻小波〈李端棻《請推廣學校摺》為梁啟超代擬〉（《近代史研究》1993年6期）、耘農（沈雲龍）〈梁啟超與汪康年〉（《民主潮》6卷3期，民45年2月）及〈梁任公與曾慕韓〉（同上，9卷11期，1959年11月）、沈雲龍〈兩位反共的先驅—梁任公與曾慕韓〉（《傳記文學》32卷5期，民67年5月）、崔志海〈論汪康年與《時務報》—兼談汪梁之爭的性質〉（《廣東社會科學》1993年3期）、王德昭〈黃遵憲與梁啟超〉（《新亞書院學術季刊》11期，1969年9月）、潘日波〈梁啟超與黃遵憲〉（《嘉應大學學報》1996年8期）、張朋園〈黃遵憲的政治思想及其對梁啟超的影響〉（《中央研究院近代史研究所集刊》第1期，民58年8月）、蕭延中〈論梁啟超對早年毛澤東的影響〉（《近代史研究》1988年1期）及〈梁啟超對青年毛澤東的思想影響〉（《毛澤東思想研究》1986年3期）、王強〈魯迅與梁啟超〉（《天津社會科學》1988年4期）、王敬文〈魯迅與梁啟超〉（《湖北大學學報》1986年5期）、陳健〈英雄情結與孤獨意識—梁啟超與魯迅精神特徵比較研究〉（《湘潭大學學報》1995年3期）、陳永正〈試論康有為、梁啟超的文風〉（《嶺南文史》1988年1期）、于夫〈康梁分道記〉（《廣東文獻》4卷3期，民63年9月）、景安〈梁任公與譚嗣同的交誼〉（《再生》20期，民62年3月）、張德鈞〈梁啟超紀譚嗣同事失實辨〉（《文史》第1輯，北京，中華書局，1962）、元青〈章太炎與梁啟超〉（《天津師大學報》1995年6期）、廖輔叔〈歌德與梁啟超〉（《中央音樂學院學報》1995年3期）、高國藩〈陳三立與康有為梁啟超〉（《九江師專學報》1995年1期）、彭澤周〈論志賀重昂與梁啟超〉（《大陸雜誌》44卷5期，民61年5月）及〈論梁啟超與伊藤侯—以戊戌政變為中心〉（同上，90卷4期，民84年4月）、鄧永康〈戊戌變法前的梁啟超與李提摩太——位傳教士對中國現代化歷程的影響〉（《崇基學報》13卷1期，1974年4月）、李澤厚〈梁啟超王國維簡論〉（《歷史研究》1979年7月）、柯慶明〈梁啟超王國維與中國文學批評的兩種趨向〉（《中外文學》51卷1期，民75年6月）、蔣善國〈我所知道的王國維梁啟超之死〉（《大成》160期，民76）、張朋園〈胡適與梁啟超—兩代知識分子的親和與排拒〉（《中央研究院近代史研究所集刊》15期下册，民75年12月）及〈梁啟超與胡適〉（《傳記文學》53卷4、5期，民77年10、11月）、康保延〈梁啟超與胡適〉（《中外雜誌》42卷1期，民76年7月）、〈梁啟超給胡適的信札及三首詞〉（《廣東文獻》15卷4期，民74年12月）及〈梁啟超與夏曾佑〉（同上，24卷1期，民83年2月）、吳相湘〈梁啟超徐志摩論俄帝〉（《自由中國》5卷7期，民40年10月）、劉太希〈梁任公與徐志摩〉（《中國文選》64期，民61年8月）、閻小波〈〝少年中國之少年〞與〝中國少年之少年〞：柳亞子對梁啟超思想的接受與超越〉（《江海學刊》1992年5期）、洪桂己〈林獻堂與梁啟超〉（《中外雜誌》29卷5期，民70年5月）、楊天石〈須磨密札—梁啟超請誅殺袁世凱〉（《歷史月刊》32期，民79年9月）、潘日波〈論梁啟超與袁世凱〉（《贛南師院學報》1996年1期）、勞允興〈梁啟超與梁思成〉（《北京社會科學》1996年4期）、董德福〈晚年梁啟超與現代新儒家〉（《天津社會科學》1996年6期）、胡繩〈梁啟超及其保皇黨消息—一個保皇自由主義者的臉譜〉（《讀書與出版》3卷3、4期，民37年3、4月）、鍾珍維、萬發雲〈梁啟超與海外華僑〉（《華南師大學報》1986年3期）、許常安〈「時務報」に見える梁啟超の日本に關する言論〉（《斯文》62號，1970年8月）、郭壽華〈梁啟超的政治學術與日本〉（《廣東文獻》2卷4期，民61年12月）、鈴木俊〈新

中國建設への努力—梁啟超と日本〉（《國民の歷史》1卷3號，1947）、林宗甫〈梁啟超與廣州法政專門學校〉（《廣東文獻》21卷2期，民80年6月）、康保延〈梁啟超欲辦〝文化學院〞的史實〉（同上，25卷1期，民84年3月）、和田博德〈アジアの近代化と慶應義塾——ベトソムの東京義塾·中國の梁啟超その他について〉（《日吉論文集》，慶應大學商學部，1967）、蕭朗〈福澤諭吉と梁啟超〉（《日本歷史》576期，1996年5月）；至於梁啟超與孫中山之關係的論著，已在稍前「維新（保皇）與革命兩派的關係」中舉述，可參閱之。

論述梁啟超思想的論文有王左峰〈關于梁啟超思想研究的資料評介〉（《中山大學研究生學刊》1983年3期）、陳占標〈梁啟超少年的思想〉（載《論戊戌維新運動及康有為梁啟超》，廣東人民出版社，1985）、劉福祥、趙矢元〈戊戌變法後梁啟超思想上的兩次突破與還原〉（同上）、賓長初〈離異與回歸：戊戌變法後梁啟超兩次思想轉變〉（《求是學刊》1995年5期）、胡濱〈戊戌變法時期梁啟超的思想〉（收於中國人民大學清史研究所編《中國近代史論文集》下冊，北京，中華書局，1979）、蔣俊〈關於梁啟超早期思想評價的幾個問題〉（《論中國哲學史—宋明理學討論會論文集》，浙江人民出版社，1983）、丁龍嘉〈論戊戌變法後至1930年期間梁啟超的思想〉（《齊魯學刊》1984年5期）、胡嘯〈梁啟超後期思想評價問題〉（《復旦學報》1979年5期）、蔡尚思〈四論梁啟超後期的思想體系問題〉（《學術月刊》1961年12期）、聞少華〈蔡尚思再論梁啟超後期的思想體系〉（《歷史研究》1961年4期）、湘水〈陳旭麓論辛亥革命前梁啟超的思想〉（同上）、張瑛〈也論戊戌運動失敗後梁啟超的思想〉（《新鄉師院學報》1984年2期）、魯東海〈梁啟超北美之遊時期思想初探〉（《江蘇教育學院學報》1992年4期）、馬勇〈梁啟超辛亥前後思想變化的實質與表像〉（《東岳論叢》1996年3期）、有田和夫〈辛亥革命後の梁啟超の思想——士人主導の運動から〝國民運動〞へ〉（《東京外國語大學論集》47號，1993年11月）、郭湛波〈梁啟超的時代及其思想〉（《輔仁大學哲學論集》第2期，民62年6月）、佐藤震二〈梁啟超の思想的立場〉（《東京支那學會報》大會臨時號，1951年5月）、鄭海麟〈論梁啟超思想演變的主客觀原因〉（《嶺南文史》1987年1期）、龔郭清〈試論梁啟超思想的基本特徵〉（《浙江學刊》1996年2期）及〈試論梁啟超思想的基本歷程〉（《安徽史學》1996年2期）、馮友蘭〈梁啟超底思想〉（收於《中國近代思想史論文集》，上海人民出版社，1958；亦收於馮氏《中國哲學史論文初集》，上海人民出版社，1962）、陳旭麓〈論梁啟超的思想〉（收於氏著《近代史思辨錄》，廣東人民出版社，1984）。陳聖士〈論梁啟超的政治思想與政治生涯〉（《中華學報》2卷2期，民64年7月）、杜先菊〈梁啟超政治思想的發展變化〉（《北京大學學報》1988年5期）、王素芬〈戊戌政變前梁啟超的政治主張〉（《史學》第6期，成功大學歷史系系會，民69年5月）、吳春梅、方之光〈戊戌變法失敗後梁啟超政治思想的演變〉（《江蘇社會科學》1994年2期）、范繼超〈梁啟超政治近代化思想的新境界〉（《南京社會科學》1996年2期）、王介平〈論改良主義者梁啟超—梁啟超政治思想的批判〉（收於《中國近代思想家研究論文選》，北京，三聯書店，1957）、惟文華〈梁啟超政治改革思想評述〉（《江西社會科學》1989年3期）、徐劍梅〈福澤諭吉和梁啟超的政治革新觀比較〉(《北京大學學報》1993年2期)、劉雲波〈試析梁啟超的〝政治革命〞論〉(《學術研究》1994年3期)、佐藤震二〈清朝末期における梁啟超の政治思想—その形成過程を中心として〉(《アカテジア(南山大學)》第3號,1952年10月)、徐光壽、王鴻雁〈陳獨秀與梁啟超政治思想的異同〉(《安徽教育學院學報》1994年3期)、坂出祥伸〈梁啟超の政治思想—日本亡命から革命派その論戰まで〉(《關西大學文學論集》23卷1號;1973年12月;24卷1號,1974年12月)、寶成關〈論梁啟超民國初年的政治思想〉(《史學集刊》1983年4期)、蔣廣學、雷沂〈論梁啟超的政治與法哲學思想〉(《南京大學法律評論》1996年秋季號)、郭壽華〈梁啟超的政治學術思想與日本〉(《廣東文獻》2卷4期,民61年12月)、曾永玲〈辛亥時期梁啟超的改良思想〉(《史學月刊》1985年6期)、侯外廬〈〝戊戌變法〞前夕梁啟超的折衷主義政論〉(收於侯氏主編《戊戌變法六十周年紀念集》,北京,科學出版社,1958)、鄭兆蘭〈淺論梁啟超的〝變法〞思想〉(收於《法律史論叢》第1輯,1981)、藤谷浩悅〈戊戌政變前梁啟超の變革論—「民權」、「群」、「大同」を中心に〉(《史境》22號,1991年3月)、樊中原〈近代中國大同思想的興起—以孫中山與梁啟超為例〉(《藝術學報(臺灣藝術學院)》58期,民85年6月)、吳雁南〈梁啟超的維新觀與心學〉(《近代史研究》1993年3期)、劉嗣元〈論梁啟超的憲政思想〉(《中南政法學院學報》1987年3期)、彭南生〈梁啟超憲政思想的新探索——讀《梁啟超與立憲政治》〉(《辛亥革命研究動態》1995年3期)、楊天宏〈梁啟超與宋教仁議會民主思想異同論〉(《戰略與管理》1996年5期)、董守義〈梁啟超民初時期的憲政思想與保衛共和制度的鬥爭〉(《遼寧大學學報》1984年5期)、橫山英〈梁啟超の立憲政策論〉(《廣島大學文學科紀要》35卷,1976年1月)、(美)沙培德〈辛亥革命後梁啟超之共和思想:國家與社會的制衡〉(《學術研究》1996年6期)、王好立〈從戊戌到辛亥梁啟超的民主政治思想〉(《歷史研究》1982年1期)、張德順〈梁啟超民主思想內涵述要〉(《淮陽師專學報》1991年3期)、陳贊才〈梁啟超民權思想散論〉(《廣西黨校學報》1988年3期)、熊月之〈論戊戌時期梁啟超的民權思想一兼論梁啟超與康有為的歧異〉(《蘇州大學學報》1984年3期)、寶成關〈梁啟超的民權觀與盧梭主權在說〉(《歷史研究》1994年3期)、劉振嵐〈論戊戌時期梁啟超的民權民智思想〉(《北京師院學報》1990年3期)、孫會文〈梁啟超的民權與君憲思想(上)〉(《聯合書院學報(香港中文大學)》第4期,1965)、王友三〈梁啟超的啟蒙思想與日本〉(《中日關係史研究》1992年4期)、梁念瓊、周忠〈論梁啟超的啟蒙思想〉(《河北學刊》1995年3期)、南冰〈中國第一次啟蒙運動的盛衰一試論1898年至1903年梁啟超的啟蒙思想〉(《清華大學學報》1989年1期)、張全之〈論魯迅與梁啟超的啟蒙主義思想〉(《齊魯學刊》1994年2期)、佐藤一樹〈嚴復と梁啟超一その啟蒙觀の比較〉(《二松學舍大學論集》34號,1991年3月)、方志欽〈論梁啟超的啟蒙〝三民〞主義〉(《廣東社會科學》1986年4期)、張寶明〈梁啟超與陳獨秀啟蒙思想比較:從個人與社會關係出發〉(《安徽史學》1994年4期)、董方奎〈簡論梁啟超民主進程漸進論的科學性〉(《華中師大學報》1994年2期)、曾凡炎〈簡論梁啟超〝開民智開紳智開官智〞的思想〉(《貴州師大學報》1994年2期）、董萍平〈論梁啟超由主〝變法〞到主〝開明專制〞的思想演變歷程〉（《益陽師專學報》1989年2期）、蔡永飛〈梁啟超〝開明專制〞思想述評〉（《政治學研究》1988年4期）、彭南生〈梁啟超的〝開明專制〞思想新探〉（《華中師大學報》1991年3期）、雷慧兒〈論梁啟超的開明專制思想〉（收於氏著《尋求富強—晚清改革派的威權思想》，臺北，高立圖書公司，民81）及〈梁啟超「賢人政治」思想的儒家淵源〉（同上）、段光達〈試論梁啟超的破壞主義思想〉（《牡丹江師院學報》1987年1期）、蔡開松〈梁啟超〝破壞主義〞思想透視〉（《求索》1988年6期）、楊天宏〈梁啟超與宋教仁議會民主思想異同論〉（《戰略與管理》1996年5期）、丁旭光〈略論多變的梁啟超地方政制觀〉（《廣州研究》1987年6期）、佐藤震二〈梁啟超の國家思想〉（《東京支那學會報》第9號，1951年9月）、楠瀨正明〈梁啟超の國家論の特質—群概念の分析を通して〉（《史學研究》132號，1976年6月）及〈梁啟超の國家構想〉（同上，121、122號，1974年6月）、張衍前〈論梁啟超的近代國家觀〉（《理論學刊》1996年2期）、吳嘉勛〈立憲運動中梁啟超國家學說述評〉（《江海學刊》1982年5期）、李喜所〈1903：梁啟超的國家學說和經濟構想〉（《學術研究》1996年1期）。蘇中立、涂光久〈戊戌變法前後梁啟超的愛國思想淺析〉（《華中師院學報》1984年4期）、李益然〈梁啟超的愛國思想及其局限〉（《江西社會科學》1992年3期）、劉雲波〈傳統民族主義的近代性轉變：試論梁啟超的國家民族主義思想〉（《求索》1990年5期）、閭小波〈試論辛亥前梁啟超的民族主義〉（《近代史研究》1992年5期）、劉曉辰〈梁啟超民族主義思想研究〉（《天津社會科學》1993年5期）、王凡〈梁啟超民族主義思想在中國現代化進程中的歷史地位〉（《佛山大學學報》1996年5期）、孟祥才〈梁啟超民族觀簡論〉（《山東師大學報》1994年4期）、賓長初〈梁啟超"革命排滿"主張評析〉（《社會科學家》1992年3期）、蔡安心〈清末梁啟超的種族革命論及其轉變〉（《史苑》14期，民66）。張鴻翼〈梁啟超—近代資產階級研究中國經濟思想史的首倡者〉（《北京大學學報》1984年6期）、鍾珍維、萬發雲〈論梁啟超的經濟思想〉（《華南師大學報》1984年4期）、葉世昌〈梁啟超的經濟思想〉（《貴陽師院學報》1980年3期）、姜春明〈試論辛亥革命前梁啟超的經濟思想〉（《學術研究》1963年2期）、朱堅真〈梁啟超消費經濟思想簡述〉（《消費經濟》1989年1期）、曾桂蟬〈梁啟超金融學說簡介〉（《廣東金融研究》1983年11期）、劉仁坤〈梁啟超建立新式企業制度思想探析〉（《求是學刊（黑龍江大學學報）》1996年3期）、史元民、張服榮〈試析梁啟超利用外資思想〉（《決策與探索》1996年8期）、郭漢民、張于丁〈梁啟超利用外資思想述論〉（《湖南師大社會科學學報》1989年1期）、胡太昌〈梁啟超外資外債思想評述〉（《九江師專學報》1986年4期）。周武〈梁啟超社會思想研究〉（《上海社會科院學術季刊》1990年4期）、黃順二〈梁任公的社會思想〉（《社會學刊》第9期，民62年7月）、李春玲〈梁啟超的社會思想〉（《社會導進》1卷2期，民53）、劉聖宜〈論梁啟超的社會主義觀〉（《華南師大學報》1996年2期）、董方奎〈梁啟超社會主義觀再認識〉（《華中師大學報》1996年5期）、佐藤慎一〈梁啟超と社會進化論〉（《法學（東北大學）》59卷6號，1996年1月）、焦潤明〈論梁啟超的社會啟蒙思想〉（《社會科學輯刊》1994年2期)、板野長八〈梁啟超の大同思想〉(《和田博士還曆記念東洋史論叢》,東京,講談社,1951)、程紹珉〈梁啟超的人口思想〉(《鄭州大學學報》1987年4期)、王林〈梁啟超的婦女解放思想〉(《河南大學學報》1988年1期)、張朋園〈梁啟超的兩性觀:論傳統對知識份子的約束〉(《近代中國婦女史研究》第2期,民83年6月)。駱承烈〈梁啟超的教育思想〉(《山東教育》1981年5期)、周德昌〈論梁啟超的教育思想〉(《學術研究》1982年2期)、張至〈梁啟超的教育思想〉(《教育與進修》1983年2期)、暢引婷、暢芳珍〈梁啟超的教育思想〉(《山西師大學報》1994年4期)、趙迺傳〈梁啟超的教育思想〉(《華東師大學報》1958年1期)、趙越智〈梁啟超教育思想論略〉(《求是學刊》1995年2期)、程培杰、王新如〈梁啟超教育思想初探〉(《河北師院學報》1984年1期)、曾凡炎〈梁啟超教育思想述評〉(《貴州師大學報》1991年3期)、鄭世興〈梁啟超教育思想之研究〉(《師大學報》11期,民55年5月)、蔡協族《梁啟超教育思想演變與發展之研究》(政治大學教育研究所碩士論文,民67年6月)、阿部洋〈梁啟超の教育思想とその活動—戊戌變法期を中心として〉(《九州大學教育學部紀要》第6號,1959年6月)、郭為藩〈梁啟超先生之教育思想〉(《師大教育研究所集刊》第4期,民50年12月)、孫石月、王青梅〈梁啟超戊戌變法前後的教育思想〉(《山西師大學報》1989年4期)、李錦全〈評梁啟超關于教育思想和人才學觀點的重要遺稿〉(《學術研究》1983年6期)、陳剛等〈試論梁啟超的語文教育思想〉(《教育研究》1982年7期)。何哲〈略評梁啟超的史學思想〉(《齊魯學刊》1985年2期)、馬金〈論梁啟超史學思想的時代性〉(《河北學刊》1985年1期)、李玉華〈簡評梁啟超史學思想的變化〉(《史學月刊》1986年1期)、李侃〈梁啟超史學思想試論〉(《新建設》1963年7期)、蔣俊〈梁啟超早期史學思想與浮田和民的《史學通論》〉(《文史哲》1993年5期)、張書學〈梁啟超晚年史學思想再認識〉(《山東大學學報》1996年4期)、劉振嵐〈評梁啟超對封建史學思想的批判(兼評其對歷史的意義與目的的論述)〉(《北京師院學報》1984年1期)、林正珍〈晚清知識份子引介西洋史的若干問題—以梁啟超史學思想為中心〉(《歷史學報(臺灣師大)》16期,民77年6月)、齊藤修〈梁啟超の歷史思想〉(《駿臺史學》第7號,1956年12月)、韋春晨〈梁啟超關于歷史因果律的論述〉(《史學史研究》1984年2期)、劉振嵐〈梁啟超對歷史發展規律的探索〉(《歷史研究》1984年5期;《史學論集》1985)、朱發建〈梁啟超晚年對歷史理論的探索及其困惑〉(《中國文學研究》1995年增刊)、侯明儒〈梁啟超"史界革命"說〉(《殷都學刊》1986年2期)、鍾珍維〈梁啟超的史學觀〉(《華南師院學報》1982年4期)、張錫勤〈論梁啟超的歷史觀〉(《中國哲學史研究》1988年3期)、上田仲雄〈梁啟超の歷史觀—過時期における思想の問題として〉(《岩手史學研究》32號,1959年12月)、李潤蒼等〈批判梁啟超的反動史學觀點和方法〉(《四川大學學報》1959年4期)、閭小波〈梁啟超與孫中山歷史觀之比較研究〉(《社會科學戰線》1990年3期)、胡曉〈梁啟超、胡適、李大釗歷史觀比較〉(《安徽史學》1993年2期)、鄺柏林〈梁啟超的進化史觀〉(《學術研究》1986年3期)、曹靖國〈梁啟超進化史觀的演變〉(《東北師大學報》1985年3期)、張朋園〈社會達爾文主義與現代化—嚴復、梁啟超的進化觀〉（載《陶希聖先生八秩榮慶論文集》，臺北，民68）、劉振嵐〈梁啟超的進化史觀和地理史觀〉（載《中國文化研究輯刊》第3輯，上海，復旦大學出版社，1986）、〈戊戌時期梁啟超對進化史觀的運用〉（《南開史學》1991年1期）及〈梁啟超的英雄史觀〉（《南開史學》1984年2期）、金之平〈評梁啟超的英雄史觀〉（《山東大學文科論文集刊》1984年2期）、陳利今〈對梁啟超《意大利建國三傑傳》唯心史觀的剖析與批判〉（《史學理論研究》1995年1期）、趙向東〈梁啟超哲學史觀初探〉（《北京大學研究生學刊》1992年1期）、侯明儒〈梁啟超地理史觀述論〉（《殷都學刊》1992年1期）、李肇祥等〈梁啟超的方志學思想〉（《山東史志通訊》1982年3期）。萬發雲〈略論梁啟超的哲學思想〉（《華南師大學報》1983年1期）、孟祥才〈梁啟超哲學思想初探〉（《山東師院學報》1976年1期）、金涵〈梁啟超的哲學思想及其他〉（《國內哲學動態》1981年5期）、王左峰〈梁啟超的哲學與社會學思想研究〉（《中山大學研究生學刊》1982年3期）及〈梁啟超後期哲學中的人格主義〉（《哲學研究》1983年11期）、天祥〈梁啟超人生哲學思想初探〉（《鄭州大學學報》1989年3期）、王堅〈梁啟超的人生觀及其內在矛盾淺析〉（《理論學習月刊》1991年8期）、朱永嘉〈批判梁啟超的唯心主義哲學〉（《復旦學報》1957年1期）、王栻〈戊戌政變前梁啟超的唯心思想〉（《南京大學學報》第4期，1962年12月）。王俊明〈梁啟超中西文化觀的演變〉（《北方論叢》1988年3期）、劉福祥〈梁啟超中西文化觀的演變〉（《東岳論叢》1990年2期）、謝剛、元青〈梁啟超中西文化觀的典型意義〉（《南開學報》1990年4期）、毛世全〈簡論梁啟超中西文化融合的理論觀點〉（《四川教育學院學報》1989年1期）、黃坤〈論梁啟超的文化觀：世界主義和國家主義的衝突與調和〉（《華東師大學報》1990年5期）、李大華〈梁啟超文化觀尋跡與反思〉（《江漢論壇》1994年4期）、葛志毅〈梁啟超文化史觀及其所受西方史學思想的影響〉（《學習與探索》1995年5期）及〈梁啟超文化史觀形成原因的若干研究〉（《函授教育》1995年3期）、焦潤明〈論梁啟超的文化選擇觀〉（《遼寧大學學報》1995年3期）、劉振嵐〈梁啟超文化史觀初探〉（載《中國近代文化問題》，北京，中華書局，1989）、吳健瑛〈試論梁啟超文化思想的內在一貫性〉（《求是學刊》1993年3期）、元青〈梁啟超歐游歸來後的文化思想傾向芻議〉（《中州學刊》1993年3期）、馬克鋒〈梁啟超後期文化思想新探〉（《天府新論》1988年3期）、張躍先〈梁啟超晚年的文化思想初探〉（《甘肅理論學刊》1991年3期）、顧上飛〈梁啟超文化思想評析〉（《九州學刊》2卷1期，1987年秋；《中國藝術研究院研究生部學刊》1987年1期）、王凡〈從梁啟超文化思想變遷看中國文化前景〉（《佛山大學學報》1996年1期）、袁忠〈梁啟超文化哲學理論〉（《船山學刊》1995年2期）、王富仁、查子安〈立于兩個不同的歷史層面和思想層面上：魯迅與梁啟超的文化思想和文學思想之比較〉（《河北學刊》1987年6期）、徐光壽、陸濤〈陳獨秀與梁啟超文化思想的異同〉（《安徽教育學院學報》1996年2期）、王俊明〈梁啟超文化選擇的困境〉（《學術交流》1989年4期）、馮天瑜〈梁啟超對近世中國〝文化重演〞現象的詮釋〉（《學術月刊》1996年5期）。唐文權〈梁啟超佛學思想述評〉（《華中師院學報》1983年4期）、高振農〈梁啟超的佛學思想〉（《中國哲學史研究》1982年4

期）、天祥〈梁啟超佛學思想概述〉（《學術研究》1990年5期）、杜繼文〈評梁啟超的佛教救世思想〉（《世界宗教研究》1981年4期）、方映靈〈梁啟超與佛教的〝業扳輪迴說〞〉（《中山大學研究生學刊》1989年1期）。戴禾〈福澤諭吉と梁啟超の儒教觀〉（《國際研究論集（八千代國際大學）》7卷4號，1995年1月）、趙士、楊碧〈淺談梁啟超與佛教的〝業扳輪迴說〞〉（《中山大學研究生學刊》1989年1期）。魯海〈梁啟超的目錄學思想及其書目實踐〉（《史學月刊》1982年3期）、李建中〈對《梁啟超的目錄學思想及其書目實踐》一文的糾正和補充〉（同上，1982年6期）、陳光祚〈梁啟超的目錄學理論觀點和實踐活動〉（《武漢大學學報》1963年4期）、李必勝〈梁啟超人才思想評述〉（《安徽史學》1991年3期）、雷慧兒〈論梁啟超的「人才主義」思想〉（《大陸雜誌》75卷4期，民76年10月）、萬發雲、鍾珍維〈論梁啟超的法制思想〉（《廣州研究》1986年3期）、王威宣〈論梁啟超的法律思想〉（《山西大學學報》1991年2期）、俞榮根〈論梁啟超的法治思想—兼論梁氏對傳統法文化的轉化創新〉（《孔子研究》1996年1期）、趙莉如〈梁啟超的心理學思想評述〉（《江西師大學報》1984年1期）、里明〈梁啟超的報刊編輯思想〉（《史學月刊》1989年5期）、王瑛琦、劉賓聲〈從〝去塞求通〞主張的提出到〝言論獨立〞思想的破產：試論梁啟超新聞思想的三個階段〉（《學術交流》1996年5期）、李雙璧〈論1903年前梁啟超的國民道德思想〉（《貴州社會科學》1984年5期）、汪林茂〈論梁啟超的〝道德革命〞思想〉（《杭州大學》1988年1期）、楊義銀〈梁啟超改造國民性構想之評說〉（《河北學刊》1994年6期）、布施知足〈梁啟超氏の中國武士道論〉（《東亞》7卷6號，1934）、雷廣臻〈梁啟超倫理思想的結構與特色〉（《內蒙古師大學報》1989年1期）、張錫勤〈梁啟超的倫理思想〉（《中國哲學》12輯，北京，三聯書店，1979）、鄭永福〈《新中國未來記》與二十世紀初梁啟超的思想〉（《中州學刊》1987年1期）、王英中〈《西學書目表》及梁啟超的西學思想〉（《華南師大學報》1984年4期）。許明龍〈梁啟超的法國大革命觀〉（《歷史研究》1989年2期）、彭澤周〈梁啟超の明治維新觀と中國變革論〉（《世界史のなかの明治維新》京都，京都大學人文科學研究所，1973）、宋德華〈《新大陸游記》與梁啟超的美國觀〉（《暨南學報》1995年3期）、楠瀨正明〈梁啟超のアジア觀—とくに日本觀を中心として〉（《廣島大學東洋史研究室報告》第3號，1981年10月）、焦潤明〈梁啟超的日本觀〉（《近代史研究》1996年1期）、蕭啟慶〈梁啟超的殖民觀〉（載《陶希聖先生八秩榮慶論文集》，臺北，食貨出版社，民68）、段治文、戴錫保〈論梁啟超科學觀的確立及其流變〉（《浙江大學學報》1993年1期）、江暉〈梁啟超的科學觀及其與道德、宗教之關係〉（《學人》第2輯，江蘇文藝出版社，1992年7月）、冼心福〈建國以來梁啟超文學思想研究述評〉（《學術研究》1993年3期）、單桂茹〈論梁啟超的小說功能觀〉（《浙江師大學報》1993年3期）、姜東賦〈論梁啟超的小說觀〉（《天津師大學報》1990年1期）、陳泗海〈梁啟超的戲劇理論和創作〉（《戲劇藝術》1983年3期）、馮契〈青年梁啟超的自由學說〉（《學術月刊》1987年1期）、劉紀曜〈梁啟超的自由思想〉（《歷史學報（臺灣師大）》23期，民84年6月）、胡代勝〈論梁啟超資產階級公民意識〉（《政治學研究》1988年1期）、王乙〈語言、意境一存在的真實：兼談梁啟超的意境說〉（《青海民族學院學報》1988年3期）、沙磊〈論梁啟超的〝國民觀〞〉（《學習與探索》1989年4、5期）、蘇渭昌〈〝吾心目中有一少年中國在〞—淺說梁啟超的《少年中國說》〉（《文史知識》1982年8期）、劉福祥、趙矢元〈辛亥革命後的康梁比較觀〉（《東北師大學報》1984年3期）、王有為〈1990年前後康梁思想比較論〉（載《論戊戌維新運動及康有爲梁啟超》，廣東人民出版社，1985）及〈論1900年前後康梁思想的分歧〉（《學術月刊》1984年3期）、高克力〈福澤諭吉與梁啟超近代思想比較〉（《歷史研究》1992年3期）、閭小波〈〝少年中國之少年〞與〝中國少年之少年〞—柳亞子對梁啟超思想的接受與超越〉（《江海學刊》1992年5期）、哈九增〈魯迅對梁啟超〝立人〞思想的繼承與發展〉（《浙江學刊》1986年5期）。胡代勝〈論梁啟超新民思想的形成〉（《中州學刊》1987年5期）及〈梁啟超《新民說》的文化尋根〉（《江漢論壇》1989年2期）、陳華新〈試論梁啟超《新民說》的啟蒙意義〉（《廣州研究》1987年2期）、徐允明〈〝新民〞學說及其命運：論梁啟超的《新民說》〉（《北京社會科學》1987年3期）、崔志海〈梁啟超《新民說》的再認識〉（《近代史研究》1989年4期）、陳匡時〈略論梁啟超的《新民說》〉（載《清末民初中國社會》，上海，復旦大學出版社，1983）、張錫勤〈梁啟超《新民說》論綱〉（《求是學刊》1996年5期）、周佳榮〈中國國民性的更新—梁啟超《新民說》析論〉（《香港中國近代史學會會刊》第8期，1996年12月）、胡維革〈梁啟超新民思想述論〉（《東北師大學報》1993年3期）、戴禾〈獨立の精神と近代國家の形成——梁啟超の「新民說」と近代日本その思想的關連について〉（《國際研究論集》8卷4號，1996）、張衍前〈近代國家觀：梁啟超新民思想的理論基礎〉（《理論學刊》1995年5期）、田文軍〈〝新民〞與強國—嚴復、梁啟超〝新民〞學說評析〉（《武漢大學學報》1992年3期）、木原勝治〈梁啟超の新民說について〉（《立命館文學》180號—橋本博士古稀紀念東洋史論叢》，1960年6月）、陳儀深〈析論梁啟超的新民思想〉（《近代中國》31期，民71年10月）、蒙庵〈《新民說》研究述評〉（《社科信息》1988年1期）、龐景隆〈梁任公先生「新民說」概觀〉（《再生》18期，民62年1月）、陳中凡〈論人的近代化與梁啟超的〝新民〞理論〉（《學術研究》1988年5期）、沈善洪、王鳳賢〈梁啟超《新民說》倫理思想初探〉（《學術月刊》1984年11期）、楊奮澤、馬永山〈從《新民說》看梁啟超對傳統文化深層結構的反思〉（《內蒙古大學學報》1993年1期）、齊藤泰治〈梁啟超〝自由書〞と〝新民說〞〉（《教養諸學研究（早稻田大學政經學部）》97、98卷，1995）、上田仲雄〈梁啟超の變革說—新民說を中心とした彼の革命觀〉（《岩手大學學藝部研究年報》第4號，1952年12月）、詹卓穎〈梁啟超之新民教育思想與安昌浩之新民會〉（載《臺灣省第一屆教育學術論文發表會論文集》下冊，臺北，民79年6月）。胡繩〈梁啟超及其保皇黨思想〉（收於《中國近代史參考資料》，中國人民大學出版社，1984）、林家有〈論梁啟超由擁袁到反袁思想的演變〉（《文史哲》1994年4期）、高橋勇治〈三民主義に對する梁啟超の反駁〉（《東亞問題》4卷10號，1941）、曹詩圖、王衍國〈梁啟超的人地關係研究及其學術思想〉（《地理科學》1996年1期）、曾憲就〈梁啟超詩文的核心思想及藝術特色〉（《廣東社會科學》

1995年5期）、盧善慶〈梁啟超關於美的分析及其歷史評價〉（收於《古代文學理論研究》第6集，上海古籍出版社，1979）、陳永標〈論梁啟超的美學思想〉（《華南師大學報》1984年2期）、姚全興〈論梁啟超的感情說〉（《文學評論叢刊》第9輯，1981）、黃進興著、楊肅獻譯〈梁啟超的終極關懷〉（《史學評論》第2期，民69年7月）；另由廣東新會縣梁啟超研究室編輯的《梁啟超研究》期刊，其第1期已於1986年出版。

㈣起事與宣傳

1.起事方面（含武昌起義）

清末革命黨人進行革命的方式不外連絡、宣傳及武裝行動（起事和暗殺），連絡方面（結合同志，成立革命團體）的論著及資料，已在前面「革命團體」中舉述。至於起事方面（兼及暗殺）：武昌起義以前之孫中山的十次起義有國民黨黨史會編《革命文獻·67輯—十次起義史料》（臺北，編者印行，民63）、兆猷輯〈武昌起義前孫中山領導的十次武裝起義〉（《文物天地》1981年5期）、符滌泉〈國父領導的十次起義及最後的成功〉（《中華文化復興月刊》21卷6、7期，民77年6、7月）、蕭昭匯〈孫中山與〝十次革命〞〉（《貴州文史叢刊》1986年4期）、吳相湘〈乙未辛亥間的革命戰役〉（載張其昀等著《中國戰史論集》，臺北，中華文化出版委員會，民43）、能勢岩吉《孫文革命戰史》（東京，連合出版社，1943）、蔣永敬〈辛亥革命前十次起義經費之研究〉（《新知雜誌》第2年第1期，民60年12月）、李雅琴〈孫中山先生領導的武裝鬥爭》（《徐州師院學報》1982年1期）、江中孝〈武昌起義前孫中山領導的反清武裝起義中的軍事冒險主義芻議〉（《廣東社會科學》1986年3期）、羅雲家〈興中會廣州起義之評價〉（《民主憲政》59卷12期，民77年4月）、李守孔〈辛亥革命之序幕─興中會之創立與首次廣州起義〉（《中山學術會議三民主義學術研討會論文集》，民70）、眭雲章〈國父領導的第一次革命起義廣州之役的經過及其考異〉（《主義與國策》57期，民44年9月）、牧甫〈辛亥革命─廣州之役〉（《廣東文獻》21卷1期，民80年3月）、莊吉發〈庚子惠州革命運動始末〉（《大陸雜誌》41卷4期，民59年8月）、彭澤周〈關於「惠州之役」記事的商榷─檢討中日兩國史料的差異〉（《大陸雜誌》77卷6期，民77年12月）及〈論漢口、惠州兩役與日本〉（同上，77卷4期，民77年10月）、上村希美雄〈1900年の孫文─「兩廣獨立計畫」そめぐって〉（《孫文研究》第5號，1986年8月）、向山寬夫〈廈門事件と惠州事件〉（《國學院大學大學院紀要》第6輯，1975）、信夫清三郎著、熊達摘譯〈廈門事件與惠州起義關係質疑〉（《國外社會科學情報》1985年6期）、永井算巳〈庚子惠州の役について〉（《史學雜誌》62編12號，1954年12月）及〈庚子惠州の役について─孫文の動きを中心として〉（《歷史教育》3卷9-10號，1955年9-10月）、陳春生〈庚子惠州起義記〉（《建國月刊》5卷3期，民20年7月）、上村希美雄著、陳鵬仁譯〈論惠州之役〉（《近代中國》116期，民85年12月）、河村一夫〈惠州事件について〉（《外交時報》1113號，1974年2月）、楊天石、伊俊春譯〈日本政府有關惠州起義電報〉（《歷史檔案》1986年3期）、黃季陸〈國父援助菲律賓獨立運動與惠州起義〉（《傳記文學》11卷4期，民56年10月）、鄧慕韓〈丁未黃岡舉義記〉（《建國月刊》3卷3期，民19年7月）、陳華新〈試論潮州黃岡起義〉（《中學歷史教學》1982年1期）、莊義青、曾從權〈丁未潮州黃岡起義〉（《韓山師專學報》1981年3期）、張春生〈論黃岡起義〉（《江西師大學報》1987年4期）、陳克華〈同盟會丁未黃岡起義紀要〉（《廣東文獻》5卷3期，民64年9月）、鄧慕韓〈書丁未防城革命軍記〉（《建國月刊》3卷3期，民19年7月）、周元〈南疆舉義旗、震撼清王朝一追記孫中山親自領導的鎮南關起義〉（《廣西師院學報》1981年4期）、沈奕巨〈論孫中山、黃興領導的廣西邊境武裝起義〉（《學術論壇》1980年4期）、仇江編《廣東新軍庚戌起義資料匯編》（廣州，中山大學出版社，1990）、陳春生〈庚戌廣州新軍舉義記〉（《建國月刊》6卷4、5期，民21年4、5月）、王在民〈廣東新軍的〝庚戌起義〞〉（《理論與實踐》1958年7期）、李介孺編《康戌粵東軍變記》（清宣統2年夏月刊印，臺北，文海出版社影印，民65）、方中英〈庚戌廣州新軍起義〉（《廣東史志》1995年4期）、牧甫〈庚戌廣州新軍之役〉（《廣東文獻》21卷2期，民80年6月）、革命紀念會《廣州三月二十九革命史》（上海，民智書局，民16）、鄒魯《廣州三月二十九革命史》（臺北，帕米爾書店，民42）、金沖及〈談談〝三·二九〞廣州起義〉（《文史知識》1981年5期）、符滌泉〈國父領導的廣州「三二九」之役〉（《中華文化復興月刊》21卷3期，民77年3月）、安懷音〈三月二十九日廣州之役歷史回顧〉（《幼獅》5卷3期，民46年3月）、陳喜紅等〈辛亥「三·二九」廣州起義〉（《中學歷史教學》1958年12期）、郭明郎〈辛亥三月二十九日廣州起義事略及其影響研究〉（《臺北師專學報》14期，民76年6月）、郭長海〈辛亥〝3.29〞廣州起義〉（《長春師院學報》1991年2期）、王英〈廣州三·二九起義〉（《文博通訊》1982年2期）、黃廷桂〈辛亥三月廿九廣州黃花岡起義〉（《中學歷史教學》1980年4、5期）、俞先堯〈碧血黃花耀千秋：黃花崗起義始末〉（《中學歷史》（蘇州大學）1988年3期）、鄧澤光〈碧血黃花照漢青〉（《廣東文獻》20卷1期，民79年3月）、卓遵宏〈春雷一聲萬匯藩滋—從三·二九之役到武昌起義間革命情勢的發展〉（《近代中國》75期，民79年2月）、陳錫祺〈辛亥三月二十九日黃花崗之役〉（載《孫中山與辛亥革命七十周年學術討論會論文集》上册，北京，中華書局，1984）、包村《黃花崗起義》（北京，中華書局，中國歷史小叢書，1965）、陳海〈黃花崗起義實錄〉（《明報》26卷4期，1991年4月）、何元輝《碧血黃花史話》（高雄，人文書店，民44）、徐續編著《黃花崗》（廣州，廣東人民出版社，1985）、吳玉章〈辛亥革命的前奏—廣州起義〉（《中國建設》1981年1期）、顧林〈試論辛亥廣州起義與武昌起義之關係〉（《歷史教學》1980年2期）、鍾珍維、丁身尊〈辛亥〝三·二九〞廣州起義與海外華僑〉（《華南師院學報》1981年4期）、黃慶雲〈華僑與〝廣州三·二九〞起義〉（《中國近現代史論文集》第1集，1982）、孫健〈辛亥〝三·二九〞起義中犧牲的華僑烈士〉（《歷史研究》1978年第4期）、費廣生〈廣州三月二十九日之役烈士考實〉（《廣東文獻》3卷1期，民62年3月）、鍾正君〈三二九廣州之役殉難烈士中的廣東人〉（同上，26卷1期，民85年3月）、王惠姬〈婦女與三二九之役〉（《僑光學報》11期，民82年10月）、陳心耕〈福州地區烈義士與黃花崗起義〉（《福建論壇》1994年5期）、周興樑

〈黃花崗起義以陽曆三月二十九日為紀念日的由來〉（《中山大學學報》1980年4期）、李雲漢〈三二九·黃花崗·青年節：一段歷史演變的綜合論述〉（《歷史教學》1卷5期，民78年3月）、許德珩講、鄭箴記〈黃花崗起義的教訓〉（《知識與生活》25期，民37年4月）、陳哲三〈黃花崗革命史話〉（《幼獅月刊》41卷4期，民64年6月）、趙振羽〈黃花崗之役史略〉（《三軍聯合月刊》10卷3期，民61年5月）、王成聖〈黃花崗與紅花崗—辛亥三二九廣州之役記詳〉（《中外雜誌》25卷4期，民68年4月）、洪桂己〈辛亥廣州之役日本外務省檔案〉（《國史館館刊》復刊第7期，民78年12月）、嶺南半翁《辛亥粵亂彙編》（上海，牖民小學，清宣統3年6月出版）、莊政〈論民前革命組織與辛亥的兩次起義〉（《三民主義學報（師大三研所）》11期，民76年8月）。其他的起事和相關的論著、史料集有徐鶴年〈洪全福廣州起義初探（1902）〉（《寧波師院學報》1985年1期）、陳寶輝、尹福庭〈太平天國瑛王洪春魁與壬寅廣州起義〉（《歷史知識》1983年6期）、張其光〈大明順天國起義〉（《學術研究》1981年6期）、馮自由〈記壬寅大明順天國失敗始末〉（《子曰叢刊》第2輯，民37年6月）；萍鄉市政協等編《萍瀏醴起義資料匯編》（長沙，湖南人民出版社，1986）、林增平〈一次具有資產階級民主革命性質的大起義—評介《萍瀏醴起義資料匯編》〉（《湖南師大學報》1986期）、黃一良輯〈1906年萍瀏醴起義的幾件史料〉（載《近代史資料》1956年4期）、余明俠〈同盟會領導的萍瀏醴起義〉（《社會科學戰線》1981年3期）、陳春生〈丙午萍醴起義記〉（《建國月刊》6卷1、2期，民20年11、12月）、滌塵〈1906年的萍、瀏、醴大起義〉（《歷史教學》1958年10期）、劉義勝、劉善文〈1906年萍瀏醴起義〉（《江西社會科學》1981年5、6期）、楊昌泰〈清末萍瀏醴起義〉（《衡陽師專學報》1987年3期）、魏琦〈六十年前萍瀏醴革命史錄〉（《江西文獻》34-38期，民58年1-5月）、劉泱泱〈萍瀏醴起義研究述評〉（《益陽師專學報》1987年1期）、饒懷民〈論萍瀏醴起義的性質〉（《湖南師大學報》1985年3期）、許海泉〈試論萍瀏醴起義的性質〉（《江西師院學報》1981年1期）、成曉軍〈也談萍瀏醴起義的性質—與許海泉同志商榷〉（《湘潭師專學報》1983年3期）、熊羅生〈萍瀏醴起義性質之管見〉（同上）、余明俠〈關於萍瀏醴起義的性質及其影響〉（《江蘇師院學校》1981年3期）、〈萍瀏醴起義的歷史地位應予充分肯定〉（《徐州師院學報》1987年3期）及〈從萍瀏醴起義看同盟會的領導作用〉（同上，1981年4期）、陳輝、沈繼成〈萍瀏醴起義在湖北的巨大反響〉（《華中師大學報》1987年1期）、王岳塵、鄧啟沛〈論同盟會領導萍瀏醴起義的歷史影響〉（《萍鄉教育學院學報》1987年3期）、吳科達、程枚村〈鮮明·翔實·準確—評《同盟會與萍瀏醴起義》〉（《辛亥革命研究動態》1995年2期）、周育民〈萍瀏醴起義二題〉（《歷史檔案》1993年2期）、張緒穗〈評萍瀏醴起義中的兩道檄文〉（《歷史教學》1988年12期）、王學庄、周秋光〈萍瀏醴起義檄文辨偽—兼論佚名《魏宗銓傳》〉（《歷史研究》1989年5期）、饒懷民〈丙午萍瀏醴起義義軍人數補正〉（《益陽師專學報》1989年3期）及〈萍瀏醴起義史料的真偽問題—與《萍瀏醴會黨起義檄文辨偽》〉（《歷史研究》1995年6期）、楊宇清〈關於安源6000礦工參加1906年萍瀏醴起義問題質疑〉（《河南大學學報》1987年4期）、周育民〈萍瀏醴起義與洪江會〉(《史林》1988年1期)、清水稔〈萍瀏醴における革命蜂起について一洪江會を中心として〉(《東洋史研究》29卷4號,1971年3月)及〈萍瀏醴起義について〉(《院生論集》申報1號,1971年3月);陳梅龍〈論丁未皖浙起義〉(《寧波師院學報》1991年2期)、閔傳超〈血染宣城、功照汗青一談1907、1908年安慶起義的成敗〉(《安慶師院學報》1993年1期)、胡繩〈四十年前的〝皖變〞—中國現代史脞談之一〉(《讀書與出版》第2卷3期,民36年3月)、徐和雍〈浙皖起義與同盟會〉(《浙江學刊》1981年4期)、陳春生〈戊申熊成基安慶起義記〉(《建國月刊》7卷1期,民21年6月)及〈熊成基謀殺載洵始末記〉(同上)、張詩亞等〈辛亥革命前夕川鄂邊武裝起義〉(《西南師院學報》1981年3期)、李希泌、白吉庵〈辛亥革命的兩種方式一武裝起義與和平光復〉(《晉陽學刊》1981年5期)、夏林根〈論資產階級革命派的反清武裝起義的戰略方針〉(《復旦學報》1981年5期)、沈繼成〈辛亥革命時期城市起義芻議〉(《華中師院學報》1984年4期)、宗成康〈辛亥革命時期城市起義論質疑〉(《南京政治學院學報》1990年2期)、園田一龜〈革命支那の暗殺史論〉(《外交時報》594號,1929)、田強〈試析辛亥革命時期資產階級革命派暗殺活動興起的原因〉(《宜昌師專學報》1990年2期)、戴學稷〈論辛亥革命時期資產階級革命派的暗殺活動〉(收於《辛亥革命論文選》,北京,三聯書店,1981)、戴邁〈論清末革命黨人的暗殺活動〉(《江漢學報》1963年2期)、嚴昌洪〈辛亥革命中的暗殺活動及其評價〉(載《紀念辛亥革命七十周年學術討論會論文集》上冊,1983)、Edward S. Krebs, "Assassination in the Republican Revolutionary Movement."（Ch'ing-Shih Wen-t'i〔清史問題〕，Vol.4, No.6, December 1981）。張鐵君〈興中同盟時期的革命戰略〉（《學宗》3卷3期，民51年9月）、蔣永敬〈同盟會民報中的革命起義之理論方法〉（載《第二屆國際漢學會議論文集》，臺北，民78年6月）。

至於武昌起義，這方面的論著，資料集甚多，如中華民國開國五十年文獻編纂委員會編《中華民國開國五十年文獻·第2編第6冊—武昌首義》（臺北，編者印行，民50）、熊守暉編《武昌首義史編》（2冊，臺北，臺灣中華書局，民60）、湖北省政協、武漢市檔案館等編《武昌起義檔案資料選編》（3冊，武漢，湖北人民出版社，1981-1983）、湖北省圖書館輯《辛亥革命武昌首義史料輯錄》（北京，書目文獻出版社，1982）、湖北省政協等編《辛亥首義回憶錄》（4冊，武漢，湖北人民出版社，1957-1961）、中華民國辛亥武昌首義同志會編輯《辛亥武昌首義中華民國建國八十週年專輯》（臺北，編者印行，民80）、武昌首義編委會編《武昌首義（紀念辛亥革命80周年專輯）》（北京，中國文史出版社，1991），辛亥武昌起義編輯組編《辛亥武昌起義》（北京，文物出版社，1986）及《辛亥武昌起義（圖冊）》（同上）、李廉芳編《辛亥武昌首義記》（臺北，正中書局，民50；此爲民36年序本之影印版）、辛亥首義同志會編《辛亥首義史跡》（上海，中華書局，民35）、曹亞伯《武昌革命真史》（2冊，民18初版；上海，上海書店影印，共3冊，1982；臺北，文海出版社影印，民70，作者卻書爲曹慶雲，書名則爲《武昌革命史》）、章開沅《武昌起義》（北京，中華書局，1963）、何炳然《武昌起義》（同上，中國歷史小叢書，1963）及《武昌起義史話》（北京，中國展望出版社，1982）、皮明庥主編

《武昌起義史》（北京，中國文史出版社，1991）、志杰《武昌起義的故事》（武漢，群益堂出版社，1956）、刁抱石《辛亥武昌首義史話》（臺北，暢流雜誌社，民70）、北京圖書館文獻信息服務中心剪輯《武昌革命真史—臺灣外海外中文報刊資料專輯（特輯）》（北京，書目文獻出版社，1987）、賀覺非、馮天瑜編《辛亥武昌首義史》（武漢，湖北人民出版社，1986）、皮明庥等編《辛亥武昌首義事志》（西安，陝西師範大學出版社，1987）、賀覺非、馮天瑜編《辛亥武昌首義人物傳》（北京，中華書局，1982）、章裕昆《文學社武昌首義紀實》（北京，三聯書店，1952；臺北，文海出版社影印，民70）、鄧耀華《辛亥武昌起義之研究》（珠海書院中國歷史研究所碩士論文，1979年5月）、朱英〈近年來武昌起義研究綜述〉（《江漢論壇》1986年10期）、嚴威〈近十年來辛亥武昌起義研究述略〉（《社會科學動態》1996年1期）及〈1986年以來辛亥武昌起義研究綜述〉（《辛亥革命研究動態》1996年1期）、Vidya Prakash Dutt著、林添貴譯〈武昌起義〉（《中華文化復興月刊》8卷10期，民64年10月）、北山康夫〈武昌起義について〉（《大阪學藝大學紀要》第6號，1958年3月）、鄧耀華〈武昌起義前之情勢分析〉（《中國歷史學會史學集刊》13期，民70年5月）及〈武昌起義之地理史觀〉（《浙江月刊》14卷10期，民71年10月）、陳言〈辛亥武昌首義的面面觀〉（《革命思想》1卷4期，民45年10月）、眭雲章〈辛亥武昌革命起義紀略〉（《中國地方自治》14卷6期，民50年11月）及〈辛亥武昌革命起義的啟示〉（《三軍聯合月刊》2卷8期，民53年10月）、邵百昌〈辛亥武昌革命及其作戰經過概要〉（同上，12卷8期，民63年10月）、張明凱〈武昌開國戰役述評〉（同上，9卷8期，民60年10

月）、張秉均〈辛亥革命開國戰之研究〉（《三軍聯合月刊》12卷1、2期，民63年3、4月）、邵百昌〈辛亥武昌首義之前因後果及其作戰經過〉（《湖北文獻》第2期，民56年1月）、胡繩武、金沖及〈武昌起義告訴了我們什麼〉（載氏著《從辛亥革命到五四運動》，湖南人民出版社，1983）、劉以誠〈武昌起義得失的檢討〉（《幼獅學誌》9卷2期，民59年6月）、蔣君章〈武昌首義五大檢討〉（《中外雜誌》31卷4、5期，民71年10、11月）、章開沅〈辛亥武昌首義記〉（《百科知識》1981年10期）、章開沅等〈武昌起義與湖北革命運動〉（《江漢學報》1961年3期；亦載《辛亥革命五十周年紀念論文集》下冊，北京，中華書局，1962）、陳啟天〈談辛亥武昌首義〉（《新中國評論》39卷6期，民59年12月）、朱文原〈辛亥武昌首義〉（《湖北文獻》93期，民78年10月）、嚴靜〈革命武昌首義真相〉（《浙江月刊》10卷10期，民67年10月）、孫武遺稿、朱純超整理〈武昌革命真相〉（《華中師院學報》1982年5期）、朱和中〈辛亥光復成於武漢之原因及歐洲發起同盟之經過〉（《建國月刊》2卷4、5期，民19）、吳醒漢〈武昌起義三日記〉（同上，4卷1期，民19年11月）、盧廣榮〈辛亥武昌起義見聞錄〉（《地學雜誌》7卷6、7期，民5；又載《建國月刊》17卷1期，民26）、朱春駒〈武昌起義雜憶〉（《逸經》15期，民25年10月）、孔憲凱、皮明庥等〈武昌首義親歷及其他〉（載武漢師院編《辛亥革命論文集》上冊，1981）、陳輝〈論武昌首義的根本歷史動因〉（載《辛亥革命論文集》，武漢，湖北人民出版社，1981）及〈再論武昌首義爆發的原因〉（《湖北方志》1987年5期）、張紹春〈武昌起義誰先發難〉（《江漢論壇》1980年6期）、皮明庥〈武昌首義－中部開花的〝內爆型〞革命〉（載《辛亥革命與近代思想》，西安，陝西師範大學出版社，1986）、馮天瑜〈湖北何以成為辛亥首義之區—為紀念辛亥革命八十週年而作〉（《湖北文獻》98期，民80年1月）及〈湖北成為辛亥革命〃首義之區〃原因初探〉（《江漢論壇》1980年4期）、王天獎〈也談湖北成為辛亥革命〃首義之區〃的原因〉（同上，1980年6期）、胡秋原〈何以湖北成為辛亥之地〉（《湖北文獻》102期，民81年1月）、胡波〈武昌起義勝利原因初探〉（《廣東社會科學》1990年3期）、安懷音〈辛亥武昌起義成功的幾點因素〉（《新時代》1卷10期，民50年10月）、劉孔伏〈武昌起義，成功是偶然的嗎？—紀念辛亥革命八十周年〉（《明報》26卷10期，1991年10月）、沈其新〈武昌首義成功歷史考察〉（《長沙水電師院學報》1987年2期）、皮明庥〈血沃江漢，功垂千古—武昌首義史述〉（武漢師院編《辛亥革命論文集》上册，1981）、竺柏松〈辛亥武昌起義若干史實考辨〉（《江漢論壇》1982年4期）、馮天瑜〈辛亥武昌首義史事考辨四則〉（《湖北文獻》95期，民79年4月）、鄧甲剛〈武昌首義在促成革命高潮中的作用〉（《重慶史學》1985年2期）、竺柏松〈關於武昌起義的領導權問題〉（《江漢論壇》1981年5期）、顧林〈試論辛亥廣州起義與武昌武義之關係〉（《歷史教學》1980年2期）、任澤全〈武昌起義勝利後的領導問題—與竺柏松同志商榷〉（《江漢論壇》1982年4期）、周興樑〈同盟會的革命綱領對武昌起義的指導作用〉（《中山大學研究生學刊》1981年4期）、梁華平〈論亡清的歷史契機與武昌起義〉（《學習與實踐》1991年10期）、沈繼成〈從湖北新軍的特點看武昌首義的有利條件〉（《華中師院學報》1982年5期）、郭蘊深〈湖北新軍在武昌首義中的作用〉（《求是學刊》1992年6

期）、吳劍杰〈論熊秉坤在武昌首義中的功勛〉（《江漢論壇》1987年10月）、鄧可吾等〈蔣翊武在武昌首義中〉（《新湘評論》1982年5期）等。其他相關的論著有陶宏開、章開沅〈試論清末湖北近代教育—從教育角度看武昌首義的社會背景〉（《華中師範學院研究生碩士論文摘要集》，1984）、黃繼宗〈辛亥首義前的湖北學界〉（《江漢論壇》1982年10期）、蘇雲峰〈清季武昌學界的革命運動〉（《中央研究院近代史研究所集刊》第4期上册，民62年5月）及〈武昌學界與清季革命運動〉（《中國現代史專題研究報告》第4輯，民63）、陶宏開〈湖北近代知識分子與辛亥首義〉（《華中師院學報》1982年5期）、張紹春〈武昌起義前湖北資產階級革命活動諸優點芻議〉（《黄石師院學報》1981年3期）、眭雲章〈辛亥武昌起義前革命黨人在武漢的活動〉（《政論週刊》92期，民45年10月）、孫玉華〈試論文學社的性質〉（《華中師院學報》1982年5期）、張難先《湖北革命知之錄》（上海，商務印書館，民35；臺北，文海出版社影印，民70，卻將作者書爲張義癡）、李守孔〈同盟會時代湖北新軍之革命活動〉（《東海學報》18期，民66年6月）、石芳勤〈湖北新軍廣大士兵如何轉向革命〉（《歷史教學》1981年2期）、陳禎璉〈試論湖北新軍向革命轉化〉（《武漢大學學報》1981年5期）、李天松〈辛亥革命時期湖北新軍轉向革命的內部條件〉（《江漢學報》1963年3期）、卜燦雄〈湖北文學社和共進會的離合及其影響〉（《中學歷史教學》1983年5期）、周興樑〈同盟會與武昌起義〉（載《辛亥革命論文集》，廣州，中山大學學報編輯部，1981）、朱艷超、蔡樹暉〈寶善里機關炸彈案史實考〉（《華中師院學報》1982年5期）、張海鵬〈寶善里炸彈案時間考實〉（《近代史研究》1987年1期）、后德俊〈〝寶善里機關炸彈案〞爆炸原因考〉（《辛亥革命研究動態》1995年3期）、陳金陵〈武昌起義前夕寶善里機關是怎樣被破壞的〉（《江漢學報》1962年11期）、田桓〈武昌起義前後的一些遺聞軼事〉（《檔案資料》1982年6期）、楊天石〈清末報紙對武昌起義的反應〉（《歷史月刊》45期，民80年10月）、王壽南〈辛亥武昌起義後清廷之反應〉（《近代中國》79期，民79年10月）、（美）路康樂著、孫毓棠譯〈清政府對武昌起義的反應—最初三週〉（《紀念辛亥革命七十周年學術討論會論文集》下册，北京，中華書局，1983）、皮明庥〈孫中山與武昌首義〉（載《辛亥革命論文集》，湖北人民出版社，1981）、林增平〈黎元洪與武昌起義〉（《江漢論壇》1981年4期）、皮明庥〈黎元洪與武昌起義〉（《黃石師院學報》1981年3期）、〈黎元洪是怎樣被擁立為都督的？〉（《歷史研究》1981年1期）、〈黎元洪出任湖北都督史實考析〉（載《辛亥革命與近代思想》，陝西師大出版社，1986）及〈武昌首義後的反黎風潮〉（同上）、沈雲龍《辛亥武昌新軍起義與黎元洪〉（《傳記文學》37卷4期，民69年10月）及〈黎元洪與辛亥武昌起義〉（《文星》8卷6期，民50年10月）、李小文〈論武昌首義中的黎元洪〉（《廣西師大學報》1992年3期）、陳家久、卜燦雄〈武昌首義時之黎元洪〉（《廣州師院學報》1981年4期）、李恩星〈試論武昌首義中的黎元洪〉（《山西大學學報》1986年4期）、楚任〈試論辛亥革命時期的黎元洪〉（《河北大學學報》1981年3期）、蕭致治、任澤全〈黎元洪在辛亥革命後的轉變初探〉（《武漢大學學報》1981年5期）、梅竹松、孔憲凱〈湯化龍與武昌首義〉（《黃石師院學報》1981年4期）、皮明庥〈湯化龍與武昌首義〉（載《辛亥革命論文集》上册，武漢師範學院，1981）、楊天石、王學庄〈湯化龍密電辨訛—兼論湯化龍在武昌起義前後的政治表現〉（《復旦學報》1981年5期）、李雲漢〈黃興與武昌起義〉（載《孫中山先生與辛亥革命》下册，民70）、張海鵬〈黃興與武昌首義〉（《歷史研究》1993年1期）及〈論黃興對武昌首義的態度〉（載《黃興與近代中國學術討論會論文集》，民82）、皮明庥〈論武昌首義中的黃興〉（《武漢師院學報》1980年3期）、石芳勤〈黃興〝登臺拜將〞與黎元洪的陰謀〉（《歷史教學》1981年10期）、彭國興〈黃興與辛亥武漢保衛戰〉（載《辛亥兩湖史事新論》，1988）、石彥陶〈重評漢陽保衛戰中黃興的戰略思想〉（《益陽師專學報》1989年1期）、邱展雄〈陽夏之戰和黃興離鄂赴滬（1911年10月18日至11月27日）〉（同上，1984年3期）、馮天瑜、賀覺非〈陽夏戰鬥述評〉（《江漢論壇》1981年6期）、李立華〈辛亥漢口漢陽保衛戰失敗原因新論〉（《復旦學報》1993年2期）、曹必生〈辛亥武漢之戰〉（《武漢春秋》1982年5期）、廖隆盛〈漢陽戰役對辛亥革命的影響〉（《歷史學報（臺灣師大）》24期，民85年6月）、張芹〈辛亥武漢之戰中的清海軍〉（《歷史教學》1988年8期）、郭瑩〈陽夏戰役中的紅十字會述略〉（《辛亥革命論文集》上册，武漢師院出版社，1981）、石芳勤〈黃興在漢陽失守後是否提出過放棄武昌的主張〉（《武漢師院學報》1981年2期）及〈略談黃興主張放棄武昌問題—兼評《黃興放棄武昌小議》等文〉（《歷史教學》1990年1期）、陳珠培〈黃興主張放棄武昌嗎？〉（《求索》1988年2期）、皮明庥〈黃興在武昌首義中的成敗〉（載《辛亥革命與近代思想》，陝西師大出版社，1986）、片倉芳和〈武昌起義と宋教仁〉

（《史叢》15、16號，1972）、皮明庥〈孫山中和武昌首義〉（載《辛亥革命與近代思想》，陝西師大出版社，1986）、劉真武、張國秀〈劉英與武昌首義之偏師〉（載《辛亥革命論文集》上冊，武漢師範學院，1981）、賀覺非〈辛亥革命湖北光復情況〉（《檔案資料》1982年4期）、辛亥革命武昌起義紀念館、湖北省政協文史資料研究委員會編《湖北軍政府文獻資料匯編〉（武昌，武漢大學出版社，1986）、王來棣〈辛亥革命時期湖北軍政府剖析〉（《近代史研究》1980年1期）、吳劍杰〈湖北軍政府政權性質的轉變〉（《江漢論壇》1980年5期）、劉立新〈湖北軍政府對外政策探析〉（《華中師大學報》1991年2期）、梁開平〈湖北軍政府商稅政策前後的演變〉（《江漢論壇》1984年10期）、李天松、陳禎璉〈湖北軍政府初期的財政措施〉（同上，1983年10期）、劉鐵君〈湖北軍政府的階級關係及性質演變探討〉（載《辛亥革命論文集》，湖北人民出版社，1981）、崇漢璽〈湖北軍政府和它的革命政策〉（載《紀念辛亥革命七十周年學術討論會論文集》上冊，1983）、黃春華〈試論湖北軍政府的輿論宣傳〉（同上，1993年11期）、張海鵬〈湖北軍政府〝謀略處〞考異〉（《歷史研究》1987年4期）、吳劍杰〈謀略處考〉（《近代史研究》1987年2期；亦載《社會科學戰線》1987年2期）、皮明庥〈武昌首義中的武漢商會和商團〉（《歷史研究》1982年1期）、嚴長松〈武昌起義與帝國主義在長江中下游地區的經濟利益〉（《江漢論壇》1988年10期）、蔣君章〈武昌首義與國父就任臨時大總統〉（《東方雜誌》復刊15卷4期，民70年10月）、楊天石〈清末報紙對武昌起義的反應〉（《歷史月刊》45期，民80年1月）、王壽南〈辛亥武昌起義後清廷之困境與清帝退位〉（《政大歷史學報》第4期，民75年3月）、石芳勤〈武昌起義和南京臨時政府〉（《學習與研究》1983年2期）、馮天瑜〈辛亥革命後武昌集團的形成及危害〉（《湖北大學學報》1985年6期）、郭芳美〈居正與武昌革命〉（《中華學報》6卷2期，民68年7月）、朱秀武〈辛亥武昌首義中的少數民族志士〉（《中南民族學院學報》1987年3期）、鄭螺生〈武昌舉義與南洋黨人之行動〉（《越風半月刊》20期，民25年10月）、李志新〈武昌首義與九角十八星旗〉（《傳記文學》13卷6期，民57年12月）及〈再記武昌首義九角十八星旗〉（同上，49卷5期，民75年11月）。

2.宣傳方面

有湯承業《國父革命宣傳志略》（2冊，臺北，中央研究院三民主義研究所，民66）、余建榮《國父傳播革命思想的研究》（政治作戰學校新聞研究所碩士論文，民76）、鄭貞銘〈知行合一的革命宣傳一論中山先生對宣傳的體認與實踐〉（《珠海學報》15期，1987年10月）、許英才〈從國父遺教論「宣傳」之要道〉（《馬公高中學報》第2期，民72年9月）、習賢德《孫中山先生與革命思想之傳播》（臺灣大學三民主義研究所碩士論文，民67年6月）、趙俊邁《清末「革命思想」傳播行為之研究》（中國文化大學哲學研究所新聞組碩士論文，民67）、小野信爾〈辛亥革命と革命宣傳〉（載小野川秀美、島田虔次編《辛亥革命の研究》東京，筑摩書房，1978）、深町英夫〈辛亥革命の中の孫文革命一その宣傳による動員〉（《アジア研究》40卷4號，1994年7月）、湯承業〈由集會窺述中山先生「喚起民眾」之革命宣傳〉（《國史館館刊》復刊16期，民83年6月）、

〈國父領導革命宣傳的致勝之道〉(《東方雜誌》復刊12卷4期,民67年10月)及〈國父革命的通信宣傳與傳單宣傳〉(《政治學報》第6期,民66年12月)、陳樹強《國父革命宣傳與華僑革命行動》(臺北,武陸出版社,民74)、章開沅〈辛亥革命時期的社會動員—以〝排滿〞宣傳為實例〉(《社會科學研究》1996年5期)、曾永玲〈辛亥革命時期的〝反滿〞宣傳〉(《松遼學刊》1994年2期)、張玉法〈興中會時期的革命宣傳〉(《女師專學報》第4期,民63年3月)、王農〈國父在興中會時期的革命宣傳工作〉(《復興崗學報》49期,民82年6月)、蔣永敬〈興中會時期革命言論之演進〉(《中華學報》1卷2期,民63年7月)、張玉法〈同盟會時代的革命宣傳〉(《歷史學報(臺灣師大)》第2期,民63年3月)、喻性森〈同盟會的宣傳工作〉(《中山學報》第9期,民77年4月)、王勁〈大論戰結束後中國資產階級革命派的宣傳活動〉(《蘭州大學學報》1990年2期)、李子林〈從學界軍界到社會:辛亥革命時湖北革命黨人的宣傳活動〉(《華中師大學報》1984年6期)、林家有〈論中國資產階級革命派的民族主義宣傳及其對辛亥革命的影響〉(《中山大學學報》1981年3期)、袁洸《清季的革命報刊》(珠海書院中國文史研究所碩士論文,1972年5月)、高良佐〈興中會及同盟會時代革命書報志略〉(《建國月刊》11卷2期,民23年8月)、何小燕〈興中會機關報—《中國日報》〉《華南師大學報》1990年3期)、陳三井〈香港《中國日報》的革命宣傳〉(《珠海學報》13期,民71年11月)、邵銘煌〈香港中國日報在革命史上的地位〉(《近代中國》第7期,民67年9月)、林泉〈「中國日報」簡介〉(同上)、史宜楨〈馮自由與香港中國日報〉(同上,27期,民71年

2月）、王黎暉〈辛亥革命前的兩大革命報刊—《中國日報》和《民報》〉（載《辛亥風雲》，1982）、朱浤源《同盟會的革命理論—「民報」個案研究》（臺北，中央研究院近代史研究所，民75）、陳孟堅《民報與辛亥革命》（臺北，正中書局，民75）及〈《民報》與清末革命運動〉（載《中華民國史專題論文集：第一屆討論會》，臺北，國史館，民81年12月）、商岳衡《同盟會時代民報之研究》（政治大學新聞研究所碩士論文，民54年7月）、張克成《民報革命宣傳方式之研究》（中國文化大學民族與華僑研究所碩士論文，民75年6月）、蔣永敬〈同盟會民報的言論與辛亥革命〉（《中華文化復興月刊》12卷1期，民68年1月）及〈同盟會民報中的革命起義之理論與方法〉（《第二屆國際漢學會議論文集》第3册，民75）、褚保衡〈清末革命報刊之一—民報史話〉（《中山學術文化集刊》第3期，民58年3月）及〈清末革命黨人宣傳刊物民報內容的探討〉（同上，第4期，民58年11月）、郭黛琍《民報的始末及其言論的分析》（中國文化學院史學研究所碩士論文，民63年6月）、陳文良〈民報始末〉（《新聞研究資料》第5輯，1980）、小野川秀美編《民報索引》（2册，東京，東京大學人文科學研究所，1970-1972）、楊昌泰〈中國同盟會機關報《民報》概述〉（《衡陽師專學報》1982年1、2期）、曾永玲〈《民報》的兩個思想流派〉（《學術研究》1986年2期）、王中〈從《民報》等報看資產階級革命派的辦報思想〉（《新聞大學》1983年6期）、陳孟堅〈「民報」寫作特色的分析〉（《近代中國》48期，民74年8月）、胡昌智〈時間壓力—民報（1905-1908）試讀〉（《臺灣大學歷史學系學報》15期，民78）、曼華〈同盟會時代民報始末記〉（《建國月刊》7卷2期，民21

年7月）、朱倫璋〈中國同盟會的機關報刊物〝民報〞〉（《新聞與出版》1956年11月15日）、有田和夫〈改良派と革命派—新民叢報と民報の論爭〉（《東京支那學報》11號，1965年6月）及〈再び新民叢報と民報の論爭をめぐてつて〉（載《宇野哲人先生白壽祝賀記念東洋學論叢》，1974年10月）、曾永玲〈《民報》與《新民叢報》之爭〉（《松遼學刊》1985年3期）、周佳榮〈《民報》與《新民叢報》論爭的再評價〉（《香港中國近代史學會會刊》第6期，1993年7月）、林美莉〈清末革命派與立憲派關於引用外資主張的理論分析—以新民叢報與民報的論戰為例〉（《國史館館刊》復刊17期，民83年12月）、蔣永敬〈革命黨對清季立憲運動的批評—民報與新民叢報關於立憲論戰之分析〉（《中國近代的維新運動—變法與立憲研討會》，臺北，中央研究院近代史研究所，民71）、嶇川哲男〈民生主義をめぐる民報と新民叢報の論爭〉（《東洋史研究》32卷2號，34卷1號，1974年6月及1975年6月）及〈「民報」と「新民叢報」の論爭の一側面—革命は瓜分を招くか〉（《田村博士頌壽記念東洋史論叢》，1968年5月）、朱浤源〈清末新民叢報、東方雜誌和民報對立憲的意見〉（《食貨月刊》復刊13卷7、8期，民72年11月；13卷9、10期，民73年1月）、野原四郎〈「民報」の停刊について〉（《思想》408號，1958年6月）、永井算巳〈民報封禁事件〉（《東洋學報》55卷3號，1972年12月）、唐振常〈《民報》封禁事件諸問題〉（《中華文史論叢》1981年1期）、永井算巳〈日本政府の「民報」發行停止命令に對する章炳麟の反駁〉（《近代中國研究委員會報》第4號，1958）及〈民報續刊をめぐる二三の問題〉（《信州大學人文科學論集》第8號，1974年3月）、楊天石〈《民報》的續刊及其爭論〉（《中華文史論叢》第2輯，1982）及〈《民報》的第二次續刊〉（《近代史研究》1980年3期）、朱生華〈孫中山與《民報》〉（《江漢大學學報》1995年4期）、林家有〈孫中山與《民報》—論《民報》和中國民族的前途〉（載《孫中山研究論叢》第3集，1985）、彭國興〈黃興與《民報》〉（《求索》1982年6期）、姜義華〈章太炎與《民報》〉（載《上海圖書館建館五十周年紀念論文集》，1984）、李潤蒼〈章太炎與《民報》的革命宗旨〉（《社會科學戰線》1983年2期）、金沖及、胡繩武〈章太炎與後期《民報》（載章念馳編《章太炎生平思想研究文選》，1986）、李閏蒼〈章太炎等反對日本政府封禁《民報》的鬥爭〉（《歷史檔案》1983年4期）、朱浤源〈民報中之章太炎〉（《大陸雜誌》68卷2期，民73年2月）、陳孟堅〈章太炎與民報角色初探〉（載《國父建黨革命一百週年學術討論集》第1冊，臺北，民84）、曾永玲、魏克智〈《民報》與章太炎〉（《四平師院學報》1982年4期）、陶季邑〈胡漢民與《民報》〉（《益陽師專學報》1992年3期）、林承節〈《民報》和二十世紀初亞洲各國革命〉（《史學月刊》1994年1期）及〈《民報》與二十世紀初印度革命運動〉（《社會科學戰線》1981年4期）、劉望齡〈革命之號角—大江報〉（《新聞研究資料》第5輯，1980）、方漢奇〈辛亥革命時期的《大江報》〉（《江漢學報》1962年8期）、沈陶〈辛亥革命時期的革命僑報〉（載《辛亥風雲》，1982）、彭樹智〈《民報》與印度的獨立運動〉（《南亞研究》1982年1期）、馮自由〈上海民呼日報（革命逸史）〉（《大風半月刊》87期，民30年4月）及〈記日人封禁上海民籲日報始末（革命逸史）〉（同上，89期，民30年5月）、小野信爾著、卞崇道譯

〈《民吁報》的鬥爭〉（《紀念辛亥革命七十周年學術討論會論文集》下册，北京，中華書局，1983）、王中〈《民立報》等報的迂迴宣傳〉（《復旦學報》1981年6期）、洪喜美〈民立報與辛亥革命〉（《國史館館刊》復刊17期，民83年12月）、陳祖華《于右任創辦三民報（按：民呼、民吁、民立三報）之研究》（政治大學新聞研究所碩士論文，民55年5月）、吳素瑜〈民國前于右任及其所辦三報與革命的關係〉（《史苑》33期，民69）、陳旭麓〈《國民日日報》評述〉（載氏著《近代史思辨錄》，廣東人民出版社，1984）、崔貴強〈《中興日報》二三事〉（《南洋學報》40卷1、2期，1985）、中國社會科學院近代史研究所編《辛亥革命時期期刊介紹》（5册，北京，人民出版社，1982-1987）、上海圖書館編《中國近代期刊篇目匯錄》（3卷6册，上海，上海人民出版社，1965、1979、1984）、張枬、王忍之編《辛亥革命前十年時論選輯》（北京，三聯書店，1960-1978）、賴光臨〈民前革命報刊之影響〉（《報學》3卷4期，民54年6月）及〈民前革命報章創刊的背景分析〉（《報學》3卷6期，民55年6月）、蔣君章〈同盟會時期的革命報紙〉（同上）、冷華民〈辛亥革命時期的主要資產階級革命報刊〉（《史學月刊》1985年6期）、袁洸《清季的革命報刊》（香港珠海書院文史研究所碩士論文，1972年5月）、李恁〈辛亥革命前的資產階級革命報刊〉（《中國圖書館學報》1994年3期）、黃克仁〈海外書報與中國革命〉（《三民主義學報（師大三研所）》17期，民85年2月）。其他相關者如王貽非〈興中會時期三民主義的演進〉（《時代思潮》39期，民31年5月）及〈同盟會時期三民主義的演進〉（同上，40、41期，民31年7月）。

㈤區域革命

是指以省、市、縣，或某一個特定區域的革命活動（含武昌起義後各地的響應始末）為對象的資料和論著，為了系統化起見，茲分華中、華南、華北、西南、西北、東北六個地區來列舉其重要者（孫中山領導的十次起義，武昌起義及其他起義，已在前「起事與宣傳」條目中列舉，茲不再贅述，可參閱之）。

1.華中地區

有Joesph W. Esherick, Refrom and Revolution in China: The 1911 Revolution in Hunan and Hubei（Berkeley and Los Angeles: University of California Press, 1976），其中譯本為楊慎芝譯《改良與革命—辛亥革命在兩湖》（北京，中華書局，1982；臺北，華世出版社翻印，民75），係以社會史角度，探討兩湖地區的革命，書中特別提出西化的城市改良精英在兩湖革命中的重要地位，認為辛亥革命係由此一階層所領導，頗有其獨到的見解；李時岳《辛亥革命時期兩湖地區的革命活動》（北京，三聯書店，1957）、湖北省社會科學院聯合會編《辛亥兩湖史事新論》（長沙，湖南人民出版社，1989）、武漢大學歷史系中國近代史教研室編《辛亥革命在湖北史料選輯》（武漢，湖北人民出版社，1981）、吳劍杰《辛亥革命在湖北》（同上）、蘇雲峰〈湖北與辛亥革命〉（《傳記文學》38卷7期，民70年7月）、狹間直樹〈辛亥革命時期の湖北における革命と反革命—江湖會の襄陽光復を中心に〉（《東方學報》41册，1970年3月）、內田顧一著、周樹嘉譯《湖北革命戰見聞日記》（《辛亥革命史叢刊》第3輯，1981）、賀覺非〈辛亥革命湖北光復情況〉（《檔案資料》1982年4期）、高路〈論湖北辛亥革命黨人的局限〉（《華中師大學報》1987年1期）、朱秀武〈辛亥革命在鄂西〉（《中南民族學院學報》1986年1期）、A·蘇吉敦〈辛亥革命在漢口〉（《民國檔案史料》1989年2期）、郭瑩、何曉明〈武漢民族資產階級與辛亥革命〉（《武漢師院學報》1981年3期）、馮天瑜、周積明、王永年〈辛亥革命前的武漢民族資產階級〉（《辛亥革命論文集》，湖北人民出版社，1981；亦載《辛亥革命論文集》上册，武漢師範學院，1981）、馮崇德、曾凡桂〈辛亥革命時期的漢口商會〉（《辛亥革命論文集》，湖北人民出版社，1981）、皮明庥〈武漢首義中的武漢商會、商團〉（《辛亥革命論文集》上册，武漢師範學院，1981）、田桓〈蘄州起義前後〉（《檔案資料》1982年3期）、劉真武〈辛亥劉英京山起義述評〉（《史志文萃》1988年6期）、徐方平〈論荊沙辛亥革命的特點和意義〉（《湖北大學學報》1996年3期）、吳禮寬〈天門光復小史〉（載《辛亥革命在兩湖學術討論會文集》，武漢，1986）、梅興無〈辛亥革命時期鄂川邊區的反清起義〉（《中央民族學院學報》1987年5期）。楊世驥編《辛亥革命前後湖南史事》（長沙，湖南人民出版社，1958；1982修訂本）、Charlton M. Lewis, Prologue to the Chinese Revolution: The Transformation of Ideas and Institutions in Hunan Province 1891-1907（Cambridge: Harvard University Press, 1976），敍述湖南省士紳及秘密幫會自1900—1907年間，在改革與革命過程中之活動，惟該書只述及1907年為止，有欠完整；柯惠珠《辛亥前湖南地區革命運動之研究（1903-1911）》（政治大學歷史研究所碩士論文，民69年6月）可補上書之不足；劉晴波〈辛亥革命在湖南〉（《益陽師專學報》1981年4期；《求索》1982年1期）、湖南史學會編（林增平主編）《辛亥革命在湖南》（長沙，湖南人民出版社，1984）、湖南辛亥光復首義團編著《湖南辛亥光復事略》（《湖南歷史資料》1981年2期）、清水稔〈湖南における辛亥革命の一斷面について—會黨の立憲派を中心として〉（《東方學》47輯，1974年1月）、曾田三郎〈辛亥革命における湖南獨立〉（《史學研究》133號，1976年9月）、中村義〈辛亥革命の諸前提—とくに湖南省を中心として〉（《歷史學研究》188號，1955年10月）、徐泰來等〈辛亥革命在湘潭〉（《湘潭大學社會科學學報》1989年4期）、莊夫〈辛亥革命前湖南述略〉（《益陽師專學報》1989年4期）、林增平〈辛亥革命運動中的湖南〉（《歷史函教授學（湖南師院）》1958年1期）、清水稔〈湖南革命派の形成過程について〉（《人文學論集》23期，1989年12月）、大塚博九〈1903年-04年における湖南革命派の革命認識〉（《東亞經濟研究》45卷3號，1976年1月）及〈1903年-04年における湖南革命派の認識—「新湖南」と「游學譯編」2論文の論調を中心として〉（《現代中國》51號，1976年8月）、章開沅〈湖南人與辛亥革命〉（收於《辛亥革命在湖南》，湖南人民出版社，1984）、傅志明〈清末湖南資本主義的發展和辛亥革命〉（《求索》1983年3期）、栗戡時等著、同明等編《湖南反正追記》（長沙，湖南人民出版社，1982）、楊世驥《辛亥革命前後湖南史事》（長沙，湖南出版社，1958）、李時岳〈辛亥革命時期湖南的政權鬥爭〉（收於《辛亥革命史論文選（1949-1979）》，北京，三聯書店，1981）、周學舜〈焦達峰陳作新與辛亥革命長沙光復〉

（載《辛亥革命在湖南》，1984）、中村義〈黃忠浩と長沙光復〉（載《木村正雄先生退官記念東洋史論集》，1976年12月）、傅志明等〈焦達峰陳作新被殺一案析疑〉（《歷史研究》1985年6期）、楊鵬程〈辛亥革命焦達峰、陳作新被戕案新證新説一從《平齊五十自述》等史料看焦、陳事變〉（《近代史研究》1995年2期）、傅志明、成曉軍〈論焦陳罹難後湖南軍政府的性質〉（《求索》1984年6期）、劉泱泱〈論焦陳被殺與譚延闓上臺〉（同上，1987年4期）、楊鵬程〈試析辛亥革命時期的譚延闓政權〉（《近代史研究》1985年2期）、程為坤〈民初湖南下層革命黨人反對譚延闓政權的鬥爭〉（《求索》1989年5期）、黃穆如〈辛亥革命湘西光復記〉（《民族團結》1961年10、11期）。Mary B. Rankin, Early Chinese Revolutionaries: Radical Intellectuals in Shanghai and Cheekiang, 1902-1911（Cambridge: Harvard University Press, 1971）、係為其1966年之哈佛大學博士論（Student Revolutionaries in Shanghai and Chekiang, 1902-1907）加以增訂而成，論述1902至1911年間激進知識分子在上海和浙江的革命活動，尤其側重光復會的創建及其活動，及至武昌起義後上海、浙江的光復始末也都有所交待；Rankin另撰有論文〝The Revolutionary Movement in Chekiang: A Study in the Tenacity of Tradition〞（Mary C. Wright, ed.,China in Revolution: The First Phase 1900-1913, New Haven, Yale University Press, 1968）、Keith Schoppa, Chinese Elite and Political Change: Zhejiang Province in the Early Twentieth Century（1982），則論述清季革命前後至北伐期間浙江精英與政治變遷的關係，並非專以辛亥革命時期浙江精英活動為斷限；鄭仁臺《清末浙江地區革命運動之研究－以會黨與光復會為中心》（中國文化大學史學研究所碩士論文，民81年6月）、浙江省辛亥革命研究會、浙江圖書館編《辛亥革命浙江史料選輯》（杭州，浙江人民出版社，1981）、吳原〈辛亥革命在浙江〉（《越風半月刊》20期，民25年10月）、浙江省社會科學院歷史研究所、浙江圖書館編《辛亥革命浙江史料續輯》（杭州，浙江人民出版社，1987）、浙江省政協文史資料研究委員會編《浙江辛亥革命回憶錄》第1-3輯（同上，1981-1986）、楊渭生《辛亥革命在浙江》（同上，1984）、中山義弘〈浙江辛亥革命における政治展開と國家統一〉（横山英編《中國の近代化と地方政治》，東京，勁草書房，1985）、胡國樞〈辛亥風雲浙江潮〉（載《辛亥革命在各地（紀念辛亥革命八十周年）》，北京，中國文史出版社，1991）及〈辛亥革命在浙江的興起〉（《浙江學刊》1991年5期）、姚琮〈辛亥浙江革命史補述〉（《浙江月刊》1卷5期，民57年12月）、呂煥光〈浙江光復前後之軍政滄桑〉（同上，1卷10期，民58年8月）、呂公望講、徐渭尋記〈浙江光復叢談〉（《勝流》3卷10期，民35年5月）、阮毅成〈浙江辛亥光復史料〉（《晨光》1卷4期，民42年6月）、黃禮成、江萍等〈光復杭州的傳說〉（《西湖》1981年10期）、徐兆文〈辛亥革命前夕寧波人民的革命鬥爭〉（《浙江社會科學》1994年2期）、陳梅龍〈辛亥革命在寧波〉（同上）、周開福〈辛亥革命寧波光復的經過〉（《寧波同鄉》第9期，民53年10月）、宋晞〈陳屺懷先生與寧波辛亥革命〉（載《中華民國歷史與文化討論集》第1冊，民73）、林志龍〈象山辛亥光復〉（載《寧波光復前後》，杭州，浙江人民出版社，1991）、程翌康〈試論紹興軍分政府的性質〉（《上海師大學報》1986年2期）、陸聯甫〈辛亥革命在嘉湖地區〉（《嘉興師專學報》1982年2期）、林昭〈辛亥革命時期的臺州〉（《臺州師專學報》1981年2期）、汪林茂〈浙江士紳與辛亥革命〉（《近代史研究》1993年1期）、章開沅〈辛亥革命與浙江資產階級〉（《歷史研究》1981年5期）、馬長林編〈辛亥革命時期江浙聯軍電報輯錄〉（《檔案與歷史》1986年3期）。上海社會科學院歷史研究所編《辛亥革命在上海史料選輯》（上海，上海人民出版社，1981）、上海人民出版社編《1911年上海起義的故事》（編者印行，1959）、陳三井〈辛亥革命前後的上海〉（載《辛亥革命研討會論文集》，民72）、趙宗頗〈簡論上海在辛亥革命中的歷史地位〉（《上海師大學報》1991年4期）、馮自由〈記上海志士與革命運動（革命逸史）〉（《大風半月刊》75期，民29年9月）、徐倫〈辛亥革命在上海〉（收於《辛亥革命史論文選（1949-1979）》，北京，三聯書店，1981）、（英）伊懋可〈辛亥革命在上海〉（收於蔡尚思等《論清末民初中國社會，復旦大學出版社，1982）、內野敦〈上海における辛亥革命ーその①革命の仕掛人たち〉（《泃沫集》第9號，1996年5月）、眭雲章〈辛亥上海光復經過〉（《江蘇文獻》24期，民71年11月）、沈渭濱〈論辛亥上海光復〉（《上海研究論叢》1988年1期）、張建國《辛亥革命前後上海地區革命運動之研究（1903-1911）》（政治大學三民主義研究所碩士論文，民65年6月）、唐振常〈辛亥上海光復再認識〉（《中華文史論叢》49輯，1993）、蔣慎武〈同盟會時代上海革命黨人的活動〉（《逸經》26期，民26年3月）、吳乾兑〈上海光復和滬軍都督府〉（《歷史研究》1981年5期）、潘鶴松〈光復會與上海光復〉（《浙江學刊》1981年4期）、潘良熾〈陳其美與上海光復及出任都督問題的辨正〉（《九州學刊》3卷4期，民79年9月）、沈渭濱、楊立強〈上海商團與辛亥革命〉（《歷史研究》1980年3期）、周南陔〈光復上海與巡防營和吳淞炮臺〉（《史料選編》1981年2期）、丁日初〈上海資本家在辛亥起義勝利後的積極表現〉（《近代史研究》1983年1期）、小島淑男〈辛亥革命における上海獨立と商紳層〉（載東京教育大學文學部東洋史學研究室アジア史研究會中國近代史部會編《中國近代化の社會構造—辛亥革命の史的位置》，東京，1960）、楊曉敏〈同盟會中部總會與上海光復〉（《史學月刊》1982年5期）、姚全興〈陳其美與上海光復〉（《社會科學》1981年2期）、潘良熾〈陳其美與上海光復及出任都督問題的辨正〉（《九州學刊》4卷2期，1991年夏季）、沈雲龍〈陳英士、李平書與上海光復—辛亥革命七十週年紀念專稿之四〉（《傳記文學》37卷6期，民69年12月）、馮開文〈李燮和與辛亥上海光復〉（《上海師大學報》1993年4期）、揚州師範學院歷史系編《辛亥革命江蘇地區史料》（南京，江蘇人民出版社，1961）、揚州師院歷史系中國近代史鄉土資料調查隊編〈辛亥革命江蘇地區史料述略〉（《江海學刊》1961年10期）及〈辛亥革命時期江蘇光復情況簡介〉（同上，1961年8、9期）、張式弘〈〝江蘇獨立〞新考〉（《益陽師專學報》1995年1期）、張錦貴〈江蘇人與辛亥革命〉（《揚州師院學報》1991年3期）、眭雲章〈辛亥江蘇光復之經過〉（《江蘇文獻》22期，民71年5月）、吳訒〈辛亥江蘇和平光復中的武裝鬥爭〉（《南京師大學報》1993年3期）、〈張謇與江蘇光復〉（同上，1991年1期）及〈江蘇辛亥光復後的政權剖析〉（《近代史研究》1996年5期）、沈嘉榮等〈略論江蘇光復中的幾個問題〉（《群衆論叢》

1981年5期）、李侃〈從江蘇、湖北兩省若干州縣的光復看辛亥革命的勝利和失敗－兼論資產階級革命黨與農民的關係〉（《社會科學戰線》1981年4期）、李茂高、廖志豪〈江蘇光復與程德全〉（原載《學術月刊》1981年11期；亦載《紀念辛亥革命七十周年學術討論會論文集》中册，北京，中華書局，1983）、周新國《辛亥江蘇光復》（南京，江蘇文史委員會，1991）及〈略論辛亥江蘇光復〉（載《一次反封建的偉大實踐》，南京，江蘇人民出版社，1982）、強劍衷、廖志豪〈南京光復與辛亥革命〉（同上）、江蘇省紀念辛亥革命七十周年籌備委員會等編《辛亥革命在南京》（南京，江蘇人民出版社，1981）、眭雲章〈辛亥南京光復〉（《江蘇文獻》23期，民71年8月）、吳訒〈辛亥新軍第九鎮秣陵關起義失敗原因初探〉（《南京師大學報》1990年2期）、王衛平〈辛亥蘇州光復真相〉（《中學歷史》1985年5期）、鄭逸梅〈有關辛亥革命的蘇州文獻〉（《史料選編》1981年2期）、蘇州市政協文史資料委員會編《蘇州文史資料選輯·第6、7輯：紀念辛亥革命七十周年專刊之1、2》（1981）、廖志豪、李茂高〈辛亥革命時期的蘇州〝千人會〞起義〉（《社會科學》1985年7期）、陳廉貞〈辛亥革命時期的蘇州〉（《蘇州歷史學會論文選》，1983）、夏井春喜〈辛亥革命と蘇州鄉村〉（《史朋》28號，1996年5月）、朱英〈辛亥革命時期的蘇州商團〉（《近代史研究》1986年5期）、章開沅等〈蘇州市民公社與辛亥革命（1908-1928）〉（《辛亥革命史叢刊》1982年4期）、廖志豪、李茂高〈辛亥革命時期的蘇州市民公社〉（《上海師院學報》1983年4期）、吳訒〈江蘇辛亥光復後的政權剖析〉（《近代史研究》1996年5期）、吳書錦、王權夫、胡家榮〈辛亥革命時期的徐州〉（《徐州師院學報》1983年1期）、《鎮江史話》編寫組〈辛亥革命，鎮江光復〉（《教學與進修》1981年3期）、李竟成〈光復鎮江始末記〉（《揚州師院學報》1981年3期）、郭孝義〈辛亥革命時期的鎮江光復〉（《一次反封建的偉大實踐—江蘇省紀念辛亥革命七十周年學術論文選》，1982）、計崇灝〈辛亥參加光復鎮江、南京的回憶〉（《史料選編》1981年2期）、莫永明〈陳英士與鎮江光復〉（《學海》1993年2期）、曹炳熙〈辛亥革命在無錫〉（《中學歷史》1981年4期）、趙炳纛〈辛亥革命在淮陰〉（《淮陰師學報》1981年4期）、陳建中〈海州〝光復〞述略〉（同上）、杜詩庭〈松江光復紀事〉（《史料選編》1981年2期）、周承忠〈嘉定光復紀略〉（同上）、章硯春〈江陰光復記〉（《揚州師院學報》1981年4期）、朱先華〈趙爾巽檔案中所見嘉定起義史實〉（《辛亥革命史叢刊》第8輯，1991）、蘇志桐〈辛亥松江之光復〉（《江蘇文獻》27期，民72年8月）。宋佩華〈辛亥革命時期的安徽〉（《安徽師大學報》1981年4期）、張湘炳《辛亥革命安徽資料匯編》（黃山書社，1990）及《辛亥風雷在安徽》（合肥，安徽教育出版社，1993）、安徽省文學藝術工作者聯合會編《安徽辛亥革命回憶錄》（合肥，安徽人民出版社，1961）、孫其瑗〈安徽革命紀略〉（《學風》4卷6期，民23年7月）、歐陽躍峰〈辛亥革命在安徽的三個中心和三個階段〉（《學術界》1992年3期）及〈安徽志士對辛亥革命的貢獻〉（《安徽師大學報》1991年4期）、安徽科學分院歷史研究室近代史組〈蕪湖地區的辛亥革命〉（《安徽史學通訊》1959年6期）、顧奈〈辛亥革命時期的淮上起義〉（同上，1957年2期）、張揚〈安慶馬炮營起義始末—辛亥革命時期安徽地區革命運動史實之一〉

（同上，1957年1期）。許海泉〈辛亥革命在江西〉（《江西師院學報》1981年4期）及〈辛亥革命在江西的勝利與失敗〉（《江西社會科學》1993年6期）、江西省政協文史資料研究委員會編《辛亥革命在江西（江西文史資料選輯，第39輯）》（南昌，江西人民出版社，1991年）、Samuel Yale Kupper, Revolution in China: Kianysi Province, 1905-1913（Ph. D. Dissertation, University of Michigan-Ann Arbor, 1973）、周榮仙〈試論辛亥革命在江西〉（《上饒師專學報》1995年1期）、陳劍安〈江西舉督芻議〉（《江西社會科學》1990年4期）、唐由慶〈辛亥革命前期資產階級革命派在江西的活動及其影響〉（《江西大學學報》1985年2期）、達踐〈略述辛亥九江起義〉（《九江師專學報》1991年3期）、熊邦彥〈辛亥九江起義經過〉（《江西文獻》第7、8期，民55年10、11月）、蔣群〈辛亥九江光復記〉（同上，43、44期，民58年10、11月）。

2.華南地區

有Edward J. M. Rhoads, China's Republican Revolution, The Case of Kwangtung, 1895-1913（Cambridge: Harvard University Press, 1975），原係其1970之哈佛大學博士論文—The New Kwangtung:Reform and Revloution in China, 1895-1911.加以修訂而成，全書以1900年為基準，分前後兩個部分敍述，一直述至1913年「二次革命」失敗革命黨（國民黨）失去對廣東省的掌控為止，史事的交待十分詳盡，對於此一期間廣東社會經濟變遷的論述尤為精到；Hsieh Wen-sung （謝文孫），The Revolution of 1911 in Kwangtung.（Ph. D. Disseration, Harvard University [Cambridge], 1970），至今尚未出版，然謝氏已發表若干與其相關之論文；Thomas Ben-king Lee（李本京），The Canton Revloution of 1911.（Ph. D. Disserfation, Jamaica, St. John's University [New York], 1972）、Michael Tsang-woon Tsin, The Cardle of Revolution: Poltics and Society in Canton, 1900-1927.（Ph. D. Dissertation, Princeton University [Princeton, N. J.], 1990）、狹間直樹〈廣東辛亥革命の一考察〉（《廣陵史學》第3、4號，1977年7月）、廣東省政協文史資料研究委員會編《廣東辛亥革命史料》（廣州，廣東人民出版社，1981）、李玉奇、張磊〈廣東地區的辛亥革命運動〉（《歷史教學》1962年5期；亦載《紀念辛亥革命五十周年紀念論文集》下册，北京，中華書局，1962）、前田勝太郎〈廣東の辛亥革命—武昌起義以降、軍政府の成立に至る經過〉（《集刊東洋學》64期，1990年11月）及〈廣東の辛亥革命〉（《紀要（國士館大學·人文學會）》18卷77號，1986年1月）、王志光等〈試論武昌起義前資產階級革命在廣東的武裝鬥爭〉（《中山大學學報》1961年3期）、陳錫祺〈孫中山與廣東〉（載氏著《孫中山與辛亥革命論集》，中山大學出版社，1984）、饒珍芳〈辛亥革命前孫中山在南粵的武裝起義〉（《杭州師院學報》1992年1期）、陳鵬仁〈試論孫中山先生李鴻章策動兩廣獨立〉（載《國父創建興中會一百周年紀念孫中山思想學術研討會論文集》，臺北，民84年5月）、黃慶雲〈廣東獨立是和平獨立的典型嗎？〉（載《中國近代史論文集》第1集，暨南大學歷史系中國近代史教研室編，1982）、陸幼剛〈廣東辛亥反正紀要〉（《廣東文獻》2卷2期，民61年6月）、趙立人〈辛亥革命前後的廣東民軍〉（《近代史研究》1993年5期）、丁身尊〈論辛亥革命時期的廣東民軍〉（同上，1982年4期）及〈辛亥革命時期的廣東北伐軍〉（《中學歷史教學》1983年4期）、蕭洽龍〈辛亥革命時期的廣東北伐軍〉（《廣東文博》1987年1、2期及1988年1、2期合刊）、朱浩懷〈辛亥革命廣東北伐軍始末記〉（《廣東文獻》1卷2、3期，民60年6、9月）、邱捷〈辛亥革命時期的粵商自治會〉（《近代史研究》1982年3期）及〈廣東商人與辛亥革命〉（《紀念辛亥革命七十周年學術討論會論文集》上册，北京，中華書局，1983）、懷褱〈李準與辛亥廣東光復〉（《四川文獻》160期，民65年9月）、周興樑〈論辛亥革命時期的廣東軍政府〉（《歷史研究》1993年3期）、王曉吟〈民國初年廣東軍政府述略〉（《廣東社會科學》1986年1期）、謝文孫〈辛亥革命與民眾一珠江三角洲樂從等絲墟民軍起義之分析〉（載《中華民國建國史討論集》第1册，民70）、劉聖宜〈嶺南革命派對確立三民主義的貢獻〉（《學術研究》1995年4期）、廣州市政協文史資料研究委員會編《紀念辛亥革命七十周年史料專輯》（廣州，廣東人民出版社，1981）、胡國梁〈辛亥廣州起義別記〉（《建國月刊》14卷1期，民25年1月）、鄧慕韓〈辛亥廣州光復記〉（同上，2卷4期，民19；亦載《新生路》10卷6期，民35年3月）、林翼中〈廣州之光復〉（《廣東文獻》1卷2期，民60年6月）、愛德華·佛里曼著、陶宏開譯〈革命運動還是流血事件一潮汕地區與辛亥革命〉（《辛亥革命史叢刊》第2輯，1980）、劉玉遵、成西〈臺山縣的辛亥革命運動與華僑〉（《學術研究》1982年1期）、符和積〈略論辛亥革命在海南〉（《海南師院學報》1993年2期）。廣西省政協文史資料研究委員會編《辛亥革命在廣西》（南寧，廣西人民出版社，1962）、廣西壯族自治區政協等編《辛亥革命在廣西圖片集》（同上，1985）、莫中一〈辛亥革命時期廣西的革命運動〉（收於《辛亥革命史論文選（1949-1979）》，北京，三聯書店，1981）、劉小林〈論廣西辛亥和平光復〉（《廣西師大學報》1993年2期）、黃嘉謨〈辛亥革命與廣西獨立〉（《廣西文獻》第3期，民68年1月）、盧仲維〈試探廣西辛亥革命失敗的主觀原因〉（《廣西師院學報》1982年3期）、林茂高〈辛亥革命時期桂林獨立前後〉（同上，1981年3期）、庾裕良、韋善士〈辛亥梧州獨立運動問題探討〉（《學術論壇》1981年5期）、沈奕巨〈記辛亥梧州獨立〉（《廣西地方志通訊》1986年6期）、侯雅雲〈辛亥革命時期的梧州資產階級〉（《玉林師專學報》1984年3、4期）、王永康〈辛亥革命時期的柳州〉（《柳州史料》1981年3期）、羅重實〈反清鬥爭的壯麗篇章－辛亥革命在桂東南〉（《玉林師專學報》1981年3期）、黃嘉謨〈辛壬廣西獨立與桂軍北伐〉（《廣西文獻》55期，民81年1月）。陳孔立、蔡如金、楊國禎〈辛亥革命在福建〉（《廈門大學學報》1962年2期；亦收入《辛亥革命史論文選》，1981）、劉強〈我所經過之閩省光復〉（《福建文化》2卷14期，民23年1月）、光復同志一分子〈閩省光復史概略〉（同上，2卷15期，民23年3月）、黃政〈關於評價辛亥革命福建光復的一些問題－與胡繩武同志商榷〉（《福建社聯通訊》1986年6期）、菅野正〈福建辛亥革命と日本－米國とも關連して〉（《奈良大學紀要》20號，1992）、福州光復中學編《福建辛亥光復史料》（連城，建國書局，民29）、王鐵藩〈辛亥革命福建光復史話〉（《福建論壇》1981年4期）、范啟龍〈辛亥革命前夕的福建〉（同上，1991年1期）、王民〈二十世紀初年福建革命黨形成問題的考察〉（同上，1990年2期）、李金強〈密謀革命：1911年福建革命黨人及其活動之探析〉(《國父建黨革命一百週年學術討論集》第1冊,民84)、李相敏〈福建民軍芻議〉(《福建師大學報》1988年1期)、范啟龍〈辛亥革命在汀江流域〉(同上,1982年1期)、李金強〈清季福州革命運動興起及其革命團體演進初探〉(《辛亥革命研討會論文集》,民72)、廖楚強〈福州的知識分子與辛亥革命〉(《福建文博》1991年1、2期合刊)、范兆琪〈辛亥福州光復史略〉(同上)、高炳康〈辛亥福州起義和軍政府〉(《福州師專學報》1981年2期)、李金強〈同盟會與光復會之爭—清季廈門之革命運動(1906-1911)〉(《香港中國近代史學會會刊》第6期,1993年7月)、范啟堯〈辛亥革命汀、杭民軍被陷史略〉(《福建文博》1991年1、2期合刊)、王振邦〈光復廈門漳泉紀略〉(《泉州文史》1981年5期)、張家瑜〈辛亥革命在泉州〉(同上)及〈辛亥革命在安海〉(《泉州師專學報》1985年1期)。

3.華北地區

有胡鄂公《辛亥革命北方實錄》(臺北,文海出版社,民59,係民國元年序本之影印版)、林能士《辛亥革命時期的北方革命》(臺灣大學歷史研究所博士論文,民66年6月)、〈辛亥革命時期北方地區的革命活動〉(《近代中國》13期,民68年10月),林氏並編有《辛亥時期北方的革命活動》(臺北,正中書局,民82)、寺廣映雄〈辛亥革命と北方の動向—吳祿貞中心として〉(《大阪學藝大學紀要》第8號,1960年3月)、公孫訇〈論直隸革命〉(《河北師大學報》1989年2期)及〈辛亥河北革命〉(香港,天馬圖書公司,1993)、呂炳麗〈辛亥革命在河北—謹以此文紀念辛亥革命七十三周年〉（《教學通訊》1984年1期）、邢煥林〈論辛亥革命時期的直隸革命活動〉（《河北學刊》1981年1期）、黃真、陳致寬〈辛亥革命期間北京的起義鬥爭〉（《北京史苑》總第1期，1984）、林能士〈辛亥革命時期京畿地區的革命活動〉（《政治大學學報》37、38期合刊，民67年12月；亦載《傳記文學》39卷3期，民70年9月）、聞性真、陳瑞芳、高平〈武昌起義前後天津和直隸的革命形式與革命的鬥爭〉（收於《辛亥革命史論文選（1949-1979）》，北京，三聯書店，1981）、來新夏〈辛亥革命時期有關天津的革命活動〉（載氏著《中國近代史述叢》，濟南，齊魯書社，1983）、辛公顯〈辛亥革命時期天津的革命活動〉（《天津文史》16期，1981年8月）、梁旭毅等〈從灤州兵諫到灤州起義〉（《河北大學學報》1981年4期）、董方奎〈論〝灤州兵諫〞和〝士官三杰〞〉（《歷史研究》1981年1期）、杜春和〈張紹曾與〝灤州兵諫〞〉（《近代史研究》1985年3期）、周永華〈灤州兵諫與梁啟超的關係質疑〉（《辛亥革命史叢刊》第5輯，1984）、張學繼〈辛亥秋操與灤州兵諫〉（《歷史月刊》78期，民83年7月）、張東曉〈試論灤州起義的歷史地位〉（《黨史博采》1996年11期）、陳建林〈馮玉祥與灤州起義〉（《華中師大學報》1988年3期）、冷家煜、李宏生〈馮玉祥與灤州起義〉（《泰安師專學報》1996年4期）、酬鳴〈辛亥灤州兵變記〉（《庸言》1卷5期，民2年2月）及〈辛亥六鎮兵變紀實〉（同上，1卷6期，民2年2月）。王天獎《河南辛亥革命史長編》（2册，鄭州，河南人民出版社，1986）、段劍岷編《河南革命史》（臺北，辛亥革命同志會河南分會，民66）、王天獎、鄧亦兵《辛亥革命在河南》（鄭州，河南人民出版社，1981）、王天獎〈辛亥革命在河南〉（《中州學刊》1991年5期）及〈略論辛亥革命時期河南的革命運動〉（《學術研究輯刊》1979年1期）、豫溪居士〈辛亥年河南革命起義史略〉（《民主憲政》31卷1期，民55年11月）及〈辛亥河南先烈殉國記〉（《建設》10卷8期，民51年1月）、王宗虞〈辛亥革命時期河南人民的革命鬥爭〉（《開封師院學報》1962年1期）、李守孔〈河南與辛亥革命〉（《辛亥革命研討會論文集》，民72）及〈清季河南之革命運動〉（《中州文化論集》，民56）、段醒豫〈武昌起義與開封起義之前後〉（《中原文獻》10卷9期，民67年9月）、張金鑑〈辛亥革命河南起義志士的壯烈犧牲〉（同上，9卷11期，民66年11月）、醒園主人〈黃克強先生與河南革命〉（同上，5卷7期，民62年7月）、鄧天覺、段鐵安〈介紹辛亥革命時期有關河南的革命文物和先烈事跡〉（《中原文物》1981年4期）。廉立之〈辛亥革命在山東〉（《山東師院學報》1962年1期；亦載《辛亥革命五十周年紀念文集》，濟南，山東人民出版社，1962）、中國科學院山東分院歷史研究所〈試論辛亥革命時期的山東獨立運動〉（載《辛亥革命五十周年紀念論文集》下册，北京，中華書局，1962）、莊春波〈論山東獨立〉（《辛亥革命史叢刊》第8輯，1991年9月）、魯研〈試論辛亥革命時期的山東獨立運動〉（《文史哲》1961年2期）、張家瑜〈辛亥革命時期山東假獨立〉（《曲阜師院學報》1963年創刊號）、杜耀雲〈辛亥革命在山東特點試探〉（《山東師大學報》1985年6期）、田少儀〈辛亥山東舉義史的考證與增訂〉（《山東文獻》1卷4期，民65年3月）、山東省政協文史資料研究委員會編《辛亥革命在山東：紀念辛亥革命八十周年一山東文史資料選輯·第38輯》（濟南，山東人民出版社，1991）、中國史學會濟南分會編《山東近化史料·

第2分冊—辛亥革命史料》（同上，1958）、馬庚存〈論辛亥革命時期的山東人民的愛國主義〉（《齊魯學刊》1985年2期）、內藤直子〈辛亥革命時期山東の民眾運動〉（《史論》34集，1980）、李宏生〈孫中山與山東革命運動（1905-1919）〉（《山東師大學報》1996年6期）、李毓萬〈辛亥革命山東領袖蔣洗凡〉（《傳記文學》14卷4期，民58年4月）、孫春源〈辛亥煙臺獨立小記〉（《東岳論叢》1981年6期）、宋王娥〈辛亥革命在煙臺〉（《山東文獻》18卷3期，民81年12月）、張公制〈辛亥安丘革命〉（《東岳論叢》1981年6期）。山西省政協文史資料研究委員會編《山西文史資料—紀念辛亥革命五十周年專輯》（太原，山西人民出版社，1961）、山西省文史資料編輯部編《晉省辛亥革命親歷記》（太原，山西高校聯合出版社，1992）、敬堂輯〈山西辛亥革命函電匯存〉（《山西師院等報》1958年2期）、張國祥〈試論山西辛亥革命〉（《晉陽學刊》1981年5期）、陳曉東、孫增舉〈山西起義在辛亥革命中的作用〉（《史學月刊》1993年2期）、劉存善《山西辛亥革命史》（太原，山西人民出版社，1991）及〈辛亥起義與清王朝專制統治在山西的覆滅（1-5）〉（《山西地方志通訊》1985年1-5期）、江地〈山西辛亥革命〉（《文史哲》1958年11期）、喬志強〈辛亥革命前後山西群眾的革命鬥爭〉（載《辛亥革命五十周年紀念論文集》下冊，1962）、翁小錦、吳曉東〈辛亥革命前夕的山西社會〉（《山西師院學報》1983年2期）、傳尚文〈清末山西編練新軍及辛亥革命時期閻錫山充任晉省都督紀實〉（《河北大學學報》1979年1期）、翟品三〈對辛亥革命山西起義三問題之管見〉（《文史研究》1991年2期）、喬家才〈山西光復見聞錄〉（《中外雜誌》10卷4期，民60年10月）、趙培成〈辛亥革命時期五臺同盟會員的革命活動〉(《五臺山研究》1987年2期)、薄桂堂〈辛亥太原革命目睹記〉(《山西地方史研究》第2輯,1960)、王連昌〈辛亥革命中的河東軍政分府〉(《山西師院學報》1981年4期)及〈河東在辛亥革命中的歷史地位〉(《運城高專學報》1991年3期)、大高巖〈辛亥革命の悲劇—山西民軍と景梅九〉(《大安》13卷8、9號,1967年8、9月)。

4.西南地區

有卓播英〈孫逸仙博士選擇西南邊區起義原因之探討〉(《珠海學報》13期,1982年11月)、中國科學院歷史研究所第三所編《雲南貴州辛亥革命資料》(北京,科學出版社,1959)、William R. Johnson, China's 1911 Revolution in the Provinces of Yunnan and Kweichow. (Ph. D. Dissertation, University of Washington [Seattle], 1962),Johnson另撰有〈辛亥革命前後貴州立憲與革命兩派的對抗〉(《中國現代史專題研究報告》第2輯,民61)及〈辛亥革命與中國的軍事統治—雲南及貴州兩省案例〉(載《中華民國建國史討論集》第1册,民70)、貴州省社會科學院歷史研究所編《貴州辛亥革命資料選編》(貴陽,貴州人民出版社,1981)、貴州省史學學會等編《貴州文史資料選輯·第10輯增刊—紀念辛亥革命七十周年學術討論會論文集》(同上)、馮祖貽、顧大全《貴州辛亥革命》(貴陽,貴州人民出版社,1981)、清水稔〈貴州における辛亥革命哥老會と革命派との出合い〉(《名古屋大學東洋史研究報告》第4號,1976年11月)、馮祖貽〈論貴州辛亥革命的失敗—貴州軍閥統治的序幕〉(《貴州社會科學》創刊號,1980)、

〈淺析貴州辛亥革命的成敗〉（《貴州文史叢刊》1981年3期）及〈清末貴州社會與貴州辛亥革命〉（載《紀念辛亥革命七十周年學術討論會論文集》，北京，中華書局，1983）、吳雪儔〈貴州辛亥革命的成功與失敗〉（《貴州文史叢刊》1985年1期）、湯本國穗著、張真譯〈從社會史角度剖析貴州辛亥革命〉（同上，1987年1期）、寺廣映雄〈辛亥革命と西南邊境の動向—貴州における革命と反革命の抗爭をめぐつて〉（《大阪學藝大學紀要（人文科學）》12號，1964年3月）、熊宗仁〈貴州辛亥革命八十周年祭〉（《貴州文史叢刊》1991年3期）、何長風、顧大全主編《孫中山與貴州民主革命》（貴陽，貴州人民出版社，1987）、顧大全〈孫中山與貴州民主革命〉（收入同上書中）、劉毅翔〈孫中山與貴州民主革命思想的傳播〉（同上）、樂采澄遺著〈貴州光復紀變〉（《貴州民意》新2號，民36年2月）、姚崧齡〈辛亥革命貴陽光復目覩記〉（《傳記文學》10卷1期，民56年1月）、忍廬〈辛亥革命在貴陽〉（《越風半月刊》20期，民25年10月）、吳雁南〈剝掉麒麟皮，戳穿〝蛀蟲心〞—評辛亥革命時期張百麟在貴州的反革命活動〉（《貴陽師院學報》1977年1期）、涂月僧〈貴州辛亥革命與張百麟—對《剝掉麒麟皮，戳穿〝蛀蟲心〞》一文的意見〉（同上，1979年1期）、杜文鐸〈貴州辛亥革命時期貴州憲政會耆老會奪權和滇軍侵黔〉（《貴州社會科學》1980年2期）、石超明〈辛亥革命與苗疆的光復〉（《中南民族學院學報》1991年5期）、張興智〈盤江八屬人士與辛亥革命—紀念辛亥革命八十周年〉（《貴州文獻》18期，民82年1月）。謝本書、孫代興等編《雲南辛亥革命資料》（昆明，雲南人民出版社，1981）錄有17篇憶述文字，主要來自雲南圖書館的館藏資料，其中13篇是從未刊印過的原始手稿，該書附錄「雲南辛亥革命資料目錄索引」，亦甚有參考價值、雲南省歷史學會、雲南省中國近代史研究會編《雲南辛亥革命史》（昆明，雲南大學出版社，1991）、何玉菲〈辛亥革命中的雲南〉（《檔案工作》1991年10期）、譚家祿〈雲南響應辛亥革命〉（《雲南文獻》20期，民79年12月）、孫代興〈辛亥革命在雲南〉（《昆明師院學報》1981年4期）、李慧琴、郭惠青〈試論雲南〝重九〞起義簡介〉（同上）及〈試論雲南重九起義的原因〉（《雲南社會科學》1981年3期）、胡以欽整理〈辛亥雲南重九起義〉（《雲南文獻》21期，民80年12月）、唐克敏〈辛亥雲南〝重九〞起義〉（載《紀念辛亥革命七十周年學術討論會論文集》，北京，中華書局，1983）、孫鍾因著、李東平校點〈重九戰記〉（《雲南文史叢刊》1995年2期）、鄭汕、李發華〈重九起義在雲南辛亥革命中的歷史作用〉（載《雲南辛亥革命史》，雲南大南出版社，1991）、張燕〈重九起義與雲南教育〉（同上）、荊德新〈辛亥雲南起義研究述評〉（《研究集刊》1988年1期）、唐克敏〈辛亥雲南重九起義簡介〉（同上，1981年2期）、文如〈記辛亥重九雲南革命〉（《現代知識》1卷1期，民36年5月）、楊維真〈雲南軍事現代化與辛亥革命（1907-1911）〉（《政治大學學報》72期上册，民85年5月）、夏光輔〈雲南辛亥革命的社會基礎—兼論雲南資產階級的形成〉（《研究集刊》1981年2期）、余菲〈試論雲南辛亥革命的社會基礎〉（載《雲南辛亥革命史》，雲南大學出版社，1991）、李永順〈雲南辛亥革命的歷史地位〉（同上）、李可〈辛亥革命時期雲南的革命思潮〉（同上）、晨光〈從辛亥雲南光復看資產階級的革命性與局限性〉（同上）、郭亞非〈辛亥革命、個碧石鐵路與漠南經濟的近代化〉（同上）、駱正光〈簡評辛亥雲南軍都督府〉（《研究集刊》1981年1期）、李永順〈孫中山與雲南辛亥革命〉（《雲南師大學報》1992年2期）、吳達德〈雲南講武堂與〝重九起義〞〉（《歷史知識》1989年1、2期）、茅海建〈雲南陸軍講武堂與辛亥雲南起義〉（《華東師大學報》1982年3期）、胡振東〈雲南陸軍講武堂在辛亥革命中的作用〉（《研究集刊》1981年2期）、徐政芸〈雲南陸軍講武堂與昆明重九起義〉（載《雲南辛亥革命史》，雲南大學出版社，1991）、馬鴻〈同盟會與雲南辛亥起義〉（同上）、張家德、于斌〈李根源與雲南辛亥革命〉（同上）、力文〈辛亥革命時期的蔡鍔與唐繼堯〉（同上）、謝本書〈蔡鍔與辛亥雲南起義〉（《民族文化》1982年6期）、孫代興〈關於辛亥騰衝起義的評價問題〉（《研究集刊》1981年2期）、陳力、孫代興〈辛亥〝騰越起義〞述評〉（《雲南民族學院學報》1986年2期）、李正〈辛亥雲南騰越起義詩聯輯注〉（《雲南文獻》21期，民80年12月）、楊可大〈辛亥革命在大理〉（《大理文化》1984年6期）、湯明珠〈辛亥滇南臨安起義述評〉（《雲南民族學院學報》1991年第4期）。隗瀛濤、趙清主編《四川辛亥革命史料》（3冊，成都，四川人民出版社，1981-1982）、周開慶編《四川與辛亥革命》（臺北，四川文獻研究社，民53；臺北，臺灣學生書局影印，民65）、Charles H. Hedtke, Reluctant Revolutionaries: Szschwan and the Ch'ing Collapse, 1898-1911（Ph. D Dissertation, University of California-Berkeley, 1968）、政協四川省文史資料研究委員會軍事政治組〈四川辛亥革命概述〉（載《四川保路風雲錄》，成都，四川人民出版社，1981）、何重仁〈辛亥革命時期四川從保路至獨立的經過〉

（《中國科學院歷史研究所第三所集刊》1954年7期）、涂鳴皋〈辛亥革命在四川〉（《西南師院學報》1979年3期）、臺北市四川同鄉會四川叢書編纂委員會編《四川革命史》（臺北，臺北市四川同鄉會，民66）、久保田文次〈辛亥革命と四川省（下）〉（《史艸》10號，1969年10月）、任卓宣〈辛亥革命四川起義經過〉（《四川文獻》173期，民68年12月）及〈辛亥革命四川起義論〉（同上，168期，民67年9月）、華生〈辛亥革命四川各州縣起義經過〉（同上，173期，民68年12月）及〈辛亥革命四川起義紀念日〉（同上，168期，民67年9月）、王成聖〈辛亥四川起義的悲壯故事〉（《中外雜誌》34卷4期，民72年10月）、陳孟堅〈辛亥四川革命的歷史探討〉（同上，42卷4期，民76年10月）、隗瀛濤〈論四川辛亥革命的社會歷史背景〉（《文史雜志》1991年4期）、〈四川辛亥革命的歷史意義〉（《四川大學學報（叢刊）》第9輯，1981）、〈辛亥革命與中國社會近代化—以四川為例〉（《辛亥革命研究動態》1996年4期）及《辛亥革命與四川社會》（成都，成都出版社，1992）、陳孟堅〈辛亥四川革命的歷史探討〉（《中外雜誌》42卷4期，民76年10月）、吳玉章（永珊）〈四川光復始末記〉（《重慶黨史研究資料》1993年2期）、林金樹〈辛亥革命中四川獨立遲緩的原因何在〉（《社會科學研究》1985年1期）、謝放〈四川軍政府的性質、作用初探〉（《四川大學學報（叢刊）》第9輯，1981）、許增紘〈論四川軍政府〉（《西南師大學報》1991年4期）、何一民〈尹昌衡與四川軍政府〉（《文史雜誌》1991年4期）、張培爵〈蜀軍政府始末（1911年11月22日—1912年4月27日）〉（《四川檔案史料》1983年4期）、李璜〈辛亥革命在成都—對當時社會民情的分析說明〉（《四川文獻》168期，民67年9月）、陸丹林〈四川革命與重慶光復〉（《勝流》6卷7期，民36年10月）、周勇《辛亥革命重慶紀事》（重慶，重慶出版社，1985）及〈孫中山與重慶民主革命〉（載何長風、顧大全主編《孫中山與貴州民主革命》，貴陽，貴州人民出版社，1987）、宋國英〈辛亥革命時期的資州起義〉（《四川文物》1991年6期）、彭易芬〈鄂軍資州反正殺端方確切時間考〉（《南充師院學報》1981年4期）、吳達德〈辛亥榮縣獨立時間考〉（《近代史研究》1994年3期）、何一民〈辛亥四川榮縣獨立時間考〉（《社會科學研究》1991年5期）、政協綦江縣委員會〈辛亥革命在綦江〉（載《四川保路風雲錄》，1981）、龍岱〈辛亥革命中的四川新軍小議〉（《四川大學學報（叢刊）》第9輯，1981）、何一立〈蒲殿俊與四川辛亥革命〉（《四川師大學報》1992年4期）、凱成文〈略論辛亥革命在川滇甘青藏區的反響〉（《西藏民族學院學報》1991年4期）。

5.西北地區

有中共陝西省委黨史資料徵集研究委員會編《辛亥革命在陝西》（西安，陝西人民出版社，1987）、陝西省政協文史資料研究委員會編《陝西辛亥革命回憶錄》（同上，1982）、邵宏謨、韓敏〈辛亥革命在陝西〉（《陝西師大學報》1981年4期）、孫志亮〈辛亥革命在陝西的勝利與失敗〉（《人文雜誌》1981年5期）、孫志亮、張應超《陝西辛亥革命》（西安，陝西人民出版社，1991）、林能士〈辛亥革命時期陝西的革命活動〉（《中華學報》5卷1期，民67年1月）、孫震〈辛亥革命在陝西〉（《陝西文獻》35、36、43期，民67年10月、68年1月、69年10月）、韓敏、邵宏謨〈關於陝西辛亥革命的幾個問題〉（《社會科學論文集㈡—慶祝建國三十周年專輯》，陝西師範大學，1979）、邵宏謨〈試析辛亥陝西首先響應武昌起義的原因〉（《陝西師大學報》1991年4期）、朱新寧〈陝軍辛亥起義記事〉（《近代史資料》1983年1期）、喬益潔〈陝西辛亥革命較早宣布獨立之原因〉（《青海師大學報》1990年4期）、喬益潔、王定邦〈簡述辛亥革命時期陝西起義及其影響〉（《西北史地》1992年3期）、蔭遠〈辛亥陝西舉義紀實〉（《革命思想》9卷4期，民49年10月）、張應超〈會黨與陝西辛亥革命〉（《理論研究》1983年10期）、孫震〈參加辛亥關中起義記〉（《陝西文獻》47期，民70年10月）、賈福萌〈寶雞辛亥革命述略〉（《寶雞今古》1985年2期）、王丕卿〈辛亥鳳翔起義簡況〉（同上）、冰昆〈畢功之役—記辛亥革命光復西安〉（《陝西青年》1982年9期）、張應超〈陝甘回民對辛亥革命的貢獻〉（《回族研究》1993年3期）、楊思信〈辛亥甘軍攻陝戰爭述略〉（《甘肅社會科學》1994年5期）、張力〈辛亥革命在陝甘〉（《政大歷史學報》第7期，民79年1月）、余堯〈辛亥革命在甘肅〉（《甘肅師大學報》1979年4期）、馬啟成〈甘肅辛亥革命概略〉（《中央民族學院學報》1981年4期）、甘肅省政協文史資料研究委員會編《甘肅文史資料選輯·11輯—紀念辛亥革命七十周年專輯》（蘭州，甘肅人民出版社，1981）、張篤勤〈秦州獨立述評〉（《西北史地》1983年4期）、任書貴〈黃鉞與秦州起義〉（《社會科學（甘肅）》1983年5期）、劉紹韜、黃祖同編《黃鉞與秦州起義》（蘭州，甘肅人民出版社，1992）。魏長洪編《辛亥革命在新疆》（烏魯木齊，新疆人民出版社，1981）及《新疆辛亥革命史料選編》（同上，1991）、陳慧生《辛亥革命對新疆的影響》（同上，1993）及〈辛亥革命在新疆的勝利和失敗〉（《西域研究》1991年4期）、呂一燃〈辛亥革命在新疆〉（《近代史研究》1980年4期）、白振聲〈辛亥革命在新疆〉（載《民族研究論文集》第2輯，1983）、吳廷楨、何玉疇〈辛亥革命在新疆〉（《新疆歷史論文續集》，新疆人民出版社，1978）、片岡一忠〈新疆省における辛亥革命〉（《大阪教育大學歷史研究》15號，1978）、中村哲夫〈新疆省における 辛亥革命〉（《内田吟風博士頌壽記念東洋史論集》，1978）、鍾鏞（廣生）《新疆辛亥定變紀略》（民國元年刊本）、袁澍〈辛亥新疆起義與楊增新政權的建立〉（《新疆師大學報》1981年2期）、洪濤〈辛亥革命時期的伊犁臨時政府〉（《中央民族學院學報》1984年1期）及〈論伊犁臨時政府〉（《伊犁師院學報》1982年2期）、李嘯風〈伊犁革命之回顧〉（《西北論壇》9卷1期，民30年1月）、宮碧澄〈伊犁革命的回憶〉（《邊事研究》4卷5期，民25年10月）、魏長洪〈伊犁辛亥革命論述〉（《新疆歷史論文續集》，新疆人民出版社，1978）、陳慧生〈資產階級領導的迪化起義〉（《新疆史學》創刊號，1979）、魏長洪〈辛亥時期喀什革命論述〉（《喀什師院學報》1987年4期）。李見頌、王世志〈辛亥革命及其對青海地區的影響〉（《青海民族學院學報》1981年4期）、內蒙古政協文史資料研究委員會編《內蒙古辛亥革命史料》（呼和浩特，內蒙古人民出版社，1962；1980再版）、劉毅政〈辛亥革命在內蒙古〉（《實踐》1981年11期）及〈內蒙古辛亥革命紀略—紀念辛亥革命七十周年〉（《內蒙古師院學報》1981年4期）、趙相璧〈辛亥革命時蒙古族人民的鬥爭〉（同上）、駝峰〈辛亥革命時期內蒙古人民的革命鬥爭〉（《實踐》1961年10、11期）、戴學稷〈辛亥革命時期呼包地區的起義鬥爭〉(《內蒙古大學學報》1961年1期;亦載《辛亥革命五十周年紀念論文集》下冊,1962)、盧明輝〈辛亥革命與蒙古地區的〝民族運動〞〉(《社會科學戰線》1981年4期)、和龔〈關於寧夏辛亥革命若干人名的考訂〉(《寧夏大學學報》1981年4期)、Thomas E. Ewing, "Revolution on the Chinese Frontier: Outer Mongolia in 1911." (Journal of Asian History, Vol.12, No.2, 1978)。

6.東北地區

有李時岳〈辛亥革命時期東三省革命與反革命的鬥爭〉(《歷史研究》1959年6期)、西村成雄〈東三省における辛亥革命〉(《歷史學研究》358號,1970年3月;其中譯文爲傅仲譯〈辛亥革命在東三省〉,載《國外中國近代史研究》第4輯,1985)、常城〈辛亥革命在東北〉(《東北師大學報》1981年5期)、張本政等〈辛亥革命在東北〉(《社會科學戰線》1981年4期)、邢安臣、鄭東豔〈東北各界在辛亥革命中的活動〉(《遼寧大學學報》1992年1期)、陳貴宗〈辛亥革命時期東三省的革命運動〉(《史學集刊(東北人民大學)》1956年2期)、丁則良〈有關辛亥革命時期東北若干史實的一些資料—遼寧省圖書館檔案輯錄之一〉(同上,1956年1期)、曲曉璠〈東北會黨與辛亥革命〉(《吉林師院學報》1996年11期)、李田林〈話說辛亥革命東北起義人物—兼記從開國一直在民初憲政史中打滾的吳景濂先生〉(《傳記文學》23年1、2期,民62年7、8月)、劉麗楣〈趙爾巽與東三省辛亥革命活動〉(《歷史檔案》1986年4期)、李侃〈趙爾巽與辛亥革命前後的東北政局〉(《歷史檔案》1991年3期)、趙中孚〈辛亥革命前後的東三省〉(《中央研究院近代史研究所集刊》11期，民71年7月）。劉樹泉〈辛亥革命在遼寧〉（《遼寧師院學報》1981年3期）、顧明義〈辛亥革命在遼寧〉（《理論與實踐》1981年10期）、邸富生〈辛亥革命在遼寧〉（《遼寧師院學報》1981年5期）、闞捷〈辛亥革命時期遼寧革命黨人的鬥爭〉（《遼寧大學學報》1981年6期）及〈辛亥革命時期資產階級革命派在遼寧的鬥爭〉（載《紀念辛亥革命七十周年學術討論會論文集》中冊，北京，中華書局，1983）、孫克復〈〃孤狸方去穴，桃偶已登場〃—辛亥革命在遼寧的失敗〉（《遼寧大學學報》1981年6期）、遼寧省檔案館〈辛亥革命在奉天〉（《歷史檔案》1981年4期）、武育文《奉天辛亥革命述論》（北京，文史資料出版社，1911）、江夏由樹〈奉天地方官僚集團の形成—辛亥革命期を中心に〉（《經濟學研究（一橋大學）》31號，1990年5月）、潘喜廷〈寧武與奉天辛亥革命〉（《理論與實踐》1981年11期）、顧明義〈辛亥革命在遼寧的領導人—張溶〉（《理論與實踐》1981年5期）、蘇小東、呂明軍〈辛亥革命時期庄復地區的革命鬥爭〉（《遼寧大學學報》1986年3期）、馬群〈對論述辛亥革命復州民軍一些問題的質疑〉（《遼寧師大學報》1986年3期）、張淑香〈辛亥革命時期復縣人民的反清鬥爭〉（同上，1996年5期）、瀋陽市檔案館編《辛亥革命在瀋陽：紀念辛亥革命八十周年》（瀋陽，瀋陽出版社，1991）。馬國晏〈辛亥革命在吉林〉（《新長征》1981年10期）。奚介凡、王雲〈民主共和的曙光照射到東北邊疆—〃辛亥革命〃在黑龍江〉（《求是學刊》1981年3期）、艾學〈辛亥革命在黑龍江〉（《奮鬥》1980年6期）、吳文銜等〈辛亥革命時期的黑龍江〉（《黑龍江文物叢刊》1981年1期）、辛培林、任玲〈黑龍江地區辛亥革命概論〉（《學習與探索》1991年5期）、辛培林〈試論辛亥革命與黑龍江地區的社會發展〉（《紀念辛亥革命七十周年學術討論會文集》，民革黑龍江省委員會等，1981）。

此外《中華民國開國五十年文獻·第二編第3冊至5冊—各省光復》（臺北，民50）、政協全國委員會文史資料研究會編《辛亥革命在各地（紀念辛亥革命八十周年）》（北京，中國文史出版社，1991）、金沖及〈武昌起義後各省獨立的鳥瞰〉（《近代史研究》1991年6期）、中南地區辛亥革命史研究會、武昌辛亥革命研究中心編《辛亥風雲與近代中國》（貴陽，貴州人民出版社，1991）、中國新聞社編《辛亥風雲》（北京，中國展望出版社，1982）、謝興堯〈辛亥革命各省光復記略〉（《越風半月刊》20期，民25年10月）、國防部史政局編纂《開國戰史》（2冊，臺北，正中書局，民59）及《開國戰史簡編》（臺北，編者印行，民62）、三軍大學戰史編纂委員會編纂《國民革命軍戰役史第一部—建國》（2冊，臺北，國防部史政編譯局，民82）等則是同類中通盤性的資料集和論著。至於各地區、各省的會黨革命活動，將在如下「社會參與」中關於會黨（秘密社會）條目中舉述。

㈥社會參與

1.會黨（秘密社會）

會黨為清末革命運動的主要兵源，其中尤以天地會（洪門、三合會、哥老會、致公堂等）與革命關係較為密切；專談會黨與清末革命運動之關係的論著以鄧嗣禹〈海內外會黨對辛亥革命的貢獻〉（載《中國現代史叢刊》第5册，臺北，文星書店，民53）一文發表較早，最具代表性；張玉法〈會黨與辛亥革命〉（《傳記文學》38卷2期，民70年2月）、蔡少卿〈論辛亥革命與會黨的關係〉（《群衆論叢》1981年5期）、陳劍安〈會黨與辛亥革命〉（《中山大學學報論叢》第1輯，1981）、林增平〈會黨與辛亥革命〉（《文史知識》1984年9期）、黃福鑾〈辛亥前會黨與革命黨的關係〉（《大同雜誌》1卷2期，民32年5月）、陳漢楚〈清末會黨和辛亥革命〉（《史學月刊》1982年4期）、李文海〈辛亥革命與會黨〉（《教學與研究》1961年4期；亦收入《辛亥革命五十周年紀念論文集》，北京，中華書局，1963）、吳雁南〈清末資產階級革命派與會黨〉（《貴陽師院學報》1981年3期）、彭先國〈論辛亥革命中資產階級革命派與會黨的聯合〉（《廣西師大學報》1991年4期）、陳輝〈試論辛亥革命中會黨的性質和作用〉（《華中師院學報》1981年4期）、中村瑞子〈辛亥革命と會黨〉（《史論》11號，1963年11月）、北山康夫〈秘密結社と辛亥革命〉（《歷史研究》第1號，1963年11月）及〈辛亥革命と會黨〉（載小野川秀美等編《辛亥革命の研究》，東京，筑摩書房，1978）、横山宏章〈中國の共和革命運動と秘密結社—孫中山の興中會を中心に〉（《法學研究（明治大學）》37號，1986年8月）、符滌泉〈國父聯絡會黨致力革命之偉業〉（《中華文化復興月刊》20卷11期，民76年11月）、蔡上機《孫中山與洪門青幫》（臺北，飛星文化出版社，民85）、郭緒印〈論興中會同盟會期間孫中山與海外洪門〉（《民國檔案》1996年2期）、陳劍安〈同盟會時期的孫中山與會黨〉（《孫中山研究論叢》第4集，1986）、莊政〈國父倡導革命與洪門的淵源〉（《近代中國》20期，民69年12月）、

〈國父倡導革命與洪門對他的貢獻〉(《復興崗學報》35期,民70年6月)、《國父倡導革命與洪門會黨》(臺北,正中書局,民70)及〈興中會黨人活動與洪門的關係〉(《淡江學報》18期,民70年5月)、喻性森〈洪門會黨與早期國民革命運動〉(《中山學報(國父遺教研究高雄市分會)》14期,民82年6月)、杜如明〈洪門與辛亥革命〉(《廣東文獻》3卷4期,民62年12月)、彭大雍〈孫中山與〝洪門〞關係新探〉(《歷史教學》1993年11期)、黃建遠〈辛亥革命前革命黨人與洪門致公堂的關係〉(《南京大學學報》1993年1期)、李曉蓉〈興中會與會黨的關係〉(《思與言》4卷5期,民56年1月)、魏建猷〈辛亥革命時期會黨運動的新發展〉(《上海師院學報》1981年3期)、沈渭濱〈論辛亥革命時期的會黨〉(《復旦學報》1987年5期)、饒懷民〈辛亥革命時期會黨研究綜述〉(《湖南師大社會科學學報》1990年6期)、饒懷民、周新國〈辛亥革命時期會黨運動的特徵和作用〉(《求索》1990年3期)、丁孝智、張根福〈對辛亥革命時期會黨二重作用的歷史考察〉(《西北師大學報》1994年3期)、邵雍〈哥老會與辛亥革命〉(《上海師大學報》1991年3期)、丁旭光〈資產階級革命派與廣東會黨〉(《廣東社會科學》1988年1期)、陳劍安〈廣東會黨與辛亥革命〉(載《紀念辛亥革命七十周年青年學術討論會論文選》上册,北京,中華書局,1983)及〈孫中山與廣東幫會三傑——個〝和而不同〞的個案研究〉(《近代史研究》1993年4期)、盧仲維〈資產階級革命派與廣西會黨〉(《社會科學家》1988年3期)、沈奕臣〈清末廣西會黨起義和辛亥革命的關係〉(《廣西民族學院學報》1984年1期)、邢鳳麟〈清末廣西的會黨起義—兼論孫中山與會黨的關係〉(《廣西師院學報》

1981年3期）、穆潔〈資產階級革命派與廣西會黨〉（《教學參考資料（中學文科版）》1981年10期）、莊吉發〈兩廣會黨與辛亥革命〉（載《國父建黨革命一百週年學術討論集》第1冊，民84年）、金仁文《清代湖南會黨之革命活動》（臺灣大學歷史研究所碩士論文，民76年6月）、饒懷民〈論辛亥革命時期湖南會黨的特徵〉（《湖南師大學報》1993年4期）及〈辛亥革命時期的湖南會黨〉（同上，1988年增刊）、郭漢民〈辛亥革命時期湖南會黨的性質與作用〉（《湖南師院學報》1982年2期）、隗瀛濤、陳輝〈辛亥革命時期的湖北資產階級民主革命派領導下的會黨運動〉（收入《會黨史研究》，上海，學林出版社，1987）、何一民〈論同盟會與四川會黨〉（載《紀念辛亥革命七十周年學術討論會論文集》上冊，1983）、后云〈辛亥革命時期的四川哥老會〉（《四川師院學報》1983年1期）、杜文鐸〈哥老會與貴州辛亥革命〉（《貴州社會科學》1983年4期）、周春元〈辛亥革命時期的貴州哥老會〉（《貴陽師院學報》1981年3期）、胡國樞〈辛亥革命時期的浙江會黨〉（《杭州師院學報》1981年2期）、魏建猷〈辛亥革命前夜的浙江會黨活動〉（《學術月刊》1961年10期）、張鳳翔〈浙江的秘密會黨與辛亥革命〉（《浙江月刊》第7期，民58年5月）、曲曉璠〈東北會黨與辛亥革命〉（《吉林師院學報》1996年11期）、和龔〈寧夏哥老會與辛亥革命〉（《寧夏社會科學》1981年3期）、陳輝〈關於辛亥革命時期長江會黨的幾個問題〉（《華中師院學報》1982年5期）、林增平〈辛亥革命時期天地會性質問題〉（《學術月刊》1962年2期）、陳劍安〈略談辛亥革命時期的洪門會黨〉（《歷史大觀園》1985年12期）、杜景雲〈會黨：被遺忘的開國功臣〉（《民國春秋》1987年1期）、章志誠〈美洲洪門與辛亥革命〉（《浙江學刊》1981年1期）、黃建遠〈辛亥革命前革命黨人與洪門致公堂的關係〉（《南京大學學報》1993年1期）、李漢秋〈孫中山與洪門致公堂〉（《嶺南文史》1991年1期）、李松庵〈孫中山與美洲致公堂〉（同上，1986年1期）、張鴻奎〈試論美國洪門致公堂華僑在辛亥革命時期的作用〉（《史林》1989年4期）、毛一波〈天地會之起源和發展及其與國民革命的關係〉（《國民革命與臺灣》，民44）。

至於有關會黨的史料和論著則非常多，贊助中國革命運動甚力的日本志士平山周，曾撰有《中國秘密社會史》（上海，商務印書館，民元年），全書共分六章，每章的標題依序是白蓮會（教）、天地會、三合會、哥老會、興中會及同盟會、光復會（按：貴州的革命黨），書中彙錄了不少原始文獻，佔了全書大部分的篇幅，故此書雖定名為中國秘密社會史，但嚴格說來，只能算做一部史料，而不能稱做史，就史料而言，此書極具其價值；又作者曾以古研氏的筆名，將此書節略寫為〈中國之秘密結社〉一文登在民國初年的《東方雜誌》上，此文後收入東方雜誌二十週年紀念的「東方文庫」第12種—《世界之秘密結社》（民13年出版）一書中。蕭一山輯《近代秘密社會史料》（北平，國立北平研究院，民24；臺北，文海出版社影印，民54；上海，上海文藝出版社，1991），是蕭氏民國21年將倫敦大英博物館內所藏晚清粵人手抄天地會文件多種加以抄錄、編次，歸類汰繁，附以說明而成此書，這些史料都十分珍貴。羅爾綱編著《天地會文獻錄》（重慶，正中書局，民32）是匯集貴縣（屬廣西省，為太平軍醞釀地）修志局發現的天地會史料、羅漢家藏守先閣本天地會文件、陶成章所撰〈教會源流考〉一文及羅爾綱自己所撰的〈水滸傳與天地會〉（原發表於《大公報·史地周刊》第9期）、〈論近代秘密社會史料的本子〉兩篇文章而成書，其中論史料本子一文，所列英倫收藏之九本，略述各本內容，足資研究者之參考。張振元《道義正宗》（北平，民29；臺北，古亭書屋影印，民64）為有關清（青）幫的重要史料，書末附有青幫祖師爺圖像及幫中各輩會員之姓名、地址和職業等。張太聰等《幫會手冊》（臺北，古亭書屋，民64）四種，其一為清譜輯要，二為通漕輯要，三為遺道指南（以上三種均為清幫手冊），四為洪門會概說。劉師亮《漢留大觀》（中外印刷公司，民24）及《漢留全中》（臺北，古亭書屋影印，秘密社會叢刊之3，民64）、群英社編《江湖海底》（同上）、蘇鳳文《股匪總錄》（光緒己丑年刊本，臺北，古亭書屋影印，秘密社會業刊之3，民64），施列格（Gustave Schlegel）著、薛澄清譯《天地會研究》（上海，商務印書館，民29；臺北古亭書屋影印，同上）、耿毓英等編《安清史鑑》（臺北，古亭書屋影印，秘密社會叢刊之2，民64）、陳國屏《清門考源》（同上；又香港，遠東圖書公司，中國幫會史料叢刊，1965，係民35年刊本之影印版，並重訂加註）、陳國屏著、易蘇民編校《清幫考釋》（臺北，大學文選社，民60）、孫悦民《家理寶鑑》（瀋陽，中國三理協會遼寧總會，民35）、帥學富《清洪述源》（臺北，臺灣商務印書館，民59）、朱琳著、易蘇民編校《清幫考釋》（臺北，大學文選社，民60）、吳繼樂編《忠義千秋—近三百年來的清幫》（臺北，古亭書屋，民75）、輔公編《青紅幫之黑幕》上冊（臺北，古亭書屋，民64）、錢生可重編《青紅幫之黑幕》下冊（同上）、包穎《清洪幫秘史》（香港，中華書局，1993）、吳公雄《青紅幫秘史》（銀川，寧夏人民出版社，1992）、張贊、朱傑合編《金不換：洪門秘笈》（大洪山香堂管家，民36）、戴魏光《洪門史》（上海，和平出版社，民36）述天地會、三合會、哥老會、漢留之組織與史事；朱琳《洪門志》（上海，中華書局，民36），全書凡二十一章，記洪門歷史、組織綱要、規律、文書、旗幟印信、隱語、暗號、入會規則、儀式、令詞，以及各種堂條用條、問答口語，十分詳備；是書臺北之文星書店將其翻印出版，名為《洪門幫會志》（3冊，文星叢刊，民54）、劉聯珂《中國幫會三百年革命史》（澳門，留園出版社，1941，臺北，古亭書屋影印，民64）記述清幫、洪幫、哥老會史事，含：海內洪門組織、海外洪門略歷，洪門位次等、龍襄三《洪門常識問答》（誠正學塾，民31年再版）、飛烈編著《洪門搜秘》（臺北，洪福出版社，民48）、劉膺遐《漢留組織研究》（上海，益社，民36）、山逸編《袍哥內幕》（重慶，民35）、中國人民大學清史研究所、中國第一歷史檔案館合編《天地會》（共6冊，北京，中國人民大學出版社，1980-1987出版）為目前有關天地會較為完整的檔案文獻彙編，其資料時期範圍起自乾隆51年（1786），迄於鴉片戰爭之前；中國第二歷史檔案館編《民國幫會要錄（1912-1949）》（北京，檔案出版社，1993）、中國文史出版社編《幫會奇觀》（北京，編者印行，1989）、河北文史資料編輯部編《近代中國幫會內幕》（2冊，北京，群衆出版社，1993）、David Ownby and Mary Somers Heidhuse, eds. "Secret Societies" Reconsidered: Perspectives on the Social History of Early Modern South China and Southeast Asia.（Armonk New York: M. E. Sharp, 1993）、

Wifred Blythe, The Impact of Chinese Scret Societies in Malaya: A Historical Study.（London: Oxford University Press, 1969）、Mak Lau Fong, The Sociology of Secret Societies: Peninsular Malaysia.（Kuala Lumpur, Oxford and New York: Oxford University Press, 1981）、王恆偉等編著《中國秘密社會內幕》（長春，吉林文史出版社，1989）、上海社會科學歷史研究所編輯《上海小刀會起義史料匯編》（上海，上海人民出版社，1958）、聶崇岐編《金錢會資料》（同上），以上多為史料集、幫會叢書及通俗性的著述。

至於會黨史的研究情形以莊吉發〈中國秘密社會史的研究與出版〉（載《六十年來的中國近代史研究》上册，臺北，中央研究院近代史研究所，民77）一文最具參考價值；莊氏另撰有〈民國以來中國秘密社會史的研究評估與展望〉（《民國以來國史研究的回顧與展望研討會論文集》下册，臺灣大學，民81年6月）內容與上文大同小異；卓文義〈秘密會社的關係史料及論著〉（《出版與研究》55期，民68年10月）所列舉的中日文書籍論文最為詳盡；周育民〈中國會黨史研究的歷史回顧〉（《上海師大學報》1990年3期）及〈中國會黨問題研究述評〉（載《會黨史研究》之附錄，上海，學林出版社，1987）、魏建猷主編《中國會黨史論著綜錄》（上海市歷史學會，1984）及《中國會黨史論著匯要》（天津，南開大學出版社，1985）、來新夏〈關於中國近代秘密社會史的研究〉（《漳州師院學報》1995年3期）、莊吉發〈故宮檔案與清代秘密社會史研究〉（《漢學研究》7卷2期，民78年12月）。重要的研究成果有蔡少卿《中國近代會黨史研究》（北京，中華書局，1987）、《中國秘密社會》（杭州，浙江人民出版社，1989）、〈論近代中國會黨的社會根源結構功能和歷史演變〉（《南京大學學報》1988年1期）、〈略述晚清時期中國的秘密社會〉（《清史研究通訊》1988年1期）、來新夏〈反清的秘密結社〉（《歷史教學》1956年10期）、福田節生〈清代秘密結社の性格とその役割—特に農村社會との關係について〉（《史淵》66號，1955年11月；《史學研究》61號，1956年2月）、稻葉誠一〈清代の秘密結社〉（《斯文》第5號，1952號10月）、周育民、邵雍《中國幫會史》（上海，上海人民出版社，1993）、沈寂等著《中國秘密社會》（上海，上海書店，1993）、戴玄之《中國秘密宗教與秘密會社》（共2册，臺北，臺灣商務印書館，民79）、中國會黨史研究會編《會黨史研究》（上海，學林出版社，1987）、秦寶琦《中國地下社會》（北京，學苑出版社，1994）、王天獎〈十九世紀下半期中國的秘密會社〉（《歷史研究》1963年2期）、王爾敏〈秘密宗教與秘密會社之生態環境及社會功能〉（《中央研究院近代史研究所集刊》第10期，民70年7月）、邵循正〈秘密社會宗教和農民戰爭〉（《北京大學學報》1961年3期）、秦寶琦〈18世紀中國秘密社會與農民階級的歷史命運〉（《清史研究》1995年1期）及〈明清秘密社會史料新發現—浙閩黔三省實地考察的創獲〉（同上，1995年3期）、莊吉發〈清代秘密會黨的探討〉（《中國歷史學會史學集刊》16期，民73年7月）、劉錚雲〈清代會黨的時空分佈初探〉（載《中國近世社會文化史論文集》，中央研究院近代史研究所，民81年6月）及〈徒法不能自行—以清代會黨問題為例〉（《歷史月刊》12期，民78年1月）、胡繩武〈民初會黨問題〉（《民國檔案》1985年1期）、石羊〈關於會黨問題的討論〉（《教學與研究》1962年1期）、江叔子、王凡、吳道明〈近代進步知識分子與會黨的關係〉（《江西社會科學》1987年5期）、周松柏〈貴州自治學會與會黨〉（《貴州民族學院學報》1987年4期）、庾裕良等編《廣西會黨資料匯編》（南寧，廣西人民出版社，1988）、馮祖貽〈1902-1905年廣西會黨起義軍在貴州雲南的活動〉（《貴州社會科學》1982年3期）、莊吉發《清代秘密會黨史研究》（臺北，文史哲出版社，民83）、〈義結金蘭四海皆兄弟一清代的秘密會黨〉（收入氏著《清史拾遺》，臺北，臺灣學生書局，民68）、〈四海之內皆兄弟一歷代的秘密社會〉（載《中國文化新論·社會篇》，臺北，聯經出版事業公司，民71）、〈清代臺灣秘密會黨的探討〉（《臺灣風物》36卷1期，民75年3月）、〈義結金蘭一清代秘密會黨的發展〉（《歷史月刊》74期，民83年3月）、〈從社會經濟變遷看清代臺灣秘密會黨的發展〉（《香港大學國際明清史研討會》，1985年12月）、〈清代臺灣秘密會黨的發展與社會控制〉（《人文及社會科學集刊》新5卷1期，民81年1月）、〈清代社會經濟變遷與秘密會黨的發展：臺灣、廣西、雲貴地區的比較研究〉（《近代中國區域史研討會論文集》，臺北，中央研究院近代史研究所，民75年12月）、〈清代閩粵地區的社會經濟變遷與秘密會黨的發展〉（《中央研究院第二屆漢學會議》，民75年12月）及〈清代江西人口流動與秘密會黨的發展〉（《大陸雜誌》76卷1期，民77年1月）、張波〈山東秘密會社初探（1912-1945）〉（《山東大學學報》1992年3期）、魏長洪〈新疆秘密社會研究〉（《新疆大學學報》1993年1期）、李順民〈清代臺灣會黨與械鬥、民變的交互關係〉（《歷史月刊》74期，民83年3月）、謝宏武〈義民一臺灣秘密會黨的對立團體〉（同上）、莊澤宣、陳宇恂〈中國秘密會黨之源流及組織〉（《歷史政治學報》

第1期，民36年1月）、小林一美〈中華帝國と秘密社會〉（載《秘密社會と國家》，東京，勁草書房，1995）、孫江〈清末民初における民間秘密結社と政治の關係〉（同上）、馬場毅〈日本の侵略中國と秘密結社〉（同上）、並木賴壽〈明治訪華日本人の會黨への關心について〉（同上）、邵循正〈祕密會社、宗教和農民戰爭〉（《北京大學學報》1961年3期）、陳守實〈關於秘密會社的一些問題－在歷史進程中一種運動形態的考察〉（《學術月刊》1979年3期）、（法）謝諾（Jean Chesneaux）著、劉坤一摘譯〈秘密會社在中國歷史上的發展〉（《中國史研究動態》1979年5期）、陳旭麓〈祕密會黨與中國社會〉（《學術月刊》1985年7期，亦載《史學情報》1986年1期）、杜景珍〈會黨－被遺忘的開國功臣〉（《民國春秋》1987年1期）、連立昌《福建秘密社會》（福州，福建人民出版社，1989）、李湘敏〈略論民國時期的福建秘密社會〉（《福建史志》1989年1期）、胡訓珉、賀建《上海幫會簡史》（上海，上海人民出版社，1991）、蘇智良、陳麗菲《近代上海黑社會研究》（杭州，浙江人民出版社，1991）、Kristin Stapleton, " Urban Politics in an Age of Secret Societies "（Republican China, Vol. 22, No. 1, November 1996）、衛聚賢《中國的幫會》（重慶，民38）、黃清根〈幫會與中國文化〉（《江漢論壇》1994年2期）、鄒身城〈太平天國時期的浙江會黨〉（《會黨史研究》，1987）、榮孟源〈天地會〉（《歷史教學》1956年5期）、俞澄環〈反清的秘密結社－天地會〉（《史學月刊》1957年4期）、戴玄之講、林燕靜整理〈天地會〉（《史學會刊》第4期，東海大學歷史學會，民64年6月）、王仟桂〈天地會〉（《讀史劄記》第8期，星加坡，南洋大學歷史系讀史劄記編輯委員會，1974年7月）、王大偉〈天地會詮釋〉（《中華文史論叢》54輯，1994）、蕭一山〈天地會考〉（《臺灣文化論集》第2冊，民43年10月）、梁廷煥〈天地會考〉（《中華文化復興月刊》16卷7期，民72年7月）、莊吉發〈清代嘉慶年間的天地會〉（《食貨月刊》復刊8卷6期，民67年9月）及〈太平天國起事前的天地會〉（同上，8卷12期，民68年3月）、岩井大慧〈支那の秘密結社三合會（天地會）〉（《支那叢報解說》14卷，1945年）、王大偉〈巫術與宗教信仰－嘉慶、道光年間贛東閩西地區天地會詮釋〉（《中華文史論叢》54輯，1995）、俞雲波〈海外天地會淺說〉（《會黨史研究〉，1987）、黃玉齋〈洪門天地會向海外的發展〉（《臺灣文獻》22卷2期，民60年6月）、秦寶琦〈天地會檔案史料概述〉（《歷史檔案》1981年創刊號）、蔡少卿〈關於天地會的起源問題〉（《北京大學學報》1964年1期）、胡珠生〈天地會起源初探－兼評蔡少卿同志「關於天地會的起源問題」〉（《歷史學》1979年4期）、張興伯〈天地會的起源〉（《明清史國際學術討論會論文集》，天津人民出版社，1982）、秦寶琦〈從檔案史料看天地會的起源〉（《歷史檔案》1982年2期）、赫治清〈天地會起源於「乾隆說」質疑〉（《中國史研究》1983年3期）、〈論天地會的起源〉（《清史論叢》第5輯，1986年12月）及《天地會起源研究》（北京，社會科學文獻出版社，1996）、邵雍〈天地會起源研究的重要突破：評《天地會起源研究》〉（《清史研究》1996年4期）、鄧孔昭〈天地會起源〉（《清史研究》1992年4期）、黃玉齋〈洪門天地會發源於臺灣〉（《臺灣文獻》21卷4期，民59年12月）及〈洪門天地會的組織自臺灣傳至全國〉（同上，22卷1期，民60年3月）、張菼〈天地會的創立年代與五祖之為臺灣人〉（《臺灣風物》35卷2期，民74年6月）、秦寶琦〈鄭成功創立天地會說質疑〉（《福建論壇》1982年5期）、〈天地會起源乾隆說新証〉（《歷史檔案》1986年1期）、〈天地會起源之謎〉（《歷史月刊》16期，民78年5月）及〈伍拉納、徐嗣曾奏摺的發現與天地會起源問題的研究〉（《清史研究通訊》1986年1期）、何正清〈簡論天地會的起源〉（《貴州社會科學》1986年4期）、秦寶琦〈評天地會起源「康熙說」〉（載《會黨史研究》，上海，學林出版社，1987）及〈天地會檔案史料概述〉（《歷史檔案》1981年1期）、胡珠生〈天地會起源於乾隆中葉說駁議〉（同上）、何正清、吳雁南〈略論天地會的起源〉（同上）、駱寶善〈論天地會的起源和性質〉（同上）、曾五岳〈天地會起源於〃乾隆〃說研究〉（《東南文化》1993年5期）、翁同文〈康熙初葉「以萬為姓」集團餘黨建立天地會〉（《史學論集》，臺北，華岡出版社，民66）及〈今存天地會「創會緣起」抄本源流系統〉（《東吳文史學報》第5期，民75年8月）、莊吉發《清代天地會源流考》（臺北，故宮博物院，民70）、〈從故宮博物院典藏清代檔案談天地會的源流〉（《故宮季刊》14卷4期，民69夏季）及〈清代天地會起源考〉（《食貨月刊》復刊9卷12期，民69年3期）、蕭一山〈天地會起源考〉（原載蕭氏所輯《近代秘密社會史料》之卷首，民24；《中山文化教育館專刊》2卷3期，民25年7月；《反攻》173期、174期，民46年2月、3月）、戴玄之〈天地會的源流〉（《大陸雜誌》36卷11期，民57年6月）、秦寶琦〈有關天地會起源史料〉（《歷史檔案》1986年1期）及《清朝前期天地會研究》（北京，中國人民大學出版社，1988）、羅漢校錄〈天地會文件〉（《廣州學報》1卷1期，民26）、莊吉發〈天地會文件的發現及其史料價值〉（《大陸雜誌》68卷4期，民73年4月）及〈清代添弟會源流考〉（《幼獅（月刊）》49卷1期，民68年1月）、周貽白〈洪門起源考〉（《東方雜誌》43卷16期，民36年10月）、佐佐木正哉〈天地會成立の背景〉（《明治大學人文科學研究所紀要》第7號，1969年2月）、陳祖武〈明清更迭與天地會的醞釀〉（《中國社會科學院研究生院學報》1994年6期）、曾五岳〈天地會〝西魯傳說〞探幽〉（《東南文化》1996年2期）、載玄之〈天地會名稱的演變〉（《南洋大學學報（人文科學）》第4期，星加坡，1970）及〈天地會與道教〉（同上，第6期，1972）、林傳芳〈天地會の佛教的性格〉（《印度學佛教學研究》22卷1號，1973年12月）、何正清〈摩尼教與天地會〉（《宗教學研究》1986年2期）、連立昌〈天地會手訣歌訣的佛教痕跡—提喜創會初探〉（《清史研究》1995年1期）、宋軍〈早期天地會結盟儀式及其象徵意義〉（《清史研究》1995年1期）、毛一波〈天地會與臺灣的關係的研究〉（《雲林文獻》2卷1期，民42年3月）、楊泰懋〈天地會在臺灣的抗清運動〉（《民國工商學報》14期，民82年6月）、毛以亨〈太平天國與天地會〉（《申報月刊》4卷1期，民24年6月）、陸寶千《論晚清兩廣的天地會政權》（臺北，中央研究院近代史研究所，民64）、徐舸《清末廣西天地會風雲錄》（桂林，廣西師範大學出版社，1989）及〈試論清末廣西天地會重新崛起的原因〉（《廣西師大學報》1989年4期）、李振英〈清代廣西的天地會〉（《廣西文獻》23、24期，民74年1、4月）、張竣〈從天地會談世界僑社的洪門組織〉（《傳記文學》38卷2期，民70年2月）、許雲樵〈星馬私會黨與洪門天地會的淵源〉（《東南亞研究》第7期，1971年12月）、翁同文〈太陽誕辰節的起源與天地會〉（《史學彙刊》第7期，民65年7月）及〈天地會隱語「木立斗世」新義〉（同上）、赫治清〈略論天地會的性質〉（《學術季刊》1986年2期）、〈關於天地會的性質〉（《會黨史研究》，1987）及〈略論天地會的創立宗旨〉（《歷史檔案》1986年2期）、何正清〈略論天地會的性質〉（《貴州師大學報》1988年3期）及〈明末結社與天地會〉（《貴州文史叢刊》1986年1期）、羅炤〈幫會秘錄：鄭成功與天地會〉（《中外雜誌》56卷6期，民83年12月）、秦寶琦〈關於天地的創立宗旨問題—與赫治清、胡珠生同志商榷〉（《廣西師大學報》1988年2期）、劉美珍、奏寶琦〈關於天地會歷史上的若干問題〉（《明清史國際學術討論會論文集》，1982）、劉伯涵〈從崔應階等三件奏摺看天地會的軍事組織〉（《歷史檔案》1987年2期）、蔡少卿〈論太平天國與天地會的關係〉（《歷史研究》1978年6期）、佐佐木正哉〈咸豐四年廣東天地會の叛亂〉（《近代中國研究センタ－彙報》第2號，1963年4月）及〈「咸豐四年廣東天地會の叛亂」補〉（同上，第3號，1963年9月）、田仲一成〈粵東天地會の組織と演劇〉（《東京大學東洋文化研究所紀要》111號，1990年2月）、黎斐然〈鴉片戰爭前廣西天地會的活動〉（《學術論壇》1986年1期）、蜀洪《洪門詮釋》（臺北，八八出版社，民81）、馬貽白〈洪門起源考〉（《東方雜誌》33卷16號，民25年8月）、張玉法〈洪門及其反滿活動〉（《女師專學報》第2期，民61年8月）、莊政〈洪門會黨與太平天國的反清運動〉（《東方雜誌》復刊12卷4期，民67年10月）、柳嶽生〈洪門真貌及其人物〉（《中外雜誌》29卷6期，民70年6月）、杜如明〈洪門的創立和在廣東的集結〉（《廣東文獻》3卷3期，民62年9月）、費海璣

〈洪門史料之研究法〉(《華僑雜誌》15年4期，民70年4月)。徐安琨《哥老會的起源及其發展》(臺北，臺灣省立博物館，民78)、查爾頓·M·劉易斯著、一山譯〈關於清末哥老會的幾點看法〉(《中國農民戰爭史論叢》第2輯，河南人民出版社，1979)、甘作霖〈西人所述哥老會之歷史〉(《東方雜誌》14卷11號，民6年11月)、沙鐵帆〈四川之哥老會〉(《四川月報》8卷5期，民25年5月)、黃芝岡〈明礦徒與清會黨—四川哥老會考証〉(《歷史教學》1951年3期)、陳湛若、胡珠生〈哥老會起源初探〉(《新史學通訊》1952年12期)、莊吉發〈清代哥老會源流考〉(《食貨月刊》復刊9卷9期，民68年12月)、張珊〈安徽近代的哥老會運動〉(《安徽大學學報》1980年3期)、劉錚雲〈湘軍與哥老會—試析哥老會的起源問題〉(《近代中國區域史研討會論文集》上册，民75年12月)、劉泱泱〈關於湖南哥老會起源問題的探討〉(《湖南師大學報》1992年2期)、沈傳經〈論近代西北地區的哥老會〉(《西北史地》1991年1期)、迪凡〈四川之哥老會〉(《四川文獻》41期，民55年1月)、石川滋〈四川省の哥老會〉(《中國研究所所報》第7號，1947年10月)、卓循〈四川哥老會的透視〉(《孟姜女》1卷4號，民26)、吳召宣〈清末浙江之哥老會〉(《越風半月刊》11期，民25年4月)、蔡少卿〈論長江教案與哥老會的關係〉(《南京大學學報》1984年2期)、野口鐵郎〈紅蓮教と哥老會〉(《東洋史研究》42卷3號，1983年12月)、戴玄之〈嘓嚕子〉(《慶祝朱建民先生七十華誕論文集》，民67年4月)、張力〈嘓嚕試探〉(《社會科學研究》1980年2期)、胡昭曦〈嘓嚕考析〉(《四川史學會史學論文集》，1982)。許仁編著《青洪幫搜秘》(臺北，向量出版社，民70)、蔡少卿

〈青紅幫的歷史演變與罪惡活動〉（《南京大學學報》1990年3期）、戴玄之〈清幫的源流〉（《食貨月刊》復刊3卷4期，民62年7月）、胡珠生〈青幫史初探〉（《歷史學》1979年3期）、郭緒印編著《洪幫秘史》（上海，上海人民出版社，1996）、莊吉發〈清代紅幫源流考〉（《漢學研究》1卷1期，民72年6月）及〈清代漕運糧船幫與青幫的起源〉（《中國歷史學會史學集刊》18期，民75年7月）、南懷瑾〈漕運與青幫〉（《新天地》3卷10期，民53年12月）、〈青幫興起的淵源與內幕〉（同上，5卷8期，民55年10月）及〈青幫的內容和幫規〉（《新天地》6卷9期，民56年11月）、酒井忠夫〈清末の青幫とその變貌〉（《立正史學》42號，1978年1月）、平山周〈青幫·紅幫〉（《アジア問題講座》第9册，東京，創元社，1939）、黃建遠〈民國時期青紅幫發展因素考察〉（《東南文化》1993年5期）、鄭志明〈清洪兩幫的忠義觀念〉（載淡江大學中文系主編《俠與中國文化》，臺北，臺灣學生書局，民82）、戴玄之《紅槍會》（臺北，食貨出版社，民62）、任少玲《金錢會研究》（珠海大學中國歷史研究所碩士論文，香港，1993年6月）、盧耀華〈上海小刀會的源流〉（《食貨月刊》復刊3卷5期，民62年8月）、莊吉發〈臺灣小刀會源流考〉（同上，4卷7期，民62年10月）、黃嘉謨〈英人與廈門小刀會事件〉（《中央研究院近代史研究所集刊》第7期，民67年6月）、劉錚雲〈金錢會與白布會〉（《新史學》6卷3期，民84年9月）、葉金旭〈金錢會初探〉（《讀史劄記》第8輯，星加坡南洋大學歷史學會，1974年7月），其他關於白蓮教、小刀會、金錢會、羅教、八卦教等的研究成果尚多，不再一一列舉。其他的外文史料集和論著方面，重要的尚有佐佐木正哉《清末の秘密結社（前篇：天地會の成立）》（東京，巖南堂，1970），全書主要在論析天地會的起源及成立的背景，並兼及天地會以外的各種結社，佐佐木另編有《清末の秘密結社：資料篇》（東京，近代中國研究委員會，1967）、宮原民平《支那の秘密結社》（東京，東洋研究會，1924）、馬場春吉《支那の秘密結社》（東京，東亞研究會，1933）、末光高義《支那の秘密結社と慈善結社》（大連，滿洲評論社，1939）、神奈川大學人文學研究所編《秘密社會と國家》（東京，勁草書房，1995）、酒井忠夫〈清末の會黨と民眾一特に哥老會について〉（《歷史教育》13卷12號，1965年12月）、〈現代中國における秘密結社〉（《近代中國研究》，東京，功學社，1948年10月）、〈中國の民眾結社と氓、地棍、流棍、流氓〉（載嚴文郁等著《蔣慰堂先生九秩榮慶論文集》，臺北，中國圖書館學會，民76）、〈結幫について〉（《社會文化史學》第7號，1971年5月）及〈幫の民眾の意識〉（《東洋史研究》31卷2號，1972年9月）、松原梅吉〈中國秘密結社史〉（《滿蒙》4卷37-39號，1923年8-10月）、筑紫次郎〈支那的秘密結社〉（《東亞》22卷8、9號，1929年8、9月）、飯塚浩二〈中國の秘密結社（アジア社會の一斷面）〉（《世界評論》2卷5號，1947年11月）、酒井忠夫《中國民眾と秘密結社》（東京，吉川弘文館，1992）、周偉良〈清代秘密結社武術活動試析〉（《成都體育學院學報》1991年4期）、孫江〈〝九龍山〞秘密結社について一の考察〉（《中國研究月報》48卷3號，1994年3月）、David Ownby, Brotherhoods and Secret Societies in Early and Mid-Qing China-The Formation of a Tradition.（Stanford, Calif.: Stanford University Press, 1996）、邵雍〈近代基督教在華傳播與中國秘密社會〉(《歷史教學》1995年2期)、渡邊惇〈近代中國における秘密結社一青幫、紅幫〉(《中國近現代史論集》,東京,汲古書院,1985)及〈清末哥老會の成立一1891年長江流域起義計劃の背景〉(《東洋史學論集》第8號,1967年7月)、野口鐵三〈紅蓮教と哥老會〉(《東洋史研究》42卷3號,1983年12月)、小谷冠櫻《支那の秘密結社青幫・紅幫に就て》(上海,上海青年團本部,1941)、佐佐木正哉〈咸豐三年廈門小刀會の叛亂〉(《東洋學報》45卷4號,1963年3月)、三谷孝〈天門會再考一現代中國民間結社の一考察〉(《社會學研究(一橋大學)》34號,1995年12月)、王純五編著《袍哥探秘》(成都,巴蜀書社,1993)、末光高義《滿洲の秘密結社と政治的動向》(大連,滿蒙評論社,1933)、滿洲事情案內所《滿洲支那の結社と匪徒》(新京(長春)1941)、長野朗《土匪・軍隊・紅槍會》(東京,支那問題研究所,1931)。Teng Ssu-yu(鄧嗣禹),Protest and Crime in China, a Bibliography of Secret Associations, Popular Uprisings, Peasant Rebellions(New York, Garland Pub. , 1981)是一本關於秘密社會、民眾起事和農民暴動的書目,全書共445頁,鄧氏另撰有"An Introductory Study of Chinese Secret Societies"(載《國際漢學會議論文集》,民70),文中對中國秘密社會的術語由來及其特徵,從過去到最近的研究概況,基本概念和方法,以及進一步研究的領域和問題,都作了概括性的討論;法國學者Jean Chesneaux, Secret Societies in China, in the Nineteeth and Twentieth Centuries(由Gillian Nettle譯成英文,1971年由香港出版公司出版),全書敍述三合會及其他會黨如白蓮會、八卦教、捻、大刀會、義和拳、在理教、哥老會、青幫、小刀會等，並討論秘密社會與中國社會、反抗政權、反抗外人入侵及清末以來革命等問題；Liu Cheng-yun （劉錚雲），The Ko-ao Hui in Late Imperial China（Ph. D. Dissertation, University of Pittsburgh [Pittsburgh], 1983）則研究清末的哥老會；劉氏另撰有"Kuo-lu: "A Sworn-Brotherhood Organization in Szechwan, "（Late Imperial China, Vol. 6, No. 1 June 1985）指出嘓嚕的起源，係由四川社會結拜兄弟方式發展而來。

2.知識分子

清末的革命運動係由新知識分子倡導，且為其主要的領導階層，這方面的論著要以Michael Gasster, Chinese Intellectual and the Revolution of 1911: The Birth of Modern Chinese Radicalism,（Seattle: University of Washington Press, 1969）為其中之代表作，作者引用一些西方社會科學理論，來探討1905至1907年間以孫中山、胡漢民、汪精衛、章炳麟、朱執信、劉師培等激進派知識分子為代表的革命思想，以及無政府主義對中國知識分子的影響，成就頗為可觀；李守孔〈晚清知識分子與救國運動〉（《中華學術院史學論集》，民66年1月）、王德昭〈知識分子與辛亥革命〉（《香港中文大學中國文化研究所學報》4卷1期，1971年9月）、張朋園〈清末民初的知識分子（1898-1921）〉（《思與言》7卷3期，民58年9月）、段本洛〈辛亥革命與中國知識分子〉（《江蘇師院學報》1981年3期）、許慶昌、王建學〈辛亥革命和知識分子〉（《理論與實踐》1983年7期）、白砥民＜辛亥革命與知識分子＞（《寧波師專學報》1981年2期）、楊天石〈辛亥革命與共和知識分子〉（《近代中國》第4輯，上海社會科學院出版社，1994）及〈「共和知識分子」是辛亥革命的領導力量〉（《中國社會科學院研究生院學報》1991年5期）、陳慶華〈辛亥革命時期的革命知識分子〉（收於《辛亥革命史論文選（1949-1979）》，北京，三聯書店，1981）、伊羅生著、吳竟成編譯〈知識分子與中國革命〉（《史林》1990年4期）、張玉法〈革命與認同：知識青年對孫中山革命運動的反應〉（載《「認同與國家：近代中西歷史的比較」論文集》，臺北，中央研究院近代史研究所，民83）、何一民＜近代知識分子與辛亥思想啟蒙＞（《貴州社會科學》1992年10期）、萬華＜淺談辛亥革命時期封建知識分子的轉化問題＞（《西南民族學院學報》1984年4期）、沈建樂＜論辛亥革命前後的紹興知識分子＞（《人才研究》1988年3期）、黃榮輝＜辛亥革命時期香港的知識分子＞（《廣東社會科學》1985年2期）、吳進安〈辛亥革命之前海內外中國知識份子的救國運動〉（《三民主義學報（師大三研所）》第6期，民71年6月）、趙令揚〈辛亥革命期間海外中國知識分子對中國革命的看法—梅光達、丘菽園與康梁的關係〉（《近代史研究》1992年2期）、章開沅〈論1902年江浙知識界的覺醒〉（《江漢論壇》1981年3期）、蕭堂炎〈辛亥革命與重慶知識分子〉（《重慶師院學報》1992年1期）、陶宏開〈湖北近代知識分子與辛亥首義〉（《華中師院學報》1982年5期）。此外與其相關的有蘇雲峰〈清季武昌學界的革命運動〉（《中央研究院近代史研究所集刊》第4期上冊，民62年5月）及〈武昌學界與清季革命運動〉（《中國現代史專題研究報告》第4輯，民63）、黃繼宗〈辛亥首義前的湖北學界〉（《江漢論壇》1982年10

期）、賀躍夫〈士紳與辛亥革命〉（《中山大學學報論叢》總第9期，1992）、馬洪林〈辛亥革命與學界〉（《上海師院學報》1981年3期）、桑兵〈辛亥革命時期的學生與國民會－兼論學生與革命黨人的關係〉（《孫中山研究論叢》第6集，1988）、楊昌泰〈辛亥時期的湖南學生革命活動〉（《衡陽師專學報》1986年3期）、段雲章整理〈辛亥革命時期嶺南學堂學生協助軍政府籌餉隊〉（《辛亥革命史叢刊》第1輯，1980）、桑兵〈同盟會成立前孫中山與國內知識界〉（《孫中山研究論叢》第1集，1983）及《晚清學堂學生與社會變遷》（臺北，稻禾出版社，民80）、黎仁凱〈辛亥革命時期的孫中山與知識分子〉（《河北學刊》1996年3期）、Chang Hao（張灝），Chinese Intellectuals in Crisis: The Search for Order and Meaning, 1890-1911.（Berkeley and L. A.: University of California Press, 1987），論述康有為、梁啟超、劉師培等人，雖不以知識分子與辛亥革命為題，但依然甚有參考價值。又清末不少新知識分子參與革命，新知識分子的產生與清末留學教育興起有甚大的關連，留學生頗有參與革命者，對中國各方面近代化的推動貢獻尤大。有關這方面的資料和論著非常多，如劉真主編、王煥琛編《留學教育－中國留學教育史料》（共5册，臺北，國立編譯館，民69）是目前份量最重，較完整的留學史史料集；陳學恂、田正平編《留學教育》（2册，上海，教育出版社，1991）、留學生全書編委員會編《中國留學史萃》（中國友誼出版社，1992）；論著方面以舒新城《近代中國留學史》（上海，中華書局，民15；臺北，中國出版社翻印，民62）為開山之作；林子勛《中國留學教育史（1847至1975）》（臺北，華岡出版社，民65）、穎之編著《中國近代留學簡史》（上海，上海教育出版社，1981）、王煥琛〈八十年來的留學教育〉（《國立編譯館館刊》21卷1期及2期，民81年6月及12月）、王奇生《中國留學生的歷史軌跡（1872—1949）》（武漢，湖北教育出版社，1992）、沈己堯〈中國留學史之回顧〉（《華夏》1985年4期）、Marilyn Williams Tinsman, China and the Returned Overseas Chinese Student.（Ed. D. Dissertation, Teachers College of Columbia University [New York], 1983）、馬林安〈淺論中國近現代留學生史的分期、特點和代表人物〉（《西北大學學報》1992年2期）、王運來〈近代中國留學大勢透視〉（《晉陽學刊》1990年1期）、王占勝〈近百年留學大事記〉（《南開史學》1992年2期）、李喜所《近代中國的留學生》（北京，中國人民出版社，1987）、蘇貴民〈中國近代留學生〉（《吉林大學社會科學學報》1980年3期）、瞿立鶴《清末留學教育》（臺北，三民書局，民62）、陳步青〈近代中國留學教育問題論略〉（《文藻月刊》1卷4期，民37年4月）、董守義《清代留學運動史》（瀋陽，遼寧人民出版社，1985）、李緒武《清末留學教育之研究》（政治大學教育研究所碩士論文，民56年6月）、熊成滌〈清末的留學教育〉（《人民教育》1981年12期）、李華興、陳祖懷〈留學教育與近代中國〉（《史林》1996年3期）、張應強〈中國近代文化轉型與留學教育〉（《廈門大學學報》1996年1期）、陳瓊瑩《清末留學政策初探》（臺北，文史哲出版社，民78）、馮開文〈論晚清的留學政策〉（《近代史研究》1993年2期）、李炎〈我國留學政策的演進〉（《國際交流學報》第2期，民79年10月）、楊學萍〈試論清末留學制度〉（《遼寧大學學報》1994年4期）、楊學富〈清末留學運動的反思〉（《四川師大學報》1993

年3期）、田正平〈留學生派遣與中國近代教育〉（《教育研究》1988年5期）、陳瓊瑩〈清季留學生派遣之研究（1861-1894）〉（《中正嶺學術研究集刊》第2集，民72年6月）、黃繼宗、于醒民〈洋務運動中留學生的派遣〉（《史學月刊》1982年4期）、林文〈洋務運動時期留學教育評析〉（《長沙水電師院社會科學學報》1994年1期）、馮開文〈留學研究的新視野〉（《近代史研究》1994年2期）、王立中〈論近代中國法政留學教育及影響〉（《史學月刊》1993年3期）、王維江〈清末民初軍事留學生述論〉（《軍事歷史研究》1988年4期）、王奇生〈近代軍事留學生述議〉（《軍事歷史研究》1990年2期）、梁溪、房德鄰〈刻苦求學、丕興國家—辛亥革命時期的愛國留學運動〉（《學習與研究》》1981年4期）、劉安泰〈辛亥革命前的留學生運動〉（《東岳論叢》1987年增刊）、傅長祿〈〝庚款興學運動〞論略〉（《吉林大學社會科學學報》1987年5期）、魚俊清〈清末民初中國留學生由愛國轉向革命的歷史回顧〉（《青年學刊》1990年1期）、戴學稷〈孫中山與近代中國留學生〉（《福建論壇》1996年6期）、張明洋〈中日近代留學教育比較〉（《日本研究》1992年3期）、王惠姬《清末民初的女子留學教育》（政治大學歷史研究所碩士論文，民69年6月）、孫石月〈清末女子留學政策〉（《山西師大學報》1995年2期）、郭常英、蘇曉環〈近代中國女子留學探析〉（《史學月刊》1991年3期）、孫石月《中國近代女子留學史》（北京，中國和平出版社；1995）、李新〈一個有待深入研究的重大課題—〝留學生與近代中國研究〞之我見〉（《徐州師院學報》1995年1期）、謝邦宇〈值得肯定選題和研究方法—〝留學生與近代中國研究〞及其方法述評〉（同上）、余明俠〈當代第一部《中國留學生大辭典》簡介〉（同上，1995年2期）、周棉〈近代中國留學生群體的形成、發展、影響之分析與今後趨勢之發展〉（《河北學刊》1996年5期）、劉曉莉、張建成〈中國近代留學動機評析〉（《晉陽學刊》1989年5期）、董家安〈我國近代留學浪潮及其時代背景（初稿）〉（《教育學院學報》第3期，民67年4月）、潘家德〈清末留學運動勃興和發展的原因述論〉（《四川師院學報》1991年4期）、胡光麃〈早期出洋的遊學生（1872—1912）〉（《傳記文學》34卷2期，民68年2月）、李喜所《近代留學生與中外文化》（天津，天津人民出版社，1992）、森時彥〈中國近代化と留學生〉（《愛知大學國際問題研究所紀要》81卷，1986年6月）、陳岱孫等〈留學生是中國近代化的報春鳥〉（《徐州師院學報》1995年2期）、丁三青〈中國近代化與留學生的社會參與〉（《當代青年研究》1995年1期）、梅佳選編〈回國留學生就業狀況調查表一組〉（《北京檔案史料》1996年4期）、李陽〈留學生對中國近代化事業的貢獻〉（《華夏文化》1996年3期）、王奇生〈留學生與中國教育的近代化〉（《東南文化》1989年1期）、田正平《留學生與中國教育近代化》（廣州，廣東教育出版社，1996）、胡相峰、汪靜溪〈留學生與中國的新式教育〉（《徐州師院學報》1995年1期）、安寧〈留學生與中國法律近代化〉（同上）、武世俊〈留學生與近代中國圖書館事業〉（同上）、歐筱琦〈留學生與中國現代音樂文化的建構〉（同上，1996年4期）、黃新憲〈論近代留學生對中國科學事業的貢獻〉（《齊齊哈爾師院學報》1990年2期）、徐放鳴〈留學生與中國現代美學的發展〉（《徐州師院學報》1995年3期）、申曉雲〈留學歸國人才與國防設計委員會的創設〉（《近代史研究》1996年3期）、劉一兵〈留學生與晚清海防事業的近代化〉（《徐州師院學報》1996年4期）、王奇生〈近代留學生與官僚政治〉（《歷史檔案》1991年1期）及〈近代留學生與華僑〉（《華僑華人歷史研究》1990年3期）、鄭紹輝〈論清政府對回國留學生的獎勵政策〉（《歷史教學問題》1993年5期）及〈清政府對回國留學生的政策〉（《文史雜志》1995年1期）、謝青〈略論清末民初留學畢業生考試〉（《安徽師大學報》1992年2期）及〈論清末留學畢業生考試〉（《歷史檔案》1995年2期）、周棉〈近代留學生的愛國主義精神回顧〉（《歷史教學》1996年12期）、郭桂蘭〈略論近代中國留學生的愛國主義精神〉（《龍江社會科學》1995年1期）、葉昌綱〈近代中國人在國外留學時期的愛國主義表現〉（《山西大學學報》1988年3期）及〈近代中國留學生與中外人士的友誼和文化交流〉（同上，1991年1期）、姜健〈朝西大門的艱難打開：從近代中國留學熱看中國人對西方觀念的轉變〉（《社科信息》1988年8期）、潘君祥〈從愛國主義到探索馬克斯主義－我國近代留學生愛國思想的歷史考察〉（《社會科學》1985年2期）、常家樹〈五四時期的留學生對新文化運動的貢獻〉（《遼寧大學學報》1991年1期）、黃新憲〈對國民黨統治時期留學教育的歷史考察〉（《東北師大學報》1987年4期）、王奇生〈民國時期歸國留學生的出路〉（《民國春秋》1994年3期）、〈留學與救國—30年代留學生的抗日救亡活動〉（《民國檔案》1989年3期）及〈抗戰期間留學生群像初探〉（《近代史研究》1989年4期）、王春南〈抗戰時期的中國留學教育〉（《南京大學學報》1993年4期）、陳娟〈蛻變中的〝遊子〞心態—簡論近幾年的留學生文學〉（《上海師大學報》1989年4期）、涂江莉〈論近代中國留學生報刊的內容、特點及其作用〉（《汕頭大學學報》1994年4期）、章清〈近代中國留學生發言位置轉換的學術意義－兼析近代中國知識樣式的轉型〉（《歷史研究》1996年3期）、徐魯杭〈〝庚款留學〞在中國的主要影響〉（《天津師大學報》1989年2期）、李佩珊〈歸國留學生1949年以後在中國科學、技術發展中的地位與作用〉（載《中國科技史論文集》，臺北，聯經出版公司，民84）、黃新憲〈對留學生〝學而不歸〞問題的思考〉（《南京師大學報》1994年4期）、李永基《中共留學政策與制度之研究》（政治作戰學校政治研究所碩士論文，民75年6月）、汪學文〈中共留學政策的構想與趨勢〉（《人與社會》7卷1期，民68年4月）、劉勝驥《大陸海外留學生面面觀》（臺北，永業出版社，民81）及〈大陸留美學生語文和學習方面的適應研究〉（《國立編譯館館刊》19卷2期，民79年12月）、堀毅《中國人留學生と人權》（東京，三一書房，1991）、方園〈清末廣西留學熱潮的興起和影響〉（《廣西社會科學》1993年4期）、吳曉〈試論陸榮廷統治時期廣西〝出國留學熱潮〞〉（《廣西民族研究》1996年1期）、張應超〈辛亥革命前陝西留學生創辦的幾種刊物〉（《人文雜誌》1982年5期）、姜新、馮明周〈淺析近代江蘇留學活動的不平衡〉（《徐州師院學報》1996年4期）、呂順長〈清末浙江籍早期留學生之譯書活動〉（《杭州大學學報》1996年4期）、郝秀清〈留學生和華僑對上海經濟近代化的貢獻〉（《江海學刊》1993年3期）、戴學稷〈孫中山與近代中國留學生〉（《福建論壇》1996年6期）、關捷、陳勇〈論留學生與北洋艦隊〉（《社會科學研究》1984年6期）、劉恩格〈辛亥革命與中國留學生〉（《中日關係史論叢》總第1期，1984）、周棉〈留學生與近代以來的中國文學〉（《徐州師院學報》1990年1、2期）、余麗芬〈傳教士與近代中國最早的女留學生〉（《東南文化》1993年6期）、易安〈傳教士與中國的留學教育〉（《文史知識》1995年6期）、姚繼德〈回族留學生與雲南現代伊斯蘭文化〉（《回族研究》1996年3期）、宋洪憲〈論貴州近現代留學生對祖國的貢獻〉（《貴州文史叢刊》1995年2期）、王笛〈清末四川留學生概述〉（《四川大學學報》1987年3期）、朱秀武〈湖北留學生與辛亥革命〉（《辛亥革命論文集》，武漢，湖北人民出版社，1981）、鄒昌盛〈清季湖北留學生與辛亥革命〉（《湖北教育學院學報》1986年3期）、胡濟民〈鄂西清代留學生在辛亥革命中的作用〉（《鄂西大學學報》1987年2期）、黃繼宗〈辛亥首義前的湖北學界〉（《江漢論壇》1982年10期）、林樹中〈近代西洋繪畫的輸入與中國早期的美術留學生—兼談我國早期的油畫〉（《南藝學報》1981年1期）、Wang Y. C.（汪一駒），Chinese Intellectuals and the West（1872-1949）（Chapel Hill: The University of North Carolina Press, 1966；中譯本爲梅寅生譯《中國知識分子與西方》，新竹，楓城出版社，民67）雖非以留學生為書名，但所述知識分子絕大部分係為留學生。專談留美教育及留美學生的有顧敦鍒〈百年留美教育的回顧與前瞻〉（收於吳相湘等主編《中國近代史論叢》第2輯第6冊，臺北，正中書局，民47）、呂秋文〈百年來中國留美學生（1854-1953）〉（《教育與文化》218期，民48年9月）、楊一英〈中國留美學生之統計與分析（1854-1953）〉（同上）、齋藤秋男〈中國人留學史における中米關係—「アジア人留學生に關する總合研究の一部」〉（《專修商學論集》19號，1975年8月）、北山康夫〈近代中國のアメリカ留學生について〉（《大阪教育大學紀要》25卷2號の3，1977年3月）、實藤惠秀〈中國人のアメリカ留學〉（《中國文學》68號，1941）、宋晞〈中國早期留美學生史略〉（《教育與文化》6卷18期，民44年3期）、傅維寧〈早期留美史話—為紀念中國首批官費幼童赴美一百週年作〉（《中外雜誌》12卷2、3、4期，民61年8、9、10月）、胡光麃〈憶最早的一批留美學生〉（《傳記文學》22卷2期，民62年2期）、淩鴻勛〈首批官費幼童赴美百年紀念〉（同上，20卷2期，民61年2月）、李喜所〈清末民初的留美學生〉（《史學月刊》1982年4期）、胡福星〈中國第一批留學生的派遣及其歷史意義〉（《江西師大學報》1985年4期）、李本義〈清代第一批留美計劃的破壞及其影響〉（《湖北大學學報》1989年6期）、王滌庸〈近代中國派遣首批官費留學生情況淺析〉（《南充師院學報》1982年4期）、枕書〈首批留美學生名單〉（《中華文化論叢》1979年1期）、苗德春〈我國首次留美學生的派遣和鬥爭〉（《河南師大學報》1980年5期）；Thomas La Farque, China's First Hundred（Pullman: Washington Seate College Press, 1942）為研究留美幼童的代表作，其中譯本即高宗魯譯《中國幼童留美史》（臺北，華欣文化事業公司，民71）、高氏另譯注有《中國留美幼童書信集》（臺北，傳記文學出版社，民75）並撰有〝An American Sojourn: Young Chinese Students in the United States.〞（The Connecticut Historical Society Bulletin, Vol. 46, No. 3, July 1981），該文引用了一些康乃迪克州歷史學會所藏有關留美幼童的史料，甚有參考價值；賴惠蘭〈清末留美幼童之研究〉（文化大學中美關係研究所碩士論文，民74年6月）、王善中〈幼童赴美留學趨議〉（《唐山師專唐山教育學院學報》1988年2期）、孫石月〈幼童留美問題探析〉（《山西大學學報》1994年3期）、梁伯華〈中外學者對「幼童留美」研究的成果〉（載《六十年來的中國近代史研究》下册，臺北，中央研究院近代史研究所，民78）、Edwin Pakwah Leung（梁伯華），"Education of the Early Chinese Students in America" in Jenny Lin ed. , The Chinese American Experience: Proceedings of the 1980 National Conference on Chinese American Students（San Francisco, 1984）、"China's Decision to Send Students to the West: the Making of a "Revolutionary" Policy. "（Asian Profile, Vol. 16. No. 5, Hong Kong, 1988）及〝The Making of the Chinese Yankees: School Life of the Chinese Educational Mission Students in New England〞（同上）、Christopher Robyn, The Chinese Educational Mission to the United States: A Sino-American Historico-Cultural Synthesis.（香港中文大學文史研究所碩士論文，1996）、傅維寧〈一百年前的中國少棒球隊〉（《傳記文學》20卷6期，民61年6月）；又由於容閎（Yung Wing）是促成1872年幼童留美的關鍵性人物，又負責在美監督照應留美幼童前後九年之久（1872—1881），故研究早期留美教育，不能不參閱有關容閎的資料及有關論著，容閎自己撰有英文自傳My Life in China and in America（New York: Henry Holt Company, 1909），其中譯本有好幾種，如徐鳳石、惲鐵樵合譯之《西學東漸記》（臺北，文星書店，民54）；王蓁譯《我在美國和中國生活的追憶》（北京，中華書局，1991）等；李志剛《容閎與近代中國》（臺北，

正中書局，民70；係其1974年香港之珠海書院中國文史研究所碩士論文《容閎研究》加以修訂改名而成）、李喜所《容閎—中國留學生之父》（石家莊，河北教育出版社，1990）、錢炳寰《容閎》（北京，中華書局，中國歷史小叢書，1963）、張文驪《中國第一位留美學生容閎》（臺北，黎明文化公司，民83）、顧長聲《容閎：向西方學習的先驅》（上海，上海人民出版社，1984）、金維新《留美拓荒人：容閎的故事》（上海，同濟大學出版社，1994）、陳松文〈容閎：中國早期現代化的拓荒人〉（《廣東史志》1995年3期）、黎晉偉〈容閎傳〉（《廣東文獻》1卷4期，民60年12月）、趙天儀編撰〈容閎〉（收於《現代中國思想家》第1輯，臺北，巨人出版社，民67）、宋晞〈容閎（1828-1912）〉（載《中華民國名人傳》第2冊，臺北，近代中國出版社，民75）、顧敦鍒〈容閎年譜長編初稿—留學局時期（1872-1880）〉（《圖書館學報》11期，民60年6月）、Edmund Worthy Jr., "Yung Wing in America"（Pacific Historical Review Vol. 34, No.3, 1965）、Edwin Pak-Wah Leung（梁伯華），"The First Chinese College Graduate in America: Young Wing and his Educational Experiences"（Asian Profile, Vol. 16, No. 5, 1988）及〈容閎的西學與洋務〉（《香港中文大學中國文化研究所學報》16卷，1988）、袁鴻林〈容閎述論〉（《近代史研究》1983年3期）、丁寶蘭〈論容閎—紀念容閎逝世七十周年〉（《中山大學學報》1982年2期）、陳舜臣〈中國近代史ノート(3)：原型的なずれ者＝容閎〉（《朝日アジアレビユ》4卷5號，1974年3月）、黃任潮〈從愛國維新到革命先驅者—容閎傳略〉（《嶺南文史》1988年1期）、吳相湘〈容閎最有意義的一生〉（《傳記文學》16卷6期，民59年6月）、戴學稷、徐如〈愛國華僑學者容閎〉（《暨南大學學報》1982年1、2期）、鍾淑河〈為西學東漸而奮鬥一生的容閎〉（《神州學人》創刊號，1987年5期）、楊清平〈赤心報國與時俱進－中國近代著名留學先驅容閎先生述論〉（《南都論壇（南陽師專學報）》1992年3期）、劉聖宜〈近代資產階級改良主義者－容閎〉（《中國歷史教學》1981年3期）、湯才伯〈我國第一個留美畢業生容閎述評〉（《上海師院學報》1981年4期）、呂東陽〈第一位留美的中國學生—容閎〉（《教育與文化》218期，民48年9月）、李盈慧〈容閎與留學事務所－清代首批留學生的派遣與撤回〉（《四海學報》第5期，民75年6月）、黎晉偉〈容閎留學生傳－中國第一個留學生的一生〉（《文藝復興》24期，民60年12月）及〈容閎傳－中國第一個留學生之一生〉（《傳記文學》23卷3期，民63年9月）、羅香林〈容閎與中西文化之交流〉（《人生》255期，民50年6月）、王覺源〈容閎博士的貢獻〉（《中外雜誌》37卷4期，民74年4月）、〈早期留學美國的容閎與中華民國創立之關係〉（《東方雜誌》復刊9卷5號，民64年11月）及〈容閎與中國新文化運動〉（《新亞學報》1卷2期，1956年2月）、范立軍〈試評容閎派遣留學生的教育計劃〉（《松遼學刊》1994年3期）、夏林根〈容閎與近代第一批留學生〉（《歷史知識》1981年2期）、關威〈容閎和中國近代首批官費學生〉（《歷史教學》1983年3期）、宋晞〈容閎與一百二十名官學生〉（《華岡學報》第2期，民54年12月）、李吉奎〈容閎與中國近代化〉（《中山大學學報》1991年1期）、劉吾真〈論容閎與舊中國的近代化〉（《山西大學學報》1980年3期）及〈簡論容閎同曾國藩的關係〉（同上，1988年3期）、蔣懿菊〈近化留學生的光輝榜樣一容閎〉(《大慶師專學報》1990年1期)、沈嘉榮〈容閎與太平天國〉(《江海學刊》1985年3期)、于語和〈容閎對太平天國運動的認識〉(《文史雜志》1995年1期)、王繼平〈知識分子與農民政治一容閎與洪仁玕的近代化方案及其遭遇〉(《曾國藩學刊》1995年1期)、關威〈洪仁玕與容閎思想異同論〉(《晉陽學刊》1990年2期)、張良俊〈容閎為中國近代留學教育的奮鬥〉(《江西大學學報》1988年增刊)、袁鴻林〈容閎與洋務運動〉(《南開史學》1985年1期)、汪波〈容閎與近代中國早期的外交〉(《安徽大學學報》1996年6期)、宮百里〈清末愛國知識分子容閎〉(《人物》1983年5期)、呂芳上〈容閎、孫中山與辛亥革命〉(《國史館館刊》復刊13期,民81年12月)、馬小進〈留學生之鼻祖容閎博士〉(《越風半月刊》17期,民25年7期)、袁漢白、陳申如〈試論容閎愛國主義的曲折道路〉(《上海師大學報》1990年3期)、陳國賁〈容閎的愛國思想及其留學教育實踐活動〉(《西南師大學報》1987年3期)、于語和〈從《西學東漸記》看容閎的愛國思想〉(《東岳論叢》1995年6期)、李曉明〈容閎政治思想述評〉(《湖北師大學報》1988年4期)、何廣棪〈族譜所載有關容閎之史料〉(《傳記文學》35卷4期,民68年10月)、高宗魯〈有關容閎的史料問題〉(同上,36卷3期,民69年3月)、戴學稷、徐如〈戊戌維新前後的容閎及其與康、梁的關係〉(載《論戊戌維新運動及康有爲梁啟超》,廣東人民出版社,1985)、容應萸〈自立軍起義前後的容閎與康梁〉(《歷史研究》1994年3期)、深澤秀男〈中國の近代化と容閎〉(載《中國近現代史の諸問題一田中正美先生退官記念論集》,東京,國書刊行會,1984年)、楊國標〈容閎的護僑事迹〉(《嶺南文史》1988年1期)、袁鴻林〈關於容閎的晚年〉(《史學月刊》1981年3期)、黃樹紅〈容閎及其《西學東漸記》〉(《廣州教育學院·廣州師專學報》1993年3期)、江鴻〈容閎與徐愚齋〉(《中外雜誌》14卷3期,民76年3月)、榎一雄〈ある中國知識人の生涯—容閎と嚴復の場合〉(《日本をみつ ある めに》,日本女子大學,1968)、容啟榮〈容閎、容開原是昆季〉(《中外雜誌》14卷2期,民62年8月)、張谷〈容閎·蒲安臣·詹天佑〉(同上,13卷1期,民62年1月)、高宗魯〈訪容閎故里—南屏鎮所見所聞所思〉(《傳記文學》52卷4期,民77年4月)。其他談留美教育和留美學生的論著尚有李守郡〈第一批庚款留美學生的選派〉(《歷史檔案》1989年3期)、黃新憲〈退還庚子賠款與清末留美學生的派遣〉(《教育科學》1987年4期)、傅潔茹〈美國退還部分庚款及其用於留學教育的經過〉(《歷史教學》1995年2期)、羅香林〈以美國退回庚款遣送學生赴美留學及發展清華大學的成效〉(《中國歷史學會史學集刊》第8期,民65年5月)、沈希珍《清華留美學生之研究—以留美預備部學生為對象》(中興大學歷史研究所碩士論文,民83年6月)、熊淑華《留美學生與中國啟蒙運動(1905-1922)》(中國文化大學中美關係研究所碩士論文,民72年6月)、楊彬甫《留美學生對中國文學與教育的影響—民國6年至民國38年》(同上,民69年7月)、黃國照《政府遷臺後自費留美教育之研究(1950—1980)》(同上,民74年6月)、江菊園《政府遷臺後留美學習之研究》(同上,民71年6月)、夏誠華《旅美國學人、留學生對中華民國政治態度之研究》(中國文化大學民族與華僑研究所碩士論文,民74)、Edwin Clausen, " The Eagle's Shadow: Chinese Nationalism and American Educational

Influence, 1900-1927″（Asian Profile, Vol.16,No.5,Hong Kong, 1988）、孔凡嶺〈戰後初期留美學生大部滯留的原因及影響〉（《齊魯學刊》1996年6期）、黃知正〈五四時期留美學生對科學的傳播〉（《近代史研究》1989年2期）、朱雙一〈文化衝突：從理論到政經一旅美華人〝留學生文學″比較觀〉（《廈門大學學報》1994年2期）、陳國貴〈美國與中國近代早期留學生述評〉（《西南師大學報》1994年4期）、楠原俊代〈アメリカ留學生の肖像一大江會同人をめぐつて〉（載竹内實編《轉形期の中國》，京都，京都大學人文科學研究所，1988）、郭家豪〈美日留學生與近代中國知識份子〉（《史繹》24期，民82年5月）、Ye Weili, "Nu Liuxuesheng": The Story of American-educated Chinese Women, 1880s-1920s.（Modern China,Vol. 20, No. 3, 1994）、Qingjia Edward Wang "Guests from the Open Door: The Reception of Chinese Students into the United States, 1900-1920"（The Journal of American-East Asian Relations, Vol. 3, No.1, 1994）、Edwin Clausen, "'To Save China' and the Chinese Students Educated in the United States, 1900-1919."（In Philip Yuen-sang and Edwin Pak-wan Leung, eds., Modern China in Transition: Studies in Honor of Immanuel C. Y. Hsü, Claremont, Calif.: Regina Books, 1995）。專談留歐教育和留歐學生的有李喜所〈中國近代第一批留歐學生〉（《南開學報》1981年2期）、劉一兵〈早期赴歐留學運動的發生及其影響〉（《徐州師院學報》1992年4期）、徐徹〈中國第一屆赴歐海軍留學生述略〉（《社會科學輯刊》1986年5期）、黃新憲〈留學歐洲與中國近代新式知識人材群的崛起〉（《教育科學》1989年1期）、戴學

稷〈清末留學歐美學生與辛亥革命〉（《神州學人》1991年6期）、馬幼垣〈首屆海軍學生出洋留學之始末—清季海軍研究之一則〉（《大陸雜誌》27卷7期，民52年10月）、王家儉〈清末海軍留英學生的派遣及其影響（1876—1885）〉《師大歷史學報》第2期，民63年2月）、余民寧、張芳全〈我國與歐美國家間留學互動模式之探索〉（《政治大學學報》71期下册，民84年10月）、王紀霏《中國留俄學生之研究（1890—1942）》（政治大學歷史研究所碩士論文，民71年6月）。陳紹康〈首批赴俄留學的青年〉（《上海青運史資料》第5輯，1982）、王惠姬〈近代中國的女子留俄教育（1924—1937）〉（《僑光學報》第7期，民77年10月）、李亞民《北伐前後中國留俄學生之研究》（政治作戰學校政治研究所碩士論文，民79年6月）、米鎮波〈赴蘇俄留學述略（1925-1930）〉（《黨史縱橫》1988年4期）、戴學稷〈走十月革命的道路：二、三十年代的留蘇浪潮與中國革命運動〉（《內蒙古大學學報》1989年4期），此外尚有中華民國留俄同學會編《六十年來中國留俄學生之風霜踔厲》（臺北，中華圖書出版社，民77）、劉志青〈試述大革命時期中國青年留蘇學校〉（《甘肅社會科學》1996年6期）。至於專談留日教育和留日學生的資料及論著比較多，如實藤惠秀《中國人日本留學史稿》（東京，日華學會，1939；其部分由張銘三譯〈中國人留學日本史稿〉，發表於《中國留日同學會季刊》第1、2期，民31年9月、32年1月）及《中國人日本留學史》（東京，くるしお 出版，1960；又增補版，1970；其中譯本爲譚汝謙、林啟彥譯《中國人留學日本史》，香港，中文大學出版社，1982）、嚴安生《日本留學精神史—近代中國知識人の軌跡》（東京，岩波書店，1991）、上垣外憲一《日本留學と革

命運動》（東京，東京大學出版會，1982）、小島淑男《留日學生の辛亥革命》（東京，青木書店，1989）及〈辛亥革命期中國留日學生の動向一武昌蜂起から中華民國成立まで〉（載《中國近現代史論集》，東京，汲古書院，1985）、松本龜次郎《中華留學生教育小史》（東京，東亞書房，1931）、永阪克弘《日本的中國留學生之研究》（中國文化大學民族與華僑研究所碩士論文，民70年7月）、細野浩二〈中國對日留學史に關する問題—清末における留學生派遣政策の成立過程の再檢討〉（《史觀》86、87册；東京，早稻田大學史學會，1973年3月）、〈總署の「遵議遴選生徒游學日本事宜片」の奏陳時日について—「中國對日留學史に關する一問題」補論〉（《龍溪》第8號，1973年12月）、〈近代中國留日學生史の起點とその周邊〉（《史滴》12號，1991年1月）及〈清末留日極盛期の形成とその理論構造—西太后新政の指導理論と「支那保全」論的對應をめぐつて〉（《國立教育研究所紀要》94號，1978年3月）、黃福慶《清末留日學生》（臺北，中央研究院近代史研究所，民64）為同類中文論著中的代表作，黃氏另撰有〈清末的留日政策〉（《中央研究院近代史研究所集刊》第2期，民60年6月）、〈五四前夕留日學生的排日運動〉（同上，第3期上册，民61年6月）、〈清末における留日學生の特質と派遣政策の問題點〉（《東洋學報》54卷4號，1972年3月）及〈清末における留日學生派遣政策の成立とその展開〉（《史學雜誌》81卷7號，1972年7月）、石錦《中國現代化運動與清末留日學生》（臺北，嘉新水泥公司文化基金會，民55）及〈早期中國留日學生的活動與組織（1986-1901）〉（《思與言》6卷1期，民57年5月，亦收入李恩涵、張朋園等著《近代中

國—知識分子與自強運動》一書內，臺北，食貨出版社，民61）、林啟彥《留日學生與辛亥革命》（香港中文大學歷史研究所碩士論文，1972）及〈清末における民權思想の研究—1900—1904年間の留日學生を中心とつて〉（《史學研究》131號，1976年4月）、關樹津《清末留日學生與辛亥革命的關係》（香港大學研究所碩士論文，1971）、戴學稷〈清末留日熱潮與辛亥革命：紀念辛亥革命70周年〉（《暨南大學學報》1981年4期）、謝玉章、王永康〈留日學生運動與辛亥革命〉（《湖南師院學報》1980年2期）、馮玉榮〈留日學生運動與辛亥革命〉（《重慶社會科學》1986年4期）、蘇貴民〈論留日學生在辛亥革命中的作用〉（收於東北地區中日關係史研究會編《中日關係史論文集》，黑龍江人民出版社，1984）、（美）詹遜〈中國留日學運與辛亥革命之關係〉（《紀念辛亥革命七十周年學術討論會論文集》下册，北京，中華書局，1983）、劉恩格〈辛亥革命與中國留日學生〉（東北地區中日關係史研究會編《中日關係史論叢》第1輯，遼寧人民出版社，1982）、朱慧玲〈中國留日學人與辛亥革命〉（《八桂僑史》1996年3期）、Paula Harrell, Sowing the Seeds of Change: Chinese Students, Japanese Teachers, 1895—1905.（Stanford: Stanford University Press, 1992）為中國留日史中的西文代表作，Tuan Pei-lung （段培堯）"Chinese Students in Japan, 1896—1911"（Sino-American Relations, Vol. 10, No. 1, 1985）、M. Krigeskorte〈清末の中國人の日本留學 について 〉（《孫文研究》10號，1989年6月）、實藤惠秀〈日本にきた中國人留學生たち〉（《日中關係よは何か》，東京，朝日新聞社，1971）、增田史郎亮〈清末中國人日本留學界の一側面—二、三の留學生名簿による分析をめぐつて〉（《教育科學研究報告》17號，1970年3月）、二見剛史〈戰前日本における中國人留學生予備教育の成立と展開〉（《國立教育研究所紀要》94號，1978年3月）及〈戰前日本における中國人留學生の教育—特設預科制度の成立と改編〉（《日本大學精神文化研究所·教育制度研究所紀要》第7號，1976年3月）、王燕梅〈清末留日學生及其革命活動〉（《青海師大學報》1989年1期）、小林共明〈初期の中國對留日學生派遣について—戊戌政變期を中心として〉（《辛亥革命研究》第4號，1984年5月）、夏風〈清末留日教育產生、發展的主要原因及其分析〉（《雲南教育學院學報》1986年4期；《教育評論》1987年4期）、細野浩二〈近代中國留學生史の起點とその周邊〉（《史滴》12號，1991年1月），其中譯文為曉舟譯〈近代中國留日學生史的起點和他的周邊〉（《歷史教學問題》1996年5期）、姚維達〈民國以前的留日教育〉（《中日文化》3卷1號，民31）、桑兵〈留日學生發端與甲午戰後的中日關係〉（《華中師大學報》1986年4期）、阿部洋〈中國近代における海外留學の展開—日本留學とアメリカ留學〉（《國立教育研究所紀要》94號，1978年3月）、佐藤三郎〈最初の留日中國人學生のてと〉（《新中國》新春號，1956年2月）、佐藤尚子〈中國人日本留學史關係統計〉（《國立教育研究所紀要》94號，1978年3月）、林森《留學生か語る中國の裏面》（東京，學生社，1990）、蘇貴民〈辛亥革命前中國留日學生人數考〉（《社會科學戰線》1981年4期）、李喜所〈清末留日學生人數考〉（《文史哲》1982年3期）、劉望齡〈1896-1906年間中國留日學生人數補正〉（載《辛亥革命史論文集》，廣東人民出版社，1980）、實藤惠秀〈中國人日本留學大事記〉（《中國文學月報》32號，1937）、孔凡嶺〈留日學生對中國近代文化的貢獻〉（《齊魯學刊》1987年6期）、朱阿根〈清末中國人日本留學生の文化活動に關する動向〉（《東洋史訪》第1號，1995年3月）、章開沅〈留日學生對中國近代化的影響（《中國人留學日本史》讀後感）〉（《書林》1985年1期）、陳麟輝〈留日運動與中國現代化〉（《學術月刊》1995年6期）、張海鵬〈中國留日學生與祖國的歷史命運〉（《中國社會科學》1996年6期）、郭家豪〈美日留學生與近代中國知識份子〉（《史繹》24期，民82年5月）、李喜所〈清末留日學生與中日文化交流〉（《歷史教學》1986年2期）、李傑泉〈留日學生與中日科技文化交流〉（收於《日本的中國移民》，北京，三聯書店，1987）、黃新憲〈留日學生與近代社會的變革〉（《福建論壇》1989年6期）及〈留學日本與中國近代教育的發展〉（《遼寧師大學報》1988年6期）、田正平、霍益萍〈游學日本浪潮與清末教育〉（《文史》總30號，1988）、蕭沖〈清末留日學生對〝歐化〞的日本體育傳入中國所起的作用〉（《體育文史》1987年3期）、細野浩二〈所謂「支那保全」論と清國留日學生教育の樣態—同仁會·東京同仁醫藥學校を例にして〉（《早稻田大學史紀要》第8號，1975年3月）、王春南〈清末留日高潮與出版近代化〉（《南京大學學報》1992年1期）、賈植芳〈中國留日學生與中國現代文學〉（《山西師大學報》1991年4期）、張學繼〈論留日學生在立憲運動中的作用〉（《近代史研究》1993年2期）及〈留日學生與清末立憲運動〉（《二十一世紀（香港）》12期，1992年8月）、陳宇翔〈清末留日立憲派的理論貢獻〉（《求索》1996年4期）、李守孔〈清季留日陸軍學生與辛亥革命〉（《孫中山與辛亥革命》下冊，臺北，中華民國史料研究中心，民70）、田久川〈日本陸軍士官學校與該校中國留學生〉（《遼寧師院學報》1982年2期）、林德政〈留日士官學校學生與同盟會〉（《成功大學學報》13號，民76年3月）、小林共明《留日清國陸軍學生の研究》（早稲田大學文學研究所碩士論文，1980）及〈振武學校と留日清國陸軍學生〉（《中國近代現代史論集》，東京，汲古書院，1985）、中村義〈成城學校と中國人留學生〉（同上）、賀躍夫〈清末士大夫留學日本透視－論法政大學中國留學生速成科〉（《近代史研究》1993年1期）、小島淑男〈辛亥革命と千叶醫專－留日學生同盟會中國紅十字隊を中心に〉（《千叶史學》第7卷，1985年12月）、津久井弘光〈清末留日學生と信農蠶業學校〉（《松村潤先生古稀記念清代史論叢》，東京，汲古書院，1994）、小島淑男〈清末民初中國留日醫學、藥學生の動向〉（《第三屆近百年中日關係研討會論文集》上冊，臺北，中央研究院近代史研究所，民85）、實藤惠秀〈中國人早大留學小史〉（《東洋文學研究》16號，1968年3月）、二見剛史〈第一高等學校における中國人留學生教育〉（《國立教育研究所紀要》95號，1978年3月）、〈辛亥革命時期日本財界の留日中國學生に對する經濟援助〉（《辛亥革命研究》第9號，1990年10月）、〈辛亥革命時期中國留日學生の動向－武昌蜂起から中華民國成立まで〉（《中國近代現代史論集》，1985）及〈辛亥革命時期の中國と日本㈠－中國人留學生山口高商退學事件〉（《辛亥革命研究》第8號，1988年12月）、陳宇翔〈清末留日學生的政治傾向〉（《社會科學戰線》1991年4期）、葉寶瑤〈清末留日學生在日政治活動之研究〉（《日本學報》第6期，臺北，中華民國日本研究學會，民74年12月）、永井算巳〈所謂孫呉事件に就いて—清國留日學生史の一斷面〉（《史學雜誌》62卷7號，1953年7月）及〈所謂孫呉事件の性格〉（同上，61卷12號，1952年12月）、桑兵〈癸卯元日留日學生排滿演説史實考辨〉（《學術研究》1984年3期）、李喜所〈中國留日學生與拒俄運動〉（《天津師院學報》1981年2期）、永井算巳〈拒俄學生軍をめぐつて〉（《信州大學紀要》第4號，1954年12月）、中村哲夫〈拒俄義勇隊·軍國民教育會〉（《東洋學報》54卷1號，1971年6月）、黃福慶〈清末留日學生的拒俄事件（1903）〉（《食貨月刊》復刊1卷11期，民61年2月）、王鑒清〈「取締規則」二題〉（《北方論叢》1984年3期）、林增平〈清末留日中國學生反〝取締規則〞鬥爭〉（《湖南師大社會科學學報》1990年6期）、永井算巳〈清末留日學生の一動向—特に留學生取締規則事件について〉（《史學雜誌》60卷12號，1951年12月）、〈所謂清國學生取締規則事件の性格〉（《信州大學紀要》，第2號，1952年7月）及〈光緒末年に於ける留日學界の趨勢〉（《歷史學研究》206號，1957年4月）、秦裕芳、趙明政〈關於〝取締規則事〞的若干流行說法質疑〉（《復旦學報》1980年2期）、孫安石〈清國留學生取締規則事件の諸相—政治考察五大臣、上海、そのして韓國との關連を中心に〉（《中國研究月報》565號，1995年3月）、王開璽〈取締規則事件與革命派領導下的留日學生運動〉（《北京社會科學》1995年3期）、金谷志信〈所謂清國留日學生取締規則事件の背景〉（《學習院史學》第9號，1972年11月）、實藤惠秀〈清國留學生と日本—清國留學生取締規則反對運動〉（《講演》1131號，1972年5月）、黃福慶〈清末留日學生的政治活動—取締規則風潮個案初探〉（《中國現代史專題研究報告》第2輯，民61年8月）、周聿峨〈同盟會成立前後留日學生的革命活動〉（《內蒙古大學學報》1982年2期）、王兆元〈同盟會成立前中國留日學生的分化〉（《求是學刊》1991年5期）、游國斌〈留學生與同盟會的成立〉（《寧德師專學報》1989年1、2期）、賈維誠〈清末湖南留日學生對辛亥革命的貢獻〉（《求索》1981年3期）及〈湖南留日學生與辛亥革命〉（載《辛亥革命在湖南》，長沙，湖南人民出版社，1983）、成曉軍〈湘籍留日學生與湖南辛亥革命運動〉（《湘潭大學學報》1981年4期）、鄭城〈四川留日學生與辛亥革命〉（《四川大學學報（叢刊）》第9輯，1981）、郭惠青、李惠琴〈中國留日學生與辛亥革命時期的雲南〉（《昆明師院學報》1981年2期）、吳達德〈留日學生與雲南辛亥革命〉（《研究集刊》1988年1期）、王希隆〈清末回族留日學生的進步活動和思想〉（《寧夏社會科學》1986年3期）、汪季石〈清末鄂東留日學生對辛亥革命的貢獻〉（《黄岡師專學報》1993年4期）、何揚鳴〈浙江留日學生與辛亥革命〉（《杭州大學學報》1993年2期）及〈浙江留日學生辛亥革命時期報刊活動述評〉（同上，1994年2期）、吳達德〈留日學生與《雲南》雜誌〉（《研究集刊》1989年1期）、黃國華〈清末第一個以省區命名的留日學生刊物—《湖北學生界》〉（《歷史教學》1980年4期）、王公望〈辛亥革命時期留日學生的刊物—《夏聲》〉（《蘭州學刊》1984年3期）、岡益己、深田博己《中國人留學生と日本》（東京，白帝社，1995）、清水稔〈中國留學生と日本の近代〉（《佛教大學總合研究所紀要》1995年第2號別册）、阿部洋〈戰前日本の「對支文化事」と中國人留學生—學費支給問題を中心に〉(《國立教育學研究所紀要》121號,1992年3月)、楊思偉〈戰後臺灣人の日本留學〉(《アジア文化》18號,1993年4月)、賴芳滋《民國初期的留日學生與愛國運動》(淡江大學日本研究所碩士論文,民77)、黃寬裕〈論民國初期的留日學生與愛國運動〉(《日本學報》12期,民81年12月)、王奇生〈〝九一八〞以後的中國留日學生〉(《民國春秋》1995年4期)、田中宏、永井道雄、原芳男《アジア留學生と日本》(東京,日本放送出版協會,1973)、林正成《留日中國人學生の研究—中日軍事協定反對運動を中心として》(筑波大學文學博士論文,1985年3月)、周一川〈清末留日學生中的女性〉(《歷史研究》1989年6期)、杉本史子《清末 における 留日女子學生と日本》(山口大學史學科碩士論文,1994)、石井洋子〈辛亥革命時期の留日女子學生〉(《史論》36號,1985年9月)、孫越〈留日女學生的抗戰活動〉(《山西師大學報》1995年3期)、謝長法〈清末的留日女學生〉(《近代史研究》1995年2期)及〈清末的留日女學生及其活動〉(《近代中國婦女史研究》第4期,民85年8月)、林景淵〈下田歌子與我國女子留學生〉(《近代中國》15期,民69年2月)、李江源〈清末自費留日學生的狀況特點與歷史作用〉(《日本問題研究》1995年1期)、吳筱明〈清末民初留日留美活動之異同〉(《福建論壇〉1992年2期)、薛玉勝、楊學新〈近代中國留日與留美運動之比較〉(《日本問題研究》1996年3期)、賴芳滋《民國初期的留日學生與愛國運動》(淡江大學日本研究所碩士論文,民77)、小島淑男著、李吉奎譯、馬寧校〈中國留日學生的歸國運動〉(《中山大學學報論叢》第9期,1992)、丁煥章〈試論留日學生運動〉（《歷史教學》1982年9期）、孔凡嶺〈留日學生與五四運動〉（《齊魯學刊》1993年5期）、魏曉文〈略論留日學生在五四運動中的歷史作用〉（《革命春秋》1993年2期）、劉勇〈論中國近代〝留日派〞作家的藝術風格和文化心態〉（《研究論叢（京都外國語大學）》44號，1994年3月）、北山康夫〈魯迅と留日學生の啟蒙·革命運動〉（《中國研究》第9號，1956年9月）、彭煥才〈留日學生與中國共產黨的創立〉（《湘潭大學學報》1992年4期）、金安平〈近代留日學生與早期共產主義運動〉（《近代史研究》1990年2期）、鍾清漢〈中國近代化の一視點（2）─清末における新教育思想と留日學生の翻譯活動〉（《中國總合研究》第2號，1977年6月）、蘇精〈清末駐日公使楊樞與留日學生〉（《傳記文學》44卷2期，民73年2月）、小川博〈柏原文太郎と中島裁之─中國留學生一齣〉（《早稲田大學社會科學討究》35卷1號，1989年8月）、楊惠萍〈松本龜次郎與中國留學生教育〉（《北方論叢》1994年5期）、田正平〈中國留日學生的良松本龜次郎〉（《杭州大學學報》1985年4期）、王友平〈辛亥時期的自費留日學生述論〉（《四川師大學報》1993年3期）、李細珠〈辛亥時期留日學生的鄉土情結與愛國主義〉（《求索》1994年3期）、片岡一忠〈民國初期留日學生の對日觀について〉（《歷史研究》14號，1977年3月）、張玉萍〈清末民國期留日知識人の日本觀〉（《東瀛求索》第8號，1996）、楊思偉〈留日歸國學生の留日觀〉（載《留日學人學術論文專輯》第5輯，東京，中華民國國家建設研究會發行，1989年12月）。

3.華僑

華僑為革命之母，清末革命運動肇始於海外，初期參與者多為海外華僑，對革命貢獻良多，尤其是慷慨捐輸，贊助革命，是為革命運動的主要餉源。專談華僑與革命運動之關係的論著有馮自由《華僑開國革命史》(上海，商務印書館，民36；臺灣商務印書館，民42)及《華僑革命組織史話》(臺北，正中書局，民42)、黃福鑾《華僑與中國革命》(香港，亞洲出版社，1954)、黃珍吾《華僑與中國革命》(臺北，國防研究院，民52)、陳文圖《華僑革命史》(陳新政遺集本，民18)、張永福《華僑與創立民國》(上海，中華書局，民22)、陳樹強《國父革命宣傳與華僑革命行動》(臺北，武陵出版社，民74)、華僑革命史編纂委員會編《華僑革命史》(2冊，臺北，正中書局，民70)、鍾慶興主編《華僑與中國國民革命運動》(臺北，海外出版社，民70)、陳直夫主編《華僑與中國國民革命運動》(香港，香港時報社，1981)、李為麟編著《華僑革命史》(臺北，正中書局，民77)、蔣永敬編《華僑開國革命史料》(臺北，正中書局，民66)、洪絲絲等《辛亥革命與華僑》(北京，人民出版社，1982)、中國社會科學院近代史研究所近代史資料編輯組編《華僑與辛亥革命》(北京，中國社會科學出版社，1981)、杜永鎮《辛亥革命時期的華僑》(北京，中國華僑出版社，1991)、張持平〈辛亥革命與華僑〉(《廈門大學學報》1981年4期；《歷史教學問題》1981年3期)、郭梁〈辛亥革命與華僑〉(《科學與文化》1981年5期)、孫健〈華僑與辛亥革命〉(《歷史研究》1978年4期)、路文彩〈辛亥革命與華僑資產階級〉(《學習與研究》1981年4期)、丘少偉〈華僑與辛亥革命〉(《蘭州學刊》1982年3期)、劉樹泉〈華僑與辛亥革命〉(《瀋陽師院學報》1979年3

期）、北山康夫〈辛亥革命と華僑〉（載桑原武夫編《ブルジョワ革命の比較研究》，東京，筑摩書房，1964）、陳孔立等〈華僑與辛亥革命〉（《廈門大學學報》1981年4期）、王才〈華僑與辛亥革命〉（《自修大學》1984年6期）、徐梁伯〈辛亥革命：華僑血梁的豐碑〉（《南京社會科學》1994年10期）、洪絲絲〈華僑對辛亥革命的巨大貢獻〉（收於吳澤主編《華僑史研究論集㈠》，華東師大出版社，1984）、俞雲波〈海外華人對辛亥革命的歷史貢獻〉（載《論清末民初中國社會》，上海，復旦大學出版社，1983）、譚天星〈華僑對辛亥革命貢獻的再認識〉（《中南民族學院學報》1996年2期）、陳以令〈華僑對辛亥革命的貢獻〉（《政治評論》15卷3期，民54年10月）、松本武彥〈「辛亥革命と華僑」に關する前提的諸問題〉（載野口鐵郎編《中國史における亂の構圖—筑波大學創立十周年記念東洋史論集》，東京，雄山閣出版，1986）、郭戈奇〈海外赤子·辛亥忠魂—獻給為國捐軀的華僑烈士們〉（《四川文物》1991年6期）、顏清湟〈華僑在辛亥革命中的作用〉（《南洋資料譯叢》1983年1期）、沈立新、崔志鷹〈海外華僑支持辛亥革命芻議〉（《史林》1991年4期）、鄭螺生〈華僑革命之前因後果〉（《越風半月刊》2卷1期，民26年1月）、蔣有川〈華僑在興中會革命時期的貢獻〉（《大漢學報》第1期，民69年6月）、丘正歐〈華僑在國民革命運動中所擔任的角色〉（《近代中國》20期，民69年12月）、蔡石山〈1911年革命與海外華人〉（載《辛亥革命與南洋華人研討會論文集》，臺北，政治大學國際關係研究中心，民75）、樂史〈辛亥革命時期華僑捐款及其作用〉（《史學月刊》1983年1期）、郭景榮〈愛國華僑在經濟上對辛亥革命的支持和貢獻〉（《辛亥革命論文集》，中山大學學報編輯部，1981）、張玫《清末華僑對十次革命經費支助之研究》（中國文化大學民族與華僑研究所碩士論文，民71年7月）、菊池貴晴〈華僑と革命事業の推移〉（《歷史教育》4卷2號，1956年2月）、沈立新〈辛亥革命時期華僑的愛國主義〉（《思想戰線》1985年4期）、任貴祥〈辛亥革命時期華僑的反帝愛國鬥爭〉（《長白學刊》1996年6期）、曾瑞炎〈辛亥革命和抗日戰爭期間華僑愛國運動比較研究〉（《四川大學學報》1992年4期）、張徽貞《華僑報業與國民革命關係之研究》（中國文化大學民族與華僑研究所碩士論文，民69年6月）、陳樹強〈海外華僑革命報刊對革命的貢獻〉（《海外僑情輯要》519期，民71年10月）、謝保凝、張唐生〈華僑知識分子對辛亥革命的傑出貢獻〉（《廣州研究》1985年4期）、郭景榮〈同盟會成立後南洋華僑資助孫中山武裝起義的貢獻〉（《孫中山研究論叢》第3輯，1985）、陳宗山《南洋華僑革命史略》（廣州，暨南大學，民19）、黃綺文〈辛亥革命與南洋華僑資產階級〉（《華僑歷史學會通訊》1984年2期）、陳允敦〈辛亥革命與南洋華僑〉（《中國建設》1981年3期）、李恩涵〈南洋華人對孫中山先生反滿革命運動的貢獻及其與香港的聯繫〉（《珠海學報》13期，1982年11月）、胡波〈孫中山與南洋華僑〉（《嶺南文史》1992年1期）、侯坤宏〈南洋華僑革命史料選輯〉（《國史館館刊》復刊第1期，民75年12月）、林金枝〈辛亥革命與南洋華僑及其對東南亞民族解放運動的影響〉（《南洋問題》1982年2期）、陳樹發〈從辛亥革命看東南亞華僑的愛國精神〉（《暨南大學學報》1982年3期）、蔣永敬〈南洋華僑與辛亥革命〉（《傳記文學》39卷2期，民70年8月）及〈辛亥前南洋華人對孫中山先生革命運動之支援〉

（載《辛亥革命與南洋華人研討會論文集》，臺北，政治大學國際關係研究中心，民75）、陳樹強〈辛亥革命時期南洋華人支援起義經費之研究〉（同上）、顏清湟〈辛亥革命與南洋華人〉（同上）、蘇雲峰〈星洲瓊僑與中國革命（1906—1927）〉（同上）、梁元生〈宗教與革命：新加坡華人基督徒對革命運動之反應〉（同上）、楊進發〈辛亥革命與星馬華族的國民黨運動（1912—1925）〉（同上）、Yen Ching-hwang（顏清湟），The Overseas Chinese and the 1911 Revolution with Special Reference to Singapore and Malaya（Oxford University Press, 1976），其中譯本為李恩涵譯《星馬華人與辛亥革命》（臺北，聯經出版公司，民71）、顏清湟〈孫中山先生與新馬華人〉（《國父建黨革命一百週年學術討論集》，第1册，臺北，民84）、黃建淳〈晚清維新派與革命派在新馬僑社的競逐和影響—兼論華僑領袖對祖國的政治傾向〉（同上）、賴美惠〈新加坡華僑對中國革命運動的貢獻〉（《近代中國》20期，民69年12月）、蔣有川《新加坡華僑與中國革命運動》（中國文化學院民族與華僑研究所碩士論文，民63年5月）、黃建淳《新加坡華僑會黨對辛亥革命影響之研究》（中國文化大學民族與華僑研究所碩士論文，民76年6月）、楊群紅〈新加坡華僑與辛亥革命〉（《史學月刊》1988年4期）、蘇雲峰〈星洲瓊僑與中國革命（1906-1927）〉（載《辛亥革命與南洋華人研討會論文集》，民75）、王金香〈孫中山與新加坡華僑〉（《山西師大學報》1987年1期）、李恩涵〈孫中山先生對星馬華人文化與教育的影響〉（《近代中國》45期，民74年2月）、Yen Ching-hwang（顏清湟），"Penang Chinese and the 1911 Revolution."（《南洋學報》41卷1、2期，新加坡南洋學會，1987年3月）、鄭良樹〈試探馬六甲青雲亭領導階層對辛亥革命的態度〉（載《辛亥革命與南洋華人研討會論文集》，民75）、廖建裕〈辛亥革命與爪哇華人—初探性質〉（同上）、呂士朋〈越南華僑對辛亥革命之貢獻〉（同上）、李建忠〈越南華僑對辛亥革命的貢獻〉（《玉林師專學報》1987年4期）、周興樑〈孫中山的革命運動與越南華僑〉（《貴州社會科學》1996年5期）、盧偉林〈越南華僑與國民革命〉（《近代中國》43期，民73年10月）、劉衛萍〈孫中山與越南華僑〉（《貴州教育學院學報》1995年3期）、羅繼紅〈辛亥革命與抗日戰爭中的越南華僑〉（《東南亞縱橫》1990年3期）、陳孺性著、張奕善譯〈辛亥革命與緬甸華僑〉（《大陸雜誌》36卷5期，民57年3月）、蕭泉〈緬甸華僑與辛亥革命〉（《世界歷史》1981年5期）、方福祺〈辛亥革命與緬甸華僑〉（《雲南民族學院學報》1993年2期）、張映秋〈清末革命派在暹羅的活動與暹華社會近代文化的興起〉（載胡春惠主編《近代中國與亞洲學術討論會論文集》上冊，香港，1995）、周南京〈華僑·辛亥革命與印度尼西亞民族獨立運動〉（《華僑歷史學會通訊》1984年2期）、羅耀九〈印尼華僑與辛亥革命〉（《廈門大學學報》1961年3期）、陸俠蘭〈國父與日本華僑的關係〉（《政治評論》19卷7期，民56）、松本武彥〈辛亥革命時期の在日華僑敢死隊について〉（《社會と文化》，東京，1984），其中譯文為〈辛亥革命時期在日華僑敢死隊〉（《中山大學學報叢刊》第7期，1990）、〈中華民國僑商統一連合會の成立と性格—辛亥革命に對する在日華僑の一對應〉（載《中國近現代史の諸問題—田中正美先生退官記念論集》，東京，國書刊行會，1984）、〈辛亥革命と九州の華僑〉（《研究紀要

（大分縣立藝術短大）》27期，1989年12月）及〈辛亥革命と神戶華僑—武昌蜂起直後における〉（《中國研究月報》425號，1983年7月）、陳勝鄰、彭鵬〈試論華僑支持孫中山推翻清朝王朝的文化背景—以南洋及美洲華僑為中心〉（《中山大學學報》1996年6期）、梅喬林、李綺庵〈開國前美洲華僑革命史略〉（《建國月刊》6卷4、5期，民21年4月）、吳金棗〈孫中山的革命活動與美洲華僑〉（《福建論壇》1981年2期）、陳裕清〈美國華僑與國民革命—民前18年（1894）至民國元年（1912）〉（《中華民國建國史討論集》第1冊，民70）、馬兗生〈夏威夷華僑對孫中山早期革命活動的支持〉（《華僑華人歷史研究》1996年4期）、王祿斌〈孫中山早期革命與檀香山華僑〉（《孫中山研究論叢》第1集，1983）、劉偉森〈國父與金山華僑〉（《近代中國》86期，民80年2月）、莫鏗、劉偉森〈國父孫中山先生與金山華僑〉（載《國父創建興中會一百周年紀念孫中山思想學術研討會論文集》，臺北，國父紀念館，民84年5月）、黃嘉謨〈辛亥革命前後秘魯華僑的愛國運動〉（《大陸雜誌》42卷11、12期，民60年6月）及〈美國華僑與中國革命〉（《中華文化復興月刊》14卷10期，民70年10月）、莊鴻鑄〈澳洲華僑和近代中國民主革命〉（《新疆大學學報》1993年2期）、劉渭平〈澳洲華僑對孫中山先生革命運動的支持〉（載《孫逸仙思想與廿一世紀論文集》，臺北，民81年6月）、黃慶雲〈辛亥革命時期華僑對廣東地區革命運動的貢獻〉（《中國近現代史論文集》第1集，暨南大學歷史系中國近現代史教研室，1982）、〈華僑與廣東地區辛亥革命運動〉（載《辛亥革命論文集》，廣東人民出版社，1980）及〈武昌起義後華僑對廣東光復和反袁鬥爭的貢獻〉（《暨南大學學報》1982年4

期）、眭雲章《七十二烈士中的華僑》（臺北，海外文庫出版社，民47）、劉玉尊、成露西〈臺山縣的辛亥革命與華僑〉（《學術研究》1982年1期）、黃慶雲〈華僑與〝廣州三·二九〞起義〉（載《中國近現代史論文集》第1集，1982）、鍾珍維、丁身尊〈辛亥〝三·二九〞廣州起義與海外華僑〉（《華南師院學報》1981年4期）、孫健〈辛亥〝三·二九〞起義中犧牲的華僑烈士〉（《歷史研究》1978年4期）、王鐵藩〈福建華僑對辛亥革命的貢獻〉（《福建論壇》1991年4期）、洪卜仁〈孫中山與福建華僑〉（《科學與文化》1981年5期）、張家瑜〈泉州華僑對辛亥革命的貢獻〉（《華僑歷史學會通訊》1983年3期）、林金枝〈民國時期閩西華僑及其對革命的貢獻〉（《南洋問題研究》1993年3期）、王勁、楊榮〈華僑革命第一人—鄧蔭南〉（《探索》1994年6期）、程光裕〈華僑革命先進—陳楚楠先生〉（《近代中國》61期，民76年10月）。

至於華僑史方面，重要的有中國僑政學會編《華僑問題資料目錄索引（初編·續編）》（臺北，海外出版社，民45—46）及《華僑問題論文集（第1—4輯）》（同上，民43—46）、暨南大學華僑研究所編印《華僑史論文集（1-3集）》（廣州，1981-1983）、李長傳編《華僑》（上海，中華書局，民16）、市川信愛〈華僑概念の再檢討〉（《長崎大學東南亞研究所研究年報》18—19期，1978—1979）、丘漢平編著《華僑問題》（上海，商務印書館，民25）、李定一、吳相湘、包遵彭編《中國近代史論叢·第2輯第4冊—華僑》（臺北，正中書局，民50）、高信、張希哲編《華僑史論集》（臺北，國防研究院，民52）、華僑通訊社《僑政論文選集》（臺北，民70）、李盈慧《現代中國的華僑政策（1912—1949）》（政治大學歷史研究所博士論文，民83年3月）、張國綱《我國僑務行政及僑務政策之演進》（香港珠海大學中國歷史研究所博士論文，1985）、莊國土《中國封建政府的華僑政策》（廈門，廈門大學出版社，1989）、劉世揚〈清末華僑政策轉變初探〉（《貴州師大學報》1989年3期）、Yen Ching-hwang（顏清湟），"Ching Changing Images of the Overseas Chinese 1644-1912."（Modern Asian Studies, Vol.15, Part.2, April 1981）、陳民《民國華僑名人傳略》（北京，中國華僑出版社，1991）、華僑志編纂委員會《華僑總志》（臺北，民53）、譚天星〈中國華僑華人史研究內容綜述〉（《八桂僑史》1993年2期）、陳碧笙編著《世界華僑華人簡史》（廈門，廈門大學出版社，1991）、蔡北華主編《海外華僑華人發展簡史》（上海，上海社會科學院出版社，1992）、陳碧笙選編《華僑、華人問題論文集》（南昌，江西人民出版社，1989）、陳烈甫《華僑與華人學總論》（臺北，臺灣商務印書館，民76）、顏清湟《海外華人史研究》（新加坡亞洲研究學會，1992）、余思偉《中外海上交通與華僑》（廣州，暨南大學出版社，1991）、吳劍雄《海外移民與華人社會》（臺北，允晨文化公司，民82）、楊建成主編《華僑史》（臺北，中華學術院南洋研究所，民74）及《華僑之研究》（同上，民73）、日本內閣企劃院《華僑の研究》（東京，松山房，1939）、廣東省政協文史資料研究委員會《華僑滄桑錄》（廣州，廣東人民出版社，1984）、丘正歐《華僑問題論集》（中國文化學院民族與華僑研究所，民67）及《華僑問題研究》（臺北，國防研究院，民54）、Wang Gungwu（王賡武），"Great China and the Chinese Overseas."（The China Quarterly, No.136,1993）及China and the Chinese Overseas（Singapore:Times Academic Press, 1991；其中譯本爲天津編譯中心譯《中國與海外華人》，臺北，臺灣商務印書館，民83）、琮琮〈近年來我國華僑史研究主要成果綜述〉（《華僑》1985年2期）、林金枝〈十年來中國大陸華僑史研究的回顧與前景（1979-1989）〉（《近代中國史研究通訊》11期，民80年3月）、張存武〈大陸中國十年來的海外華人史研究〉（《海外華人研究》第1期，民78年6月）、莊國土〈略評荷蘭學者對海外華人的研究〉（同上，第2期，民81年4月）、程光裕〈華僑史研究新例〉（《史學彙刊》第5期，民62年3月）、洪絲絲〈努力開創華僑歷史研究工作新局面〉（《華夏》1985年2期）、戴國煇〈「華僑研究における若干の問題〉（《現代中國》50號，1975年8月）及〈華僑觀の誤解を解く—「落葉歸根」から「落地生根」へ苦悶と矛盾〉（《中央公論經營問題》11卷2號，1972年6月）、葉春榮〈人類學的海外華人研究：兼論一個新的方向〉（《中央研究院民族學研究所集刊》75期，民82年12月）、李國梁、游仲勳解說、劉曉民譯〈日本における華僑、華人研究〉（《アジア研究》40卷1號，1993年9月）、長野朗《華僑：支那民族の海外發展》（東京，支那問題研究所，1928）、企畫院調查部《華僑研究資料》（東京，1939）、小林新作《支那民族の海外發展華僑の研究》（東京，海外社，1932）、許婉玲《國人移殖海外之因素及當前移民政策之探討》（中國文化大學民族與華僑研究所碩士論文，民71年7月）、梁子衡〈華僑移殖海外的背景〉（《民族與華僑論文集》第2集，民65年4月）、高士嘉〈論華僑研究的重要性〉（同上，創刊號，民63年4月）、成田節男《華僑史（增補版）》（東京，螢雪書院，1942）、外務省南洋局《華僑研

究資料（第1—20輯）》（共6册，1942—1943）、井出季和太《華僑》（東京，大興商會出版部，1942）、根岸佶《華僑雜記》（東京，朝日新聞社，1942）、吳主惠《華僑本質論》（東京，千倉書房，1944）、《華僑の本質》（東京，青也書店，1973）及《華僑本質の分析—華僑の社會學的研究》（東京，アサヒ社，1961）、德植勉〈華人社會の變容と中國文明〉（《比較文明》第8號，1992年11月）、須山卓《華僑社會：勢力と生態》（東京，國際日本協會，1955）、王瑜〈華僑社會の特質〉（《諸學紀要（亞細亞大學）》第8號，1962年11月）、〈華人の變容と同化—華僑の視點から〉（載《東南アジア華僑社會變動論》，東京，アジア經濟研究所，1972）及〈華僑現狀の分析〉（《諸學紀要（亞細亞大學）》11、12號，1964年3、9月）、長田五郎、田仲益見〈世界における華僑〉（《經濟と貿易（橫濱市立大學）》115、118、120號，1975年3月-1976年12月）、河部利夫〈華僑とは何か—華僑から華人へ〉（《民族と文化》7卷2號，1971年8月）、黑住英彥〈華僑について〉（《アジア文化》4卷1號，1967年8月）、志津田氏治〈華僑の一考察〉（《東南アジア研究所研究年報》第8號，1967年3月）、須山卓等《華僑》（東京，日本放送出版協會，1967）、河部利夫《華僑》（東京，潮出版社，1972）、小川壽一〈華僑〉（《中國の歷史と文化》第1號，1959年4月）、可儿弘明、游仲勳《華僑、華人—ボーダレスの世紀へ》（東京，東方書店，1995）、井口貞夫、內田直作共著，鹿島平和研究所編《中華民國・華僑》（東京，鹿島研究所出版會，1967）、游仲勳《華僑經濟の研究》（東京，アジア經濟研究所，1969）、《華僑政治經濟論》（東京，東洋經濟新報社，1976）、《華僑：ネ

ツトワーする經濟民族》（東京，講談社，1990）、《華僑はアジアをどう變えるか—中國系經濟圈の挑戰》（東京，PHP研究所，1995）及《華僑政治についての一考察》（東京，中國研究所，1971）、梁子衡《華僑政治生活》（臺北，正中書局，民51）、アジア經濟研究所《中國の經濟建設と華僑》（東京，1960）、楊立強、戴鞍鋼〈孫中山與華僑國內投資〉（《近代中國》第4輯，上海，1995）、林金枝《近代華僑投資國內企業史研究》（福州，福建人民出版社，1983）、高木秀樹〈移民の研究—華僑の社會的經濟的存變貌〉（《德島大學學藝紀要（社會科學）》15號，1966年3月）、日本經濟新聞社編《華僑—商才民族の素顏と實力》（東京，編者印行，1981）、儲玉坤〈華人經濟的崛起〉（《近代中國》第5輯，上海，1995）、李明歡〈當代海外華人經濟發展的區域差異與共性〉（同上）、華守林〈華僑的經濟屬性及其演變初探〉（《福建論壇》1989年1期）、須山卓〈華僑經濟史〉（東京，近藤出版社，1972）、陳懷東《海外華人經濟概論》（臺北，黎明文化事業公司，民75）、曾慶輝《海外華商銀行之經營及其發展》（同上，民76）、葉琴《海外華人企業之代化》（同上）、簡美玲《海外華人餐館業之研究》（中國文化大學民族與華僑研究所碩士論文，民75年6月）、林金枝〈華僑投資對沿海城市的興起和中國近代化的作用〉（《華僑大學學報》1987年2期）、松本武彥〈清末華僑革新運動—その政治志向の特質〉（《現代中國》59號，1985年7月）、楊建成《華僑參政權之研究》（臺北，文史哲出版社，民81）、夏誠華〈近代廣東省僑匯研究（1862-1949）：以廣、潮、梅、瓊地區為例》（新加坡，南洋大學出版社，1992）、羅福惠〈孫中山時代華僑的祖國認同〉(《近代史研究》1996年6期)及〈華僑的祖國認同和孫中山先生的現代化理論〉(《辛亥革命研究動態》1996年2期)、柯叔寶〈華僑經濟對祖國的貢獻〉(《民族與華僑論文集》第2集,民65年4月)、姚會元〈近代華僑對祖國的經濟貢獻〉(《廣東社會科學》1985年4期)、彭亞斌、梁秉標〈淺談華僑在我國近現代史上的歷史作用〉(《湖南師大學報》1986年3期)、早瀨利雄〈華僑にみる中國人の特質—本國の變化どう反應しているか〉(《月刊エユノミスト》2卷6號,1971年6月)、日比野丈夫〈華僑の役割〉(載《世界の文化14:東南アジア》,東京,河出書房新社,1966)、〈華僑の家族生活〉(《アジア文化》11卷4號,1975年3月)及〈華僑社會における信仰生活〉(載《華僑の社會—東南アジア》,天理教東南アジア研究室,1972)、水野成夫〈華僑論〉(載《アジア問題講座》第5册,東京,創元社,1939)、三瀦信吾〈海外華人的民主Democracy觀念〉(載林天蔚主編《亞太地方文獻研究論文集》,香港,1991)、松本武彥〈清末華僑革新運動—その政治志向の特質〉(《現代中國》59號,1985年7月)、蕭宗義《清末民初契約華工移殖海外之研究》(中國文化學院民族與華僑研究所碩士論文,民66年6月)、黃松贊〈略論華僑愛國思想的根源及其延續〉(《華夏》1985年2期)、朱浤源〈清末以來海外華人的民族主義〉(《思與言》31卷3期,民82年9月)、宓亨利著、岑德彰譯《華僑志》(上海,商務印書館,民17)、陳里特《中國海外移民史》(上海,中華書局,民35)、陳達《南洋與閩粵社會》(長沙,商務印書館,民27)、溫雄飛《南洋華僑通史》(上海,東方印書館,民18)、劉繼宣、束世澂《中華民族拓殖南洋史》(上海,商務印書館，民23；臺北，臺灣商務印書館，民60）、張蔭桐譯《南洋華僑與經濟之現勢》（上海，商務印書館，民35）、王賡武著、張奕善譯《南洋華人簡史》（臺北，水牛出版社，民58）、郭梁〈兩次大戰之間的東南亞華人移民與經濟〉（《八桂僑史》1994年1期）、莊國土〈鴉片戰爭後東南亞華僑的人口結構〉（《南洋問題研究》1994年1期）、酒井忠夫編《東南アジアの華人文化と文化摩擦》（東京，巖南堂書店，1983）、王金香、吳貴平〈近代南洋華僑禁烟述評〉（《山西師大學報》1994年3期）、井出季和太〈南洋華僑の歷史的背景〉（《拓殖大學論集》第4號，1952年12月）、陳碧笙等《南洋華僑史》（南昌，江西人民出版社，1989）、巫樂華《南洋華僑史話》（臺北，臺灣商務印書館，民83）、王賡武著、姚楠譯《南海貿易與南洋華人》（香港，中華書局香港分局，1988）、馬克烈〈南洋華人根植于當地社會的歷史基礎〉（《近代中國》第5輯，上海，1995）、馮爾康〈晚清南洋華僑與中國近代化〉（載林天蔚主編《亞太地方文獻研究論文集》，香港，1991）、Michael Richard Godley, The Mandrin-Capitalists from Nanyang: Overseas Chinese Enterprise and the Modernization of China, 1893-1911.（Ph. D. Dissertation, Brown University [Providence, R. I.], 1973; Cambridge: Cambridge University Press, 1981）、逐原〈南洋華僑滄桑史話〉（《歷史月刊》57期，民81年10月）、市川信愛《現代南洋華僑の動態分析》（福岡，九州大學出版會，1991）、南洋協會《南洋の華僑》（東京，目黑書店，1942）、後藤朝太郎《南洋の華僑》（東京，高山書院，1942）、井出季和太《南洋と華僑》（東京，三省堂，1942）、大形太郎《南洋華僑と經濟》（東京，聖紀書房，

1942）、臺灣拓殖株式會社《南洋華僑と其の對策》（臺北，1942）、臺灣總督官房外務部《南洋華僑事情》（臺北，1938）、林英強〈華僑在南洋的發展〉（《南洋學報》6卷2輯，1950年12月）、吳楚璞〈南洋華僑與我國的法律〉（同上，1卷1輯，1940年6月）、Wang Gungwu（王賡武），"The Chinese in Search a Base in the Nanyang."（同上，14卷1、2輯，1958年12月）、Yoji Akashi（明石陽至），"The Nanyang Chinese Anti-Japanese and Boycott Movement, 1908-1928－A Study of Nanyang Chinese Nationalism."（《南洋學報》23卷1、2輯，1969）、潘先弟〈南洋華僑與反袁運動〉（《讀史箚記》第3期，星加坡，1969年6月）、河部利夫編《東南亞華僑社會の變動論》（東京，アジア經濟研究所，1972）、戴國煇編《東南亞華人社會の研究》（2冊，同上，1974）、江炳倫〈轉變中的東南亞華僑社會〉（《東方雜誌》復刊13卷1期，民68年7月）、張文蔚《華人社會與東南亞諸國之政治發展》（臺北，臺灣商務印書館，民61）、丁日初〈東南亞華人財團淺說〉（《近代中國》第5輯，上海社會科學院出版社，1995）、何蕙瑛《東南亞華僑的國籍問題之研究》（中國文化學院民族與華僑研究所碩士論文，民68年6月）、曾慶輝《東南亞之華人經濟代化的課題》（同上，民63年6月）、謝國泉〈東南亞華人的經濟問題〉（《讀史箚記》10期，星加坡，1977年6月）、曾慶輝〈東南亞華人經濟的回顧與展望〉（《民族與華僑論文集》第2集，民65年4月）、陳鴻瑜〈東南亞華人的政治和經濟地位〉（《歷史月刊》57期，民81年10月）、沈衛中〈論東南亞華僑秘密會黨的歷史地位和作用〉（《廣東社會科學》1989年4期）、李亦園〈東南亞華僑的本土運

動〉（載《東南亞華人社會研究》上冊，臺北，正中書局，民74）、中村孝志編《華僑の社會ー東南アジア》（天理，天理教東南アジア研究室，1972）、德植勉〈東南アジアにおける華人社會の變容と華語〉（《中國研究月報》47卷2號，1993年2月）、川崎有三《東南アジアの中國人社會》（東京，山川出版社，1996）、張奕善〈東南亞華人移民之研究〉（《南洋大學學報》第3期，1969）、Victor Purcell, The Chinese in Southeast Asia.（Oxford: Oxford University Press, 1951），其中譯本為維多巴素著、郭湘章譯《東南亞之華僑》（2冊，臺北，正中書局，民55）、古鴻廷、顏清海〈二十世紀的東南亞華僑〉（載胡春惠主編《近代中國與亞洲學術討論會論文集》上冊，香港，珠海書院亞洲研究中心，1995年6月）、小島淑男〈1910年の南洋勸業會と東南アジア華僑〉（《近代中國經濟と社會》，1993）、篠崎香織〈東南アジア華人の思想研究試論〉（《中國研究月報》559號，1994年9月）、內田直作《東南アジア華僑の社會と經濟》（東京，千倉書房，1982）、崔貴強、古鴻廷主編《東南亞華僑問題之研究》（新加坡，教育出版社，1974）、陳烈甫《東南亞洲的華僑、華人與華裔》（臺北，正中書局，民68）、原不二夫編《東南アジア華僑と中國》（東京，アジア經濟研究所，1993）、朱杰勤《東南亞華僑史》（北京，高等教育出版社，1990）、王賡武著、姚楠編《東南亞與華人ー王賡武教授論文選》（北京，中國友誼出版公司，1987）、Jennifer Cusnman and Wang Gungwu（王賡武），Changing Identities of the Southeast Asian Chinese Since World War Ⅱ.(Hong Kong:Hong Kong University Press,1988)、戴國煇〈無告の民「華僑」ー激動する東南アジアの中で〉

（《中央公論》92卷3號，1977年3月）、古鴻廷、崔貴強〈東南亞華人今昔之初探〉（《東海學報》29卷，民77年6月）、蘇雲峰、符駿〈東南亞瓊僑移民史〉（載《中國海洋發展史研討會論文集》，民75年12月）、陳鴻瑜〈東南亞與海外華人的研究〉（《史匯（中央大學歷史研究所）》第1期，民85年6月）及〈東南亞華人的未來與困境〉（《歷史月刊》57期，民81年10月）、河部利夫〈東南ア華僑のナジヨナリズム〉（《社會科學》第5號，1964年11月）、〈東南アジア華僑研究の視點—華僑の同化と非同化〉（載《東南アジア華僑社會變動論》，東京，アジア經濟研究所，1972）、〈東南アジア華僑社會變動論—第三民族社會形成の試論〉（《史艸》第6號，1965年10月）及〈タイ華僑社會の變動—東南アジア華僑考察の視點〉（《東京外國語大學海外事情研究所資料》12號，1960年4月）、早瀬利雄〈東南アジア華僑社會の構造的變動—特にマレーシア華僑經濟の地位と役割を中心として〉（《經濟と貿易》86、87號，1965年3、11月）、〈東南アジア社會の文化的複合性と華僑問題—マレーシア民族紛爭を中心として〉（同上，101號，1970年3月）及〈東南アジアの民族資本と華僑資本—マレーシアを中心として〉（《アナリスト》17卷3號，1971年4月）、李國雄〈南洋華僑與民族主義之發展（1895—1911）〉（載《辛亥革命與南洋華人研討會論文集》，民75）、Victor Simpao Limlingan, The Overseas Chinese in ASEAN: Business Strategies and Management Practices.（Ph. D. Dissertation, Harvard University [Cambridge, MA.], 1986）、Song Ong Siang, One Hundred Years, History of the Chinese in Singapore.（Singapore: University of Malaya Paress, 1967）、賴美惠

《新加坡華人社會之研究》（臺北，嘉新水泥基金會，民68）及《新加坡華人社會變遷》（中國文化學院民族與華僑研究所碩士論文，民65年6月）、文崇一〈新加坡華人社會變遷〉（載《東南亞華人社會研究》上冊，臺北，正中書局，民74）、山下清海《シがポ　ールの華人社會》（東京，大明堂，1988）、Carl A. Trocki, Opium and Empire: Chinese society in Colonial Singapore, 1800-1910.（Ithaca: Cornell University press, 1991）、鄭幗英《新加坡——個華人為主的國家社會政策之研究》（中國文化學院民族與華僑研究所碩士論文，民67年6月）、周清海〈從華裔新加坡人的立場論中華文化的過去、現在和未來一中華書局八十週年紀念論文集〉（臺北，臺灣中華書局，民81）、華僑志編纂委員會《新加坡華僑志》（臺北，民49）、僑務書刊社編《華僑志一新加坡》（臺北，華僑文化出版社，民49）、柯木林、吳振強主編《新加坡華族史論集》（新加坡，南洋大學畢業生協會，1972）、楊進發《戰前星華社會結構與領導層初探》（新加坡，南洋學會，1977）、劉英傑《新加坡華人會黨之研究》（中國文化大學民族與華僑研究所碩士論文，民70年7月）、出口哲男《新加坡華人同鄉會與宗親會之研究》（同上，民72年6月）、Yen Ching-hwang（顏清湟），A Social History of the Chinese in Singapore and Malaysia, 1800-1991.（Singapore, Oxford University Press, 1986）、"Class Structure and Social Mobility in the Chinese Community in Singapore and Malaya."（Modern Asian Studies, Vol.21, Part3, July 1987）、"Overseas Chinese Nationalism in Singapore and Malaya, 1877-1912."（同上，Vol.16, Part3, July 1982）及"The Overseas Chinese and Late

Ch'ing Economic Modernization."（同上，Vol.16, Part 2, April 1982）、Victor Purcell, The Chinese in Modern Malaya.（Singapore: Donald Moore, 1956），其中譯本為維多巴素著、張奕善譯《近代馬來西華人》（臺北，臺灣商務印書館，民55）、巴索若、劉前度譯《馬來亞華人史》（檳榔嶼，光華日報社，1950）、林水檺、駱靜山編《馬來西亞華人史》（馬來西亞留臺校友會聯合總會出版，1984）、齋藤秀《馬來亞化政策下之華人》（中國文化學院民族與華僑研究所碩士論文，民67年6月）、Sharon A. Carstens著、陳俊華、李寶鑽譯〈從神話到歷史—葉亞來和馬來西亞華人英勇的過去〉（《海外華人研究》第2期，民81年4月）、今崛誠二《馬來亞の華僑社會》（東京，アジア經濟研究所，1973）、劉果因譯《馬來亞華人社會》（檳城，嘉應會館，1974）、鄭聖峰《馬來西亞華人社會變遷之分析》（中國文化大學民族與華僑研究所碩士論文，民71年7月）、古鴻廷《東南亞華僑的認同問題—馬來亞篇》（臺北，聯經出版公司，民83）、楊建成《華人與馬來亞之建國1946—1957》（臺北，中國學術著作獎助委員會，民61）及〈馬來西亞華人政治地位問題之檢討〉（《中國現代史專題研究報告》第8輯，民63）、Koon Heng Pek, Chinese Politics in Malaysia:A History of the Malaysian Chinese Association（Singapore: Oxford University Press, 1988）、Laurence K. L. Siaw, Chinese Society in Rural Malaysia: A Local History of the Chinese of Titi, Jelebu（Oxford University Press, 1983）、林栢生《論馬來西亞華人與馬來人的種族關係發展》（中山大學政治學研究所碩士論文，民85年6月）、劉文榮《馬來西亞華人經濟地位之演變》（臺北，黎明文化事業公司，民

77）、游鐘雄《馬來亞種族保護政策與華人地位之研究》（中國文化大學民族與華僑研究所碩士論文，民77年1月）、張意昇《馬來西亞華人推動經建計劃之研究》（同上，民69年6月）、呂木林《華人與馬來西亞經濟經濟展之研究》（中國文化學院民族與華僑研究所碩士論文，民67年6月）、林添義《華人在新加坡經濟發展中扮演之角色》（同上，民68年6月）、李亦園《一個移殖的市鎮：馬來亞華人市鎮生活的調查研究》（臺北，中央研究院民族學研究所，民59）、〈馬來亞華人的遭遇與處境〉（《大陸雜誌》37卷5期，民57年9月）及〈馬來亞華人社區領袖之研究〉（《中國東亞學術研究計劃委員會年報》第7期，民57年6月）、許雲樵〈馬來亞華僑人口分析檢討〉（《南洋學報》6卷1輯，1950年8月）、荒井茂夫〈マうセ華僑社會の啟蒙〉（《三重大學人文學部人文論集》第1卷，1984年3月）、麥留芳〈早期華人社會組織與星馬城鎮發展的模式〉（載《中國海洋發展史論文集》，臺北，中央研究院三民主義研究所，1973）、黃建淳《晚清新馬華僑對國家認同之研究－以賑捐投資封爵為例》（臺北，中華民國海外華人研究學會叢書第一種，民82）、古鴻廷〈1920年代星馬華僑政治意識成長之研究〉（《東海學報》31卷1期，民79年6月）、黃建淳〈晚清新馬華僑領袖進階模式的探討（《國史館館刊》復刊14、15期，民82年6、12月）、崔貴強〈星馬華人政治認同的轉變（1945-1957）〉（《南洋學報》32卷，1978）、李恩涵〈新馬華人抗日救亡運動（1937-1941）〉（同上，40卷1、2期，1985）、陳萬發《星馬華族救國抗日運動（1931-32）》（新加坡，南洋大學榮譽學位論文，1971）、鄭良樹《馬來西亞·新加坡華人文化史論叢（卷一）》（新加坡，南洋學會，1982）、楊進發

〈有關研究新馬華人、華僑史的幾種官方資料〉(《南洋學報》40卷1、2期,1985)、許蘇我〈新馬華人的傳記文學,1911-1985〉(《南洋學報》42卷1、2期,1987)、陳以令〈新馬華人社會動向的探討〉(《德明學報》第4期,民71年11月)、李雪芬〈星馬僑幫的教育事業,1906-1941〉(《讀史劄記》第3期,星加坡,1969年6月)、華僑志編纂委員會《馬來亞華僑志》(臺北,民48)、《越南華僑志》(民47)、《泰國華僑志》(民48)、《緬甸華僑志》(民56)、《柬埔寨華僑志》(民49)、《印尼華僑志》(民50)、〈北婆羅洲、婆羅乃、砂勞越華僑志》(民52)、《日本華僑志》(民54)、《澳門華僑志》(民53)、《寮國華僑志》(民51)及《印度華僑志》(民51)、周中堅〈嚴冬歷盡苦望春:柬埔寨華人滄桑四十年〉(《思與言》31卷3期,民82年9月)、溫廣益等《印度尼西亞華僑史》(海洋出版社,1985)、李學民、黃昆章《印尼華僑史》(廣州,廣東高等教育出版社,1992)、晁華《印度尼西亞一華僑滄桑》(香港,商務印書館,1990)、滿鐵東亞經濟調查局《蘭領印度に於ける華僑》(東京,撰者印行,1939;東京,青史社重印,1986)、Leo Everard William, The Rise of Overseas Chinese Nationalism in Netherland India, 1900-1916.(Ph. D. Dissertation, Harvard University [Cambridge, MA.], 1956)、Charles A. Coppel, Indonesian Chinese in Criss.(Oxford University Press, 1983)、James R. Rush, Opium to Java: Revenue Farming and Chinese Enterprise in Colonial Indonesia.(Ithaca: Cornell University Press, 1990)、張祖寬《印尼華人同化政策之研究》(中國文化大學民族與華僑研究所碩士論文,民71年7月)、丘正歐《蘇加諾時代印尼排華史實》（臺北，中央研究院近代史研究所，民84）、陳鴻瑜〈印尼排華史略〉（《歷史月刊》77期，民83年6月）、鄭瑞明《清代越南的華僑》（臺灣師範大學歷史研究所碩士論文，民64年2月；臺北，嘉新水泥公司文化基金會，民65）、張文和《越南華僑史話》（臺北，黎明文化事業公司，民64）、鄧國輝〈越南華僑與中華文化〉（《中華文化復興月刊》10卷3期，民70年10月）、Ky Luong Nhi, The Chinese in Vietnam: A Study of Vietnamese-Chinese Relations with Special Attention to the Period 18662-1961.（Ph. D. Dissertation, University of Michigan-Ann Arobr, 1963）、陳以令〈泛論越南華僑問題〉（《民族與華僑論文集》創刊號，民63年4月）、宋哲美《馬來亞華人史》（香港，中華文化事業公司，1963）、姚楠《馬來亞華僑史綱要》（重慶，商務印書館，民32）、滿鐵東亞經濟調查局《英領馬來・緬甸・濠州に於ける華僑》（東京，撰者印行，1941；東京，青山社重印，1986）、陳奕啟《沙勞越華僑之拓殖》（香港新亞研究所碩士論文，1968）、John M. Chin, The Sarawak Chinese.（Kuala Lumpur: Oxford University Press, 1981）、劉渭平《澳洲華僑史》（香港，星島出版社，1990）、余緒賢《印度、錫蘭華僑經濟》（臺北，海外出版社，民45）、曾建屏《泰國華僑經濟》（臺北，海外出版社，民46）、李國卿《泰國華人經濟的演變與前瞻》（臺北，黎明文化事業公司，民77）、龐新竹《泰國華人經濟之研究》（中國文化學院民族與華僑研究所碩士論文，民68年7月）、戎撫天〈泰國華人同化問題〉（同上，民66年6月）、Charles Ryder Dibble, The Chinese in Thailand Against the Background of Chinese-Thai Relations.（Ph. D. Dissertation, Syracuse University

[Syracuse, N. Y.], 1961）、R. J. Coughlin, "Patterns of Chinese Immigration to Thailand."（《南洋學報》8卷1輯，1852年6月）、許延灼、毛鶴雲《緬甸華僑經濟》（臺北，僑務委員會，民46）、張正藩《緬甸的現狀與華僑》（臺北，中央文物供應社，民43）、陳孺性〈緬甸華僑史略〉（《南洋文摘》5卷2期，1964）、姚楠《中南半島華僑史綱》（重慶，商務印書館，民34）、滿鐵東亞經濟調查局《佛領印度支那に於ける華僑》（東京，撰者印行，1939；東京，青山社重印，1986）、《タイ國に於ける華僑》（同上）及《比律賓に於ける華僑》（同上）、臺灣南方協會編《比律賓の華僑》（臺北，編者印行，1941）、陳荊和《十六世紀之菲律賓華僑》（香港，新亞研究所，民52）、黃演馨《比律賓華僑》（東京，文化研究社，1934）、James Ronald Blaker, The Chinese in Philippines: A Study of Power and Change.（Ph D. Dissertation, Ohio State University-Columbus, 1970）、高正明〈菲化政策之檢討與菲律賓華僑經濟的展望〉（《民族與華僑論文集》，第2集，民65年4月）、Rolands Y. del Carmne, "The Chinese in Philippines."（同上，創刊號，民63年4月）、張存武、朱浤源、潘露莉訪問、林淑慧紀錄《菲律賓華僑華人訪問紀錄》（臺北，中央研究院近代史研究所，民85）、林若蒂《菲律賓華僑地位轉變之研究》（中國文化學院民族與華僑研究所碩士論文，民68年7月）、林惠陽《菲律賓華人社會之研究》（同上，民66年6月）、高正明《菲律賓華僑經濟與菲化政策》（同上，民64年1月）、黃明德《菲律賓華僑經濟》（臺北，海外出版社，民45）、劉孝民《印尼華人社會的經濟與教育之研究》（中國文化學院民族與華僑研究所碩士論文，民68年7月）、涂照彥〈北東アジア

における華人社會と現地經濟關係〉（《經濟科學》41卷4號，1994年3月）、盧冠群《日本華僑經濟》（同上，民46）、宋越倫《日本華僑小史》（臺北，中央文物供應社，民42）、羅晃潮《日本華僑史》（廣州，廣東高等教育出版社，1994）、大石進海〈在日華僑の研究—特に開港場における華僑について（前、中、後）〉（《調查と研究》1卷1、3號，1967、1970；《長崎縣立國際經濟大學論集》5卷4號，1972）、河村十寸穗〈日本の華僑〉（《アジア經濟旬報》636號，1966年1月）、早瀨利雄〈留日華僑の生態—第三國人問題研究の一側面〉（《經濟と貿易》93號，1967年3月）、陳鵬仁《日本華僑問題分析》（臺北，天馬出版社，民68）、菅原幸助《日本の華僑》（東京，朝日新聞社，1979）、松本武彥〈對日ボイユフトと在日華僑—第二辰丸事件をめぐつて〉（載《中國近現代史論集》，東京，汲古書院，1985）、山田信夫編《日本華僑と文化摩擦》（東京，巖南堂書店，1983）、臧廣恩、蔣永敬編《日本華僑教育》（臺北，海外出版社，民48）、杜駒《在日華僑的政治態度》（香港，友聯研究所，1967）、朱慧玲〈日本における華僑社會の特徵とその變貌〉（《アジア文化》17號，1992年6月）及〈日本華僑社會的變貌：華僑社會的華人化進程〉（《思與言》31卷3期，民82年9月）、柯著椿《日本華僑社會之研究》（中國文化學院民族與華僑研究所碩士論文，民67年7月）、羅晃潮〈試論日本華僑社會的華人化〉（《暨南學報》1995年1期）及〈日本華僑經濟史的考察〉（同上，1994年1期）、過放〈初期在日華僑社會形成史についての一考察〉（《中國研究月報》48卷7號，1994年7月）、內田直作《日本華僑社會の研究》（東京，同文館，1949）、何瑞藤《日

本華僑社會之研究》（臺北，三民書局，民69）、黃漢青〈清國橫濱領事の著任と華人社會〉（《中國研究月報》48卷7號，1994年7月）、內田直作、鹽脇幸四郎編《留日華僑經濟分析》（東京，河出書房，1950）、有賀善德《日本華僑經濟活動之研究》（中國文化大學民族與華僑研究所碩士論文，民77年6月）、長田五郎、田仲益見〈留日華僑經濟の動向—「華僑經濟年鑑」を中心として〉（《經濟と貿易（橫濱市立大學）》79-81及85號，1962年3月-1964年12月）、長田五郎〈留日華僑の人口と職業〉（同上，82、83號，1963年3、9月）、Song Chun-ho，"The Chinese in Korea During the Japanese Occupation（1910-1945）"（載林天蔚主編《亞太地方文獻研究論文集》，香港，1991）、李效再、朴銀瓊著、叢成義譯〈旅韓華僑及其流動之研究〉（《韓國學報》第4期，民73年12月）、楊昭全〈朝鮮華僑經濟：1910-1945〉（《海外華人研究》第2期，民81年4月）、莊鴻鑄〈澳洲華僑和近代中國民主革命〉（《新疆大學學報》1993年2期）、王孝洵〈澳洲華人與中國資產階級政治運動〉（《暨南學報》1993年4期）及〈早期在澳華僑的經濟生活〉（《史學月刊》1992年6期）、楊進發著、姚楠等譯《新金山：澳大利亞華人（1901-1921）》（上海，譯文出版社，1988）、劉渭平〈白澳政策與華僑〉（《傳記文學》52卷3期，民77年3月）、劉達人、田心源《澳洲華僑經濟》（臺北，海外出版社，民47）、徐斌《歐洲華僑經濟》（同上，民46）、A·G·Larin, "Chinese Immigration in Russia（The Contribution of Chinese Immigrant to the Development of Russia's Far East）"（Newsletter for Modern Chinese History, No. 16, 1993）、美洲華僑文化社《美洲華僑通鑑》

（紐約，1950）、李春輝、楊生茂主編《美洲華僑史》（北京，東方出版社，1990）、陸國俊《美洲華僑史話》（臺北，臺灣商務印書館，民83）、劉伯驥《美國華僑史》（臺北，黎明文化事業公司，民73）、張巧琳〈美國華人的歷史與現狀〉（《衡陽師專學報》1987年4期）、長田五郎等〈アメリカにおける華僑一「華僑經濟年鑑」を中心として〉（《經濟と貿易（橫濱市立大學）》102、105、112號，1971年2月-1974年3月）、潘慧敏《美國移民政策與華人關係之研究》（中國文化大學民族與華僑研究所碩士論文，民73年6月）、廖修一《早期華人移民美國與中美護僑交涉》（政治大學外交研究所碩士論文，民61年6月）、郭蘇燦洋《清季保護美國華僑之研究》（中國文化大學中美關係研究所碩士論文，民70年6月）、Shih-Shan Henry Tsai, Ch'ing Attitudes Toward Overseas Chinese in the United States, 1848-1906.（Ph. D. Dissertation, University of Oregon [Eugene], 1970）、李定一〈早期華人移美及「安吉立條約」〉（《聯合書院學報（香港中文大學）》第3期，1964）、Chen Chin-yu（陳靜瑜），〝A Century of Chinese Discrimination and Exclusion in the United States, 1850-1965〞（《興大歷史學報》第3期，民82年4月）、Tsai Shih-shan（蔡石山），China and the Overseas Chinese in the United States, 1868-1911（Little Rock: The University of Arkansas Press, 1983）、Henry Townsend Walker, Chinese Migration to the United States, 1848-1882.（Ph. D. Dissertation, Stanford University [Stanford, CA.], 1976）、Zhou Min, Chinatown: The Socio-economic Potential of A Urban Enclave.（Philadelphia: Temple University Press, 1992）、Thomas W. Chinn, Bridging the Pacific:

San Francisco Chinatown and its People（San Francisco: Chinese Historical Society of America, 1989）、Leigh Bristol-Kagan, Chinese Migration to California, 1851-1882.（Ph. D. Dissertation, Harvard University [Cambridge, MA.], 1982）、Chow Chunshing, Immigration and Immigrant Settlement: The Chinese in New York City.（Ph. D. Dissertation, University of Hawaii [Honolulu], 1984）、Peter Sing-Sang Li, Occupational Mobility and Kinship Assistance: A Study of Chinese Immigrants, in Chicago.（Ph. D. Dissertation, Northwestern University, 1975）、陳守亭〈清季赴美華工原因之探討〉（《法商學報》16期，民70年6月）、〈清廷對赴美華工態度之研究〉（同上，18期，民72年6月）及〈美國對赴美華工態度之研究〉（同上，17期，民71年4月）、蔡石山〈華工與中美外交〉（《美國研究》1卷3期，民60年9月）、麥禮謙《從華僑到華人－二十世紀美國華人社會發展史》（香港，三聯書店，1992）、尹根源《美國華人社會之分析》（中國文化學院民族與華僑研究所碩士論文，民65年6月）、Roger Daniels, Asian America: Chinese and Japanese in the United States Since 1850.（Seattle: University of Washington Press, 1988）、姜義華〈論文化的摩擦、適應與再創造－美國華人文化變遷試論〉（《近代中國》第5輯，上海，1995）、樂正〈近代廣東旅美華僑與嶺南文化的傳播〉（《中山大學學報》1996年4期）、Chan Sucheng, This Bitter-Sweet Soil:The Chinese California Agriculture, 1860-1900.（Berkeley: University of California Press, 1986）、張四德《異鄉文化的接受與同化－1940至1960年間美國華僑史研究》（臺北，文史哲出版社，民75）、Tsai Shih-shan,

"Research Notes on the Chinese Immigration Sources in the United States."（《海外華人研究》第1期，民78年6月）、許木柱〈少數民族的社會心理適應—以加州華人為例的人類學探討〉（同上）、Huang Hsiao-Peing（黃小平），"Chinese Society in Hawaii During the Nineteenth Century."（同上，第2期，民81年4月）、陳國明〈在美華人家庭價值取向的變遷〉（同上）、William Franking Wu, The Yellow Peril: Chinese Americans in America Fiction, 1850-1940.（Ph. D. Dissertation, University of Michigan-Ann Arbor, 1979）、Evelyn Hu-DeHart, "Chinese Coolie Labor in Cuba and Peru in the Nineteenth Century: Free Labor or Neoslavery?"（《海外華人研究》第2期，民81年4月）、Bernard P. Wong, "Chinese in Latin America With Special Reference to the Chinese in Peru."（同上，第1期，民78年6月）、Chang Chieh, The Chinese in Latin America: A Preliminary Geographical Survey with Special Reference to Cuba and Jamaica,（Ph. D. Dissertation, University of Maryland-College Park, 1955）、林慶梅《巴西華僑社會之研究》（中國文化學院民族與華僑研究所碩士論文，民64年6月）、董悦華〈1910年以來的非洲華人及其與中國的關係〉（《山東師大學報》1994年2期）、方積根《非洲華僑史資料選輯》（北京，新華書店，1986）、彭軻（Frank N. Pieke）著、莊國土譯《荷蘭華人的社會地位》（臺北，中央研究院近代史研究所，民81）、沈毅〈近代加拿大華僑述略〉（《學術研究》1986年5期）及〈論近代加拿大華僑與祖國的聯繫〉（《遼寧大學學報》1987年5期）、陳衮堯〈加拿大華僑勳舊錄〉（《廣東文獻》10卷1期-12卷4

期，民67 年3 月-73 年12 月）、David Chuenyan Lai, Chinatown: Towns with Cities in Canada.（Vancouver: University of British Columbia Press, 1988）、Edgar Wickberg, From China to Canada: A History of the Chinese Communities in Canada.（Toronto: Mc Clelland & Stewart, 1982）、Peter S. Li,（李勝生）The Chinese in Canada（Toronto: Oxford University Press, 1988）、James Morton, In the Sea of Sterile Mountains: The Chinese in British Columbia.（Vancouver, Canada: J.J. Douglas, 1974）、陳國賁《加拿大滿地可華人》（香港中文大學，1991）；潘先偉《香港華人社會之研究》（中國文化學院民族與華僑研究所碩士論文，民67年6月）、呂宗麟《香港華人社會與香港新界租約期滿關係之研究》（中國文化大學同上，民72年6月）、許樹錚《香港經濟發展與華人社會問題透視》（同上，民68年6月）。張正藩《近六十年來南洋華僑教育史》（臺北，中央文物供應社，民45）、市川信愛〈南洋華僑教育的嬗變〉（《遼寧師大學報》1989年5期）、許雲樵〈南洋華僑與大學教育〉（《南洋學報》9卷2輯，1953年12月）、區偉基《東南亞華文教育之研究》（中國文化學院民族與華僑研究所碩士論文，民65年1月）、黃康顯〈從泰國個案看海外華文教育前景〉（載胡春惠主編《近代中國與亞洲學術討論會論文集》上册，香港，1995）、周勝皋《越南華僑教育》（臺北，華僑出版社，民50）、辛祖康《寮國華僑教育》（臺北，海外出版社，民49）、陳文亨、盧偉林《緬甸華僑教育》（同上，民48）、戴子安《印度半島華僑教育》（同上，民47）、余晉堅《大溪地華僑教育》（臺北，僑務委員會，民55）、臧廣恩、蔣永敬《日本華僑教育》（臺北，海外出版社，民48）、馮漢樹《澳門華僑教育》（同上，民49）、韓劍鋒《香港華人教育之研究》（中國文化學院民族與華僑研究所碩士論文，民68年7月）、張兆理《韓國華僑教育》（臺北，華僑文化出版社，民49）、劉順達《韓國華僑教育之研究》（中國文化學院民族華僑研究所碩士論文，民65年6月）、唐青《新加坡華文教育》（臺北，華僑教育叢書編輯委員會，民43）、陳育崧〈星馬華文教育近百年史緒論〉（載《星馬教育研究集》，香港，東南亞研究所，1974）、Gwee Yee-hean, "History of Chinese Education in Singapore and Malaysia: An Outline Survey of Sources."（《海外華人研究》第1期，民78年6月）、許甦吾《新加坡華僑教育全貌》（新加坡，南洋書局，1950）、王幼琳《新加坡與馬來西亞華文教育之比較》（中國文化學院民族與華僑研究所碩士論文，民67年6月）、程維賢〈中國與海外華人教育－以新加坡與馬來西亞為例證〉（載《中華民國建國八十年學術討論集》第3冊，民80）、李今再〈戰後星馬華僑教育〉（《南洋學報》10卷1輯，1954年6月）、Gwee Yee Hean, "Chinese Education in Singapore"（Journal of the South Seas Society, Vol. 5, No. 2 University of Singapore, 1970）、林高樂《新加坡華文教育之研究》（中國文化大學民族與華僑研究所碩士論文，民70年2月）、何思瞇〈戰後新加坡華文教育初探（西元1946年至1980年）〉（《國史館館刊》復刊第10期，民80年6月）、黃坤生《新加坡光復後華文教育之發展，1945-1985》（臺灣師大教育研究所博士論文，民75）、李庭輝〈馬來亞華人教育（1894—1911）：早期華校的民族主義〉（載《辛亥革命與南洋華人研討會論文集》，民75）、陳汝標《馬來亞華僑教育研究》（珠海大學歷史研究所碩士論文，1985年6月）、黃冠歐《馬來西亞教育政策與華文教育問題之研究》(中國文化大學民族與華僑研究所碩士論文，民73年6月)、李全壽〈印度尼西亞華僑教育史〉(《南洋學報》15卷1、2輯，1959年7、12月)、陳國華《先驅者的腳印：海外華人教育三百年》(香港，香港文化出版社，1992)、張正藩《華僑教育綜論》(臺北，臺灣商務印書館，民59)、杜裕根、蔣順興〈論近代華僑國籍與中國國籍法〉(《江海學刊》1996年4期)、馮子平《海外春秋》(北京，商務印書館，1993)、陳國霖著譯《幫會與華人次文化》(臺北，臺灣商務印書館，民82年臺初版)等。

4.婦女

婦女參與革命的人數雖然不多，但對革命自有其貢獻，尤其是男性革命黨人不易做好的掩護、運輸槍械、醫護等工作，女性黨人則多能勝任。談辛亥革命時期婦女活動的有余麗芬〈近代女知識分子與辛亥革命〉(《浙江社會科學》1991年5期)、戚世皓〈辛亥革命與知識婦女〉(載《辛亥革命研討會論文集》，民72)、丁以群〈婦女運動和辛亥革命〉(《四川大學學報叢刊》第9輯，1981年7月)、趙文靜〈近代中國知識婦女與辛亥革命〉(《煙臺師院學報》1996年4期)、林維紅《同盟會時代女革命志士的活動》(臺灣大學歷史研究所碩士論文，民62年6月)及〈同盟會時代女革命志士的活動(1905—1912)〉(《中華學報》1卷2期，民63年7月)、朱秀武〈辛亥革命中的婦女〉(《華中師院學報》1980年1期)、黨德信〈辛亥革命中的中國婦女〉(《文史通訊》1982年3、4期)、末次玲子〈辛亥革命期の婦人解放運動とプロアスタント女子教育〉（《歷史評論》280號、281號，1973年9月、10月）、鮑家麟〈辛亥革命時期的婦女思想〉（《中華學報》1卷1期，民63年1月）、李喜所〈辛亥革命時期婦女解放運動的特點〉（《東北師大學報》1981年5期）、王惠姬〈婦女與三二九之役〉（《僑光學報》11期，民82年10月）、李又寧〈辛亥革命先進方君瑛女士〉（《傳記文學》38卷5 期，民70 年5 月）、Rong Tiesheng （榮鐵生）："The Women's Movement in China before and after the 1911 Revolution"（Chinese Studies in History, Vol. 16, No3/4, 1983）及〈辛亥革命前後的中國婦女運動〉（載《紀念辛亥革命七十周年學術討論會論文集》上册，北京，中華書局，1983）、唐汝瑾〈試述辛亥革命時期的婦女運動〉（《上海師大學報》1988年3期）、小野和子〈辛亥革命時期の婦人運動—女子軍と婦人參政權〉（載小野川秀美等編《辛亥革命の研究》，東京，筑摩書房，1978）、周亞平〈論辛亥革命時期的婦女參政運動〉（《歷史檔案》1993年2期）、李蘭萍〈略論辛亥革命時期的婦女參政鬥爭〉（《廣東社會科學》1988年2期）、陳靜秋〈辛亥革命時期的婦女解放運動〉（《中學歷史》1984年1期）、江曉玲、周芳莉〈辛亥革命時期婦女解放運動發展軌跡初考〉（《成都大學學報》1990年4期）、趙宗頗〈論辛亥革命期間的婦女愛國運動〉（《上海師大學報》1990年4期）、榮鐵生〈辛亥革命前後的中國婦女運動〉（《紀念辛亥革命七十周年學術討論會論文集》上册，北京，中華書局，1983）、陳哲三〈清季革命書刊中有關女權運動的記述〉（《近代中國》15期，民69年2月）、張顯菊〈辛亥革命時期婦女刊物的婦女解放思想宣傳〉（《史學集刊》1995年3期）、鄧蕙芳〈辛亥革命前廣東參加革命工作之婦女〉（《廣東文獻》6卷3期，民65年9月）、行龍〈辛亥革命前夕的婦女運動〉（《山西大學學報》1988年3期）、何立平〈辛亥革命時期的上海婦女運動〉（《檔案與歷史》1986年3期）、朱秀武〈1903年拒俄運動中的知識婦女〉（《中南民族學院學報》1981年2期）、劉傳英〈近代四川婦女的首次奮起：辛亥年間四川女子保路同志會述略〉（《四川大學學報》1988年3期）、戴東陽〈試論辛亥時期江浙婦女的政治生活〉（《杭州大學學報》1995年3期）、徐輝琪〈辛亥革命時期婦女的覺醒與對封建禮教的衝擊〉（《近代史研究》1994年4期）。至於婦女史方面重要的有王樹槐等編《近代中國婦女史中文資料目錄》（臺北，中央研究院近代史研究所，民84）、藤井志津枝主編《近代中國婦女史日文資料目錄》（同上）、成露西等編《近代中國婦女史英文資料目錄》（同上，民85）、藏健、董乃強主編《近百年中國婦女論著總目提要》（北京，北方婦女兒童出版社，1996）；李又寧〈婦女史研究之回顧與檢討〉（載《六十年來的中國近代史研究》上冊，臺北，中央研究院近代史研究所，民77）、張玉法、李又寧合編《近代中國女權運動史料》（2冊，臺北，傳記文學出版社，民64）、《中國婦女史論文集》（臺北，臺灣商務印書館，民70）及《中國婦女史論文集》第2輯（同上，民77）、鮑家麟等《中國婦女史論集》（臺北，牧童出版社，民68）及《中國婦女史論集》續編（同上，民80）及三編（同上，民82）及四編（同上，民84）、梅生編《中國婦女問題討論集》（3冊，上海，新文化書社，民12）、呂雲章《婦女問題論文集》（上海，女子書店，民22）、黃心勉《中國婦女的過去和將來》（同上，民21）、王立明《中國婦女運動》（上海，商務印書館，民23）、談社英編《中國婦女運動通史》（南京，婦女共鳴社，民25）、樊仲雲《婦女解放史》（上海，新生命書局，民18）、陳東原《中國婦女生活史》（上海，商務印書館，民26）、澤村幸夫《支那現代婦人生活》（東京，東亞研究會，1932）、小野和子《中國女性史：太平天國から現代まで》（東京，平凡社，1978）、羅蘇文《女性與近代中國社會》（上海，上海人民出版社，1996）、黃育馥〈京劇と中國女性（1917-1987）〉（《お茶の水女大女性研究所年報》第6號，1993年3月）、張點凡〈中國婦女文學總探〉（《東方工專學報》第5期，民71年3月）、岸邊成雄編《革命中の女性們》（東京，評論社，1976）、馬庚存《中國近代婦女史》（青島，青島出版社，1995）、楊績蓀《中國婦女活動記》（臺北，正中書局，民53）、吳曾蘭《女權平議》（上海，亞東圖書館，民10）、梁占梅《中國婦女奮鬥史話》（重慶，建中出版社，民32）、劉蘅靜《婦女問題文集》（南京，婦女月刊社，民36）、皮以書《中國婦女運動》（臺北，三民書局，民62）、Easther S. Lee Yao, Chinese Women: Past and Present.（Mesquite: Tex. Ide House, 1983）、Ono Kazuko ed., Chinese Women in a Century of Revolution, 1850-1950.（Stanford: Stanford University Press, 1988）、Christina K. Gilmartin et al. eds., Engendering China: Women, Culture and the State.（Cambridge: Harvard University press, 1994）、英文中國婦女月刊社編著《古今著名婦女人物》（2冊，石家庄，河北人民出版社，1986）、山崎純一〈清末變法論段階の女子道德論と教育論〉（《中國古典研究》17號，1970年12月）、湯淺幸孫〈清代に於ける婦人解放論ー禮教と人間的自然〉（《日本中國學會報》第4號，1953年3月）、劉巨才

〈維新派關於婦女問題的理論與實踐〉(《近代史研究》1984年2期)、陳蓉蓉〈孫中山先生的女性地位觀〉(《實踐學報》27期,民85年6月)及〈孫中山先生女權觀的實踐〉(載《八十五年中山思想學術研討會論文集》,臺北,國父紀念館,民85年6月)、王玲玲〈孫中山與婦女解放運動〉(《山西師大學報》1996年4期)、李又寧〈孫中山先生與清末民元的婦女運動〉(載《孫中山先生與近代中國學術討論集》第1册,民74)及〈孫中山先生與民元後的婦女運動〉(《珠海學報》15期,1987年10月)、經盛鴻〈民初女權運動概述〉(《民國春秋》1995年3期)、中山義弘〈孫文と婦人問題〉(《北九州大學外國語學部紀要》25號,1974年10月)、〈民國初めにおける婦人解放論〉(《大下學園女子短大研究集報》第8號,1971年2期)、〈20世紀初ある中國婦人雜誌と婦人解放論〉(同上,第4號,1966年12月)、前山加奈子〈楊昌濟と湖南の婦人解放—「結婚論」の翻譯と「家族制度改良ノート」について〉(《中國近代史研究會通信》15-16號,1982年10月)、〈五四運動における女性解放の行動〉(《北九州大學外國語學部紀要》32號,1977年1月)及《近代中國における女性解放の思想と行動》(九州中國書房,1983)、雷潔瓊〈三十年來中國婦女運動的總探討〉(《地方建設》第1期,民30)、Mary B. Rankin, "Elite Reformism and the Chinese Women's Movement: Evidence from Kiangsu and Chekiang Railway Demonstrations, 1907." (Ch'ing-Shih Wen-t'i〔清史問題〕, Vol.3, No.2, December 1974)、郭溶〈近代中國的婦女解放運動〉(《四川師院學報》1995年2期)、焦潤明〈論近代中國的婦女解放思想〉(《社會科學輯刊》1995年5期)、夏曉虹〈從男女平等到女權意識—晚清的婦女思潮〉（《北京大學學報》1995年4期）、孫蘭英〈論中國近代婦女運動的〝男性特色〞〉（《史學月刊》1996年2期）、町井陽子〈清代の女性生活—小説を中心にして〉（《歷史教育》6卷10號，1958年10月）、Charlotte L. Beahan, "Feminism and Nationalism in the Chinese Women's Press, 1902-1911."（Modern China, Vol.1, No.4, October 1975）、喻蓉蓉《五四時期之中國知識婦女》（政治大學歷史研究所碩士論文，民76年6月）、張三郎《五四時期的女權運動（1915-1923）》（臺灣師範大學歷史研究所碩士論文，民75年6月）、中華全國婦女聯合會婦女運動歷史研究室編《五四時期婦女問題文選》（北京，三聯書店，1981）、《中國近代婦女運動歷史資料：1840—1918》（北京，中國婦女出版社，1991）及《中國婦女運動歷史資料：1927—1937》（同上）、中國婦女管理幹部學院編《中國婦女運動文獻資料編·第1、2冊，1918-1983》（同上，1988）、Bobby Chi-yiu Siu, The Women's Movement in China, 1900-1949.（Carleton, 1981）、Marie Janette Wutzke, Women in Transition: The Struggle for Equal Rights in Revolution China, 1900-1957.（The M. A. Thesis, 1994）、Li Xiaolin, Women in the Chinese Military.（Ph. D. Dissertation, University of Maryland-College Park, 1995）、Lee Jen-der（李貞德），Women and Marriage in China During the Period of Disunion.（Ph. D. Dissertation, University of Washington [Seattle], 1992）、李忠芳〈中國婦女參政的理論與實踐述略〉（《吉林大學學報》1989年5期）、經盛鴻〈辛亥革命後的爭取女子參政運動〉（《南京史志》1996年6期）、薛學濤〈中國婦女在民法上地位之檢

討〉(《學風》4卷7期，民23年7月)、Marilyn B. Young, ed. , Women in China. (Ann Anbor: The University of Michigan press, Center for Chinese Studies, 1973)、Margery Wolf and Roxane Witke eds. , Women in Chinese Society (Stanford: Stanford University Press, 1975)、Charlotte L. Beahan, The Women's Movement and Nationalism in Late Ch'ing China. (Ph. D Dissereatiion, Columbia University [New York], 1976)、Li Yu-ning (李又寧) ed., Chinese Women Through Chinese Eyes. (Armonk:M.E. Sharpe, 1992)、下見隆雄〈中國女性史研究への觀點〉(《日本中國學會報》45號)、Hiroko Kubota, "The Current State of Japanese Research on the History of Chinese Women (1900-1949)" (Republican China, Vol. 10, No.16, November1984)、Chris Gilmartin, " Recent Developments in Research About Women iin PRO." (同上)、石川照子〈日本における近現代中國女性史 研究の狀況〉(《近代中國婦女史研究》第1期，民82年6月)、王奇生〈民國初年的女性犯罪(1914-1936)〉(同上)、康曉濱〈八十年代民國婦女史研究概況〉(《學術界》1993年3期)、秋吉祐子〈現代中國女性研究の特徵と課題—中國・日本・英米の研究を中心として〉(《近きに在りて》13、14號，1988年5、9月)、桑兵〈近代中國女性史研究散論〉(《近代史研究》1996年3期)、末次玲子〈中國女性解放の現實と女性史研究の課題〉(《歷史評論》431號，1986年3月)、王美秀〈西學東漸影響下的中國近代婦女運動〉(《北京大學學報》1995年4期)、杜婉言〈西學東漸對中國婦女的影響〉(《青海師大學報》1996年3期)、榎本明子〈日本における民國

期、中國女性史研究の現狀と課題〉（《近きに在りて》24號，1993年11月）、太田秀夫〈日本における中國近現代女性解放運動史研究紹介〉（《人文論叢》第3、4號，1976年3月）、Henna Wu, The Lioness Roars: Shrew Stories from Late Imperial China.（Ithaca, N.Y.: Cornell University East Asian Program, 1995）、李又寧〈《女界鐘》與中華女性現代化〉（載《近世家族與政治比較歷史論文集》下冊，民81年6月）、趙宗頗〈金一及其《女界鐘》的婦女解放思想〉（《江海學刊》1988年1期）、豫人〈《中國新女界雜誌》及其女權主張〉（《河南師大學報》1990年3期）、林勝利《清代女權思想的萌芽與發展》（東海大學歷史研究所碩士論文，民65年5月）、吳淑珍〈中國婦女參政運動的歷史考察〉（《中山大學學報》1990年2期）、張敏杰〈論中國婦女的社會地位和人權保障〉（《浙江學刊》1995年4期）、中華全國婦女聯合會編《中國婦女運動史（新民主主義時期）》（北京，春秋出版社，1989）、青長蓉、馬士慧等編《中國婦女運動史》（成都，四川大學出版社，1989）、計榮主編《中國婦女運動史》（長沙，湖南出版社，1992）、劉巨才《中國近代婦女運動史》（北京，中國婦女出版社，1989）、William Edward Ellis Deibert, Women in Twentiety-Century China: A Problem in Identifying and Measuring Change in Social Norms.（A Community College Curriculum Pittsburough: Carnegie-Mellon University, 1984）、Isabel Marie Collins, Changes in Roles and Status of Twentieth Century Chinese Women, Especially as Health Care Givers.（Master's Thesis, California State University-Long Beach, 1991）、Kowk Pui-lan, Chinese Women and Christianity, 1860-1927.（Ph. D. Dissertation, Harvard University [Cambridge, MA.], 1989）、Wu Tong, Chinese Women and Law Women's Position in Marital Relatioons and in Society.（The M. L. Thesis, York University, 1991）、 Leslie Eugene Collins, The New Women: A Psychohistorical Study of the Chinese Feminist Movement from 1900 to Present.（Ph. D. Dissertation, Yale University [New Haven, Conn], 1976）、鄭永福等《近代中國婦女生活》（鄭州，河南人民出版社，1993）、林勝利《清代女權思想的萌芽與發展》（東海大學歷史研究所碩士論文，民65年5月）、羅蘇文《女性與近代中國社會》（上海，上海人民出版社，1996）、Chang Hsin-hsiung（張信雄），"The Roles of Chinese Women in the Family and in Society from 1900 to Present."（《南臺工專學報》10期，民78年6月）、陳慈玉〈二十世紀初期的女工〉（《歷史月刊》第2期，民73年3月）、陳重光《民國初期婦女地位之演變》（中國文化學院史學研究所碩士論文，民61年6月）、徐建生〈戊戌女子解放新探〉（《史學月刊》1989年5期）、Tao, Pao Chia-lin（鮑家麟），"The Anti-footbinding Movement in Late Ch'ing China: Indigenous Development and Western Influence"（《近代中國婦女史研究》第2期，民83年6月）、林維紅〈清季的婦女不纏足運動（1894-1911）〉（《臺灣大學歷史學系學報》16期，民80年8月）、鍾年〈戊戌不纏足運動的文化透視〉（《社會學研究》1996年3期）、鍾年、張宗周〈放足與放心—戊戌不纏足運動的回顧〉（《中南民族學院學報》1996年4期）、Alison R. Dracker, "The Influence of Western Women on the Anti-footbinding Movement, 1840-

1911."（Historical Reflections, Vol.8, No.3, 1981）、梁景和〈中國近代不纏足運動始末〉（《山西師大學報》1994年1期）、吳強〈婦女解放的第一步—辛亥革命以後的解放婦女纏足運動〉（《雲南檔案》1995年4期）、林秋敏《近代中國的不纏足運動（1895-1937）》（政治大學歷史研究所碩士論文，民79年1月）及〈清末的天足會（西元1895年至1906年）〉（《國史館館刊》復刊16期，民83年6月）、夏曉虹〈清末的不纏足與女學堂〉（《中國文化》11期，1995年春季號）、程謫凡《中國現代女子教育史》（上海，中華書局，民25）、黃新憲《中國近現代女子教育》（福州，福建教育出版社，1992）、陳祖懷〈中國近代女子教育述論〉（《史林》1996年1期）、廖秀真《清末的女子教育，1897—1911》（臺灣大學歷史研究所碩士論文，民69年1月）、〈清末女學的發展〉（《歷史月刊》第2期，民73年3月）及〈清末女學在學制上的演進及女子小學教育的發展〉（《成大歷史學報》第10期，民72年9月）、周漢光〈清末的女子教育〉（《中國歷史學會史學集刊》18期，民75年7月）、呂士朋〈辛亥十餘年間女學的倡導〉（《東海歷史學報》第5期，民71年12月；又載《辛亥革命研討會論文集》，民72）、楊求占〈清末女學的興辦〉（《歷史檔案》1992年2期）、高華德、崔薇圃〈中國近代女學的產生和發展〉（《齊魯學刊》1995年4期）、賈德琪《清末（1842—1911）新女子教育之興起》（臺灣師範大學教育研究所碩士論文，民70年6月）、王婷婷《清末女子教育思想》（中國文化大學史學研究所碩士論文，民70年1月）、張蓮波〈中國近代女子教育思想述評〉（《河南大學學報》1995年4期）、黃嫣梨〈中國婦女教育之今昔〉（《香港浸會學院學報》11卷，1984）、盧燕貞《中國近代女子教育史（1865—1945）》（臺北，文史哲出版社，民78）、林乙烽〈清末民初的女子教育〉（《徐州師院學報》1983年2期）、余麗芬〈西學東漸與近代女學〉（《浙江學刊》1996年3期）、深澤秀男〈變法運動と中國女學堂〉（《アルテスリベラレス》32巻，1983年7月）、楊曉〈中國傳統女學的終結與近代女子教育的興起—戊戌變法時期女學思想探析〉（《學術研究》1995年5期）、宋瑞芝〈近代婦女教育的興起與婦女的覺醒〉（《河北學刊》1995年5期）、王惠姬《清末民初的女子留學教育》（政治大學歷史研究所碩士論文，民69年6月）、梁鳳榮〈戊戌維新時期的女學〉（《鄭州大學學報》1989年2期）、丁和平〈清末民國潮汕女學述往〉（《嶺南文史》1995年2期）、張建仁、張建民〈中國近代女子教育發展述評〉（《河北師大學報》1989年3期）、黃新憲〈晚清女子教育探微〉（《上海社會科學院學術季刊》1989年4期）、小林善文〈清末から民國初期における中國女子教育〉（《神户女子大學文學部紀要》28巻第1分册，1995年3月）、尹蘊華〈中華女教之傳統及其新展望〉（《臺中師專學報》第1期，民60年6月）、王媛〈近代中國女子高等教育產生芻論〉（《四川師大學報》1996年4期）、王奇生〈教會大學與中國女子高等教育〉（《近代中國婦女史研究》第4期，民85年8月）、趙長征〈民國初創與女子教育〉（《民國檔案》1992年1期）、Sun Yen-chu, Chinese National Higher Education for Women in the Context of Social Reform 1919-1929: A Case Study（Ph. D. Dissertation, New York University, 1985）、呂美頤〈評中國近代關於賢妻良母主義論爭〉（《天津社會科學》1995年5期）、蔣美華〈辛亥革命前夕婚姻家庭新觀念〉（《山西大學學報》1995年1期）、程瑞福《清末女子體育思想的形成（1894-1911）—以自強保種思想為中心之探討》（臺灣師大體育研究所碩士論文，民83）、游鑑明〈近代中國女子體育觀初探〉（《新史學》7卷4期，民85年12月）。

5.立憲派

立憲派是一群主張西方君主立憲者的結合，其立場本與革命派相反且相衝突，惟其與革命派之間的言行競爭，固對革命運動形成阻力，卻也刺激革命黨人的奮發向前，最後立憲派且因對清廷立憲措施失望而心生不滿，武昌起義後，各地立憲派紛紛順應時潮與革命黨人合作，大有助於各省的獨立。專談立憲（派）與革命（派）之關係的論著，以張朋園《立憲派與辛亥革命》（臺北，中央研究院近代史研究所，民58）為其中之代表作，全書分上下兩篇，上篇以諮議局及資政院活動為中心，下篇則縷述各省立憲派在武昌起義後參與革命的經過，以証明立憲派對辛亥革命的貢獻；張氏另撰有〈再論立憲派與辛亥革命〉（載《辛亥革命研討會論文集》，民72）一文；王來棣〈立憲派的〝和平獨立〞與辛亥革命〉（《近代史研究》1982年2期）、杜耀雲、洪勝評〈清末立憲派與辛亥革命〉（《山東師大學報》1982年3期）、耿雲志〈收回利權運動、立憲運動與辛亥革命〉（《近代史研究》1992年1期）、林吉玲〈論立憲運動中的權力之爭與辛亥革命〉（《山東師大學報》1995年4期）、何玉疇〈辛亥革命與資產階級立憲派人〉（載《辛亥革命史論文選》上册，北京，三聯書店，1981）、譚力〈論立憲派和革命派在辛亥革命時期的關係〉（《探索》1986年2期）、劉汝錫〈清廷預備立憲與辛亥革命的關係〉（《臺中二中學刊》第2期，民81年12月）、潘英《革命與立憲》（臺北，谷風出版社，民77）、趙清〈資產階級革命派和立憲派的歷史作用〉（《四川大學學報（叢刊）》1981年9期）、傅大友〈試談立憲派在辛亥革命前的歷史作用〉（《中學歷史》1981年4期）、黃定天〈論辛亥革命的成敗與立憲派〉（《紀念辛亥革命七十周年學術討論會文集》，民革黑龍江省委員會等，1981）、侯宜杰〈論立憲派和革命派的階級基礎〉（《近代史研究》1992年3期）、張朋園〈革命黨與立憲派推展民主政治的進程〉（載《近代中國維新思想討論會》，民67）、羅久蓉〈救亡陰影下的國家認同與種族認同：以晚清革命與立憲派論爭為例〉（載《「認同與國家：近代中西歷史的比較」論文集》，中央研究院近代史研究所，民83）、陳旭麓〈論革命派與立憲派的同一性〉（《江海學刊》1984年6期）、永井算巳〈清末の立憲派改革と革命派〉（《歷史學研究》202號，1956年12月）、侯宜杰〈關於立憲派在辛亥革命中的三個問題〉（《社會科學研究》1991年5期）、童顯勛〈中國資產階級立憲與革命芻議〉（《黃石師院學報》1983年4期）、黃德發〈日俄戰爭與中國的立憲和革命〉（《華中師大學報》1985年6期）、侯宜杰〈革命派反對在中國實行君主立憲之評議〉（《史學集刊》1992年2期）、蔣永敬〈革命黨對清季立憲運動的批評〉（載《中國近代的維新運動—變法與立憲研討會》，民70）、亓冰峰《清末革命與君憲的論爭》（臺北，中央研究院近代史研究所，民55）、朱浤源〈清末新民叢報、東方雜誌和民報對立憲的意見〉（《食貨月刊》復刊13卷7、8期，民72年11月；13卷9、10期，民73年1月）、林美莉〈清末革命派與立憲派關於引用外資主張的理論分析－以新民叢報與民報的論戰為例〉（《國史館館刊》復刊17期，民83年12月）、黃芙蓉〈清季革命、立憲、北洋三派政治勢力之演變〉（《中國歷史學會史學集刊》15期，民72年5月）、李守孔〈各省諮議局聯合會與辛亥革命〉（《中國現代史叢刊》第3冊，臺北，正中書局，民50年3月）、黃德發〈湖北立憲派與革命黨離合關係試探〉（《近代史研究》1988年2期）、傅志明〈辛亥革命時期湖南的資產階級立憲派〉（載《紀念辛亥革命七十周年青年學術討論會論文選》下冊，北京，中華書局，1983）、宋瑋明〈辛亥革命前後湖南革命派與立憲派的鬥爭〉（《湘潭師專學報》1981年3期）、邱捷〈論貴州自治學社－兼論辛亥革命時期立憲派的一些問題〉（《中山大學研究生學刊》1981年2期）、韋善仕〈辛亥革命時期的廣西立憲派〉（《學術論壇》1983年6期）、盧仲維〈廣西辛亥光復與諮議局的激進特徵〉（《近代史研究》1988年2期）、鍾榮熾〈辛亥廣東獨立中的廣東諮議局再評價〉（《華南師大學報》1988年3期）、鍾衍奎〈試論諮議局在辛亥革命中的歷史作用〉（載《辛亥革命論文集》，湖北人民出版社，1981）、劉民山〈辛亥革命前後的天津地區立憲派〉（《天津社會科學》1983年3期）、林增平〈評辛亥革命時期的立憲派〉（《湖南師院學報》1981年4期）、劉桂五〈辛亥革命前後的立憲派與立憲運動〉（《歷史教學》1962年8期；亦載《中國近代史論文集》下冊，北京，中華書局，1979）、孔繁浩〈辛亥革命時期的立憲派〉（《上海師院學報》1981年3期）、楊立強〈青史憑誰判是非－略論辛亥革命前夕的資產階級立憲派〉（《復旦學報》1980年5期）、朱榕〈論辛亥革命的實質－從清末官制改革、立憲運動談起〉（《江漢論壇》1989年2期）。

至於立憲派或立憲運動及其相關問題之研究方面有Liao Sheng-hsiung, The Quest for Constitutionalism in Late Ch'ing China: the Pioneering Phase.（Ph. D. Dissertation, Florida State University [Tallahassee], 1978）、張朋園“Constitutionalism in the Late Qing-Conception and Practice”（《中央研究院近代史研究所集刊》18期，民78年6月）、胡繩武、金沖及《論清末的立憲運動》（上海，上海人民出版社，1959）、古偉瀛《清廷的立憲運動（1905—1911）—處理變局的最後抉擇》（臺北，知音出版社，民78），係從清朝本身的視角來檢視官方所進行的君主立憲運動，而肯定清廷對此目標的努力過程，對絕大部分的論著均側重民間立憲派的活動而言，本書頗能補其不足；《中國近代現代史·第16編：清季立憲與改制》（臺北，臺灣商務印書館，民75）、侯宜杰〈清末立憲運動史研究述評〉（《近代史研究》1985年3期）、張朋園〈立憲運動的現代性〉（《中國近代維新運動—變法與立憲研討會》，民70）、張玉法〈學者對清季立憲運動之評論〉（同上）、李守孔〈晚清之立憲運動〉（《中華文化復興月刊》13卷3期，民67年3月）及〈論清季之立憲運動—兼論梁啟超、張謇之立憲主張〉（《幼獅學報》2卷2期，民49年4月）、禤福煇〈張謇在清末立憲運動的地位〉（《歷史學報（香港中文大學聯合書院歷史學會）》創刊號，1970）、候宜杰《二十世紀初中國政治改革風潮—清末立憲運動史》（北京，人民出版社，1993）及〈清末立憲運動的進步用〉（《近代史研究》1991年3期）、潘鎮球《晚清之憲政運動》（香港大學碩士論文，1969）、張雲樵〈晚清之君主立憲運動〉（同上，1970）、陳志偉《清季立憲運動之研究》（珠海大學中國歷史研究所博士論文，1996年1月）、程為坤〈日俄戰爭與清末立憲運動〉（《清史研究》第7輯，北京，1990年10月）、（蘇）O. B.楚多杰耶夫著、李金秋譯〈辛亥革命前夕的資產階級自由派－論1909-1911年中國的君主立憲運動〉（載《國外中國近代史研究》第2輯，1980）、海冬青、卿定文〈清王朝仿行立憲失敗原因探析〉（《益陽師專學報》1996年4期）、喬志強〈清末立憲運動的幾個問題〉（《晉陽學刊》1981年5期）、帥雲風〈清末立憲運動之回顧〉（《建設研究》3卷5期，民29）、孫春芝〈中國的立憲運動也應彪炳史冊〉（《太原師專學報》1988年3期）、展治公〈舊中國的憲政運動〉（《新觀察》11、12期，1953年6月）、李恩涵〈晚清收回礦權運動與立憲運動〉（《中國近代維新運動－變法與立憲研討會》，民70）、楊國揚《清末政治權威危機與立憲運動之研究》（中國文化大學政治研究所碩士論文，民74年1月）、平心《中國民主憲政運動史》（上海，華夏書店，民36）、荊知仁《中國立憲史》（臺北，聯經出版公司，民74）、韋慶遠《清末憲政史》（北京，中國人民大學出版社，1993）、劉桂五〈論辛亥革命時期的憲政運動〉（《新建設》1954年1期）、李育民〈試論清末的憲政改革〉（《求索》1992年4期）、佐佐木正哉〈近代中國における對外認識と立憲思想の展開〉（《近代中國》16、17卷，1984年12月，1985年7月）、朱中和《清末民初憲政思想之演進（光緒24年－民國5年）》（政治大學三民主義研究所碩士論文，民77年4月）、吳靜玫《清末憲政主義與中國政治文化》（臺灣師大三民主義研究所碩士論文，民82年6月）、王開璽〈清統治集團君主立憲論析評〉（《清史研究》1995年4期）、熊達雲〈清末における中國憲政導入の試みに對する有賀長雄の影響と役割について〉（《政治公法研究》46號，1994年8月）、侯宜杰〈關於首倡君主立憲者之我見〉（《文史哲》1989年5期）、袁鴻林〈再談誰在中國最早提出君主立憲〉（《史學月刊》1985年4期）、楠瀨正明〈清末における立憲構想―梁啟超を中心として〉（《史學研究》143號，1979年6月）、承載、王恩重〈張元濟和清末立憲運動〉（《浙江大學學報》1996年4期）、角田和夫〈中國における日清戰爭後の立憲思想の形成について〉（《近代中國》24卷，1994年12月）、謝瑞智〈清末之立憲運動與制憲沿革之研究―從比較法觀點論述〉（《臺灣師大公民訓育學報》創刊號，民72年6月）、林明德〈論晚清的立憲小說〉（載政治大學中文系所編《漢學論文集》第3集，臺北，民73）、許碧芳《浙江立憲運動與民初浙省政局關係之研究》（政治大學歷史研究所碩士論文，民76年6月）、喬志強〈論清末立憲運動與〝預備立憲〞〉（《山西大學學報》1985年4期）、潘崇雄《清廷預備立憲的運作》（臺灣師範大學歷史研究所碩士論文，民76年6月）及〈清廷預備立憲決策的形成〉（《淡江大學歷史學報》第5期，民82年6月）、周樸〈清季預備立憲略史〉（《光華半月刊》4卷3期及4期，民24）、張天保〈清末的〝預備立憲〞〉（收於河北大學法律學系《中國法制史》編輯組編《中國法制史論文選》第2輯，1982）、諾柏爾特·麥思北〈清政府對立憲的準備―清政府立憲的理解〉（《明清史國際學術討論會論文集》，天津人民出版社，1981年）、董方奎〈論清末實行預備立憲的必要性及可能性―兼論中國近代民主化的起點〉（《安徽史學》1990年1期）、朱金元〈清末預備立憲的發生原因及其客觀作用〉（《學術月刊》1985年2期）、羅華慶〈清末〝預備立憲〞為何模仿日本明治憲政〉(《北方論叢》1991年3期)、〈清末〝預備立憲〞對日本明治憲政模仿中的保留〉(《河北學刊》1992年6期)及〈清末預備立憲與日本明治憲政〉(《近代史研究》1991年5期)、鄭大華〈關於清末預備立憲幾個問題的商榷〉(《史學月刊》1988年1期)及〈清末預備立憲動因新探〉(《求索》1987年6期)、黃勇〈清末的預備立憲〉(《歷史學習》1987年6期)、侯宜杰〈預備立憲是中國政治制度近代化的開端〉(《歷史檔案》1991年4期)、吳春梅〈預備立憲和清末政局演變〉(《安徽史學》1996年1期)、遲雲飛〈預備立憲與清末政潮〉(《北方論叢》1985年5期)、鄭永福〈評清末預備立憲中的地方自治〉(《中州學刊》1984年3期)、草放〈試論清末〝預備立憲〞的實質及其意義〉(《社會科學》1981年4期)、李文海〈論清政府的〝預備立憲〞〉(《歷史檔案》1982年1期)及〈論清政府〝預備立憲〞〉(載《紀念辛亥革命七十周年學術討論會論文集》中冊,1983)、黃達成〈國情與民主進程－兼論清末〝預備立憲〞與中國民主進程的起步〉(《廣州師院學報》1990年3期)、故宮博物院明清檔案部編《清末籌備立憲檔案史料》(2冊,北京,中華書局,1979)、中國第一歷史檔案館〈清末籌備立憲檔案史料補遺〉(《歷史檔案》1993年3期)、吳桂龍〈謊言難挽殘局－滿清末年的〝預備立憲〞〉(《文科月刊》1983年4期)、大隅逸郎〈清朝の「預備立憲」と「欽定憲法」－辛亥革命前後における「君主立憲」と「民主運動」(上)〉(《同志社法學》85號,1964年3月)、謝霞飛〈清末督撫與預備立憲的宣示〉(《中山大學學報》36卷1期,1996年1月)、劉碩〈地方督撫與清末預備立憲〉(《河北學刊》1996年5期)、董叢林〈清末籌備立憲期間統治集團內部的思想分化〉（《河北學刊》1990年3期）、蔡體楨《江蘇與預備立憲，1900—1911》（政治大學政治研究所博士論文，民75年6月）、潘崇雄〈端方與預備立憲〉（《思與言》22卷5期，民74年1月）、劉高葆〈端方與清季預備立憲〉（《學術研究》1996年6期）、劉紀曜《預備立憲時期的督撫與士紳—清季地方主義的再檢討》（臺灣師範大學歷史研究所碩士論文，民68）、鄭師渠〈論清政府〝預備立憲〞的結局〉（《史學論文集—北京師範大學成立八十周年紀念》，1982）、羅華慶〈清末第二次出洋考政與〝預備立憲〞對日本的模仿〉（《江漢論壇》1992年1期）、伊杰〈五大臣出洋考察政治的動因及其演變過程〉（《近代史研究》1989年3期）、趙秉忠〈清末五大臣出洋〉（《歷史教學》1983年6期）、朱金元〈試論清末五大臣出洋〉（《史學月刊》1987年5期）、陳榮勛〈清末五大臣出洋考察政治的歷史作用〉（《齊魯學刊》1990年4期）及〈簡論五大臣出洋考察政治在晚清歷史上的地位〉（《石油大學學報》1990年2期）、陸建洪〈清末五大臣出洋考察政治簡介〉（《地方政治與行政》1989年2期）、孫安石〈清末の政治考察五大臣の派遣と立憲運動〉（《中國—社會と文化》第9號，1994年6月）及〈光緒新政期、政治考察五大臣の日本訪問〉（《歷史學研究》685、686號，1996）、川島真〈光緒新政下の出使大臣と立憲運動〉（《東洋學報》75卷，3.4號，1994年3月）、羅華慶〈論清末五大臣出洋考政的社會影響〉（《中國社科院研究生學院學報》1992年4期）、馬東玉〈五大臣出洋考察與清末立憲運動〉（《遼寧師大學報》1987年1期）、趙玉蓮〈五大臣出洋政治考察與清統治者對西方認識的深化〉（《外交學院學報》1991年4期）、伊杰〈《出使各國大臣奏請宣傳立憲摺》非載澤等所上〉(《社會科學研究》1989年2期)、羅華慶〈載澤奏聞清廷立憲〝三利〞平議〉(《近代史研究》1991年2期)、呂美頤〈清末憲政編查館考察〉(《史學月刊》1984年6期)、劉汝錫《憲政編查館研究》(臺灣師範大學歷史研究所碩士論文,民66年6月)、范振乾〈清季之憲政編查館—中國憲政發展初期之樞紐〉(《臺北商專學報》42期,民83年6月)、鄭大華〈重評《欽定憲法大綱》〉(《湖南師大學報》1987年6期)、陳豐祥《日本對清廷欽定憲法的影響》(臺灣師範大學歷史研究所碩士論文,民67年7月)、大隅逸郎〈「欽定憲法大綱」の破產と「十九信條」の頒布—辛亥革命前夜における「君主立憲」と「民主運動」(中)〉(《同志社法學》86號,1964年4月)、余麗芬〈清末新政評議〉(《浙江學刊》1991年4期)、鄧亦兵〈論清末〝新政〞的歷史作用〉(《史學月刊》1982年6期)、魚俊清〈辛亥革命時期資產階級議會政治破產的思考〉(《西安政治學院學報》1993年5期)、李育民〈試論清末的憲政改革〉(《求索》1992年4期)、孫廣德〈清末憲政運動時期民主政治的提倡與設計〉(《政治大學學報》71期下冊,民84年10月)、曹曉君〈也談清末的所謂〝假立憲〞〉(《齊齊哈爾師院學報》1995年3期)、王開璽〈清統治集團的君主立憲論與晚清政局〉(《北京師大學報》1990年5期)、韋慶遠主講、陳淑銖整理紀錄〈清末立憲運動與民初政局〉(《國史館館刊》復刊21期,民85年6月)、羅華慶〈丙午厘定官制與封建政治文化〉(《史學月刊》1990年3期)、邱遠猷〈辛亥革命時期清廷的〝責任內閣〞與權力之爭〉(《求是學刊》1981年3期)、侯宜杰〈預備立憲失敗的原因〉(《史學月刊》1991年4

期）、黨懷清、陳曼娜〈預備立憲失敗與中國政治近代化受挫〉（《南都學壇》1996年2期）、吳春梅〈預備立憲和清末政局演變〉（《安徽史學》1996年1期）；李守孔〈清末之諮議局〉（《史學彙刊》第2期，民58年8月）、韋慶遠等〈論諮議局〉（《近代史研究》1979年2期）、耿雲志〈論諮議局的性質與作用〉（同上，1982年2期）、于伯銘、馮士鉢〈清末的諮議局〉（《社會科學戰線》1983年1期）、梁彥〈清末的地方立法機關—諮議局及其立法初探〉（《法學研究》1988年5期）、Reger R. Thompson, China's Local Councils in the Age of Constitution Refonm 1898-1911.（Cambridge: Council on East Asian Studies, Harvard University, 1995）、Chang Peng-yuan（張朋園），"Proviniial Assemblies: The Emergence of Political Participation, 1909—1914"（《中央研究院近代史研究所集刊》12期，民72年6月）、〈清末民初的兩次議會選舉〉（《中國現代史專題研究報告》第5輯，民64）及〈清季諮議局議員的選舉及其出身之分析〉（《思與言》5卷6期，民57年3月）、蘇雲峰〈湖北省諮議局與省議會〉（《中央研究院近代史研究所集刊》第7期，民67年6月）、陳巍然〈湖北諮議局淺議〉（載《辛亥革命論文集》，湖北人民出版社，1981）、吳劍杰〈論清末湖北立憲黨人的議政實踐—湖北諮議局研究之一〉（載吳氏主編《辛亥革命研究》，武漢大學出版社，1991）、吳劍杰等編《湖北諮議局文獻資料匯編》（武漢，武漢大學出版社，1991）、張海林〈論辛亥革命前的江蘇諮議局〉（《江海學刊》1995年6期）、王樹槐〈清末民初江蘇諮議局與省議會〉（《歷史學報（臺灣師大）》第6期，民67年5月）、鍾永山〈浙江諮議局在清末憲政運動中的政治意向〉（《浙江社會科學》1993年5期）、李守孔〈清季河南之諮議局〉（《中原文獻》1卷4期，民58年6月）、呂芳上〈清末的江西省諮議局，1909—1911〉（《中央研究院近代史研究所集刊》17期下册，民77年12月）、鄭民武〈論安徽諮議局〉（《安徽史學》1992年2期）、饒懷民〈試評清末湖南諮議局〉（《湖南師大社會科學學報》1986年3期）、楊鵬程〈湖南諮議局與民初省議會比較研究〉（《湘譚師院學報》1989年1期）、盧仲維〈廣西諮議局派系考〉（《廣西師大學報》1986年1期）、穆潔〈清末廣西諮議局和廣西新軍〉（《學術論壇》1981年5期）、廖偉章〈論廣東諮議局〉（《中山大學學報論叢》，1981）、鍾榮熾等〈從清末禁賭決議案看廣東諮議局〉（《廣東教育學院學報》1990年4期）、杜耀雲〈簡論清末山東諮議局〉（《山東師大學報》1987年4期）、趙頌堯〈甘肅諮議局及其演變〉（《甘肅師大師報》1981年4期）、曲曉璠〈清末東三省諮議局述論〉（《社會科學戰線》1990年4期）、鄭崇田〈清末吉林省諮議局述略〉（《改革與探索》1995年1期）、濱口允子〈清末直隸における諮議局と縣議會〉（《中國近現代史論集》，東京，汲古書院，1985）、新村容子〈清末四川省における局士の歷史性格〉（《東洋學報》64卷3、4號，1983年3月）、高放等〈西方代議制度在中國的最早實驗—試論清末的資政院和諮議局〉（《天津師院學報》1981年5期）、李明美《清季之資政院》（中國文化學院史學研究所碩士論文，民60年5月）、姚光祖《清末資政院的研究》（臺灣大學政治研究所碩士論文，民66年6月）、高放、韋慶遠、劉文源〈論資政院〉（收於韋慶遠《檔房論史文編》，福建人民出版社，1984）及〈清末資政院第一次常年會〉（《社會科學戰線》1982年4期）、羅華慶〈論清末資政院第二屆常年會〉（《河北學刊》1991年4期）、杜耀雲〈略論清末資政院的性質和作用〉（《歷史教學》1989年12期）、于伯銘〈清末的資政院〉（《歷史教學》1981年12期）、羅華慶〈梁啟超與資政院〉（《廣東社會科學》1990年3期）及〈略論清末資政院議員〉（《歷史研究》1992年6期）、邱遠猷〈清末立憲改革中的資政院和諮議局〉（《社會科學研究》1984年5期）。張玉法《清季的立憲團體》（臺北，中央研究院近代史研究所，民60）、張恆平、陳世和〈試論貴州自治學社的性質〉（載《紀念辛亥革命七十周年青年學術討論會論文選》下册，1983）、邱捷〈略論貴州自治學社的性質〉（《中山大學研究生學刊》1981年2期）、王天獎〈試論貴州自治學社的性質〉（《辛亥革命史叢刊》第2輯，1980）、賀躍夫〈清末廣東地方自治研究社初探〉（《中山大學學報》1987年3期）、廖偉章〈清末廣州的兩個立憲團體〉（《廣州研究》1987年6期）；Chang Peing-yuan（張朋園），"The Constitutionalists."（In Mary C. Wright ed., China in Revolution: The First Phase, 1900-1913.New Haven:Yale University Press, 1968）、張朋園〈立憲派的「階級」背景〉（《中央研究院近代史研究所集刊》22期上册，民82年6月）、朱英〈立憲派階級基礎新論〉（《江漢論壇》1986年5期）、苑書義〈清末立憲派的階級基礎問題〉（收於《辛亥革命論文選》，北京，三聯書店，1981）、中國人民解放軍某部古田路八連理論組〈資產階級立憲派與無產階級叛徒〉（收於哈爾濱師院歷史系編《無恥篡改歷史妄圖稱霸世界—批判（蘇）齊赫文斯基主編《中國近代史》論文集》，黑龍江人民出版社，1984）、雷俊〈官僚立憲派與清末政爭〉（《華中師大學報》1992年4期）、鄭大發〈論清末統治集團內部的立憲派〉（《江漢論壇》1987年9期)、王開璽〈清統治集團君主立憲論評析〉(《清史研究》1995年3期)、耿雲志〈清末資產階級立憲派與諮議局〉(載《紀念辛亥革命七十周年學術討論會論文集》中冊,1983)、林增平〈略論民族資產階級上層與清末立憲派〉(《辛亥革命史叢刊》第2輯,1980)、王才〈清末的立憲派與立憲運動〉(《自修大學》1984年5期)、陳明〈立憲派改良辨〉(《南通師專學報》1987年1期)、史介〈關於立憲派的幾種評價〉(《山東師大學報》1982年3期)、陳宇翔〈清末留日立憲派的理論貢獻〉(《求索》1996年4期)、劉偉〈清末立憲派的〝國民立憲〞論〉(《史學月刊》1992年6期)及〈清末立憲派的民權觀〉(《近代史研究》1993年1期)、侯宜杰〈君主立憲派反動論商榷〉(《歷史論叢》第4輯,1983)、張錫勤〈論立憲派與清政府在〝立憲〞問題上的分歧〉(《求是學刊》1989年5期)、黃瑋〈論清末立憲派的政治立場〉(《上海師大學報》1995年2期)、耿雲志〈論清末立憲派的國會請願運動〉(《中國社會科學》1980年5期)、馬耀輝〈清末國會開設請願運動の請願書に見られる開設理由〉(《アジア文化研究》第2號,1995年6月)、吳劍杰〈清末湖北立憲黨人的議政實踐〉(《歷史研究》1991年6期)、劉偉〈清末湖北立憲派的政治參與〉(《湖北社會科學》1988年10期)、清水稔〈湖南立憲派の形成過程について〉(《名古屋大學東洋史研究報告》第6號,1980年8月)、賀躍夫〈廣東士紳在清末憲政中的政治動向〉(《近代史研究》1986年4期)、傅大友〈略論四川立憲派的反帝愛國思想〉(《江海學刊》1982年5期)、趙清、黃存勛〈保路運動前的四川立憲派〉(《四川大學學報叢刊》20輯,1983年9月)、馮玉榮〈論四川保路運動中的立憲派〉（《社會科學戰線》1981年5期）、陳國勇〈四川保路運動中的立憲派〉（《南充師院學報》1983年2期）、牛濟〈清末立憲派與四川保路運動〉（《史學月刊》1982年5期）、黃存勛〈立憲派與四川保路運動〉（《四川大學學報（叢刊）》1981年9期）、謝忠梁等〈四川立憲派在保路運動中的作用〉（《社會科學研究》1981年5期）、蔣曉麗〈試論四川立憲派能夠倡導保路運動的原因〉（同上）、符和積〈試論立憲派在四川保路運動中領導地位的形成〉（《海南大學學報》1987年2期）及〈立憲派在四川保路運動中的地位和作用〉（同上，1985年3期）、王萍〈保路運動與資產階級立憲派〉（《山東大學學報》1996年1期）、鮮于浩〈川漢鐵路與四川立憲派〉（收於《研究生論文選集（中國歷史分冊）》，江蘇古籍出版社，1984）、何玉疇〈立憲派與粵漢路權的回收自辦鬥爭〉（載《紀念辛亥革命七十周年學術討論會論文集》中冊，1983）、李時岳《張謇和立憲派》（北京，中華書局，1962）、中村義〈立憲派の經濟基礎〉（《史潮》69號，1959年2月）及〈立憲派の思想と行動〉（載氏著《辛亥革命史研究》，東京，未來社，1979）、楠瀨正明〈清末における立憲構想〉（《史學研究》143號，1979）、緒形康〈立憲か？專制か？—清末政治思想の一側面〉（《法經論叢（愛知大學法學部）》120、121合併號，1989年12月）、林來梵〈中國における立憲主義の形成と展開—立憲君主制論から〝黨主立憲主義〞まで〉（《國際地域研究（立命館大學》第3號，1992年7月）、野澤豐〈資本主義の發達と辛亥革命—立憲派の「滿洲市場論」を中心にして〉（載野澤豐、田中正俊編《講座中國近現代史》第3集，1978）。

至於與立憲派關係密切、利害相共，而被視為武昌起義前奏或一把火炬的四川保路運動，其重要的資料集和論著有中華民國國史館編《辛亥年四川保路運動史料彙編》（2冊，臺北，編者印行，民70）所蒐史料部分皆為原始史料，論著部分則多為當事人描述之親身經歷，價值甚高，為研究辛亥武昌起義背景必需參考之資料；戴執禮編《四川保路運動史料》（北京，科學出版社，1959）及《四川保路運動史料彙編》（臺北，中央研究院近代史研究所，民83）、史料處編《辛亥年四川保路運動史料匯編》（臺北，編者印行，民70）、四川省檔案館《四川保路運動檔案選編》（成都，四川人民出版社，1981）、王人文《四川路事罪言》（撰於1911年；1936年石印本）、周善培《辛亥四川爭路親歷記》（重慶，重慶人民出版社，1957）、隗瀛濤《四川保路運動》（北京，中華書局，中國歷史小叢書，1962）、《四川保路運動史》（成都，四川人民出版社，1981）、〈關於四川保路運動的幾個問題〉（《辛亥革命史叢刊》第1輯，1980）、〈辛亥四川保路運動〉（《歷史教學》1961年11、12期）、〈四川保路運動簡論〉（《四川文物》1991年4期）及〈四川保路運動〉（載《辛亥革命五十周年紀念論文集》下冊，北京，中華書局，1962）、四川省政協文史資料研究委員會等《四川保路風雲錄》（成都，四川人民出版社，1981）、史占揚〈四川保路運動〉（《文物天地》1982年5期）、戴執禮〈辛亥四川保路運動的歷史意義〉（《人文雜誌》1958年2期）及〈《四川保路運動史》若干問題之商榷〉（《四川大學學報》1983年3期）、Arthur Rosenbaum, "The Railway Controversy of 1911: the Bureaucratic Perspective."（《中央研究院近代史研究所集刊》11期，民71年8月）、

Charles H. Hedtke, " The Szechwanese Railroad Protection Movement: Themes of Change and Conflict. "（同上，第6期，民66年6月）、Lee En-han（李恩涵），China's Quest for Railway Autonomy, 1904-1911.（Singapore: Singapore University Press, 1977）、馬陵合〈論清末鐵路幹線國有政策的兩個促動因素〉（《社會科學研究》1996年1期）、全漢昇〈鐵路國有問題與辛亥革命〉（載吳相湘主編《中國現代史叢刊》第1冊，臺北，正中書局，民49）、祁龍威〈清末的鐵路風潮〉（載《辛亥革命史論文選》，北京，三聯書店，1981）、劉岱〈川路風潮－武昌起義前的一把火炬〉（載《中華民國建國史討論集》第1冊，民70）、范文曜〈盛宣懷與四川保路〉（《南開史學》1981年1期）、江玉祥〈四川保路風潮中的宣傳漫畫〉（《四川文物》1991年6期）、周開慶〈四川保路運動與辛亥革命〉（《四川文獻》168期，民67年9月）、王成聖〈保路風潮與辛亥革命〉（《中外雜誌》34卷6期，民72年12月）、黃季陸〈辛亥四川保路運動與武昌起義－有關史料之處理問題〉（同上）、華生〈辛亥四川保路運動的真相〉（同上，87期，民58年11月）、呂實強〈四川保路運動與武昌起義〉（收入《中華民國建國七十年建國史專題演講集》，臺北，教育部高教司，民71）、徐術修〈四川保路革命歷程〉（《中外雜誌》36卷4期，民73年10月）、史占揚〈四川保路運動〉（《文物天地》1982年5期）、劉傳英〈論四川保路運動宣傳的特點和作用〉（《四川大學學報叢刊》第9輯，1981年7月）、何重仁〈辛亥革命時期四川從保路到獨立的經過〉（《中國科學院歷史所第三所集刊》第1期，1954；亦收入辛亥革命研究會編《辛亥革命史論文選》，1981）、鮮于浩〈略論〝破約保路〞宗旨的提出及其實施〉

（《四川師大學報》1992年5期）及〈試論川路租股〉（《歷史研究》1982年2期）、陳言〈談四川保路同志會（力齋談故）〉（《革命思想》2卷2期，民46年2月）、何一民〈《四川保路同志會報告》簡介〉（《歷史教學》1983年1期）、張朋園〈蒲殿俊與川路風潮〉（《四川文獻》168期，民67年9月）、康大壽〈張瀾在辛亥保路運動中的政治思想初探〉（《四川師院學報》1991年1期）、朱文原〈同盟會與川路風潮〉（《近代中國》25期，民70年10月）、林成西、彭文〈試論同盟會在四川保路運動中的作用〉（《成都大學學報》1981年2期）；專談立憲派與四川保路運動之關係的論文八篇，已在稍前立憲派或立憲運動中列舉，可參閱之。日人的論著則有市古宙三〈四川保路運動の首腦部〉（《御茶の水女子大學人文科學紀要》第6卷，1955年3月；亦收入氏著《近代中國の政治と社會》，東京，東京大學出版會，1971）、C. Ichiko（市古宙三），"The Railway Protection Movement in Szechuan in 1911"（Memoris of the Research Department of the Toyo Bunko, No. 4, 1995；亦收入氏著《近代中國の政治と社會》內）、大野三德〈四川保路運動と哥老會〉（《東方學》50集，1975年7月）、西川正夫〈辛亥革命と民眾運動—四川保路運動と哥老會〉（《講座中國近現代史》第3集，1978）、大野三德〈四川保路運動の主動勢力の評價をめぐる研究史的考察〉（載《名古屋大學東洋史研究報告》第1號，1972）及〈四川保路同志會の運動－主動勢力の變化を探るために〉（同上，第3號，1975年4月）、劉傳英〈近代四川婦女的首次奮起：辛亥年間的四川女子保路同志會述略〉（《四川大學學報》1988年3期）、西川正夫〈四川保路運動－その前夜の社會狀況〉（《東洋文化研究所紀要》45册，1968年3月；其中譯文爲邱遠猷譯〈四川保路運動前夜的社會狀況〉，文載《國外中國近代史研究》第5輯，1986）、孔路原〈辛亥保路運動中的四川巡防軍〉（《理論與改革》1990年4期）、蕭功泰〈清末〝保路運動〞的再反思〉（《戰略與管理》1996年6期）。

6.新軍

新軍為清末之國防軍，為革命黨所看中，對其多方滲透、策反，新軍官兵有不少人暗中參加革命或同情革命，清末安徽、廣東、湖北三省的新軍曾起事革命，武昌起義即由湖北新軍之革命黨人所發動，各省紛起響應，其中湖南、陝西、山西、雲南、貴州五省均係以新軍為主導勢力而宣布獨立的，其他各省的獨立，新軍或多或少都有參與。專談新軍與革命運動之關係的論著並不多見，Edmund S. K. Fung（馮兆基），The Military Dimension of the Chinese Revolution of 1911.（Vancouver: University of British Columbia Press, 1980）為其中代表作，也是第一本研究新軍與辛亥革命的西文論著；劉鳳翰〈新軍與辛亥革命〉（《近代中國》25—27期，民70年10、12月，71年2月）及〈論新軍與辛亥革命〉（《辛亥革命研討會論文集》，民72）、波多野善大著、王震邦譯〈新軍與辛亥革命〉（《世界華學季刊》1卷3期，民69年9月）、陳文桂〈論清末新軍向革命的轉化〉（《廈門大學學報》1980年4期）、喬志強〈清末〝新軍〞與辛亥革命（辛亥革命前十年史札記之四）〉（《山西大學學報》1980年3期）、陳旭麓、勞紹華〈清末的新軍與辛亥革命〉（載《辛亥革命五十周年紀念論文集》上册，北京，中華書局，1962）、王義全〈試論新軍在推翻帝制過程中的作用〉（《黔南民族師專學報》1995年2期）、馮兆基〈新軍及其在辛亥革命中的作用〉（《國外辛亥革命史研究動態》第3輯，1984）、石芳勤〈湖北新軍廣大士兵如何轉向革命〉（《歷史教學》1981年2期）、李天松、陳禎璉〈試論湖北新軍向革命轉化〉（《武漢大學學報》1981年5期）、李守孔〈同盟會時代湖北新軍之革命活動〉（《東海學報》18期，民66年6月）、沈繼成〈從湖北新軍的特點看武昌首義的有利條件〉（《華中師院學報》1982年5期）、郭蘊深〈湖北新軍在武昌首義中的作用〉（《求是學刊》1992年6期）、吳紹奎〈遜清湖北陸軍第八鎮含妊革命回想錄〉（《近代中國》91期，民81年10月）、Edmund S. K. Fung（馮兆基），"The Hupei Revolutionary Movement, 1909-1902, A Study of the Role of the New-Style Army in the 1911 Revolution."（Ph. D. Dissertation, Austrialian National University, 1971）、波多野善大〈民國革命と新軍—武昌の新軍を中心として〉（《名古屋大學文學部研究論集》14號，史學5，1956年3月）及〈民國革命運動における新軍—廣東新軍の叛亂を中心として〉（同上，第8號，史學3，1954年3月）、仇江編《廣東新軍庚戌起義資料匯編》（廣州，中山大學出版社，1990），其他有關廣州新軍之役的論著及資料已在前「辛亥革命」、「其他」專題、「起事與宣傳」等條目中舉述，可參閱之；王啟勇〈廣西新軍與辛亥革命〉（《廣西民族學院學報》1985年2期）、黃嘉謨〈廣西新軍與辛亥革命〉（《中央研究院近代史研究所集刊》21期，民81年6月）、孔路原〈略論辛亥革命時期之四川新軍〉（《重慶社會科學》1988年5期）、龍岱〈辛亥革命中的四川新軍小議〉（《四川大學學報叢刊》第9輯，1981）、吳認〈辛亥新軍第九鎮秣陵關起義失敗原因初探〉（《南京師大學報》1990年2期）、傅尚文〈清末山西編練新軍及辛亥革命時期閻錫山充任晉省都督紀實〉（《河北大學學報》1979年1期）、張維翰〈陸軍第十九鎮與辛亥革命丙辰護國之役〉（《雲南文獻》第8期，民67年12月）。專談新軍的有Yoshihiro Hatano, "The New Armies"（Mary c. Wright ed., China in a Revolution: The First Phase, 1900-1913. New Haven: Yale University Press, 1968）、中國社會科學院近代史研究所中華民國史組編《清末新軍編練沿革》（中華民國史資料叢稿：專題資料選輯第2輯，北京，中華書局，1978）、李守孔〈清季新軍之編練及其演變〉（《中國歷史學會史學集刊》第2期，民59年4月）、Ralph L. Powell, The Rise of Chinese Military Power,1895-1912（Princeton: Princeton University Press, 1955）為西文研究新軍之代表作，係為其1953之哈佛大學博士論文（The Moderniz-ation and Control of the Chinese Armies, 1895-1912）加以修訂改名而成；劉鳳翰〈晚清新軍編練及指揮機構組織與變遷〉（《中央研究院近代史研究所集刊》第9期，民69年7月）、魏汝霖〈清末新軍誌〉（《戰史彙刊》21期，民78）及〈清滿新軍誌〉（《中外雜誌》9卷2期，民60年2月）、張其文〈清末新軍六鎮編練述略〉（《中國近代史研究論叢》，1983）、貴志俊彥〈清末の軍制改革—「北洋六鎮」成立過程にみられる中央と地方の改革モデル〉（《島根縣國際短期大學紀要》第3號，1996年3月）、陳崇橋〈清末編練三十六鎮述論〉（《遼寧大學學報》1990年5月）及〈論晚清新軍兵制〉（《南開史學》1990年1期）、中國第一歷史檔案館〈北洋新軍初期武備情形史料〉（《歷史檔案》1989年2期）、〈晚清新軍的軍官制度及其影響〉（《天津社會科學》1986年3期）、郭亞軍〈論清新軍兵制〉（《南開史學》1990年1期）、仲華〈清末新軍變異之成因探析〉（《南京社會科學》1994年10期）、李鑄靈〈清末北洋創辦新軍教學之經過〉（《廣東文獻》24卷1期，民83年2月）、蘇雲峰〈湖北新軍（1896—1912）〉（《師大歷史學報》第4期，民65年4月）、楊啟秋〈廣西新軍述論〉（《廣西師大學報》1987年2期）、穆潔〈清末廣西諮議局和廣西新軍〉（《學術論壇》1981年5期）、周載章〈清末貴州新軍述論〉（載《辛亥革命在貴州》，貴陽，貴州人民出版社，1992）、張鏡影〈黔建新軍始末追憶記略〉（《貴州文獻》復刊第4期，民65年3月）、周詢〈清末川省新軍〉（《四川文獻》72期，民57年8月）、蘇貴慶〈略論江蘇新軍〉（《鹽城師專學報》1988年4期）、呂景琳〈清末山東新軍——一支西法編練的反動武裝〉（《山東史志資料》1982年2期）。其他相關的論著有趙中孚〈近代中國軍事因革與現代化運動〉（《中央研究院近代史研究所集刊》12期，民72年6月）及〈晚清軍制的改革及其成就〉（《第二屆國際漢學會議論文集》，民75）、劉鳳翰〈晚清的陸軍革新〉（載《郭廷以先生九秩誕辰紀念論文集》，下册，臺北，民84年2月）、王家儉〈北洋武備學堂之創設及其影響〉（《歷史學報（臺灣師大）》第4期，民65年4月）、鮑世修〈日本對晚清軍隊改革的影響〉（《軍事歷史》1989年3期）、茅海建〈雲南陸軍講武堂與辛亥雲南起義〉（《華東師大學報》1982年3期）、Edmund S. k. Fung（馮兆基），" Military Subversion in the Chinese Revolution of 1911. "（Modern Asian Studies, Vol. 9, No. 1, 1975），該文之中譯為馮鵬江譯〈辛亥革命中的軍隊策反活動〉（載張玉法主編《辛亥革命論集》第3輯，臺北，聯經出版公司，民69）、鄧亦兵〈清末的巡防隊與辛亥革命〉（《社會科學戰線》1981年4期）、李英銓〈清末防軍與辛亥革命〉（《中南民族學院學報》1991年5期）、潘洪綱〈辛亥革命與駐防八旗〉（同上）、蕭來荃、徐方平〈辛亥革命與荊州駐防八旗〉（《江漢論壇》1993年12期）、吳家文〈記辛亥革命與鎮軍—懷父母邦，悼淮南雞犬〉（《大陸雜誌》41卷4期，民59年8月）。至於工人、商人、農民等與辛亥革命的關係，將在本專題「其他」條目中再行舉述。

(七)國際關係

1.列強

清末的革命運動與列強在華的利益息息相關，與革命較有關連的列強為英國、日本及法國，武昌起義後，列強並未出兵干涉打壓中國革命，稍後且宣布中立，使清廷頗形不利。這方面的論著及資料有王光祈譯《辛亥革命與列強態度》（上海，中華書局，民18；臺北，文海出版社影印，民62）為一史料集。朱文原《辛亥革命與列強態度》（臺北，正中書局，民69），這是作者臺灣師大三民主義研究所的碩士論文，在同類的著作中，本書份量最重，最具代表性。朱氏尚撰有〈國父在歐美的一段外交（1911—1912）〉（《近代中國》72期，民78年8月）及〈辛亥革命時的各國輿論〉（《近代中國》79期，民79年10月）。他如李守孔〈辛亥革命期間之國際背景〉（載《中華民國史料研究中心十周年紀念論文集》，民68）、高橋申夫《中國革命と國際環境》（東京，慶應義塾大學出版會，1996）、楊雲若等《中國革命與對外關係》（合肥，安徽人民出版社，1995）、朱言明〈民族革命與對外關係—洪楊起義與中山先生領導之國民革命對外關係之比較研究〉（《全國三民主義研究所學生學術研討會論集》，臺灣大學三民主義研究所，民75年12月）、陳驥〈辛亥革命期間列強對華外交之研究〉（《中國歷史學會史學集刊》第5期，民62年5月）、白吉爾〈辛亥革命與帝國主義問題〉（《社會科學情報資料》1986年1期）、史扶鄰〈外國列強與辛亥革命〉（同上）、齊赫文斯基〈辛亥革命與外國列強〉（同上）、Tennyson Po-hsun Chang, China's Revolution, 1911-1912, and Its Foreign Relations（Ph. D. Dissertation, Georgetown University [Washington, D. C.], 1948）、黃季陸〈國父在辛亥革命時的外交政策〉（載《薩孟武先生七十華誕政法論文集》，民55）、〈國父在辛亥革命時的外交決策〉（載《孫中山先生與辛亥革命》，民70）、賀躍夫〈試論孫中山在辛亥革命時期的對外活動〉（《孫中山研究論叢》第1集，1983）、Wong J. Y（黃宇和）ed., Sun Yat-sen, His International Ideas and International Connections.（Sydney: Wild Peony Pty Ltd., 1987）、Rose Pik-siu Chan, The Great Powers and the Chinese Revolution, 1911—1913（Phd. Dissertations, Fordham University [New York], 1978）、王曾才〈歐洲列強對辛亥革命的反應〉（《臺大文史哲學報》30期，民70年12月）、寺廣映雄〈孫文のヨーロツパにおける革命活動〉（《大阪教育大學紀要（第Ⅱ部門）》33卷2號，1984年12月）、張玉法〈孫中山的歐美經驗對中國革命的影響〉（《中國歷史學會史學集刊》24期，民81年7月）、余繩武〈辛亥革命時期帝國主義列強的侵華政策〉(《歷史研究》1961年5期)、卿斯美〈辛亥革命時期列強對華政策初探〉(《紀念辛亥革命七十周年學術討論會論文集》中册，北京，中華書局，1983)、徐緒典〈帝國主義與辛亥革命〉(《山東大學學報》1961年3期)、藤田敬一〈帝國主義と中國—辛亥革命時期における〉(《新しい歷史學のために》120號，1967)、胡濱〈帝國主義對辛亥革命的干涉和破壞〉(《山東師院學報》1962年1期)、吳乾兑〈帝國主義對辛亥革命的干涉與破壞〉(《歷史教學》1962年11期)、鄭鶴聲〈辛亥革命前夕資產階級革命派對帝國主義的態度〉(《山東大學學報》1961年3期)、李時岳〈帝國主義與辛亥革命—兼談辛亥革命戰爭的主要矛盾〉(《辛亥革命五十周年紀念論文集》下册，1962)、劉寶林〈辛亥革命與帝國主義的破壞活動〉(《上海教育學院學報》1991年3期)、胡毅華〈辛亥革命時期上海革命黨人與帝國主義的關係〉(同上)、夏良才〈國際銀行團和辛亥革命〉(《近代史研究》1982年1期)、于子橋、施樂伯(Robert A. Scalapion)〈外力與中華民國之創建〉(《孫中山先生與近代中國學術討論集》第2册，民74)、鄭彥棻《國父在海外》(臺北，海外文庫出版社，民48)、吳乾兑〈孫中山與歐美日關係研究述評〉(《載《回顧與瞻望—國內外孫中山研究述評》，1986)。專門論述英國與辛亥革命的有王曾才〈英國與辛亥革命〉(《香港中文大學中國文化研究所學報》7卷2期，1974年12月)及〈英國政府對辛亥革命所持的態度〉(《中國現代史專題研究報告》第3輯，民62)、鄧勤臣〈英國對中國辛亥革命的態度〉(載《中華民國建國史討論集》第1册，民70；亦載《近代中國》36期，民72年8月)、(蘇)奧斯特里科夫〈英帝國主義與辛亥革命〉（《國外中國近代史研究》第1輯，1980）、陳國權譯《英國政府刊布中國革命藍皮書》（民2年出版；臺北，國民黨黨史會影印，民57）、胡濱譯《英國藍皮書有關辛亥革命資料選譯》（2册，北京，中華書局，1984）、廖大偉〈辛亥革命時期英國對華政策及其表現〉（《史林》1992年2期）、Wong J. Y.（黃宇和），The Origins of An Heroic Image: Sun Yatsen in London, 1896—1897.（Hong Kong, Oxford, New York: Oxford University Press, 1986），分析孫中山倫敦蒙難及其影響，是一本重要而精闢的史著，黃氏另撰有〈孫中山倫敦被難研究述評〉（載《回顧與展望—國內外孫中山研究述評》，1986），評析羅家倫、Harold Z. Schiffrin、吳相湘等人的著作，闡述有關倫敦蒙難研究的發展過程，黃宇和〈中山先生倫敦蒙難新史料的發現與考訂〉（《近代中國》107-109期，民84年6、8、10月）及〈孫中山先生倫敦蒙難史料新證與史事重評〉（載《中華民國建國八十年學術討論集》第2册，民80）、張忠正〈孫逸仙倫敦蒙難始末及其對革命之影響〉（《四海學報》第4、5期，民75年4月、76年4月）、熊向暉〈孫中山先生倫敦蒙難史料補遺〉（《貴州文史天地》1996年6期）、壽昌譯〈英國司賴特偵察社偵察孫中山先生行蹤報告書（1896-1897）〉（《建國月刊》12卷5、6期，民24年5、6月）、鄭彥棻〈國父與英國〉（《中國現代史專題研究報告》12輯，民79）、林海戈〈英國與武昌起義後的南北和談〉（《華南師大學報》1990年2期）。法國與辛亥革命有陳三井〈法國與辛亥革命〉（《中央研究院近代史研究所集刊》第2期，民60年6月）、張馥蕊原著，何珍蕙摘譯〈辛亥革命時的法國輿論〉（《中國現代史叢刊》第3册，臺北，正中書局，民

50）、沈自敏〈辛亥革命與法國〉（《外國史知識》1981年9期）、巴斯蒂〈法國外交與中國辛亥革命〉（《國外中國近代史研究》第4輯，1985）、J. Kim Munholland, "The French Connection the Failed: France and Sun Yat-Sen, 1900-1908."（The Journal of Asian Studies, Vol. 32, No.1, November 1972），其中譯文為金姆·曼荷蘭德著，林禮漢等譯〈1900年至1908年的法國與孫中山〉（《辛亥革命史叢刊》第4輯，1982）、Marianne Bastid〈法國的影響及各國共和主義者團結一致—論孫中山在法國政界的關係〉（《孫中山研究國際學術討論會論文》，廣州，1986）、何汝璧〈辛亥革命時期孫中山與法國〉（《陝西師大學報》1991年4期）、張振鵾〈辛亥革命期間的孫中山與法國〉（《近代史研究》1981年3期）、王昭明〈孫中山與法國〉（《同上，1984年1期）、鄭彥棻〈國父與法國〉（《近代中國》44期，民73年12月；《德明學報》第5期，民74年6月）、Jeffrey Barlow, Sun Yat-sen and the French, 1900-1908.（Berkeley: Center for Chinese Studies, University of California, 1979）、吳乾兑〈辛亥革命期間法國外交與孫中山〉（載《孫中山研究論叢》第3集，1985）及〈1911年至1913年間的法國外交與孫中山〉（《近代史研究》1987年2期）、高崇雲〈中山先生的革命事業與法、德兩國的關係〉（《國父創建興中會百周年紀念孫中山思想學術研討會論文集》，臺北，國父紀念館，民84年5月）、宋耀湘〈法國大革命與辛亥革命〉（《武漢教育學院學報》1989年3期，亦載《法國研究》1989年4期）、王振國〈法國大革命對中國辛亥革命的影響〉（《鄭州大學學報》1996年2期）、小松原伴子〈二つの宿題—辛亥革命とフランス革命，および革命方策をめぐって〉（《呴沫集》第8號，1993

年12月）、章開沅〈法國大革命與辛亥革命：紀念法國大革命200周年〉（《歷史研究》1989年4期）、黃振〈法國大革命的歷史經驗與辛亥革命道路的選擇〉（《華中師大學報》1989年4期）、Sun Lung-Kee（孫隆基），“The Dialogue Between two Revolutions, 1789 and 1911.”（Republican China Vol. 17, No. 1, November 1991），其中文稿〈兩個革命的對話：1789＆1911〉，則發表於《二十一世紀》22、23期，1994年4、6月；林長林〈清末中國革命派和改良派對法國大革命的評議〉（《湖南師大學報》1989年3期）、Marianne Bastid “The Influence of the French Revolution on the 1911 Revolution”（《第二屆國際漢學會議論文》，臺北，中央研究院，民75）、朱浤源、梅安莉〈中國與法國大革命過程之比較：研究設計〉（《思與言》27卷2期，民78年7月）。美國與辛亥革命有李本京〈美國與辛亥革命—理想與現實外交政策的制定〉（《近代中國》36期，民72年8月）、張玉法〈美國與辛亥革命〉（《中國現代史專題研究報告》10輯，民70）、張小路〈美國與辛亥革命〉（《歷史檔案》1990年4期）、王綱領〈美國對辛亥革命之態度與政策〉（《史學彙刊》11期，民70年12月；亦載《世界華學季刊》3卷2期，民71年6月）、趙金鵬〈美國政府與中國的辛亥革命〉（《齊魯學刊》1994年1期）、卿斯美〈辛亥革命前夕美國對華政策研究—兼論清末預備立憲的失敗〉（載《紀念辛亥革命七十周年青年學術討論會論文集》，1983）、Cheng Emily Hua, United States Policy During the Chinese Revolution, 1911-1912.（Ph. D. Dissertation, University of South Carolina-Columbia, 1963）、Danie M. Crane, The Reaction of American Press to Chinese Revolution of 1911（M.A. Thesis, University of Virginia [Charlottesville], 1970）、Linda Madson Papageorge, The United States Diplomats, Reponse to Rising Chinese Nationalism, 1900-1912.（Ph. D. Dissertation, Michgan State University [East Lansing], 1973）、Paul A. Varg, The Making of a Myth: The United States and China, 1897-1912.（East Lansing: Michgan State University Press, 1968）、Charles Vevilr, The United States and China, N. J.: Rutgers University Press, 1955）、施嬋瓏《美國與中國革命關係之研究》（中國文化大學中美關係研究所碩士論文，民72年7月）、王綱領〈辛亥革命時期美國的門戶開放政策〉（《辛亥革命研討會論文集》，臺北，中央研究院近代史研究所，民72）及〈美國與孫逸仙博士（1911－1922）〉（《孫中山先生與辛亥革命》中册，民70）、張忠正〈孫中山與美國：興中會時期孫中山在美國之革命運動〉（《四海學報》第9期，民83年12月）、林子勛〈孫中山先生與美國〉（《中外雜誌》20卷，3、4期，民65年9、10月）、高崇雲〈中山先生與美國〉（載《國父建黨革命一百週年學術討論集》第1册，臺北，民84）、李又寧〈孫中山先生的美國公權－英文史料鋒見一二〉（同上）、Thomas W. Ganschow, "Sun Yat-Sen: An American Citizen."（Chinese Studies in History, Vol. 26, No.1, Fall 1992）、夏保成〈美國對辛亥革命的反應〉（《史學集刊》1988年4期）、薛君度〈武昌革命爆發後的美國輿論和政策〉（《知識分子》1987年春季號）、尹全海〈評辛亥革命時美國的〝中立〞政策〉（《信陽師院學報》1991年2期）、王紹坊〈美帝國主義與辛亥革命〉（《教學與研究》1956年10期）、侯外廬〈略論辛亥革命前後美帝國主義對華精神侵略〉（《新建

設》1964年8、9期)、Chao Nang-yung , A Study of Sun Yat-sen Propaganda Activites and Techniques in the United States During China's Revolutionary Period (1894—1911). (M. A. Thesis, University of North Texas , [Denton], 1981)、Thomas William Ganschow, A Study of Sun Yat-sen's Contacts with the United States Prior to 1922. (Ph. D. Dissertation, Indiana University-Bloomington, 1971)、楊日旭〈美國國務院與近代中國學術討論集〉(第2册,民72)。日本與辛亥革命有山根幸夫〈日本關於〝辛亥革命與日本〞的研究動向〉(《東北師大學報》1983年6月)、〈關於〝辛亥革命與日本〞問題的日文著述目錄〉(《國外辛亥革命史研究動態》1983年1期)、李廷江《日本財界與辛亥革命》(北京,中國社會科學出版社,1994)及〈辛亥革命と日本の對應—中央銀行設立構想について〉(《辛亥革命研究》第6號,1986年10月)、波多野善大〈辛亥革命と日本〉(《歷史教育》2卷2號,1954年2月)、陳在俊〈日本對於孫中山先生革命運動的助力與阻力〉(《近代中國》98至104期,民82年12月至83年12月)、陳固亭〈開國前國父在日本之革命活動〉(《政論週刊》149期,民46)、俞辛焞《孫文の革命運動と日本》(東京,六興出版,1989)及《孫中山與日本關係研究》(北京,人民出版社,1996)、綿隱〈辛亥革命與日本之關係〉(《新東亞》1卷3期,民31)、河村一夫〈辛亥革命と日本〉(《中國》72號,1969年11月)、張友漁〈辛亥革命與日本〉(《中蘇文化》4卷3期,民28年10月)、野澤豐〈辛亥革命と日本(立憲君主制か,共和制か—アジア最初の共和革命の衝擊)〉(《エコノミスト》45卷29號,1967年7月)及〈辛亥革命と日本の對應〉(載

《日中に架ける橋「孫文と宮崎兄弟」交流顯彰事業報告》，東京，1995）、（澳）沈巨光著、黃光域譯〈日本對辛亥革命的態度〉（《國外中國近代史研究》第2輯，1981）、五井宜弘〈辛亥革命と日本の對應―大統領と大總統〉（《專修史學》19號，1987年11月）、由井正臣〈辛亥革命と日本の對應〉（《歷史學研究》344號，1969年1月）、董守義〈日本對辛亥革命的影響〉（《日本研究》1992年2期）、上地茂《日本與中國革命（1894-1912）》（臺灣大學三民主義研究所碩士論文，民77）、江口圭一、小野信爾〈日本帝國主義と中國革命〉（《岩波講座「日本歷史」》20卷，1963）、竹內善作〈明治末期における中日革命運動の交流〉（《中國研究》第5號，1948）、竹之內安巳〈日本における中國革命運動〉（《鹿兒島短大研究學報》11、12號，1973）、水野梅曉〈孫文の革命と日本の關係〉（《外交時報》50卷5號，1929）、洪桂己〈辛亥革命日本檔案選輯〉（《國史館館刊》復刊第1期，民75年12月）、周一良〈孫中山的革命活動與日本—兼論宮崎寅藏與孫中山的關係〉（《歷史研究》1981年4期）、陳鵬仁《國父在日本》（臺北，臺灣商務印書館，民76）、〈中國國民黨在日本（1895—1924）〉（《近代中國》102期，民83年8月）及〈國父在日本〉（《孫中山先生與辛亥革命》中册，民70）、貝塚茂樹《孫文と日本》（東京，講談社，1967）、山根幸夫〈孫文と近代日本〉（《東京女子大學論集》18卷1號，1967）、陳固亭〈國父孫中山先生與日本〉（《三民主義半月刊》15期，民42）、山本秀夫〈孫文の對日基本態度〉（《興亞》4卷4號，1943）、李守孔〈國父孫中山先生中日兩國合作之主張〉（收於《百年來中日關係論文集》，臺北，民57）、林景淵〈孫中山先生之旅日經驗及對日本之印象〉（《興大人文社會學報》第5期，民85年3月）、俞辛焞〈日本對孫中山政策史論〉（《國史館館刊》復刊21期，民85年12月）、李成周等〈孫中山與日本〉（《外國問題研究》1985年4期）、尚明軒〈孫中山與日本的幾個問題〉（《貴州社會科學》1994年3期）、沼野誠介《孫文と日本》，（東京，キヤロム，1993）、末川博〈孫文先生と日本〉（載岩村三千夫編《現代中國と孫文思想》東京，講談社，1967）、遠山茂樹〈孫文と日本，その關係のへだたり〉（同上）、山本秀夫〈孫文在日年表〉（同上）、莊鴻鑄〈孫中山與日本〉（《新疆大學學報》1981年4期）、矢次一夫著，蔣道鼎譯〈孫中山和日本〉（《辛亥革命史叢刊》第3輯，1981）、中華民國各界紀念國父百年誕辰籌備委員會學術論著編纂委員會編輯《孫文先生與日本關係畫史》（臺北，民54）、李吉奎〈孫中山與日本關係大事記〉（載《孫中山研究論叢》第6集，1988）、王弋〈孫中山與日本明治維新〉（載《中日關係史論文集》，黑龍江人民出版社，1984）、飯倉照平〈孫中山と神戶〉（《中國》36、37號，1966年11、12月）、上村希美雄〈辛亥革命と熊本〉（載《日中に架ける橋「孫文と宮崎兄弟」交流顯影事業報告》，東京，1995）、劉碧蓉〈孫中山先生與東京青山軍校〉（載《國父創建興中會一百周年紀念孫中山思想學術研討會論文集》，臺北，民84年5月），菅野正〈福建辛亥革命と日本一米國とも關連して〉（《奈良大學紀要》20號，1992年3月）、關捷、趙曉群〈日本帝國主義對東北地區辛亥革命的干涉和破壞〉（《中日關係史論集》1983年2期）、波田野勝〈辛亥革命と日本海軍の對應〉（《軍事史學》21卷4號，22卷1號，1986年3月、6月）、彭澤周〈論漢口惠州兩役與日本〉（《大陸雜誌》77卷4期，民77年10月）及〈辛亥革命與日本西園寺內閣〉（《中國現代史叢刊》第6冊，民53）、吉川尚〈中國辛亥革命に對する我國の輿論〉（《中國文學》77號，1941）、藤井昇三〈孫文と日本一孫文の對日認識を中心に〉（《アジア文化》15號，1990年5月）、〈孫文と日本〉（載《日本の社會文化史》第5卷，東京，講談社，1974）、〈中國革命の中孫文と日本一日本觀の變遷を中心として〉（《季刊とうてん》第3號，1975年9月）及〈辛亥革命と日本〉（《中國研究》18號，1971年9月）、林明德〈日本對辛亥革命的支持與干涉〉（《傳記文學》38卷5期，民70年5月）、吳杰〈辛亥革命時期日本陸軍的侵華陰謀〉（載蔡尚思等《論清末民初中國社會》，復旦大學出版社，1982）、曾村保信〈辛亥革命と日本の輿論〉（《法學新報》63卷97號，1956年9月），其中譯文為李永熾譯〈辛亥革命與日本輿論〉（《大陸雜誌》35卷1期，民56年1月）、曾村保信〈辛亥革命と日本〉（載《日本外交史研究》，1961）、臼井勝美〈辛亥革命と日英關係〉（載《日英關係の史的展開》，東京，日本國際政治學會，1978）、林明德〈孫中山與日本關係的探討〉（《孫中山先生與辛亥革命》中冊，民70）、宋越倫《總理在日本之革命活動》（臺北，中央文物供應社，民42）、陳固亭〈國父革命在日本〉（《中國地方自治》18卷7期，民54）、俞辛焞《孫中山與日本關係研究》（北京，人民出版社，1996）及〈孫文と日本關係史論〉（《創大アジア研究》14號，1993年3月）、野澤豐〈日本維新ば中國革命の第一步一孫文と近代日本〉（東京，岩波書店，1966）、俞辛焞〈孫日關係與矛盾論〉（《近代史研究》1995年2期）及〈日本對孫中山政策史論〉（《國史館館刊》復刊21

期，民85年12月）、陳鵬仁〈孫中山先生的大亞洲主義與日本〉（《近代中國》99期，民83年2月）、趙矢元〈孫中山的〝大亞洲主義〞與日本的〝大亞洲主義〞〉（載《中日關係史論文集》，黑龍江人民出版社，1984）、鍾霖薰《孫中山先生的大亞洲主義與中日關係之研究》（臺灣師大三民主義研究所碩士論文，民73年6月）、許繼峰〈從「大亞洲主義」看國父對日本的期望〉（《中興與日本》190期，民65年8月）、王遠義〈孫中山先生の大アジア主義を論ず〉（《日本學報》第3期，臺北，中華民國日本研究學會，民71年12月）、山口一〈孫文の「大亞洲主義」と「亞洲大同盟」〉（《關西大學中國文學會紀要》第9號，1985年3月）、藤井昇三〈孫文の「アジア主義」〉（載《中國近現代史論集》，東京，汲古書院，1985）、曾文昌《孫中山先生大亞洲主義之研究》（中國文化學院三民主義研究所碩士論文，民61年1月）、王家儉〈試論中山先生「大亞洲主義」思想的特質與影響〉（《國史館館刊》復刊15期，民82年12月）、汪祖華〈國父的大亞洲主義〉（《學宗》1卷3期，民49年9月）、曾祥鐸〈中國、日本與世界－兼論國父的大亞洲主義〉（載《國父百年誕三紀念論文專輯－臺灣大學學生集體創作》，臺北，民54）、安藤彥太郎〈辛亥革命と日本での反響〉（載《辛亥革命—中國近代化の道路》，東京，早稻田大學出版部，1986）、山本四郎〈辛亥革命と日本の動向〉（《史林》49卷1號，1966年1月）、Douglas Robertson Reynalds, China in 1898-1912: The Xingheng Revolution and Japan（Cambridge: Council on East Asian Studies, Harvard University Press, 1993）、K. K. Shum著、安嘉芳譯〈日本對1911年中國革命的態度〉（《世界華學季刊》1卷3期，民69年9月）、Marius

Jansen著，安嘉芳譯〈日本與辛亥革命〉（同上，2卷3期，民70年9月）、王琳《辛亥革命與日本對華政策》（政治作戰學校政治研究所碩士論文，民74）、王樹才〈辛亥革命時期的日本對華政策〉（《學習與思考》1981年6期）、俞辛焞、李埰畛〈辛亥革命時期日本的對華政策〉（《紀念辛亥革命七十周年學術討論會論文集》中册，北京，中華書局，1983）、李昭彥〈辛亥革命前後的日本侵華陰謀〉（《北京第二外國語學院學報》1987年3、4期）、臼井勝美〈辛亥革命在日本的反應〉（《辛亥革命史叢刊》第7輯，1987）、〈辛亥革命—日本の對應〉（載《日本外交史研究—大正時代》，東京，日本國際政治學會，1958；其中譯文爲陳鵬仁譯〈辛亥革命—日本之因應〉，載《中山學術論文集：國父一百二十五歲誕辰紀念》，臺北，民79）及〈中國革命と對中國政策〉（載《岩波講座日本歷史》19卷，1976）、陳水逢〈辛亥革命與日本的對華態度〉（《史學彙刊》第3期，民59年8月）及〈中國的辛亥革命運動與日本的對華政策〉（《日本學報》10期，民79年5月）、臼井勝美〈日本と辛亥革命—その一側面〉（《歷史學研究》207號，1957年5月）、副島圓照〈日本帝國主義と辛亥革命〉（《人文（東京大學）》第5號，1972）、大煙篤四郎〈辛亥革命と日本の對應〉（《日本歷史》414號，1982年11月）、其中譯文為吳文星譯〈辛亥革命與日本之因應〉（《近代中國》36期，民72年8月）、Masaru Ikei, "Japan's Response to the Chinese Revolution of 1911." (The Journal of Asian Studies, Vol.25, No. 2, February 1966)、安懷音〈辛亥革命與日本對華外交〉（《中國一周》546期，民49）、小野信爾〈中國革命と日本外交〉（《日本史研究》59號，1962）、岡崎精郎〈中國革命運動における日華交涉〉（《中國研究所報》第2號，1947）、劉恩格〈甲午戰爭—辛亥革命期間日本對華政策的演變〉（載《第三屆近百年中日關係研討會論文集》上册，中央研究院近代史研究所，民85年3月）、竹內善朔著、曲直、李士苓譯〈本世紀初日中兩國革命運動的交流〉（《國外中國近代史研究》第2輯，1981）、田中正俊〈辛亥革命前中國經濟的半殖民地性和日中關係〉（《紀念辛亥革命七十周年學術討論會論文集》下册，北京，中華書局，1983）、陳哲燦《國父革命與日本》（臺北，幼獅書店，民69）及〈國父革命與日本關係之研究〉（《幼獅學誌》6卷4期，56年12月）、朱一鳴〈國父革命與日本—兼論中日關係〉（《新時代》5卷1期，民54）、野澤豐〈辛亥革命と日本外交—日本における袁世凱認識との關連において〉（《近きに在りて》20號，1991年11月）、周彥〈日本與辛亥革命時期的〝南北和議〞〉（《北京論叢》1994年3期）。俄國與辛亥革命以Don C. Price, Russia and the Roots of Chinese Revolution（Cambridge: Harvard University Press, 1974）一書最為重要，其內容與其1967年之哈佛大學博士論文（The Chinese Intelligentsia's Image of Russia, 1896-1911）頗為近似；賈士杰（即Don C. Price）尚撰有〈俄國與辛亥革命之起源〉（《中國現代史專題研究報告》第3輯，民62）、郭恆鈺〈俄國與辛亥革命〉（《大陸雜誌》37卷6期，民57年9月）、吳乾兑〈沙俄與辛亥革命〉（《辛亥革命史叢刊》第2輯，1980）、段昌國"Modern Russia and the Chinese Revolution:1905-1911"（《中央大學人文學報》第6期，民77年6月）、黎澍〈一九〇五年俄國革命和中國〉（《歷史研究》1955年1期）、榮孟源（俄國一九〇五年革命對中國的影響〉（《歷史研究》1954年1期）、譚彼岸〈俄國民粹主義對同盟會的影響〉（同上，1959年1期）、張恩博〈辛亥革命前後俄國的對華政策〉（《瀋陽師院學報》1992年1期）、余繩武〈沙俄與辛亥革命〉（《近代史研究》1981年3期）、唐玉禮《中俄革命理論與策略之比較研究－孫中山先生對俄國革命之評論》（政治大學三民主義研究所碩士論文，民75年6月）。其他尚有黃季陸〈孫中山先生與德國〉（《中華學報》7卷2期，民69年7月）、蕭建東〈德國與辛亥革命〉（載吳劍杰主編《辛亥革命研究》，武漢大學出版社，1991）、中村哲夫〈辛亥革命と東南アジア－研究の基礎視角確立のために〉（《大阪大學インド東南アジア研究センター彙報》第7·8號，1971年3月）、陳炎〈孫中山對東南亞民族運動的影響和貢獻〉（《南洋學報》42卷1、2期，1987）、鄭彥棻〈國父與南洋〉（《近代中國》61期，民76年10月）及〈孫中山與南洋〉（《中外雜誌》42卷6期、43卷1期，民76年12月、77年1月）、胡漢民述、張振之記〈南洋與中國革命〉（《新亞細亞》1卷5、6期，民20年2、3月）、黃國安〈孫中山與越南革命〉（《印支研究》1984年2期）、楊萬秀〈孫中山對越南革命的影響和幫助〉（《學術論壇》1982年1期）、徐善福〈辛亥革命與越南民族解放運動〉（《東南亞研究資料》1963年2期）、張映秋〈清末革命派在暹羅的活動與暹華社會近代文化的興起〉（載胡春惠主編《近代中國與亞洲學術討論會論文集》上冊，香港，1995）、侯建〈孫中山與新加坡〉（《文史雜誌》1994年1期）、Wang Gungwu（王賡武），"Sun Yat-sen and Singapore."（《南洋學報》12卷2輯，1950年12月）、鄧慕韓輯〈民國前星洲之革命運動〉（《建國月刊》3卷1期，民19年5月）、戚忠芬〈孫中山與菲律賓獨立戰爭－中菲友誼史上的一頁〉（《近代史研究》1982年4期）、李雲漢〈中山先生與菲律賓獨立運動（1898—1900）〉（《中華學報》1卷2期，民63年7月）、吳金棗〈孫中山與菲律賓革命〉（《浙江學刊》1982年1期）、黃季陸〈國父援助菲律賓獨立運動與惠州起義〉（《傳記文學》11卷4期，民56年10月）、吳大猷〈辛亥年孫中山先生在美募款之路程〉（《東方雜誌》復刊6卷7號，民62年1月）、思聖〈國父二度遊美行蹤〉（《廣東文獻》5卷3期，民64年12月）、廖平子遺著〈孫總理三度遊美事略〉（同上，2卷1期，民61年3月）、項定榮《國父七訪美檀考述》（臺北，時報文化出版公司，民71）、李雲漢〈孫中山先生與檀香山〉（《近代中國》28期，民71年4月）、〈孫逸仙先生與檀香山〉（《中國歷史學會史學集刊》22期，民79年7月）及〈中山先生辛亥游美史實的討論〉（收入李雲漢《中國現代史論和史料》上冊，臺北，臺灣商務印書館，民68）、費海璣〈國父最後一次在美國的旅行演說〉（《廣東文獻》4卷4期，民63年12月）、遲景德〈國父少年時代與檀島環境（1879—1883）〉（《中國現代史專題研究報告》第6輯，民65）、張玉法〈孫中山先生在夏威夷〉（載《中華民國建國八十年學術討論集》第2冊，民80）、陳順珍〈國父孫中山先生與阿湖書院〉（《臺灣師大公民訓育學報》創刊號，民72年6月）、盛永華等編《孫中山與澳門》（北京，文物出版社，1991）、陳樹榮〈孫中山與澳門史料初探〉（《孫中山與亞洲國際學術會議》，廣州，1989）及〈孫中山與澳門〉（《學術研究》1996年7期）、張磊、盛永華、霍啟昌《澳門—孫中山的外向門戶和社會舞臺》（澳門，澳門大學出版社，1996）、陳樹棠〈孫中山與澳門初探〉（《國父一百二十五歲誕辰紀念中山學術論文集》，臺北，民79年11

月）、羅香林〈國父孫中山先生的立志救國及其在檀香山與香港的肄業〉（《珠海學報》10期，香港，1978年7月）、〈國父香港史蹟訪問記〉（《東方雜誌》42卷18號，民35年9月）及〈國父在香港的歷史遺跡〉（載中華民國各界紀念國父百年誕辰籌備委員會《國父誕辰百年紀念論文集》第1冊，民54）、吳壽頤〈國父在香港〉（同上）、范正儒〈國父孫中山先生在香港史蹟〉（《東方雜誌》復刊4卷9期，民60年3月）、范啟龍〈港澳臺與辛亥革命〉（《福建師大學報》1994年2期）、John D. Young（楊意龍），" Outline of Dr. Sun Yat-sen in Hong Kong, 1887-1892: The Western Impact "（《珠海學報》13期—孫逸仙博士與香港國際學術會議論文集專號，1982年11月）、Ngai-ha Ng Lung（吳倫霓霞），" The Hong Origins of Dr. Sun Yat-sen's Address to Li Hung-Chang 1894 "（同上）及" The Making of a Revolutionary: Hong Kong in the Shaping of Sun Yat-sen's Early Political Thought "（《香港中文大學中國文化研究所學報》16卷，1985）、吳倫霓霞、陳勝鄰等編《孫中山在港澳與海外活動史蹟》（香港，中文大學聯合書院，1986）、莊志良《孫中山先生在港澳之革命活動》（香港，遠東學院中國文史研究所碩士論文，1987）、陳華新〈辛亥革命時期的孫中山與香港〉（《廣東社會科學》1986年4期）、許智偉〈國父孫逸仙博士教育思想及其在香港所受教育之影響〉（載《孫中山先生與辛亥革命》中冊，民70）、余偉雄〈孫逸仙博士策進革命運動與香港的關係及香港所保存的革命史蹟〉（同上）、吳倫霓霞〈孫中山先生在香港所受教育與其革命思想之形成〉（《珠海學報》15期，1987年10月）、〈孫中山早期革命運動與香港〉（《孫中山研究論叢》第1

集，廣州，1983）及〈興中會前期（1894—1900）孫中山革命運動與香港的關係〉（《中央研究院近代史研究所集刊》19期，民79年6月）、羅匯榮〈孫中山先生與香港〉（《現代政治》12卷11期，1965）、霍啟昌〈幾種有關孫中山先生在香港策進革命的香港史料試析〉（載《回顧與瞻望—國內外孫中山的研究述評》，1986）及〈十九世紀香港的現代化與孫中山先生早期的革命思想〉（載《「孫逸仙思想與中國現代化」論文集》第1冊，臺北，民82年3月）、Mary Man-yue Chan（陳曼如），Chinese Revolutionaries in Hong Kong, 1895-1911（M. A. Thesis, University of Hong Kong, 1963）、Lan Man-sum（林敏森），Hong Kong and China's Reform and Revolutionary Movement: An Analytical Study of the Report of Four Hong Kong English Newspapers, 1895-1911（Master's Thesis, University of Hong Kong, 1985）、郁欽〈國父與香港〉（《廣東文獻季刊》1卷3期，民60年10月）、蔣永敬〈辛亥革命運動與香港〉（《珠海學報》13期，1982年11月；亦載《中山季刊》創刊號，香港，1983）、李進軒《孫中山先生革命與香港》（臺北，文史哲出版社，民78）、王寅城〈孫中山與香港〉（《今日港澳》1994年1期）、黃建遠〈孫中山與香港〉（《南京史志》1996年4期）、李雲漢〈香港在辛亥革命中的重要地位〉（《亞洲研究》13期，1995年4月）、張玉法〈孫中山的革命始於香港〉（同上）。段雲章〈孫中山與印度〉（載胡春惠主編《近代中國與亞洲學術討論會論文集》下冊，香港，1995）、張同新〈孫中山的早期革命與近代亞洲〉（同上）、陳正容〈列寧論辛亥革命和亞洲覺醒的啟示〉（《外交學院學報》1991年4期）、楊昭全〈孫中山與朝鮮革命〉（《延邊大學學報》1993 年2 期)、Arif Dirlik, "Third World Identifications: Atatürk, Sun Yat-sen and the Problem of Modernity"(載《中國現代化論文集》,中央研究院近代史研究所,民80年3月)。莊政〈孫中山先生與基督教的關係〉(《三民主義學報(師大三研所)》13期,民78年8月)、周興樑〈孫中山與西方基督教〉(《文史哲》1995年6期)、陳建明〈孫中山與基督教〉(《孫中山研究論叢》第5集,1987)、鄭永福、田海林〈孫中山與基督教〉(《河南師大學報》1992年4期)、習賢德〈孫中山先生與基督教〉(《中山學術論叢》第9期,民79年1月)及《孫中山先生與基督教》(臺北,浸宣出版社,民80)、陳士良〈基督教對國父革命事業的影響〉(《史化》第3期,淡江文理學院歷史學會,民61年6月)、謝玉成《基督教義對國父思想的影響》(政戰學校政治研究所碩士論文,民75年6月)、羅光〈國父思想和基督的教義〉(載《孫中山先生與辛亥革命》上册,民70)、林治平〈國父孫中山先生大學畢業前與基督教之關係〉(收於林氏主編之《近代中國與基督教論文集》,臺北,宇宙光出版社,民70)、李志剛〈香港基督教會與孫中山先生現代化思想〉(《珠海學報》15期,1987年10月)。

2.外國人士

清末有一些外國人士或奉其政府之命,或基於私人交誼,與中國革命黨人多所往來,其中不乏對革命贊助不遺餘力者,其他一些外人雖未有與革命黨人的直接接觸,但亦有對革命具間接影響者。這方面的論著以張玉法〈外人與辛亥革命〉(《中央研究院近代史研究所集刊》第3期上册,民61年6月)一文最具代表性,廣泛地論述了列強對辛亥革命的態度、參與辛亥革命的外國人，以及租界在辛亥中的地位。與清末革命運動或孫中山有關的日本人，以Marius B. Jansen, The Japanese and Sun Yat-sen（Cambridge: Harvard University Press, 1954）最具代表性，係其1950年之哈佛大學博士論文—The Japanese and the Chinese Revolutionary Movement, 1895-1915.修訂改名而成，全書以孫中山為中心，縷述1986至1915年間日人對中國革命之援助，已略為超出辛亥革命此一範疇。川合貞吉《中國革命と日本人》（東京，新人物往來社，1976）、于醒民〈日本友人與辛亥革命〉（《江西大學學報》1982年1期）、伊原澤周〈辛亥革命と日本人〉（載《追手門學院大學創立二十周年紀念論集》，大阪，1987）、王魁喜〈日本人民對辛亥革命的聲援〉（《東北師大學報》1982年1期）、趙宗頗〈怎樣辨別真假朋友—試析參與辛亥革命的幾個日本人〉（《上海師院學報》1981年3期）、井上清〈中國革命と日本人〉（載《現代中國と孫文思想》，東京，講談社，1967）、五十嵐珠惠〈辛亥革命と日本及日本人〉（《史艸》第1號，1961年2月）、衛藤瀋吉〈日本人對於中國革命的兩面性—其〝光〞與〝影〞〉（載《回顧瞻望—國內外孫中山研究述評》，1986）、李廷江〈辛亥革命時期における日本人顧問〉（《アジア研究》39卷1號，1992年12月）、陳固亭〈國父與日本友人〉（臺北，幼獅書店，民54）、〈國父與日本朝野友人的關係〉（《學宗》1卷4期，民49年12月）及〈日本人與孫逸仙〉（《新思潮》91期，民51年2月）、符滌泉〈國父的日本革命同志〉（《近代中國》46期，民74年4月）、陳鵬仁《孫中山先生與日本友人》（臺北，大林出版社，民62再版）、許師慎〈國父革命史中的日本友人〉（《中國一周》546期，民49）、陳以令〈贊助國父革命的幾位日本朋友〉（《廣東文獻》6卷2期，民65年6月）、久保田文次〈孫文と日本の政治家·軍人·右翼〉（《日本女子大學紀要（文學部）》35卷，1985年；其中譯文載《孫中山研究論叢》第3集，1985）、上村希美雄〈孫文の革命軍事學校と日本人〉（《海外事業研究》23卷2號，1996年3月）、王俊彥《浪人與孫中山》（北京，中國華僑出版社，1994）、野村浩一〈孫文の民族主義と大陸浪人〉（《思想》396號，1957年6月）、趙金鈺《日本浪人與辛亥革命》（成都，四川人民出版社，1988）是此類中最有份量最有代表性的中文論著，趙氏另撰有〈辛亥革命前後日本的大陸浪人〉（《中國社會科學》1980年2期）；此外趙軍〈日本〝大陸浪人〞與中國革命〉（《文獻》1989年3期）及《辛亥革命與大陸浪人》（中國大百科全書，1991）、任余白〈如何看待辛亥革命前後日本大陸浪人對孫中山的援助〉（《華東師大學報》1984年2期）、趙軍〈中國から見た大陸浪人〉（載《日中に架ける橋「孫文と宮崎兄弟」交流顯彰事業報告》，東京，1995）、渡邊龍策《大陸浪人》（東京，番町書房，1967）則為此類日文論著中的代表作；上村希美雄〈辛亥革命と大陸浪人〉（《熊本短大論集》42卷3號，1992年3月）。宮崎寅藏（宮崎滔天）是日本方面最積極支持中國革命運動的代表性人物，與孫中山、黃興等交誼都很深，宮崎個人的撰述有自傳《三十三年の夢》（東京，國光書房，1902；日本著名學者衛藤瀋吉加以校注，東京，平凡社，1967年。中譯本有金松岑譯《三十三年落花夢》，臺北，帕米爾書店，民41；林啟彥譯《三十三年之夢》，香港，三聯書店，1981）及宮崎龍介、小野川秀美編《宮崎滔天全集》（共5卷，東京，平凡社，1971-1973,1976）、宮崎滔天《支那革命軍談》（東京，法政大學出版局，1967）；中日學者有關他的研究成果不少，中文著作中以彭澤周〈宮崎滔天與中國革命〉（《中國現代史叢刊》第5冊，民53）最具代表性，該文文末並附杉山龍丸於1945年蒐集與中國革命有關之中國人名錄，共283人，甚具參考價值；其他尚有陳鵬仁《宮崎滔天與中國革命》（三信出版社，民66）、〈宮崎滔天の中國革命に對する貢獻〉（《問題と研究》23卷2號，1993年11月）及〈黃興與宮崎滔天〉（載胡春惠、張哲郎主編《黃興與近代中國學術討論會論文集》，民82），陳氏並譯有〈宮崎滔天論孫中山與黃興》（臺北，正中書局，民66）及《宮崎滔天書信與年譜》（臺北，臺灣商務印書館，民71）、佐藤常雄《宮崎滔天》（福岡，葦書房，1990）、葉家儀《宮崎滔天及其與中國革命之關係》（香港中文大學碩士論文，1980）、郭鐵桩〈宮崎寅藏一中國人民的真誠朋友〉（東北地區中日關係史研究會編《中日關係史論叢》第1輯，1982）、衛藤瀋吉〈宮崎滔天為何獻身於中國革命〉（《紀念辛亥革命七十周年學術討論會論文集》下册，北京，中華書局，1983）、趙軍〈宮崎滔天與興中會〉（《華中師院學報》1982年5期）、吳乾兑〈孫中山與宮崎寅藏〉（《江漢論壇》1981年5期）、陳鵬仁〈宮崎滔天與國父等的筆談殘稿〉（《人與社會》5卷3期，民66年8月）、彭澤周〈關於中山先生的筆話殘稿（按：係與宮崎寅藏初次見面之談話）〉（《大陸雜誌》54卷3期，民66年3月）、何燕俠〈試論宮崎滔天與孫中山關係的特點〉（《東北師大學報》1987年5期）及〈宮崎滔天與中國留日學生〉（《歷史教學》1987年3期）、彭憲章〈孫中山與宮崎滔天的友誼〉（《歷史知識》1981年4期）、童顯勛〈宮崎滔天與近代中國革命〉（《湖北師大學報》1988年3期）、李聯海《孫中山與宮崎滔天》（重慶，重慶出版社，1986）、劉福祥、趙矢元〈宮崎滔天與中國革命改良兩派之交惡〉（《歷史教學》1988年6期）、周一良〈孫中山的革命運動與日本—兼論宮崎寅藏與孫中山的關係〉（《歷史研究》1981年4期）、陶柏康〈宮崎滔天和辛亥革命〉（《外國史知識》1981年9期）、章開沅〈宮崎寅藏與《革命評論》〉（《文物》1980年3期）、陳珠培〈孫黃初見介紹人是宮崎寅藏〉（《求索》1986年5期）、毛注青〈黃興與宮崎滔天〉（載薛君度、蕭致治合編《黃興新論》，武昌，武漢大學出版社，1988年6月）、中村義〈黃興と宮崎滔天〉（載《日中に架ける橋「孫文と宮崎兄弟」交流顯彰事業報告》，東京，1995）、上村希美雄〈黃興と宮崎滔天—黃興第一次日本亡命時代を中心に〉（《海外事情研究》，1989年6月）、陳鵬仁〈黃興與宮崎滔天〉（載《黃興與近代中國學術討論會論文集》，民82）、中村義〈孫文と黃興の初會見の仲介者ほ滔天か〉（《辛亥革命研究》第3號，1983年3月）、立野信之《茫茫の記—宮崎滔天と孫文》（東京，東都書房，1966）、武田清子（長清子）〈アジアの革新におけるキスト教—孫文と宮崎滔天〉（《教育研究》17號，1974年3月）、渡邊京二《評傳·宮崎滔天》（東京，大和書房，1976）、上村希美雄《宮崎兄弟傳》（福岡，葦書房，1984年）及〈宮崎滔天兄弟と孫文〉（《孫文研究》第6號，1987年4月）、章開沅〈辛亥革命と宮崎兄弟〉（載米川均責任編集、上村希美雄監修《日中に架ける橋「孫文と宮崎兄弟」交流顯彰事業報告》，東京，アルハツト地域研究所，1995）、藤井昇三〈孫文のアジア主義と宮崎兄弟〉（同上）、三

好徹VS鈴木健二〈歷史對談ー孫文：宮崎兄弟と日本の選擇〉（同上）、川田泰代〈辛亥革命前史と横濱ー孫文と宮崎滔天の友情〉（《經濟と貿易》110號，1973年9月）、武田清子〈孫文と滔天をつなぐもの　〉（《孫文研究》第6號，1987年4月）、陳鵬仁譯〈宮崎滔天著《孫逸仙傳》未刊稿〉（《傳記文學》26卷3、4期，民64年3、4月）、齋藤道彥〈滔天と孫文ー「三十三年の夢」まで〉（《中央大學論集》第1號，1980年3期）、半谷弘男〈日本人の中國観ー孫文と宮崎寅藏をめぐって〉（《歷史研究（愛知學藝大學）》10號，1962年12月）、三好徹《革命浪人：滔天と孫文》（東京，中央公論社，1979）、川合貞吉〈私にとっての中國革命ー孫文・滔天・宋教仁・北一輝を通してとらえられる中國革命の流れについて〉（《日中》5卷8號，1975年7月；《季刊とうてん》第3號，1975年9月）、川田泰代〈孫文と滔天にかんする年表〉（《季刊とうてん》第3號，1975年9月）、寺廣映雄〈中國革命と宮崎滔天〉（《ヒストリア》第7號，1953年8月）及〈中國革命に於ける日中交涉の一考察ー宮崎滔天を中心にして〉（同上第9號，1954年8月）、衛藤瀋吉〈滔天を清國革命はどうして結びフいたか〉（《思想》525號，1968年3月）、毛注青〈關于黃興初見宮崎寅藏時間的訂正〉（《辛亥革命史叢刊》第4輯，1982）、久保田文次〈辛亥革命と帝國主義ー孫文・宮崎滔天の反帝國主義思想について〉（《講座中國近現代史》第3卷，東京，東京大學出版社，1978）、趙軍〈試論宮崎滔天與〝支那革命主義〞〉（載湖北省歷史學會編《辛亥革命論文集》，湖北人民出版社，1981）、針生清〈宮崎滔天の「支那革命」の思想〉（《アジア・アメリカ文化研究所研究年報》13

號，1979年3月）、三木民夫〈宮崎滔天における「支那革命主義」の確立〉（《民衆史研究》12號，1974）、〈宮崎滔天における「三十三年の夢」前後の思想遍歷〉（同上，14號，1976）、林望月〈三十三年落花夢—為「理解」中日關係之過去而作〉（《中華雜誌》2卷9期，民53）、島田虔次〈「三十三年の夢」を校注して〉（載《日中に架ける橋「孫文と宮崎兄弟」交流顯彰事業報告》，東京，1995）、山口光朔〈宮崎滔天のアジア主義—大陸浪人の一類型〉（《桃山學院大學紀要》1卷2號，1963年11月）、大野二郎〈大陸浪人の原型—宮崎滔天〉（《思想の科學》第9號，1962年12月）、杉森正彌〈「支那浪人」宮崎滔天のイメージ—「三十三年之夢」のこる〉（《語學文學》10號，1972年3月）、近藤秀樹著、禹昌夏譯〈宮崎滔天年譜稿〉（《辛亥革命史叢刊》第1輯，1980）、近藤秀樹著、楊季清譯〈辛亥革命與宮崎滔天〉（同上，第4輯，1983）、初瀨龍平〈宮崎滔天とアジア主義〉（《北九州大學法政論集》7卷2號，1979年10月）及〈滔天、切手のすすめ—國際人論のなかて〉（《孫文研究》第7號，1987年11月）、飛鳥井雅道〈宮崎滔天と吉野作造—近代日本と中國〉（《朝日ジセーナル》14卷12號，1972年3月；亦載《近代日本と中國》，東京，朝日新聞社，1974）、楊天石〈鄧恢宇與宮崎滔天夫婦—宮崎滔天家藏書札研究之二〉（《郭廷以先生九秩誕辰紀念論文集》下册，民80）、上村希美雄〈宮崎滔天—アジア解放の夢を生きる〉（《別册經濟評論》11號，1972年11月）、野村浩一〈「アジアの航跡—宮崎滔天の思想と行動〉（載氏著《近代日本の中國認識—アジアへの航跡》，東京，研文出版，1981）、藪田謙一郎〈宮崎滔天の「アジア主義」と第一次

世界大戰後の世界思潮〉(《同志社法學》247號,1996)。其他的日人有趙宗頗〈為共和犧牲的日本友人山田良政〉(《學術月刊》1980年8期)、周興樑〈關於山田良政之死〉(《中山大學研究生學刊》1981年2期)、賴鵬迹〈為中國革命捐軀的日本友人山田良政〉(《中學歷史教學》1984年4期)、都築七郎〈惠州の鹽―孫文革命に–身を捧げた山田良政の熱血の生涯〉(《日本及日本人》1519號,1972年9月)、宋越倫〈山田良政〉(《文藝復興》119期,民70年1月)、今泉潤太郎、藤田佳久《孫文、山田良政、純三郎關係資料について—中日復交20周年紀念特集號》(《愛知大學國際問題研究所紀要》97號,1992年9月)、劉碧蓉〈孫中山·山田良政·山田純三郎關係資料介紹〉(《近代中國》101期,民83年6月)、石川順〈孫文と山田兄弟〉(《海外事情》5卷7號,1957年7月)、劉作忠〈生死之交:孫中山的日本摯友梅屋庄吉〉(《黨史縱橫》1995年3期)、車田讓治(國方千勢子述)《國父孫文と梅屋庄吉—中國に捧けためる日本人の生涯》(東京,六興出版,1975)、俞辛焞等《孫中山宋慶齡與梅屋庄吉夫婦》(北京,中華書局,1991)、黃自進〈犬養毅與孫中山的革命運動—援助動機的探討〉(《中央研究院近代史研究所集刊》19期,民79年6月)、彭澤周〈犬養毅與中山先生〉(《大陸雜誌》52卷3期,民65年3月;亦載《近代中日關係研究論集》,民67)及〈犬養毅と孫文の革命〉(《小葉田教授退官記念國史論叢》,1970)、犬養毅著、鷲尾義直編《犬養木堂書簡集》(東京,人文閣,1940)、鷲尾義直《犬養木堂傳》(3冊,東京,東洋經濟新報社,1939)、鵜崎熊吉《犬養毅傳》(東京,誠文堂,1932)、山陽新聞社編《話せぱおかる—犬

養毅とその時代》（2冊，東京，編者印行，1982）、兒島道子〈孫文を繞る日本人—犬養毅の對中國認識〉（載《近代日本とアジア文化交流與摩擦》，東京，東京大學出版會，1984）、野村浩一〈犬養毅と辛亥革命〉（《中央公論》80卷1號，1965年1月）、黃自進《犬養毅と中國》（慶應義塾大學法學博士論文，1989年9月）、判澤弘〈東亞共榮圈之思想—內田良平を中心に〉（《思想の科學》21號，1963年12月）、瀧澤誠《評傳內田良平》（東京，大和書房，1976）、初瀨龍平〈內田良平と中國革命—1912年まで〉（《アジア研究》16卷3號，1969年10月）、姜在彥〈朝鮮問題における內田良平の思想と行動—大陸浪人における「アジア主義」の一典型として〉（《歷史學研究》307號，1965）、姜義華〈日本右翼的侵華權謀與孫中山對日觀的變遷：孫中山與內田良平關係述評〉（《近代史研究》1988年2期）、趙軍〈辛亥革命前後的內田良平〉（同上，1988年3期）及〈中國關係における內田良平〉（《東瀛求索》第6號，1994年9月）、曾村保信〈內田良平の中國觀—辛亥革命より大正初期まで〉（《法學新報》64卷6號，1957年6月）、初瀨龍平〈傳統的右翼內田良平の思想と行動〉（《北九州大學法政論集》2卷2-4號、3卷1-4號，1974年3月-1976年3月）、〈內田良平研究の視角〉（同上，5卷2號，1977年12月）及〈內田良平と中國問題—第一次世界大戰期〉（《アジア研究》17卷3・4號，1971年1月）、平岡正明〈杉山茂丸と內田良平〉（載《近代日本と中國》，東京，朝日新聞社，1974）、黑龍俱樂部《國士內田良平傳》（東京，原書房，1967）、陳鵬仁〈孫逸仙與南方熊楠〉（載《孫中山先生與近代中國學術討論集》第2冊，民74）及〈孫文と南方熊楠〉（《日本學

報》第9期，民78年4月）、彭澤周〈中山先生的日友－南方熊楠〉（《大陸雜誌》54卷5期，66年5月）、笠井清《南方熊楠》（東京，吉川弘文館，1967）及〈孫文と南方熊楠〉（《甲南大學紀要（文學編）》第6、9號，1972年3月、1973年3月）、木下彪〈孫文と南方熊楠〉（《東西文化》第9號，1968年3月）、橋爪利次〈孫文と南方熊楠の交遊〉（《中國研究》89號，1978年2月）、南方熊楠《南方熊楠全集》（共12卷，東京，平凡社，1971）、小野和子〈孫文が南方熊楠に贈つた「原君原臣」について〉（《孫文研究》14號，1992）、笠井清〈南方熊楠の語る「孫文と日本」〉（《中國》32號，1966）、西勝〈孫文と南方熊楠の友情〉（同上，37號，1966）、利根川裕《北一輝－革命の使者》（東京，人物往來社，1967）、川合貞吉《北一輝》（東京，新人物往來社，1972）、川谷川義記《北一輝》（東京，紀伊國屋書店，1969）、宮本盛太郎編《北一輝の人間像－「北日記」を中心に》（東京，有斐閣，1976）、松本清張《北一輝論》（東京，講談社，1976）、村上一郎《北一輝論》（東京，三一書房，1970）、George M. Wilson, Radical Nationalist in Japan: Kita Ikki, 1883-1937.（Cambridge, Mass.: Harvard University Press, 1969；有日譯本，爲岡本幸治譯《北一輝と日本の近代》，東京，勁草書房，1971）、田中惣五郎《日本フつシズムの源流：北一輝の思想と生涯》（東京，白揚社，1949）及《北一輝：日本的フつシストの象徵》（東京，未來社，1961；增補版，東京，三一書房，1971）、松本健一《若き北一輝：戀と詩歌と革命と》（東京，現代評論社，1971）、《北一輝論》（同上，1972）及《評傳北一輝》（東京，大和書房，1976）、西尾源太郎〈北一輝

の辛亥革命に關する「電文集」と「報告書簡集」について—內田家資料による〉(《史淵》105、106號，1971年8月、1972年2月)、松澤哲成《北一輝—人と思想》(東京，三一書房，1977)、松本健一《北一輝，暗殺からの逃亡—支那革命への沒入の意味》(《現代の眼》12卷11號，1971年11月)及〈幸德秋水と北一輝—近代日本と中國〉(《朝日ジセーナル》14卷2號，1972年1月)、荒川久壽男〈北一輝における國家主義思想の展開—とくに支那革命外史を中心として〉(《皇學館大學紀要》第3號，1965年4月)、李永熾〈北一輝與日本國家社會主義〉(《大陸雜誌》52卷5期，民65年5月)、瀧村隆一《北一輝—日本の國家社會主義》(東京，勁草書房，1973)、判澤弘〈北一輝と宋教仁〉(《傳統と現代》6卷2號，1975年3月)、向田昭美〈二·二六事件小論—磯部淺—と北一輝の思想を中心に〉(《史學研究》211號，1996年3月)、陳艷紅〈北一輝と二·二六事件とのかかばり〉(《日本學報》10期，民79年5月)、鈴木善一《興亞運動と頭山滿翁》(東京，照文閣，1942)、田中稔編《頭山滿翁語錄》(東京，皇國青年教育協會，1943)、葦津珍彥《大アジア主義と頭山滿》(東京，日本教文社，1965)、平井駒次郎(平井晚村)《頭山滿と玄洋社物語》(東京，武俠世界社，1914)、上村希美雄〈頭山滿·初期玄洋社とアジア〉(《傳統と現代》6卷2號，1975年3月)、杉森久英《頭山滿と陸奥·小村》(東京，每日新聞社，1967)、都築七郎《頭山滿—そのどでかい人間像》(東京，新人物往來社，1974)、判澤弘〈頭山滿と玄洋社〉(《中央公論》80卷6號，1965年6月)、松本健一〈中江兆民と頭山滿—近代日本と中國〉(《朝日ジセーナル》14

卷27號，1972年7月）、長谷川義記《頭山滿評傳—人間と生涯》（東京，原書房，1974）、張公懋〈孫中山先生與頭山滿〉（《中外雜誌》8卷5期，民59年11月）、陳鵬仁〈孫中山先生與桂太郎—紀念孫先生正式訪日八十週年〉（《近代中國》94期，民82年4月）、石川順〈桂太郎と孫文〉（《海外事情》7卷5號，1959）、馬場明〈辛亥革命と駐清公使伊集院彥吉〉（《國史學》148號，1992年12月）、張家鳳〈中山先生與萱野長知〉（《三民主義研究學報》12期，民78年1月）、久保田文次〈孫文病未からの萱野長知書簡—玄洋社所藏書簡二通〉（《辛亥革命研究》第8號，1988年12月）、〈萱野長知より中村彌六あて書簡—1911年11月〉（同上，第3號，1983年3月）及〈萱野長知の基礎的研究〉（載中央研究院近代史研究所編《第三屆近百年中日關係史研討會論文集》上冊，臺北，民85）、趙宗頗〈萱野長知和辛亥革命〉（《上海師院學報》1984年2期）、三田村武夫著、楊天石譯、鄒念之校〈萱野長知的〝和平〞工作〉（《黨史研究資料》1992年1期）、崎村義郎著、久保田文次編《萱野長知研究》（高知市民圖書館，1996）、石母田正著、李士苓譯〈中國革命與幸德秋水〉（《國外中國近代史研究》第2輯，1981）、楊孝臣〈幸德秋水與中國革命〉（《中日關係史論叢》第1期，1984）、一海知義〈河上肇と孫文〉（《近きに在りて》21號，1992年5月）、栃木利夫〈辛亥革命と鈴木天眼——人の對外硬論者の對應〉（《歷史評論》295號，1974）、石塚裕道〈辛亥革命をめぐる板倉中の對華方針—「東亞勃興の好機」の紹介を中心に〉（同上，75號，1956）、松本武彥〈筑豐礦業家の孫文援助とその經濟基礎—特に中野德次郎を中心に〉（《辛亥革命研究》10號，1993年12月）、李吉奎〈孫中山與後藤新平〉（載胡春惠主編《近代中國與亞洲學術討論會論文集》上册，香港，1995）、陳俊安《後藤新平之研究—以擔任民政長官暨滿鐵總裁時期為中心》（中國文化大學日本研究所碩士論文，民85年6月）、彭澤周〈檢討中山先生致大限首相書的真實性〉（《大陸雜誌》60卷6期，民69年6月）、飯森明子〈辛亥革命と駐清公使伊集院彥吉—伊集院日記を中心に〉（《慶應大學法學政治學論究》31號，1996年12月）。歐美人士方面以羅香林《國父與歐美之友好》（臺北，中央文物供應社，民40）最具代表性，該書主要敍述孫中山與英美法三國友好12人及相關外人11人，以見其號召和影響力。其他尚有培年〈贊助孫中山革命的英美志士〉（《上海師院學報》1981年3期）、莊政〈國父大學師友對其革命志業的影響〉（《復興崗學報》43期，民79年6月）及〈國父大學時代的師長對其思想言論的影響〉（《近代中國》76期，民79年4月）、譚文鳳〈孫中山與康德黎〉（《歷史教學》1995年2期）及〈孫中山和他的老師康德黎〉（《安徽史學》1993年3期）、B·尼基弗洛夫編《孫中山與康德黎》（北京，華藝出版社，1988）、駱志伊〈孫逸仙康德黎師生情重〉（《中外雜誌》33卷5期，民72年5月）、良才〈孫中山與亨利·喬治〉（《近代史研究》1986年6期）、陶大鏞〈論孫中山與亨利喬治—從平均地權綱領探索孫中山的的思想淵源〉（北京師範大學編《學術論文集》，1982）、李宏仁〈龐德與孫中山法學思想之比較〉（《臺中商專學報》28期，民85年6月）、李西譯《約翰彌勒與孫中山：自由、平等與民主觀》（政治大學三民主義研究所碩士論文，民83年7月）、施冠慨〈國父自由思想與約翰米勒自由論之比較研究〉（《花蓮師專學報》13期，民71年10

月）、楊日旭〈為中山先生與哈密爾思想進一解〉（載《「孫逸仙思想與中國現代化」論文集》第1册，臺北，民82年3月）、趙建中《國父與約翰羅爾斯公道論之比較》（政治作戰學校政治研究所碩士論文，民77）、譚偉象《我國孫中山先生與菲律賓黎薩先生（Dr. Jose Rizal）的政治思想比較研究》（同上，民74）、王德昭〈醫人與醫世：黎剎與孫中山〉（《傳記文學》7卷5期，民54年11月）、朱浤源〈孫中山與胡志明民族主義之比較〉（《中山學術論叢（臺灣大學三研所）》11期，民82年6月）、Michael V. Metallo, "Presbyterian Missionaries and the 1911 Chinese Revolution"（Journal of Presbyterian History, Vol. 62, Summer 1984）敍述基督教長老會傳教士與辛亥革命的關係、Jeffrey G. Barlow, Sun Yat-Sen and the French, 1900-1908（Berkeley: University of California Press, 1979；其中譯文爲黃芷君、張國瑞譯、章克生校〈1900至1908年孫中山與法國人〉，載《辛亥革命史叢刊》第6輯，1986）論述孫中山於辛亥革命前與法國官員討論合作建立政權等之經過情形、陳三井〈法國羅氏與辛亥革命〉（《傳記文學》15卷4期，民58年10月；亦載陳氏《近代外交史論集》，臺北，學海出版社，民66）、曲兆祥〈論盧梭與中山先生平等觀之異同〉（《三民主義學報（師大三研所）》15期，民81年6月）、徐國銘〈國父道德思想與康德道德哲學之比較研究初稿〉（同上，第5期，民70年6月）、陳麗華〈國父的互助思想與克魯泡特金的互助論比較研究〉（同上，第9期，民74年7月）、Huang Ming-hwa（黃明華），“A Rhetorical Research on Dr. Sun Yat-sen’s Talent of Persuasion and His Success in China Revolution: Based on Aristotle’s Ethos, Pathos and Logos.”

（《臺南家專學報》12期，民82年6月）、陳榮源《孫逸仙與馬克思主義國家觀的比較研究》（政治大學三民主義研究所碩士論文，民76年6月）、甘乃光著、林霖筆記《孫中山與列寧》（廣州，國民黨廣東省黨部宣傳部，民16；上海，三民書店，民17年3版）、張克林《孫中山與列寧》（南京，拔提書店，民23）、Eugene Anschel, Homer Lea, Sun Yat-sen and the Chinese Revolution.（New York: Praeger Pub. , 1984）、Key Ray Chong, Americans and Chinese Reform and Revolution 1898—1922: The Role of Private Citizens in Diplomacy（Lanham, Univ. Press of America, 1984）是兩本研究孫中山與其美籍軍事顧問荷馬李關係的西文佳作，黃季陸〈中國革命之友荷馬李將軍—其生平、著作及其與國父相識之經過〉（《傳記文學》14卷4期，民58年4月）及〈國父軍事顧問—荷馬李將軍〉（載《中國近代現代史論集》第17編—辛亥革命，臺北，商務印書館，民75）、蕭堉勝〈荷馬李與中國革命〉（《歷史月刊》103期，民85年10月）、Eric Hyer and Valerie M. Hudson, "Homer Lea and the Chinese Contras: The Imperial Reform Army in America, 1901-1911."（Chinese Studies in History, Vol.26, No.1, Fall 1992）、葛禮（Carl Gliek）著、胡百華譯、黎東方校訂《雙十荷馬李將軍的故事》（臺北，傳記文學出版社，民59）、呂芳上〈荷馬李檔案簡述〉（《研究孫中山先生的史料與史學》，民64）、Deniel M. Crane and Tnomas A. Breslin, An Ordinary Relationship: American Opposition to Republican Revolution in China（Gainesville, Florida: International University Press, 1986）以討論美國人眼中的辛亥革命為其重心，羅香林〈國父與威廉博士〉（《中

華學報》1卷1期，民63年1月）、陳之邁〈國父信徒威廉博士〉（同上）、林伯雅〈關於中山思想與莫利氏·威廉〉（《中華月報》709期，1974年10月）、羅香林〈國父與美國威爾遜總統—國父民族主義的又一要義與威爾遜世界和平主張的關聯〉（《民主評論》3卷13期，民41年6月）、Edward Friedman, "Revolution or Just Another Bloody Cycle?: Swatow and the 1911 Revolution."（The Journal of Asian Studies, Vol. 29, No.2, February 1970）、羅香林〈興中會初期澳洲人士與中國革命之關係〉（《中國一周》36、37期，民40年1月）、張嶷楨〈傳教士與辛亥革命〉（《一次反封建的偉大實踐》，江蘇人民出版社，1983）、（美）米泰各著、沈雲鷗譯〈美國傳教士、孫逸仙和中國革命〉（《辛亥革命史叢刊》第3輯，1983）、李志剛〈基督教徒對孫中山認同新探〉（收於氏著《基督教與近代中國文化論文集㈡》，臺北，宇宙光出版社，民82）。

3.租界

列強在華租界與革命活動關係甚為密切，因其言論尺度較寬，且不受清政府所管轄，往往為激烈人士孕育的場所，革命黨人即利用租界，從事各種活動，頗為利便，惟專以租界與革命關係為題的論著非常少，僅有陳三井〈租界與中國革命〉（《中國現代史專題研究報告》第2輯，民61）及〈租界與辛亥革命〉（《傳記文學》38卷6期，民70年6月）、熊月之〈論上海租界與晚清革命〉（《上海社會科學院學術季刊（上海）》1985年3期）等。至於租界史的論著及史料集的編纂則較多，如費成康《中國租界史》（上海，上海社會科學出版社，1991）及〈有關舊中國租界數量等問題的一些研究〉（《社會科學（上海）》1988年9期）、姜義華〈中國近代化過程中的租界〉（同上，1988年8期）及〈租界與近代史研究的總體架構〉（同上，1988年9期）、李華興〈租界研究反思〉（同上）、鄭祖安、施和柱〈國內租界史研究述評〉（《社會科學（上海）》1989年9期）、王恩重〈中國租界研究綜述〉（《上海社會科學院學術季刊》1989年1期）、熊月之等〈中國租界史研究綜述〉（《上海社會科學院學術季刊》1989年1期）、孫燕京編著《近代租界》（北京，中國華僑出版社，1992）、戴一峰〈簡述近代中國租界的形成和擴展〉（《中國社會經濟史研究》1982年2期）、樓桐孫《租界問題》（上海，商務印書館，民22）、植田捷雄《支那に於ける租界の研究》（東京，巖松堂書店，1941）及《支那租界論》（同上，1934）、袁繼成《近代中國租界史稿》（北京，中國財經出版社，1988）、列強在中國的租界編寫組編《列強在中國的租界》（北京，中國文史出版社，1992）、顧器重《租界與中國》（臺北，文海出版社影印，民61）、趙津〈租界與中國近代房地產業的誕生〉（《歷史研究》1993年6期）、周紹榮〈租界對中國城市近代化的影響〉（《江漢論壇》1995年11期）、朱宗秀〈辛亥革命後租界內捍衛言論自由的鬥爭〉（《民國檔案》1991年3期）、季平子〈租界的起源和上海公共租界的形成〉（《史林》1991年2期）、欒史〈租界的由來〉（《史學月刊》1982年2期）、袁繼臣〈舊中國的租界〉（《江漢論壇》1982年8期）。上海租界有陳三井〈上海租界華人的參政運動－華董產生及增設之奮鬥過程〉（《近代中國區域史研討會論文集》下冊，中央研究院近代史研究所，民75年12月）、吳圳義〈清末上海租界洋人社會〉（《食貨月刊》復刊5卷7期，民64年10

月）、〈清末上海租界華人社會〉（《政治大學學報》32期，民64年12月）、《清末上海租界社會》（臺北，文史哲出版社，民67）、〈漫談上海租界〉（《歷史月刊》41期，民80年6月）及《上海租界問題》（臺北，正中書局，民69）、文秀瑞〈上海公共租界之法律地位〉（《外交研究》3卷1期，民29年9月）、岑德彰編譯《上海租界略史》（上海，民20；臺北，文海出版社影印，民60）、徐公肅、丘瑾璋《上海公共租界制度》（南京，中央研究院，民22）、陳堯聖〈上海公共租界之源起〉（《文史雜誌》1卷3期，民30年5月）、上原蕃《上海共同租界誌》（東京，丸善書店，1942）、野口謹次郎、渡邊義雄《上海共同租界と工部局》（東京，日光書店，1939）、蔡繼福〈從舊上海橋名的演變看〝租界〞的擴展〉（《歷史教學問題（華東師大）》1987年6期）、季繼龍〈上海租界的始末〉（同上，1987年5期）、朱仁袓〈上海租界史話〉（《東方雜誌》復刊5卷7期，民61年1月）、王臻善《滬租界前後經過概要》（序於民14年，臺北，文海出版社影印，民61）、陳三井〈上海租界華人的參政運動〉（載《近代中國區域史研討會論文集》，下册，臺北，民75年12月）、馬陵〈流民與上海租界社會〉（《二十一世紀》38期，1996年12月）、杉野明夫〈上海の人口問題と租界〉（《季刊經濟研究（大阪市立大學）》6卷4號，1984年3月）、郭豫民〈上海的租界與小刀會起義〉（《學術月刊》1988年3期）、吳昆吾〈上海租界設置中國法院兩協定之比較〉（《中華法學雜誌》2卷9期，民20年9月）、馬長林〈近代における上海租界と横濱居留地の比較研究〉（載《横濱と上海》，東京，1995）、鄭祖安〈上海租界興亡論〉（《上海社會科學院學術季刊》1988年4期）、馬吉甫〈上海公共租界之地稅與房捐〉（《中國經濟》2卷2期，民23年2月）、植田捷雄《上海租界概論》（東京，東亞研究會，1938）及《上海租界問題と其の對策》（東京，東亞同文會，1939）、張元隆〈上海租界與晚清西學輸入〉（《上海大學學報》1989年4期）、熊月之〈上海租界與上海社會思想變遷〉（《上海研究叢刊》1989年2期）、姚欣榮〈上海租界與上海錢莊之變遷〉（同上）、沈祖煒〈上海租界房地產業的興起〉（同上）、朱華〈上海租界土地永租制初探〉（同上）、潘君祥〈略論舊上海租界經濟〉（《檔案與歷史》1987年4期）、陳三井〈上海法租界之設立及其反響〉（《中國歷史學會史學集刊》14期，民71年5月）、梅朋、傅立德著、倪靜蘭譯《上海法租界史》（上海，上海藝文出版社，1983）、Michael Loy Sinclair, The French Settlement of Shanghai on the Eve of the Revolution of 1911.（Ph. D. Dissertation, Stanford University [Stanford, CA.], 1973）、陳旭麓〈近代中國和上海租界解析〉（《社會科學報》1988年8期）、蔡繼福〈從僑務的演變看〝租界〞的擴張〉（《歷史教學問題》1987年6期），20世紀30年代創刊的《上海通志館期刊》各卷期載有不少上海租界有關文章，不再一一列舉；天津租界則有天津檔案館、南開大學分校檔案系編《天津租界檔案選編》（天津人民出版社，1992）、南開大學政治學會《天津租界及特區》（上海，商務印書館，民15）、趙津〈租界與天津城市近代化〉（《天津社會科學》1987年5期）、王學海〈帝國主義與天津租界〉（《天津教育》1982年7、8期）。蕪湖租界有謝青〈關於蕪湖租界章程〉（《近代史研究》1988年1期）、謝青、羅超〈蕪湖租界史事考實〉（《安徽師大學報》1988年1期）。廣州租界有廣州市政協文史資料研究委員會編《廣州的洋行與租界》(廣州,廣東人民出版社,1992)、宋子武〈慘痛話廣州沙面租界〉(《廣東文獻》26卷2期,民85年6月)。漢口租界則有龔樟有〈漢口各國租界淺談〉(《武漢春秋》1982年1期)。

(八)革命人物

1.孫中山

書目方面以蘇愛榮、劉永編《孫中山研究總目》(北京,團結出版社,1990)最稱詳盡,舉凡1900-1988年3月中外用中、日、英、法、德、俄文出版或發表的孫中山著作及對其研究的專著、報刊論文和論文集中有關的篇目,均加以蒐列。全書共468頁,惟過於瑣碎,且重要的論著未必盡收入該書中。今特再參閱其他書目文獻,將有關孫中山的資料、論著列舉如下。1949年以前出版有關孫中山的專書、論文、資料重要的有宮崎寅藏著,黃中黃(章士釗)編譯《孫逸仙》(蕩虜叢書之一,1903年出版;1906年易名《孫文歷史》,由國民書局出版)、孫中山著,甘永龍編譯《倫敦被難記》(上海,商務印書館,1911年;上海,三民公司,民16)、孟德居士《孫大元帥回粵記》(上海,民權初步社,民12)、李烈鈞總纂、國民革命軍參謀本部編《孫大元帥戡亂記》(廣東測量書局,民13)、丹陽民社編印《孫中山先生特刊》(鎮江,民14)、上海平民書局編印《孫中山》(民14)、陸友百《孫中山先生傳記》(上海,卿雲圖書公司,民14)、南京追悼孫中山先生大會編印《追悼中山先生特刊》(民14)、孫中山先生治喪委員會編印

《哀思錄》（民14）、高爾柏、高爾松《孫中山先生與中國》（上海，民智書局，民14）、徐翰臣《孫中山全史》（上海，喚群書報社，民14）、方維夏《孫中山先生革命史略》（民14）、范體仁《孫中山先生之生與死》（上海，光明書局，民14）；《孫中山先生十講》（廣州，民智書局，民14）、吳拯寰編《中山全書》（上海，三民圖書公司，民14）、吳敬恆編《孫中山年系》（民14）、三民編譯部編《孫中山評論集》（上海，三民出版部，民14）、錢西樵《孫中山傳》（上海，古今圖書局，民15）、林百克（Paul M. Linberger）著、徐植仁譯《孫逸仙傳記》（上海，三民公司，民15；重慶，中國文化服務社等再版，民16、30、33）、三民公司編輯部《孫中山軼事集》（上海，編者印行，民15）及《孫中山評論集·第1編》（同上）、中國國民黨駐日總支部編《國父孫中山先生年譜》（東京，編者印行，民15）、國民革命軍總司令部政治部編輯《孫中山先生事略》（廣州，編輯者印行，民15）、陳啟修、魯迅等《孫中山先生逝世周年紀念特刊》（國民新報社，民15）、上海特別市黨部編《孫總理周年紀念冊》（中國國民黨江蘇省黨部，民15）、總理逝世周年紀念潮梅籌備委員會編印《孫中山逝世周年紀念冊》（民15）、文莊《孫文生平及其主義大綱》（上海，光華書店，民15）、黃昌穀《孫中山先生北上與逝世後詳情》（上海，民智書局，民15）、古應芬《孫中山大元帥東征記》（同上）、孫文（孫中山）《孫逸仙傳記》（上海，三民公司，民16）、黃昌穀《孫中山先生之生活》（上海，民智書局，民16再版）、莊病骸《孫中山演義》（4冊，上海，寰球圖書公司，民16）、中國國民黨駐三藩市總支部宣傳部編印《總理誕辰紀念特刊》（民16）、甘乃光等《紀念總理特刊》（衡陽人民紀念總理逝世二周年，民16）；《孫中山先生的五權憲法》（三民出版部，民16）、王天恨《孫中山先生全傳軼事》（上海，中央圖書局，民16）、民智書店編《中山先生榮哀錄》（上海，廣智書店，民16）、三民公司編輯部編《中山經濟思想研究集》（上海，編者印行，民16年3版）、賀嶽僧《孫中山年譜》（世界出版社，民16）、廖興漢《孫文大事記》（中國國民書局，民16）、甘乃光著、林霖筆記《孫中山與列寧》（廣州，國民黨廣東省黨部宣傳部，民16）、鄧澤如輯《孫中山先生廿年來手札》（廣州，述志公司，民16）、孫中山《中山叢書》（4冊，上海，大中華書局，民16）、吳毅編輯《中山革命史》（新文書局，民16）、亞東無我子編《中山革命全史》（上海，黨化書店，民16）、傅緯平編纂《孫中山先生傳略》（上海，商務印書館，民17）、陳彬和《新中國的救星孫中山先生》（彬彬書店，民17）、萬新《總理倫敦被難概略》（廣州市黨務指導委員會宣傳部，民17）、河北省政府宣傳股編印《總理傳略》（民17）、馬眉伯《中山故事》（上海，商務印書館，民18）、陳載耘《孫中山傳略》（上海，中華書局，民18）、朱蘭生《孫中山》（通俗教育館，民18）、黃昌穀《孫中山先生遺教》（2冊，上海，民智書局，民18年4版）、徐遂軒《孫中山生活》（上海，世界書局，民18）、中國國民黨中央執行委員會宣傳部編印《國父孫中山年譜》（民18）、康德黎（James Cantlie）著、鄭啟中、陳鶴侶譯《孫逸仙與新中國》（上海，民智書局，民19）、羅家倫《中山先生倫敦被難史料考訂》（上海，商務印書館，民19）、黃惠龍述《中山先生親征錄》（同上）、胡漢民編《總理全集》（上海，民智書局，民19）、胡去非編、吳敬恆校《孫中山先生傳》(上海，商務印書館，民19；臺北，臺灣商務印書館臺1版，民54)、宗亮寰編《孫中山先生革命史實(上冊)》(上海，商務印書館，民19)、周原山《中山故事》(聯合書店，民20)、國民黨黨史會編《總理年譜長編初稿》(南京，編者印行，民21)及《總理史料目錄匯刊(第1、2集)》(2冊，同上)、陳達節《孫中山先生外集》(上海，中華書局，民21)、鄒魯等《總理逝世八周年紀念刊》(中國國民黨廣州特別市執行委員會，民22)、中國國民黨廣州特別市執行委員會《孫大總統廣州蒙難十一周年紀念專刊》(民22年6月)、蕭佛成等《總理誕辰紀念專刊》(中國國民黨執行委員會西南執行部、中國國民黨廣州特別市執行委員會，民22年11月)、郭侶桐編《孫中山》(上海，新中國書局，民22)、章衣萍、吳曙天編著《孫中山》(上海，兒童書局，民22)、徐階平《孫中山》(上海，商務印書館，民23)、洪為法編《總理故事集》(上海，民智書局，民23)、張克林《孫中山與列寧》(南京，拔提書店，民23)、革命叢書編輯委員會編《孫中山先生》(民23)、黃選雄《孫中山》(上海，中華書局，民24)、王英琦《孫中山傳記》(上海，經緯書局，民24)、趙可任《孫中山先生經濟學說》(南京，正中書局，民24)、林桂圃《中山先生的國家本體論》(南京，拔提書店，民24)、徐安之等編《孫中山》(8冊，南京，正中書局，民25)、劉憲英《孫中山先生傳》(上海，正中書局，民25)、嚴翔《孫中山先生小傳》(上海，民立書店，民26)、胡去非編纂《總理事略》(南京，中山文化教育館，民26；重慶，商務印書館，民34；臺北，臺灣商務印書館臺1版，民60)、蔡南僑選輯《中山先生傳記》(上海，商務印書館，民26)、蔣中正《孫大總統廣州蒙難記》（南京，正中書局，民26；臺北，正中書局，民75年12版）、艾思奇等《孫中山的思想與學說》（民27年5月出版）、陳鶴琴編《中山先生》（世界書局，民27）、錢實甫《總理的一生》（南寧，民團周刊社，民27）、林桂圃《孫中山先生的國家論》（重慶，科學書店，獨立出版社，民28；重慶，現實出版社，民32）、吳敬恆《總理行誼》（重慶，中央訓練團，民28）、錢實甫主編《總理年譜》（南寧，民團周刊社，民29）、張志智《中山先生之教育思想》（重慶，正中出版社，民29）、楊亮功《中山先生教育思想述要》（重慶，獨立出版社，民29）、吳曼君《孫中山底哲學》（時代思潮社，民29）、劉鴻煥著、虞劍甌校對《中山先生傳略》（重慶，獨立出版社，民30）、趙可任《孫中山先生經濟學說》（重慶，正中書局，民31）、燕義權《國父孫中山底歷史哲學》（國民圖書出版社，民31）、王學孟《中山先生的教育哲學》（重慶，正中出版社，民31）、楊火山《國父思想研究》（江西泰和，時代思潮社，民31）、羅香林《國父家世源流考》（重慶，商務印書館，民31；上海，商務印書館再版，民34）、劉炳藜《國父思想體系述要》（重慶，獨立出版社，民32）、嚴思放《總理廣州蒙難》（國民圖書出版社，民32）、王樞之《孫文傳》（東京，改造社，民32）、任鶴鳴編譯《國父孫中山》（歐豆圖書服務部，民32）、蔣星德《國父的一生》（重慶，軍事委員會政治部，民32）、陳安紅《孫中山先生之思想及其主義》（國民圖書出版社，民33）、胡繩《孫中山革命奮鬥小史》（海洋書局，民33；大衆書店，民38）、國民黨黨史會編《總理年譜長編稿》（重慶，民33）、黃季陸主編《總理全集》（成都，近芬書屋，民33）、高良佐《孫中山先生傳》（同上，民34）、羅香林《國父之大學時代》（重慶，獨立出版社，民34；臺北，臺灣商務印書館增訂版，民43）、楊澤中《國父與中國思想》（東南半月刊社，民34）、林桂圃《國父論馬克思主義及其他》（南京，現實出版社，民34）及《國父政治思想體系》（5册，同上，民36）、馬璧《孫總理思想的研究》（上海，世界書局，民36）、許師慎編著《國父革命緣起詳注》（上海，正中書局，民36；臺北，正中書局，民54）、黃造雄編《孫中山》（上海，中華書局，民36）、胡繩《孫中山革命奮鬥小史》（香港，海洋書屋，1948）、蔣星德《國父孫中山先生傳》（上海，正中書局，民37；臺北，正中書局，民39）、葉夏聲《國父民初革命紀略》（廣州，蔚興印刷廠，民37；臺北，孫總理侍衛同志社，民49年3版）、許師慎《國父選任臨時大總統實錄》（中國文化服務社，民37；臺北，國史叢編社，民56）、沈勵行《孫中山》（上海，中華書局，民37）、李浴日《國父反戰理論》（南京，民37）、周哲《孫中山》（上海，生活·讀書·新知上海聯合發行所，民38）。飛熊〈孫中山先生年表〉（《南開》65期，民17年月）、觀瀾〈孫中山先生在國史上的地位〉（同上）、邵元沖〈總理護法實錄〉（《建國月刊》1卷3期，民18）、鄧慕韓〈孫先生自述拾遺〉（同上，1卷4期，民18）、〈孫中山先生年表〉（同上，2卷1期，民18）、〈孫中山先生軼聞〉（《建國月刊》2卷1期）及〈總理軼事〉（同上，2卷6期，民19）、鄧澤如輯〈總理廣州蒙難記別錄〉（《建國月刊》3卷6期-4卷5期，民19年10月—20年3月）、王芸生〈孫中山與大隈重信〉（《國聞週報》9卷46期，民21）、高良佐〈總理先族之故鄉及世系之研究〉（《建國月刊》9卷6期，民22年12月）、篠園〈乙未孫中山先生首義之軼聞〉（《國聞週報》13卷38期，民25）、葉溯中〈中山先生之先世〉（《越風》2卷1期，民26）、侯外廬〈中山先生〝革命的人文主義〞之特徵〉（《時事類編特刊》29期，民28）、石西民〈中山先生與憲政〉（《群衆週刊》3卷21期，民28）、高良佐〈總理早年思想之管窺及其特徵〉（《中國青年》2卷5期，民29）、曹培隆〈中山先生哲學的著作（評三種研究）〉（《文化先鋒》3卷21期，民33）、鄒魯〈恭述國父廣州蒙難經過及感想〉（《中央週刊》8卷22期，民35）、高良佐〈國父的早年思想〉（《現代週刊》3卷1、2期，民35）、羅香林〈國父香港史跡訪問記〉（《東方雜誌》42卷18號，民35）、陳元德〈國父之邏輯與哲學〉（載中央政治學校研究部編印《蔣主席六十壽辰紀念論文集》，南京，民35年10月）、李懷尹〈國父怎樣對軍閥奮鬥－紀念中山先生逝世二十三週年〉（《中國建設月刊》3卷6期，民36年3月）、劉成禺〈先總理舊德錄〉（《國史館館刊》創刊號，民36年12月）、黃昌穀〈中山先生逝世詳情〉（《人物雜誌》2卷3期，民36）、林桂圃〈國父政治思想的時代背景〉（《文化先鋒》7卷11、12期，民36）、樊弘〈孫中山與馬克思〉（《清華旬刊》第6期，民37；《時與文》3卷3期，民37）、林桂圃〈國父的奮鬥及其著作概述〉（《文化先鋒》8卷8期，民37）、紀玄冰〈中山先生「中國固有思想論」中的啟蒙精神〉（《新中華》12卷10期，民38年5月）。

1949以後臺、港地區的出版品，專書方面以吳相湘《孫逸仙先生傳》（2冊，臺北，遠東圖書公司，民71）篇幅甚鉅，取材最豐，為不可多得的學術性鉅著；吳氏尚撰有《孫中山傳》（臺北，華國出版社，民42）、《中華民國國父孫逸仙先生》（臺北，文星書店，民54）等書。傅啟學《國父孫中山先生傳》（臺北，中華民國各界紀念國父百年誕辰籌備委員會，民54），亦為其中代表作。其他可資參考的有國民黨黨史會編《國父年譜》（初稿係臺北之中央文物供應社，民47出版；民54、58、75年均出有增訂本，篇幅迭有增加）、蔣永敬《國父革命運動史要及其思想之演進》（臺北，正中書局，民64）、羅香林《國父之家世與學養》（臺北，臺灣商務印書館，民61）、《國父與歐美之友好》（臺北，中央文物供應社，民40）及《國父的高明光大》（臺北，文星書店，民54）、孫中山《總理全書》（10冊，臺北，中央文物供應社，民42）及《國父全集》（6冊，同上，民50）、國民黨黨史會編《國父全集》（臺北，紀念國父百年誕辰籌備委員會，民54）及《國父全集》（6冊，臺北，編者印行，民62；所收文件數量較民54年出版者約增加二分之一）、秦孝儀主編《國父全集》（12冊，臺北，近代中國出版社，民78；所收文件數量較民62年黨史會所出版之國父全集增加甚多）、周世輔、周陽山《中山思想新詮—總論與民族主義》（臺北，三民書局，民79）、太平洋文化基金會編《孫中山思想與當代世界研討會論文集》（臺北，編者印行，民79）、王德昭《國父革命思想研究》（臺北，國防研究院，民51）、湯承業《國父革命宣傳志略》（2冊，臺北，中央研究院三民主義研究所，民66）、陳固亭《國父與日本友人》（臺北，幼獅書店，民54）及《國父與亞洲》（臺北，政工幹校，民54）、陳以令《國父與世界》（臺北，海外出版社，民54）、李方晨《國父與中華民國》（臺北，政工幹校，民54）、楊祖慰《國父》（臺北，名人出版公司，民71）、正中書局編審委員會編撰《國父孫中山先生傳》（臺北，正中書局，民65）、鄭照等《孫中山先生感憶錄》（臺北，文星書店，民54）、張世祿《國父傳》（臺北，正中書局，民59再版）、蔣永敬《國父革命與中國統一運動》（同上，民65）及《孫中山》（臺北，臺灣商務印書館，民67）、蕭光邦《孫中山先生》（臺北，正中書局，民71）、楊樹藩《國父的歷史哲學論略—民生史觀》（政治大學三民主義學術研究專刊㈡，民67年5月）、蔡挺中《偉大的國父》（臺北，華興書局，民64）、彭堅汶《國父建國三程序之研究》（臺北，中央文物供應社，民67）。羅剛《中華民國國父實錄初稿》（臺北，國民圖書出版社，民54）、《中華民國國父實錄》（共6冊，臺北，羅范博理出版，民77）及《羅編國父年譜糾謬》（同上，民51）、任卓宣《國父的大同思想》（臺北，帕米爾書店，民58）、陳叔渠《國父軍事學說》（臺北，幼獅書店，民55）、國民黨黨史會編印《國父年表》（臺中，民41）、吳敬恆《國父系年及行誼》（臺北，帕米爾書店，民41）、張其昀《總理偉大之人格》（臺北，中央文物供應社，民42）、于右任等《國父九十誕辰紀念論文集》（臺北，中華文化出版社委員會，民44）、梁瑞琛《我們的國父》（臺北，大同出版社，民44）、王昭然編印《國父孫中山先生新傳》（臺北，民48）、三民主義研究所主編《國父百年誕辰紀念叢書》（共2輯，第1輯12冊，第2輯12冊，臺北，幼獅書店，民54）、朱傳譽《孫中山》（臺北，東方出版社，民54再版）、井琴子《不巧的國父孫中山先生》（撰者印行，民54年3版）、王雲五等《我怎樣認識國父孫先生》（臺北，傳記文學出版社，民54）、謝福建《國父家世源流彙述》（臺北，獅谷出版社，民72）、陳健夫《國父全傳》（臺北，自由太平洋文化事業公司，民53）、林翠《孫中山傳》（臺北，帕米爾書店，民57）、黃光學《國父革命逸史》（臺北，臺灣商務印書館，民54）、《國父革命軼事》

（臺北，帕米爾書店，民41）及《國父孫中山本紀》（臺北，民防出版社，民47）、李鴻儒《國父與江蘇》（臺北，江蘇文獻資料社，民54）、鄭彥棻《國父在海外》（臺北，海外文庫出版社，民48）、宋越倫《總理在日本之革命活動》（臺北，中央文物供應社，民42）、李浴日《國父革命戰理之研究》（臺北，世界兵學社，民41）、羅實時編著《從經濟學看國父思想》（臺北，正中書局，民54）、胡秋原《國父思想與時代思潮》（臺北，幼獅書店，民54）、唐子宗〈國父傳略與時代思潮〉（自刊本，民50）、崔書琴等《孫中山與共產主義》（臺北，文星書店，民54）、謝信堯《國父聯俄容共政策研究》（臺北，帕米爾書店，民70）、林初耀《孫中山先生容共經緯之研究》（臺北，黎明文化公司，民81）、李臺京《中山先生大亞洲主義研究》（臺北，文史哲出版社，民81）、高正儀《中山先生進化思想析論》（臺北，正中書局，民81）、莊政《國父的生平與志業》（臺北，中央日報出版部，民71）、《孫中山先生的大學生涯—擁抱祖國、愛情和書的歷史偉人》（同上，民84）、《國父革命與洪門會黨》（臺北，正中書局，民70）及《孫中山家屬與民國關係》（同上，民78）、馬起華《孫中山與華盛頓》（臺北，中央文物供應社，民71）、黃季陸《研究孫中山先生的史料與史學》（臺北，中華民國史料研究中心，民64）、中華民國史料研究中心編印《孫中山先生與辛亥革命》（臺北，民70）、姚漁湘等《研究孫中山的史料》（臺北，文星書店，民54）、王瑛琦等《關於孫中山的傳記和考證》（同上）、王曉波編《孫中山選集》（臺北，帕米爾書店，民73）、張斌譯《孫中山思想與當代世界》（臺北，國立編譯館，民75）、張瑞成編輯《中國現代史史料叢編·第1輯—

國父孫中山與臺灣》（臺北，國民黨黨史會，民78）、陳春生《國父政黨思想研究》（臺北，再興出版社，民62）、孫治民《國父的政黨理論》（臺北，黎明文化事業公司，民74）、羅雲《國父軍事思想之研究》（臺北，祥雲出版社，民54）、易蘇民《國父的國防思想申論》（臺北，撰者印行，民54）、史振鼎《國父外交政策》（臺北，幼獅文化事業公司，民55）、項定榮《國父七訪美檀考述》（臺北，時報文化出版公司，民71）、吳壽頤《國父的青年時代》（臺北，中央文物供應社，民48）、曾迺碩《國父與臺灣的革命運動》（臺北，幼獅文化事業公司，民67）、李金振《中山先生地權思想之研究》（臺北，中央文物供應社，民78）、李敖《孫中山研究》（臺北，李敖出版社，民76）、史振鼎《國父外交政策》（臺北，幼獅書店，民55）、邱有珍《國父·杜威·馬克斯》（同上，民54）、林宗杰《國父的文化哲學觀》（臺北，正中書局，民68）、劉明灝《國父均富之理論與實踐》（同上）、李常井《國父人性論之研究》（同上）、侯松茂《國父社會思想之研究》（臺北，正中書局，民70）、沈宗瑞《國父對於儒家哲學與科學思想之融合》（同上，民75）、鍾丁茂《國父知行哲學之研究》（同上）、吳健民《國父中西文化觀之研究》（臺北，中央文物供應社，民66）、陳添丁《國父的自由思想》（臺北，水牛出版社，民69）、陳儀深《中山先生的民主理論》（臺北，臺灣商務印書館，民69）、黃炎東《國父新自由論與穆勒自由論之比較》（臺北，正中書局，民69）、楊亮功《國父教育思想體系的研究》（臺北，中央文物供應社，民70）、謝冠生、查良鑑主編《國父法律思想論集》（臺北，中國文化學院法律研究所，民55）、蔣一安《國父哲學思想論》（臺北，臺灣商務印書館，民55）及《孫學闡微》（2冊，臺北，黎明文化事業公司，民82）、陳叔渠《國父軍事學說》（臺北，幼獅文化事業公司，民54）、劉詠堯編輯《國父治兵語錄》（臺北，國防叢刊社，54）及（主編）《國父的國防學術思想研究集》（同上）、楊希震《國父教育思想》（臺北，幼獅文化事業公司，民54）、崔載陽《國父教育哲學思想》（同上）、曾松友《國父思想與現代社會思想》（臺北，政工幹校，民54）、林桂圃《國父思想與現代政治思想》（同上）、張維松《國父思想與現代科學思想》（同上）、吳演南《國父思想與現代經濟思想》（同上）、任卓宣〈國父與思想戰〉（臺北，政工幹校，民54）、《國父的經濟學說》（臺北，帕米爾書店，民61）及《國父科學思想》（臺北，幼獅文化事業公司，民54）、王修詰《國父與群眾戰》（臺北，政工幹校，民54）、程天放主編《國父思想與近代學術》（臺北，正中書局，民54）、余堅《國父學術思想》（臺北，撰者印行，民64）、周開慶《國父經濟學說》（臺北，幼獅書店，民54）、張弦《國父的經濟思想》（臺北，帕米爾書店，民54）、張笙《國父經濟思想綱要》（臺北，自強出版社，民54）、周金聲《孫中山先生經濟思想》（臺北，撰者印行，民57）、桂崇基等編《國父思想與近代學術》（臺北，正中書局，民54）、陳固亭等《國父學術思想研究》（臺北，國父遺教研究會，民54）、馬璧《國父學術思想新評價》（臺北，帕米爾書店，民58）、任卓宣《孫中山哲學原理》（同上，民59訂正本）、蔣一安《國父科學思想論》（臺北，臺灣商務印書館，民59）、周開慶《國父的民生思想》（同上）、張正藩《中山先生之教育思想》（自刊本，民61）、李霜青《人生哲學導論—國父天人合一之革命人生哲學述原》（臺北，五洲出版社，民61）、朱成功編著《國父孫逸仙博士名言錄》（屏東，編著者印，民62）、孫邦正編著《國父思想與教育學》（臺北，正中書局，民54）、馬璧《國父政治學說研究》（臺北，國父遺教研究會，民67）、陳光中《國父合群論之研究》（同上，民70）、蔣一安《國父的經濟思想》（臺北，國父思想通論發行社，民54）、林子勛《國父學說與中國文化》（臺北，華岡出版公司，民66）、邱有珍《國父的人類進化論》（臺北，中央文物供應社，民67）、柳嶽生《國父思想之哲學基礎》（臺北，自由出版社，民68）、吳盛揚《國父倫理思想之研究》（臺北，永吉出版社，民67）、陳鵬仁《國父在日本》（臺北，臺灣商務印書館，民76）及《孫中山先生與日本友人》（臺北，大林出版社，民62年2版）、吳倫霓霞、陳勝鄰等編《孫中山在港澳與海外活動史跡》（香港，中文大學聯合書院，1986）、李進軒《孫中山先生革命與香港》（臺北，文史哲出版社，民78）、姚誠《孫中山先生與護法運動》（政治大學三民主義研究所碩士論文，民73年6月）、黃啟霖《黃梨洲與孫中山經世思想之比較》（臺灣大學三研所碩士論文，民74年7月）、陳怡仲《孫中山政黨思想之研究》（同上，民78年6月）、林詩輝《孫中山先生與中國現代化之研究》（臺北，正中書局，民81）、陳哲燦《國父革命與日本》（臺北，幼獅書店，民69）、劉真主編、陳志先編輯《中山先生行誼》（3冊，臺北，臺灣書店，民84）、徐高阮《中山先生的全面利用外資政策》（臺北，臺灣商務印書館，民52）、張忠正《孫中山先生對外關係（1911-1925）》（臺北，文景出版社，民76）、習賢德《孫中山先生與基督教》（臺北，浸宣出版社，民80）、李微林《國父對中國經濟發展的構想》（臺北，正中書局，民80）、萬仁元主編《孫中山與國民革命》（臺北，臺灣商務印書館，民83）、邵銘煌編《孫中山先生與蔣介石先生》（臺北，近代中國出版社，民83）、張益弘《孫學辨岐》（臺北，恬然書舍，民81）、陳春生《國父政權思想研究》（臺北，五南出版社，民74）、朱諶《孫中山與蔣中正的民族主義思想》（臺北，黎明文化公司，民82）、林恩顯《國父民族主義與民國以來的民族政策》（臺北，國立編譯館，民83）、林國仁《孫中山民族自決思想之研究》（臺灣大學三民主義研究所碩士論文，民79年6月）、鄭聲編《孫中山－中國人民偉大的兒子》（香港，中華書局，1957）、新地出版社編《偉大的孫中山》（香港，編者印行，1957）、陸文彬《孫中山與第一次國共合作－三民主義思想的發展與三大政策的採用》（香港中文大學哲學碩士論文，1978）、李學全《孫中山的外交主張：原則和策略》（同上，1980）、周宗仁《孫文大同主義》（新竹，楓城出版社，民74）、呂世昌《國父分權思想研究（五權憲法分權思想體系）》（高雄，海軍出版社，民76）、林勝義《國父進化論之研究》（臺北，正中書局，民82）、彭堅汶《孫中山政治發展模式與經濟之研究－兼論臺灣民主化之困境與策略》（臺北，時英出版社，民82）、蕭強、李德標《國父與空軍：我國初期革命空軍史話》（臺北，著者印行，民72）、王曉波《孫中山》（《中國現代思想家》第4輯，臺北，巨人出版社，民67）、馮文質《國父孫中山先生傳》（恆學出版社，民66）、杜伯翰《國父進化論之研究》（天才出版社，民66）、華中興《中山先生政治人格的解析》（臺北，正中書局，民81）、陳志先編《中山先生研究書目》（臺北，臺灣書店，民84）及《中山先生行誼》（同上）、李宏文

《中國大陸學界對中山先生思想詮釋與評價之研究（1978-1993）》（政治大學東亞研究所博士論文，民83年1月）；《中山精神永不朽：國父革命史畫》（臺北，國父紀念館，民84）、孫穗芳《我的祖父孫中山》（2冊，臺北，禾馬文化公司，民84）、平路《行道天涯－孫中山與宋慶齡的革命和愛情故事》（臺北，聯合出版社，民84）、郡傳烈編《孫中山傳：永遠的革命者》（臺北，克寧出版社，民84）、張譯《孫中山思想與當代世界》（臺北，國立編譯館，民85）、江治華《國父人格及其現代化思想》（2冊，同上）、周振華《孫中山與社會主義》（臺北，東華書局，民85）、鄭竹園主編、張斌譯、唐勃校《孫中山思想與當代世界》（臺北，國立編譯館，民85）。此外，臺灣各大學三民主義等研究所以孫中山為題的博、碩士論文尚有不少，在此不再一一舉述。

論文方面有蔣永敬〈辛亥革命時期孫中山先生的民權思想〉（《辛亥革命研討會論文集》，民72）、彭澤周〈中山先生與中國興業公司〉（《中華民國建國史討論集》第1冊，民70）、崔垂言〈中山先生思想與現代中國〉（同上）、王德昭〈同盟會時期孫中山先生革命思想的分析研究〉（《中國現代史叢刊》第1冊，正中書局，民49）、王雲五〈國父孫先生的政治思想〉（《東方雜誌》復刊4卷5期，民59年11月）、李玉彬〈國父上李鴻章書時間經過等問題之整理及分析〉（同上，3卷9期，民59年3月）、陳嘉驥〈孫逸仙先生與臺灣〉（《中外雜誌》33卷3期，民72年3月）、吳經熊〈國父的人格及其根本思想〉（《中華學報》1卷1期，民63年1月）、陳立夫〈國父思想中的治平之道〉（同上）、羅香林〈國父在西醫書院時之革命思想言論〉（《中華學報》5卷2期，民67年7月）及〈國父由滬赴檀與興中會的成立〉（同上，1卷2期，民63年7月）、魏鏞〈孫中山先生國家建設之理論〉（同上）、李雲漢〈中山先生與菲律賓獨立運動（1898~1900）〉（同上）、曾迺碩〈惠州之役國父涖臺史實〉（《文藝復興》72、73期，民65年5、6月）、符儒友〈社會遠因對中山先生政治人格的影響〉（《文藻學報》第1期，民75年12月）及〈社會近因對孫中山先生政治人格的影響〉（同上，第2期，民76年12月）、邱瑞藩〈國父的人類科學探微〉（《臺中商專學報》14期，民74年8月）、龍任重〈國父政治思想與現代政治思想〉（《臺北商專學報》第3期，民63年1月）、廖斗星〈國父權能區分學説之研究〉（同上，第7期，民65年5月）、程全生〈孫逸仙博士的自由平等思想〉（同上，33期，民78年12月）、湯承業〈窺述中山先生發動各種革命集會的造勢功能〉（同上，40期，民82年6月）、張其昀〈國父對人類文化之貢獻〉（《中華學報》2卷1期，民64年1月）、李恩涵〈南洋方面研究孫中山先生的史料與史學〉（同上，3卷2期，民65年7月）、李守孔〈國父護法與廣州軍政府的成立〉（同上，4卷2期，民66年7月）、莊政〈國父名號考源與行誼的印證〉（《中華學報》5卷1期，民67年1月）、〈國父的先世與後裔〉（《傳記文學》38卷3期，民70年3月；38卷4期，民70年4月）、〈國父家世名號考述及婚姻探原〉（《三民主義學報》第10期，民75年6月）及〈國父革命與地理環境與歷史淵源〉（同上，第9期，民74年7月）、王邦雄〈從中山先生的進化人性觀看三民主義的王道思想〉（同上，5卷2期，民67年7月）、孫正豐〈孫中山先生之社會互助論〉（《中華學報》6卷2期，民68年7月）、李國祁〈同盟會成立至二次革命時期國父的政治影響〉（同上，7卷1期，民69年1月）、黃季陸〈孫中山先生與德國〉（同上，7卷2期，民69年7月）、孫正豐〈國父的政黨體系與功能之闡微〉（《中華學報》7卷2期）、郎裕憲〈國父的民權理論與我國的選舉制度〉（同上，10卷1期，民72年1月）、遲景德〈國父少年時代與檀島環境（1879～1883）〉（《中國現代史專題研究報告》第6輯，民65）、趙在田〈王韜與國父早期革命思想〉（《銘傳學報》第5期，民57年3月）、林蕙〈國父民族思想與中國文化〉（《臺中商專學報》第1期，民58年6月）及〈國父民權思想與中國文化〉（同上，第9期，民66年6月）、吳盛揚〈國父的倫理思想研究〉（《女師專學報》第4期，民63年3月）及〈國父思想的哲學體系研究〉（同上，第8期，民65年5月）、王國弼〈國父的大同思想〉（《臺北市立師院學報》16期，民73）、郭明郎〈國父社會互助思想之研究〉（《臺北師專學報》第9期，民71年4月）、楊鴻秋〈國父革命理論體系的建立〉（同上，第1期，民77年6月）、陳正枝〈國父國家學說的體認〉（《實踐學報》20期，民78年6月）、李雲漢〈孫中山先生與檀香山〉（《近代中國》28期，民71年4月）、〈中山先生的史學修養〉（《中華文化復興月刊》8卷11期，民64年11月）、〈中山先生辛亥遊美史實的討論〉（載《中國現代史論和史料》上，臺灣商務印書館，民68）、〈關於國父傳記著述的評述〉（同上）、〈研究中山先生的英文史料〉（同上）、〈研究中山先生的外文史料〉（《幼獅》40卷4期，民63年10月）、〈中山先生護法時期的對美交涉（1917～1923）〉（《中華民國史料研究中心十周年紀念論文集》，民68）、〈中山先生護法時期的對日政策〉（《孫中山先生與辛亥革命》中册，民70）及〈孫逸仙博士與亞洲民族獨立運動〉（同上）、林明德〈孫中山與日本關係的探討〉(同上)、陳鵬仁〈國父在日本〉(同上)、余偉雄〈孫逸仙博士策進革命運動與香港的關係及香港所保存的革命史蹟〉(同上)、王綱領〈美國與孫逸仙博士(1911~1922)〉(同上)、沈雲龍〈孫中山先生與對外關係〉(《傳記文學》47卷6期,民74年12月)、徐堪〈國父錢幣革命論與法幣政策的實施〉(載《中國憲政學會特刊—國父百年誕辰紀念專號》,臺北,民54)、周烈範〈國父論中西文化〉(同上)、張知本〈國父的法治精神〉(同上)、林欣欣〈國父聯俄容共政策之始末〉(載《國父百年誕辰紀念論文專輯—臺灣大學學生集體創作》,臺北,民54)、蔡萬連〈略論國父的外交主張〉(同上)、吳相湘〈國父生平研究的學術化〉(《傳記文學》7卷5期,民54年11月)、沈雲龍〈孫中山先生與民初政府及其影響〉(同上,32卷1期,民67年1月)及〈孫中山北上逝世與奉安大典〉(同上,33卷5期,民67年11月)、Chang Chung-tung(張忠棟), "Dr. Sun Yat-sen's Principle of Livelihood and American Prograssivism." (《中國歷史學會史學集刊》14期,民71年5月)、羅光〈國父思想和基督的教義〉(《孫中山先生與辛亥革命》上册,民70)、許智偉〈國父孫逸仙博士之教育思想及其在香港所受教育之影響〉(同上)、李國祁〈孫逸仙博士政治理論的形成及其對中國的影響〉(同上)、閻沁恆〈孫逸仙博士的人文主義思想〉(同上)、林子勛〈孫逸仙博士對西方思潮的融會與創新〉(同上)、金耀基〈打開歷史新局的鎖鑰—孫中山先生的偉大遺產〉(同上)、彭家發〈譾述孫逸仙博士思想中之均富原理〉(同上)、劉家駒〈羅香林論孫逸仙思想〉(同上)、許璽盤〈國父民生思想順乎天理〉(《花蓮師專學報》第5期,民62年6

月）、〈國父民生思想應乎人情〉（同上，第6期，民63年6月）、〈國父民生思想適乎世界潮流〉（同上，第8期，民65年6月）及〈國父民生思想合乎人群之需要〉（同上，第9期，民66年6月）、吳家瑩〈就孫中山之救國心志與「建國方案」試剖析「中華民國教育宗旨」〉（《花蓮師專學報》11期，民68年12月）、徐光國〈論國父直接民權設計與政治文化的關係〉（同上，14期，民72年10月）、施冠慨〈國父的自由思想與約翰米勒自由論之比較研究〉（同上，13期，民71年10月）、吳盛揚〈國父的倫理思想的本質〉（《致理學報》第2期，民71年11月）及〈國父的均權制度論〉（同上，第5期，民74年11月）、劉國光〈國父的教育思想觀〉（《新埔學報》第1期，民63年12月）、陳嘉猷〈國父孫中山先生是世界的偉大人物〉（同上）、呂實強〈從民初思潮看孫中山先生講演三民主義的時代意義〉（《孫中山先生與近代中國學術討論集》第1冊，民74）、王曾才〈中山先生的民族主義思想〉（同上）、賀凌虛〈儒家思想對孫中山先生政治思想的影響〉（同上）、陳裕清〈中山先生政治哲學與現代思潮〉（同上）、馬起華〈孫中山先生的民權主義與近代民主政治〉（同上）、李又寧〈孫中山先生與清末民元的婦女運動〉（同上）、陳明銶〈孫中山先生與華南勞工運動之發展〉（同上）、魏萼〈孫中山先生經濟思想的理論基礎與實踐經驗〉（同上）、趙金祁〈孫中山先生發達國家資本論芻釋－中國近代電氣事業之發展〉（同上）、孫英善〈從國父科學管理思想論現代企業管理〉（同上）、陳鵬仁〈孫逸仙與南方熊楠〉（《孫中山先生與近代中國學術討論集》第2冊，民74）、楊日旭〈美國國務院外交關係文書中（1912～1925）關於中山先生的記載〉（同上）、李本京〈孫中山先生海外經費之籌集（1901-1911）〉（同上）、侯繼明、殷乃平〈孫中山先生與臺灣的經濟發展〉（同上）、高偉時〈論國父的歷史地位〉（《幼獅》3卷11期，民44年11月）、湯承業〈國父領導的革命集會〉（《近代中國》第2期，民66年6月）、卓文義〈孫中山先生的「航空救國」建設〉（同上，15期，民69年2月）、鄔昆如〈國父的宗教信仰〉（同上，21期，民70年2月）、閻沁恆〈國父學説與新人文主義思想〉（同上，34期，民72年4月）、許智偉〈國父的教育思想〉（《近代中國》34期，民72年4月）、項定榮〈國父被尊稱為「世界公民」〉（同上）、辛達謨〈國父對德外交政策之研究〉（同上，36期，民72年8月）、林蘊石〈孫中山先生與新文化運動〉（同上，37期，民72年10月）、孫邦正〈國父的教育思想〉（同上）、鄔昆如〈科學·哲學·宗教一國父孫中山先生思想的合璧〉（《近代中國》38期，民72年12月）、侯家駒〈國父的經濟建設理想〉（同上）、李建興〈國父中山先生的社會教育思想〉（同上）、馬起華〈中山先生民族主義的發展與內涵〉（《近代中國》40期，民73年4月）、鄔昆如〈國父孫中山先生的政治哲學〉（同上）、侯家駒〈國父民生經濟思想綜論〉（同上）、馬起華〈中山先生民權政治思想的演展〉（同上，44期，民73年12月）、符滌泉〈國父的革命外交〉（同上）、向誠〈國父的僑務思想及其影響〉（同上）、鄔昆如〈國父孫中山先生的人生觀〉（《近代中國》45期，民74年2月）、李恩涵〈孫中山先生對星馬華人文化與教育〉（同上）、葉陽明〈國父對中國參戰態度及國父與德國人之關係〉（同上）、陳福霖〈美國《獨立雜誌》對孫中山先生和中國革命的評論（1912～

1925）〉（《中華民國史料研究中心十周年紀念論文集》，民68）、廖承德〈國父的自由思想研究〉（《屏女學報》第2期，民65年10月）及〈國父平等思想之研究〉（同上，第4期，民67年10月）、王茂勳〈國父的「權能分開」學說之研究〉（同上）、孫永齡〈國父思想中的互助〉（《農專學報（屏東農專）》第10輯，民58年6月）及〈國父思想的研究芻見〉（同上，第7輯，民55年7月）、張定宇〈國父政治思想與儒家德治主義〉（同上）、王士敏〈哲學範疇中認識論之研究—闡述國父認識論之優越性〉（《聯合學報》第1期，民71年11月）、孫甄陶〈國父家族歷史尚待考證—讀羅著「國父家世源流考」存疑〉（《廣東文獻》11卷3期、12卷1期，民70年9月、71年6月）、陳存仁〈孫中山先生病逝經過〉（同上，8卷1期，民67年3月）、李德標〈孫中山先生發展航空事業略述〉（同上，11卷1期，民70年3月）、鄭彥棻〈國父創立興中會前後的革命救國思想與作為〉（同上，15卷2期，民74年6月）、梁元楝〈國父與五四運動〉（《大華學報》第7期，民75年3月）、周善化〈國父與總統蔣公教育思想之研究〉（《華夏學報》第9期，民68年9月）、桂斯勛〈論國父法律思想〉（《樹德學報》第6期，民69年8月）、唐子宗〈國父之偉大〉（《公民訓育學報（臺灣師大公訓系）》創刊號，民72年6月）、宋繼榮〈國父平均地權的本旨之研究〉（同上）、陳順珍〈國父孫中山先生與阿湖書院〉（同上）、林有土〈孫逸仙倫理道德進化思想之研究〉（同上，第4輯，民84年6月）、林金朝〈孫中山先生民權思想形成的影響因素〉（同上）及〈孫中山先生對地方自治的主張〉（同上，第5輯，民85年6月）、鄭麒來〈王韜與國父早期革命思想〉（《銘傳學報》第5期，民68年3月）、朱浤源

〈孫中山與胡志明民族主義之比較〉(《中山學術論叢(臺灣大學三研所)》11期,民82年6月)、陳春生〈孫中山政府論之特徵〉(同上)、莊政〈孫中山先生的私生活〉(《中外雜誌》36卷5期、37卷1、2期,民73年11月、74年1、2月)及〈孫中山病逝考述〉(同上,33卷4、5期,民72年4、5月)、王德昭〈醫人與醫世:黎剎與孫中山〉(《傳記文學》7卷5期,民54年11月)、沈雲龍〈孫中山先生與民初政府及其影響〉(同上,32卷1期,民67年1月)及〈孫中山先生北上逝世與奉安大典〉(同上,33卷5期,民67年11月)、吳相湘〈國父言行有關的蘇俄論述〉(同上,32卷3期,民67年3月)及〈國父與鄭藻如關係初探〉(同上,37卷1期,民69年7月)、李德標〈孫中山先生發展航空事業略誌〉(《傳記文學》37卷5期,民69年11月;37卷6期,民69年12月)、孫甄陶〈國父家族歷史尚待考證〉(同上,38卷3期,民70年3月;38卷4期,民70年4月)、陳固亭〈有關國父文獻的日文著述〉(《政大學報》第4期,民50年12月)、周道濟〈孫中山先生的政治思想〉(《中山學術論叢》第4期,民73年7月)、邱榮舉〈孫中山的民權思想〉(同上)、任卓宣〈國父底革命學說〉(同上)、梅喬林〈武昌起義前後國父之行蹤〉(《廣東文獻》1卷2期,民60年6月)、林立之〈國父最後一次北上紀實〉(同上,19卷1期,民80年3月)、彭澤周〈田中參謀次長與中山先生〉(《大陸雜誌》71卷4期,民74年10月)及〈中山先生的北上與大亞洲主義〉(同上,66卷3期,民72卷3月)、莊政〈孫中山各名號考釋〉(《中外雜誌》29卷6期、30卷1期,民70年6、7月)、〈孫中山先生的三位夫人〉(同上,42卷5期,民76年11月)、〈孫中山的孝行與待人〉(同上,31卷3期,民71年3月)及〈孫逸仙博士的幽默〉（同上，30卷5期，民70年11月）、袁良驊〈國父廣州蒙難指揮海軍討逆記〉（同上，28卷1期，民69年7月）、鄭彥棻〈國父「上李鴻章書」的研究〉（《中外雜誌》24卷2、3期，民67年8、9月）、陳在俊〈孫中山的感情世界〉（同上，56卷6期，民83年12月）、王星舟〈國父北上紀實－天津歡迎實況〉（同上，16卷6期，民63年12月）、羅香林〈國父在興中會時代的言論〉（同上，16卷4期，民63年10月）、朱堅章〈中山先生民權主義中的平等觀念〉（《中華民國歷史與文化討論集》第3冊，民73）、馬起華〈中山先生民族主義的演展〉（同上）、李瞻〈國父與總統蔣公之傳播思想〉（同上）、彭堅汶〈從政治發展看中山先生的建國思想〉（《近代中國》20期，民69年12月）、許智偉〈西方政治思想及革命歷史對國父革命主義之影響〉（《世界華學季刊》2卷2期，民70年6月）及〈西洋近代思潮與孫逸仙主義〉（《中華學報》7卷2期，民69年9月）、張亞澐〈中山先生與中國現代化〉（《革新》31期，民69年12月）、牧郁如〈國父的知行哲學與教育思想〉（同上，32期，民71年6月）、蔡憲昌〈中山先生中西文化觀之研究〉（同上，25期，民66年1月）、吳應文〈國父的心性思想〉（《美和護專學報》第4期，民69年12月）、崔載陽〈從中山先生哲學思想看西洋現代哲學思想〉（《哲學年刊》第4期，民75年10月）、皮華城〈孫中山先生平等思想探微〉（《臺東師專學報》第9期，民70年4月）、張正藩〈中山先生的教育思想探源〉（《國立編譯館館刊》1卷2期，民61年3月）、鄔昆如〈孫中山先生的文化哲學〉（《哲學與文化》90期，民70年11月）、林桂圃〈國父在政治思想史中的地位及其貢獻〉（《銘傳學報》18期，民70年3月）、〈國父民族思想要義〉（《實踐家專學報》第2期，民58年3月）及〈國父民生思想之研究〉（同上，第5期，民63年3月）、方豪〈研究國父來臺次數的經過〉（《傳記文學》7卷6期，民54年12月）、周卓懷〈四十二年前國父經過香港盛況〉（《同上，7卷5期，民54年11月）、陳世昌〈孫中山先生開國記〉（《臺南工專學報》創刊號，民68年12月）及〈國父聯俄容共政策的研究〉（同上，第4期，民73年12月）、顏喜樂〈國父聯俄容共政策背景之研究〉（《蘭女學報》創刊號，民77年4月）、羅英豪〈國父平等論的闡釋〉（同上）、陶懷仲〈國父的政治思想論〉（《聯合學報》第3期，民76年5月）、湯承業〈國父的氣度與風範〉（《文藝復興》114期，民69年7月）及〈國父革命之「衝擊宣傳」戰略〉（《國立編譯館館刊》6卷2期，民66年12月）、崔載陽〈國父思想的體系與特徵〉（《文藝復興》109期，民69年1月）、郭鳳明〈國父的就任非常大總統〉（同上，122期，民70年5月）、黃光學〈國父的讀書生活〉（《中華文化復興月刊》13卷11期，民69年11月）、黃萍津〈國父倫理思想與孔孟學說〉（《淡江學報》18期，民70年5月）、蕭傑興〈國父的倫理思想〉（同上）、申慶璧〈國父的宗教思想〉（《淡江學報》17期，民69年6月）、葉維業〈對國父的民族主義之體認〉（《南亞學報》第9期，民78年11月）、孫逑山〈國父學生時代博學苦讀實錄〉（《東師言文學刊》第2期，民78年6月）、陳錦燦〈國父「民生史觀」源流述要〉（《傳習（臺北師專學生專題研究習作）》第3冊，民74年6月）、陶懷仲〈我國孟荀及國父人性學說的研究〉（《聯合學報》第2期，民73年10月）、陳麗華〈國父的互助思想與克魯泡特金的互助論比較研究〉（《三民主義學報》第9期，民74年7月）、Wang、Teh-Chao（王德昭），"The Impact of the May 4th Movement on the Revolutionary Thought of Dr. Sun Yat-sen"（《中文大學學報》5卷1期，1979）、乙堂（羅香林）〈國父孫中山先生逸文－與美洲諸同志書〉（《珠海學報》第7期，1974年4月）、簡又文〈國父的青年時期〉（《新希望》55-57期，1955年3月）、凌鴻勛〈國父與中國鐵路之發展〉（《國父九十誕辰紀念論文集》，中華文化出版事業社，民44）、羅香林〈國父革命主張對於何啟與鄭觀應等之影響〉（同上）、劉惠鶯〈國父道德思想研究〉（《東方工專學報》第7期，民73年3月）、鍾國文〈國父的偉大人格〉（《南亞學報》13期，民82年12月）、林津治〈孫中山與馬克思社會發展觀之比較－歷史觀、社會觀與民族主義〉（同上，14期，民83年12月）、呂清培〈國父的民生思想與民生主義〉（《高雄海專學報》第5期，民75年9月）及〈國父民權思想與民權主義的特性〉（同上，第3期，民73年8月）、潘先弟〈孫中山先生的事業精神〉（《讀史劄記》第1期，星加坡，1967年4月）、周繼祥〈中國大陸的孫中山研究述評〉（《中山社會科學學報（中山大學）》5卷4期，民80冬季版）、姜新立〈中國大陸知識界對「孫學」研究的近況〉（同上）、陳世昌〈孫中山先生開國記〉（《南臺工專學報》創刊號，民68年12月）、苗永序〈國父革命建國程序〉（《萬能學報》第2期，民69年5月）、謝義雄〈國父平等和自由思想之研究〉（《弘光護專學報》11期，民72年6月）、邵元玠〈國父民權主義之真諦〉（《健行學報》第1期，民70年7月）及〈國父的民權政制－五權憲法〉（同上，第7期，民76年3月）、陳應棠〈國父孫中山先生的思想淵源〉（《廣東文獻》26卷1期，民85年3月）、林霖〈國父孫中山先生的貨幣革命理論〉（《東亞季刊》1卷3期，民59年1月）、任卓宣〈國父哲學與思想〉（《哲學年刊》第3期，臺北，正中書局，民54年11月）、崔載陽〈國父孫中山先生的哲學〉（同上）、周振華〈國父民族主義思想之演進〉（《南亞學報》第1期，民70年11月）、周善化〈國父與總統蔣公教育思想之研究〉（《華夏學報》第9期，民68年9月）、法俊之〈國父思想與現代哲學思潮研究〉（同上，19期，民74年11月）、陳亦慶〈國父「知難行易」學說與陽明學說之研究〉（同上，26期，民81年12月）、趙玲玲〈中山思想在中西文化會通上的典範〉（《廣東文獻》24卷4期，民83年12月）、林立之〈國父最後一次北上紀實〉（同上，25卷1期，民84年3月）、鄧勵豪〈閻錫山與國父孫中山先生〉（同上）、宋子武〈談國父手書建國大綱〉（同上，25卷3期，民84年9月）、魏彥才〈孫中山先生澳門借款贈藥〉（同上，25卷1期，民84年3月）、孫治平〈我的祖父孫中山先生〉（《廣東文獻》25卷4期，民84年12月）、陳平心〈國父青少年時期的二三事〉（同上）、周繼祥〈對大陸「孫學」研究停滯現象的省思〉（同上）、陳嘉猷〈國父當年在臺化名〝吳沖〞與〝吳仲〞的考證〉（《革命思想》70卷6期，民80年6月）、劉偉森〈國父與金山華僑〉（《近代中國》86期，民80年12月）、王爾敏〈孫中山理想中的現代中國〉（《國史館館刊》復刊第10期，民80年6月）、周繼祥〈論中山先生的國家統一觀〉（《近代中國》82期，民80年4月）、呂實強〈孫中山先生與中華民國－開國勛業與立國宏規〉（同上，84期，民80年8月）、周玉山〈孫中山先生的民族主義與共產主義〉（《國魂》546、547期，民80年5、6月）、朱浤源〈孫中山對內民族主義的轉化與困惑〉（《滿族文化》15期，民80年6月）、林家鴻〈國父的知難行易哲學觀〉（《革命思想》70卷

6期，民80年6月）、陳福霖〈孫中山與五四運動〉（《香港中國近代史學會會刊》第4、5期合刊，1991年1月）、金沖及〈中國大陸的孫中山研究〉（《中山社會科學學報（中山大學）》5卷4期，民80冬季版）、曾介木〈總理上書李鴻章的動機與目的〉（《學術季刊》2卷1期，民42年9月）。張玉法〈孫中山的歐美經驗對中國革命的影響〉（《中國歷史學會史學集刊》24期，民81年7月）、朱文原〈國父在美的一段外交（1911-1912）〉（《近代中國》72期，民78年8月）、陳在俊〈日本對孫中山先生革命運動的助力與阻力〉（同上，98-104期，民82年12月-83年12月）、陳鵬仁〈孫中山與桂太郎—紀念孫中山先生正式訪日八十週年〉（《近代中國》94期，民82年4月）及〈孫中山先生的大亞洲主義與日本〉（同上，99期，民83年2月）、鄭彥棻〈國父與英國〉（《中國現代史專題研究報告》12輯，民79）、〈國父與法國〉（《近代中國》44期，民73年12月）、〈國父與南洋〉（《近代中國》61期，民76年10月）、馬湘〈中山先生在香港〉（《明報（月刊）》2卷10期，1967年10月）、羅香林〈孫中山先生與香港大學〉（《中山季刊（香港中山學會）》創刊號，1983年1月）、陳錫徐〈從大眾傳播功能發揚中山先生學術思想〉（同上）、王爾敏〈中山先生教人做大事〉（同上）、金耀基〈中山學之時代意義〉（《中山季刊》第2期，1983年5月）、馮培榮〈孫中山先生眼中的香港〉（《歷史系年刊（香港浸會學院歷史學會）》第4期，1985）、劉家駒〈徐復觀政治思想脈絡試析—徐復觀所了解的孫中山先生〉（《展望》498-502期，1982年11月-1983年2月）、李雲漢〈孫逸仙先生與檀香山〉（《中國歷史學會史學集刊》22期，民79年7月）、張玉法〈孫中山先生在夏威夷〉（載《中華民國建國八十年學術討論集》第2冊，民80）、黃昆章〈孫中山先生與印度尼西亞民族獨立運動〉（《抖擻》53期，1983年7月）、李宏憲〈辛亥革命期間的孫中山先生〉（《史潮（香港中文大學聯合書院歷史學會）》第9期，1973年12月）、王德昭〈孫中山的聯俄政策及其對中國革命的影響〉（《史潮》新刊號第4期，1978年6月）、賴莽天〈孫中山的民生思想〉（同上，第1期，1975年2月）、宋協邦〈國父對於人性論的偉大貢獻〉（《僑光學報》創刊號，民71年10月）、莊朝權〈國父民權主義之真諦〉（《健行學報》第1期，民70年7月）、蔡憲昌〈易理與孫中山先生之革命志業〉（《嘉義農專學報》28期，民81年2月）、陳淳、黃國宬〈中山先生國民大會學說與民主集中國制理論的比較〉（同上，44期，民85年2月）、鄭彥棻〈國父與法國〉（《德明學報》第5期，民74年6月）、羅香林〈國父孫中山先生的立志救國及其在檀香山與香港的肄業〉（《珠海學報》10期，1978年7月）、John D. Young（楊意龍），"Outline of Dr. Sun Yat-sen in Hong Kong，1887-1892 : The Western Impact"（同上，13期—孫逸仙博士與香港國際學術會議論文集專號，1982年11月）、Ngai-ha Ng Lung（吳倫霓霞），"The Hong Kong Origins of Dr. Sun Yat-sen's Address to Li Hung-Chang 1894"（同上）、"The Making of a Revolutionary: Hong Kong in the Shaping of Sun Yat-sen's Early Political Thought"（《香港中文大學中國文化研究所學報》16卷，1985）、〈孫中山先生在香港所受教育與其革命思想之形成〉（《珠海學報》15期，1987年10月）及〈興中會前期（1894-1900）孫中山革命運動與香港的關係〉（《中央研究院近代史研究所集刊》19期，民79年6月）、黃自進〈犬養毅與孫中山的革命運動—援助動機的探討〉（同上）、劉碧蓉〈孫中山·山田良政·山田純三郎關係資料介紹〉（《近代中國》101期，民83年6月）、Wang Tseng-tsia（王曾才），"Sunyatsenism and Modern Life: National and International."（《文史哲學報》31期，臺灣大學文學院，民71年12月）、莊政〈國父大學師友對其革命志業的影響〉（《復興崗學報》43期，民79年6月）、〈國父革命與地理環境與歷史淵源〉（《三民主義學報》第9期，民74年7月）、〈國父家世名號考述及婚姻探原〉（同上，第10期，民75年6月）及〈國父大學時代的師長對其思想言論的影響〉（《近代中國》76期，民79年4月）、陳耀南〈國父思想與中國文化〉（《廣東文獻》22卷1期，民81年3月）、陳鵬仁〈國父與日本〉（同上，23卷1期，民82年1月）、周玉山〈孫中山思想與大陸政策〉（同上，23卷4期，民82年11月）、李金振〈中山先生平均地價思想與現行平均地權之比較研究〉（同上）、洪泉湖〈從國父民族思想看亞洲民族問題之解決〉（同上）、陳嘉猷〈國父與臺灣〉（《新埔學報》第2期，民63年12月）、〈國父的反共思想〉（同上，第3期，民66年4月）、〈由國父思想談中華文化復興〉（《新埔學報》第6期，民70年4月）、〈由國父思想看知識份子的責任〉（同上，第4期，民67年6月）及〈由國父思想看索忍尼辛的反共箴言〉（同上，第5期，民68年10月）、劉國光〈國父的教育思想觀〉（《新埔學報》第1期，民63年12月）及〈國父的科學教育思想〉（同上，第3期，民66年4月）、吳景宏〈孫逸仙博士·黎剎博士與香港〉（《珠海學報》13期，1982年11月）、厚民〈國父在嘉興的革命活動〉（《浙江月刊》）、桂心儀〈孫中山先生菘涌八十週年紀念〉（《廣東文獻》26卷4期，民85年4月）、王爾敏〈孫中山先生的門戶開放主義與全面利用外資政策〉（《國史館館刊》復刊17期，民83年12月）、莊政〈孫中山先生大學生涯及行醫歷程新探〉（同上）、湯承業〈由集會窺述中山先生「喚起民眾」之革命宣傳〉（同上）、黃自進〈吉野作造對孫中山的認識與評價〉（《中央研究院近代史研究所集刊》21期，民81年6月）、李金強〈孫逸仙博士之早期思想—農業改良言論探討（1887-1895）〉（《珠海學報》13期，1982年11月）、羅夢冊〈中山先生在中國歷史的地位〉（同上）、蔣永敬〈孫中山先生與三大政策〉（《珠海學報》15期—孫中山先生與中國現代化國際學術會議論文集，1987年10月；亦載《孫中山學術論集》下冊，臺北，正中書局，民76）、王晨〈國父在興中會時期的革命宣傳工作〉（《復興崗學報》49期，民82年6月）、Wang Teh-Chao（王德昭），"The Influence of the First Entente With Soviet Russia and the Chinese Communist on Dr. Sun Yat-Sen's Thought of Revolution"（載China: Development and Challenge, Vol.1: Historical Experiences and Marxism, Maoism and Politics, Center of Asian Studies University of Hong Kong, 1979）、沈雲龍〈孫中山先生逝世六十周年暨一百二十歲誕辰紀念〉（《傳記文學》47卷5期，民74年11月）及〈孫中山先生與對外關係〉（同上，47卷6期，民74年12月）、傅啟學〈孫中山先生對蘇俄的外交關係〉（同上，48卷3、4期，民75年3、4月）、謝福健〈國父與鍾木賢〉（同上，49卷5期，民75年11月）、彭堅汶〈孫中山革命軍的角色與第三世界的政治發展〉（《社會科學學報（成功大學）》第2期，民78年12月）、程全生〈國父孫中山先生的國民革命思想〉（《法商學報》21期，民75年12月）及〈國父民權思想與主張的研析〉（《臺北商專學報》36期，民80年6月）、張木雄〈從白鵝潭事件看國父之反帝思想〉（《中正嶺學術集刊》第1集，民71年6月）、莊政〈孫中山學醫及行醫述略〉（《歷史月刊》60期，民82年1月）、傅亢〈國父「人格救國」的體認〉（《江西文獻》144期，民80年4月）、王湘〈對中山先生「聯俄容共」政策背景的探討〉（《文藻學報》第6期，民81年3月）、孟瑛如〈根據國父聯俄容共的策略運用以澄清世人對聯俄容共政策的誤解〉（《革新》33期，臺灣師大三民主義研究社，民72年6月）、文承科〈中山先生思想與韓非思想之比較研究〉（《警專學報》1卷7期，民83年6月）及〈中山先生之地方自治思想〉（同上，1卷6期，民82年6月）、王育仁〈國父教育思想探源〉（《樹德學報》第7期，民70年6月）、賴新生〈國父知難行易學説與王陽明知行合一哲學之研究比較〉（《環球學報》第2期，民83年12月）、姚孟涵〈國父思想與語孟〉（《臺南師專學報》第9期，民65年12月）、孫健忠〈中山先生社會福利思想探析〉（《法商學報》26期，民81年6月）、陳莉莉〈國父哲學思想之研究〉（同上）、戴麗華〈國父對勞工問題提示與展望〉（同上，23期，民78）、王松山〈中山先生平均地權思想闡微〉（同上）、王農〈國父興中會時期革命事業的開展〉（《復興崗學報》53期，民83年12月）、林能士〈試論孫中山聯俄容共的經濟背景〉（《政治大學歷史學報》11期，民83年1月）、蔣永敬〈關於孫中山「三大政策問題」一兩岸學者解釋的比較〉（《國史館館刊》復刊12期，民81年6月）、胡春惠〈孫中山對聯邦論的認同及其演化〉（《政治大學歷史學報》第8期，民80年1月）、華中興〈國父中山先生人格特質與其軍事策略關係之研究〉（《復興崗論文集》14期，民81年6月）、彭堅汶〈孫中山威權政體民主化發展模式之探討〉（《近代中國》82期，民80年4月）、莊政〈中山先生決志傾覆清廷探源〉（《三民主義學報（臺灣師範大學）》12期，民77年8月）、〈國父革命思想探源〉（同上，14期，民79年7月）及〈國父民族主義的形成與發展探源〉（《復興崗學報》45期，民80年6月）、王肇宏〈國父地方自治思想研析〉（《中正嶺學術研究集刊》第10集，民80年6月）、葉賡勛〈西方反民主思想對孫中山建構民權主義的影響〉（《社會科學論叢》39期，民80年5月）、蘇志超〈孫中山先生關於地權政策之理念〉（《政治大學學報》63期，民80年9月）、朱班遠〈孫中山、梁啟超之友敵演變與論戰始末〉（《社會文化學報（中央大學）》創刊號，民83年5月）、彭堅汶〈從政治發展論孫中山先生的建國理想〉（《社會科學學報（成功大學）》第4期，民80年12月）、王輝慶〈孫中山的發展思想〉（同上）、章開沅〈「孫黃軸心」的歷史演變〉（載《黃興與近代中國學術討論會論文集》，民82）、呂芳上〈二次革命後孫黃兩派的政治活動〉（同上）、Doc Bring, "Dr.Sun, Nr.Dalin and CCP／KMT Alliance"（載Journal of Oriental Studies, Vol.13, Center of Asian Studies, University of Hong Kong,1975）、蔣一安〈深究孫中山先生和道平道思想〉（《三民主義研究學報》10、11、12期，民75年7月、76年7月、78年1月）、林詩輝〈孫中山先生與中國現代化之研究〉（同上，第9期，民74年6月）、彭堅汶〈孫中山解決國家整合困境之理念〉（《人文及社會科學集刊（中央研究院三民主義研究所）》1卷1期，民77年11月）、張家鳳〈中山先生與萱野長知〉（《三民主義研究學報》12期，民78年1月）、崔載陽〈國父的天人思想與革命〉（同上）、許福明〈國父「上李鴻章書」之研究〉（同上，10期，民75年7月）、賀凌虛〈孫中山先生政治思想的特點〉（《中山學術論叢（臺灣大學三研所）》第5期，民74年11月）、鄔昆如〈孫中山先生哲學思想淵源的中西合璧〉（同上）、李炳南〈中山先生民族主義理論之研究〉（同上）、邱榮舉〈孫逸仙五權憲法思想形成過程〉（同上）、許福明〈國父五權憲法思想的演變與特質〉（同上）、葉賡勛、李炳南〈國父閱讀過的西文書蒐集研究〉（《中山學術論叢》第4期，民73年7月）、龐建國〈國父的民族主義思想與我國民族發展的方向〉（同上，第1期，民69年12月）、周道濟〈談國父學說的研究〉（同上）、王吉次〈國父家世源流研究〉（同上）、王宗文〈國父宇宙進化論「太極」概念之研析〉（同上）、林桂圃〈國父的民主憲政新圖案〉（同上）、覃怡〈國父「行易知難」學說之研究〉（同上）、張玉浩〈中山先生晚年的革命主張〉（《中山學術論叢》第2期，民70年12月）、周繼祥〈中山先生的考試權主張與英國的文官考試〉（同上）、傅啟學〈中山先生歷史哲學的研究〉（同上，第3期，民71年12月）、賀凌虛〈國父監察理論的探討〉（同上）、陳春生〈孫中山的文官制度理論研究〉（《中山學術論叢》第8期，民77年12月）、洪玉昆〈闡述孫中山先生對中國三大問題的省察與突破之道〉（同上）、邱榮舉〈孫中山的政府論〉（同上）、邱榮舉〈孫中山的黨軍論〉（《中山學術論叢》第9期，民79年10月）、習賢德〈孫中山先生與基督教〉（同上）、陳春生〈孫中山的政黨政治理論〉（同上，14期，民81年3月）、丘權政〈孫中山的革命方向〉（載謝劍、鄭赤琰主編《國際客家學術研討會論文集》，香港，中文大學香港亞太研究中心海外研究社，1994）、傅啟學〈中山先生獨見而創獲的思想〉（《三民主義學報（文化大學三研所）》第3期，民68年4月）、周世輔〈孫中山先生與陽明學說》（同上，第5期，民70年4月）、梁兆康〈孫中山學說與陽明學說主旨之比較〉（《三民主義學報（師大三研所）》第1期，民66年6月）、李常井〈國父人性論的初步探討〉（同上）、傅啟學〈中山思想體系的研究〉（同上）及〈中山先生的方法論〉（《三民主義學報（師大三研所）》第2期，民67年6月）、任卓宣〈國父與馬克思政治學說之比較〉（同上）、羅有桂〈論國父的社會變遷論〉（同上，第3期，民68年6月）、羅湘茵〈國父「聯俄容共」的策略運用〉（同上）、梁兆康〈國父和國家道德觀〉（同上，第9期，民74年7月）、趙玲玲〈孫逸仙先生的人文精神〉（《三民主義學報（師大三研所）》16期，民81年6月）、朱諶〈孫中山先生的民族主義思想〉（同上）、曲兆祥〈論盧梭與中山先生平等觀之異同〉（同上）、楊安華〈當前我國統一問題的發展之探討－兼論孫中山先生的國家統一理想〉（同上）、符儒友〈中山先生調和人我關係的方式〉（《中山學報（國父遺教研究會高雄市分會）》第9期，民77年4月）、彭宗澤〈國父民族精神救國論闡微〉（同上，11期，民79年4月）、黃仲崙〈國父孫中山先生創見的偉大〉（同上，12期，民80年3月）、呂世昌〈國父孫中山先生的分權學說〉（同上）、廖宜炯〈孫逸仙先生社會變遷思想初探〉（同上，14期，民82年6月）、洪墩謨〈孫中山先生與中共政治經濟革命〉（《中山學報》15期，民83年6月）、吳振彰〈孫中山先生萬能政府思想之探討〉（同上），吳春貴〈中山先生人性思想之探討〉（同上，16期，民84年6月）、廖宜炯〈中山先生「主權在民」

思想初探〉（同上）、何金銘〈國父「孫中山革命」初探〉（《全國三民主義（中山學術）研究所第四屆研究生學術研討會論文集》，民80年8月）、孫健忠〈中山先生社會福利思想探析〉（同上）、鄔昆如〈國父孫中山先生的王道思想〉（《中山學報（文化大學中山學術研究所）》12期，民83年5月）、封恒〈國父三民主義思想概述〉（《藝術學報》42期，民77年6月）及〈論國父平均地權主張及其在臺灣實施成效檢討〉（同上，54期，民83年6月）、史梅岑〈國父對印刷事業遺教的闡揚〉（同上，40期，民75年10月）、王湘〈對中山先生「聯俄容共」政策背景的探討〉（《文藻學報》第6期，民81年3月）、楊榮國〈從知行學說看中山先生的理論貢獻〉（《中山社會科學季刊（中山大學）》7卷2期，民81年6月）、王章陵〈孫中山先生「中國統一」大戰略研究〉（《中華戰略學刊》民71年冬季號）、黎建球〈孫逸仙思想與倫理建設〉（《哲學與文化》19卷7期，民81年7月）、孫治民〈中山先生政黨政治工程規畫藍圖探析〉（《南亞學報》15期，民84年12月）、鍾國文〈國父學說的均衡理念〉（同上，12期，民81年12月）、封恒〈國父民族思想探源〉（《藝術學報》52、53期，民82年6、12月）、王中〈中山先生「知行學說」的要旨及其破疑〉（《南亞學報》13期，民82年12月）、楊建勛〈中山先生平等理念與時代思潮〉（《全國三民主義（中山學術）研究所（組）第五屆研究生學術研討會論文集》，臺北，民81年6月）、劉紹唐〈擴大研究國父生平運動〉（《傳記文學》7卷5期，民54年11月）、陳樂橋譯〈國父倫敦蒙難真相的原始報告〉（同上）、黃季陸〈國父在艱危中的外交奮鬥〉（同上）及〈蔡元培先生與國父的關係〉（同上，5卷3期，民53年9月）、賀凌虛〈孫中山所倡導的民族主義及其施行政策的演變〉（《近代中國》107期、108期，民84年6月、8月）、王爾敏〈孫中山先生的謀國遠識〉（同上，108期）、呂實強〈孫中山先生的大同思想〉（同上）、黃宇和〈興中會時期孫中山先生革命思想探索〉（《近代中國》108期，民84年8月）、林如蓮〈孫中山先生與中國國民黨旅歐支部〉（同上）、伊原澤周〈論孫中山先生的泛亞主義〉（同上）、張忠正〈孫逸仙倫敦蒙難始末及其對革命之影響〉（《四海學報》第4期，民75年6月）、史扶鄰（Harold Z. Schiffrin）〈孫中山的生平與時代〉（載《孫中山思想與當代世界研究會論文集》，臺北，太平洋文化基金會，民79年2月）、呂芳上〈五四時期孫中山先生民族主義的發展〉（同上），莊政〈國父日常生活起居考述〉（收入蔣一安主編《中山學術論集》下册，臺北，正中書局，民75）、彭澤周〈中山的挫折與奮鬥〉（《大陸雜誌》74卷5期，民76年5月）及〈田中參謀次長與中山先生〉（同上，71卷4期，民74年10月）、程光裕〈孫中山先生的宗教理念及其與黃乃裳的訂交〉（《史學彙刊》16期，民79年7月）、徐亦慶〈國父自由思想探討〉（《華夏學報》25期，民80年11月）及〈國父「知難行易」學與與陽明學說研究〉（同上，26期，民81年12月）、朱浤源〈再論孫中山的民族主義〉（《中央研究院近代史研究所集刊》22期，上册，民82年6月）、朱言明〈中山先生對洪秀全的評析〉（《近代中國》110期，民84年12月）、劉昊洲〈國父權能區分學說探微〉（《臺北商專學報》45期，民84年12月）、孫述山〈國父博覽群經實錄〉（《臺東師院學報》第4期，民81年6月）、孫穗芳〈我的祖父孫逸仙博士〉（《傳記文學》63卷5期，民82年11月）、孫述山〈國父孫中山先生研治西學實錄〉（《臺東師院學報》第2期，民78年6月）、丘立崗〈孫中山「國民革命」思想與毛澤東「人民軍隊」思想之比較〉（《臺北師院學報》第5期，民81年6月）、李臺京〈中山先生大亞洲主義研究的回顧與前瞻〉（載《「孫逸仙思想與國家建設」論文集》，臺北，孫逸仙思想和二十一世紀國際學術系列研討會籌備會編印，民81年12月）、張俠〈孫中山先生、中國國民黨與政治民主化〉（《中華民國建國八十年學術討論集》，第1冊，民80）、陳在俊〈「孫文密約」真偽之探究一日本侵華謀略例證〉（同上，第3冊）、周紹箕〈孫中山先生傳播思想〉（同上）、葛雷高〈孫中山先生、國民黨與近代中國的關係〉（同上，第4冊）、張玉法〈孫中山與辛亥革命〉（收入氏著《歷史演講集》，臺北，東大圖書公司，民80）及〈孫中山與近代中國革命運動〉（同上）、張磊〈大陸學者四十年來的孫中山思想研究述評現象的探索〉（載《「孫逸仙思想與廿一世紀」論文集》，臺北，民81年6月）、伊原澤周〈孫逸仙思想與中國的現代化〉（載《「孫逸仙思想與中國現代化」論文集》第1冊，臺北，民82年3月）、王甦〈孫文思想的優越性〉（《淡江學報》34期，民84年2月）、王輝雲〈甘地和孫中山對傳統文化和現代化道路的選擇〉（《二十一世紀》第7期，1991年10月）、張忠正〈孫中山與美國：興中會時期孫先生在美國之革命活動〉（《四海學報》第9期，民83年12月）、蔣子駿〈國父孫中山先生與臺灣之關係〉（《黄埔學報》28輯，民83年12月）、蔣永敬〈孫中山對中國統一的主張〉（載胡春惠主編《近代中國與亞洲學術討論會論文集》上冊，香港珠海書院亞洲研究中心，1995年6月）、張磊〈試論孫中山理論與實踐的亞洲意義〉（同上）、方志欽〈從仁義到「大亞洲主義」一孫中山對中國傳統的繼承和更新〉（同上）、陳福霖〈孫中山晚年的革命思想〉（同上）、李吉奎〈孫中山與後藤新平〉（《近代中國與亞洲學術討論會論文集》上冊，1995年6月）、邱捷〈孫中山「聯俄」過程中的一段插曲—從《孫文越飛宣言》關於中東路的條款談起〉（同上）、林家有〈孫中山的革命觀—兼論辛亥革命對中國現代化的影響〉（同上，下冊，1995年6月）、張同新〈孫中山的早期革命與近代亞洲〉（同上）、段雲章〈孫中山與印度〉（同上）、周興樑〈孫中山復興亞洲思想略論〉（同上）、蔡輝龍〈孫中山先生五權憲法與八藻理論之研究〉（同上）、呂實強〈孫中山的大同思想〉（載《國父建黨革命一百周年學術討論集》第1冊，臺北，近代中國出版社，民84年3月）、王爾敏〈孫中山先生的謀國遠識〉（同上）、朱浤源〈孫中山先生國家觀念的形成〉（同上）、金德曼〈孫中山先生對外交政策與帝國主義之看法—其國性與全球性之意義〉（同上）、顏清湟〈孫中山先生與新馬華人〉（同上）、楊日旭〈美國中央政府機密檔案記載的孫中山先生〉（同上）、高崇雲〈中山先生與美國〉（同上）、葉文基〈俄國學界對孫中山先生的研究〉（同上）、伊原澤周〈論孫中山先生的泛亞主義〉（同上）、李又寧〈孫中山先生的美國公民權—英文史料雜見一二〉（同上）、周惠民〈孫中山先生尋與德國進行軍事合作之努力〉（同上，第2冊，民84年3月）、林如蓮〈孫中山先生與中國國民黨旅歐支部〉（同上）、金耀基〈兩岸的中山學〉（《中山學報》17期，高雄市中山學術研究會，民85年6月）、呂培清〈中山先生的民權思想〉（同上）、韓祥麟〈從史學觀點探討中山先生「聯俄容共」政策之真相〉（同上）、周振華〈獻身革命救國的醫者孫逸仙博士〉（載

《國父創建興中會一百周年紀念孫中山思想學術研討會論文集》，臺北，民84年5月）、楊逢泰〈中山先生民族主義對世界的影響〉（同上）、陳春生〈孫中山參政理論與臺灣政治發展〉（同上）、李瞻〈中山先生與新聞政策研究〉（同上）、樊中原〈孫中山反對帝國主義策略之研究〉（《銘傳學刊》第7期，民84年9月）及〈孫中山「反帝」與「對外政策」之研究〉（《藝術學報》56期，民84年6月）、賴美惠〈中山先生政治人格初探〉（《新埔學報》第4期，民85年5月）、王宗文〈孫中山先生的人文思想與其終極關懷〉（《中山學術論叢》14期，民85年6月）、周道濟〈孫中山先生的政治思想〉（同上）、邱榮舉〈孫中山的民權思想〉（同上）、龍村倪〈國父親自簽署之「革命」債券研究〉（載《八十五年中山思想學術研討會論文集》，臺北，國父紀念館，民85年6月）、莊政〈孫中山先生最末十週病況考述〉（《國立編譯館館刊》25卷1期，民85年6月）、陳家福〈孫中山社會變遷思想的探討〉（《三民主義學報（臺灣師大）》17期，民85年2月）、陳蓉蓉〈孫中山先生的女性地位觀〉（《實踐學報》27期，民85年6月）、周繼祥〈中山先生考試思想新論〉（載《八十五年中山學術思想學術研討會論文集》，臺北，國父紀念館，民85年6月）、楊逢泰〈中山思想與世界潮流〉（同上）、陳蓉蓉〈孫中山先生女權觀的實踐〉（同上）、陳紫財〈從國家角度初探中山先生建國三程序結構意涵〉（《筧橋學報》第3冊，民85年9月）。

1949年及其以後之中國大陸出版品，專書方面有宋大仁編《孫中山與醫學及其肝病》（中西醫藥研究社，1949年增訂本）、侯外廬《孫中山與毛澤東》（山海書局，1949）、胡繩《孫中山革命奮門小史》(上海,大衆書店,1949)、周哲《孫中山》(北京,三聯書店,1950);《孫中山選集》(北京,人民出版社,1956;1981再版)、孫中山先生誕辰九十周年紀念籌備委員會編印《孫中山先生重要文件選輯》(北京,1956)、全國政協文史資料研究委員會編輯《孫中山先生誕生九十周年紀念大會》(北京,1956)、陳錫祺《同盟會成立前的孫中山》(廣州,廣東人民出版社,1957)、何香凝《回憶孫中山和廖仲愷》(北京,中國青年出版社,1957,1963修訂本;北京,三聯書店,1978)、黎明(楊政和)《偉大的孫中山》(北京,中國少年兒童出版社,1957)、洛非《孫中山的故事》(廣州,廣東人民出版社,1957)、王學華《孫中山的哲學思想》(上海,上海人民出版社,1960)、中國社會科學院近代史研究所中華民國史組、廣東省哲學社會科學研究所歷史研究室編《中華民國史資料叢稿—孫中山年譜》(3冊,北京,中華書局,1976)、魏宏運《孫中山年譜(1866-1925)》(天津,天津人民出版社,1979)、廣東省政協文史資料研究委員會等編《廣東文史資料·25輯—孫中山史料專輯》(廣州,廣東人民出版社,1979)、中山大學圖書館、歷史系資料室、孫中山研究室編《孫中山著作及研究書目資料索引》(廣州,中山大學出版社,1979)、尚明軒《孫中山傳》(北京,北京出版社,1979;1981增訂再版)、洪斌、李英敏編著《孫中山的故事》(瀋陽,遼寧人民出版社,1980)、邵傳烈《孫中山》(上海,上海人民出版社,1980)、廣東省哲學社會科學研究所歷史研究室等編《孫中山年譜》(北京,中華書局,1980)、蕭萬源《孫中山哲學思想》(北京,中國社會科學出版社,1981)、廣東省政協文史資料研究委員會編《孫中山與辛亥革命史料專輯》

（廣州，廣東人民出版社，1981）、廣東省社會科學院歷史研究室等編《紀念孫中山先生》（北京，文物出版社，1981）、張磊《孫中山思想研究》（北京，中華書局，1981）、韋杰廷《孫中山哲學思想研究》（長沙，湖南人民出版社，1981）、李時岳、趙矢元《孫中山與中國民主革命》（瀋陽，遼寧人民出版社，1981）、王志光《孫中山的反帝思想》（鄭州，河南人民出版社，1981）、耿可貴《孫中山與宋慶齡》（同上，1982）、張永枚《孫中山與宋慶齡》（廣州，花城出版社，1984）、段雲章《孫中山》（南京，江蘇古籍出版社，1984）、陳錫祺《孫中山與辛亥革命論集》（廣州，中山大學出版社，1984）、邵傳烈《民主革命的先行者：孫中山》（上海，上海人民出版社，1984）、金沖及主編《孫中山研究論文集（1949-1984）》（2冊，成都，四川人民出版社，1984）、黃維樹、趙元齡、蘇里立《第一個總統》（3冊，天津，百花文藝出版社，1984）、張啟承、郭志坤《孫中山社會科學思想研究》（合肥，安徽人民出版社，1985）、李文海《偉大的革命先行者孫中山》（北京，書目文獻出版社，1985）、路文彩、胡顯中《孫中山經濟思想》（上海，上海人民出版社，1985）、李聯海《孫中山軼事》（廣州，廣東人民出版社，1985）、段雲章《孫中山》（南京，江蘇古籍出版社，1985）、劉興華《孫中山思想論稿》（哈爾濱，黑龍江人民出版社，1985）、朱一智、陳啟仁《孫中山的思想和道路》（南京，江蘇人民出版社，1985）、張磊《孫中山論》（廣州，廣東人民出版社，1986）、浙江省政協文史資料研究委員會編《孫中山與浙江—浙江辛亥革命回憶錄·第4輯、浙江文史資料選輯·32輯》（杭州，浙江人民出版社，1986）、尚明軒、王學庄、陳崧編《孫中山生平事業追憶錄》（北京，人民出版社，1986）、張江明《孫中山哲學研究》（廣州，廣東人民出版社，1986）、韋杰廷《孫中山社會歷史觀研究》（長沙，湖南人民出版社，1986）、孫中山研究學會《回顧與展望—國內外孫中山研究述評》（北京，中華書局，1986）、尚明軒《孫中山與國民黨左派研究》（北京，人民出版社，1986）、吳雁南《孫中山與辛亥革命》（貴陽，貴州人民出版社，1986）、江蘇省政協文史資料研究委員會編《在中山先生身邊的日子裏》（南京，江蘇古籍出版社，1986）、王耿雄《孫中山史事詳錄（1911-1913）》（天津，天津人民出版社，1986）、民革中央宣傳部編《回憶與懷念—紀念孫中山先生文章選輯》（北京，華夏出版社，1986）、吳雁南、路文彩主編《孫中山與近代中國》（烏魯木齊，新疆人民出版社，1986）、全國政協文史資料研究委員會等編《中山先生軼事》（北京，中國文史出版社，1986）及《孫中山三次在廣東建立政權》（同上）、福州市政協文史資料研究委員會等編《紀念孫中山先生誕辰一百二十周年專輯》（即《福州文史資料選輯》第6輯，1986）、李聯海《孫中山與宮崎滔天》（重慶，重慶出版社，1986）、中國孫中山研究會編《孫中山和他的時代—孫中山研究國際學術討論會論文集》（3冊，北京，中華書局，1986）、江蘇省政協文史資料研究委員會輯《孫中山奉安大典》（北京，華文出版社，1986）、《孫中山研究論文集》編輯小組《孫中山研究論文集》（2冊，成都，四川人民出版社，1986）、湖北省政協文史資料研究委員會編《紀念孫中山先生誕辰一百二十周年辛亥革命七十五周年專輯》（即《湖北文史資料》17輯，1986）、黃彥、李伯新《孫中山藏檔選編》（北京，中華書局，1986）、劉大年主編

《孫中山書信手跡選》（北京，文物出版社，1986）、全國政協文史資料研究委員會、中國革命博物館合編《孫中山先生畫冊》（北京，中國文史出版社，1986）、繼樹、趙元齡、蘇理立《第一個總統》（3冊，天津，百花文藝出版社，1986）、李聯海、馬慶忠《一代天驕：孫中山傳記》（2冊，重慶，重慶出版社，1986-1987）、劉楓、曹均偉《孫中山的民生主義研究》（上海，上海社會科學院出版社，1987）、朱一智、隋敬仁《孫中山的思想和道路》（南京，江蘇人民出版社，1987）、何長風、顧大全主編《孫中山與貴州民主革命》（貴陽，貴州人民出版社，1987）、馬慶忠、李聯海《孫中山和他的親友》（廣州，花城出版社，1988）、B·尼基弗洛夫編著《孫中山與康德黎》（北京，華藝出版社，1988）、趙矢元主編《孫中山和他的助手》（哈爾濱，黑龍江人民出版社，1988）、張明江主編《孫中山哲學研究》（廣州，廣東人民出版社，1988）、周興樑等《孫中山與第一次國共合作》（成都，四川人民出版社，1989）、姜旭朝《孫中山經濟改革》（北京，團結出版社，1989）、中國孫中山研究學會編《孫中山和他的時代一孫中山研究國際學術討論會文集》（3冊，北京，中華書局，1989）、江蘇省孫中山研究會等編《孫中山軍事思想與實踐》（北京，軍事科學出版社，1989）、段雲章、丘捷《孫中山與中國近代軍閥》（成都，四川人民出版社，1990）、俞辛焞、米慶餘合譯《孫中山在日活動秘錄（1913年8月-1916年4月日本外務省檔案）》（天津，南開大學出版社，1990）、陳旭麓、郝盛潮主編《孫中山集外集》（上海，上海人民出版社，1990）、陳福霖《孫中山廖仲愷與中國革命》（廣州，中山大學出版社，1990）、陳錫祺主編《孫中山年譜長編》（3

冊，北京，商務印書館，1991）、盛永華等編《孫中山與澳門》（北京，文物出版社，1991）、俞辛焞、熊沛彪《孫中山宋慶齡與梅屋庄吉夫婦》（北京，中華書局，1991）、朱宗震《孫中山在民國初年的決策研究》（成都，四川人民出版社，1991）、孫占元主編《孫中山與辛亥革命》（濟南，山東人民出版社，1991）、尹誠善、馮雅春《孫中山與中國國民黨》（長春，吉林文史出版社，1991）、李凡《孫中山全傳》（北京，北京出版社，1991）、朱正編《革命尚未成功－孫中山自述》（長沙，湖南出版社，1991）、韋廷杰《孫中山民生主義新探》（哈爾濱，黑龍江教育出版社，1991）、王耿雄《孫中山與上海》（上海，上海人民出版社，1992）、陳錫祺《孫中山與辛亥革命論集》（廣州，中山大學出版社，1992）、周盛盈《孫中山和蔣介石交往紀實》（石家莊，河北人民出版社，1993）、王俯民《孫中山詳傳》（北京，中國廣播電視出版社，1993）、郝盛潮《孫中山集外集補編》（上海，上海人民出版社，1994）、張磊編著《孫中山辭典》（廣州，廣東人民出版社，1994）、沈渭濱《孫中山與辛亥革命》（上海，上海人民出版社，1994）、王俊彥《浪人與孫中山》（北京，中國華僑出版社，1994）、郭寶平《從孫中山到蔣介石：民國最高權力的交替與爭奪》（上海，上海人民出版社，1995）、李聯海編著《孫中山軼事》（廣州，廣東人民出版社，1995）、李殿元《共和之夢－孫中山傳》（強國之夢系列叢書，成都，四川人民出版社，1995）、孫穗芳《我的祖父孫中山》（北京，人民出版社，1996）、宋士堂《孫中山宋慶齡社會主義思想論》（北京，紅旗出版社，1996）、黃宗漢、王燦熾編著《孫中山與北京》（北京，人民出版社，1996）、鄧麗蘭編著《臨時大總統和他的支持者－孫中山英文藏檔透視》（北京，中國文史出版社，1996）、田毅鵬《蔣介石和孫中山》（長春，吉林文史出版社，1996）、劉曼容《孫中山與中國國民革命》（孫中山基金會叢書·專著，廣州，廣東人民出版社，1996）、李吉奎《孫中山與日本》（同上）、段雲章編著《孫文與日本史事編年》（同上）、林家有《孫中山振興中華思想研究》（孫中山基金會叢書·論集，廣州，廣東人民出版社，1996）、金沖及《孫中山和辛亥革命》（同上）、邱捷《孫中山領導的革命運動與清末民初的廣東》（同上）、黃彥《孫中山研究和史料編纂》（同上）、姜義華《大道之行－孫中山思想發微》（同上）、張磊《孫中山：愈挫愈奮的偉大先行者》（同上）、廣東省檔案館編譯《孫中山與廣東－廣東省檔案庫藏海關檔案選譯》（孫中山基金會叢書·譯作，廣州，廣東人民出版社，1996）、江蘇省孫中山研究會《孫中山先生墨跡》（2冊，香港，中華書局，1996），又曾祥進撰寫，由臺灣之中山學術文化基金董事會資助出版的一套「孫中山先生系列傳記文學」共10冊，至1996年12月，已出版其中9冊，第1冊為《少年孫逸仙》（1993年出版），第2冊為《放逐追捕與誘因－最艱難的歲月（1895-1900）》（1993），第3冊為《大動亂大轉變的年代（1900-1904）》（1994），第4冊為《中華帝制掘墓人大同盟（1904-1906）》（1994），第5冊為《艱苦戰鬥與反逆流的歲月（1907.3-1911.3）》（1994），第6冊為《平民總統人民公僕（1911.3-1912.3）》（1995），第7冊為《討伐竊國大盜（1912.6-1921.9）》（1996），第9冊為《北伐與平叛（1921.10-1924.10）》（1996）。

論文方面，有黎澍〈第一次國內革命戰爭以前的孫中山和國民黨〉（《學習》5卷2期，1952）、馬天增〈孫中山的革命活動和康有為政治活動的關係〉（《新史學通訊》1953年8期）、魏宏運〈革命民主主義者孫中山先生〉（《歷史教學》1953年12期）、鄭鶴聲〈試論孫中山思想的發展道路〉（《文史哲》1954年4期）、劉立凱〈孫中山先生歡迎十月革命和他的聯俄主張〉（《歷史研究》1954年5期）、拱辰〈革命的民主主義者—孫中山〉（《文史哲》1955年3期）、苑書義〈同盟會時期孫中山的三民主義〉（《歷史教學》1955年8期）、李時岳〈孫中山先生的道路〉（《史學集刊》1956年2期）、徐嵩齡〈1924年孫中山的北伐與廣州商團事變〉（《歷史研究》1956年3期）、鄭廷礎〈孫中山的哲學思想〉（《新建設》1956年10期）、李澤厚〈論孫中山的〝民生主義〞思想—紀念孫中山先生九十生辰〉（《歷史研究》1956年11期）、徐宗敏〈孫中山是社會主義的同情者和好朋友〉（《學習》1956年12期）、張磊、李澤厚〈論孫中山的哲學思想〉（《科學通報》1956年12期）、鄭仲兵〈列寧對於孫中山革命活動的評價〉（同上）、徐嵩齡〈孫中山與唐繼堯的聯合和鬥爭〉（《文史哲》1956年12期）、梁銳〈孫中山先生對我國婦女運動的貢獻〉（《中國婦女》1956年12期）、李光燦〈論孫中山的民族主義〉（《新建設》1956年12期）、胡繩武〈孫中山初期政治思想的發展及其特點〉（《復旦學報》1957年1期）、陳錫祺〈同盟會成立前孫中山的革命思想與革命活動〉（《中山大學學報》1957年1期）、宋質奎、張定榮〈孫中山與亞洲民族的解放運動〉（《史學月刊》1957年1期）、丁則良〈孫中山與亞洲民族解放鬥爭〉（《東北人民大學人文科學學報》1957年1期）、楊正典〈孫中山先生的哲學思想〉（《教學與研究》1957年1期）、何鑄成〈試論孫中山的社會經濟思想〉（《西北大學學報》1957年2期）、侯外廬〈孫中山的哲學思想及其同政治思想的聯繫〉（《歷史研究》1957年2期）、解毓才〈孫中山哲學思想初探〉（《湖南師院學報》1957年2期）、尹廣瑤〈試論孫中山的土地綱領〉（《歷史教學》1957年3期）、張磊〈論孫中山的民族主義〉（《北京大學學報》1957年4期）、孫守任〈偉大的革命先行者一孫中山先生所走過的道路〉（《東北師大科學集刊》1957年4期）、陳盛清〈論孫中山的「五權憲法」思想〉（《學術月刊》1957年9期）、王忍之〈孫中山的政治思想〉（載《中國近代思想家研究論文選》，北京，三聯書店，1957）、胡繩武〈孫中山從舊三民主義到新三民主義的轉變〉（《復旦大學學報》1958年1期）、洪煥椿〈十月革命以後孫中山先生政治思想的偉大轉變〉（《歷史教學問題》1958年3期）、魏星斗〈孫中山北伐與陳炯明叛變〉（《歷史教學與研究》1960年1期；《甘肅師大學報》1960年1期）、金沖及、胡繩武〈論孫中山革命思想的形成和興中會的成立〉（《歷史研究》1960年5期）、秦如蕃〈二十世紀前孫中山政治思想的發展〉（《中山大學學報》1962年1期）、江海澄〈試論孫中山的反帝思想〉（《山東大學學報》1962年1期）、段雲章〈孫中山早期革命思想的階級基礎初探〉（同上，1962年3期）、李光燦、郭雲鵬〈孫中山的哲學思想〉（《哲學研究》1962年4期）、李光燦〈孫中山的民權主義〉（同上，1962年6期）、張磊〈略論孫中山的社會歷史觀點〉（《學術研究》1963年1期）、榮鐵生〈孫中山前期反帝思想〉（《開封師院學報》1963年2期）、譚彼岸〈孫中山家世源流及其上代經濟狀況新證〉（《學術研究》1963年3期）、王鳳舉〈試論孫中山的民生主義〉（《哈爾濱師院學報》1963年4期）、陳錫祺〈廿世紀初孫中山和資產階級改良派的鬥爭〉（同上，1965年4、5期）、南治平等〈論孫中山〉（《四川大學學報》1977年2期）、魏宏運〈孫中山年譜〉（《南開大學學報》1977年5期—1978年1期）、章開沅〈孫中山與同盟會的建立〉（《華中師院學報》1978年1期）、黎明〈孫中山的〝趕超〞思想〉（《南京師院學報》1978年1期）、陳錫祺、段雲章〈孫中山二十世紀初的預見〉（《學術研究》1978年2期）、湯志鈞〈章太炎和孫中山〉（《社會科學戰線》1978年3期）、張其光〈孫中山同陳炯明的鬥爭〉（《中山大學學報》1978年6期）、林浣芬〈試論孫中山使中國躍進富強的理想〉（《開封師院學報》1978年6期）、李有平等〈偉大的革命先行者—同盟會以前的孫中山〉（《山西師院學報》1979年1期）、金沖及〈論孫中山走過的道路〉（《復旦大學學報》1979年1期）、趙靖〈孫中山關於在經濟發展方面趕超世界先進水平的理想〉（《北京大學學報》1979年4期）、段雲章〈孫中山的中國近代化理想〉（《中山大學學報》1979年4期）、湯照連〈孫中山關於國民經濟現代化的思想〉（同上）、廖偉章〈孫中山聯俄聯共扶助農工三大政策的形成〉（同上）、董修智〈魯迅論孫中山先生〉（《中山大學學報》1979年4期）、陳錫祺〈孫中山和辛亥革命〉（同上；《辛亥革命史論文選》下冊）、陳勝粦〈論孫中山在創建南京臨時政府時期的鬥爭〉（《中山大學學報》1979年4期）、張維持〈孫中山與美國華僑〉（同上）、黃萼輝〈辛亥革命後孫中山反帝思想的發展〉（《中山大學學報》1979年4期）、吳熙釗等〈論孫中山的唯物主義宇宙發展觀〉（同上）、林家有〈孫中山的民族主義思想與辛亥革命〉（同上）、蕭致治〈論孫中山早期思想的基本傾向－兼與黃彥商榷〉（《武漢大學學報》1979年6期）、蕭萬源〈略論孫中山的唯物主義自然觀〉（《哲學研究》1979年8期）、張磊〈孫中山與廣州商團叛亂〉（《學術月刊》1979年10期）、紀山〈可貴與時俱進，可惜天不假年－記孫中山先生晚年事跡片斷〉（《革命文物》1980年1期）、張磊〈論孫中山的民權主義〉（《歷史研究》1980年1期）、王志光〈孫中山反帝思想的形成和發展〉（《西北大學學報》1980年1期）、陳可青〈試論孫中山經濟建設思想〉（《經濟研究》1980年2期）、胡繩武、金沖及〈孫中山在臨時政府時期的鬥爭〉（《歷史研究》1980年2期）、馬慶忠、林飛鸞、黃永祥〈建國以來孫中山研究中幾個問題的探討〉（《近代史研究》1980年2期）、張磊〈試論孫中山的社會經濟思想－關於民生主義的研究〉（同上）、潘榮、劉蜀永〈關於孫中山與越飛會談時間的探討〉（同上）、尚明軒〈孫中山建立新型軍隊的努力〉（《人文雜誌》1980年2期）、鄭燦輝等〈孫中山在上海的革命活動（1918-1924年）〉（同上）、沈渭濱〈孫中山的讀書生活〉（《書林》1980年2期）、黎明〈論孫中山前期的民族主義〉（《南京師院學報》1980年3期）、丁身尊〈孫中山三次在廣東建立政權的鬥爭〉（《華南師院學報》1980年3期）、丁鳳麟〈略論孫中山的對君主專制的批評〉（《學術月刊》1980年3期）、張延舉〈關於孫中山青少年時期史實的考辨－與新書《孫中山傳》、《孫中山年譜》作者商榷〉（《河北師院學報》1980年3期）、林家有〈孫中山與中華民族的崛起〉（《貴陽師院學報》1980年4期）、謝剛〈論孫中山的〝平均地權〞〉（《歷史研究》1980年4期）、徐梁伯〈應該重新評價孫中山讓位〉（《社會科學戰線》1980年4期；《新華文摘》1981年3期）、樂壽明〈論孫中山的〝知難行易〞學説〉（《近代史研究》1980年4期）、黃柏〈關於孫中山先生的生日〉（《人物》1980年4輯）、蔡鴻源等〈孫中山覆蔡元培的信〉（《群衆論叢》1980年4期）、沈奕巨〈論孫中山、黃興領導的廣西邊境武裝起義〉（《學術論壇》1980年4期）、申正〈孫中山哲學思想再評議〉（《北方論叢》1980年6期）、黃彥〈介紹孫中山《致鄭藻如書》〉（《歷史研究》1980年6期）、徐遠和〈試論孫中山知行觀的性質和特徵〉（《哲學研究》1980年7期）、丘捷〈試論孫中山辛亥革命前後的平均地權思想〉（《中山大學研究生學刊》創刊號，1980）、張磊〈論孫中山的哲學思想〉（《辛亥革命史叢刊》第2輯，1980年12月）、莫杰〈孫中山和陸榮廷〉（《辛亥革命論文集》，廣東人民出版社，1980）、方志欽〈論孫中山與黃興的關係〉（《辛亥革命史叢刊》第1輯，1980）、儲瑞耕〈孫中山與列寧〉（《河北學刊》1981年創刊號）、邵德門〈略論孫中山的中國現代化思想〉（《東北師大學報》1981年1期）、蕭萬源〈論孫中山的唯物主義認識論思想〉（《社會科學輯刊》1981年1期）、楊思慎〈如何認識孫中山〝讓位〞問題〉（《天津社會科學》1981年1期）、蘭克明〈淺談孫中山的哲學認識論〉（《天津師院學報》1981年1期）、蘇仲波〈孫中山和義和團〉（《南京師院學報》1981年2期）、徐中約著、瞿嘉福譯〈孫中山和辛亥革命〉（《臺州師專學報》1981年2期）、章志誠〈關於孫中山與美洲華僑洪門的幾個問題〉（《杭州師院學報》1981年2期）、梁烈亞〈孫中山先生名號略考〉（《史料選編》1981年2輯）、許德珩〈難忘的會見一回憶孫中山先生〉（《中國建設》1981年2期）、吳金棗

〈孫中山的革命活動與美洲華僑〉（《福建論壇》1981年2期；《歷史教學》1981年5期）、郝毓楠〈從改良到革命—淺談孫中山《致鄭藻如書》〉（《大連師專學報》1981年2期）、羅大成〈俄國十月革命和中國共產黨對孫中山先生的影響〉（《成都大學學報》1981年2期）、楊文質〈略論孫中山的民生主義〉（《河北師大學報》1981年2期）、曾石泉〈孫中山先生的商品經濟理論及其現實意義〉（《中山大學研究生學刊》1981年2期）、劉真武〈孫中山新舊民族主義思想的轉折點〉（《新疆師大學報》1981年2期）、林家有〈論孫中山晚年的民族主義思想〉（《中央民族學院學報》1981年3期）、伍攀樁〈試論孫中山的民族主義〉（《宜春師專學報》1981年3期）、趙矢元〈孫中山與義和團運動〉（《社會科學戰線》1981年3期）、胡繩武、金沖及〈臨時政府結束後的孫中山〉（《近代史研究》1981年3期—紀念辛亥革命七十周年專號）、張磊〈孫中山與辛亥革命〉（同上）、劉大年〈孫中山—偉大的愛國主義者〉（同上）、張振鵾〈辛亥革命期間的孫中山與法國〉（《近代史研究》1981年3期）、陳錫祺〈孫中山為創建共和國而鬥爭的偉大功勳〉（《中山大學學報》1981年3期）、饒珍芳〈略論孫中山革命思想的形成〉（《華南師院學報》1981年3期）、楊子緒〈孫中山與民粹主義〉（《鄭州大學學報》1981年3期）、劉真武〈孫中山前期民族主義沒有反帝思想〉（《南京師院學報》1981年3期）、史月廷〈孫中山的聯俄聯共扶助農工三大政策〉（《杭州大學學報》1981年3期）、黃漢升、曹孔六〈簡論孫中山的〝五權憲法〞思想〉（同上）、鄭雲山〈孫中山對〝黃禍論〞的批判〉（同上）、隗瀛濤〈孫中山學習外國先進科技的思想〉（《歷史知識》1981年3期）、馬平〈黃興與孫中山的友誼〉（同上）、王耿雄〈辛亥革命前後孫中山在上海紀事—1911年至1913年〉（《上海師院學報》1981年3期）、丘少偉〈孫中山與東南亞民族解放鬥爭〉（《蘭州學刊》1981年3期）、李益然〈論孫中山〝畢其功於一役〞的理論觀點〉（《爭鳴》1981年3期）、沈駿等〈孫中山與社會主義〉（《華中師院學報》1981年4期）、沈憲章〈孫中山與宮崎滔天的友誼〉（《歷史知識》1981年4期）、周元〈南疆舉義旗震撼清王朝—追記孫中山親自領導的鎮南關起義〉（《廣西師院學報》1981年4期）、莊鴻鑄〈孫中山與日本〉（《新疆大學學報》1981年4期）、王汝豐〈孫中山的早期思想及上李鴻章書〉（《學習與研究》1981年4期）、周一良〈孫中山的革命活動與日本—兼論宮崎寅藏與孫中山的關係〉（《歷史研究》1981年4期）、黃漢綱〈孫中山先生與佛教〉（《法音》1981年4期）、李益然〈試論孫中山重建革命黨思想的發展〉（《社會科學戰線》1981年4期）、張瑛〈試論孫中山早期思想和興中會的成立—紀念辛亥革命七十周年〉（《內蒙古大學學報》1981年4期）、邵德門〈中國民主派的旗幟—略論孫中山的政治思想〉（《學習與探索》1981年4期）、周聲柱〈孫中山的國民經濟現代化思想初探〉（《江西大學學報》1981年4期）、王勁〈關於孫中山對待義和團運動的態度〉（《蘭州大學學報》1981年4期）、何振東〈評孫中山的社會主義學說〉（《徐州師院學報》1981年4期）、郭卿友〈辛亥革命後孫中山民主革命思想的發展〉（《西北民族學院學報》1981年4期）、翟國璋〈〝平均地權〞土地綱領的時代意義〉（《徐州師院學報》1981年4期）、郭道明〈孫中山教育思想初探〉（《廣西師院學報》1981年4期）、劉欽斌〈論孫中山民族主義思想〉（《寧夏大學學報》1981年4期）、李昌道〈孫中山憲政思想述略〉（《青海社會科學》1981年4期）、劉其發〈評孫中山的社會主義〉（《湖北財經學院學報》1981年4期）、閻振林〈試論孫中山關於中國國民經濟近代化的思想〉（《四平師院學報》1981年4期）、齊禎東〈孫中山對帝王思想的批判〉（《華東師大學報》1981年4期）、段雲章等〈孫中山在桂林首次會見馬林的意義〉（《學術論壇》1981年5期）、張啟承、郭志坤〈論孫中山對中國國情的研究〉（《復旦學報》1981年5期）、朱貽庭〈關於孫中山〝知行說〞的幾個問題〉（《齊魯學刊》1981年5期）、吳乾兑〈孫中山與宮崎寅藏〉（《江漢論壇》1981年5期）、黃保信〈孫中山的教育思想〉（《河南師大學報》1981年5期）、崔盛河〈論孫中山的國共合作思想〉（《東北師大學報》1981年5期）、陳瑩〈試論孫中山哲學的唯物主義性質〉（《天津師院學報》1981年5期）、盛家林〈孫中山和魯迅前期哲學思想異同〉（同上）、徐順教〈試論偉大的革命家孫中山的知行觀〉（《社會科學》1981年5期）、趙矢元〈辛亥革命與〝二次革命〞之間的孫中山〉（《東北師大學報》1981年5期）、姚薇元、蕭致治〈孫中山先生對辛亥革命的偉大貢獻〉（《武漢大學學報》1981年5期）、李益然〈論孫中山三大政策思想的形成及其歷史意義〉（《晉陽學刊》1981年5期）、陳勝粼〈論孫中山向西方學習的愛國立場和態度〉（《學術研究》1981年6期）、魏忠勝〈孫中山先生前期的民族主義〉（《湖南師院學報》1981年6期）、張正明、張乃華〈論孫中山與社會主義〉（《民族研究》1981年6期）、劉培瓊、吳恩壯〈孫中山從舊三民主義發展到新三民主義的客觀原因〉（《學術研究》1981年6期）、王功安〈孫中山經濟思想的主要特點〉（武漢師院編《辛亥革命論文集》，1981）、李吉奎〈辛亥革命前後孫中山主觀社會主義的宣傳活動〉（載中山大學《辛亥革命論文集》，1981）。

胡顯中〈孫中山先生的民生主義初探〉（《吉林大學社會科學學報》1982年1期）、陳漢楚〈孫中山的民生主義學說是社會主義在中國的一種流派〉（《學習與探索》1982年1期）、周元〈〝一定要把廣西建設好〞—孫中山六十年前南寧之行追記〉（《廣西民族學院學報》1982年1期）、林道發〈試論孫中山的民生主義〉（《福建師專學報》1982年1期）、永石〈孫中山先生的名、字、號〉（《吉林大學社會科學學報》1982年1期）、林浩基、葉志如〈孫中山的海外革命活動和清廷的反動迫害〉（《故宮博物院院刊》1982年1期）、傅炳旭〈略論孫中山的〝知難行易〞學說〉（《聊城師院學報》1982年1期）、楊樸明〈辛亥革命時期孫中山民族主義的積極意義〉（《中南民族學院學報》1982年1期）、邵德門〈論孫中山的民主共和國思想〉（《東北師大學報》1982年1期）、翟國璋〈從《上李鴻章書》看孫中山培養人才的主張〉（《江蘇教育（中學版）》1982年1期）、吳金棗〈孫中山與菲律賓革命〉（《浙江學刊》1982年1期）、楊萬秀〈孫中山對越南革命的影響和幫助〉（《學術論壇》1982年1期）、黃修榮〈孫中山新三民主義形成的一個重要因素—介紹共產國際1923年11月關於中國問題的決議〉（《學習與思考》1982年1期）、胡顯中〈孫中山先生人口思想試析〉（《人口學刊》1982年2期）、錢遠鎔〈孫中山早期思想發展道路問題別議—兼評〝改良主義道路〞論者的幾個觀點〉（《武漢師院學報》1982年2期）、蔣兆年〈略論孫中山的哲學思想〉（《江海學刊》1982年2期）、饒珍芳〈關於孫中山的《上李鴻章書》〉（《杭州師院學報》1982年2期）、陳勝清〈論孫中山的法律思想〉（《法學》1982年2期）、馬光義〈孫中山的民族思想〉（《西北民族學院學報》1982年2期）、董鴻楊〈試論孫中山建設中華民族精神文明的思想〉（《齊齊哈爾師院學報》1982年2期）、馬光漢〈孫中山與護國運動〉（《雲南社會科學》1982年2期）、陸仰淵〈試談孫中山北伐大本營在桂林的原因〉（《南寧師院學報》1982年2期）、姚永森〈關於孫中山來皖若干問題的辨誤〉（《安徽師大學報》1982年2期）、馬光義等〈簡談孫中山多元制的經濟建設方針〉（《蘭州學刊》1982年2期）、馬冠武〈孫中山發展實業振興中華的思想〉（《廣西師院學報》1982年2期）、艾文錦〈論孫中山的唯物主義自然觀〉（《河北師院學報》1982年2期）、許光秋《淺析孫中山的考選權》（《文史知識》1982年3期）、韓榮寶〈辛亥革命時期孫中山關於國內民族問題的理論與實踐〉（《中南民族學院學報》1982年3期）、王耿雄〈孫中山任臨時大總統紀事〉（《上海師院學報》1982年3期）、文述〈孫中山先生的鐵路設想與實踐〉（《鐵路知識》1982年3期）、楊奮澤〈孫中山與第一次護法鬥爭〉（《內蒙古大學學報》1982年3期）、顧大全〈孫中山與護國運動〉（《貴州文史叢刊》1982年3期）、傅炳旭〈簡評孫中山關於中國經濟現代化的思想〉（《聊城師院學報》1982年3期）、陳漢楚〈試論孫中山民生學說的形成〉（《江淮論壇》1982年4期）、沈寂〈淺談孫中山的實業計劃〉（《安徽大學學報》1982年4期）、楊國榮〈孫中山知行觀辨析〉（《爭鳴》1982年4期）、王功安〈論孫中山經濟思想〉（《經濟研究》1982年4期）、余明俠〈孫中山《挽劉道一》詩〉

（《江海學刊》1982年4期）、朱宗震〈讀孫中山《祭陳其美文》〉（《歷史研究》1982年4期）、桑兵〈孫中山與留日學生及同盟會的成立〉（《中山大學學報》1982年4期）、張克謨〈第一次國共合作前後的孫中山〉（《中學歷史教學》1982年4期）、尹承瑜〈選舉孫中山為臨時大總統的代表及其人數〉（《歷史檔案》1982年4期）、王曉吟〈在革命低潮中堅持鬥爭的孫中山〉（《中學歷史教學》1982年4期）、戚志芬〈孫中山和菲律賓獨立戰爭－中菲友誼史上的一頁〉（《近代史研究》1982年4期）、鍾卓安〈孫中山談學生立志－介紹孫中山對嶺南大學學生的演講〉（《中學歷史教學》1982年5期）、蘇中立〈試論孫中山歷史觀中的唯物主義因素和辯證法思想〉（《華中師院學報》1982年5期）、吳蘭芳〈孫中山與婦女解放事業〉（《江海學刊》1982年5期）、呂芳文〈孫中山對陳天華等革命者蹈海自絕的一點看法〉（《北方論叢》1982年6期）、廖公誠〈章太炎與孫中山〉（《歷史知識》1982年6期）、蔣翰廷、趙矢元〈略論孫中山〝大亞洲主義〞與日本〝大亞洲主義〞的本質區別〉（《東北師大學報》1982年6期）、邵德門〈孫中山哲學思想性質問題〉（同上）、趙靖〈中國近代振興實業思想的總結－論孫中山的〝實業計劃〞〉（《經濟研究》1982年7期）、鄭劍順〈孫中山與改良派〉（《學術月刊》1982年7期）、姜長英〈孫中山、宋慶齡與航空〉（《航空知識》1982年10期）、李凡〈孫中山的名、字、化名和筆名〉（《文史知識》1982年11期）、陳大鏞〈論孫中山與亨利·喬治〉（《經濟思想論文集》，北京大學，1982）、趙金鈺〈試論孫中山早期的平均地權思想〉（《辛亥革命史叢刊》第4輯，1982）、莊源鑄〈孫中山與日本〉（收入《中日關係史論叢》第1輯，遼寧人民出版社，1982）、莫濟杰〈孫中山和陸榮廷〉（載《辛亥革命論文集》，廣州，廣東人民出版社，1982）、許敏詩〈析孫中山前期的平均地權思想〉（《上饒師專學報》1983年1期）、丁賢俊〈孫中山與資產階級民主革命〉（《學習與研究》1983年1期）、尚克強〈孫中山早期思想的幾個問題〉（《天津師專學報》1983年1期）、吳乃恭〈論孫中山的歷史觀—兼論民生史觀不是唯心史觀〉（《東北師大學報》1983年1期）、鄭永福〈孫中山與地方自治〉（《中州學刊》1983年2期）、唐少卿〈論孫中山立學校教育人才圖富強的思想〉（《蘭州學刊》1983年2期）、呂明灼〈孫中山早期社會主義思想的歷史發展—《孫中山的早期社會主義》之一〉（《齊魯學刊》1983年2期）、朱秀武〈試論孫中山學習西方振興中華的思想〉（《中南民族學院學報》1983年3期）、李益然〈孫中山關於官吏是人民公僕的思想〉（《中學歷史教學》1983年3期）、申正〈孫中山與社會主義在中國的傳播〉（《北方論叢》1983年4期）、王傳生〈試論孫中山的法律思想〉（《江淮論壇》1983年4期）、鄭裕碩〈孫中山的平等觀述評〉（《歷史教學問題》1983年4期）、王勇〈我對孫中山讓位給袁世凱的幾點看法〉（《廣西民族學院學報》1983年4期）、叢樵〈適乎世界之潮流，合乎人群之需要—不斷改革，不斷前進的孫中山〉（《理論與實踐》1983年4期）、吳立群〈孫中山與辛亥革命〉（《文科月刊》1983年5期）、孫吉亮〈孫中山民權主義思想初探〉（《人文雜誌》1983年5期）、黎明〈孫中山民主革命綱領的提出〉（《歷史知識》1983年6期）、吳越〈孫中山關於中央與地方關係的思想〉（《江漢論壇》1983年12期）、鄭真〈關於孫中山民生史觀評議問題〉（載《中國近現代哲學史研究文集》，1983）、楊憲邦〈孫中山進化論的唯物主義世界觀〉（載《中國哲學史論文集》，1983）、久保田文次〈孫中山的平均地權論〉（載《紀念辛亥革命七十周年學術討論會論文集》，1983）、寶成關〈論南北議和與孫中山讓位〉（同上）、劉大年〈孫中山—偉大的愛國主義者與民主主義者〉（同上）、王祿斌〈孫中山早期革命與檀香山華僑〉（載《孫中山研究論叢》第1集，1983）、張建奎〈孫中山的經濟思想和開發連雲港的藍圖〉（載《中華民國史文集》，江蘇省中國現代史學會編，1983）。

石柏林〈孫中山與馬克思主義〉（《湘潭大學社會科學學報》1984年1期）、孫國華〈論孫中山的道德思想〉（《東岳論叢》1984年1期）、楊金鑫〈試論孫中山教育思想的哲學基礎〉（《湖南師院學報》1984年1期）、劉仁坤〈試談孫中山的教育思想〉（《北方論叢》1984年1期）、邵德門〈論孫中山關於中央集權與地方分權不可偏執的思想〉（《中國政法大學學報》1984年1期）、簡言〈關於孫中山早期經濟思想的幾個問題〉（《歷史教學問題》1984年1期）、謝放等〈論孫中山維護祖國統一的奮鬥〉（《西南民族學院學報》1984年1期）、王紹明〈孫中山與法國〉（《近代史研究》1984年1期）、楊秀香〈論孫中山的倫理思想〉（《社會科學輯刊》1984年2期）、湯照連〈孫中山經濟學理論範疇述評〉（《江淮論壇》1984年2期）、楊樸羽〈孫中山與五族共和〉（《中南民族學院學報》1984年2期）、黃國安〈孫中山與越南革命〉（《印支研究》1984年2期）、任餘白〈如何看待辛亥革命前後日本大陸浪人對孫中山的援助〉（《華東師大學報》1984年2期）、陳長河〈護法期間孫中山與唐繼堯的矛盾鬥爭〉（《近代史研究》1984年2期）、林家有〈試論國共第一次合作的基礎問題—兼論孫中山晚年對中國反帝反封建革命鬥爭的認識〉（同上，1984年3期）、曹錫仁〈論孫中山民主主義的形成和發展〉（《西北政法學院學報》1984年3期）及〈論孫中山的民生社會主義思想—兼論孫中山探索中國獨特發展道路的歷史功蹟〉（《理論研究》1984年3期）、饒珍芳〈辛亥革命後的孫中山〉（《華南師大學報》1984年3期）、王笛〈論孫中山在1912-1913年間復興中國的奮鬥〉（《西南民族學院學報》1984年3期）、陳君聰〈孫中山愛國思想散論〉（《遼寧師大學報》1984年4期）、放翁〈辛亥革命後孫中山報刊活動的新特點〉（《國際政治學院學報》1984年4期）、韓翼〈孫中山對馬克思主義的認識〉（《齊魯學刊》1984年5期）、周興樑〈試論一九〇〇年前後孫中山與梁啟超的關係〉（《貴州社會科學》1984年5期）、蔡鴻源等〈孫中山與袁世凱在〝中國鐵路公司條例〞上的權力之爭〉（《安徽史學》1984年6期）、張強〈試論孫中山的倫理思想〉（《北方論叢》1984年6期）、湯照連〈孫中山研習與傳播西方經濟學始末〉（《經濟研究》1984年7期）、姜義華、吳根樑〈孫中山與三大政策的制定〉（載《中國國民黨「一大」六十周年紀念論文集》，北京，中國社會科學出版社，1984）、張磊〈英明的決策光輝的業績—孫中山與第一次國共合作〉（同上）、陳錫祺〈孫中山與國民黨一大〉（同上）、吳熙釗〈評孫中山的〝民生史觀〞〉（《孫中山研究論叢》第2集，1984）、陳錫祺〈孫中山與辛亥革命的開端〉（同上）、邱捷〈國民黨〝一大〞前後孫中山與胡漢民的關係〉（同上）、郭景榮〈孫中山建軍思想的發展與黃埔建軍〉（《孫中山研究論叢》第2集，1984）、馬慶忠、李聯海〈孫中山與廣州商團事件〉（同上）、王祿斌編《孫中山研究的專著、論文、資料目錄索引（1982.5-1984.4）》（同上）、張季平〈孫中山哲學思想評議〉（載《中國哲學史論文集》，天津人民出版社，1984）、項立嶺〈荷馬李與孫中山〉（《近代中國史論叢》，1984）、陳福霖〈臺灣學者研究孫中山及中國革命的趨向和成果〉（《中山大學學報》1985年1期）、段雲章〈論孫中山的國家統一思想〉（《貴州文史叢刊》1985年1期）、羅友林〈論孫中山民族主義思想的發展〉（同上）、王勁〈試論孫中山主觀社會主義的形成及其歷史意義〉（《蘭州大學學報》1985年1期）、李益然〈略論孫中山的民族政策〉（《中央民族學院學報》1985年1期）、曹鈞偉〈孫中山的〝利用外資〞思想〉（《社會科學（上海）》1985年1期）、饒珍芳〈論孫中山反對袁世凱的鬥爭〉（《華南師大學報》1985年1期）、陳勝粼〈論孫中山的開放主義〉（《學術研究》1985年1期）、段雲章、周興樑〈建國以來孫中山研究述評〉（《近代史研究》1985年1期）、馬天增〈從〝創立合眾政府〞到三民主義：孫中山的建黨思想〉（《湖北師院學報》1985年2期）、陳增輝〈孫中山教育思想試評〉（《華東師大學報》1985年2期）、何振東〈略論孫中山的開放主義〉（《徐州師院學報》1985年2期）、夏琢瓊〈孫中山與黃埔軍校〉（《華南師大學報》1985年2期）、朱純超〈關於孫中山早期思想的探討：紀念孫中山先生逝世60周年〉（《湖北大學學報》1985年2期）、利丹〈試論孫中山廢除不平等條約的思想〉（《華南師大學報》1985年3期）、田武恩〈略論孫中山從舊三民主義到新三民主義轉變的原因〉（《河南大學學報》1985年3期）、蔡山〈論孫中山的對外開放思想〉（《華南師大學報》1985年3期）、何立青〈孫中山的對外開放主張〉（《歷史知識》1985年3期）、黃良元〈孫中山為何〝讓權〞予袁世凱〉（《江海學刊》1985年3期）、謝本書〈孫中山與西南軍閥〉（《雲南社會科學》1985年3期）、蕭致治〈孫中山與黃興關係研究綜述〉（《武漢大學學報》1985年3期）、丁身尊〈孫中山先生軼聞〉（《縱橫》1985年3期）、劉恩格〈孫中山與漢冶萍〉（《北方論叢》1985年4期）、路文彩〈辛亥革命與孫中山〉（《新疆大學學報》1985年4期）、沈毅〈黃花崗起義後孫中山未去加拿大〉（《史學月刊》1985年4期）、李成周等〈孫中山與日本〉（《外國問題研究》1985年4期）、鄭曉江〈試析孫中山先生的知行觀〉（《廣東教育學院學報》1985年4期）、黃彥〈論孫中山在反清革命時期的領袖地位〉（《廣東社會科學》1985年4期）、楊春長〈孫中山〝知〞〝行〞理論新探—兼與蕭萐父、李錦全同志商榷〉（《社會科學輯刊》1985年4期）、丁寶蘭〈論孫中山的世界觀在中國哲學發展中的歷史地位〉（《哲學研究》1985年4期）、姜南英〈孫中山先生在廣西紀要（1921年-1922年）〉（《廣西地方志通訊》1985年4-6期）、尚明軒〈護國運動結束到護法運動發生間的孫中山〉（《近代史研究》1985年5期）、李廷江〈孫中山委托日本人建立中央銀行一事的考察〉（同上）、寶力格〈孫中山民族思想初探〉（《內蒙古社會科學》1985年5期）、潘肇〈孫中山為爭取召集國民會議的鬥爭〉（《史學月刊》1985年5期）、橫山宏章〈對孫中山晚年的評價問題〉（《社會科學情報資料》1985年5、6期）、王啟厚〈孫中山的利用外資思想〉（《山東經濟》1985年6期）、吳傳煌〈孫中山道德觀初探〉（《社會科學研究》1985年6期）、王學庄〈孫中山和辛亥革命關係研究隨感〉（《近代史研究》1985年6

期）、陳敏〈孫中山的影響在聯邦德國〉（《國際問題資料》1985年12期）、艾景學〈試評孫中山的舊三民主義和〝五權憲法〞〉（《牡丹江師院學報》1985年增刊）、夏琢瓊〈列寧與孫中山〉（載《列寧與社會主義建設—紀念列寧逝世六十周年論文集》，北京，人民出版社，1985）、吳雁南〈孫中山、章太炎革命思想比較觀〉（載《孫中山研究論叢》第3集，1985）、蕭致治〈孫中山與黃興〉（同上）、久保田文次〈孫文與日本的政治家、軍人、浪人〉（同上）、李吉奎〈1909-1911年間孫中山的革命活動〉（《孫中山研究論叢》第3集，1985）、俞辛焞〈1913年至1916年孫中山在日的革命活動與日本的對策〉（同上）、段雲章〈孫中山的五個統一主張和民初政局〉（同上）、狹間直樹〈革命黨領袖孫中山—對日本人看法的分析〉（《孫中山研究論叢》第3輯，1985）、馮祖貽〈孫中山與中華革命黨〉（同上）、林家有〈孫中山與《民報》—論《民報》和中國民族的前途〉（同上）、朱宗震〈評孫中山前期的用兵方略〉（《孫中山研究論叢》第3集，1985）、山口一郎〈孫文的〝大亞洲主義〞和〝亞洲大同盟〞〉（同上）、羅耀九〈孫中山的愛國主義與對外開放思想〉（同上）、史扶鄰〈孫中山的國際主義傾向〉（《孫中山研究論叢》第3集，1985）、周興樑〈論孫中山舊民權主義思想的鑄新淘舊〉（同上）、吳乾兑〈辛亥革命期間法國外交與孫中山〉（同上）、吳倫霓霞〈孫中山早期革命運動與香港〉（《孫中山研究論叢》第3集，1985）、邱捷〈論孫中山在1923年的軍事鬥爭〉（同上）、野澤豐〈第一次國共合作與孫文—以國民會議運動為中心〉（同上）。

李樹權〈孫中山與東三省〉（《長春師院學報》1986年1期）、

高德福〈孫中山是怎樣支持五四運動的？〉（《歷史教學》1986年1期）、劉示範〈試論孫中山的辯證法〉（《中國哲學史研究》1986年1期）、韋杰廷〈孫中山社會歷史觀研究述評〉（《湖南師大社會科學學報》1986年1期）、丁以群〈孫中山先生與婦女解放〉（《婦運史研究資料》1986年2期）、吳雁南〈孫中山與中華民族的覺醒〉（《貴州文史叢刊》1986年2期）、馮祖貽〈論1905年孫中山革命方略的轉變〉（同上）、王笛〈辛亥革命時期孫中山的對外態度〉（《歷史研究》1986年2期）、姜義華〈孫中山與民粹主義研究述評〉（《江海學刊》1986年2期）、王輝〈孫中山先生的五權憲法理論探略：紀念孫中山先生誕辰一百二十周年〉（《安徽大學學報》1986年2期）、黃明同〈中山史觀與唯物史觀－論孫中山歷史觀的矛盾性〉（《華南師大學報》1986年2期）、劉有才、李義凡〈論二十世紀初年孫中山的外交思想〉（《信陽師院學報》1986年2期）、雷克嘯〈孫中山的教育思想〉（《華南師大學報》1986年2期）、謝本書〈孫中山與中國革命〉（《雲南民族學院學報》1986年2期）、馮祖貽〈偉大的旗手與先行者－學習毛澤東同志對孫中山先生的評價〉（《貴州文史叢刊》1986年3期）、黎明〈論孫中山〝畢其功於一役〞的思想〉（《徐州師院學報》1986年3期）、駱寶善〈論孫中山國家統一的主張〉（《中州學刊》1986年3期）、沈其新〈略論孫中山的國際主義傾向〉（《湖南師大學報》1986年3期）、賀耀夫〈辛亥革命時期孫中山司法改革思想淺析〉（《廣州研究》1986年3期）、吳熙釗〈孫中山與融匯中西文化思想初探〉（《現代哲學》1986年3期）、戴逸〈孫中山的對外開放思想－紀念孫中山先生一百二十年誕辰〉（《北京社會科學》1986年3期）、盧開宇〈孫中山關於精神文明建設的思想初探〉(《徐州師院學報》1986年3期)、馬克鋒〈論孫中山與儒學〉(《寶雞師院學報》1986年3期)、左雙文〈試論孫中山對中西文化揚棄〉(《湖南師大學報》1986年3期)、魏宗禹〈論孫中山哲學思想的進化論特點〉(《山西大學學報》1986年3期)、黃彥〈孫中山改組革命團體的一次嚐試:從興中會到中華革命軍〉(《廣東社會科學》1986年3期)、張芬梅〈孫中山的理想共和國與美國政治體制〉(《徐州師院學報》1986年3期)、余明俠〈孫中山早期革命思想的產生及其評價〉(同上)、安宇〈論孫中山對袁世凱再度妥協的原因〉(同上)、李蘭萍〈辛亥革命前孫中山在星馬地區的活動〉(《廣東社會科學》1986年3期)、黃錚〈孫中山在越南的革命活動及其意義〉(《廣西社會科學》1986年3期)、楊元華〈淺論孫中山的〝五權憲法〞學說〉(《上海師大學報》1986年3期)、吳雁南〈中國新紀元的曙光與人類前景:孫中山早期思想試析之二〉(《貴州師大學報》1986年3期)、梅文幹〈孫中山的經濟思想與中國的現代化建設〉(《湖北教育學院學報》1986年3期)、王邦建〈從〝平均地權〞到耕者有其田:孫中山晚年在農民土地問題上認識的發展〉(《貴州師大學報》1986年3期)、鄧先誠等〈試論孫中山的實業計劃與工業化思想〉(《黑龍江教育學院學報》1986年3期)、錢小明等〈論孫中山〝發達國家資本〞的思想及其對後世的影響〉(《上海社會科學院學術季刊》1986年3期)、鄭燦輝等〈孫中山在上海的革命活動述略〉(《上海師大學報》1986年3期)、陳昌福〈孫中山和日本華僑〉(同上)、陳建智〈孫中山在民國初年的用人與機構改革〉(《探索》1986年3期)、沈茂駿〈論孫中山教育觀的發展〉

（《廣西社會科學》1986年3期）、張華騰〈孫中山和廣東民主革命根據地〉（《殷都學刊》1986年3期）、莫世祥〈略論孫中山利用軍閥反對軍閥的策略〉（《廣西社會科學》1986年3期）、金沖及〈孫中山和中國的近代化〉（《近代史研究》1986年4期）、曾廣文〈高風亮節，出類拔萃—試論孫中山先生的高尚品德〉（《成都大學學報》1986年4期）、張啟承、郭志坤〈試論孫中山的歷史進化觀〉（同上）、程昭星〈試論孫中山的民族主義思想〉（《貴州民族研究》1986年4期）、黃明同〈孫中山哲學的特點與性質〉（《學術研究》1986年4期）、何建安〈孫中山哲學屬不完整辯證思維唯物論〉（同上）、鄭永福、田海林〈孫中山與進化論〉（《河南大學學報》1986年4期）、陳崇凱〈試論孫中山對民主主義的探索與實踐—紀念孫中山誕辰一百二十周年〉（《西藏民族學院學報》1986年4期）、屠承先〈論孫中山進化論唯物主義的歷史地位〉（《杭州大學學報》1986年4期）、尚明軒〈論孫中山的愛國主義〉（《許昌師專學報》1986年4期）、劉楓〈關於孫中山的經濟理論及其經濟範疇的研究〉（《上海社會科學院學術季刊》1986年4期）、李自茂〈試述孫中山的經濟思想及淵源：紀念孫中山先生誕辰一百二十周年〉（《贛南師院學報》1986年4期）、方式光〈論民初孫中山的實業建國思想〉（《廣東社會科學》1986年4期）、胡盛儀〈孫中山關於海南島行政建制的設想〉（《政治學研究資料》1986年4期）、劉希敏等〈試述孫中山先生關於開發邊疆的戰略思想〉（《中央民族學院學報》1986年4期）、曹旭華〈孫中山貨幣理論述評〉（《金融研究》1986年4期）、王宏斌〈孫中山關於國家官員的若干主張〉（《河南大學學報》1986年4期）、莫杰〈孫中山和軍政府〉（《學術論壇》1986年4期）、鄭則民〈孫中山與南方革命政權的發展〉（《民國檔案》1986年4期）及〈孫中山三大革命政策的產生和歷史作用〉（《歷史檔案》1986年4期）、陳華新〈辛亥革命時期的孫中山與香港〉（《廣東社會科學》1986年4期）、陳錫祺〈孫中山與日本〉（《中山大學學報》1986年4期）、趙矢元等〈辛亥革命時期的孫中山和汪精衛〉（《社會科學戰線》1986年4期）、何敏〈孫中山與自立軍起事〉（《史學月刊》1986年5期）、韓明〈孫中山讓位於袁世凱原因新議〉（《歷史研究》1986年5期）、李安慶〈孫中山對外開放的構想〉（《南京史志》1986年5期）、馬克鋒〈孫中山與傳統儒學〉（《學術研究》1986年5期）、李侃〈孫中山與傳統儒學〉（《歷史研究》1986年5期）、申正〈試論孫中山在歷史觀上的困惑〉（《北方論叢》1986年5期）、力文〈略論孫中山晚年的最後幾個月〉（《雲南社會科學》1986年5期）、姜義華〈論孫中山的自由平等觀－近代中國政治民主化思潮透視〉（《復旦大學學報》1986年5期）、蕭鐵肩〈孫中山觀念中的黨〉（《黨史研究》1986年5期）、陳珠培〈孫黃初見介紹人是宮崎寅藏〉（《求索》1986年5期）、習五一〈孫中山與奉系軍閥〉（《近代史研究》1986年6期）、夏良才〈孫中山與亨利·喬治〉（同上）、劉含若〈孫中山政治思想散論〉（《求是學刊》1986年6期）、胡國樞〈具有世界眼光的偉大愛國者孫中山〉（《探索》1986年6期）、方維華〈孫中山與辛亥革命－紀念孫中山先生誕辰一百二十周年〉（《江西檔案》1986年6期）、馬洪林等〈論孫中山領導辛亥革命的創造精神〉（《江海學刊》1986年6期）、黃宗炎〈孫中山為祖國統一所進行的偉大鬥爭〉（《學術論壇》1986年6期）、梁友堯〈論孫中山由改良到革命的轉變〉（《江海學刊》1986年6期）、耿雲志〈孫中山的民權主義與辛亥革命的結局〉（《歷史研究》1986年6期）、吳杰〈論孫中山的國民性認識及其對民權主義學說的影響〉（《北京師大學報》1986年6期）、魯振祥〈孫中山三大政策研究中的幾個問題〉（同上）、吳晉〈孫中山與廣西〉（《廣西地方志》1986年6期）、馬敏〈論孫中山偉人品質〉（《歷史研究》1986年6期）、張錫勤〈孫中山關於兩個文明建設的思想〉（《求是學刊》1986年6期）、陳淑珍〈孫中山法治思想述論〉（《法學雜誌》1986年6期）、丁賢俊〈孫中山與民元法制問題論爭〉（《法學研究》1986年6期）、庹平〈孫中山對中國非資本主義道路的探索〉（《湖南師大社會科學學報》1986年6期）、龔書鐸〈論孫中山的文化觀〉（《北京師大學報》1986年6期）、王巍一〈論孫中山《實業計劃》的現實意義〉（《江西社會科學》1986年6期）、鄧祝仁〈論孫中山在桂林的教育言論和實踐〉（《廣西地方志通訊》1986年6期）、張海鵬〈孫中山與民國史〉（《學術研究》1986年6期）、吳雁南〈時代、騰飛、社會主義：孫中山前期思想試析之一〉（《貴州社會科學》1986年8期）、鄭大發〈孫中山〝畢其功於一役〞思想再評價〉（同上）、林建曾、成曉軍〈孫中山對不平等條約的認識和態度及其革命民主主義思想的發展〉（同上）、周興樑〈論孫中山的韶關北伐〉（《貴州社會科學》1986年8期）、劉楓〈評孫中山的貨幣改革政策〉（《金融研究》1986年8期）及〈孫中山的振興實業和利用外資思想〉（《學術月刊》1986年9期）、嚴昌洪〈孫中山與漢口市場建設〉（《學習與實踐》1986年10期）、鄭克強〈略論孫中山的民主共和國思想〉（《社會科學》1986年11

期）、蘇貴慶〈簡評孫中山〝振興中華〞的目標及主張〉（《鹽城師專學報》1986年11期）、左雙文〈略論孫中山文化思想的特點〉（《廣州研究》1986年11期）、梅文幹〈孫中山關於經濟現代化的設想〉（《群言》1986年11期）、丁日初〈孫中山關於經濟建設的若干思想〉（《社會科學》1986年11期）、陳文亮〈孫中山〝平均地權〞經濟思想初探〉（《學術月刊》1986年11期）、張守憲〈孫中山和陝西民主革命運動〉（《革命英烈》1986年24期）、成毓華〈對孫中山〝喚起民眾〞思想的探索〉（《河北師大學報》1986年增刊）、金沖及〈建國以來的孫中山研究工作〉（載孫中山學術研究會編《回顧與展望—國內外孫中山研究述評》，北京，中華書局，1986）、李侃、陳錚〈建國三十五年來孫中山研究著作和資料出版概述〉（同上）、尚明軒〈孫中山傳記著作述評〉（同上）、章開沅、羅福惠〈建國以來孫中山革命思想研究述評〉（同上）、韋杰廷〈孫中山社會歷史觀研究述評〉（《回顧與展望—國內外孫中山研究述評》，1986）、張豈之〈孫中山哲學思想研究述評〉（同上）、龔書鐸〈孫中山文化思想研究述評〉（同上）、李文海〈孫中山的愛國主義研究述評〉（同上）、林家有〈建國以來孫中山民族主義研究述評〉（《回顧與展望—國內外孫中山研究述評》，1986）、石田米子〈孫中山的民族主義—在日本的研究述評〉（同上）、魏宏運〈孫中山民權主義研究述評〉（同上）、李時岳〈孫中山經濟思想研究的十大問題〉（同上）、楊玉清〈解放前孫中山三民主義思想研究淺略述評〉（《回顧與展望—國內外孫中山研究述評》，1986）、姜義華〈孫中山與民粹主義研究述評〉（同上）、林增平、李育民〈孫中山早期思想研究述評〉

（同上）、王學庄〈孫中山和辛亥革命的關係研究簡評〉（同上）、胡繩武〈孫中山民初活動研究述評〉（《回顧與展望—國內外孫中山研究述評》，1986）、趙矢元〈關於孫中山與國民黨中華革命黨的研究〉（同上）、張磊〈孫中山與第一次國共合作研究述評〉（同上）、陳福霖〈評述有關孫中山與國共合作的重要著作〉（同上）、蕭致治〈孫中山與黃興關係研究述評〉（《回顧與展望—國內外孫中山研究述評》，1986）、陸培湧〈孫中山和蔣介石的關係和簡評〉（同上）、霍啟昌〈幾種有關孫中山先生在港策進革命的香港史料試析〉（同上）、蔡尚思〈孫中山與亞洲民族解放運動研究述評〉（同上）、吳乾兌〈孫中山與歐美關係研究述評〉（《回顧與展望—國內外孫中山研究述評》，1986）、黃宇和〈孫中山倫敦被難研究述評〉（同上）、野澤豐〈關於孫文在北上途中所發表之言論—以所謂〝大亞細亞主義〞講演為中心〉（同上）、陳福霖〈臺灣學者研究孫中山及中國革命的趨向和成果〉（同上）、林啟彥〈近三十年來香港的孫中山研究〉（《回顧與展望—國內外孫中山研究述評》，1986）、安藤彥太郎〈大正時代的孫中山評價〉（同上）、山口一郎〈日本人的孫文觀、孫文研究的特色與課題〉（同上）、久保田文次〈日本的孫文研究與問題〉（同上）、庫夫斯（Peter M. Kuhfus）〈蘇聯對於孫中山研究的情況、趨勢和問題〉（《回顧與展望—國內外孫中山研究述評》，1986）、史扶鄰（Harold I. Schiffin）〈近五十年美國孫中山研究敍錄〉（同上）、費路（Roland Felber）〈1945年以前德國漢學對孫中山的評價與民主德國（1949-1985）孫中山研究概況〉（同上）、羅梅君（M. Leutner）〈1945年以前的德國和聯邦德國關於孫中山的述評和研究〉(同上);陳福霖〈孫中山與廖仲愷的關係及其對中國革命的影響〉(《孫中山研究國際學術討論會論文集》,廣州,中山大學,1986)、Marianne Bestid〈法國的影響及各國共和主義者團結一致－論孫中山在法國政界的關係〉(同上)、陳華新《香港是孫中山思想學說的發源地》(《孫中山研究》第1輯,廣東人民出版社,1986)、唐上意〈孫中山的人才思想初探〉(同上)、蕭致治〈孫中山和人民群眾〉(載《孫中山研究論文集》,成都,四川人民出版社,1986)、陳錫祺〈孫中山對民生主義與共產主義關係的論述〉(《孫中山研究論叢》第4集,1986)、李吉奎〈論孫中山的大同思想〉(同上)、林家有〈孫中山與近代中華民族的覺醒〉(同上)、段雲章〈孫中山與中國近代思想解放浪潮〉(同上)、吳熙劍〈孫中山與中國近代史上的道德革命〉(《孫中山研究論叢》第4集,1986)、歐陽哲生〈論孫中山的民主觀〉(同上)、鄭文江〈孫中山的比較思想論綱〉(同上)、邢益海〈論孫中山的主體性學説〉(同上)、陳勝粼、賀躍夫〈〝取法乎上〞－孫中山學習西方的理想與幻想〉(《孫中山研究論叢》第4集,1986)、何靖〈美國資產階級革命對孫中山的影響〉(同上)、桑兵〈孫中山生平活動史實補正(1895-1905年)－《孫中山年譜長編》編輯札記〉(同上)、陳劍安〈同盟會時期的孫中山與會黨〉(同上)、蔡建國〈孫中山與蔡元培〉(《孫中山研究論叢》第4集,1986)、成曉軍〈孫中山與譚延闓的關係述論〉(同上)、劉德喜〈孫中山蘇俄合作關係的初步建立〉(同上)、周興樑〈孫中山與國民會議運動〉(同上)、坂野良吉〈孫文研究的舊與新－讀池田誠《孫文與中國革命》、橫山宏章《孫中山的革命與政治領導》〉(《孫中山研究論叢》第4集,1986)。

莫世祥〈孫中山和資產階級在1923年〉(《近代史研究》1987年1期)、馮崇義〈孫中山五四時期的社會思潮〉(同上)、蔡尚思〈孫中山的中心思想和歷史地位〉(同上)、劉大年〈孫中山與中華民國〉(《近代史研究》1987年1期)、湯志鈞〈從康有為到孫中山〉(同上)、楊天石〈孫中山與中國革命的前途—兼論清末民初對孫中山民生主義的批評〉(《北京社會科學》1987年1期)、余炎光〈孫中山和國民革命〉(《廣東社會科學》1987年1期)、何振東〈孫中山—近代時期社會主義中國的最早探索者〉(《徐州師院學報》1987年1期)、翟國璋〈孫中山的對外經濟開放思想〉(《江蘇教育學院學報》1987年1期)、王彥民〈試論孫中山的革命雄心和性格〉(《江淮論壇》1987年1期)、鄒曉辛〈論孫中山等人早期社會主義的群體意識〉(《貴州社會科學》1987年1期)、陳建洲〈略論孫中山思想觀念的不斷更新〉(《淮陰師專學報》1987年1期)、黃濱、何龍群〈孫中山的知識結構與思想主張〉(《廣西師大學報》1987年1期)、林增平〈孫中山民主革命思想的形成〉(《歷史研究》1987年1期)、胡繩〈論孫中山的社會主義思想〉(同上)、章開沅〈從離異到回歸:孫中山與傳統文化的關係〉(同上)、饒珍芳〈論孫中山的民權主義〉(《華南師大學報》1987年1期)、申正〈略論孫中山哲學思想特點〉(《北方論叢》1987年1期)、劉又知〈孫中山的知行學說在中國近代認識史上的地位〉(《江西教育學院學報》1987年1期)、張豈之〈孫中山對中國傳統文化的反思〉(《西北大學學報》1987年1期)、康大壽

〈孫中山的中西比較初探〉（《南充師院學報》1987年1期）、陳崧〈試論孫中山對西方文化的認識〉（《文史哲》1987年1期）、孟慶琦〈試論孫中山的愛國主義〉（《史學月刊》1987年1期）、彭明〈孫中山反帝愛國思想的歷史考察〉（《中國人民大學學報》1987年1期）、黃德發〈孫中山的〝大亞洲主義〞問題評議〉（《華中師大學報》1987年1期）、劉示範〈論孫中山對資本主義的認識〉（《山東社會科學》1987年1期）、鄧佑權〈淺談孫中山先生的經濟思想〉（《雲南民族學院學報》1987年1期）、丁日初〈孫中山發展國家資本的思想與海峽兩邊經濟交易〉（《江海學刊》1987年1期）、王永祥〈振興中華發展經濟的理想：讀孫中山先生《實業計劃》〉（《廣西師大學報》1987年1期）、鍾卓安〈對孫中山〝實業計劃〞的管見〉（《嘉應師專學報》1987年1期）、李時岳〈《實業計劃》和孫中山的社會主義〉（《汕頭大學學報》1987年1期）、王曉華〈試論孫中山的生產布局思想〉（《經濟地理》1987年1期）、吳桂就〈論孫中山的教育思想體系〉（《廣西師大學報》1987年1期）、胡繩武〈孫中山讓位于袁世凱的歷史環境〉（《歷史研究》1987年1期）、嚴昌洪〈孫中山與民初國民黨〉（《華中師大學報》1987年1期）、顧邦文〈青少年時期的孫中山和基督教的關係〉（《宗教》1987年1期）、謝·列·齊赫文斯基〈孫中山與蘇俄〉（《世界歷史》1987年1期）、王金香〈孫中山與新加坡華僑〉（《山西師大學報》1987年1期）、彭樹智〈孫中山與亞洲民族主義思潮〉（《西北大學學報》1987年2期）、楊玉清〈如何正確認識孫中山先生〉（《群言》1987年2期）、李雙璧〈系統方法與孫中山的三民主義思想體系〉（《貴州社會科學》1987年2期）、王雪娜〈孫中山的社會主義觀〉（《四川師大學報》1987年2期）、張偉國〈孫中山的〝五權憲法〞思想〉（《法學》1987年2期）、邵德門〈孫中山的國家統一思想〉（《東北師大學報》1987年2期）、劉寶書〈論辛亥革命時期孫中山的反帝救亡思想〉（《吉林師院學報》1987年2期）、楊漢鷹〈略論第二國際對孫中山民生主義的影響〉（《政治學研究資料》1987年2期）、何泳等〈孫中山與西方資產階級經濟學派〉（《史學月刊》1987年2期）、蘇文才〈取那善果，避那惡果：淺談孫中山對資本主義經濟的分析〉（《學術界》1987年2期）、湯照連〈論孫中山早期經濟思想〉（《南開經濟研究》1987年2期）、何宇同〈論孫中山經濟思想的基調〉（《暨南學報》1987年2期）、朱培民〈孫中山與對外開放〉（《實事求是》1987年2期）、葉法正〈略論孫中山對資產階級民主共和國理想的追求與破滅〉（《上海教育學院學報》1987年2期）、鄭傳章〈孫中山關於利用外資加速建設的思想〉（《暨南學報》1987年2期）、姜南英等〈孫中山以梧州為中心改良廣西設想的意義〉（《學術論壇》1987年2期）、鄧紹輝〈孫中山關於開發新疆的宏偉計劃〉（《新疆大學學報》1987年2期）、楊琪〈孫中山教育思想初探〉（《佳木斯師專學報》1987年2期）、何國華〈孫中山教育思想初探〉（《廣東教育學院學報》1987年2期）、靜云〈孫中山的婦女解放思想及其實踐〉（《近代史研究》1987年2期）、里明〈孫中山與河南早期民主革命派〉（《中州古今》1987年2期）、馬宣偉〈孫中山與川、滇、黔軍之戰〉（《貴州社會科學》1987年2期）、吳乾兑〈1911年至1913年間的法國外交與孫中山〉（《近代史研究》1987年2期）、石芳勤〈論孫中山與譚人鳳的關係〉（同上）、陶士和〈試論武昌起義後的孫、章關係〉(《杭州師院學報》1987年2期)、李俊彥〈育人才以培國脈—試談孫中山關於發展教育的思想〉(《西北大學學報》1987年2期)、朱英〈辛亥革命時期的孫中山與資產階級〉(《近代史研究》1987年3期)、桑兵〈信仰的理想主義與策略的實用主義—論孫中山的政治性格特徵〉(同上)、劉恩格〈孫中山對日態度及其演變〉(《學習與探索》1987年3期)、閻應福〈孫中山的商業經濟思想〉(《山西財經學院學報》1987年3期)、趙長征〈孫中山婦女解放思想的發展及實踐〉(《史學月刊》1987年3期)、解學東〈略析孫中山開放主義的利用外資思想〉(《河南大學學報》1987年3期)、韓榮寶〈試論孫中山開發長江及其沿岸資源的設想〉(《中南民族學院學報》1987年3期)、黃鋭〈孫中山經濟思想的主要內容及其演變過程〉(《江漢大學學報》1987年3期)、吳廷棟〈孫中山的對外開放思想〉(《貴州文史叢刊》1987年3期)、楊漢鷹〈論孫中山民生主義思想的形成〉(《政治學研究資料》1987年3期)、史政〈孫中山的主觀社會主義和民粹主義〉(同上)、楊天宏〈孫中山民生主義的〝內在矛盾〞辨〉(《四川大學學報》1987年3期)、皮名庥、李懷軍〈從首知馬克思的中國人到馬克思主義的好朋友:兼論孫中山的〝社會主義〞思想〉(《武漢大學學報》1987年3期)、王宏治〈孫中山五權憲法思想探究〉(《河北師院學報》1987年3期)、黃達誠〈近代文化與孫中山〉(《廣州師院學報》1987年3期)、江振良〈孫中山法治思想談〉(《中山大學學報》1987年3期)、行龍〈孫中山與中國近代人口問題〉(《運城師專學報》1987年3期)、李達三〈孫中山對亞洲民族解放運動的巨大支持和影響〉(《河北師院學報》1987年3期)、李素賢〈試論孫中山振興中華的經濟思想〉(《瀋陽師院學報》1987年4期)、譚鉅生〈孫中山生產布局系統觀淺析〉(《江西師大學報》1987年4期)、王聖學〈孫中山《實業計劃》述評〉(《理論學刊》1987年4期)、姜旭朝〈《資本論》對孫中山〝節制資本〞思想的影響〉(《文史哲》1987年4期)、張國輝〈中國資本主義的發展與孫中山的革命鬥爭〉(《北方論叢》1987年4期)、張華騰〈孫中山護法運動的下限〉(《史學月刊》1987年4期)、陳列〈孫中山與會黨〉(《華南師大學報》1987年4期)、丁賢俊〈論孫中山與伍廷芳〉(《近代史研究》1987年4期)、婁振洲〈孫中山致蔣介石函電評析〉(《史學月刊》1987年4期)、都濤摘譯〈現代西方和中國的史學家論孫中山〉(《社會科學情報資料》1987年4期)、史扶鄰著、陳明譯〈述評:勉為其難的革命者〉(同上)、馬自毅〈論孫中山的進化觀〉(《近代史研究》1987年5期)、張濤〈對孫中山平均地權再認識〉(《史學月刊》1987年5期)、盧孔德〈農民問題與三民主義—兼論孫中山的農民革命思想〉(《雲南師大學報》1987年5期)、郭劍林〈孫中山與吳佩孚〉(《學術月刊》1987年5期)、張達明〈也談列寧的〝孫中山與民粹派相似〞說—與姜義華同志商榷〉(《東北師大學報》1987年5期)、劉大年〈《孫中山與中華民國》補述〉(《近代史研究》1987年6期)、劉世文〈論孫中山先生的權能分治理論〉(《遼寧大學學報》1987年6期)、梅文幹〈孫中山經濟思想述略〉(《中南財大學報》1987年6期)、張子榮〈孫中山與基督教會〉(《晉陽學刊》1987年6期)、王寶山〈關於孫中山建設思想的哲學探討〉(《遼寧大學學報》1987年6期)、段雲章〈孫中山和同時期亞洲其他民主革命先驅的比較〉(《近代史研究》1987年6期)、楊念群〈孫中山梁啟超歷史觀的兩極差異〉(《廣州研究》1987年7期)、賴陽松〈淺議孫中山的文化價值觀〉(《廣州研究》1987年7期)、李樹權〈孫中山與華僑歸國發展實業〉(《湖北社會科學》1987年8期)、錢建明〈孫中山爭取關稅使用權的鬥爭〉(《歷史教學》1987年8期)、朱明堯〈孫中山先生的〝貨暢其流〞說〉(《商業研究》1987年9期)、李育民〈孫中山的權能區分〉(《學術月刊》1987年11期;又收入《孫中山和他的時代—孫中山研究國際學術討論會論文集》,北京,中華書局,1989)、陳國慶〈孫中山與嚴復思想之比較研究〉(同上)、陳建明〈孫中山與基督教〉(載《孫中山研究論叢》第5集,1987)、李吉奎〈孫中山與劉學詢〉(同上)、陳錫祺〈孫中山研究與中日友好〉(同上)、郭景榮〈孫中山革命派在華僑中優勢地位的確立—十九世紀二十世紀初保皇、革命兩派的消長〉(同上)、庹平〈孫中山對中國未來社會經濟結構的構想〉(《孫中山研究論叢》第5集,1987)、潘民英〈孫中山學習西方、實現國民經濟近代化的經濟建設思想〉(同上)、陳崇凱〈淺論孫中山在探索民主政治方面的嘗試與實踐〉(同上)、邱捷〈關於孫中山家世源流的資料問題〉(同上)、莫世祥〈論護法運動時期孫中山的民權與黨治思想〉(同上)、方強〈論孫中山晚年民族主義思想轉變的原因〉(《孫中山研究論叢》第5集,1987)、林家有〈試論孫中山改組國民黨的原因和目的〉(同上)、劉德喜〈共產國際、蘇俄的幫助與孫中山改組國民黨〉(同上)、周興樑〈孫中山扶助農工政策的確立和貫徹實施〉(同上)、梁肇庭〈孫中山的國際傾向:1917-1925年的孫俄關係〉(《孫中山研究論叢》第5集,1987);〈日本新近發現和發表有關孫中山與日本的資料〉(同上)、馮祖貽〈1913-1916年孫中山、黃興、陳其美關係試析〉(載《孫中山和他的時代—孫中山研究國際學術討論會論文集》,北京,中華書局,1987)。

曾景忠〈孫中山地方自治思想述論〉(《廣東社會科學》1988年1期)、楊念群〈孫中山梁啟超歷史觀比較論〉(《近代史研究》1988年1期)、王來棣〈孫中山的自由平等觀的演變和所揭示的問題〉(同上)、傅炳旭〈孫中山的法律思想及其實踐〉(《聊城師院學報》1988年1期)、李樹權〈略論孫中山的僑務主張和僑務工作〉(《華僑大學學報》1988年1期)、丁莉芳〈開放主義、引進外資—論孫中山的外資管理經濟思想〉(《宜春師專學報》1988年1期)、郭緒印〈孫中山對馮玉祥的影響〉(《檔案與歷史》1988年1期)、王耿雄〈孫中山與林百克、馬坤的交往〉(《民國春秋》1988年1期)、俞辛焞〈二次革命前期孫中山的反袁策略與日本的關係〉(《歷史研究》1988年1期)、夏良才〈孫中山的民生主義與摩里斯·威廉的《社會史觀》〉(同上)、徐鳳晨〈論孫中山的五族共和思想〉(《史學集刊》1988年1期)、裴倜〈孫中山的民生主義與中國古代經濟思想的淵流〉(《四川大學學報》1988年1期)、楊久志〈淺論孫中山對西方文化的態度〉(《遼寧廣播電視大學學報》1988年1期)、劉永恩〈孫中山與陝西靖國軍〉(《三秦文史》1988年1期)、李俊彥〈立大志,做大事—再談孫中山的教育思想〉(《西北大學學報》1988年2期)、張光燦〈論孫中山外交政策的演變〉(《中國社科院研究生學院學報》1988年2期)、胡立文〈孫中山的對外開放論〉(《財經研究》1988年2期)、陳寧英〈論孫中山《實業計劃》中開發西部的設想〉(《中南民族學院學報》1988年2期)、胡顯中〈孫中山的對外開放思想〉(《南開經濟研究》1988年2期)、姜義華〈日本右翼的侵華權謀與孫中山對日觀的變遷—孫中山與內田良平關係述評〉(《近代史研究》1988年2期)、王曉華〈孫中山的定都主張〉(《社會科學輯刊》1988年3期)、王業興〈孫中山對袁世凱的認識過程〉(《學術界》1988年3期)、黎澍〈孫中山上書李鴻章事跡考辨〉(《歷史研究》1988年3期)、石彥陶〈〝宋案〞後孫中山、黃興政見新析:與馮祖貽同志商榷〉(《安徽史學》1988年3期)、明立志〈孫中山對中西文化的認識、比較和融貫〉(《中國青年政治學院學報》1988年3期)、熊志勇〈孫中山的外交思想與實踐〉(《外交學院學報》1988年3期)、趙桂英〈淺談孫中山的幹部管理思想〉(《河南師大學報》1988年3期)、文柏〈孫中山革命程序論思想述評〉(《社會科學輯刊》1988年4期)、王光銀〈孫中山武裝鬥爭思想的發展〉(《杭州師院學報》1988年4期)、邵德門〈略論孫中山的〝行先知後〞論〉(《東北師大學報》1988年4期)、王留想〈論孫中山的〝立功報國〞思想〉(《商丘師專學報》1988年4期)、黃彥〈論孫中山的開放思想〉(《廣東社會科學》1988年4期)、劉永明〈論孫中山等國民黨人制定〝聯共〞政策的內因〉(《中共黨史研究》1988年4期)、劉欽斌〈論孫中山主觀社會主義思想〉(《寧夏大學學報》1988年4期)、孫志亮〈試論孫中山改組國民黨的思想轉變〉(《西北大學學報》1988年4期)、趙軍〈孫中山和大亞洲主義〉(《社會科學戰線》1988年4期)、張學恕〈論孫中山的經濟建設與對外開放思想〉(《唯實》1988年4期)、曹應旺〈孫中山的經濟干預思想〉（《廣東社會科學》1988年4期）、吳雁南〈孫中山內河整治與經濟開發的實業思想〉（《西南師大學報》1988年4期）、彭鵬〈孫中山文化觀的再思辨〉（《廣州研究》1988年5期）、胡顯中〈孫中山晚年思想片斷—兼與郭劍林同志商榷〉（《學術月刊》1988年4期）、饒懷民〈論兩湖志士在確立孫中山領袖地位中的作用〉（《華中師大學報》1988年5期）、羅耀九〈對袁世凱的妥協是孫中山的戰略與策略〉（《學術月刊》1988年5期）、黃明同、陳思〈試論孫中山〝物質建設〞理論的系統方法思想〉（《求索》1988年5期）、李新福〈李書城與孫中山〉（《史志文萃》1988年5期）、李樹權〈孫中山的人盡其才思想〉（《吉林社會科學》1988年5、6期）、馬慶忠等〈良師摯友—孫中山和康德黎夫婦〉（《名人傳記》1988年6期）、丁賢俊〈論孫中山民元讓位〉（《歷史研究》1988年6期）、楊天石〈孫中山與〝租讓滿洲〞問題〉（《近代史研究》1988年6期）、陳方〈孫中山與閩南護法區的建立〉（《黨史研究與教學》1988年6期）、徐順教〈論孫中山的歷史進化論〉（《社會科學輯刊》1988年6期）、姜旭朝〈孫中山民生主義思想的來源—兼論孫中山經濟思想與傳統儒學的關係〉（《齊魯學刊》1988年6期）、黃殿祺〈孫中山黃興在天津會館〉（《歷史教學》1988年8期）、高力克〈孫中山自由觀的邏輯矛盾〉（《廣州研究》1988年8期）、郭劍林〈孫中山與軍閥—兼答胡顯中同志〉（《學術月刊》1988年10期）、吳雁南〈海港建設與對外開放：孫中山實業思想研究之二〉（《貴州社會科學》1988年10期）、李鴻軍〈孫中山的知識、知識分子觀〉（《廣州研究》1988年10期）、曉晨〈孫中山思想研究的新視角：關於孫中山與中西文化關係的探討〉（《社科信息》1988年12期）、劉雲波〈關於孫中山讓位的兩個問題〉（《貴州社會科學》1988年12期）、黎玲〈抗日戰爭與孫中山思想〉（《南京師大學報》1988年增刊）、陳德湜〈孫中山與青山軍事學校〉（《貴州文史叢刊》1989年1期）、曠炯〈略談黃興對太平天國歷史教訓的吸取及孫黃關係〉（《湖湘論壇》1989年1期）、胡大澤〈孫中山從美國憲法吸取了哪些可貴思想〉（《青海社會科學》1989年1期）、章揚定〈試論日本近代化對孫中山的影響〉（《安徽史學》1989年1期）、黃德發〈基督教對孫中山思想之影響透視〉（《學術論壇》1989年1期）、黎宗劍〈孫中山政治心理學思想初探〉（《貴州文史叢刊》1989年1期）、喬叢啟〈論孫中山民主立法思想〉（《政法叢刊》1989年1期）、胡顯中〈孫中山的社會主義辨析〉（《學術月刊》1989年1期）、韋杰廷〈評孫中山論公有制和私有制〉（《湖南師大學報》1989年1期）、韓榮寶〈孫中山建設海南島的設想〉（《中南民族學院學報》1989年1期）、李益然〈論孫中山實行國共合作的主觀原因〉（《揚州師院學報》1989年1期）、劉旭〈孫中山與民國初期檔案事業〉（《河北檔案》1989年2期）、王祖志〈孫中山〝五權憲法〞之特質新論〉（《廣東社會科學》1989年2期）、韓小平〈對孫中山經濟思想之淺見〉（《河北師大學報》1989年2期）、王毅〈孫中山的對外開放思想〉（《陝西師大學報》1989年2期）、王業興〈論孫中山讓權袁世凱的原因〉（《歷史教學》1989年2期）、高橋〈從〝張振武案〞看孫中山與黃興〉（《益陽師專學報》1989年2期）、邱濟舟〈五四運動與孫中山晚年的思想轉變〉（《吉林師院學報》1989年2期）、張海林〈從臺灣〝都市平均地權〞看孫中山民生主義方案的歷史意義〉（《南京師大學報》

1989年2期）、池克〈孫中山實行國共合作的思想政治基礎〉（《錦州師院學報》1988年2期）、鄒曉辛、呂延濤〈略論南北議和中的孫中山〉（《學術界》1989年2期）、鄧銘培、張杰〈孫中山祖籍東莞說質疑〉（《歷史檔案》1989年2期）、段雲章〈孫中山與陳炯明的合與離〉（《民國檔案》1989年2期）、南劍〈孫中山與胡適〉（《中華英烈》1989年2期）、朱成甲〈李大釗與孫中山的護法鬥爭〉（《福建論壇》1989年3期）、杜超卓〈試論孫中山的人民〝四權〞、政府〝五權〞主張〉（《牡丹江師院學報》1989年3期）、潘君祥等〈論孫中山經濟思想的時代特徵〉（《新疆社會科學》1989年3期）、李時岳〈評關於孫中山早期政治思想的兩種新說〉（《史學集刊》1989年3期）、石彥陶〈黃興政權觀初探—兼析孫中山與黃興歧見彌合得失〉（《益陽師專學報》1989年3期）、鄭淑芳〈孫中山民主的、五權分立的共和國思想探析〉（《革命春秋》1989年3期）、王繼洲〈論孫中山〝以黨治國〞思想的演變與發展〉（《廣東社會科學》1989年3期）、楊振亞〈馬林與孫中山桂林會晤諸事析〉（《民國檔案》1989年3期）、陳三鵬〈孫中山與第二次東征〉（《廣東社會科學》1989年3期）、孫惠泉〈孫中山三次蒙難經過〉（《歷史教學》1989年3期）、張錦貴〈孫中山與中國近代化〉（《揚州師院學報》1989年4期）、姜平〈孫中山與中國民主憲政〉（《中學歷史》1989年4期）、韋杰廷〈孫中山與科學社會主義〉（《益陽師專學報》1989年4期）、婁振洲、黃保信〈論孫中山的國家統一思想〉（《史學月刊》1989年4期）、蕭洪壽〈孫中山先生的教育經濟思想〉（《教育論叢》1989年4期）、李淑蘭〈評孫中山的三次北京之行〉（《北京師院學報》1989年4期）、劉世永〈五四運動前後孫中山三民主義思想的發展〉(《河南大學學報》1989年4期)、陳德湜〈孫中山與五四運動〉(《貴州師大學報》1989年4期)、劉福增〈五四運動前後孫中山思想的發展與轉變〉(《河南大學學報》1989年4期)、虞崇勝〈孫中山與截留粵海關關餘的鬥爭〉(《廣州社會科學》1989年4期)、黃明同〈試論孫中山文化觀產生的歷史必然〉(同上)、張秀芳〈孫中山與營口港〉(《東北地方史研究》1989年4期)、雪山〈〝五·四〞時期的孫中山〉(《成都大學學報》1989年4期)、厚偉華〈孫中山先生與〝中華郵政〞之初〉(《民國檔案》1989年4期)、李興耕〈第二國際與孫中山〉(《河北師院學報》1989年4期)、王毅〈孫中山利用外貿振興中國的實業計劃根本不可能實現嗎?〉(《廣州社會科學》1989年4期)、石彥陶〈〝二次革命〞後孫黃關係辨析—黃興1914年6月復孫中山書讀後〉(《湖南師大社會科學學報》1989年5期)、石芳勤〈從孫中山探索救國道路的轉變看社會主義是中國的必由之路〉(《國防大學學報》1989年5期)、關捷〈孫中山團結聯合思想之形成〉(《社會科學研究》1985年5期)、耿雲志〈孫中山早期思想和活動的幾個問題〉(《歷史研究》1989年5期)、王友農〈試析1923年初孫中山驅陳復粵速勝的原因〉(《廣西黨校學報》1989年5期)、蕭致治〈治本于農:評孫中山的重農思想〉(《湖湘論壇》1989年5期)、盧文瑩〈孫中山的利用外資思想及其對今天的啟示〉(《山西財經學院學報》1989年6期)、陳曉和〈也談孫中山的生元説〉(《學術百家》1989年6期)、鄭學益〈論孫中山的開放主義〉(《北京大學學報》1989年6期)、許海泉〈略論護法運動中李烈鈞與孫中山的關係〉(《中學歷史教學》1989年6期)、朱文華

〈論孫中山的領袖意識〉(《黨校論壇》1989年8期)、叢樹〈孫中山權能分立的監察思想試説〉(《中國監察》1989年9期)、黄逸平、陸耀宗〈孫中山建立東方大港和改建上海港計劃述評〉(《學術月刊》1989年11期)、王持明〈十月革命與孫中山革命戰略思想的轉變〉(《歷史教學》1989年11期)、齊衛平〈近代中國資產階級的歷史困境—孫中山向西方學習的矛盾剖析〉(《江漢論壇》1989年12期)、袁志學〈孫中山的民生主義思想與馬克思主義科學社會主義〉(《西北師大學報》1989年增刊)、朱敏彥〈孫中山改組國民黨與共產國際的幫助〉(載《孫中山思想新探》,北京,檔案出版社,1989)、劉興華〈孫中山與農業改革〉(載《孫中山和他的時代—孫中山國際學術討論會文集》,北京,中華書局,1989)、劉學照〈論孫中山學習西方思想的演變〉(同上)。

李俊彥〈孫中山與第一次國共合作〉(《西北大學學報》1990年1期)、劉福增〈略論孫中山的中西文化觀〉(《史學月刊》1990年1期)、周林〈孫中山軍事思想淺論〉(《河南師大學報》1990年1期)、鍾康模〈孫中山〝以黨治國〞的思想及其作用〉(《嶺南學刊》1990年1期)、李海鏡、張秀婷〈論孫中山的治愚是治國之本思想〉(《河北大學學報》1990年1期)、趙加〈試論孫中山的〝五族共和〞〉(《中央民族學院學報》1990年1期)、張健〈孫中山的經濟發展學説〉(《開發研究》1990年1期)、蔣立文〈孫中山社會改革思想斷析〉(《長白學刊》1990年1期)、闞捷、闞偉〈孫中山團結聯合思想的發展與國共合作〉(《內蒙古民族師院學報》1990年1期)、周興樑〈關於孫中山1924年生平活動中幾件史實時間的補正〉(《廣東社會科學》1990年1期)、郭聖福〈孫中山在〝國共紛爭〞中對右派勢力的妥協〉(《華中師大學報》1990年1期)、佘齊昭〈孫中山手書山田良政碑文真偽辨〉(《廣東社會科學》1990年1期)、王業興〈孫中山與中國近代化行政管理格局的形成〉(《社會科學戰線》1990年1期)、李嘉谷〈孫中山及其領導的中國南方革命政府與蘇聯的關係〉(《蘇聯思想問題》1990年1-2期)、曹世敏〈孫中山對歐美文化聯合的幾個特點〉(《江海學刊》1990年2期)、劉曼容〈孫中山北上與其實行〝中央革命〞的設想〉(《廣州社會科學》1990年2期)、陳為民〈珍貴的遺產,寶貴的啟示:淺談孫中山的民生主義〉(《經濟學家》1990年2期)、韋杰廷〈孫中山民生主義的所有制結構〉(《長沙水電師院學報》1990年2期)及〈孫中山對資本主義的批判〉(《湖湘論壇》1990年2期)、宗成康〈論孫中山的一地起義各地響應的武裝起義戰略〉(《史學月刊》1990年2期)、石彥陶〈宋案前一年孫中山與黃興政見比較〉(《安徽史學》1990年2期)、孟慶春〈陳炯明叛變後孫中山思想狀況之分析〉(《民國檔案》1990年2期)、陳釗安〈民國時期孫中山與會黨關係研究〉(《歷史研究》1990年2期)、丁進軍〈記孫中山與載灃的兩次交往〉(《北京檔案史料》1990年2期)、尹全海〈論孫中山在武昌起義後〝先致力外交〞的選擇〉(《信陽師院學報》1990年2期)、吳龍章〈試論孫中山開發欽州灣的構想〉(《廣西黨校學報》1990年2期)、林家有〈孫中山與梁士詒〉(《近代史研究》1990年3期)、余承璞〈也論孫中山上書李鴻章〉(《湘潭大學學報》1990年3期)、朱坤泉〈孫中山一生的任職〉(《民國春秋》1990年3期)、周興樑〈試論孫中山〝聯俄、聯共、扶助農工〞政策的具體內涵〉(《中共黨史研究》1990年3期)、俞辛焞

〈孫中山對日態度再認識〉(《歷史研究》1990年3期)、余德仁〈孫中山對外開放思想的探討〉(《經濟研究》1990年3期)、沈茂駿〈孫中山民族主義的幾個問題〉(《華南師大學報》1990年3期)、鍾康模〈孫中山〝以黨治國〞的思想及其作用〉(《天津社會科學》1990年3期)、謝明仁〈孫中山的〝天下為公〞與廉政建設〉(《學術研究》1990年3期)、李時岳〈同盟會內部風潮與孫中山〉(《廣東社會科學》1990年3期)、尹全海〈孫中山對民元讓位的總結與檢討〉(《中州學刊》1990年3期)、郭聖福〈孫中山晚年並未放棄〝建國程序說〞〉(《爭鳴》1990年3期)、尚明軒〈柏文蔚與孫中山〉(《安徽史學》1990年3期)、吳傳煌〈評孫中山平均主義〉(《社會科學(甘肅)》1990年3期)、松本英紀著、王曉華譯〈中華革命黨與歐事研究會─第二次革命後孫文和黃興的革命觀〉(《民國檔案》1990年3期)、張圻福、朱坤泉〈孫中山〝黨內合作〞思想成因探析〉(《山東醫科大學學報》1990年3期)、邱捷〈再談關於孫中山的祖籍問題:兼答《孫中山是客家人,祖籍在紫金》一文〉(《中山大學學報》1990年3期)、魏希賢〈論孫中山不斷探索真理的革命精神〉(《陰山學刊》1990年3期)、張大乾〈試論孫中山思想體系中的社會主義傾向〉(《重慶教育學院學報》1990年3期)、石彥陶〈宋案後孫中山並非一貫主張武力倒袁〉(《近代史研究》1990年4期)、朱培民〈略論孫中山政治思想的基本特徵〉(《實事求是》1990年4期)、韋杰廷〈孫中山論〝社會主義之真髓〞〉(《湖南師大學報》1990年4期)、李華興〈孫中山對中國現代化的構想〉(《史林》1990年4期)、虞寶棠〈蔣介石與孫中山〉(《民國檔案》1990年4期)、宋曉來〈孫中山的建黨思想和實踐〉(《理論與改革》1990年4期)、魯廣錦〈論孫中山政黨組織建設思想的發展〉(《社會科學戰線》1990年4期)、張兆武〈孫中山對資本主義弊病的認識及其對現實的啟示〉(《山東醫科大學學報》1990年4期)、韋杰廷〈重新認識孫中山的〝耕者有其田〞思想〉(《益陽師專學報》1990年4期)、王參〈傳統儒學與孫中山的文化選擇〉(《廣東社會科學》1990年4期)、魏宏運〈1912年孫中山北上的追求〉(《民國檔案》1990年4期)、陳樹榮〈孫中山與澳門初探〉(《廣東社會科學》1990年4期)、石彥陶〈民初黃興與孫中山政黨觀及其實踐之比較〉(《湖南師大學報》1990年5期)、耿雲志〈孫中山與梁啟超關於中國現代化的選擇〉(《歷史研究》1990年5期)、韋杰廷〈孫中山的〝發達國家資本〞思想〉(《求索》1990年5期)、陳冠華〈孫中山與李大釗合影真偽考〉(《學術研究》1990年5期)、季雲飛〈孫中山五權憲法政治學說述論〉(《南京社會科學》1990年5期)、李宏生〈孫中山對太平天國的研究與認識〉(《山東師大學報》1990年5期)、丁振奎〈論孫中山早期民生主義思想〉(《南京社會科學》1990年5期)、吳龍章〈孫中山振興實業思想簡論〉(《社會科學探索》1990年5期)、胡繩玉〈孫中山和中國鐵路〉(《江西社會科學》1990年5期)、宋學文〈孫中山對西方民主政治的批判及其民權主義的發展〉(《中國人民大學學報》1990年6期)、陳錫祺〈孫中山亞洲觀論綱〉(《近代史研究》1990年6期)、趙連中〈試論孫中山的建國學說〉(《東北師大學報》1990年6期)、王景斌〈孫中山的均權主義與地方自治思想評析〉(同上)、蔣建農〈從孫中山到鄧演達—平均地權學說的歷史發展〉(《史學月刊》1990年6期)、唐志勇

〈孫中山對西方民主制度的認識〉（《山東師大學報》1990年6期）、邱捷〈孫中山上書李鴻章及策動李鴻章〝兩廣獨立〞新探〉（《中山大學學報叢刊》1990年7期）、彭鵬〈試論孫中山《大亞洲主義》演講的文化取向〉（同上）、樂正〈孫中山的理想與NICS的現代化現實—經濟發展戰略的思想比較〉（同上）、余齊昭〈孫中山與宋家交往中的若干史實考析〉（同上）、藤井升三〈辛亥革命時期有關孫文的資料—森恪關於〝滿洲問題〞的書信〉（《中山大學學報叢刊》1990年7期）、林家有〈中華民族的發展與民族精神的振興—論孫中山的民族發展觀〉（同上）、魯廣錦〈論孫中山黨政關係思想的演變〉（同上）、李吉奎〈試論孫中山的實業思想與日本的關係〉（同上）、段雲章〈孫中山與山東問題—兼探孫中山對日觀〉（同上）、桑兵〈試論孫中山的國際觀與亞洲觀〉（同上）、袁偉時〈從民權主義看孫中山思維方法的若干特點〉（《中山大學學報叢刊》1990年7期）、丁文華〈孫中山的民權思想及其特徵〉（同上）、山田辰雄〈在第一次國共合作形成過程中孫中山思想的變化與發展〉（同上）、湯銳祥〈1923年大本營重建前後孫中山與駐粵海軍〉（同上）、杜重年、栗學思〈孫中山重視國情的若干思想〉（《求實》1990年9期）。

段雲章〈孫中山與第一次世界大戰〉（《歷史研究》1991年1期）、李喜所〈孫中山與梁啟超〉（《天津師大學報》1991年1期）、李吉奎〈孫中山與外蒙問題〉（《社會科學戰線》1991年1期）、劉天純〈孫中山先生與中國近代化—紀念辛亥革命八十周年〉（《中國社會科學院研究生院學報》1991年1期）、曾憲林、朱丹〈試論二十年代初孫中山的兩次北伐〉(《江漢論壇》1991年1期)、李喜所〈孫中山與梁啟超〉(《天津師大學報》1991年1期)、紀乃旺〈試論孫中山的聯德活動〉(《南京大學學報》1991年1期)、丁旭光〈孫中山與廣東政權(1923-1925)內部關係簡析〉(《廣東社會科學》1991年1期)、湯志鈞〈孫中山和自立軍〉(《歷史研究》1991年1期)、蘇貴慶〈孫中山〝振興中華〞思想探析〉(《杭州師院學報》1991年1期)、吳雁南〈孫中山與傳統大同思想的基本終結—兼論孫中山的〝大同〞理想的一些可行性問題〉(《史學月刊》1991年1期)、李新安〈淺析孫中山的〝權能分工論〞〉(《孝感師專學報》1991年1期)、蔣立文〈孫中山社會改革思想的形成〉(《長春師院學報》1991年1期)、楊振亞〈孫中山在聯俄政策上的曲折論析〉(《南京大學學報》1991年1期)、郭德宏〈論孫中山的土地主張〉(《東疆學刊》1991年1-2期)、王杰〈孫中山、黃興心態比較研究〉(《貴州社會科學》1991年2期)、苑書義〈〝孫中山勸李鴻章革命〞說質疑〉(《歷史研究》1991年2期)、馬庚存〈孫中山與中華民族的辛亥覺醒〉(《聊城師院學報》1991年2期)、蔡澤華〈略論孫中山學習西方的基本原則及後期思想的重大變化〉(《長沙水電師院學報》1991年2期)、韋杰廷〈孫中山的〝節制私人資本〞思想〉(《貴州社會科學》1991年2期)、姜義華〈孫中山的民族主義與中國近代民族形成的進程〉(《近代史研究》1991年2期)、夏良才〈孫中山與基爾特社會主義〉(同上)、賈祥倫〈孫中山的社會主義思想與建國方略摭議〉(《荷澤師專學報》1991年2期)、黃國橋〈對孫中山〝聯共〞政策的再認識〉(《昆明師專學報》1991年2期)、龔書鐸、黃興濤〈孫中山與李大釗〉

(《史學月刊》1991年2期)、田雁〈關於孫中山文化思想演變的歷史考察與思考〉(《蘇州大學學報》1991年2期)、宋士堂〈試論孫中山對社會主義的探索—為紀念辛亥革命八十周年而作〉(《社會科學研究》1991年2期)、洪永珊、袁元龍〈孫中山民生主義的歷史地位:兼論金觀濤的〝烏托邦情結〞〉(《寧波大學學報》1991年2期)、唐錫林〈孫中山與列寧的革命友誼〉(《濟寧師專學報》1991年2期)、王耿雄〈孫中山給廖仲愷六十封信質疑〉(《民國檔案》1991年3期)、曾慶榴、王友農〈孫中山大元帥大本營述論〉(《近代史研究》1991年3期)、張仁木、嚮青〈舊三民主義與孫中山對國情的認識〉(《江西大學學報》1991年3期)、張海洋〈從《五權憲法》看孫中山對中國政體的設想〉(《寧夏教育學院銀川師專學報》1991年3期)、孫教川〈論孫中山民族主義思想的產生和發展〉(《蘭州學刊》1991年3期)、汲庭運〈孫中山戰爭觀述評〉(《山東師大學報》1991年3期)、顧衛民〈先行者的苦衷—孫中山辭去大總統職位原因析〉(《上海教育學院學報》1991年3期)、田玄、季鵬〈孫中山〝亞細亞〞思想述論〉(《民國檔案》1991年3期)、張振朝〈孫中山改組國民黨主觀原因淺析〉(《昭烏達盟師專學報》1991年3期)、蕭君和〈論孫中山的國家統一思想:紀念辛亥革命80周年〉(《貴州文史叢刊》1991年3期)、劉泳唐〈孫中山給席正銘的信〉(同上)、劉學俠〈馬林與孫中山及其國民黨〉(《北京大學研究生學刊》1991年3、4期)、何汝璧〈辛亥革命時期孫中山與法國〉(《陝西師大學報》1991年4期)、黎明〈孫中山關於中華革命的階段論〉(《淮海論壇》1991年4期)、吳廷棟〈孫中山的中西文化觀〉(《貴州大學學報》1991年4期)、翁有為〈孫中山鐵路建設思想初探〉（《河南大學學報》1991年4期）、段雲章〈評1913年孫中山訪日〉（《近代史研究》1991年4期）、劉曼容〈1924年孫中山北上與日本的關係〉（《歷史研究》1991年4期）、陳錫祺〈孫中山對中國在未來世界中地位的構想〉（《中山大學學報》1991年4期）、伊原澤周〈孫中山的平均地權論與宮崎寅藏的土地均享思想〉（《歷史研究》1991年4期）、鄧新華〈1895：孫中山民族主義的形成〉（《湖南師大學報》1991年4期）、王民〈論孫中山與近代福建資產階級革命黨〉（《福建論壇》1991年4期）、蕭學信〈孫中山關於經濟建設的設想〉（《廈門大學學報》1991年4期）、黃明同〈孫中山經濟建設思想的特色－兼論孫中山對未年時代的構想〉（《廣東社會科學》1991年4期）、林家有〈論孫中山鐵路建設的思想和主張〉（《近代史研究》1991年5期）、張海鵬〈孫中山社會主義思想研究評說〉（《歷史研究》1991年5期）、馬力〈略論孫中山在辛亥革命時期的偉大歷史功蹟〉（《西安政治學院學報》1991年5期）、王業興〈試論孫中山對中國國情的認識〉（《社會科學研究》1991年5期）、李殿元〈從新發現的電函看孫中山晚年的奮鬥〉（《文史雜志》1991年5期）、陳梅龍〈試論孫中山與第一次國共合作〉（《江海學刊》1991年5期）、劉曉寧〈孫中山早期的統一戰線思想和實踐〉（同上）、宋士堂〈孫中山19世紀末對社會主義的求索〉（《北方論述》1991年5期）、韋杰廷〈辨孫中山的民主主義不是社會主義〉（《湖南師大學報》1991年5期）、季雲飛〈孫中山〝裁兵救國〞論述〉（《爭鳴》1991年5期）、周岩廈〈孫中山的僑務主張與國民黨的僑務政策〉（《浙江學刊》1991年5期）、李天松〈淺談孫中山領導的中華革命黨及其在護國運動中的歷史地位〉（《武漢大學學報》1991年5期）、劉彤、邵德門〈孫中山外交思想簡論〉（《東北師大學報》1991年5期）、周彥〈南北和議與孫中山讓位問題之我見〉（《學習與探索》1991年5期）、王中茂〈論武昌起義前孫中山在同盟會整頓和建設方面的得失〉（《史學月刊》1991年5期）、張惠昌〈孫中山對四川革命志士的培育〉（《文史雜志》1991年5期）、胡顯中〈對孫中山早期土地思想的再認識—《孫中山外集》披露一則史料讀後〉（《學術月刊》1991年6期）、馮祖貽〈孫中山建黨思想發展的重要一頁—中華革命黨時期〉（《貴州社會科學》1991年6期）、王功安〈孫中山愛國主義思想的發展及其特點〉（《湖北社會科學》1991年8期）、吳國林〈試論孫中山〝五權分立〞的憲法思想〉（《貴州社會科學》1991年8期）、張倍磊、馬海濱〈孫中山農業近代化思想淺論〉（《河南大學學報》1991年8期）、姚家華〈述評孫中山的民生主義〉（《財經研究》1991年9期）、陳錫祺〈孫中山對中國在未來世界中地位的構想〉（《同舟共進》1991年10期）、王杰〈論孫中山的政治文化取向〉（《華中師大學報》1991年增刊）、鄭韶〈孫中山現代化理想的命運〉（《近代中國》第1輯，上海社會科學院出版社，1991年4月）、胡寄富〈對孫中山的中國現代化戰略思想的再認識〉（同上）、王志平〈世界潮流與中國進步—孫中山與對外開放〉（同上）、潘君祥〈略論孫中山中國經濟現代化思想的特徵〉（同上）、姜義華〈孫中山的《實業計劃》戰略構想析評〉（《近代中國》第1輯，1991年4月）、葉世昌〈《實業計劃》—近代中國現代化思想的重要里程碑〉（同上）、沈渭濱〈〝交通為實業之母—孫中山交通思想初探〉（同上）、楊立強、戴鞍鋼〈孫中山推進長江流域經濟發展的構想〉(同上)、劉楓〈孫中山開發上海為東方大港的宏偉計劃〉(同上)、丁日初〈孫逸仙學說的啟示與海峽兩岸的發展和統一〉(《近代中國》第2輯,上海社會科學出版社,1991年11月)、林其錟〈孫中山〝建設一大中華民族〞的理想與廿一世紀華族的團結和聯合〉(同上)、中村哲夫〈孫文的經濟學說試論〉(同上)、齊衛平〈孫中山向西方尋找真理途程的歷史考察〉(《近代中國》第2輯,1991年11月)、戴鞍鋼〈孫中山與〝關餘〞之爭〉(同上)、郭世佑〈孫中山、黃興關係再評價〉(同上)。

俞辛焞〈孫中山圖片考〉(《近代史研究》1992年1期)、尚明軒〈孫中山與民初國民黨〉(同上)、陸建洪〈試論孫中山的地方自治思想〉(《華東師大學報》1992年1期)、孫邦華〈〝五四〞前後:孫中山對日觀的轉折點—兼與俞辛焞先生商榷〉(同上)、袁成亮〈試論孫中山與馮玉祥北京政變〉(《蘇州大學學報》1992年1期)、徐蘭〈論孫中山舊民族主義向新民族主義的發展〉(《鹽城師專學報》1992年1期)、陳俊民〈孫中山大同理想的終極關懷〉(《浙江大學學報》1992年1期)、徐紅專〈孫中山的國家結構思想及其對於實現祖國統一的意義〉(《溫州論壇》1992年1期)及〈孫中山的國家結構思想與祖國統一〉(《廣東社會科學》1992年1期)、劉鳳林〈淺談孫中山的貨幣思想〉(《中國錢幣》1992年1期)、湯志鈞〈自立軍起義前後的孫康關係及其他—新加坡丘菽園家藏資料評析〉(《近代史研究》1992年2期)、尹全海〈孫中山所提〝先民〞究竟指誰〉(《爭鳴》1992年2期)、王業興〈試論孫中山的行政道德觀〉(《學術界》1992年2期)、李永順

〈孫中山與雲南辛亥革命〉（《雲南師大學報》1992年2期）、孫石煌、張翠娥〈試論孫中山的《大亞洲主義》〉（《廣東社會科學》1992年2期）、文昌〈記錄孫中山維護國共合作的珍貴史料〉（《黨的文獻》1992年2期）、楊金升、王永祥〈孫中山五權憲法學說探析〉（《史學月刊》1992年2期）、李建忠、何龍群〈辛亥革命前孫中山對國情的認識及其影響〉（《學術論壇》1992年2期）、嚴如平〈孫中山民初廉政思想與實踐〉（《民國春秋》1992年2期）、林增平〈孫黃交誼與辛亥革命〉（《湖南師大社會科學學報》1992年3期）、蔣順興、杜裕根〈孫中山華僑政策思想初探〉（《江海學刊》1992年3期）、張磊〈試論孫中山理論與實踐的普遍意義〉（《廣東社會科學》1992年3期）、李殿元〈論孫中山〝聯共〞政策的思想基礎〉（《天府新論》1992年3期）、李乃義〈淺析孫中山聯俄思想的形成〉（《河南師大學報》1992年3期）、唐文權〈關於孫中山新三民主義向傳統政治文化歸攏趨向的若干考察〉（《蘇州大學學報》1992年3期）、吳福生〈從國民黨的改組看孫中山的黨務工作〉（《江西社會科學》1992年3期）、饒珍芳〈孫中山在廣東領導武裝起義原因探析〉（《華南師大學報》1992年3期）、陳景良〈《五五憲草》與孫中山的憲法精神〉（《民國檔案》1992年3期）、張琢〈中國早期現代化向制度、文化層的推進和孫中山的發展藍圖〉（《社會學研究》1992年3期）、朱少軍〈孫中山的國家觀與辛亥革命的失敗〉（《爭鳴》1992年4期）、孫占元〈孫中山大同思想綜論〉（《山東社會科學》1992年4期）、邵和平〈試論五四運動前後的孫中山〉（《河北師大學報》1992年4期）、田海林〈論孫中山宗教思想的特點〉（《河南大學學報》1992年4期）、朱慶葆

〈孫中山文化思想演變的歷史考察〉(《江蘇社會科學》1992年4期)、宋德華〈論孫中山與康梁派合作的嘗試及其失敗原因〉(《廣東社會科學》1992年4期)、劉遐齡著、張天譯〈論孫中山新法律觀念中的社會服務理論〉(《寧夏社會科學》1992年4期)、鄭永福、田海林〈孫中山與基督教〉(《河南師大學報》1992年4期)、夏良才〈孫中山的國家觀與歐洲〝主權國家〞學派〉(《近代史研究》1992年5期)、王耿雄〈上海租界當局嚴密監視孫中山的活動〉(《民國春秋》1992年5期)、喻樹良〈孫中山農業經濟思想述評〉(《經濟問題探索》1992年5期)、周志強〈孫中山〝平均地權〞與〝耕者有其田〞新論〉(《遼寧師大學報》1992年5期)、楊天宏〈孫中山〝土地國有〞思想內涵辨〉(《四川師大學報》1992年6期)、郭鐵莊〈孫中山教育思想活動述論〉(《遼寧師大學報》1992年6期)、張曉丹〈試論孫中山的自然科學觀〉(《江漢論壇》1992年6期)、胡波〈嶺南文化與孫中山〉(《中山大學學報論叢》第9期,1992)、中村哲夫〈試論孫文與美國經濟〉(同上)、李吉奎〈孫中山與國內上層知識分子—以汪康年資料為中心〉(同上)、林家有〈關於孫中山對新文化運動態度的探討—兼論孫中山與陳獨秀文化思想的異同〉(同上)、蘇梅珠〈孫中山的〝民生主義〞與科學社會主義〉(《中山大學學報論叢》第9期,1992)、李玉剛〈孫中山接受俄國革命影響問題再研究〉(同上)、横山宏章〈孫中山的軍事戰略—邊疆革命與中央革命的比較〉(同上)、吳熙釗〈孫中山在廣東建立革命根據地的三次戰略決策及其歷史作用〉(同上)、史扶鄰著、高申鵬譯〈孫中山的早期土地政策—〝平均地權〞的起源與意義〉(《中山大學學報論叢》第9期，1992）、溫樂群〈孫中山改造舊風俗建設新風俗思想初探〉（《歷史教學》1992年9期）、曾景忠〈對孫中山民生主義的幾點思考—兼評韋杰廷著《孫中山民生主義新探》〉（同上，1992年12期）、蘇貴慶〈簡評孫中山〝振興中華〞的建設藍圖〉（載《孫中山研究—紀念孫中山誕辰120周年學術討論會文選》，石家莊，河北人民出版社，1992）、李吉奎〈1924年孫中山北上訪日史料新證〉（《中山大學史學集刊》第1集，廣東人民出版社，1992）。

李殿元〈論孫中山對〝聯共〞政策的表述〉（《四川師大學報》1993年1期）、曾漢生〈論孫中山的資產階級經濟綱領：民生主義〉（《江漢大學學報》1993年1期）、趙洪寶〈孫中山軍事教育思想與實踐〉（《軍事歷史》1993年1期）、劉世文〈孫中山法律思想〉（《遼寧大學學報》1993年1期）、李天錫〈試述孫中山對黃乃裳的影響〉（《華僑大學學報》1993年1期）、李曉榕〈孫中山護法述說〉（《九江師專學報》1993年1期）、古賢〈也談孫中山逝世的謠言及其反響〉（《嶺南文史》1993年1期）、黃義群〈孫中山籌設廣東大學〉（《歷史大觀園》1993年1期）、陳忠〈孫中山籌建上海交易所〉（同上）、謝本書〈孫中山與刀安仁〉（《雲南民族學院學報》1993年1期）、趙金鵬〈論孫中山喚起民眾的革命行動〉（《石油大學學報》1993年1期）、高綱博文著、邵力群譯〈孫中山的對外戰略論：以《中國存亡問題》為中心〉（《史林》1993年1期）、劉知峰〈同期中華之強大：毛澤東、孫中山革命觀之比較〉（《黨史縱橫》1993年2期）、王宏斌〈孫中山論中國近代毒品問題〉（《民國檔案》1993年2期）、宋剛剛、陳錫寶〈程家檉與孫中山〉（《安徽史學》1993年2期）、劉建國〈孫中山對封建迷信的批判〉(《文史雜志》1993年2期)、李國忠、王永祥〈孫中山五權憲法思想內涵辨析〉(《南開學報》1993年2期)、行龍〈孫中山人口思想評析〉(《山西大學學報》1993年2期)、石芳勤〈孫中山的實業計劃〉(《海峽科技交流研究》1993年2期)、段雲章〈1923年後孫中山與日本的關係〉(《歷史研究》1993年2期)、曹立前〈孫中山會見馮玉祥質疑〉(《山東師大學報》1993年2期)、郭玉林〈孫中山〝公僕〞思想舉要〉(《學海》1993年2期)、王宏斌〈孫中山論中國近代毒品問題〉(《民國檔案》1993年2期)、劉曼容〈1924年孫中山北上的幾個問題〉(《近代史研究》1993年3期)、劉振嵐〈關於孫中山的幾次討袁檄文和宣文辨析—訂正《第二次討袁宣言》的傳訛〉(同上)、張海鵬〈孫中山〝社會革命説〞正義〉(同上)、關曉虹〈一個影響辛亥革命進程的偶然性因素—關於武昌起義後孫中山推遲回國的決定〉(同上)、黃彥〈社會主義現實與孫中山的社會主義思想〉(《廣東社會科學》1993年3期)、鍾卓安〈從《李鴻章書》到《實業計劃》—孫中山追求中國近代化的努力〉(同上)、苑書義〈孫中山設計的農業近代化模式〉(《近代史研究》1993年3期)、譚文鳳〈孫中山和他的老師康德黎〉(《安徽史學》1993年3期)、王榮科、王先俊〈論孫中山利用外資思想和主張〉(《安徽教育學院學報》1993年3期)、葛榮晉〈孫中山對中國哲學的歷史貢獻〉(《甘肅社會科學》1993年3期)、翟國璋〈孫中山的《實業計劃》與對外開放〉(《晉陽學刊》1993年3期)、魯廣錦〈孫中山研究的新進展:《孫中山政治學説研究》評介〉(《東北師大學報》1993年3期)、古賢〈孫中山的暫緩設立正式政府〉(《近代史研究》1993年4期)、俞辛焞〈孫中山的反帝鬥爭策略—以關餘、商團事件為中心〉（《南開學報》1993年4期）、李妙根〈孫中山的軍事倫理思想概述〉（《軍事歷史研究》1993年4期）、周興樑〈論孫中山〝聯共〞的思想〉（《中共黨史研究》1993年4期）、李錦旺〈試論辛亥革命時期孫中山的愛國觀〉（《暨南學報》1993年4期）、朱正生〈也談孫中山與〝興中會〞〉（《近代史研究》1993年4期）、陳劍安〈孫中山與廣東幫會三傑——個〝和而不同〞的個案研究〉（同上）、趙春晨〈論孫中山的宗教信仰與文化取向〉（《汕頭大學學報》1993年4期）、耿雲志〈孫中山憲法思想芻議〉（《歷史研究》1993年4期）、鄭以靈〈孫中山振興實業經濟思想淺析〉（《中國社會經濟史研究》1993年4期）、陶季邑〈孫中山社會主義思想對毛澤東的影響〉（《貴州師大學報》1993年4期）、李國中、王永祥〈論孫中山政黨觀的演進〉（《歷史教學》1993年4期）、丁言謨〈瞿秋白與孫中山〉（《長沙水電師院社會科學學報》1993年4期）、嚴昌洪〈從救世、救人到救國—孫中山博愛觀初探〉（《華中師大學報》1993年4期）、馬烈〈孫中山宗教思想研究〉（《江蘇教育學院學報》1993年4期）、葉秀峰〈試論孫中山的〝以黨治國〞思想〉（《廣東社會科學》1993年5期）、王列平〈評述中共對孫中山北上態度的演變〉（《黨史研究資料》1993年5期）、魯廣錦〈孫中山與民初西方政體的移植〉（《社會科學戰線》1993年5期）、王業興〈論孫中山的民本思想〉（《近代史研究》1993年5期）、劉興華〈略論孫中山反封建思想的演變〉（《北方論叢》1993年5期）、湯照連、郭小東〈論孫中山的發展經濟思想〉（《河南師大學報》1993年5期）、鄭焰〈孫中山經濟思想淺析〉（《撫順社會科學》1993年5期）、鄭淑芬〈孫中山利用外資進行建設思想初論〉（《革命春秋》1993年5期）、周彥〈孫中山與近代中日關係〉（《學習與探索》1993年5期）、汲廣運〈論孫中山的戰、和思想〉（《山東師大學報》1993年5期）、徐輝琪〈略論孫中山與民初政黨政治〉（《近代史研究》1993年6期）、王洪玉等〈孫中山建立共和制實踐芻議〉（《龍江社會科學》1993年6期）、應克復〈孫中山對權力制約理論的卓越貢獻〉（《學海》1993年6期）、孫映江〈孫中山利用外資思想研究〉（《河北財經學院學報》1993年6期）、王繼洲、項來業〈孫中山政黨思想的形成〉（《歷史教學》1993年8期）、彭大雍〈孫中山與〝洪門〞關係新探〉（同上，1993年11期）。

張敬讓〈論孫中山的人民民主思想〉（《安慶師院學報》1994年1期）、韋新德〈孫中山國防經濟思想略論〉（《中國社會經濟史研究》1994年1期）、邱久榮〈試析孫中山的民族主義與民族觀念〉（《中央民族大學學報》1994年1期）、方立夫〈孫中山文化觀述評〉（《學術研究》1994年1期）、姜義華〈論《孫文學說》人文精神的新構建〉（《學術月刊》1994年1期）、譚群玉〈論孫中山開發廣西的思想主張〉（《廣西社會科學》1994年1期）、張繼良〈孫中山與毛澤東人民觀比較論略〉（《河北大學學報》1994年1期）、盧亞東〈取法乎上，為我所用一論孫中山向西方學習的特點〉（《齊齊哈爾師院學報》1994年1期）、鄭則民〈孫中山同蘇俄關係的建立與發展〉（《北京檔案史料》1994年1期）、侯建〈孫中山與新加坡〉（《文史雜志》1994年1期）、王寅城〈孫中山與香港〉（《今日港澳》1994年1期）、段雲章〈孫中山與亞洲民族力量的統合〉（《雲南學術探索》1994年1期）、陶水木〈也談中共對孫中山北上態度的演變〉（《黨史研究資料》1994年1期）、石彥陶〈孫中山、黃興對〝宋案〞態度之比較再研究〉（《益陽師專學報》1994年1期）、林啟彥〈孫中山論政黨政治〉（《近代史研究》1994年2期）、王永祥、李國忠〈孫中山〝以黨治國〞論初探〉（《史學月刊》1994年2期）、吳效馬〈孫中山在近代中國文化轉型中的新探索〉（《貴州師大學報》1994年2期）、謝曉鵬〈蔣介石與孫中山訓政思想之比較〉（《史學月刊》1994年2期）、朱德新〈孫中山〝主權在民〞思想的演變〉（《學術論壇》1994年2期）、李永倫〈論孫中山的民生主義〉（《雲南學術探索》1994年2期）、王玉祥〈孫中山政治近代化思想評析〉（《歷史檔案》1994年2期）、董四代〈論孫中山社會主義思想的屬性、特徵和意義－兼與黃彥同志商榷〉（《廣東社會科學》1994年2期）、陶季邑〈孫中山對國情的探索〉（《海南師大學報》1994年2期）、張雲〈論孫中山的軍事教育思想〉（《軍事歷史研究》1994年2期）、馮祖貽〈從馬克思的〝超越〞論看孫中山的〝避免〞論〉（《貴州社會科學》1994年2期）、宋戈〈試論孫中山與宋慶齡研究〉（《社會科學研究》1994年2期）、李吉奎〈論孫中山晚年的儒學觀〉（《中山大學學報》1994年3期）、孫欲聲〈論孫中山晚年的政治思想〉（《青海民族學院學報》1994年3期）、王業興〈論孫中山的政黨思想〉（《學術界》1994年3期）、江秀平〈宏觀的理想主義與程序的現實主義－對孫中山民權主義政體設計的探析〉（《廈門大學學報》1994年3期）、葉昌友〈孫中山聯俄思想的發展過程〉（《安慶師院學報》1994年3期）、尚明軒〈孫中山與日本的幾個問題〉（《貴州社會科學》1994年3期）及〈孫中山與香港〉（《天津社會科學》1994年3期）、莫世祥〈《香港華字日報》中的孫中山軼文研究〉(《近代史研究》1994年3期)、王耿雄選編《孫中山在永豐艦上親躬理財史料〉(《歷史檔案》1994年3、4期)、張繼良、梁曉惠〈孫中山與毛澤東民生主義經濟思想比較〉(《毛澤東研究》1994年3期)、井樺〈毛澤東與孫中山的三民主義〉(《齊魯學刊》1994年3期)、陳金龍〈毛澤東與孫中山的節制資本思想〉(《毛澤東思想論壇》1994年4期)、黃義祥〈孫中山創辦國立廣東大學的功績〉(《中山大學學報》1994年4期)、高鯤〈評孫中山關於民生主義與社會主義關係的論述〉(《中國人民大學學報》1994年4期)、吳光〈論孫中山《建國方略》對中國現代化的啟示〉(《浙江大學學報》1994年4期)、李本義、湯秀菊〈論孫中山的建漢方略〉(《湖北大學學報》1994年4期)、安祖朝〈孫中山和兩個文明建設並舉的理論〉(《甘肅社會科學》1994年4期)、韓昱〈孫中山對民族精神的反思和重構〉(《史學月刊》1994年4期)、李華興、張無隆〈孫中山的教育思想〉(《上海師大學報》1994年4期)、王逍〈孫中山自由平等觀的歷史演變〉(《浙江大學學報》1994年4期)、劉富書〈孫中山與軍閥〉(《民國檔案》1994年4期)、王永祥、李國忠〈孫中山五權憲法思想評價新論〉(《南開學報》1994年4期)、周興樑〈孫中山思想活動的新史料—孫中山民國元年巡視大江南北的八篇佚文〉(《社會科學(上海)》1994年4期)、楊學東〈論孫中山的〝以人就法〞原則—兼論孫中山辭職、讓權的思想原因〉(《湘潭大學學報》1994年4期)、戚其章〈甲午戰爭與孫中山革命思想的形成〉(《社會科學戰線》1994年4期)、劉貞曄〈孫中山民生主義經濟綱領與鄧小平社會主義市場經濟理論之比較〉(《學術論壇》1994年5期）、傅炳旭〈孫中山教育思想述論〉（《東岳論叢》1994年5期）、張珏〈宋慶齡生前談孫中山〉（《黨的文獻》1994年5期）、姚金果〈《孫文越飛宣言》評析〉（《長白學刊》1994年5期）、孫占元〈論護國與護法運動中的孫中山－兼論護國護法運動的領導者和護國護法運動的作用問題〉（《山東大學學報》1994年5期）、曹德貴〈評孫中山關於民生主義和共產主義關係的論述〉（《史學月刊》1994年6期）、林家有〈試論孫中山振興中國商業的經濟思想及其演變〉（《近代史研究》1994年6期）、李玉剛〈孫中山對俄國二月革命和十月革命的反應〉（《歷史研究》1994年6期）、陶季邑〈也談孫中山〝社會革命〞説－和張海鵬先生商榷〉（《學術研究》1994年6期）、季雲飛〈孫中山與蔣介石關係述論〉（《江海學刊》1994年6期）、余德新〈孫中山〝主權在民〞的思想演變〉（《學術論壇》1994年6期）、胡秀勤、陳金龍〈毛澤東與孫中山戰爭觀之比較〉（《文史雜志》1994年6期）、陳鐵健、黃道炫〈重論蔣介石與孫中山的關係〉（載張憲文主編《民國研究》第1輯，1994）、林家有〈試論孫中山振興中日商業的經濟思想及其演變〉（同上）。

黃慧錦〈略論孫中山先生工業化思想精華：兼論開發建設廣西欽州港〉（《廣西師院學報》1995年1期）、張連紅〈孫中山爭取馮玉祥加入國民革命的內幕〉（《民國春秋》1995年1期）、蔡鴻源、楊靈靈〈孫中山的《實業計劃》及開拓大西北的戰略思想〉（《江蘇歷史檔案》1995年1期）、朱馥生〈孫中山《實業計劃》的鐵道建設部分與湯壽潛《東南鐵道大計劃》的比較〉（《民國檔案》1995年1期）、陳金龍〈毛澤東與孫中山經濟發展思想之比較〉(《毛澤東思想研究》1995年1期)、丁伯江〈孫中山早期思想散論〉(《紹興師專學報》1995年1期)、韓玉德〈孫中山對儒學的改造及其史鑒〉(《青島大學師範學院學報》1995年1期)、閻樹恆〈論孫中山的新三民主義與國共兩黨的關係〉(《蒲嶺學刊》1995年1期)、朱之江〈孫中山廢約思想之局限性〉(《安徽史學》1995年1期)、唐上意〈近代中華民族凝聚力與孫中山的民族主義〉(《廣東民族學院學報》1995年1期)、張磊〈深化與拓展孫中山研究〉(《文史哲》1995年1期)、羅福惠〈略論孫逸仙先生的倫理道德思想〉(《辛亥革命研究動態》1995年1期)、蕭致治〈也談孫中山的晚年思想〉(同上)、邵德門〈孫中山的精神文明建設論〉(《東北師大學報》1995年1期)、趙金敏〈《孫宋婚姻誓言約書》鑒定始末〉(《文物天地》1995年1期)、宋貴林〈孫中山在1917年護法運動中的革命活動及其思想的發展〉(《韶關大學學報》1995年1期)、狹間直樹〈武漢時期國共兩黨關係與孫中山思想〉(《近代史研究》1995年1期)、趙立人〈孫中山與許雪秋〉(同上)、陸炎〈論孫中山的文化思想〉(《中州學刊》1995年1期)、祁州〈馮玉祥與孫中山的交往〉(《北京檔案史料》1995年1期)、王力平〈從孫中山民族革命實踐的悲劇意識看近代民族凝聚力的思想誤區〉(《暨南學報》1995年1期)、蔣懿菊〈論孫中山〝天下為公〞的思想〉(《社會科學研究》1995年2期)、俞辛焞〈孫日關係矛盾論〉(《近代史研究》1995年2期)、孫映紅〈孫中山的公僕思想〉(《社會科學論壇》1995年2期)、張星煒著、唐永進校〈民主政治:孫中山民權主義思想之精華〉(《天府新論》1995年2期)、李華興〈孫中山民生主義思想剖析〉(《上海社會科學院學術季刊》1995年2期)、賓長初〈章太炎與孫中山為何由合作走向分裂〉(《河北學刊》1995年2期)、蕭萬源〈孫中山學説與儒家思想〉(《甘肅社會科學》1995年2期)、陶季邑〈孫中山對西方資本主義的認識〉(《貴州師大學報》1995年2期)、李滿春〈孫中山對婦女運動的重視〉(《四川師院學報》1995年2期)、譚文鳳〈孫中山與康德黎〉(《歷史教學》1995年2期)、楊旭民〈孫中山的社會主義觀與三大政策〉(《人文雜志》1995年2期)、李益然〈孫中山振興中國實業的歷史經驗〉(《蘇州大學學報》1995年2期)、段治文〈論孫中山的科學文化觀及其歷史特色〉(《浙江大學學報》1995年2期)、張振朝〈孫中山容共政策新探〉(《安徽史學》1995年2期)、趙靖〈孫中山和中國發展之路〉(《經濟學家》1995年2期)、陶季邑〈孫中山的社會發展戰略〉(《暨南學報》1995年3期)、王永祥、李國忠〈孫中山的訓政構想與南京國民政府的訓政體制〉(《南開學報》1995年3期)、朱小玲〈孫中山與中國農民〉(《南京師大學報》1995年3期)、陳衛民〈孫中山與早期廣州工人運動〉(《史林》1995年3期)、劉曼容〈關於孫中山與國民革命研究如何深入的若干問題〉(《廣東社會科學》1995年3期)、敖光旭〈論孫中山與二次北伐—兼對有關問題提出商榷〉(同上)、黃宇和〈微觀研究孫中山芻議〉(《近代史研究》1995年3期)、桑兵〈孫中山與傳統文化三題〉(同上)、劉高葆、柏峰、周元〈讀《孫中山詳傳》後的一些看法〉(同上)、陳瑞雲〈孫中山以黨治國思想初探〉(《吉林大學社會科學學報》1995年3期)、李侃、李占領〈護國時期的唐繼堯與孫中山、梁啟超〉(《民國檔案》1995年3期)、袁新琳〈略論孫中山與民國初年的銀行建設〉(《安徽史學》1995年3期)及〈民元時期孫中山銀行建設思想初探〉(《中州學刊》1995年3期)、王永祥、李國忠〈孫中山訓政構想與南京國民政府的訓政體制〉(《南開學報》1995年3期)、韋杰廷〈略論孫中山民權主義思想的歷史地位〉(《湖南師大社會科學學報》1995年4期)、唐自斌〈孫中山〝五權憲法〞思想新論〉(同上)、王國宇〈孫中山對中國傳統文化的揚與棄〉(《衡陽師專學報》1995年4期)、朱生華〈孫中山與《民報》〉(《江漢大學學報》1995年4期)、王中茂、王振國〈1894-1911年孫中山的籌款活動〉(《鄭州大學學報》1995年4期)、龔咏梅〈孫中山的監察理論及其實踐〉(《蘇州大學學報》1995年4期)、朱小玲〈論孫中山的愛國主義〉(《鹽城師專學報》1995年4期)、聶治本〈孫中山的民族主義積極目標試析〉(《中央民族學院學報》1995年4期)、陳德諟〈孫中山與李大釗的革命友誼〉(《貴州師大學報》1995年4期)、嚴驊〈孫中山〝五權分立〞思想及其在中國的命運〉(《鹽城師專學報》1995年4期)、金希教〈韓國的孫中山研究動向〉(《近代中國》第5輯,1995)、陶季邑〈孫中山與尼赫魯的社會主義思想之比較〉(《貴州社會科學》1995年5期)、石源華〈重評孫中山會見韓國臨時政府專使申圭植〉(《復旦學報》1995年5期)、胡波〈嶺南文化與孫中山的思想模式〉(《學術研究》1995年5期)、石陶彥、石勝文〈孫中山對〝宋案〞處置態度演變蠡測〉(《社會科學戰線》1995年6期)、王先俊、惠中〈論孫中山對中國經濟發展的戰略構想〉(《安徽大學學報》1995年6期)、張永斌、竇重山〈試探孫中山的民生主義與國情觀〉(《遼寧大學學報》1995年6期)、成紅〈孫中山的中國傳統政治思想觀初探〉

（《學海》1995年6期）、蔣兆年〈孫中山的倫理思想新論〉（同上）、周興樑〈孫中山與西方基督教〉（《文史哲》1995年6期）、蕭萬源〈簡析孫中山的心性文明思想〉（《近代史研究》1995年6期）、石彥陶〈孫中山黃興比較研究：意識形態兩例駁難〉（《史學月刊》1995年6期）、敖光旭〈論孫中山在1924下半年的是是非非〉（《近代史研究》1995年6期）、陳先初〈孫中山政黨政治論新析〉（《湖南師大社會科學學報》1995年6期）、王小滿〈孫中山與美洲致公堂〉（《學習》1995年8期）、楊萬秀〈孫中山對外開放思想與廣州建設現代化國際大都市〉（《開放時代》1995年9期）、段春秀〈孫中山中國現代化思想初探〉（《發展研究》1995年10期）、葉世昌〈孫中山的經濟發展戰略思想〉（《學術月刊》1995年12期）、黃彥〈論孫中山的的愛國主義思想〉（載張憲文主編《民國研究》第2輯，1995）、王永祥〈孫中山五權憲法論政體模式辨析〉（同上）、金希教〈韓國的孫中山研究動向〉（《近代中國》第5輯，上海社會科學院出版社，1995年6月）。

苑書義〈論孫中山的洋務觀〉（《河北學刊》1996年1期）、張顯菊〈孫中山與青年學生〉（《內蒙古民族師院學報》1996年1期）及〈孫中山與辛亥革命時期婦女愛國運動〉（《呼蘭師專學報》1996年1期）、朱小玲〈孫中山國民心理建設思想初探〉（《南京師大學報》1996年1期）、覃啟勛〈福澤諭吉與孫中山改良思想比較研究〉（《武漢大學學報》1996年1期）、余宏模〈孫中山與彝族辛亥革命志士余健光〉（《貴州民族研究》1996年1期）、張廣文〈試論孫中山的民生主義與當今的改革開放〉（《吉首大學學報》1996年1期）、呂崇明、陳金龍〈毛澤東與孫中山教育思想之比較〉

（《新疆大學學報》1996年1期）、張同新〈孫中山第三次到北京〉（《北京檔案史料》1996年1期）、任一鳴〈論孫中山的運輸大通道系統思想〉（《市場經濟研究》1996年1期）、江波〈孫中山民權思想述略〉（《黨史研究與教學》1996年1期）、陶用舒〈辛亥革命後的孫中山、黃興、宋教仁〉（《雲夢學刊》1996年1期）、楊蕾〈簡論孫中山的對外開放思想〉（《學術界》1996年1期）、嚴興文〈1924年孫中山誓師北伐淺論〉（《韶關大學學報》1996年1期）、周可真〈試論孫中山的人文主義精神〉（《蘇州大學學報》1996年1期）、楊波〈孫中山讓位給袁世凱的原因探析〉（《中南民族學院學報》1996年2期）、鄧輝〈辛亥革命時期孫中山的民族統一思想〉（同上）、雲乃慶〈孫中山區域經濟思想初探〉（同上）、黃成授〈論護法運動中陸榮廷與孫中山的關係〉（《廣西民族學院學報》1996年2期）、胡瑞華〈孫中山與中國傳統文化〉（《陝西師大學報》1996年2期）、李益然〈論孫中山對辛亥革命歷史經驗的總結〉（《揚州師院學報》1996年2期）、張勁〈孫中山早期軍事策略初探〉（《軍事歷史研究》1996年2期）、黃春華〈海外閱歷與孫中山對西方國家的幻想〉（《辛亥革命研究動態》1996年2期）、丁四新〈人心·意志·精神一孫中山人心觀發凡〉（《天津社會科學》1996年2期）、韋杰廷〈孫中山民權主義的社會作用論〉（《益陽師專學報》1996年2期）、楊奎松〈孫中山的西北軍事計劃及其夭折一國民黨謀求蘇俄軍事援助的最初嘗試〉（《歷史研究》1996年2期）、李鳳飛〈論孫中山建設近代化國家與實現國民經濟現代化的思想〉（《學習與探索》1996年2期）、郭緒印〈論興中會、同盟會期間孫中山與海外洪門〉（《民國檔案》1996年2期）、趙春晨

〈從《三民主義》演講看孫中山晚年的文化取向〉（《學術研究》1996年2期）、羅祖寧〈孫中山與盧慕貞的戀情〉（《廣東黨史》1996年2期）、王金香〈孫中山早期重農思想及其影響〉（《山西師大學報》1996年3期）、黃玉妹〈試析孫中山退位的歷史原因〉（《孝感師專學報》1996年3期）、張篤勤〈〝孫氏理想、黃氏實行〞新解〉（《辛亥革命研究動態》1996年3期）、蘇全有、郭劍林〈孫中山與粵皖奉三角聯盟辨析〉（同上）、李英銓〈孫中山民權主義思想的演進〉（同上）、吳劍杰〈孫中山的三大政策與新三民主義的內在聯繫〉（《武漢大學學報》1996年3期）、韋萬祥〈略論孫中山的〝共和國圖案〞〉（《廣西社會科學》1996年3期）、郭根山〈民生主義經濟思想：孫中山鄧演達比較研究〉（《惠州大學學報》1996年3期）、邱捷〈〝路博將軍〞及其同孫中山、陳炯明的會見〉（《學術研究》1996年3期）、李艷〈孫中山在香港〉（《黨史文匯》1996年3期）、董芳〈孫中山與鄧小平精神文明觀比較〉（《河池師專學報》1996年3期）、鄧永澤〈孫中山與嶺南大學：紀念孫中山誕辰130周年〉（《嶺南文史》1996年3期）、劉同德〈論孫中山對外開放思想〉（《青海師大學報》1996年3期）、李永倫〈論孫中山的民族觀〉（《雲南民族學院學報》1996年3期）、黎仁凱〈辛亥革命時期的孫中山與知識分子〉（《河北學刊》1996年3期）、黃敏蘭〈孫中山的民生史觀及其從國情出發的實踐原則〉（《人文雜志》1996年3期）、陶季邑〈孫中山和尼赫魯的社會經濟發展模式之比較〉（《暨南學報》1996年3期）及〈大同思想與孫中山對社會主義的探索〉（《廣東社會科學》1996年3期）、徐友仁〈略論孫中山關於國家統一的主張〉（《南京社會科學》1996年3期）、俞祖華〈孫中山訓政思想再認識〉（《中州學刊》1996年3期）、郭齊勇〈孫中山的文化思想述評〉（《中國社會科學》1996年3期）、唐上意〈民元時期孫中山的愛國統一觀〉（《廣東民族學院學報》1996年3期）、劉付靖〈民國初期孫中山與民族宗教事務〉（同上）、張金虎、張彬〈簡論孫中山與邏輯學〉（《中國青年政治學院學報》1996年4期）、陳金龍〈孫中山與毛澤東外交思想之比較〉（《湘潭大學學報》1996年4期）、耿雲志〈孫中山先生的主要遺產和我們的未來〉（《北京社會科學》1996年4期）、沈玉龍〈孫中山社會進化動力理論研究〉（《哈爾濱師專學報》1996年4期）、周景曉〈試論孫中山的政治近代化思想〉（《山東師大學報》1996年4期）、陶季邑〈孫中山的社會主義設想與發展中國家的社會主義實踐〉（《衡陽師專學報》1996年4期）、黃建遠〈孫中山與香港〉（《南京史志》1996年4期）、余齊昭〈《〝革命尚未成功同志仍須努力〞確非孫中山所說》質疑〉（《中山大學學報》1996年4期）、李學功〈孫中山文化思想述論〉（《青海民族學院學報》1996年4期）、桑兵〈同盟會成立時孫中山的政治形象〉（《辛亥革命研究動態》1996年4期）、譚天星〈試論孫中山的華僑觀〉（《華僑華人歷史研究》1996年4期）、丁三青〈孫中山、鄧演達、毛澤東的社會主義觀的比較研究〉（《湘潭大學學報》1996年4期）、王逍〈孫中山自由觀述評〉（《浙江師大學報》1996年4期）、李永倫〈試析孫中山民族平等的思想〉（《雲南教育學院學報》1996年4期）、〈孫中山《游普陀志奇》〉（《民國檔案》1996年4期）、陳先初〈孫中山的政黨政治論新析〉（《湖南師大社會科學學報》1996年4期）、邵雍〈孫中山與祖國統一〉（《上海師大學報》1996年4期）、郭豫明、劉平〈武昌起義前孫中山籌措革命經費的主張與實踐〉（同上）、史斌〈20世紀振興中華偉業的開拓者—孫中山〉（同上）、蘇智良〈孫中山的禁毒思想初探〉（同上）、林家有〈孫中山對袁世凱的鬥爭—兼論護國運動的性質〉（《學術研究》1996年4期）、趙才〈孫中山早期民族主義思想探微〉（《江漢大學學報》1996年4）、王玲玲〈孫中山與婦女解放運動〉（《山西師大學報》1996年4期）、江鋒〈〝乘時一躍而登中國於富強之域〞：孫中山關於加速經濟現代化建設的思想〉（《社科縱橫》1996年4期）、中國第一歷史檔案館〈清政府迫害孫中山黃興史料選〉（《歷史檔案》1996年4期）、舒波〈孫中山佚文兩篇〉（《民國檔案》1996年4期）、黃順力〈孫中山與近代民族意識的覺醒〉（《福建論壇》1996年4期）、陳登漢〈略論孫中山的經濟改革思想〉（《貴州師大學報》1996年4期）、郭緒印〈孫中山倫理思想的特徵〉（《民國檔案》1996年4期）、何增光〈論孫中山的權力制約思想〉（《浙江師大學報》1996年4期）、張寄謙〈孫中山關於執政黨如何繼續保持革命精神的〉（《北京社會科學》1996年4期）、翟國璋〈孫中山—中國政治制度近代化的奠基人〉（《江蘇教育學院學報》1996年4期）、馮敏〈孫中山與民國時期的文官考試制度〉（《檔案史料與研究》1996年4期）、陳劍安〈試論孫中山文化素質的來源〉（《江西師大學報》1996年4期）、李本義〈孫中山利用外資的原則及其影響〉（《湖北大學學報》1996年5期）、蘇瑞海〈近代民主和法制建設的豐碑：紀念孫中山先生誕辰130周年〉（《實事求是》1996年5期）、虞崇勝〈孫中山的政治思想論略〉（《武漢大學學報》1996年5期）、周可真〈試論孫中山的人文精神〉(《蘇州大學學報》1996年5期)、俞辛焞〈試探孫中山對〝滿州租借〞問題的態度〉(《南開學報》1996年5期)、蕭致治〈論孫中山開發長江流域的宏偉規劃〉(《武漢大學學報》1996年5期)、李本義〈孫中山利用外資的原則及其影響〉(《湖北大學學報》1996年5期)、王曉秋〈孫中山與北京大學〉(《北京大學學報》1996年5期)、馬樹禮〈研究孫中山思想的幾點體察:紀念孫中山誕生130周年〉(同上)、俞辛焞〈甲午戰爭與孫中山－兼評孫中山的革命戰略和策略〉(《首都師大學報》1996年5期)、張篤勤〈孫中山與黃興關係新論〉(《求索》1996年5期)、張海鵬〈試論孫中山〝民生主義〞的真諦〉(《中國社會科學院研究生院學報》1996年5期)、鄧輝〈從〝民族同化〞到〝民族平等自決〞－論孫中山晚年的民族統一思想〉(《中南民族學院學報》1996年5期)、李英銓〈令世界有大同－試論孫中山的民生主義及其建國設想〉(同上)、謝冰〈孫中山與南北議和〉(同上)、盧世菊〈孫中山與檔案工作〉(同上)、周興樑〈孫中山的革命活動與越南華僑〉(《貴州社會科學》1996年5期)、孫放〈孫中山法治思想探微:〝約法〞與〝訓政〞〉(《社會科學輯刊》1996年5期)、張磊〈孫中山思想在21世紀的地位與作用〉(《廣東社會科學》1996年5期)、耿雲志〈論辛亥革命時期孫中山的民生主義〉(同上)、姜義華〈論孫中山晚年對西方社會哲學的批判與對儒家政治哲學的褒揚〉(同上)、鄭行〈孫中山政治發展思想初探〉(《齊魯學刊》1996年5期)、王東〈孫中山:中國現代化偉大先行者〉(《北京大學學報》1996年5期)、王新鳳〈論孫中山普及教育的思想〉(《河南大學學報》1996年5期)、張海林〈論孫中山利用外資思想的超越性特徵〉（《江蘇社會科學》1996年5期）、韓小林〈孫中山對外開放及利用外債思想綜述〉（《嘉應大學學報》1996年5期）、蕭致治〈孫、黎交往與民初政局〉（《中南民族學院學報》1996年5期）、劉貴福〈論孫中山與張作霖之關係〉（《遼寧學報》1996年5期）、吳相湘〈孫逸仙近代思想與鄭觀應、容閎、嚴復、胡適之比較〉（《廣東社會科學》1996年6期）、山口一郎〈孫中山的革命思想與《上李鴻章書》〉（同上）、劉望齡〈孫中山：民族民主革命的偉大先導—辛亥革命的世界性涵義〉（同上）、饒懷民〈孫中山的近代思想與反封建〉（《湖南師大社會科學學報》1996年6期）、唐自斌〈孫中山法律思想的基本特徵與歷史地位〉（同上）、黃錚〈孫中山交通建設思想主張與廣西的實踐〉（《學術論壇》1996年6期）、段雲章〈第一次國共合作時期的孫中山與華僑〉（《中山大學學報》1996年6期）、宋德華〈簡論孫中山的愛國統一戰線思想及實踐〉（《華南師大學報》1996年6期）、喬志強、趙曉華〈孫中山的晚年思想與社會心理〉（《學術論叢》1996年6期）、李宏生〈孫中山與山東革命運動（1905—1919）〉（《山東師大學報》1996年6期）、楊華山〈孫中山當選臨時大總統的原因初探〉（《華中師大學報》1996年6期）、劉雲波〈論孫、黃〝國旗式樣之爭〞〉（《中州學刊》1996年6期）、陳金龍〈孫中山與民族精神〉（《華南師大學報》1996年6期）、張北根〈試論孫中山聯俄後的聯英活動〉（《史學月刊》1996年6期）、張學恕〈孫中山—近代中國勤政廉政楷模〉（《南京史志》1996年6期）、史全生〈為國家獨立統一鞠躬盡瘁的孫中山〉（同上）、鍾克釗〈孫中山對傳統道德的解釋和改造〉（《民國春秋》1996年6期）、邵和平〈孫中山先生的演講藝術〉（《文史雜志》1996年6期）、陳金龍、胡秀勤〈淺說孫中山的戰略戰術思想〉（同上）、涂東霞〈孫中山的治學精神與方法〉（同上）、戴學稷〈孫中山與近代中國留學生〉（《福建論壇》1996年6期）、潘銀良〈孫中山與中國早期航空事業〉（《民國春秋》1996年6期）、王逍〈孫中山自由觀述評〉（《社會科學戰線》1996年6期）、蕭甡〈孫中山晚年的建樹與中國共產黨〉（《江蘇社會科學》1996年6期）、沈道初〈略論孫中山的讀書生涯〉（《學海》1996年6期）、虞寶棠〈一個推進中國現代化的偉大設想：孫中山建立東方大港和開發揚子江流域經濟述評〉（《上海大學學報》1996年6期）、陳啟源〈馬君武與孫中山的早期交往〉（《廣西大學學報》1996年6期）、喬志強、趙曉華〈孫中山的晚年思想與社會心理〉（《學術論叢》1996年6期）、田居儉〈一個顛倒不了的歷史事實一孫中山和袁世凱的歷史作用辯〉（《黨史文匯》1996年7期）、陳樹榮〈孫中山與澳門〉（《學術研究》1996年7期）、關曉虹〈孫中山早期〝平均地權〞綱領若干問題再探〉（《歷史教學》1996年9期）、寧武〈孫中山與張作霖聯合反直紀要〉（《文史精華》1996年9期）、宋力、曾祥鍵、朱喜來〈孫中山軍事思想研究綜述〉（《南京社會科學》1996年10期）、宋力、劉中剛〈孫中山：中國海權第一人〉（《社科信息》1996年10期）、閭小波〈論辛亥前孫中山的輿論活動〉（《南京社會科學》1996年10期）、苑書義〈孫中山與張謇的農業近代化模式述論〉（《學術研究》1996年10期）、鍾卓安〈從三民主義演講看孫中山的近代化構想〉（同上）、黃大德〈新發現的孫中山研究資料〉（同上）、張磊〈孫中山與儒學〉（同上）、胡波〈論孫中山人際關係的價值取向〉（《學術研究》1996年10期）、黃彥〈廣東的孫中山研究概況〉（同上）、胡繩武、戴鞍鋼〈試論孫中山的人口思想〉（同上）、李華興〈論孫中山對中國近代化的目標設定〉（《學術月刊》1996年11期）、尚明軒〈孫中山與中國農業近代化〉（同上）、羅耀九、高常范〈儒學對孫中山思想的影響〉（同上）、徐萌山〈孫中山先生與臺灣〉（《今日中國（中文版）》1996年11期）、林家有〈中華民族的共同精神財富－論孫中山愛國革命思想的時代意義〉（《學術月刊》1996年12期）、陳金龍〈試論孫中山的科學技術思想〉（《自然辯證法研究》1996年12期）、黃春華〈對1894年孫中山〝深入武漢〞一事的質疑〉（《江漢論壇》1996年12期）、王永遠〈孫中山的祖國統一思想是我們寶貴的精神財富：紀念辛亥革命85周年〉（《理論月刊》1996年12期）、孫少艾〈略論孫中山的國家統一思想〉（《山東師大學報》1996年增刊）。

日、英文的出版品，為數甚多，茲僅列舉其中專書之重要者，計有伊藤銀月《孫逸仙と黃興》（東京，武藏野書店，1911）、布施勝治〈レーニのロシアと 孫文の支部〉（東京，叢文閣，1927）、橋樸《孫文の國家資本主義》（大連支那研究會，1928）、近藤達兒《孫文慰靈祭の記》（自刊本，1929）、王樞之（鈴江言一）《孫文傳》（東京，改造社，1931；岩波書店，1950）、武田熙《支那革命と孫文主義》（東京，大同館書店，1931）、河野密《孫文の生涯と國民革命》（東京，日本放送出版協會，1940）、滿鐵上海事務所《孫文の支那近代化構想》（上海，撰者印行，1942）、石井壽夫《孫文思想の研究》（東京，目黑書店，1943）、能瀨岩吉《孫文革命戰史》（東京，連合出版社，1943）、大東亞文化會

《孫文革命戰史》（東京，總合出版社，1943）、高橋勇治《孫文》（東京，日本評論社，東洋思想叢書，1944）、山口勇藏《孫文の經濟思想》（高桐書院，1946）、小野則秋《孫文》（東京，大雅堂，1948）、岩村三千夫《孫文より毛澤東へ》（東京，弘文堂，1949）、井貫軍二《孫文と毛澤東—私の中國觀》（東京，教育タイム社，1950）、小田嶽夫《中國革命の父・孫文》（東京，偕成社，1953）、萱野長雄、長崎武《革命前夜—孫文をめぐる人々》（東京，松澤書店，1958）、野澤豐《孫文—革命いまだ成らず》（東京，誠文堂，新光社，1962）、藤井昇三《孫文の研究—とくに民族主義理論の發展を中心として》（東京，勁草書房，1966）、野澤豐《孫文と中國革命》（東京，岩波書店，1966）、鈴江言一《孫文傳》（東京，岩波書店，1966）、貝塚茂樹《孫文と日本》（東京，中央公論社，1967）、野澤豐、安藤彥太郎、岩村三千夫《現代中國と孫文思想》（東京，講談社，1967）、中山義弘、橫山英《孫文—人と思想》（東京，清水書院，1969）、小野川秀美編譯《孫文・毛澤東》（東京，清水書院，1973）、堀川哲男《孫文—救國の熱情と中國革命》（東京，清水書院，1973）、車田讓治《國父孫文と梅屋庄吉—中國に捧げたかる日本人の生涯》（東京，日中出版，1975）、中村新太郎《孫文から尾崎秀實へ》（東京，日中出版，1975）、貝塚茂樹《孫文と毛澤東》（東京，中央公論社，1978）、車田讓治《日中友好秘錄—君ヨ革命兵ヲ舉ゲヨ—中國の父・孫文に生涯した—日本人》（東京，六興出版，1979）、三好徹《革命浪人孫文と滔天》（東京，中央公論社，1979）、安藤彥太郎《革命いまだ成功せず—孫文傳》（東京，國土社，1981）、堀川哲男《孫文（人類の知的遺産）》（東京，講談社，1983）、橫山宏章《孫中山の革命と政治指導》（東京，研文出版，1983）、池田誠《孫文と中國革命—孫文とその革命運動の史的研究》（東京，法律文化社，1983）、山口一郎編《日本における孫文關係著作、論文目錄》（東京，孫文研究會，1985）、安井三吉等《孫文と神戶》（神戶新聞出版中心，1985）、俞辛焞《孫文の革命運動と日本》（東京，六興出版社，1989）、藤井昇三、橫山宏章編《孫文と毛澤東の遺產》（東京，研文出版，1992）、日本孫文研究會編《孫文とアジア：1990年8月國際學術討論會報告集》（東京，汲古書院，1993）、沼野誠介《孫文と日本》（東京，キヤロム，1993）、藤村久雄《革命家孫文—革命いまだ成らず》（東京，中央公論社，1994）、橫山宏章《孫文と袁世凱—中華統合の夢》（東京，岩波書店，1996）。

James Cantlie and C. Sheridan Jones, Sun Yat-Sen and the Awakeningof China.（London and New York: Fleming H. Revell Co., 1912；其中譯本爲陳鶴侶、鄭啟中合譯《孫逸仙與新中國》，上海，民智書局，民19）、Paul Linebarger, Sun Yat-Sen and the Chinese Republic.（New York & London: The Century Co., 1925；其中譯本爲徐植仁譯《孫逸仙傳記》，上海，三民公司，民15）、Gustav Aman, The Lcuacv of Sun Yat-Sen: A History of Revolution.（Trans by Frederick Philip Grove, New York & Montreal: L. Carrier & Co., 1929）、Henry Bond Restarick, Sun Yat-Sen：Liberator of China.（New Haven: Yale University Press；London：Oxford University Press, 1931）、Maurice William, Sun Yat-sen Versus Communism：

New Evidence Establishing China's Right to the Support of Democratic Nations.（Baltimore: Williams & Wilkins Co., 1932）、Leonard Shihlien Hsu（許仕廉）,ed., Sun Yat-Sen, His Political and Social Ideas.（Los Angeles: University of Southern California Press, 1933）、Lyon Sharman, Sun Yat-Sen：His Life an Its Meaning: A Critical Biography.（New York: John Day Co., 1934）、Tsui Shu-Chin（崔書琴），The Influence the Canton-Moscow Entente Upon Sun Yat-sen's Revolutionary Tractics.（Ph. D. Dissertation, Harvard University [Cambridge], 1934）、Huang Pang-chen, Sun Yat-sen's Principle of Livelihood with Its Application to Chinese Economic Problems.（Ph. D. Dissertation, New York University [New York], 1935）、Pual M. A. Linebarger, The Political Doctrines of Sun Yat-sen: An Expoistion of the San Minn Chu I.（Baltimore: John's Hopkins University Press, 1936）、Paul M. W. Linebarger, The Ocean Man: An Biography of Sun Yat-Sen.（Washington D. C.: Mid-Nation Editions, 1937）、Bernard Martin, Strange Vigour: A Biography of Sun Yat-sen.（London: Heinemann Co., 1944）、Nina Baker, Brown: Sun Yat-Sen.（Illustraed by Jeanyee Wong, New York: The Vanguard Press, 1946）、Chen Stephen and Payne Robert, Sun Yat-sen: A Portrait.（New York: John Day Company, 1946）、Maurice Zolotaw, Maurice William and Sun Yat-Sen.（London: Robert Hale Limited, 1948）、Chu Chi-hsien, A Study of the Development of Sun Yat-sen's Philosophical Ideas.（New York: Columbia University, 1950）、Wang Tung-chi, Education

Ideas of Dr. Sun Yat-Sen.（Ph. D. Dissertation, Washington University [St. Louis], 1952）、Pearl Buck（賽珍珠），The Mam Who Changed China：The Story of Sun Yat-sen.（New York: Random House, 1953）、Clara Judson, Sun Yat-sen.（Evanston, Illinois: Row Peterson, 1953）、Marius B. Jansen, The Japanese and Sun Yat-sen.（Cambridge: Harvard University Press, 1954）、Leng Shao Chuan（冷紹烇）and Norman D. Palmer, Sun Yat-Sen and Communism.（New York: Frederick A. Pareger, 1961）、Cornelia Spencer, Sun Yat-sen, Founder of the Chinese Republic.（New York: The John Day Company, 1967）、Bernard Martin, Strange Vigour-A Biography of Sun Yat-Sen.（New York: Augustus M. Kelley, 1967）、Grace（Sydenstricker）Yaukey, Sun Yat-Sen: Founder of the Chinese Republic.（New York: John Day Company, 1967）、Chong Key Ray, The Sources and Development of Sun Yat-Sen's Nationalistic Idelogy as Expressed in His "San Min Chu I"（University of Microfilms, Inc., 1967）、Harold Z. Schiffrin, Sun Yat-Sen and the Origins of the Chinese Revolution.（Berkeley and Los Angeles：University of California Press, 1968；其中譯本爲丘權政、符致興譯《孫中山與中國革命的起源》，北京，中國社會科學出版社，1981；臺北，谷風出版社翻印，民75）、Robert Bruce, Sun Yat-Sen.（London: Oxford University Press, 1969）、Arnulf K. Esterer and Louise A. Esterer, Sun Yat-Sen: China's Great Champion.（New York: Julian Messner, 1970）、Jen Yu-Wen（簡又文）and Lindsay Ride, Sun Yat-Sen: Two Commerorative Essays.（Hong Kong:

Center of Asian Studies, University of Hong Kong, 1970）、C. H. John Wu, Sun Yat-Sen: the Man and His Ideas.（Taipei: The Commercial Press, 1971）、Charles Richard Hensman, Sun Yat-Sen.（London: S. C. M. Press, 1971）、Michael Vincent Metallo, The United States and Sun Yat-sen, 1911-1925.（New York: New York University, 1974）、Paul K. T. Sih（薛光前）ed., Sun Yat-Sen and China.（Jamaica and Staten Island, New York: St. John's University Press, 1974）、C. Martin Wilbur, Sun Yat-Sen: Frustrated Patriot.（New York: Columbia University Press, 1976）、Margaret H. C. Huang, Dr. Sun Yat-Sen's Efforts to Modernize China, 1894-1925.（Ph. D. Dissertation, Georgetown University [Washington, D. C.], 1976）、Corinna Hana, Sun Yat-sen's Parteirgan "Chien-She"（1919-1920）.（Wiesbaden: Franz Steiner Verlag, 1978）、Jeffrey G. Barlow, Sun Yat-Sen and French, 1900-1908.（Center for Chinese Studieo, 1979）、Harold Z. Schiffrin, Sun Yat-Sen Reluctant Revolutionary.（Little, Brown and Company, 1980）、Chao Nang-yung, A Study of Sun Yat-sen's Propaganda Activities and Techniques in the United States During China's Revolutionary Period（1894-1911）.（The M. A. Thesis, University of North Texas [Denton], 1981）、A. James Gregor With Chang Maria Hsia and Andrew B. Zimmerman, Ideology and Development: Sun Yat-Sen and the Economic History of Taiwan.（Regents of the University of California, 1981）、Liu Yeou-hwa, A Comparative Study of Dr. Sun Yat-sen's and Montesquiew's Theory of Separation of Powers.（Ph. D.

Dissertation, Claremont Graduate School [Claremont, CA.], 1983）、Eugene Anschel, Homer Lea, Sun Yat-sen and the Chinese Revolution.（New York: Praeger Publishers, 1984）、Wong J. Y.（黃宇和），The Origins of an Heroic Image: Sun Yat-sen in London, 1896-1897.（Hong Kong, Oxford, New York: Oxford University Press, 1986）、Wong J. Y., ed., Sun Yat-Sen, His International Ideas and International Connections.（Sydney: Wild Peony Press, 1987）、Cheng Chu-Yuan（鄭竹園）ed., Sun Yat-Sen's Doctrine in the Modern World.（Boulder and London: Westview Press, 1989）、Sidney H. Chang（張緒心）and Leonerd H.D. Gordon, All Under Heaven: Sun Yat-Sen and His Revolutionary Thought.（Stanford, California: Hoover Institution Press, 1991：其中譯本爲卜大中譯《孫中山未完成的革命》，臺北，時報文化出版公司，民82）。其他尚有不少有關孫中山的論著和資料，散見於本書的第一、二冊之各條目中，可參閱之。

2.黃興

在清末革命運動中，黃興的重要性僅次於孫中山，然由於黃氏1916年以四十三歲的壯年病逝，其在民國史上的活動僅有五年，再由於孫中山的國際知名度太高，有關孫氏的資料及中外文論著太多，相形之下，黃興的研究似乎不夠熱絡。實際上近三十餘年來，學者對黃興日漸重視，尤其是黃興的女婿，任教於美國馬里蘭大學（University of Maryland-College Park）的薛君度大力推動之下，有關黃興的論著已有不少，文集、資料集方面有國民黨黨史會編《黃克強先生全集》（臺北，編者印行，民57），共收有黃氏文件508篇、《黃克強先生紀念集》（同上，民62）及《黃克強先生書翰墨跡》（同上，民45）、湖南省社會科學院編《黃興集》（北京，中華書局，1981）、薛君度、毛注青編《黃興未刊電稿》（長沙，湖南人民出版社，1983）、吳硯雲編《黃留守書牘》（上海，民元年刊行；臺北，文星書店影印，民51）、金山大埠華僑團編印《黃克強先生演説集彙編》（1914年）、廖雲祥編《偉人黃興政見書》（民5年刊本）、雲南國是報社編《蔡（鍔）黃（興）追悼錄》（臺北，文海出版社影印，民56），又黃興逝世後不久有《黃克強先生榮哀錄》（民6年印行）的印行。論著方面有天懺生、冬山編《黃克強·蔡松坡軼事》（上海，文藝編譯社，民5；臺北，文海出版社影印，民60）、劉揆一《黃興傳記》（京津印書局，民18；臺北，帕米爾書店，民41；臺北，文海出版社影印，民56年，改名為《黃克強先生傳記》）、國民黨黨史會《黃興傳》（臺中，撰者印行，民38）、章君穀《黃興》（臺北，金蘭出版社，民74）、左舜生《黃興評傳》（臺北，傳記文學出版社，民57）、Hsüeh Chün-tu（薛君度），Huang Hsing and the Chinese Revolution.（Stanford: Stanford University Press, 1961；原係其1958年之Cloumbia大學博士論文）是黃興研究西文論著中的代表作，惟作者基於與黃興的翁婿關係，刻意強調黃氏在革命運動中的崇高領導地位，常將孫中山的革命事業過份貶抑，以致書中一些評論，有欠公允；該書有中譯本，為楊慎之譯《黃興與中國革命》（長沙，湖南人民出版社，1980；香港，三聯書店，1980）；何伯言《黃克強》（重慶，青年出版社，民34）、林增平《黃興》（長沙，湖南人民出版社，

1958）、常誼《黃興》（北京，中華書局，1963）、陳維綸《黃克強先生傳記》（臺北，國民黨黨史會，民62）、譚本龍《黃興》（長江文藝出版社，1980）、白慈飄《鏟除世界一切障礙之使者—黃興傳》（臺北，近代中國出版社，民69）、畢萬聞《黃興》（南京，江蘇人民出版社，1982）、薛君度、蕭致治編《黃興新論》（武漢，武漢大學，1988）及《領袖與群倫—黃興與各方人物》（同上，1991）、林增平、楊慎之主編《黃興研究》（長沙，湖南師範大學，1990）、李雲漢〈黃克強先生年譜稿〉（載《中國現代史叢刊》第4冊，臺北，正中書局，民51），該文所引用的資料，十分之九都是國民黨黨史會庫藏的原始資料，作者後將此譜稿加以增訂而成《黃克強先生年譜》（臺北，國民黨黨史會，民62），內容更為豐富，書後並附錄李氏所撰〈關於黃興的研究和史料〉，極具參考價值；毛注青《黃興年譜》（長沙，湖南人民出版社，1980）引用不少黃興的著作、演講、談話、函電、公牘等資料，其事迹之見於他人著述者，也略加考訂，予以注明；毛氏另編有《黃興年譜長編》（北京，中華書局，1991）一書、楊愷齡《黃克強先生年譜》（臺北，臺灣商務印書館，民70）、陳以同編《傑出的民主革命家—黃興》（上海，學林出版社，1991）、符儒友《黃克強的政治人格之研究》（政治大學三民主義研究所碩士論文，民71年6月）、吳相湘〈黃克強與辛亥革命〉（收入吳著《民國政治人物》，臺北，文星書店，民52）及〈開國元勳黃興〉（收入吳著《民國百人傳》第2冊，臺北，傳記文學出版社，民60）、陳維綸〈黃興〉（收入《民族英雄及革命先烈傳記》，臺北，正中書局，民55）、周天度〈黃興〉（載《民國人物傳》第1卷，北京，中華書局，1978）、李雲漢〈黃興（1874-

1916）〉（載《中華民國名人傳》第1册，臺北，近代中國出版社，民75）、金沖及、胡繩武〈論黃興〉（《歷史研究》1962年3期）、衛慶懷〈論黃興〉（《內蒙古大學學報》1962年2期）、楊慎之〈試論黃興〉（《求索》1981年4期）、饒懷民〈黃興研究述評〉（《湖南師大社會科學學報》1988年6期）、〈黃興功過辨析〉（同上，1989年5期）及〈黃興評價中的幾個問題〉（《西南民族學院學報》1989年2期）、劉志權〈中外學者全面評價黃興功過〉（《瞭望》1989年6、7期）、毛注青〈辛亥革命的先驅者黃興〉（《新湘評論》1981年9、10期）及〈辛亥革命的傑出領導者黃興〉（收於《辛亥革命在湖南》，湖南人民出版社，1984）、王杰〈黃興〉（《文物天地》1981年5期）、蟄仙〈黃克強外傳〉（《湖南文獻》5卷2期，民66年4月）、羅家倫〈從墨蹟中體認到黃克強先生〉（同上，7卷2期，民68年4月）、蔣君章〈百戰功高黃克強〉（《中外雜誌》19卷1、2、3、5、6期，民65年1、2、3、5、6月）、王成聖〈黃興俠骨雄心〉（同上，13卷4期，民62年4月）、薛君度〈緬懷革命先烈黃興〉（《中國建設》1982年10期）、〈紀念黃克強先生並論辛亥革命〉（《政治評論》17卷3期，民55年11月）及〈黃克強先生逝世五十年〉（《傳記文學》9卷4期，民55年10月；《中國一周》864期，民55年11月）、衛慶懷〈論黃興〉（《內蒙古大學學報》1962年2期）、李喜所〈青年黃興的軍人品格與尚武精神〉（《社會科學研究》1995年2期）、Hsüeh Chun-tu（薛君度），"An Essay on Huang Hsing, with a Commentary on the Revolution of 1911"（Chinese studies in History, Vol. 16, No. 3/4, 1983）、“The Life and Political Thought of Huang Hsing: Co-founder of the Republic of China.”（The Australian

Journal of Politics and History, Vol.13, No.1, April 1967）、彭澤周〈試評黃克強先生的史料及其研究觀點〉（《大陸雜誌》69卷4期，民73年10月）、薛君度〈論黃興與辛亥革命〉（《辛亥革命史叢刊》第1輯，1980）、沈雲龍〈黃克強與辛亥革命〉（《傳記文學》37卷5期，民69年11月）、蕭致治、聶文明〈黃興與辛亥革命〉（《武漢大學學報》1986年5期）、鍾佳貞〈黃興與辛亥革命〉（《中學歷史教學》1987年1期）、萬希明〈辛亥革命時期的黃興〉（《社會科學動態》1984年3期）、尹全海、張景梅〈黃興與辛亥革命的幾個問題〉（《信陽師院學報》1992年2期）、李雲漢〈黃興與中國革命〉（《新時代》2卷7期，民51年7月）、李衛東〈黃興與中國早期現代化〉（《江漢大學學報》1995年4期）、梅水〈黃興與湖南近代化述論〉（《益陽師專學報》1991年1期）、武翎伊〈民前黃興等與湖南立憲黨人關係述論〉（同上，1991年2期）、醒園主人〈黃克強先生與河南革命〉（《中原文獻》5卷7期，民62年7月）、沈繼成〈黃興在辛亥時期對武裝起義的貢獻〉（《華中師大學報》1990年1期）、許潔明〈黃興與武裝起義〉（《思想戰線》1981年5期）、李喜所、田濤〈評黃興武裝反清的戰略和策略〉（《南開學報》1996年2期）、中村哲夫〈黃興與中國同盟會的成立〉（《人文學部紀要（神戶學院大學）》15號，1990年10月）、彭國興〈黃興與《民報》〉（《求索》1982年6期）、楊志強〈〝黃興乙巳年2月返湘〞辨〉（《民國檔案》1990年1期）、毛注青〈〝黃興乙巳回湘歷險〞訂謬〉（《辛亥革命史叢刊》第2輯，1980）、楊昌泰〈武昌起義前黃興革命鬥爭述評〉（《衡陽師專學報》1985年3期）、皮明庥〈論武昌首義中的黃興〉（《武漢師院學報》1980年3期）及〈黃興與武昌首義〉（《辛亥革命論文集》上册，武漢師範學院，1981）、李雲漢〈黃興與武昌起義〉（載《孫中山先生與辛亥革命》下册，民70）、張海鵬〈黃興與武昌首義〉（《歷史研究》1993年1期）、石芳勤〈黃興〝登臺拜將〞與黎元洪的陰謀〉（《歷史教學》1981年10期）、石彥陶〈重評漢陽保衛戰中黃興的戰略思想〉（《益陽師專學報》1989年1期）、翟俊濤、蘇全有〈黃興與漢陽戰役新論〉（《河南大學學報》1996年3期）、蘇全有〈黃興與漢口反攻戰役新探〉（《南開學報》1995年2期）、印展雄〈陽夏之戰和黃興離鄂赴滬（1911年10月18日至11月27日）〉（《益陽師專學報》1984年3期）、石芳勤〈黃興在漢陽失守後是否提出過放棄武昌的主張〉（《武漢師院學報》1981年2期）、〈略談黃興主張放棄武昌問題—兼評《黃興放棄武昌小議》等文〉（《歷史教學》1990年1期）、陳珠培〈黃興主張放棄武昌嗎？〉（《求索》1988年2期）、張海鵬〈論黃興對武昌首義的態度〉（《黃興與近代中國學術討論會論文集》，民82）、彭國興〈黃興與辛亥武漢保衛戰〉（載《辛亥兩湖史事新論》，1988）、黃乃、安琳〈黃興在辛亥武昌首義以後〉（《歷史研究》1982年2期）、卞長發〈論辛亥革命後的黃興〉（《齊魯學刊》1982年4期）、胡春惠〈論辛亥後臨時政府時期黃興的作為與不作為〉（《黃興與近代中國學術討論會論文集》，民82）、劉鳳翰〈黃興與陸參兩部及留守府（1912年1月9日—6月14日）〉（同上）、石彥陶〈黃興與民初南軍的自裁和被裁〉（《社會科學戰線》1991年4期）、李雲漢〈黃克強先生的開國大謀—紀念黃克強先生一百二十歲誕辰〉（《近代中國》103期，民83年10月）及〈黃興與民國開國〉（《近代中國》84期，民80年8月）、石彥陶〈為黃興二辨（兼論民初南軍自裁與被裁）〉（《益陽師專學報》1987年2期）及〈為黃興一辨〉（《中報月刊》1987年3期，亦載《辛亥兩湖史事新論》，湖南人民出版社，1988）、王光遠〈黃興和〃血光團〃事件〉（《北京檔案史料》1992年2期）、陳長河〈黃興與1913年南京反袁獨立〉（《學術月刊》1992年2期）、劉湘雅〈為黃興癸丑討袁一辨〉（《湖南師大社會科學學報》1991年5期）、李喜所〈黃興在〃二次革命〃中的地位和作用〉（《南開學報》1993年5期）、俞辛焞、王振鎖〈黃興在日活動秘錄（1913年10月—12月）〉（《民國檔案》1987年3期）、石彥陶〈黃興拒絕參加中華革命黨新議〉（《史學月刊》1987年3期）、李榮〈黃興與護國戰爭：紀念黃興先生逝世80周年〉（《江漢大學學報》1996年5期）、蕭致治〈黃興對護國運動的貢獻〉（載《護國文集—護國起義七十周年學術討論會論文選集》，石家庄，河北教育出版社，1988）、中村義〈一九一六年の黃興(1)〉（《辛亥革命研究》第7號，1986年10月）、葛文〈黃興後期失去了前進的方向嗎？〉（《益陽師專學報》1987年1期）、黃偉〈黃興思想研究三題〉（《安徽教育學院學報》1992年2期）、張鍛〈黃興的早年及其革命思想的萌芽（1874—1903）〉（《東南學報》13期，民79年8月）、饒懷民〈從黃興早期詩作看其民主革命思想的形成〉（《衡陽師專學報》1995年5期）、王聿均〈黃克強的文學作品及所表現的革命思想〉（《黃興與近代中國學術討論會論文集》，民82）、韋傑廷〈黃興民族主義思想略論〉（同上）、姜義華〈民初政黨政治與黃興民主政治思想的發展〉（同上；亦載《復旦學報》1994年4期）、邵德門〈論黃興及其政治思想〉（《東北師大學報》1983年6期）及〈辛亥革命時期黃興的政治思想〉（載《中國近代政治思想史》）、高水華〈略論黃興的軍事思想〉（《軍事歷史研究》1992年3期）、汪瀛〈淺析黃興實業救國思想〉（《歷史教學》1989年3期）、張靜〈從黃花崗起義看黃興的軍事戰略思想〉（《歷史教學》1996年7期）、蕭致治〈論黃興的實業建設思想〉（《益陽師專學報》1989年3期）、闞立軍〈黃興經濟思想新論〉（《社科信息》1996年11期）、嚴昌洪〈黃興關於國債的經濟思想〉（《湖北社會科學》1989年7期）、趙宗頗〈試論黃興的愛國主義思想〉（《中國近代愛國主義論文集》，1984）、黃偉〈黃興的愛國主義思想與實踐〉（《安徽教育學院學報》1994年3期）、蕭致治、張建雄〈論黃興的建國主張〉（《求索》1995年2期）、王杰〈矢誠維大局一民初黃興心態一説〉（《學術研究》1990年2期）、石彥陶〈黃興國家社會主義觀念由堅定到動搖的軌迹論綱〉（《益陽師專學報》1992年3期）、岑練英〈黃克強先生之教育主張及其時代之關係〉（《黃興與近代中國學術討論會論文集》，民82）、吳求〈黃興新聞思想及其實踐〉（同上，1992年1期）、任卓宣〈黃克強先生之學術思想〉（《湖南文獻》5卷4期、6卷1-3期，民66年10月、67年1、4、7月）、華國梁〈略論黃興的三民主義思想〉（《揚州師院學報》1991年3期）、李衛東〈黃興農業思想初探〉（《江漢大學學報》1996年1期）、符儒友〈黃克強的家庭生活與政治人格〉（《湖南文獻》10卷3期，民71年7月）、趙宗頗〈略論黃興的高尚品德〉（《上海師大學報》1989年3期）、孫淑〈黃興的抱負、人品與風範〉（《民國春秋》1993年1期）、呂實強〈黃興的勛業與風範〉（《黃興與近代中國學術討論會論文集》，民82）、黃少谷〈黃克強先生的風範〉（《湖南文獻》6卷1期，民67年1月）、張益弘〈黃克強先生的精神及其影響一石屋金言〉（同上，創刊號，民59年4月）、李納森〈黃興〝無我〞精神探微〉（《江漢大學學報》1996年2期）、符德文〈黃克強何以敝屣權位之研究〉（《湖南文獻》11卷2期，民72年4月）、蕭致治〈孫中山與黃興關係研究綜述〉（《武漢大學學報》1985年3期）及〈孫中山與黃興關係研究述評〉（載《回顧與展望一國內外孫中山研究述評》，北京，中華書局，1986）、方志欽〈論孫中山和黃興的關係〉（《辛亥革命史叢刊》第1輯，1980）、張玉法〈黃興與孫中山之關係〉（《黃興與近代中國學術討論會論文集》，民82）、章開沅〈「孫黃軸心」的歷史演變〉（同上）、呂芳上〈二次革命後國民黨孫黃兩派的政治活動（1913—1917）〉（同上）、林增平〈孫黃交誼與辛亥革命〉（《湖南師大社會科學學報》1992年3期）、林家有〈武昌起義後孫中山、黃興的政治傾向和建政思想一兼論〝二次革命〞失敗的必然性〉（《孫中山研究論叢》第6集，1988）、劉雲波〈黃興與孫中山讓位〉（《求索》1994年6期）、王杰〈孫中山、黃興心態比較研究〉（《貴州社會科學》1991年2期）、劉雲波〈論孫、黃〝國旗式樣之爭〞〉（《中州學刊》1996年6期）、馬平〈黃興與孫中山的友誼〉（《歷史知識》1981年3期）、蕭致治〈肝膽相照耀日月，十載同盟換新天一記黃興與孫中山的戰鬥友誼〉（載蕭致治主編《領袖與群倫一黃興與各方人物》，武漢大學出版社，1991）、彭澤周〈孫黃的離合〉（《大陸雜誌》71卷2期、3期，民74年8月、9月）、周用敦〈先祖父談孫中山與黃興的分合〉（《傳記文學》60卷5期，民81年5月）、湯孝彬〈政治家的典範〉（《中外雜誌》53卷1期，民82年1月）、上村希美雄〈孫文・黃興の足跡 を 求めて一中國ひとり旅〉（《辛亥革命研究》第6號，

1986年10月）、蕭致治〈孫中山與黃興〉（《孫中山研究論叢》第3集，1985）、張篤勤〈孫中山與黃興關係新論〉（《求索》1996年5期）及〈〝孫氏理、黃氏實行〞新解〉（《辛亥革命研究動態》1996年3期）、石彥陶《黃興政權觀初探－兼析孫中山與黃興歧見彌合得失〉（《益陽師專學報》1989年3期）、〈孫中山黃興比較研究：意識形態兩例駁難〉（《史學月刊》1995年6期）及〈民初黃興與孫中山政黨觀及其實踐之比較〉（《湖南師大學報》1990年5期）、曠炯〈略談黃興對太平天國歷史教訓的吸取及孫黃關係〉（《湖湘論壇》1989年1期）、方裕謹選編〈清政府迫害孫中山黃興史料選〉（《歷史檔案》1996年4期）、黃殿祺〈孫中山、黃興在天津館〉（《歷史教學》1988年8期）、石彥陶〈〝宋案〞後孫中山、黃興政見新析：與馮祖貽同志商榷〉（《安徽史學》1988年3期）及〈〝二次革命〞後孫黃關係辨析－讀黃興1914年6月復孫中山書讀後〉（《湖南師大社會科學學報》1989年5期）、高橋良和〈中華革命黨結黨時における孫＝黃決裂の意味について〉（《名古屋大學文學部東洋史研究報告》第7號，1981年10月）、朱宗震〈讀1915年5月黃興復孫中山書〉（《安徽史學》1986年5期）、郭世佑〈孫中山、黃興關係再評價〉（載上海社會科學院編《近代中國》第2輯，1992）、楊天石〈跋鍾鼎與孫中山斷絕關係書－關於孫黃關係的新發現〉（《近代史研究》1994年1期）、張篤勤〈孫中山與黃興關係新論〉（《求索》1996年5期）、陶用舒〈辛亥革命後的孫中山、黃興、宋教仁〉（《雲夢學刊》1996年1期）、黃季陸〈國父與黃克強先生之關係與情義〉（《傳記文學》23卷4期，民62年10月）、毛注青〈黃興與宮崎寅藏〉（《辛亥革命史叢刊》第2輯，1980）及〈關於黃興初見宮崎寅藏時間的訂正〉（同上，第4輯，1982）、陳珠培〈孫黃初見介紹人是宮崎寅藏〉（《求索》1986年5期）、陳鵬仁〈黃興與宮崎滔天〉（《黃興與近代中國學術討論會論文集》，民82）、中村義〈黃興と宮崎滔天〉（載《日中に架ける橋孫文と宮崎兄弟》交流顯彰事業報告，東京，1995）、毛注青〈黃興與萱野長知〉（《求索》1983年5期）、耘農（沈雲龍）〈黃克強與陳英士〉（《新中國評論》11卷5期至12卷1期，民45年11月至46年1月）、陶季邑〈淺論辛亥革命前後黃興和胡漢民的關係〉（《貴陽師專學報》1990年3期）、蔣永敬〈胡漢民筆下的克強先生〉（《黃興與近代中國學術討論會論文集》，民82）、李又寧〈徐宗漢與黃興〉（同上）、宋子武〈黃克強先生徐宗漢革命史事及其姻緣〉（《湖南文獻》19卷4期，民80年10月）、曹文錫〈武昌黃吉亭營救黃克強長沙脫險珍史〉（《湖北文獻》33期，民63年10月）、蔡學忠〈黃興與蔡鍔〉（《近代中國》第5期，民67年3月）、蕭致治〈〝寄字從遠千里外，論交深在十年前〞—黃興與蔡鍔〉（載《領袖與群倫—黃興與各方人物》，武漢大學出版社，1991）、謝本書〈蔡鍔與黃興〉（《雲南社會科學》1982年1期）及〈黃蔡論〉（《研究集刊》1989年1期）、劉晴波〈黃興和楊度關係述略〉（《求索》1991年3期）、劉湘雅〈黃興與寧調元〉（《湖南師大學報》1989年2期）、楊鵬程〈志不同，道偶合—黃興與譚延闓〉（載蕭致治主編《領袖與群倫—黃興與各方人物》，武漢大學出版社，1991）、聞少華〈落霞與孤鶩齊飛—辛亥革命時期的黃興與汪精衛〉（同上）、嚴昌洪、陶季邑〈〝同心齊為國，奮翮共摩天〞—辛亥革命時期的黃興與胡漢民〉（載蕭致治主編《領袖與群倫—黃興與各方人物》，武漢大學出版社，1991）、袁立春〈始終不渝的深厚友誼—黃興與宋教仁〉（同上）、饒懷民〈〝我未吞胡、恢漢業，君先懸首看吳荒〞—黃興與劉道一〉（同上）及〈挽狂瀾於既倒，救同盟於危難—黃興與劉揆一〉（同上）、祝勝華〈亦師亦友，攜手而進—黃興與張繼〉（同上）、李育民〈〝結義憑杯酒，驅胡等割雞〞—黃興與馬福益〉（載《領袖與群倫—黃興與各方人物》，1991）、林增平〈"太息神州今去矣，勸君猛省莫徘徊"—黃興與陳天華〉（同上）、聶文明〈耿耿忠心愛祖國，鐵面無私待摯友—黃興與譚人鳳〉（同上）、遲雲飛〈忘年之交—黃興與龍璋〉（同上）、王杰、郭庭軍〈義結〝無爭〞兩相知—黃興與章士釗〉（同上）、陳珠培〈革命情誼似海深，臨死不忘革命情—黃興與楊毓麟〉（載《領袖與群倫—黃興與各方人物》，1991）、熊源滂〈流血革命，磨血樹人—黃興與胡元倓〉（同上）、吳慶華〈洞庭波濤連天涌，同舟相濟志如鋼—黃興與曹亞伯〉（同上）、黃大明〈救國·育人·正己—黃興與禹之謨〉（同上）、劉湘雅〈元勛與英才—黃興和他的學生寧調元〉（同上）、劉泱泱〈師生·戰友—黃興與姚洪業〉（載《領袖與群倫—黃興與各方人物》，1991）、梁華平〈〝曩者曾從宋贊游〞—黃興與呂大森〉（同上）、楊鵬程〈〝西風肯結萬山緣，吹破濃雲作冷煙〞—黃興與覃振（附胡瑛）〉（同上）、楊慎之〈〝振我皇漢靈，明德光九夏〞—黃興與程潛〉（同上）、周學舜〈大同期共進，團結作中堅—黃興與焦達峰〉（同上）、樂耀湘〈十年奮戰，千載流芳—黃興與蔣翊武〉（載《領袖與群倫—黃興與各方人物》，1991）、徐凱希〈精金良玉，志同道合—黃興與劉公〉（同上）、蕭莉〈志同道合結友誼，同聲相應舉革命－黃興與田桐〉（同上）、張奇〈武略文韜，相得益彰－黃興與馬君武〉（同上）、聶文明〈同年·同學·同志－黃興與程家檉〉（同上）、段雲章〈聲應氣求的〝盟鷗〞－黃興與何天炯〉（載《領袖與群倫－黃興與各方人物》，1991）、孫代興〈攜手東瀛，共圖南疆－黃興與呂志伊〉（同上）、李希泌〈終生不渝的信從者－黃克強先生與先父李根源〉（同上）、李天松〈相互支持，捍衛共和－黃興與柏文蔚〉（同上）、蕭建東〈為民主共和事業而頑強拚搏－黃興與李烈鈞〉（同上）、樂耀湘〈協力同心，共謀革命－黃興與朱執信〉（載《領袖與群倫－黃興與各方人物》，1991）、周新國、趙長有〈〝烈士碧血灑羊城，英雄悲痛不欲生〞－黃興與趙聲〉（同上）、張學鋒〈〝其人雖已歿，千載有餘情〞－黃興與陶成章〉（同上）、嚴昌洪〈特戰在粵、桂、滇－黃興與王和順在武裝起義中〉（同上）、謝本書〈盡其可能，支持正義－黃興對唐繼堯革命活動的支持〉（同上）、蕭來荃〈相助復相依，同志如兄弟－記黃興與李書城的革命友誼〉（載《領袖與群倫－黃興與各方人物》，1991）、鄧衛中〈〝酣戰春雲湛碧血〞－黃興與喻培倫〉（同上）、許增紘、李良聰〈獻身革命，功成不居－黃興與張培爵〉（同上）、張奇〈千里征戰，匡扶民國－黃興與耿毅〉（同上）、劉守中〈東西策應，並成勛業－辛亥革命時期的黃興與李燮和〉（同上）、倪俊明〈〝事敗垂成原鼠子，英雄地下無長語〞－黃興與陳炯明〉（載《領袖與群倫－黃興與各方人物》，1991）、劉泱泱〈〝天生此才必有用，我與子別當誰從〞－黃興與仇鰲的早期活動〉（同上）、鄧靜涵、許增紘〈〝我身非我有，以之搏敵仇〞—黃興與鄧絜〉（同上）、徐如〈〝女子參政，兄弟以為不成問題〞—黃興與辛亥女杰〉（同上）、載礪〈〝吾黨之翹楚，民國之棟樑〞—武昌起義前的黃興與福建群英〉（同上）、鄧衛中〈〝巍然屹立天地同〞—黃興與吳玉章〉（載《領袖與群倫—黃興與各方人物》，1991）、王光國〈青年毛澤東與黃興〉（《毛澤東思想研究》1995年1期）、毛注青〈辛亥革命後的黃興和江浙立憲派〉（載《辛亥革命史論文選（1949-1979）》，北京，三聯書店，1981）、張應超〈黃興與陝西辛亥革命英豪〉（《西北大學學報》1991年3期）、唐文權〈度盡劫波兄弟在—黃興與章太炎〉（《近代史研究》1991年5期）、伊原澤周〈論黃興辛亥革命史上的地位—以青少年的生活及教育環境為中心〉（《黃興與近代中國學術討論會論文集》，民82）、李雲漢〈黃興的晚年（1913—1916）〉（同上）、尚明軒〈論黃興的組黨業績〉（同上；亦載《求索》1995年4期）、岑練英〈國民黨「建黨百年」真相與黃興之政黨教育〉（《明報月刊》30卷2期，1995年2月）、中村義〈1916年の黃興〉（《辛亥革命研究》第7號，1987）、趙宗頗〈黃興與國民捐〉（《上海師院學報》1983年3期）、劉望齡〈「黃興致白朗書」的新發現〉（《史學月刊》1983年2期）、李國強〈《黃興致白朗書》影印手迹〉（《史學月刊》1983年5期）、永井算巳〈或る黃興書簡民元前三年十一月初七日〉（《人文科學論集》12號，1978年3月）、楊天石〈黃興致井上馨函回譯及解讀〉（《國史館館刊》復刊21期，民85年12月）、向隅〈黃克強先生的詩詞書法〉（《湖南文獻》3卷4期，民64年10月）、秦孝儀〈黃克強的詩·詞·曲〉（《中外雜誌》17卷4期，民64年4月）、陳鵬仁〈黃克強先生軼事〉（《政治評論》19卷1期，民56年9月）、文典〈略論黃興數事（紀念黃興逝世70周年）〉（《益陽師專學報》1986年3期）、徐徹、高虹〈黃興究屬何派〉（《社會科學戰線》1989年4期）、郭世佑〈應當如何看待黃興和湖北革命黨人對湖南〝焦陳事變〞的態度—就一個傳統觀點談談不同看法〉（《益陽師專學報》1984年2期）、熊羅生〈黃興與辛亥革命前後的萍鄉〉（《萍鄉教育學院學報》1989年3期）、天石〈黃興也是體育家〉（《體育文史》1983年2期）、李欽釗〈試論黃興的大局面〉（《江漢大學學報》1995年2期）、狄介先〈黃克強先生的出生入死精神〉（《湖南文獻》16卷3期，民77年7月；《中國憲政》23卷10期，民77年10月）。

3.章炳麟

章炳麟（太炎）自身的著述有《章氏叢書13種47卷》（杭州，浙江省立圖書館，民8；臺北，世界書局翻印，民47）、《章氏叢書續編（7種17卷）》（北平，民22）、《章氏叢書三編（5種）》（上海，民28）、《太炎文錄初編》（臺北，新陸書局，民59）、《章氏叢書》（20冊，古書流通處，民13年石印本）、《太炎文錄續編》（臺北，新興書局，民45）、《章太炎文錄》（3冊，臺北，西南書局，民62）、《章太炎文鈔（3卷）》（上海，中華圖書館，民3）、《章太炎先生書牘》（出版時地不詳）、《章太炎的白話文》（臺北，藝文印書館，民61）、《章校長太炎先生醫學遺著特輯》（蘇州國醫學校，民25）、《訄書》（蘇州，光緒27—即1901；臺北，古典文學出版社，民47；上海古典文學出版社翻印，1958；上海人民出版社，1975，爲線裝本，共11冊）、《章太炎自寫詩稿》（濟南，齊魯書社，1982）、《太炎先生自定年譜》（蘇州，章氏國學講習會鉛印本；上海，民友印刷公司，民11；香港，龍門書店影印，1965；臺北，臺灣商務印書館翻印，書名爲《民國章太炎先生炳麟自訂年譜》；臺北，文海出版社影印，民60，書名爲《章太炎自訂年譜》；上海，上海書店影印，1096，書名爲《章太炎先生自定年譜》）、須彌編《太炎最近文錄》（上海，國學書室，民5）、湯國梨編《章太炎先生家書》（上海，上海古籍出版社，1962；臺北，文海出版社影印，民66）、陳存仁〈章太炎師八十四封情文並茂的家書〉（《傳記文學》60卷2、3期，民81年2、3月）、吳承仕藏《章炳麟論學集》（北京，北京師大出版社，1982）、章念馳選《章太炎先生學術論著手跡選》（同上，1986）、上海人民出版社編輯《章太炎全集》（1—5册，編輯者印行，1982—1985）、浙江人民出版社選編《章炳麟著作選》（杭州，編者印行，1974）、蘇州市「章太炎著作選註」編輯組編《章太炎著作選註》（蘇州，蘇州市革命委員會政工組大批判組，1975）、上海人民出版社選編《章太炎詩文選註》（編者印行，1976）、朱維錚、姜義華《章太炎選集（註釋本）》（上海，上海人民出版社，1981）、周弘然選《章太炎選集》（臺北，帕米爾書店，民68）、張冥飛、嚴柏梁同註《章太炎國學演講錄》（臺北，文海出版社影印，民62）、湯志鈞編《章太炎政論選集》（2册，北京，中華書局，1977）、西順藏、近藤邦康編譯《章炳麟集—清末の民族革命思想》（東京，岩波書店，1990）、上海國故研究會編《章氏國故概論》（臺北，學藝出版社，民61）、中國第二歷史檔案館〈章炳麟致馮玉祥的五封信〉（《歷史檔案》1981年2期）、李希泌〈章太炎先生的兩篇講演記錄—辛亥革命、儒家之利病〉（《蘭州大學學報》1980年1期）、何新〈章太炎論佛學哲學佚書二札〉（《學習與探索》1983年4期）；〈章太炎先生遺札未刻稿〉（《社會科學戰線》1982年4期）、支冲〈記章太炎先生未刊手稿〉（《社會科學（上海）》1982年1期）、謝任甫〈章太炎先生佚文〉（《文史知識》1984年1期）等。

至於有關章炳麟的論著和研究成果，章氏的孫子章念馳輯有〈章太炎先生研究論著索引初編㈠㈡㈢〉（載《近代中國史研究通訊》第8、9、10期，臺北，中央研究院近代史研究所，民78年9月、79年3月、9月），共收錄有一千五百條索引，最為詳盡。惟所收不少是內容空洞，少有參考價值者，且此一索引初編基本上收到1986年為止，此後迄今，又有不少論著和研究發表，亟待補充。由於有關章氏的論著和研究實在太多，太瑣細，茲衹列舉其重要而具參考價值者。專書方面有許壽裳《章炳麟》（重慶，文信書屋，民34；南京，勝利出版公司，民35）、汪太冲《章太炎外紀》（北京，文史出版社，1918；新新書社，民13）、浙江省圖書館編印《追悼章太炎先生特刊》（杭州，民25）、沈延國《記章太炎先生》（上海，永祥印書館，民35；臺北，文海出版社影印，民64）、朱仲玉《章太炎》（北京，三聯書店，1963）、湯志鈞《章太炎年譜長編》（2冊，北京，中華書局，1979）、謝櫻寧《章太炎年譜摭遺》（北京，中國社會科學出版社，1987）、姚奠中、董國炎《章太炎學術年譜》（太原，山西古籍出版社，1996）、熊月之《章太炎》（上海，上海人民出版社，1982）、熊月之編《章太炎——一代革命文豪》（臺北，克寧出版社，民84）、李潤蒼《論章太炎》（成都，四川人民出版社，1985）、王有為《章太炎傳》（廣州，廣東人民出版社，

1984）、何成軒《章太炎評傳》（鄭州，河南人民出版社，1990）、姜義華《章太炎》（臺北，東大圖書公司，民80）及《章太炎評傳》（國學大師叢書，廣州，百花洲文藝出版社，1995）、徐立亭《章太炎（晚清巨人傳）》（哈爾濱出版社，1996）、湯志鈞《章太炎傳》（臺北，臺灣商務印書館，民85）、存萃學社編集《章炳麟傳記彙編》（香港，大東圖書公司，1978）、汪榮祖《章太炎研究》（臺北，李敖出版社，民80）、Kenji; Shimada, Pioneer of the Chinese Revolution: Zhang Binglin and Confucianism.（Tr. by Joshua A. Fogel, Stanford: Stanford University Press, 1990）、Kauko Laitinen, Chinese Nationalism in the Late Qing Dynasty: Zhang Binglin as an Anti-Manchu Propagandist.（London: Curzon Press, Scandinavian Institute of Asian Studies Monograph Series, No57, 1990）、章念馳編《章太炎生平與學術》（北京，三聯書店，1988）、Wong Young-tsu（汪榮祖），Search for Modern Nationalism: Zhang Binglin and Revolutionary China, 1869－1936.（East Asian Historical Monographs, Hong Kong: Oxford University Press, 1989）、Lee Jer-Shiarn, Chang Ping-lin（1869－1936）: A Political Radical and Cultural Conservative.（Ph. D. Dissertation, University of Arizona [Tucson], 1990）、姜義華《章太炎思想研究》（上海，上海人民出版社，1985）、唐文權、羅福惠《章太炎思想研究》（武漢，華中師範大學出版社，1986）、王汎森《章太炎的思想（1869－1919）及其對儒學傳統的衝擊》（臺北，時報文化公司，民74），係由其臺灣大學歷史研究所之碩士論文《章太炎的思想之研究》－民72年5月，修訂而成、黎振國《章太炎的哲學》（中山大學哲學系碩士論

文，1981）、何成軒《章炳麟的哲學思想》（武漢，湖北人民出版社，1987），係其1981年在中國社會科學院研究生院之哲學碩士論文修訂而成；蔡貴華《章太炎著述中儒家思想之考察》（熊仁學院哲學研究所碩士論文，香港，1984）、餘杭縣政協文史資料委員會編《餘杭文史資料－章太炎先生專輯》（編者印行，1988）、章念馳編《章太炎生平與思想研究文選》（杭州，浙江人民出版社，1986）及《先驅的蹤迹》（杭州，浙江古籍出版社，1988）、汪榮祖《康章合論》（臺北，聯經出版公司，民77）、湯志鈞《改良與革命的中國情懷－康有為和章太炎》（香港，商務印書館，1990）、李淑智《章炳麟與辛亥革命》（中國文化學院史學研究所碩士論文，民65年5月）、關鎮強《章太炎的民族主義》（香港中文大學文學碩士論文，1986）、高田淳《章炳麟・章士釗・魯迅一辛亥の死と生と》（東京，龍溪書舍，1974）、孫嘉鴻《晚清章太炎、陳天華、秋瑾革命文學之研究》（政治大學中文研究所碩士論文，民74）、黃錦樹《章太炎語言之學的知識精神譜系》（淡江大學中國文學研究所碩士論文，民83年6月）、唐振常《章太炎吳虞論集》（成都，四川人民出版社，1981）、曾艷雄《章太炎在中國革命報刊地位之研究》（中國文化學院新聞研究所碩士論文，民68年6月）、任真《章太炎的丰采》（臺北，精美出版社，民74）、姜義華編著《新論語－章太炎卷》（北京，華夏出版社，1993）、章念馳《滬上春秋一章太炎與上海》（臺北，三民書局，民84）、高田淳《いまの中國の章炳麟論》（東京，學習院大學東洋文化研究所，1978）、袁乃瑛《餘杭章氏之經學》（臺灣師大國文研究所碩士論文，民49年6月）、蘇美文《章太炎《齊物論釋》之研究》（淡江大學中文研究所碩士論文，民82年6月）。

論文方面，有張玉法〈章炳麟〉（載中華文化復興運動推行委員會主編《中國歷代思想家》51冊，臺北，臺灣商務印書館，民67）、陳驥〈章炳麟〉（載《現代中國思想家》第2輯，民67）、陳旭麓〈章太炎〉（《民國人物傳》第2冊，北京，人民出版社，1980）及〈章太炎傳略〉（載氏著《近代史思辨錄》，廣東人民出版社，1984）、湯志鈞〈章炳麟〉（載湯氏著《戊戌變法人物傳稿》上冊，北京，中華書局，1982增補本）、姜義華〈章太炎〉（載《中國現代學術家傳略》第1冊，太原，山西人民出版社，1982）、冉隆清〈章炳麟〉（載《中國近代著名哲學家評傳》下冊，濟南，齊魯書社，1982）、林尹〈章炳麟〉（《中國文學史論集》第4集，民47；中華學術院編《中國文化綜合研究》，民60）及〈章太炎先生傳〉（《新加坡大學中文學會學報》第7期，1966年8月；亦載《文藝復興》1卷2期，民59年3月）、姚漁湘〈關於章炳麟傳略〉（《大陸雜誌》12卷8期，民45年4月）及〈章炳麟傳略〉（《革命思想》11卷2期，民50年8月）、王梓良〈章炳麟先生傳略〉（《浙江月刊》3卷5期，民60年5月）、曹聚仁〈章太炎先生〉（《人間世》11期，民23年9月）、一士〈談章太炎先生〉（《國聞週報》13卷25期；民25年6月）、冉中〈章炳麟〉（《人文月刊》8卷7、8期，民26年10月）、但燾〈章（太炎）先生別傳〉（《國史館館刊》創刊號，民36年12月）、王森然〈章炳麟先生評傳〉（載王氏著《近代二十家評傳》，北平，杏岩書屋出版，民23；臺北，文海出版社影印，民63）及〈章太炎先生評傳〉（《中國公論》10卷1—5期，民32年10月—33年2月）、島田虔次〈章炳麟について—中國傳統學術と革命〉（《思想》407號、408號，1958年5月、6月）、Leung Man-

Kaun，" Chang Ping-lin, 1869-1936: His Life and Career "（《聯合書院學報》第8期，1971）、呂濤〈章太炎〉（載《百代英傑》，北京，北京出版社，1984）、李晶〈文章驚天地，精神泣鬼神—有學問的革命家章太炎〉（載《中國近代愛國者百人傳》，哈爾濱，黑龍江人民出版社，1985）、李奠中〈〝有學問的革命家〞章太炎先生〉（《山西大學學報》1988年1期）、張永雋〈有學問的革命宣傳家—章太炎〉（載張氏主編《中國新文明的探索—當代中國思想家》，臺北，正中書局，民80）、樸庵〈餘杭章太炎種種〉（《浙江月刊》11卷6期，民68年6月）、謝汝銓〈章太炎之行述〉（《臺灣省通志館館刊》1卷3期，民37年12月）、黃金南〈評章太炎〉（《華中工學院學報》1974年4期）、馬列主義教研室大批判組〈論章太炎〉（《南京大學學報》1974年4期）、唐振常〈論章太炎〉（《歷史研究》1978年1期）、徐方治〈論章太炎〉（《廣西民族學院學報》1978年2期）、李澤厚〈章太炎剖析〉（《歷史研究》1978年3期）、張玉法〈章炳麟生平述略〉（《幼獅月刊》45卷4期，民66年4月）、抑盦〈章太炎先生〉（《中華國學》1卷7期，民66年7月）、王成聖〈章太炎的故事〉（《中外雜誌》16卷3期，民63年9月；亦載《浙江月刊》11卷6期，民68年6月）、邵鏡人〈章炳麟軼事〉（《中外雜誌》1卷1期，民56年3月）、趙明琇〈章太炎先生軼事〉（《浙江月刊》11卷1期，民68年1月）、張玲蕙〈章太炎軼事補記〉（同上，13卷77期，民70年7月）、黃萍蓀〈章太炎軼事—閒話〝瘋子〞的由來及其文〉（《人物》1993年2期）、田慕章〈與侯外廬論章太炎書二札〉（載《中國哲學》第6輯，北京，三聯書店，1981）、高景成〈章太炎年譜〉（《文學年報（燕京大學）》第7期，民30年6月）、姜義華〈章太炎傳略〉(載章念馳編《章太炎生平與思想研究文選》,杭州,浙江人民出版社,1986)、王仲犖〈太炎先生二三事〉(同上)、沈延國〈記太炎先生若干事〉(同上)、宋雲彬〈紀念章太炎先生〉(同上)、呂思勉〈從章太炎說到康長素、梁任公〉(同上)、林慶元〈章太炎是小資產階級思想家〉(同上及《歷史研究》1985年4期)、魯迅〈關於章太炎先生二三事〉(《魯迅全集》第6卷,民25;亦載章念馳編《章太炎生平與學術》,北京,三聯書店,1988)及〈關於章太炎〉(《開明月報》1卷4期,民26年4月)、素卿〈記樸學大師章太炎先生〉(《正風半月刊》3卷10期,民25年7月)、馮自由〈革命逸史一章太炎事略〉(《逸經》第6期,民25年6月)、覺堂〈章太炎先生事略〉(《浙江月刊》4卷1期,民61年1月)、李植〈餘杭章先生事略〉(《華西學報》第4期,民25年6月)、朱鏡宙〈章太炎先生軼事〉(《文教叢刊》5、6期,民35年11月)、周黎庵〈記章太炎及其軼事〉(《古今》第8期,民31年10月)、周予同、湯志鈞〈從顧炎武到章炳麟〉(《學術月刊》1963年12月)、李兆鋒〈《關於太炎先生二三事》分析〉(《魯迅研究年刊》創刊號,1974)、歷史系二年級編《絕師反孔走革命道路的章太炎〉(《陝西師大學報》1974年3期)、蔣心煥〈我們的鬥爭需要馬克思主義一學習《關於章太炎先生二三事》札記〉(《山東師院學報》1975年1期)、章念馳〈傑出的愛國主義志士一章太炎〉(《社會科學(上海)》1982年12期)、王咏賦〈〝瘋子〞章太炎〉(《人物》1983年1期)、丁慰慈〈一代狂士章太炎〉(《歷史月刊》20卷6期,民65年12月)、河田悌一〈否定の思想家章炳麟〉(載小野川秀美、島田虔次編《辛亥革命の研究》,東京,筑摩書房,1978),其中譯文為王富山、吳雁南譯〈否定的思想家一章炳麟〉(《貴陽師院學報》1980年3期)、任訪秋〈簡論從批孔到尊孔的章太炎〉(《中州學刊》1986年5期)、章念馳〈浙江人的驕傲一章太炎〉(《浙江文化交流》1986年3期)、何冠彪〈章炳麟二題〉(《大陸雜誌》91卷6期,民84年12月)、湯志鈞〈《章太炎年譜長編》補(1911-1912年)〉(《辛亥革命史叢刊》第5輯,1983)、石峻〈紀念愛國知識份子章太炎逝世二十周年〉(《新華半月刊》87期,1956年7月)、湯炳正〈跋章太炎先生〝遺囑〞一為紀念太炎先生逝世六十周年而作〉(《中國文化研究》1996年春之卷)、陳驥〈民族史學家章太炎〉(《興大青年》3卷6期,民62年3月)、林伊〈章炳麟之生平及其學術文章〉(《孔孟月刊》14卷11期,民65年7月)、山田勝美〈章炳麟の人と學問〉(《漢文教室》109號,1974年4月)、岡崎文夫〈思想家としての 章炳麟〉(《藝文》7卷11號,1916)、丁慰慈〈一代狂士章太炎〉(《中外雜誌》20卷6期,民69年12月)、吳相湘〈章炳麟自認「瘋顛」〉(《傳記文學》42卷4期,民72年4月;亦收於吳氏著《民國人物列傳》上册,臺北,傳記文學出版社,民75)、袁宙宗〈章炳麟淵博怪誕〉(《中外雜誌》34卷2期,民72年8月)、吳惕剛〈章炳麟淵博怪誕補述〉(同上,34卷4期,民72年10月)、董鼐〈章太炎的「瘋」與「變」〉(同上,33卷2期,民72年2月)、黃其祥〈章炳麟的雙重人格〉(同上,28卷2期,民69年8月)、佘麗芬〈耿介素樸,風骨峭峻:論章太炎的人格習性〉(《浙江檔案》1996年5期)、胡平生〈革命先進章炳麟〉(《明道文藝》34期,民68年1月)、何安〈後期章太炎並不是「寧靜的學者」〉(《學林漫錄》1982年2期)、金德建〈章太炎先生的晚節〉(《人物》1981

年6期）、陳存仁遺作〈章太炎師結婚考〉（《傳記文學》59卷4期，民80年10月）。

潘承弼、沈延國、朱學浩、徐復〈太炎先生著述目錄後編初稿〉（《制言》34期，民26年2月）及〈太炎先生著述目錄後編〉（章氏國學講習會，民26）、沈延國〈太炎先生著述目錄補遺〉（《制言》36期，民26年3月）、章念馳〈章太炎先生著作出版情況介紹〉（《古籍整理簡報》1986年162期）、陳剩勇〈章炳麟研究的最新進展〉（《浙江學刊》1986年5期）、久保田文次〈最近の中國における章炳麟研究の動向〉（《歷史評論》342號，1978年10月）、大八木章文〈中國最近における章炳麟研究の動向〉（《史朋》34號，1981）、中國近代思想史研究會〈章太炎研究文獻目錄〉（《中國近代思想史研究會會報》第5號，1960）。徐立亭〈關於章太炎的評價問題〉（《思想戰線》1982年1期）、李希泌〈章太炎先生究竟生於何年〉（《文史知識》1983年10期）、顏澤鏗〈辛亥革命前的章炳麟〉（《徐州師院學報》1981年4期）、黃克武〈章太炎的早年生涯——一個心理的分析〉（《食貨月刊》復刊9卷10期，民69年1月）、Wong Young-tsu（汪榮祖），"Chang Ping-lin and the Rising Chinese Revolutionary Movement, 1900-1905"（《中央研究院近代史研究所集刊》12期，民72年6月）、孫孝恩〈評辛亥革命時期的章太炎〉（《哈爾濱師院學報》1977年3期）、唐文權〈戊戌變法時期的章太炎〉（《中國哲學》第3輯，1980年8月）、易慧清〈辛亥革命時期章太炎的教育活動述評〉（《浙江學刊》1986年4期）、王汎森〈清末的歷史記憶與國家建構：以章太炎為例〉（《思與言》34卷3期，民85年9月）、蔣君章〈國學大師章太炎與革命運動〉（《傳記文學》35卷2期，民68年8月）、吳競〈章太炎在東吳大學〉（《中學歷史》1984年3期）及〈對章炳麟在東吳大學時「赴學尋問」的江蘇巡撫的考辨〉（《江蘇師院學報》1980年1期）、容谷〈章太炎旅臺事迹考略〉（《復旦學報》1980年5期）、湯志鈞〈章太炎在臺灣〉（《社會科學戰線》1982年4期）、彭興〈章太炎與《臺灣日日新報》〉（《社會科學（上海）》1982年12期）、黃玉齋〈章炳麟與本市操觚界〉（《臺北文物》5卷4期，民46年6月）、楊華康〈章太炎到臺北避難〉（《浙江月刊》27卷4期，民84年4月）、莊金德〈章太炎寓臺事蹟〉（《臺灣文獻》13卷2期，民51年6月）、王成聖〈章太炎旅臺鴻爪〉（《海外文稿》271期，民63）、王傑謀〈章太炎與臺灣早期新聞界〉（《藝文誌》158期，民67年11月）、中村忠行〈章太炎先生と臺灣〉（《華僑文化》23號，1950年10月）、熊月之〈章太炎不是中國教育會發起人〉（《華東師大學報》1980年6期）、魏蘭英〈章太炎與蘇報案〉（《文史知識》1984年1期）、朱文原〈章太炎與蘇報案〉（《浙江月刊》21卷11期，民78年11月）、歐陽恩良〈《蘇報》案中章太炎鄒容投案述評—兼談二十世紀初中國知識分子的倫理思想〉（《貴州師大學報》1996年3期）、陳志根〈章太炎在獄中〉（《歷史知識》1985年4期）、唐文權〈章太炎「七次追捕，三次入牢獄」解〉（《辛亥革命史叢刊》第2輯，1980）、栗國成〈清末章太炎與革命維新兩派的關係〉（《中山學術論叢》13期，民84年6月）、耘農（沈雲龍）〈章太炎與同盟會〉（《新中國評論》12卷6期、13卷1期，民46年6、7月）及〈章太炎與同盟會齟齬之經過〉（《民主潮》5卷6期，民44年3月）、久保田文次〈辛亥革命前章炳麟と同盟會の對立〉（《木村正雄博士退官東洋史論集》，1976年12月）、李時岳〈論章炳麟和光復會〉（《吉林大學學報》1979年4期）、彭英明〈讀史札記二則—章太炎與光復會〉（《華中師院學報》1978年4期）、曾永玲、魏克智〈民報與章太炎〉（《四平師院學報》1982年4期）、王勁〈章太炎主編《民報》始自第七號〉（《蘭州大學學報》1984年1期）、朱浤源〈《民報》中的章太炎〉（《大陸雜誌》68卷2期，民73年2月）、姜義華〈章太炎與《民報》〉（載《上海圖書館建館五十周年紀念論文集》，1984）、金沖及、胡繩武〈章太炎與後期《民報》〉（載章念馳編《章太炎生平與思想研究文選》，杭州，浙江人民出版社，1986）、李潤蒼〈章太炎與《民報》的革命宗旨〉（《社會科學戰線》1983年2期）及〈章太炎等反對日本政府封禁《民報》的鬥爭〉（《歷史檔案》1983年4期）、李凡〈章太炎在日本〉（《東北師大學報》1983年5期）、近藤邦康〈章太炎與日本〉（載章念馳編《先驅的蹤迹》，杭州，浙江古籍出版社，1988）、狹間直樹、松本健一對談〈章炳麟と明治の「アジア主義」〉（《知識》105號，1990年8月）、丁則良〈章炳麟與印度民族解放鬥爭—兼論章氏對亞洲民族解放鬥爭的一些看法〉（《歷史研究》1957年1期）、湯志鈞〈辛亥革命前夕的章太炎〉（載《辛亥革命史叢刊》第2輯，1980）、無敬〈辛亥革命前後的章太炎〉（載《辛亥風雲》，1982）、錢秀琴〈章炳麟在辛亥革命前後之政治立場〉（《史苑》45期，民76年7月）、李潤蒼〈章太炎在辛亥革命前後的政治錯誤〉（《四川大學學報叢刊》20輯，1983年9月）、高田淳〈辛亥後の章炳麟〉（《東洋文化研究紀要》60號，1973年3月）、徐立亭〈章太炎與〝革命軍起，革命黨消〞〉（《吉林大學學報》1993年6期）、王有為〈評章太炎的「革命軍起，革命黨消」〉（《社聯通訊—記念辛亥革命七十周年專輯》增刊第5期，1981）及〈革命派的分裂與章太炎的口號—〝革命軍起，革命黨消〞析〉（載蔡尚思等《論清末民初中國社會》，復旦大學出版社，1982）、陳念蘇〈「革命軍起，革命黨消」的口號是由誰首先提出的？〉（《浙江學刊》1982年2期）、徐輝琪〈「革命軍起，革命黨消」口號的由來及評價〉（《近代史研究》1983年4期）、蔡知穎〈章炳麟與統一黨〉（《史薈》29期，政治大學歷史系，民85年5月）、徐立亭〈章太炎在東北〉（《北方文物》1990年1期）、劉敏、張志強〈章太炎在東北的籌邊活動〉（《社會科學戰線》1991年3期）、徐鳳晨〈章炳麟在長春的籌邊活動〉（《東北師大學報》1986年5期）、鄭會欣〈章太炎抵制帝國主義侵占東北礦權的一段往事〉（《社會科學戰線》1986年3期）、任松〈章太炎與近代東北的開發〉（《學習與探索》1995年3期）、章念馳〈章太炎與東三省開發〉（《史林》1993年4期）、黃渭楊〈章太炎勇鬥袁世凱〉（《廣東文藝》1975年2期）、越之〈〝章瘋子〞大鬧總統府〉（《名人傳記》1985年1期）、李希泌〈罵帝斥袁的章太炎〉（《縱横》1983年2期）、湯志鈞、莊園禾〈章太炎與反袁鬥爭—讀《致伯中書》手迹〉（《文物》1976年9期）、含江、丁三〈章太炎被囚龍泉寺〉（《文物天地》1982年3期）、王興科〈章太炎被移拘龍泉寺時間辨正〉（《近代史研究》1990年1期）、徐一士〈章炳麟被羈北京軼事雜記〉（《逸經》11期，民25年8月）、黃渭楊〈論章太炎反對復辟帝制的鬥爭〉（《南京師院學報》1975年2期）、汪榮祖〈章太炎與中華民國〉（載《中華民國建國史討論集》第2冊，民70）、任訪秋〈章太炎與五四新文化運動〉（《中州學刊》1993年2

期）、龔鵬程〈傳統與反傳統－以章太炎為線索論晚清到五四的文化運動〉（載中國古典文學研究會主編《五四文學與文化變遷》，臺北，臺灣學生書局，民79）、湯志鈞〈章太炎對中共態度探析〉（《近代史研究》1995年6期）、褚律元〈抗日救亡運動躍馬當先：章太炎傳奇〉（《中外雜誌》49卷5期，民80年5月）、李寰〈章炳麟先生與四川〉（《四川文獻》88期，民58年12月）、李潤蒼〈章太炎與四川〉（《四川大學學報叢刊》第5輯，1980年5月）及〈章太炎先生在重慶〉（《重慶文史資料選輯》13輯）、左舜生〈我所見晚年的章炳麟〉（載左氏著《中國近代史話初集》，臺北，傳記文學出版社，民59）、朱維錚〈關於晚年章太炎〉（載《先驅的蹤迹》，浙江古籍出版社，1988；《復旦學報》1986年3期）、金德建〈章太炎先生晚年蘇州講學與愛國主義精神〉（《蘇州大學學報》1986年1期）、章念馳〈章太炎先生晚年與抗日戰爭〉（《中華英烈》1986年1期）。

陸丹林〈章太炎與張之洞〉（《逸經》17期，民25年11月）、蘇軒〈章炳麟與張之洞〉（《子曰叢刊》第2期，民37年8月）、表子〈廖季平與章太炎〉（《讀書通訊》39期，民31）、廖公誠〈章太炎與孫中山〉（《歷史知識》1982年6期）、章念馳〈中華兩英傑－孫中山與章太炎〉（載浙江省政協文史研究委員會編《孫中山與浙江》，浙江人民出版社，1986）、近藤邦康〈章炳麟と孫文－德と知〉（《近代中國の思想と文學》，東京，大安書店，1967）、湯志鈞〈章太炎和孫中山〉（《社會科學戰線》1978年3期）、賀凌虛〈孫中山與章太炎〉（《國父一百二十五歲誕辰紀念中山學術論文集》，臺北，國父紀念館編印，民79年11月）、賓長初〈章太炎與孫中山為何由合作走向分裂〉（《河北學刊》1995年2期）、陳鴻祥〈〝四百兆民視此冊〞—章太炎的《孫逸仙》題辭〉（《淮陽師專學報》1981年4期）、邱捷〈章太炎挽孫中山聯與所謂〝孫曹合作〞、〝孫吳合作〞〉（載《孫中山研究論叢》第6集，1988）、王興瑞〈章炳麟與鄒容〉（《新建設》4卷1、2期，民32年4月）、姚漁湘〈章炳麟與鄒容〉（《學粹》3卷5期，民50年8月）、唐文權〈章太炎與鄒容—兼論二十世紀初的中國先進知識分子〉（《江蘇紀念辛亥革命七十周年學術論文集》，1983）、陳言〈忘年之交的歷史故事—章炳麟與鄒容〉（《老人天地》1984年1期）、張震歐〈章太炎《鄒容》（兼《贈大將軍鄒容墓志》）考釋〉（《廣東教育學院學報》1982年3期）、楊天石、王學庄〈章太炎與端方關係考析〉（《南開大學學報》1978年6期）、曾業英〈章太炎與端方關係補正〉（《近代史研究》1979年1期）、周予同〈康有為與章太炎〉（載《周予同經學史論著選》，上海人民出版社，1983）、汪榮祖〈康有為章炳麟合論〉（《中央研究院近代史研究所集刊》15期上冊，民75年6月）、孫理校點〈章太炎評康有為、那拉氏、袁世凱、張之洞〉（《復旦學報》1982年3期）、元青〈章太炎與梁啟超〉（《天津師大學報》1995年6期）、吳相湘〈章炳麟吳敬恆交惡由來〉（載吳氏主編《中國現代史叢刊》第3冊，臺北，正中書局，民50）、詹瑋〈蘇報案與章、吳齟齬〉（《東南學報》12期，民78年7月）、左雙文〈論〝蘇報案〞中的章吳之爭〉（《湘潭師院學報》1989年2期）、胡珠生〈宋恕和章炳麟交往資料〉（《中國哲學》1983年9期）、汪榮祖〈章太炎、湯國梨姻緣敍〉（《歷史月刊》10期，民77年11月）；趙福年〈魯迅與章太炎〉（《魯迅研究》1984年1期）、王化元〈關於魯迅研究的若干設想—魯迅與章太炎〉（載《文學沉思錄》，上海文藝出版社，

1983）、唐文權〈魯迅與章太炎〉（《魯迅思想研究》1982年8期）、姜峻〈魯迅與章太炎〉（《牡丹江師院學報》1981年4期）、王士菁〈魯迅與章太炎〉（《學術論壇》1980年1期）、查國華、蔣心煥〈魯迅和章太炎－學習魯迅札記〉（《破與立》1976年4期）、張毓茂〈魯迅與章太炎－為紀念魯迅逝世三十八周年而作〉（《遼寧大學學報》1974年3期）、林辰〈魯迅與章太炎及其同門諸子〉（載《魯迅事蹟考》，新文藝出版社，1958）、宋雲彬〈魯迅和章太炎〉（《文藝月報》1956年10期）、章念馳〈論章太炎與魯迅的早年交往〉（《中華文史論叢》50輯，1991）、沈倬〈章太炎書贈魯迅字幅辨證〉（《社會科學輯刊》1981年4期）、今貴、澄川〈學習魯迅評價章太炎的寶貴經驗〉（《理論與實踐》1974年1期）、王忠愈〈學習魯迅論章太炎〉（《四川文藝》1975年2期）、周慶基〈永遠跟上時代前進的步伐－學習魯迅有關章太炎、劉半農的論述〉（《徐州師院學報》1976年5期）、任訪秋〈魯迅論章太炎〉（《開封師院學報》1977年2、3期）、廖欽、陳銳鋒〈魯迅論章太炎的倒退〉（《貴州社會科學》1981年4期）、史莽〈論魯迅對章太炎的評價〉（載章念馳編《先驅的蹤迹》，浙江古籍出版社，1988）、張苓華〈章太炎東京講學與魯迅〉（同上，亦載《近代史研究》1986年6期）、高田淳〈師道について－章炳麟と魯迅〉（《理想》464號，1972年1月）、中文系73級魯迅學習小組〈學習魯迅對法家的正確評價：〝大詬袁世凱〞的章太炎〉（《新江大》1974年4期）；朱維錚〈章太炎與王陽明〉（《中國哲學》1981年5期）、孫萬國〈也談章太炎與王陽明－兼論太炎思想的兩個世界〉（載章念馳編《章太炎生平與思想研究文選》，1986）、王煜〈章炳麟對王守仁態度的演變〉

（收入氏著《儒釋道與中國文豪》，臺北，臺灣學生書局，民80）、章念馳〈章太炎與劉伯溫〉（《史林》1993年3期）、鄭師渠〈章太炎與劉師培交誼論〉（《近代史研究》1993年6期）、冬藏〈章太炎與曼殊和尚〉（《越風》18期，民25年8月）、趙家銘〈章太炎與胡適的一些是與非〉（《傳記文學》11卷4期，民56年10月）、阪井洋史〈近代中國のアナキズム批判—章炳麟と朱謙之をめぐって〉（《一橋論叢》101卷3號，1988年3月）、楊天后〈何震揭發章太炎〉（《近代史研究》1994年2期）、周立人〈孫詒讓與章太炎〉（《溫州師院學報》1988年1期）、莊華峰〈章太炎與吳承仕〉（《安徽師大學報》1986年3期）、李學智〈章太炎、黎元洪關係述論〉（《史學月刊》1996年4期）、湯志鈞〈章太炎和館森鴻〉（載王仲犖主編《歷史論叢》第3輯，齊魯書社，1980）、瀧澤試著、紹海譯〈權藤成卿和章炳麟的交游—來往筆談錄〉（《國外中國近代史研究》第5輯，1986）、河田悌一〈東洋與西洋的衝突—西方近代文明：夏目漱石與章太炎〉（載吳東昇、朱雲漢編《東亞現代化的困境與出路國際會議論文集》，臺北，中華文化復興運動總會，民84）、中山久四郎〈章炳麟と日本人〉（《斯文》22號，1958年9月）、宏燁〈黃季剛與章太炎〉（《中外雜誌》54卷5期，民82年11月）、劉長庚〈章太炎樂為黃侃師〉（同上，8卷6期，民59年12月）、王瑜孫〈記章太炎夫人—湯國梨女士〉（《浙江月刊》23卷7期，民80年7月）、李潤和〈試論儒學在朴殷植與章太炎歷史認識中的作用〉（《東岳論叢》1996年6期）、何冠彪〈章炳麟與蔣良騏《東華錄》—歷史名人喜好誇大少年事跡一例〉（收於氏著《明清人物與著述》，香港，商務印書館，1996；臺北，臺灣商務印書館，民85）、何冠彪〈論章炳麟對黃宗羲與王夫之的評價－兼論章炳麟自述少年事蹟的可信性〉（《國立編譯館館刊》25卷1期，民85年6月）、白奚〈試論章太炎對孔子的評價〉（收入胡偉希編《辛亥革命與中國近代思想文化》，北京，中國人民大學出版社，1991）、張恒壽〈章太炎對於二程學說的評論〉（收入氏著《中國社會與思想文化》，北京，人民出版社，1989）。

李潤蒼〈章太炎是什麼派？－與唐振常同志商榷〉（《歷史研究》1979年7期）、王遂今〈章太炎是地主階級反滿派嗎？〉（《紀念光復會成立八十周年學術討論會論文》，1984）、郭惠青〈試析章太炎的政治立場〉（《昆明師院學報》1980年6期）、駱寶善〈關於章炳麟政治立場轉變的幾篇佚文〉（《歷史研究》1982年5期）、朱宗震〈章太炎的政治搖擺簡析〉（《四川師院學報》1981年3期）、黃家遵〈清末兩位社會學的先鋒－嚴幾道與章炳麟〉（《社會研究季刊》1卷3期，民26年1月）、許妙發〈章太炎與社會學之傳入中國〉（《社會》1981年1期）、陳樹德〈康有為和章太炎最先傳入社會學〉（《社會學科（上海）》1981年4期）、孫本文〈康有為和章太炎最早把資產階級社會學傳入中國〉（《江海學刊》1962年6期）、陳定閎〈中國社會學史上的章太炎〉（《重慶社會科學》1990年2期）、湯志鈞〈章太炎的《社會學》〉（載《歷史論叢》第1輯，1980）、李潤蒼〈章太炎與日本的無政府主義〉（《學術月刊》1982年6月）、熊月之〈早年的章太炎與西方〝格致〞之學〉（《史林》1986年2期）、錢穆〈又對章太炎學術的一個看法〉（《燕京大學史學消息》1卷3期，民25年12月）、張江裁〈章太炎先生學術述略〉（《國學論衡》第8期，民25年11月）、龐俊〈章太炎先生學術述略〉（《華西學報》第4期，民35年6月）、章念馳〈論章太炎先生的學術成就〉（《史林》1990年1期）、高明〈章太炎先生的學術成就〉（《孔孟學報》58期，民78年9月）、李源澄〈章太炎先生學術述要〉（《中心評論》17期，民25）、曹聚仁〈章太炎學述〉（《讀書通訊》71期，民32年8月）、原島春雄〈章炳麟における學術と革命ー哀かり「寂寞」まで〉（《思想》708號，1983年6月）、張玉法〈章炳麟先生的學術成就〉（《中華文化復興月刊》11卷2期，民67年2月）、高明〈章太炎先生之學術成就〉（《孔孟學報》58期，民78年9月）、王聯曾記〈章太炎論今日切要之學〉（《中法大學月刊》5卷5期，民23年10月）、洪煥春〈近代的兩個學術大師王靜安和章太炎先生〉（《讀書通訊》157期，民37年5月）、袁乃瑛〈餘杭章氏之經學〉（《臺灣師大國文研究所集刊》第6期，民51年6月）、姜義華〈章太炎拆散封建經學的殿堂〉（載林慶彰編《中國經學史論文選　》下冊，臺北，文史哲出版社，民82）、楊向奎〈試論章太炎的經學和小學〉（《歷史學》1979年3期）、岑溢成〈章太炎與清代今文經學〉（《近代中國文學與思想》第1號，中央大學中文系，民84）、但燾〈章太炎先生學案小識〉（《大陸雜誌》12卷5期，民45年3月）、陸寶千〈章太炎之論墨學〉（《中央研究院近代史研究所集刊》20期，民80年6月）、羅檢秋〈章太炎與諸子學〉（《北京師大學報》1995年2期）、周雙利〈試論章太炎的國學〉（《內蒙古師大學報》1995年4期）。朱逷先〈章太炎先生之史學〉（《文史雜誌》5卷11、12期，民34年2月）、貝琪〈章太炎先生之史學〉（《東方雜誌》33卷16號，民25年8月）、吳蔚若〈章太炎之民族主義史學〉（《大陸雜誌》13卷6期，民45年9月）、吳景賢〈章太炎之民族主義史學〉（《東方雜誌》44卷4號，民37年4月）、陳木杉

〈略論章太炎之民族主義史學〉（《共黨問題研究》11卷7-8期，民74年7-8月）、劉碩〈章太炎與近代歷史教育〉（《瀋陽師院學報》1996年3期）、朱政惠〈章太炎談讀史日程〉（《文史知識》1981年6期）。徐和雍、李今栽〈章太炎與中國近代民族文化〉（《杭州大學學報》1987年1期）、李潤蒼〈章太炎與中日文化交流〉（《學術月刊》1982年6期）、陸寶千〈章太炎對西方文化之抉擇〉（《中央研究院近代史研究所集刊》21期，民81年6月）、李哲賢"Chang Ping-Lin and the Dilema Between Scholarship and Politics"（《銘傳學刊》第3期，民81年7月）及〈章炳麟及其對保存國粹之關切〉（同上，第5期，民83年7月）、陳平原〈章太炎與中國私學傳統〉（《學人》第2輯，江蘇文藝出版社，1992年7月）。章念馳〈章太炎與他的書法—從《章太炎篆書千字文》出版說起〉（《書法研究》1982年4期）、周振甫〈章太炎的文章論〉（《國文月刊》49期，民35年11月）、徐祖蔭〈章太炎文學論略評論〉（《滬大月刊》2卷3、4期，民23年5月）、任訪秋〈章太炎文學簡論〉（《開封師院學報》1979年1期）、吳中杰〈章太炎文學復古主義辨析〉（《晉陽學刊》1995年5期）、劉又辛、李茂康〈章太炎的語言文字學研究〉（《西南師大學報》1990年3期）、陳新雄〈章太炎先生轉注假借說一文之體會〉（《國文學報》21期，民81年6月）、胡厚宣〈章太炎先生與甲骨文字〉（《中國史研究》1994年4期）、湯志鈞〈章太炎與白話文〉（《近代史研究》1990年2期）。章次公〈章太炎先生之醫學〉（《蘇州國醫雜誌》11期，民25年11月）及〈從太炎先生「論中醫學五行說」談起〉（《新中醫藥》7卷10期，1956年10月）、陳仁存〈章太炎先生醫事言行〉（《仁存醫學叢刊》第2期，1953年6月）、孫硯孚〈章太炎與中國醫學〉（《古今》19期，民32年3月）、廖家興〈章太炎先生的醫學見解〉（《浙江中醫雜誌》1981年1期）。

唐文權〈讀章太炎《訄書》〉（《思想戰線》1975年4期）、湯志鈞〈從《訄書》的修訂看章太炎的思想演變〉（《文物》1975年11期）及〈《訄書》修訂和尊法反儒—原刊本、手校本、手改本等研究〉（《文物》1976年1期）、黎耀元〈讀《訄書》〉（《華中師院學報》1976年2期）、崔富章〈《訄書》版本述略〉（《圖書館研究與工作》1981年2期）、姜義華〈《訄書》簡論〉（《復旦學報》1982年2期）、朱維舒〈《訄書》《檢論》三種集結過程考實〉（同上，1983年1期）、徐小蠻〈記章太炎先生《訄書》原刻本的稿本〉（《文物》1985年1期）、任繼愈〈《訄書》中的機械唯物主義傾向〉（載章念馳編《章太炎生平與思想研究文選》，1986；原載任氏主編《中國哲學史簡編》，北京，人民出版社，1973）、徐復〈讀《訄書》雜志〉（載章念馳編《先驅的蹤跡》，1988）、洪銘吉〈章太炎《旭書》「商鞅第35」考證〉（《僑光學報》12期，民83年9月）；梁效〈試談歷史上關於秦始皇的兩派論爭—從章太炎的《秦政記》《秦獻記》談起〉（《北京大學學報》1974年2期）、華中師院中文系七二〇一班二組工農兵學員〈談章太炎的《秦政記》《秦獻記》〉（《華中師院學報》1974年2期）、四平聯合收割機廠工人理論組〈反復辟的戰鬥檄文—讀《秦政記》《秦獻記》〉（《吉林大學學報》1974年3期）、黃淇源〈兩篇反復辟的戰鬥檄文—讀章炳麟的《秦政記》《秦獻記》〉（《安徽文藝》1974年11期）、沈濮〈《秦獻記》和《秦獻記》的寫作年代〉（《學習與批判》1975年6期）、崔富章〈從《秦獻記》《秦政記》寫作年代談起〉（《文史哲》1979年3期)、遼寧一師中文系古代文學教研室譯註〈《秦政記》《秦獻記》註釋〉(《遼寧一師學報》1974年1期)、陳小明〈章太炎的《秦政記》〉(《南京大學學報》1974年4期)、倪汝煒〈讀章太炎《秦政記》有感〉(《河北大學學報》1974年3期)、戴鴻森〈《秦政記》的一個句讀問題〉(《歷史研究》1977年6期)、郭君〈從章太炎手稿看《秦政記》〉(《社會科學輯刊》1981年1期)、鞏昌訓〈章太炎的《秦獻記》〉(《南京大學學報》1974年4期)、焦樹安〈章太炎《秦獻記》的寫作時間及其主要思想〉(《文獻叢刊》1981年4期)、馬進〈《秦獻記》並沒有肯定焚書坑儒〉(《四川師院學報》1982年1期)、政治系72級6組〈「焚書坑儒」是秦始皇的革命措施—讀章炳麟的《秦獻記》〉(《新江大》1974年4期)、叢培欣〈讀《秦獻記》〉(《南開大學學報》1974年2期)、崔富章〈關於《秦獻記》的主題及其他〉(《杭州大學學報》1977年3期);鍾山忔〈聲討保皇黨的反儒檄文—讀章太炎《駁康有為論革命書》〉(《南京師院學報》1975年1期)、申欣松〈革命潮流不可擋—談章太炎《駁康有為論革命書》〉(《河南歷史研究所集刊》1974年2期)、袁英光〈章太炎與《清建國別記》〉(《歷史論叢》第1輯,1980年)、湯志鈞〈章太炎的《社會學》〉(同上)、陳鐵健〈章太炎與《高橋杜氏祠堂記》〉(《歷史研究》1979年2期)、王有為〈試析章太炎《亞洲和親會約章》〉(《學術月刊》1979年6期)、張其光〈章太炎《定威將軍陳君墓志銘》書後〉(《學術研究》1980年6期)、吳佐忻〈章太炎手書《金鏡內臺方議序》〉(《上海中醫雜誌》1980年4期)、王有為〈辛亥前關於革命策略問題的一場爭論—從章太炎《中華民國開國前革命史序》談起〉（載《辛亥革命論文集》，廣州，廣東人民出版社，1980）及〈再論章太炎《中華民國開國前革命史序》中有關辛亥革命策略問題〉（《江海學刊》1994年5期）、小野川秀美〈章炳麟の「演説錄」〉（載《塚本博士頌壽紀念佛教史學論集》，1961）、海老谷尚典〈章炳麟の〝檢論·原教篇〞について〉（《哲學（廣島哲學會）》40卷，1988）、田光烈〈章炳麟《支那內學院緣起》書後〉（《中國哲學》1981年6期）、樊鵠〈錄章太炎《抪虱齋曲本序》〉（《辛亥革命史叢刊》第4輯，1982）、沈家駿〈《西岳華山廟碑》和章太炎先生的跋〉（《紹興師專學報》1983年2期）、姚奠中〈試論章太炎先生的詩〉（《山西大學學報》1992年3期）、金德建〈章太炎晚年的一首詩〉（《書林》1981年6期）、湯志鈞〈章太炎的剳辮與《解辮髮》〉（載《上海圖書館建館五十周年紀念論文集》，1984）、黃落〈漫說章太炎的《謝本師》〉（《人物》1985年4期）、陳梅香〈章炳麟「成均圖」古韻理論層次之探析〉（《中山中文學刊》第1期，民84年6月）、湯炳正〈從《成均圖》看太炎先生對音學理論的建樹〉（載章念馳編《先驅的蹤跡》，1988）、謝棟元〈《嶺外三州語》疏証〉（同上）、陳冬暉〈《說文部首均語》簡注〉（同上）、鄧嘯林〈關於章太炎的「以大勛章作扇墜」〉（《群衆論叢》1980年3期）、王叔岷〈章太炎莊子解故正誤〉（《文史雜誌》6卷3期，民國37年10月）、劉又亭〈古漢語復音詞研究法初探—章太炎《一字重音說》議疏〉（《西南師院學報》1982年2期）、李希泌〈章太炎先生《重訂三字經》重新發表綴言〉（《文獻》1996年1期）、黃雲湄〈讀廣論語駢枝微子篇質章太炎先生〉（載氏著《史學雜稿訂存》，齊魯書社，

1980）、胡楚生〈章太炎「釋載篇」申論〉（《幼獅學誌》19卷2期，民75年10月）、陳新雄〈章太炎轉注說之真諦與漢字統合之關聯〉（《中國國學》20期，民81年11月）、陳存仁遺作〈章太炎師八十四封情文並茂的家書〉（《傳記文學》60卷2、3期，民81年2、3月）、屈萬里〈章太炎贈丁鼎丞先生詩卷後記一丁鼎丞先生百歲冥誕紀念〉（同上，23卷4期，民62年10月）。

論述章氏思想的有姚漁湘〈章炳麟先生的思想與著作〉（《大陸雜誌》12卷2期，民45年7月）、郭湛波〈章炳麟的思想〉（《人文學報（輔仁大學文學院）》第3期，民62年12月）、王維誠〈章太炎的思想〉（收於《中國近代思想史論文集》，上海人民出版社，1958）、董平〈章太炎思想簡論〉（《中國文化月刊》146期，民80年12月）、羅耀九〈辛亥革命時期章太炎思想的階級屬性的再認識〉（《學術月刊》1982年1期）、蔡尚思〈論章炳麟思想的階級性〉（《歷史研究》1962年1期）及〈論章炳麟的思想面貌及其變化原因一章炳麟思想研究之二〉（《學術月刊》1962年6期）、南京有線電廠《章太炎詩文選註》小組、南京師院中文系〈論章太炎的思想演變〉（《南京師院學報》1975年1期）、伊東昭雄〈章太炎の思想一「無」の立場について〉（《一橋論叢》44卷6號，1960年12月）、近藤邦康〈章太炎思想ノート〉（《中國近代思想史研究會學報》12號，1961年2月）、島田虔次〈章太炎思想研究雜感〉（同上，23號，1962）、星野元男〈章太炎の思想結構〉（同上，20號，1962）、近藤邦康〈從一個日本人的眼睛看章太炎思想〉（《社會科學戰線》1984年2期；亦載章念馳編《章太炎生平與學術》，北京，三聯書店，1988）、沈濮〈從反儒尊法到尊孔讀經一試論章太炎思想的演變過程〉（《學習與批判》1973年3期）、史進〈從章太炎早期思想看近代的儒法鬥爭〉（《西北大學學報》1974年2期）、高田淳〈戊戌・庚子前後の章炳麟思想─「革政」から「革命」へ〉（《東洋文化研究所紀要》50號，1970年3月）、王有為〈章太炎主編《民報》時期思想述論〉（《江海學刊》1987年2期）、唐文權〈章太炎在《民報》時期的思想演變〉（《華中師院學報》1979年4期）、閔振貴、劉繼才〈試論章太炎思想的矛盾性〉（《遼寧教育學院學報》1985年2期）、樂山〈《章太炎思想研究》評介〉（《史學情報》1987年2期）、近藤邦康〈章炳麟、李大釗思想之研究〉（《國外辛亥革命史研究動態》1984年3期）、河田悌一〈對章炳麟、孫文、康有為及其思想的研究〉（同上，1983年1期）。趙金鈺〈論章炳麟的政治思想〉（《歷史研究》1964年1期）、沈訒〈章炳麟之政治思想〉（《國專月刊》3卷5期，民25）、Warren Sun, "Chang Ping-lin and His Political Thought."（Papers on Far Eastern History, N.32, 1985）、孫守任〈論章炳麟政治思想的階級屬性及其發展的幾個階段─兼論研究中的一些方法問題〉（《吉林師大學報》1964年2期）、黃德馨〈試論章太炎政治思想的階級屬性〉（《武漢師院學報》1979年3期）、黎振國〈章太炎前期的政治思想〉（《中山大學研究生學刊》1981年2期）、陸景琪〈章太炎早期政治思想的評價〉（《山東大學學報》1962年3期）、王玉華〈戊戌時期章太炎政治思想的雙重結構〉（《歷史教學》1996年8期）、馮友蘭〈辛亥革命時期章炳麟的政治思想〉（《中國哲學史論文二集》，上海人民出版社，1962）、胡繩武、金沖及〈辛亥革命時期章炳麟的政治思想〉（《歷史研究》1961年4期）、李耀仙〈試論章炳麟在辛亥革命時期的政治思想〉（《西南師院學報》1982年2期）、賀凌虛〈章太炎宣揚革命時期的政治思想〉（《近代中國》75期，民79年2月）、陳大絡〈章太炎的政治思想與學說〉（《藝文誌》106-124期，民63年7月-65年1月；亦載《浙江月刊》9卷10期，民68年8月）、吳訒〈章炳麟之政治思想〉（《國專月刊》3卷5期，民25年6月）、羅明〈試論《民報》時期章炳麟的政治思想和經濟思想〉（載《清史研究集》第1集，中國人民大學出版社，1980）、徐方治〈論章太炎的政治思想和政治實踐〉（載廣西民族學院學術委員會科研處編《建院三十周年學術論文選集（1952-1982）政史分册》，1982）、朱維錚〈《民報》時期章太炎的政治思想〉（《華中師院學報》1979年4期）、王樾〈佛教唯識學與章太炎政論思想之關係〉（載鄭樑生主編《中國與亞洲國家關係史學術討論會論文集》，臺北，民82）、侯外盧〈章太炎早期的政治觀點和學術思想〉（載章念馳編《章太炎生平與思想研究文選》，1986年）。小野川秀美〈章太炎の民族思想〉（《東洋史研究》13卷1-3號，14卷3號，1954年4、8月，1955年11月）、李潤蒼〈試論章太炎的民族主義〉（《近代史研究》1981年3期）、陶緒〈章太炎民族主義的思想淵源〉（《中州學刊》1996年3期）及〈論章太炎在同盟會成立後的民族主義思想〉（《湘潭師院學報》1996年1期）、黃順力〈辛亥革命時期章太炎的民族主義思想剖析〉（《紀念光復會成立八十周年學術討論會論文》，1984）、〈章太炎的民族觀〉（《湘潭大學學報》1995年6期）、董淮平〈章太炎與孫中山早期民族主義思想異同論〉（《湖南師大學報》1992年3期）、王才〈論辛亥革命時期章太炎的民族主義〉（《北京師院學報》1992年6期）、星野元男〈章太炎の「民族主義」の根底〉（《中國近代思想史研究會會報》13、14號，1961年2、3月）、市川章〈章太炎の排滿革命思想の特質—1903年までの思想〉（《二松學舍大學人文論叢》13號，1978年3月）、伊東昭雄〈章太炎の革命思想と辛亥革命—代議制批判を中心に〉（《現代中國》37號，1962年2月）、黃綺文〈章太炎反滿民族革命思想初析—兼論章太炎不是地主階級反滿派〉（載《孫中山與辛亥革命學術討論會論文集》，1979年11月）、近藤邦康〈章炳麟における革命思想の形成—戊戌變法から辛亥革命へ〉（《東洋文化研究所紀要》28號，1962年3月）、海老谷尚典〈章炳麟における種族主義の形成—戊戌以後蘇報案にかけての理論〉（《東洋文化》復刊51卷，1983年7月）及〈章炳麟における種族革命と無政府主義〉（《哲學（廣島哲學會）》34號，1982年10月）、劉興華〈論章太炎反帝愛國的民族革命觀〉（《北方論叢》1984年2期）、吳雁南〈孫中山、章太炎革命思想比較觀〉（《孫中山研究論叢》第3集，1985）及〈辛亥革命前後章炳麟矛盾的革命觀〉（《辛亥革命論文集》，廣東人民出版社，1980）、吳雁南〈章太炎的革命論與〝佛學王學鑄鎔為一〞〉（《貴陽師專學報》1992年4期）、馬季勳〈章炳麟（太炎，1868-1936）的民族民主革命思想〉（《讀史劄記》第1期，星加坡南洋大學歷史學會，1967年4月）、佐藤廣金〈章炳麟の「革命道德論」を讀んで—章炳麟研究に關するノート〉（《學習院史學》10號，1973年12月）、小野川秀美著、李永熾譯〈章炳麟的排滿思想〉（《大陸雜誌》44卷3期，民61年3月）、胡珠生〈章太炎的反清思想〉（《歷史教學》1988年1期）、宋仲福〈章太炎的民主革命思想及其演變〉（《甘肅師大學報》1978年4期）、熊月之〈章太炎民主思想略論〉（《蘇州大學學報》

1983年2期）、吳雁南〈章太炎的資產階級民主主義思想〉（《貴州師大學報》1987年3期）、王才〈論章太炎的民主思想〉（《北京師院學報》1989年6期）、周弘然〈章炳麟和鄒容的民主思想〉（《學宗》2卷4期，民50年12月）、鄧樺〈章炳麟、鄒容、陳天華在同盟會成立前對資產階級民主思想傳播的貢獻〉（《歷史數學》1959年10期）、袁偉時〈章太炎與中國的民主主義〉（《天津社會科學》1990年2期）、周弘然〈章太炎對於代議政治的批評〉（《政治評論》6卷12期，民50年8月）、藤谷博〈辛炳麟の代議制論〉（《阪大法學》49號，1964年1月）、楊天宏〈章太炎《代議然否論》平議〉（《四川師大學報》1988年2期）、黃茂林〈章太炎在《民報》時期國家思想論略〉（《廈門大學學報》1988年2期）、朱仁顯〈章太炎、孫中山國家政權建設思想的歧異〉（同上，1992年2期）、吳嘉勳〈論章太炎辛亥革命時期的國家學說〉（載章念馳編《先驅的蹤跡》，浙江古籍出版社，1988）、羅華慶〈對平等一均衡的熱切追求—論辛亥革命時期章太炎的國家政體思想〉（收入胡偉希編《辛亥革命與中國近代思想文化》，北京，中國人民大學出版社，1991）、易夢虹〈試論章太炎的社會經濟思想〉（《經濟學集刊》第2集、3集，1982、1984）及〈試論章太炎貨幣思想中的合理內涵〉（載《先驅的蹤跡》，1988）、李潤蒼〈章太炎反對資本主義經濟嗎？—與李澤厚同志商榷〉（《辛亥革命叢刊》第3輯，1981）。陸寶千〈章太炎之法家觀〉（《歷史學報（臺灣師大）》19期，民80年6月）及〈章太炎之儒家觀〉（《中央研究院近代史研究所集刊》17期，民77年12月）、劉興華等〈章炳麟的尊法反儒思想—兼論辛亥前後兩次儒法論爭〉（《哈爾濱師院學報》1974年3期）、北京市設備安裝工程公司工人理論組《近代中國史稿》編寫組〈辛亥革命時期章太炎的尊法反孔思想〉（《北京師院學報》1974年4期）、吳熙釗〈論章太炎的尊法反儒思想〉（《中山大學學報》1975年2期）、李瑜〈略論嚴復、章太炎尊法反儒思想〉（同上，1974年4期）。唐文權〈試論章太炎哲學思想的演變〉（《哲學研究》1981年2期）、何成軒〈章太炎的哲學思想〉（《學習與思考》1982年5期）、羅光〈章炳麟的哲學思想〉（《哲學與文化》12卷3期，民74年3月）、黎振國〈章太炎前期的哲學思想〉（《中山大學研究生學刊》1981年3期）、楊向奎〈論章太炎的哲學思想〉（《歷史論叢》第1輯，1980）、袁偉時〈辛亥革命與章太炎哲學思想的變化〉（載章念馳編《先驅的蹤跡》，1988）、姜義華〈辛亥革命時期章太炎的哲學述評〉（《中國哲學》第6輯，1981）、麻天祥〈章太炎的法相唯識哲學〉（《哲學與文化》19卷6期，民81年6月）、吳光〈試論章太炎哲學思想的折變〉（《學術月刊》1987年7期）、馮友蘭〈章太炎在《民報》時期的哲學思想〉（載氏著《中國哲學史論文二集》，上海人民出版社，1962）、彭漪漣〈試論章太炎的邏輯思想及其成就〉（《上海社會科學院學術季刊》1986年4期）、李先焜〈章太炎、梁啟超、章士釗的中西邏輯的比較研究〉（《湖北大學學報》1988年3期）。唐凱麟〈章太炎的倫理思想論略〉（《湖南師大學報》1985年3期）、沈善洪、王鳳賢〈章太炎倫理思想述評〉（《紀念光復會成立八十周年學術討論會論文》，1984）、李漢武〈論章太炎的倫理思想〉（《海南大學學報》1989年2期）、黃錦鋐〈章太炎先生齊物論釋〉（《國文學報》20期，民80年6月）、孫國華〈論章太炎的道德觀〉（《齊魯學刊》1982年6期）、羅福惠〈章太炎道德論初探〉（《江漢論壇》1982年5期；《華中師院研究生學報》1982年3期）、姜義華〈章太炎的人性論與近代中國人本主義的命途〉（《復旦學報》1985年3期）、何成軒〈論章太炎向唯心主義轉變的原因〉（《哲學研究》1981年6期）及〈從主觀唯心主義到客觀唯心主義—章太炎的本體論的探討〉（《社會科學輯刊》1984年3期）、杜蒸民〈試論章太炎的史學思想及其成就〉（《史學史研究》1983年4期）、趙明琇〈章太炎先生之史學思想〉（《浙江月刊》4卷1期，民61年1月）、曹靖國〈章太炎史學思想簡論〉（《史學集刊》1990年4期）、羅福惠〈章太炎史學思想中的辯證法〉（《華中師院學報》1982年5期）、李潤蒼〈章太炎的史學觀點和方法〉（《學術月刊》1984年8期）、陸寶千〈章太炎的史學見解〉（《歷史學報（臺灣師大）》18期，民79年6月）、湯志鈞〈章太炎的歷史觀和他的法家思想〉（《文物》1975年3期）、羅福惠〈辛亥革命時期章太炎社會歷史觀述論〉（《辛亥革命史論叢》第6輯，1986）、侯外盧〈章太炎基於「分析名相」底經史一元論〉（《中山文化季刊》2卷2期，民34年9月）、李希泌〈章太炎先生史學的核心—通史致用〉（載章念馳編《先驅的蹤跡》，1988）、董國炎〈論章太炎的文學思想〉（同上）、吳文祺〈論章太炎的文學思想〉（載章念馳編《章太炎生平與學術》，1988）、董國炎、辛為稼〈章太炎的文學語言觀芻議〉（《山西大學學報》1983年3期）、董國炎〈章太炎文學觀考辨二題〉（同上，1988年1期）、時萌〈論章太炎的文學觀〉（《古代文學理論研究叢刊》第7輯，1983）、黃海章〈章炳麟文學理論述評〉（《中山大學學報》1978年6期）、任訪秋〈章太炎的學術思想與革命精神〉（《新建設》1957年2期）、宋雲彬〈章太炎的學術思想及其影響—紀念太炎先生逝世五周年作〉（《文化雜誌》1卷1期，民30年8月）、湯志鈞〈辛亥革命前章炳麟學術思想評價〉（《文史哲》1964年2期）、李潤蒼〈試論章太炎的國粹主義〉（《四川大學學報》1981年9期）、李翔海〈論章太炎的民粹思想〉（《浙江學刊》1989年6期）、紀玄冰〈章太炎的宇宙根源論及其唯物論「平議」〉（《文化雜誌》3卷1期，民31年10月）、何成軒〈章太炎的相對主義真理觀探索〉（《哲學研究》1982年1期）、侯外廬〈章太炎的科學成就及其對於公羊學派的批判〉（載《章太炎生平與學術》，1988）、何成軒〈章太炎的無神論思想及其向有神論的轉變〉（《晉陽學刊》1983年2期）、白奚〈章太炎的無神論及其歷史地位〉（《蘭州大學學報》1992年1期）、顧曼君〈章太炎的無神論與〝無神教〞〉（載《中國無神論思想論文集》，江蘇人民出版社，1980）、莊宏宣〈章炳麟的宗教觀〉（《中國歷史學會史學集刊》17期，民74年5月）、高振農〈論章太炎佛教思想在辛亥革命中的作用〉（《社會科學（上海）》1981年5期）及〈試論章太炎反對有神論及推進革命的思想武器—佛學思想〉（載中國無神論學會編《中國無神論文集》，湖北人民出版社，1982）、嚴北溟〈從章太炎《無神論》側面看佛教哲學特徵〉（載氏著《儒道佛思想散論》，湖南人民出版社，1984）、唐文權〈辛亥革命前章太炎的佛學思想〉（《章太炎生平與學術》，1988）、李潤蒼〈章太炎借“佛聲”作“民聲”〉（《社會科學戰線》1985年4期）、陸寶千〈章炳麟之道家觀〉（《中央研究院近代史研究所集刊》19期，民79年6月）、汪榮祖〈論章太炎的文化觀〉（載章念馳編《先驅的蹤跡》，1988）、姜義華〈《斯賓塞爾文集》與章太炎文化觀的形成〉（收入胡偉希編

《辛亥革命與中國近代思想文化》，北京，中國人民大學出版社，1991）、韓鍾文〈章太炎教育觀初探〉（《大學教育論壇》1993年1期）、劉虹、劉在山〈試論章太炎的教育思想〉（《河北學刊》1996年2期）、魏皓奔〈試論章太炎的法律思想〉（同上）、張晉藩〈論章太炎的法律思想〉（載氏著《中國法律史論》，北京，法律出版社，1982）、陸寶千〈章太炎在晚清之經世思想〉（載《近世中國經世思想研討會論文集》，臺北，民71）、屠承先〈評章太炎的進化論思想〉（《孔子研究》1995年2期）、佐藤豐〈章炳麟進化論ノート〉（《貓頭鷹》第2號，1983年12月）、王煜〈章太炎進化觀評析〉（載氏著《明清思想家論集》，臺北，聯經出版公司，民70）、伊東昭雄〈章太炎の思想—「無」の立場について〉（《一橋論叢》44卷6號，1960年12月）、小林武〈章炳麟における「我」の意識—清末の任俠(4)〉（《京都產業大學人文科學論集》24卷1號，1994）、末岡宏〈章炳麟の經學に關する思想史的考察—春秋學を中心として〉（《日本中國學會報》43卷，1991年10月）、張勇〈戊戌時期章太炎與康有為經學思想的歧異〉（《歷史研究》1994年3期）、Charlotte Furth, " The Sage as Rebel: The Inner World of Chang Ping-lin" （Charlotte Furth, ed., The Limits of Change: Essays on Conservative Alternatives in Republican China. Cambridg: Harvard University Press, 1976）、海老谷尚典〈章炳麟の左傳觀—「春秋左傳讀敍錄」を中心として〉（《哲學》28號，1976年10月）、橋本高勝〈章炳麟の喪服論〉（《待兼山論叢》第1號，1967年12月）及〈章炳麟の儒行論〉（《日本中國學會報》20號，1968年10月）、今井悅子〈「五無論」に顯われている章炳麟の革命的人間像〉（《明治大學大學院紀要（政經）》14號，1976年12月）、大八木章文〈章炳麟の印度論〉（《史朋》第1號，1974）、王樾〈章太炎的儒俠觀及其歷史意義〉（載淡江大學中文系主編《俠與中國文化》，臺北，臺灣學生書局，民82）。

4.鄒容

鄒容是清末革命運動史上的慧星，卒於上海獄中時年僅21歲，生命雖短，對於革命貢獻卻非常大，鄒容於1903年撰寫出版的《革命軍》（臺北，中央文物供應社翻印，民43；北京，中華書局，1958）小冊子，可見其排滿的激烈思想。《蘇報案紀事》（一名《癸卯大獄記》，臺北，國民黨黨史會影印，民57），記鄒容1903年因蘇報案入獄和興訟始末。周永林編《鄒容文集》（重慶，重慶出版社，1983）。研究鄒容最早，最具代表性的為杜呈祥《鄒容》（南京，青年出版社，民35）、《鄒容傳》（臺北，帕米爾書店，民42再版）及杜氏另兩篇論文〈鄒容的思想演變及其在中國現代革命史上的地位〉（載吳相湘主編《中國現代史叢刊》第1冊，臺北，正中書局，民49）、〈革命青年典型鄒容〉（《幼獅》1卷4期，民42年4月）。翟君石《青年之神一鄒容傳》（臺北，近代中國出版社，民76），則為通俗讀物性質。其他尚有劉亞雪、邢露申《鄒容》（北京，中華書局，中國歷史小叢書，1961）、王宇清《鄒容》（臺北，復興書局，民45）、隗瀛濤《鄒容》（南京，江蘇古籍出版社，1984）、中國近代史叢書編寫組編《鄒容》（上海，上海人民出版社，1974）、鍾雷《鄒容》（臺北，金蘭出版社，民74）、重慶市鄒容傳編寫組《鄒容傳》（成都，四川人民出版社，1978）、陳今〈鄒容傳〉（載《歷史人物集》，上海，上海人民出版社，1976）、呂芳上〈鄒容（1885-1905）〉（載《中華民國名人傳》第5册，臺北，近代中國出版社，民75）、岳山《鄒容》（上海人民出版社，1983）、廖伯康等《論鄒容》（重慶，西南師大出版社，1987）、鄧樺〈章炳麟、鄒容、陳天華在同盟會成立前對資產階級民主革命思想傳播的貢獻〉（《歷史教學》1959年10期）、陳旭麓、費成康《鄒容和陳天華》（上海，上海人民出版社，1985）、馮祖貽《鄒容陳天華評傳》（鄭州，河南教育出版社，1986）、曾紹敏等編著《辛亥革命四川三大將軍傳》（鄒容、喻培倫、彭家珍）（成都，四川省社會科學院出版社，1986）、李希泌〈大將軍鄒容〉（《人物》1983年3期）、周永林〈鄒容生平及其思想〉（《四川史研究通訊》1983年1期）、朱田慧〈革命軍中馬前卒—鄒容〉（《近代中國》25期，民70年10月）、雪野、喬鹿〈革命軍中馬前卒：年輕的〝大將軍〞鄒容〉（《黨史縱橫》1995年1期）、葉元〈革命軍中馬前卒（鄒容）〉（《電影劇作》1963年1期）、周勇〈鄒容與重慶辛亥革命〉（《重慶社會科學》1985年4期）、孫志芳〈論鄒容的思想〉（《天津師大學報》1960年1期）、重慶師專理論小組〈從新近發現的鄒容書信看鄒容思想的新發展〉（《文物》1975年11期）、宋興華〈論鄒容的愛國民主思想〉（《重慶師院學報》1981年4期）、劉子平、鄒禮洪〈鄒容民主革命思想探源〉（《新疆師大學報》1987年3期）、周增義〈鄒容的革命民主思想〉（《歷史教學》1961年7期）、陳旭麓《鄒容與陳天華的思想》（上海，上海人民出版社，1957）、馮祖貽〈鄒容陳天華生平與思想的比較〉（《貴州史學叢刊》1985年2期）、岳國光〈試論鄒容的民主革命思想〉（《遼寧大學學報》

1986年4期)、孫永成〈略論革命軍馬前卒的鄒容及其思想〉(《通化師院學報》1982年2期)、曾紹敏〈鄒容革命思想的淵源〉(《西南師院學報》1983年2期)、王才〈論鄒容的革命思想〉(《首都師大學報》1994年3期)、陳增暉〈鄒容的社會革命論〉(《政治學研究》1987年2期)、劉偉〈鄒容社會思想述評〉(《四川師院學報》1982年2期)、段國卿〈試論鄒容的社會政治思想〉(《齊魯學刊》1982年3期)、楊堪等〈淺論鄒容的政治法律思想〉(《湖北財經學院學報》1984年3期)、何靖〈鄒容性格剖析〉(《社會科學家》1988年1期)、周弘然〈章炳麟和鄒容的民主思想〉(《學宗》2卷4期,民50年12月)、余小文〈鄒容成都之行考辨〉(《重慶師院學報》1980年1期)、劉子平〈鄒容何時東渡日本〉(《史學月刊》1983年期)、何一民〈鄒容留學日本時間考〉(《重慶社會科學》1985年4期;《史學月刊》1985年4期)、溫賢美〈拒俄運動中的鄒容〉(《歷史知識》1984年3期)、尚明軒〈鄒容與孫中山〉(《天津社會科學》1985年5期)、姚漁湘〈章炳麟與鄒容〉(《學粹》3卷5期,民50年8月)、林增平〈鄒容和陳天華—中國近代兩位卓越的民主革命宣傳家〉(《史林》1988年2期)、島田虔次〈陳天華『警世鐘』と鄒容『革命軍』·解説と翻譯〉(載桑原武夫編《アルジヨワ革命の比較研究》,東京,筑摩書房,1964)、毛一波〈鄒容及其革命軍〉(《四川文獻》第2期,民51年10月)、周弘然〈鄒容「革命軍」及其影響〉(《幼獅學誌》1卷1期,民51年1月)、呂芳上〈革命的馬前卒、開國的雷霆聲—鄒容與「革命軍」〉(《中華文化復興月刊》12卷1期,民68年1月)、陳錚〈鄒容和《革命軍》〉(《文史知識》1981年5期)、馮祖安〈鄒容與革命軍〉(《史學月刊》1964年4

期）、張錫勤〈鄒容《革命》簡論〉（《求是學刊》1981年4期）、陳旭麓〈鄒容的《革命軍》及其思想〉（載氏著《近代史思辨錄》，廣東人民出版社，1984）、李雲峰〈試論鄒容《革命軍》的革命民主主義思想〉（《西北大學學報》1979年2期）、徐時新〈試析鄒容的《革命軍》〉（《安徽師大學報》1989年4期）、祝瑞蓁〈讀《革命軍》贊鄒容〉（《河北大學學報》1986年4期）、祁和暉〈論《革命軍》的思想藝術成就〉（《西南民族學院學報》1981年3期）、劉子平、黃維民〈從《革命軍》看資產階級革命派與改良派的師承關係〉（《山西師大學報》1990年1期）、王璞〈從《革命軍》看鄒容對封建專制主義的批判〉（《南充師院學報》1981年4期）、阿部賢一〈鄒容の〝革命軍〞と西洋近代思想—〝民約論〞と進化論とを中心に〉（《政治經濟史學》200期，1983年3月）、陳炳〈鄒容與《革命軍》〉（《中學歷史教學》1985年6期）、張錫勤〈鄒容《革命軍》所錄〝達人名家言〞考〉（《學習與探索》1985年4期）、趙思恩〈鄒容與〝蘇報案〞〉（《教學通訊》1982年2期）、呂濤〈〝蘇報案〞與鄒容之死〉（《史學月刊》1983年1期）、李斯頤〈《蘇報》案中鄒容投案原因考〉（《新聞學刊》1987年3期）、歐陽思良〈《蘇報》案中章太炎、鄒容投案述評：兼談二十世紀初中國知識分子的倫理思想〉（《貴州師大學報》1996年3期）、沈熙乾、銑工〈長歌招國魂：讀鄒容《和西狩》詩〉（《學習與研究》1984年2期）、劉知漸〈鄒容的詩〉（載《中國近代文學論文集（1949-1979）》，北京，中國社會科學出版社，1984）、李偉國〈從鄒容墓說到同盟會早期活動分子劉三〉（《上海師院學報》1981年3期）。

5.秋瑾

秋瑾是清末革命運動史上最具知名度的女革命志士，後人對她的記述、研究成果也比較多，史料方面有秋瑾《秋瑾集》（長沙，湖南人民出版社，1979；北京，中華書局，1980）、黃民編《秋風秋雨》（鴻文書局，光緒33年即1907年，共2冊）、《文獻叢編》上冊（臺北，國風出版社影印，民53）載有〈浙江辦理秋瑾革命全案〉是將有關此案的清宮檔案彙集而成。周芾棠等輯《秋瑾史料》（長沙，湖南人民出版社，1980）、中華書局上海編輯所《秋瑾史跡》（北京，中華書局，1958）、郭延禮編《秋瑾研究資料》（濟南，山東教育出版社，1987）、郭長海〈秋瑾的集外詩輯存〉（《社會科學戰線》1981年4期）、剡越〈關於秋瑾就義前後的新史料〉（《紹興師專學報》1987年4期）、晨朵（陳德禾之筆名）〈秋瑾家世資料的新發現〉（《杭州大學學報》1983年2期）、張如法〈秋瑾就義與李宗岳自縊史料一則〉（《史學月刊》1982年5期）、秋瑾女兒秋（王）燦芝寫的《秋瑾革命傳》（臺北，三民書局，民43）則為長篇歷史小說；秋燦芝另編有《秋瑾女俠遺集》（臺北，臺灣中華書局，民47）。論述及研究成果方面，專書以郭長海、李亞彬編著的《秋瑾事跡研究》（長春，東北師大出版社，1987），最具份量。郭延禮《秋瑾年譜》（濟南，齊魯書社，1983），全書約15萬字，分為正文（秋瑾生平）和注釋兩部分，凡考證、徵引史料、資料來源和說明等為注文；晨朵編《秋瑾年表（細編）》（北京，華文出版社，1990）、上海古籍出版社編《秋瑾史迹》（編者印行，1991）、陳象恭編著《秋瑾年譜及傳記資料》（北京，中華書局，

1983）、鄭雲山、陳德禾《秋瑾評傳》（鄭州，河南教育出版社，1986）、鄭雲山《鑑湖女俠秋瑾》（上海，上海人民出版社，1984）及《秋瑾》（同上，1980）、伍貽業、方積根《秋瑾》（北京，中國少年兒童出版社，1982）、李茂高《秋瑾的故事》（同上）、王艾村《秋瑾》（北京，中華書局，1981）、武田泰淳《秋風秋雨人を愁煞す：秋瑾女士傳》（東京，筑摩書房，1967）、國民黨黨史會《秋瑾傳》（臺中，撰者印行，民38）、歐芬《秋瑾》（臺北，華國出版社，民51）、河洛圖書出版社編審部編《一代女俠秋瑾》（臺北，河洛出版社，民68）、孟瑤《鑑湖女俠秋瑾》（臺北，國民黨婦工會，民46）、國家出版社編審部編《鑑湖女俠秋瑾》（臺北，編者印行，民71）、李警眾《秋瑾（1875-1907）》（上海，震亞圖書局，民17）、彭子儀編著《秋瑾》（上海，亞星書店，民30）、羅時暘編著《秋瑾》（南京，青年出版社，民35）、夏衍《秋瑾傳（話劇）》（上海，開明書店，1950）、朱耀庭《秋瑾》（杭州，浙江人民出版社，1957）、北京市第51中學歷史組《秋瑾》（北京，中華書局，中國歷史小叢書，1959）、夏衍原著，柯靈改編《秋瑾傳》（上海文藝出版社，1979）、平善慧《秋瑾》（南京，江蘇古籍出版社，1984）、于肇貽《秋瑾》（香港，亞洲出版社，1956）、張漱菡《秋瑾》（臺北，金蘭出版社，民74）、周素珊《秋風秋雨愁煞人一秋瑾傳》（臺北，近代中國出版社，民68）、楊碧玉《秋瑾政治人格之研究》（政治作戰學校政治研究所碩士論文，民75年6月；臺北，正中書局，民78）、郭延禮《秋瑾文學論稿》（西安，陝西人民出版社，1987）、劉玉來編注《秋瑾詩詞注釋》（銀川，寧夏人民出版社，1983）、渡邊奈なつき《中國女性觀一秋瑾を通して》（山口大學史學科碩士論文，1992）。論文則以鮑家麟〈秋瑾與清末婦女運動〉（《中國現代史專題研究報告》第4輯，民63）最具代表性；張徐〈秋瑾研究述評〉（《山東社會科學》1990年5期）、郭長海〈三十五年來秋瑾研究專著述評〉（《長春師院學報》1985年1期）、鄭雲山、陳德和〈1949年來大陸學術界對秋瑾研究綜述〉（載中央研究院近代史研究所編輯《近代中國婦女史研究》第1期，民82年6月）、沈祖安〈秋瑾研究中的幾個問題〉（《江淮論壇》1982年6期）、洪克夷〈談秋瑾研究中的一個問題〉（《杭州大學學報》1979年4期）都具有介紹、指引的作用。其他尚有沈雨悟〈鑑湖女俠秋瑾〉（《寧波師專學報》1981年2期）、陳鐵健〈秋瑾〉（《歷史教學》1963年1期）、李季谷〈秋瑾女士傳〉（《中國新論》2卷2期，民24年2月）、孫現璋〈秋瑾傳略〉（《教學研究》1979年1期）、成容〈秋瑾〉（《劇本》1957年12期）、張玉芬〈略論秋瑾〉（《遼寧師院學報》1981年5期）、蕭善因〈近代女革命詩人秋瑾〉（《文學遺產增刊》12期，1963年2月）、王煊城〈傑出的愛國女詩人秋瑾〉（《浙江師院學報》1983年1期）、趙儀歡〈漢俠女兒—秋瑾〉（《文史學報（珠海學院文史學會編印）》第3期，1966年6月）、武田淳泰〈秋瑾女士傳〉（《展望》100、101、103—105號，1967年4、5、7—9月）、李新民〈秋風秋雨愁煞人—秋瑾傳〉（《近代中國》15期，民69年3月）、竹之內安巳〈辛亥革命の先驅者秋瑾〉（《鹿兒島短期大學研究紀要》第8號，1971年10月）、范兆琪〈近代傑出的女革命家秋瑾〉（《中學歷史教學》1983年1期）、許錚〈辛亥革命前的女革命家—秋瑾〉（《歷史教學》1980年4期）、范文瀾〈女革命家秋瑾〉（《中國婦女》1956年8期）、鍾近文〈資產階級女革命家秋瑾〉

(《四川大學學報》1974年1期)、趙慎修〈女革命家秋瑾事略〉(《文史知識》1983年6期)、謝獄〈女革命家秋瑾〉(《中國婦女》1979年11期)、趙斯安〈鑑湖女俠—秋瑾〉(《齊齊哈爾師院學報》1979年3期)、王成聖〈鑑湖女俠秋瑾〉(《中外雜誌》17卷5、6期、18卷1、2、3期,民64年5-9月)、虞奇〈鑑湖女俠秋瑾〉(《浙江月刊》10卷5期、8期,民67年5月、8月)、浙江月刊資料室〈鑑湖女俠秋瑾〉(同上,2卷1期,民59年1月)、林維紅〈鑑湖女俠秋瑾〉(《中國歷史人物廣播講座集》;《浙江月刊》16卷5期,民73年5月轉載之)、謝獄〈軒亭碧血足千古—紀念〝鑑湖女俠〞秋瑾〉(《浙江畫報》1979年1期)、朱自力〈漫云女子不英雄—秋瑾〉(《國魂》424期,民70年3月)、陳象恭〈論中國舊民主主義革命時期的偉大女英雄秋瑾—紀念秋瑾殉國五十五周年〉(《江蘇師院學報》1962年5期)、周芾榮等〈秋瑾傳略—紀念舊民主主義革命時期女革命家秋瑾殉難七十周年〉(《破與立》1977年5期)、郭延禮〈秋瑾史實辨正五題〉(《辛亥革命史叢刊》第5輯,1983)、高松亨明〈徐自華「鑑湖女俠秋君墓表」補說〉(《文化紀要》第1號,1966年12月)、郭沫若〈《秋瑾史跡》序〉(載《文史論叢》,北京,人民出版社,1961)、服部繁子〈婦人革命家王秋瑾女士の思出㈠〉(《中國語雜誌》6卷1、2、3號,1951年3月)、大島利一〈思い出のなかの秋瑾〉(《寧樂史苑》13號,1965年2月)、郭長海〈秋瑾事跡繫年〉(《長春師院學報》1982年1期)、敬瑩〈女革命家秋瑾年譜簡編〉(《紹興師專學報》1981年2期)、山石〈秋瑾年譜(未定稿—紀念秋瑾就義50周年)〉(《史學月刊》1957年6期)、徐光仁〈論秋瑾〉(《辛亥革命論文集》,廣東人民出版社,1980)、松楠

〈秋瑾新論〉（《鎮江師專學報》1991年1期）、尹良環〈秋瑾〉（《教學通訊（文科）》1982年11期）、聞少華〈秋瑾〉（載《民國人物傳》第1卷，1978）、董志群〈秋瑾（1975-1907）〉（載《中華民國名人傳》第3冊，臺北，近代中國出版社，民75）、謝飄雲〈秋瑾〉（《中國近代文學評林》第2輯，1986）、范錦章〈秋瑾生平小識〉（《安徽史學》1984年6期）；〈秋瑾〉（《浙江青年》1卷10期，民24年8月）；〈秋瑾女俠事略〉（《報學季刊》1卷1期，民23年10月）、謝康〈中國革命女英雄秋瑾〉（《中外雜誌》26卷2期，民68年8月）、恒老〈革命先烈秋瑾〉（《浙江月刊》8卷6期，民65年6月）、大島利一〈秋瑾女俠の生涯〉（《樂寧史苑》第4號，1957年7月）及〈回憶中の秋瑾〉（同上）、中山義弘〈近代中國の女性形象—秋瑾の素描〉（《大下學園女子短大研究集報》第3號，1965年12月）、鄭雲山〈秋瑾史事散論〉（《上海師大學報》1980年2期）、王艾林〈秋瑾史事三則辨誤〉（《寧波師院學報》1985年1期）、郭長海〈秋瑾事跡質疑〉（《華東師大學報》1980年5期）、〈秋瑾疑事考〉（《紹興師專學報》1981年4期）及〈秋瑾疑事續考〉（《浙江師大學報》1986年3期）、張靜廬〈《秋瑾史跡》辨異—《黃帝紀元大事表》是誰編寫的？〉（載《中國近代文學論文集（1949-1979）詩文卷》，中國社會科學出版社，1984）、騰英超〈俠義炳千秋—女革命家秋瑾的生平及創作〉（《瀋陽師院學報》1980年2期）、秋經武〈試論秋瑾家世對秋瑾的影響〉（《遼寧師大學報》1986年4期）、王士倫〈秋瑾出生年代〉（《歷史研究》1979年12期）、徐鞠如〈關於秋瑾生卒之我見〉（《上海師院學報》1980年4期）、晨朵〈關於秋瑾的生年、卒歲和生地〉（《華東師大學報》1981年3期）、沈作霖、李熚

〈秋瑾生年管見〉（《浙江學刊》1981年4期）、沈祖安〈秋瑾生年質疑〉（同上）、鄭雲山〈秋瑾生年辨〉（《杭州大學學報》1978年1期）、毛注青〈秋瑾生年辨〉（《辛亥革命叢刊》第1輯，1980）、吳小如〈秋瑾烈士生年考〉（載《中國近代文學論文集（1949-1979）詩文卷》，北京，1984）、吳秀峰、張瑞瑩〈關於《秋瑾烈士生年考》的補充〉（同上）、邵雯〈秋瑾出生年代初考〉（《歷史研究》1978年11期）、秋經武〈秋瑾生於1875年的史實考〉（《紹興師專學報》1983年1期）、〈秋瑾生年為1875年〉（《浙江學刊》1983年2期）及〈王焱華的更正—秋瑾生肖非虎〉（同上，1984年1期）、余觀濤〈秋瑾生年應為1878年〉（《浙江學刊》1983年2期）、郭延禮〈關於秋瑾生年的再探討〉（同上）、晨朵〈秋瑾生年再辨〉（《辛亥革命史叢刊》第4輯，1982）、李景光〈秋瑾生年考—兼與晨朵同志商榷〉（《遼寧大學學報》1983年2期）、代云〈秋瑾生年應為1877年—從日本新發現的兩則史料談起〉（《東岳論叢》1985年5期）、秋經武〈秋瑾生於1875年的史實考補正〉（《紹興師專學報》1983年3期）、郭長海〈秋瑾生於1875年之補證及其他〉（《長春師院學報》1983年1期）、晨朵〈秋瑾出生地考〉（《福建論壇》1985年3期）、魏金枝〈從秋瑾烈士想起〉（《中國青年》1962年13期）、柯靈〈秋瑾烈士百年祭〉（《中國婦女》1979年11期）、徐光仁〈秋瑾誕生百年祭〉（《華南師院學報》1980年2期）、史翼〈去年不是秋瑾烈士的一百周年誕辰〉（《社會科學戰線》1980年4期）、羅紹志〈秋瑾與婆家〉（《湘潭師專學報》1981年3期）、黃品蘭〈秋瑾入湘〉（《學林漫錄》11集，1986）、郭延禮〈秋瑾入湘居湘考〉（《近代史研究》1982年1期）、劉宜鈞〈秋瑾何時離開溽溪女校？〉（《浙江學刊》1986年6期）、張純、王維〈秋瑾東渡前的天津之行〉（《南開學報》1989年6期）、晨朵〈秋瑾留學日本的時間、住址考〉（《浙江師院學報》1983年1期）、樽本照雄〈秋瑾來日考〉（《大阪經濟大學論集》159-161號，1984年6月）、郭延禮〈秋瑾兩次返國時間考〉（《近代史研究》1984年1期）、姚玉光〈秋瑾留日冬回春又去說質疑〉（《中國文學研究》1995年3期）、劉孔伏、潘良熾〈秋瑾往返日本的幾個時間考辨〉（《延安大學學報》1991年1期）、余田未〈關於秋瑾留日的幾個史實〉（《福建論壇》1985年3期）、姜華昌〈秋瑾在日本〉（《牡丹江師院學報》1980年4期）、晨朵〈秋瑾留學日本前後〉（《新觀察》23期，1983）、潘國琪〈關於秋瑾兩次東渡日本的時間〉（《近代史研究》1980年4期）、洪克夷〈談秋瑾研究中的一個問題－兩次東渡日本與回國的時間〉（《杭州大學學報》1979年4期）、吳志新〈秋瑾加入光復會年月考〉（《福建論壇》1985年4期）、郭延禮〈秋瑾入光復會先於入同盟會考〉（《學術月刊》1982年3期）、郭長海〈秋瑾入同盟會時間考〉（《浙江學刊》1984年2期）、郭舒〈鑑湖女俠與《中國女報》〉（《新聞戰線》1981年10期）、晨朵〈《紹興白話報》上的秋瑾遺文〉（《上海師院學報》1982年3期）、〈死國靈魂喚起多－秋瑾大力提倡普通話和白話文〉（《杭州師院學報》1983年3期）及〈中國婦女解放運動早期的重要文獻：秋瑾提供的「中國婦人會章程」殘稿〉（《社會科學戰線》1984年3期）、范靖國〈大通師範學堂與秋瑾〉（《體育世界》1982年6期）、晨朵〈秋瑾與杭州〉（《杭州師院學報》1991年1期）、盛奇雲〈秋瑾與湖南〉（《湖南黨史》1994年2期）、裘士雄〈〝勿忘鑑湖女俠之遺風〞－紀念秋瑾英勇就義七十周年〉(《廈門大學學報》1977年2、3期)、趙明海〈勿忘鑑湖女俠之遺風〉(《學習與研究》1984年1期)、晨朵〈論〝鑑湖女俠之遺風〞－紀念女革命家秋瑾壯烈就義80周年〉(《探索》1987年3期)、郭長海〈秋瑾持槍拒捕考〉(《學術月刊》1982年12期)、潘鶴聲〈秋瑾〝開槍拒捕〞質疑〉(《浙江學刊》1983年1期)、何立平〈秋瑾殉難日質疑〉(《近代史研究》1983年1期)、郭長海〈秋瑾就義日期考〉(同上，1984年5期)、剡越〈關於秋瑾就義前後的新史料〉(《紹興師專學報》1987年4期)、王璧華〈秋瑾成仁經過〉(《近代史資料》1957年2期)、馮敏〈秋瑾就義在上海報界引起的反響〉(《民國春秋》1990年2期)、秋宗章〈大通學堂黨案〉(《越風半月刊》第8-10期，民25年2、3月)。

王瑄城〈傑出的愛國女詩人秋瑾〉(《浙江師院學報》1983年1期)、蕭善因〈近代女革命詩人秋瑾〉(《文學遺產增刊》12輯；亦收於《中國近代文學論文集(1949-1979)詩文卷》，北京，1984)、金佳〈革命詩人秋瑾女士〉(《女青年月刊》13卷3期，民23年3月)、澎湃〈秋瑾女俠的詩詞〉(《浙江月刊》9卷6期，民66年6月)、謝飄雲〈秋瑾前期詩詞初探〉(載《中國近代文學評林》第1輯，中州古籍出版社，1984)、張正吾〈論秋瑾前期詩詞：兼及評價中的一些問題〉(《中山大學學報》1993年1期)、王祖獻〈試論秋瑾前期的詩歌及其思想〉(《安徽大學學報》1982年4期)、蕭源錦〈略談女革命家秋瑾的詩歌〉(《南充師院學報》1981年4期)、梅正強〈試論秋瑾的詩〉(《上饒師專學報》1982年1期)、郭延禮〈試論秋瑾的詩〉(《東海》1962年7期)、〈民主革命的號角－秋瑾詩歌研究之一〉(《聊城師院學報》1983年2期)及〈一位叛逆女性的心聲－讀秋瑾前期的詩詞〉（《齊魯學刊》1984年5期）、郭延禮〈秋瑾詩詞的藝術風格〉（《文學評論叢刊》22輯，1985）、林家英〈開遍江南品最高－談秋瑾詩詞〉（《新疆師大學報》1982年2期）、張如法〈〝此生拚為同胞死〞－略論秋瑾及其詩歌〉（《開封師院學報》1979年3期）、張顯菊〈秋瑾詩詞中的愛國主義思想〉（《錦州師院學報》1995年4期）、蔡炘生〈略論秋瑾詩〉（《江西大學學報》1979年1期）、樊鵠〈談秋瑾的幾首佚詩〉（《文獻》1982年9期）、徐培均〈關於秋瑾的一首佚詩〉（《學術月刊》1981年8期）、潘國琪〈豪邁詩篇抒壯志－秋瑾詩《黃海舟中日人孛句並見日俄戰爭地圖》試析〉（《破與立》1978年4期）、闞士廉、吳國寧〈秋瑾的《黃海舟中》和《感時》〉（《河北師大學報》1978年1期）、麗澤生、曹振國〈與秋瑾手書〝滬上有感〞及說明〉（《河北師院學報》1983年1期）、郭長海〈〝滬上有感〞非秋瑾所作考〉（《東北師大學報》1983年5期）及〈〝歌兩章〞非秋瑾所作〉（《浙江學刊》1987年6期）、王祖獻〈〝呼嘯登高悲祖國〞－秋瑾詩二則初探〉（《安徽大學學報》1984年2期增刊）、林桂香〈已拚此身填恨海，愁城何日破重圍－試析秋瑾之恨海與愁城〉（《德育學報》第5期，民79年12月）、謝獄〈秋瑾二題〉（《思想戰線》1980年3期）、王艾林〈〝秋瑾致徐小叔絕命詞〞命題質疑〉（《浙江學刊》1983年2期）、沙元偉〈秋瑾絕命詞質疑〉（《蘭州大學學報》1986年2期）、謝伏琛等〈秋瑾絕命詞的真偽問題〉（《文獻》1985年18期）、周芾棠〈秋瑾《絕命詞》及其他〉（載《中國近代文學論文集（1949-1979）詩文卷》，北京，1984）、勞季〈秋瑾絕筆詩之真偽問題〉（《寧波師專學報》1983年1期）、孫必有〈〝秋風秋雨愁煞人〞是秋瑾的絕唱嗎？〉（《江海學刊》1982年4期）、郭長海〈秋瑾集外詩輯存〉（《社會科學戰線》1981年4期）及〈談《秋瑾詩文選》的幾個問題〉（《松遼學刊》1984年2期）、陸楓〈秋瑾作品源流考〉（《中華文史論叢》53輯，1994）、陸堅〈秋瑾詞中的自我形象〉（《中國近代文學研究》1986年2輯）、郭延禮〈兩位女詩人，一對莫逆交—《秋瑾文學論稿》中的一章〉（《中國近代文學研究》1984年1輯）。李茂高〈略論秋瑾愛國革命的道路〉（收於《中國近代愛國主義論文集》，1984）、王遂今〈論秋瑾的愛國獻身精神〉、楊碧玉〈秋瑾政治人格的形成發展與特質之研究〉（《復興崗學報》39期，民77年6月）、曉湘〈秋瑾的民主革命思想及其實踐〉（《雲南社會科學》1987年5期）、李淑蘭〈秋瑾的革命思想及其光輝實踐〉（《北京師院學報》1979年4期）、沈建樂〈論秋瑾民主革命思想漸進的三個階段〉（《紹興師專學報》1988年2期）、沈祖安〈拚把頭顱換凱歌—從秋瑾的詩文看她的革命思想〉（《杭州大學學報》1979年1、2期）、成毓華〈秋瑾的婦女解放思想〉（《河北師大學報》1987年3期）、汪郁琳〈秋瑾的婦女解放思想〉（《安徽師大學報》1989年2期）、盧開寧、吳永揚〈秋瑾、譚嗣同婦女觀之比較〉（《徐州師院學報》1996年3期）、余麗芬〈論秋瑾的女學思想〉（《浙江學刊》1989年6期）、顧燕翎〈女性主義者秋瑾〉（《婦女與兩性學刊》第1期，民79年1月）、鄭雲山〈喚回閨夢說平權—秋瑾與婦女解放運動〉（《浙江學刊》1981年1期）、大隅逸郎〈清末における婦女解放運動と女俠秋瑾—辛亥革命前夜における「君主立憲」と「民主運動」（下）〉（《同志社法學》88號，1964年7月）、趙文靜〈秋瑾與中國近代婦女運動〉（《煙臺大學學報》1994年3期）、喬以鋼〈秋瑾的自我藝術形象與中國古代的婦女文學〉（《天津師大學報》1992年1期）、劉百泉〈從《中國女報》發刊詞看秋瑾的編輯思想〉（《河南大學學報》1992年6期）、諸慶清〈秋瑾反禮教思想瑣論〉（《杭州師院學報》1984年3期）、林靜萍〈秋瑾與近代中國女子體育〉（《國民體育季刊》20卷3期，民80年9月）、梁光桂〈秋瑾與體育〉（《成都體育學院學報》1983年2期）、徐元民〈秋瑾體育思想之特質〉（《國立體育學院學報》4卷2期，民84年4月）、單寶〈秋瑾與吳芝瑛〉（《歷史知識》1983年1期）、劉孔伏、張泰〈秋瑾重上京華及她與吳芝瑛結盟的時間考訂〉（《杭州師院學報》1987年2期）、劉孔伏〈秋瑾與呂碧城相識年代考〉（《遼寧廣播電視大學學報》1987年2期）及〈秋瑾與呂碧城相見時間辨析〉（《廣東民族學院學報》1990年2期）、王祖獻〈秋瑾與呂碧城的交往〉（《江淮論壇》1984年2期）、褚謹翔〈閨裝願爾換吳鈎－記秋瑾與徐寄塵的革命友誼〉（《浙江文藝》1978年9期）、晨朵〈王世裕與秋瑾〉（《文物天地》1985年5期）、王艾琳〈秋瑾與徐錫麟〉（《歷史知識》1983年6期）、錫金〈魯迅與秋瑾〉（《吉林師大學報》1980年1期）、劉孔伏〈秋瑾俠義肝膽資助王韜〉（《浙江月刊》28卷5期，民85年5月）、晨朵〈秋瑾與陶荻子〉（《史學月刊》1984年3期）、柯靈〈從《秋瑾傳》說到《賽金花》〉（《戰地增刊》1979年1期）、王艾林〈秋瑾與劊子手貴福〉（《史學集刊》1985年4期）、陳雯〈秋瑾提倡讀史愛國〉（《文史知識》1983年1期）、大里浩秋〈日本人の見た秋瑾〉（《中國研究月報》39卷11號，1985年11月）、陸楓〈秋瑾作品源流考〉（《中華文史論叢》53輯，1994）。

6.吳祿貞

吳祿貞為清末留日士官生，曾參加1900年的自立軍之役，學成返國先後加入華興會、同盟會（遼東支部），武昌起義後，吳成為北方革命的中心人物，擬分兵數路進攻北京，滅亡清朝，不幸於石家莊被刺身亡，進取北京的行動計畫遂告失敗。吳祿貞曾纂有《延吉邊務報告》（臺北，文海出版社影印，民58），這是清光緒末年，中日「間島問題」發生，吳氏受命為幫辦延吉邊務，率人至間島一帶實地勘測而後著手纂成的報告，全書共計八章，詳述延吉廳疆域之歷史、建設之沿革、地理，以及吉韓界務之始末，對日韓謬說加以糾正，並分析日人經營延吉的原因及其政策，書序於清光緒34年(1908)3月，由吳的屬下周維楨負責編輯，吳氏總其成。國民黨黨史會〈吳祿貞〉（載中華民國各界紀念國父百年誕辰籌備委員會學術論著編纂委員會編《革命先烈先進傳》內，臺北，民54）及〈吳祿貞詩文選集〉（載同上編《革命先烈先進詩文選集》內，民54）、皮明庥等編《吳祿貞集》（武昌，華中師範大學出版部，1988）、朱炎佳〈吳祿貞與中國革命〉（載吳相湘主編《中國現代史叢刊》第6册，臺北，文星書店，民53），係作者臺灣大學歷史系的學士論文，取材豐富、考證詳密，為研究吳氏最早，最具代表性的論著。其他有趙宗頗、夏菊芳《吳祿貞》（上海，上海人民出版社，1982）、胡玉衡《九邊處處啼痕－吳祿貞傳》（臺北，近代中國出版社，民71）、趙宗頗〈論吳祿貞〉（《上海師院學報》1979年2期）、劉樹泉〈簡論吳祿貞－辛亥革命時期著名的資產階級革命家〉（《瀋陽師院學報》1980年4期）、胡純俞〈吳祿貞其人其傳〉（《夏聲》182期，1980）、袁惠常〈吳祿貞傳〉（《國史館館刊》1卷3期，民37年8月）、林能士〈吳祿貞〉（載《中華民國名人傳》第8冊，臺北，近代中國出版社，民77）、曹文錫〈天挺人豪吳祿貞〉（《湖北文獻》35期，民64年4月）、文韻石〈天挺人豪吳祿貞〉（同上，59期，民70年4月）、林民〈辛亥革命活動家吳祿貞〉（《河北學刊》1982年4期）、白吉庵〈吳祿貞傳略〉（《文史通訊》1983年1期）、錢基博〈吳祿貞傳〉（載中國史學會編《辛亥革命》第6冊內，上海，上海人民出版社，1957）、胡憶肖〈辛亥革命時期的傳奇人物—吳祿貞〉（《今昔談》1982年4期）、李立新〈辛亥革命英烈吳祿貞〉（《社會科學戰線》1993年4期）、曹文錫〈慷慨悲歌吳祿貞〉（《中外雜誌》17卷3期，民64年3月）、王成聖〈辛亥英烈吳祿貞—為紀念開國六十年而作〉（《湖北文獻》22期，民61年1月）、劉韻石〈革命首義第一偉人吳祿貞大將軍傳略〉（同上，72期，民73年7月）、趙宗頗〈吳祿貞史事考訂〉（《上海師大學報》1992年1期）、鄭一民、陳躍林〈民主革命的先驅者—吳祿貞〉（《河北文史資料》第6輯）、白吉庵〈地方起義領導者吳祿貞〉（載《辛亥革命時期的歷史人物》一書內）、趙宗頗〈吳祿貞與兩湖革命〉（《上海師大學報》1987年2期）、王先明〈〝自立軍運動〞中和武昌起義後吳祿貞活動試析—革命派還是立憲派〉（《山西大學學報》1982年1期）、吳忠亞〈吳祿貞與所謂〝間島〞問題〉（《社會科學戰線》1984年3期）、神戶輝夫、黑屋敬子〈吳祿貞と間島問題〉（《紀要》14卷1期，1992年3期）、樊建瑩〈吳祿貞與〝間島交涉〞〉（《許昌師專學報》1991年4期）、馮天瑜等〈吳祿貞與〝延吉邊務〞〉（《江漢論壇》1980年6期）、徐鳳晨

〈吳祿貞與延吉邊務交涉〉（《東北師大學報》1983年1期）、劉樹泉、王貴忠〈中日延邊交涉與吳祿貞〉（《中日關係史論叢》第1期，1984）、靳大經〈吳祿貞經略延邊的歷史功績〉（《社會科學戰線》1991年3期）、曾廣謙〈辛亥革命前的吳祿貞〉（《歷史知識》1983年6期）及〈略論辛亥革命中的吳祿貞—兼與董方奎同志商榷〉（《學術月刊》1982年11期）、邢煥林〈淺論辛亥革命時期吳祿貞的活動性質〉（《河北大學學報》1983年1期）、杜春和〈略述辛亥革命時期吳祿貞的活動及性質〉（《河北師院學報》1986年2期）、沈雲龍〈吳祿貞與辛亥革命—武昌起義後清廷起用袁世凱的一幕政治暗鬥〉（《傳記文學》37卷3期，民69年9月）、吳忠亞〈吳祿貞與辛亥革命〉（《武漢文史資料》第4輯，1981）、王先明〈吳祿貞與辛亥革命〉（《晉陽學刊》1989年3期）、寺廣映雄〈辛亥革命と北方の動向—吳祿貞を中心として〉（《大阪學藝大學紀要·人文科學》第8號，1960年3月）、趙宗頗〈吳祿貞是立憲派還是革命派〉（《上海師院學報》1982年3期）、吳忠亞〈吳祿貞是〝立憲派〞嗎？〉（《歷史研究》1982年3期）、董方奎〈吳祿貞組織的〝立憲軍〞一詞的出處—答吳忠亞先生〉（《歷史研究》1983年6期）、魏皓潔、尹湘兵〈吳祿貞的民主革命思想與實踐〉（《呼蘭師專學報》1996年4期）、陳春生〈吳祿貞之出身與殉國〉（載國民黨黨史會編《革命人物誌》第2集內，臺北，民58）、惲寶惠〈袁世凱之再起與吳祿貞之死〉（載《文史資料選輯》第3輯，1960）、王培堯〈吳祿貞遇刺始末〉（《中外雜誌》10卷6期，民60年12月）、李惠民〈吳祿貞殉難新探〉（《史學月刊》1988年6期）、公孫訇〈吳祿貞死於誰乎？〉（《河北學刊》1985年3期）、伊杰〈吳祿貞死期辨證〉（《晉陽學刊》1984年4期）、郝慶元〈袁世凱殺害吳祿貞前後〉（《文稿與資料》1983年2期）、孔庚〈先烈吳祿貞石家庄殉難記〉（載《辛亥革命史料選輯》，長沙，湖南人民出版社，1981）、周玳〈袁世凱行刺吳祿貞的經過〉（《武漢文史資料》第4輯，1981年8月）、任芝銘〈袁世凱為什麼要刺殺吳祿貞〉（《河南文史資料》第5輯，1981年4月）、載濤〈吳祿貞被刺真相〉（載《辛亥革命回憶錄》第8冊，北京，文史資料出版社，1982）、任芝銘〈袁世凱刺殺吳祿貞之我聞〉（同上）、元柏香〈吳祿貞被刺事件鱗爪〉（同上）、黃強〈雲夢吳祿貞將軍辛亥殉國八十周年紀念〉（《湖北文獻》102期，民81年1月）、李書城〈我對吳祿貞的片斷回憶〉（載《辛亥革命回憶錄》第5冊，北京，中華書局，1963）、吳厚智〈記叔祖父綬卿先生的童少年時代〉（《武漢文史資料》第4輯，1981）、白蕉〈民國初年有關大局的三大暗殺案〉（《人文月刊》5卷10期，民23年12月）、董方奎〈論"灤州兵諫"和士官三傑〉（《歷史研究》1981年1期）。

7.其他人士

關於陳天華有陳本人的《陳天華集》（中國文化服務社刊本，民33；長沙，湖南人民出版社，1958）及《猛回頭》、《警世鐘》（均收入張玉法主編《晚清革命文學》內，臺北，新知雜誌社，民61）、鄧樺〈陳天華集〉（《讀書月報》1957年6期）、劉晴波、彭國興編校《陳天華集》（長沙，湖南人民出版社，1982）、彭楚珩編著《陳天華》（臺北，臺灣兒童書局，民46）為歷史故事性質、趙恆烈《陳天華》（北京，中華書局，中國歷史小叢書，1960）、Ernest P.

Young, " Problems of a Late Ch'ing Revolutionary: Ch'en Tien-hua. " ，In Hsüeh Chün-tu ed., Revolutionary Leaders of Modern China.（London: Oxford University Press, 1971）論述嚴謹而詳實，是陳天華研究中的代表作；作者另撰有〝Ch'en T'ien-hua（1875-1905）：A Chinese Nationalist.〞（Papers on China, Vol.13, Published by the Center for East Asian Studies, Harvard University），上文即係以此篇為基礎，予以增補重寫而成。郭鳳明〈長沙起義前陳天華的革命思想〉（《國史館館刊》復刊第3期，民76年12月）及〈長沙起義後陳天華政治思想的轉變〉（同上，第5期，民77年12月）亦為此一題旨研究中的佳作、羅宗濤《作獅子吼—陳天華傳》（臺北，近代中國出版社，民71）為通俗性讀物、王鑒清《陳天華》（上海，上海人民出版社，1982）、周天度〈陳天華〉（載《民國人物傳》第1卷，北京，中華書局，1978）、郭鳳明〈陳天華〉（載《中華民國名人傳》第8冊，臺北，近代中國出版社，民77）、王鑒清、錢元凱〈陳天華的反清反帝思想〉（《社會科學》1981年5期）、曹靖國〈陳天華的革命史觀〉（《東北師大學報》1981年6期）、戴成興〈資產階級民主革命派陳天華的史學思想〉（《華中師院學報》1984年1期）、岳國先、馮秀秋〈簡論陳天華的革命思想〉（《遼寧大學學報》1993年1期）、陳鳳翔〈陳天華革命思想初探—辛亥革命62周年紀念〉（《明報》8卷10期，1973年10月）、伊東昭雄〈陳天華の思想についてのノート〉（《中國近代思想史研究會會報》3-5號，1959年12月—1960年2月）、劉宏章〈陳天華思想評價的若干問題〉（《求是學刊》1986年2期）、楊玉厚〈試論陳天華的反帝思想〉（《史學月刊》1965年6期）、張顯菊〈論天華的教育思想〉（《雲南社會科學》1995年1期）、蕭萬源〈陳天華思想研究〉（《晉陽學刊》1982年2期）、鄧樺〈章炳麟、鄒容、陳天華在同盟會成立前對資產階級民主革命思想傳播的貢獻〉（《歷史教學》1959年10期）、王可風〈陳天華〝絕命辭〞中反映的民主革命思想〉（《文物》1961年10期）、侯偉〈陳天華的反帝愛國思想〉（《開封大學學報》1990年2、3期）、王自敏〈論陳天華的反帝愛國思想〉（《合肥師院學報》1961年1期）、艾光國〈試論陳天華的反帝愛國思想〉（《青海民族學院學報》1994年4期）、孫志芳〈陳天華的愛國革命思想〉（載《辛亥革命五十周年紀念論文集》下册，北京，中華書局，1962）、陳旭麓〈論陳天華的愛國民主思想〉（《新建設》1956年6期）、蘇中立〈陳天華的愛國思想新析〉（《華中師大學報》1986年2期）、大塚博久〈自盡の思想(1)—陳天華の場合〉（《山口大學教育學部研究論叢（人文科學·社會科學）》27號，1977年12月）、張連起〈陳天華的反封建思想〉（《北方論叢》1980年4期）及〈試論陳天華〉（《西藏民族學院學報》1981年1期）、趙瑞勤〈革命文豪陳天華〉（《文史知識》1982年12期）、陳旭麓〈難酬蹈海亦英雄—傑出的資產階級革命宣傳家陳天華簡介〉（《新湘評論》1981年5期）、遲雲飛〈關於陳天華幾件史實的考訂和糾誤〉（《近代史研究》1984年5期）、王鑒清〈陳天華《獅子吼》批駁梁啟超《新中國未來記》〉（《求索》1983年4期）、孔秀榮〈陳天華和他的《獅子吼》〉（《唐山師專唐山教育學院學報》1988年3期）、島田虔次〈陳天華「獅子吼」まくら〉（《みすず》63號，1964年8月）、徐詠平〈陳天華回頭獅吼〉（《湖南文獻》8卷2期，民69年4月）、龍華〈論陳天華的小說創作—《獅子吼》為現實與理想之作〉(《中國文學研究》1994年4期)、呂振羽遺著〈陳天華《國民必讀》所提出的舊民主主義革命的若干論旨〉(《史學月刊》1983年3期)、楊天石〈陳天華的《要求救亡意見書》及其被否定經過〉(《近代史研究》1988年1期)、陳匡時〈陳天華的《敬告湖南人》和《復湖南同學諸君書》〉(《辛亥革命史叢刊》第1輯,1980)、歐陽鐵加〈陳天華的《警世鐘》和《猛回頭》寫作年代辨〉(《湖北大學學報》1985年3期)、陳匡時〈《猛回頭》和《警世鐘》的寫作年代〉(載《中國近代文學論文集(1949-1979)小說卷》,北京,中國社會科學出版社,1983)、呂濤〈敲響警世鐘的陳天華〉(《史學月刊》1984年1期)、島田虔次〈陳天華『警世鐘』と鄒容『革命軍』·解説と翻譯〉(載桑原武夫編《ブルジョワ革命の比較研究》東京,筑摩書房,1964)、胡繩〈〝猛回頭〞〝警世鐘〞及其作者—中國近百年史箚記之一〉(《中華論壇》2卷4期,民35年10月)、林增平〈傑出的民主革命宣傳家陳天華〉(載《辛亥革命在湖南》,湖南人民出版社,1984)、朱文原〈愛國宣傳家陳天華〉(《湖南文獻》17卷3期,民78年7月)、徐學初〈陳天華出色的宣傳活動〉(《歷史知識》1983年5期)、張顯菊〈論陳天華蹈海〉(《吉林大學社會科學學報》1989年1期)、沈仁仕〈陳天華的蹈海是逃避現實的懦夫行為嗎?〉(《社會科學戰線》1982年2期)、游學華〈陳天華蹈海殉國是在1905年〉(同上,1979年1期)、劉真武〈陳天華蹈海捐軀因果論〉(《湖北大學學報》1987年3期)、楊源俊述、張篁溪記〈陳天華殉國記〉(載《中國近代文學論文集(1949-1979)小説卷》,北京,1983)、劉泱泱〈關於公葬陳天華、姚宏業時間的訂正〉(《辛亥革命史叢刊》第5輯,1983)、永井算已〈陳天華の生涯〉（載《中國近代政治史論叢》東京，汲古書院，1983）及〈陳天華の生涯〉（《史學雜誌》65卷11號，1956年11月）、中村哲夫〈陳天華の革命論の展開〉（《待兼山論叢（大阪大學文學部）》第2號，1968年12月）、武藤明子〈陳天華と楊毓麟〉（《寧樂史苑》14號，1966年2月）、里井彥七郎〈陳天華の政治思想〉（《東洋史研究》17卷3號，1958年12月；亦載《近代中國における民衆運動とそ》，東京大學出版會，1978）、陳旭麓、費成康《鄒容和陳天華》（上海，上海人民出版社，1985）、馮祖貽《鄒容陳天華評傳》（鄭州，河南教育出版社，1986）、陳旭麓《鄒容與陳天華的思想》（上海，上海人民出版社，1957）、馮祖貽〈鄒容陳天華生平與思想的比較〉（《貴州史學叢刊》1985年2期）、上野昂志〈魯迅との隔リ—魯迅と陳天華〉（《新日本學》31卷3號，1976年3月）。關於徐錫麟有〈徐錫麟革命史料〉（《文獻叢編》20期，民23）、徐和雍《徐錫麟》（合肥，安徽教育出版社，1983）、彭歌《徐錫麟》（臺北，金蘭出版社，民74）、高岱《壯烈泣鬼神—徐錫麟傳》（臺北，近代中國出版社，民71）、蕭然山《徐錫麟傳》（臺北，國際文化出版社，民81）、孫元超《辛亥革命四烈士（徐錫麟、秋瑾、陳伯平、馬宗漢）年譜》（北京，書目文獻出版社，1981）、畢志社編《中國革命黨大首領徐錫麟》（新小說社，1907）、人尹郎《徐錫麟》（同上）、章太炎〈徐錫麟傳〉（《甲寅》第2期，民3年6月）、徐和雍〈略論徐錫麟〉（《江淮論壇》1980年3期）、沈雨梧〈辛亥革命人物介紹—徐錫麟、陶成章〉（《歷史教學》1979年9期）、徐友仁〈愛國英雄—徐錫麟〉（《中學歷史教學》1983年4期）、聞少華〈徐錫麟〉（載《民國人物傳》第1卷，北京，中華書局，1978）、舒容《徐錫麟》（臺北，臺灣兒童書局，民46）、高岱《鬼神泣壯烈—徐錫麟傳》（臺北，近代中國出版社，民71）、大里浩秋〈排漢を叫んで驅けた男の生涯—徐錫麟略傳〉（《中國研究月報》441號；1984年11月）、樊竟〈〝以身許國〞的徐錫麟〉（《新時期》1981年12期）；〈徐錫麟事迹〉（《史學工作通訊》1957年3期）、李季谷〈關於徐錫麟烈士〉（《逸經》21期，民26年1月5日）、朱蘊山〈我的老師徐錫麟〉（《中國建設》1981年8期）、沈寂〈徐錫麟與光復會〉（《安徽大學學報》1987年1期）及〈徐錫麟之父諭子書〉（《安徽史學》1990年3期）、李華英〈徐錫麟手跡《明文偶鈔》〉（《杭州大學學報》1986年1期）及〈徐錫麟與《長江電線圖》〉（同上，1987年2期）、彭靜中〈范愛農與徐錫麟〉（《四川大學學報（叢刊）》第9輯，1981）、林金樹〈徐錫麟不入同盟會原因試析〉（《浙江學刊》1981年4期）、潘學固〈徐錫麟刺殺恩銘目擊記〉（《史料選編》1981年2期）；〈徐錫麟案—端方密電檔〉（《文獻叢編》30-35期，民25年9月-26年11月）、〈徐錫麟革命史料〉（同上，20期，民23年10月）、〈徐錫麟親筆供〉（同上，16期，民22年9月）、王道瑞〈新發現的徐錫麟刺殺恩銘史料淺析—讀恩銘幕僚張仲炘給端方的信〉（《歷史檔案》1991年4期）、徐嘉恩、徐永剛〈徐錫麟教育救國道路初探〉（《紹興師專學報》1985年4期）、徐和雍〈徐錫麟的反帝愛國思想〉（《杭州大學學報》1982年4期）、竺洪亮〈徐錫麟早期政治思想傾向形成之我見〉（《紹興師專學報》1988年2期）、李翊鵬〈徐錫麟與體育〉（《成都體育學院學報》1983年2期）。關於陶成章有湯志鈞編《陶成章集》（北京，中華書局，1986），該書匯集了陶氏年輕時寫的課藝，以至二十世紀初的論文、函電、傳記、序跋和專書等，全書計30餘萬字，是有關陶氏最詳細、最重要的史料彙編；湖南省社會科學院編注《陶成章信札》（長沙，岳麓書社，1985）亦甚有參考價值；研究成果則有唐文權〈陶成章略論〉（《江漢論壇》1981年2期）、楊渭生〈略論陶成章〉（《浙江學刊》1981年3期）、湯志鈞〈論陶成章〉（《中華文史論叢》第1輯，1984）及〈陶成章年譜（初稿）〉（《辛亥革命史叢刊》第6輯，1986）、錢茂竹〈陶成章年譜簡編（初稿）〉（《紹興師專學報》1982年2期）、曾壽昌〈關於陶成章先烈的幾件事〉（同上，1981年2期）及〈陶成章年譜〉（同上，1982年4期）、大里浩秋〈陶成章年譜（稿）（上）〉（《老百姓の世界》第2號，1984年9月）、孫尚志〈光復會領導人物—陶成章烈士〉（《浙江月刊》22卷6期，民79年6月）、錢茂竹〈陶成章烈士史實訪問錄〉（《紹興師專學報》1981年1期）、徐和雍〈陶成章與會黨〉（《臺州師專學報》1981年2期）、單寶〈陶成章與光復會〉（《中學歷史》1987年6期）、陳梅龍〈論陶成章與光復會：陶成章研究之一〉（《寧波師專學報》1989年1期）、〈論陶成章與同盟會：陶成章研究之二〉（同上，1989年2期）及〈論陶成章與同盟會的關係〉（《史學集刊》1986年2期）、何澤福〈陶成章和同盟會〉（《華東師大學報》1985年1期）、郭斌、楊樹標〈略論陶成章和《龍華會章程》〉（《杭州大學學報》1981年3期）、胡逢祥〈陶成章與《浙案紀略》〉（《華東師大學報》1983年6期）、童幟昌〈《陶成章幼年藝文手稿》讀後〉（載《中國歷史文獻研究集刊》第2輯，湖南人民出版社，1980）、林文彪〈陶成章與歷史學〉（《歷史教學問題》1988年6期）、陳永銘〈陶成章與陳英士〉（《紹興師專學報》1985年3期）、徐嘉恩〈略論陶成章反帝愛國思想發展的幾個階段〉（同上，1990年3期）、林文彪〈略論陶成章的思想及與孫中山的關係〉（《紹興師專學報》1987年1期）、陶永銘〈祖父陶成章被害的前前後後〉（同上）、莫永明〈民初轟動海內外的陶成章暗殺案〉（《辛亥革命資料（上海）》1986年4期）、楊天石〈蔣介石刺殺陶成章的自白〉（《近代史研究》1987年4期）及〈從《中正自述》看蔣介石為何刺殺陶成章〉（《傳記文學》67卷2期，民84年8月）、張家康原作〈蔣介石行刺陶成章始末〉（同上，66卷2期，民84年2月）、漆高儒〈蔣介石刺殺陶成章歷史公案〉（同上，66卷4期，民84年4月）、姚輝〈〝陶案〞新探〉（《安徽史學》1987年2期）。關於朱執信有朱氏自己的文集（邵元沖編）《朱執信文存》（序於1925，臺北，文海出版社影印，民60）、葉青選編《朱執信選集》（臺北，帕米爾書店，民47）、廣東省社會科學研究所歷史研究室編《朱執信集》（2冊，北京，中華書局，1979）輯錄朱氏1905至1920年間的論著一百餘篇，在同類文集中本書最為詳備、朱氏另撰有專書《兵的改造及其心理》（上海，民智書局，民15）及《關於三民主義》（桂林，建設書店，民33）、與胡適等撰《井田制度有無之研究》（上海，華通書局編印，民19）、呂芳上《朱執信與中國革命》（臺北，中國學術著作獎助委員會，民67），原係作者臺灣師範大學歷史研究所碩士論文，利用大量國民黨黨史會所藏有關的檔案文件、書報、期刊雜誌等珍貴資料，為首本研究朱氏生平之學術性評傳；蕭萬源《朱執信思想研究》（北京，人民出版社，1985）、張瑛《朱執信評傳》（鄭州，河南教育出版社，1990）則為中國大陸朱氏研究的兩本代表作；佘炎光〈論朱執信〉（《暨南大學學報》1980年2期）及《朱執信》（上海，上海人民出版社，1984）、程途《朱執信》（南京，正中書局，民25）、謝霜天《虎門遺恨—朱執信傳》（臺北，近代中國出版社，民68）、謝文〈我國近代民主革命的活動家和理論家—朱執信〉（《歷史教學》1986年8期）、吳相湘〈朱執信言行合一〉（《傳記文學》6卷6期，民54年6月）、裴伯欣〈革命先烈朱執信軼事〉（《民主憲政》32卷5期，民56年7月）、陳則東〈青年節懷先烈—朱執信〉（《建設》12卷10期，民53年3月）、關捷〈辛亥革命前後的朱執信與孫中山〉（《北方論叢》1991年1期）及〈論朱執信追求民族獨立的反帝思想〉（《齊齊哈爾師院學報》1982年1期）及〈略論朱執信的反帝愛國思想—剖析《中國存亡問題》〉（《內蒙古民族師院學報》1987年3期）、王國榮〈辛亥革命的海燕—朱執信〉（《書林》1981年6期）、何伯言《朱執信．廖仲愷》（南京，青年出版社，民35）、鹿子島和子〈朱執信について〉（《樂寧史苑》10號，1962年4月）、胡漢民〈朱執信別記〉（《建國月刊》1卷5、6期，民18）、鄭彥棻〈革命聖人朱執信〉（《中外雜誌》30卷1期，民70年7月）、杜如明〈革命聖人朱執信〉（《廣東文獻》2卷3期，民61年9月）、余祖明〈朱執信先生虎門殉難〉（同上，2卷4期，民61年12月）、林恒齋〈朱執信先生虎門殉難記〉（《浙江月刊》11卷3期，民68年3月）、心俠〈革命先烈朱執信先生——位傑出的蕭山人〉（同上，28卷11期，民85年11月）、張國柱〈朱執信別傳〉（《中外雜誌》47卷5期，民79年5月）、尚明軒〈朱執信〉（載《民國人物傳》第1卷，北京，中華書局，1978）、呂芳上〈朱執信的早年及其革命思想的萌芽〉（《中華學報》1卷2期，民63年7月）、蕭萬源〈論朱執信的思想〉

（《社會科學輯刊》1982年1期）、張海聲〈略論朱執信的思想特點〉（《蘭州學刊》1984年3期）、張磊〈論朱執信的民主革命思想〉（《社會科學戰線》1981年4期）、孫克復、張其光〈略論朱執信的政治思想〉（《學術研究》1962年4期）、關捷〈試論朱執信民主革命思想的發展〉（《學術月刊》1980年3期）、劉立新〈朱執信〝細民〞思想初探〉（《華中師大學報》1988年5期）、黃烈義〈朱執信民族觀初探〉（《廣東民族學院學報》1987年2期）、關捷〈論朱執信的經濟思想〉（《齊齊哈爾師院學報》1984年3期）、姚家華〈略論朱執信的經濟思想〉（《財經研究》1984年1期）、楊敏〈朱執信經濟思想再探討〉（《上海經濟科學》1985年1期）、尤學民、湯可可〈略論朱執信的經濟建設思想〉（載《辛亥革命史叢刊》第5輯，1983）及〈朱執信的財政金融思想〉（《經濟研究》1982年8期）、何植靖〈朱執信的哲學思想〉（《江西大學學報》1985年2期）、梅松武〈朱執信國家社會主義思想的形成和轉變〉（《四川大學學報（叢刊）》第9輯，1981）、李雙璧〈評朱執信的早期社會主義思想〉（《貴州社會科學》1982年2期）、狹間直樹〈朱執信對孫文民生主義的理解〉（《近代史研究》1991年3期）、赫堅〈簡論朱執信對三民主義的闡述與貢獻〉（《長春師院學報》1992年2期；亦載《松遼學刊》1994年2期）、徐啟彤〈〝五四〞前後朱執信對三民主義的認識和探索〉（《江海學刊》1992年6期）、王國范〈〝五四〞後朱執信政治思想評述〉（《許昌師專學報》1985年）、楊金鑫〈朱執信是同盟會中真正研究馬克思主義的人〉（《湖南師院學報》1981年2期）、王國榮〈〝以不知馬克思為恥〞—最早介紹馬克斯主義的人朱執信〉（《遼寧青年》1981年6期）、陳梅龍

〈〝如果他還健在，很可能是堅決信仰馬克思主義的〞—朱執信〉（《嘉興師專學報》1983年1期）、曾麗雅〈從西方找到馬克思主義真理的第一位中國人〉（《江西社會科學》1983年3期）、闞捷〈論朱執信對馬克思主義的傳播〉（《遼寧大學學報》1986年4期）、胡顯中〈馬克思主義在中國最早的傳播者—朱執信〉（《吉林社會科學》1988年12期）、孔繁〈朱執信的唯物主義無神論和認識論〉（《中國哲學》1985年12期）、利奧民〈略論朱執信實踐的認識論〉（《華南師大學報》1993年1期）、陳哲夫〈朱執信的共產主義因素初探〉（《北京大學學報》1987年3期）、張敦仁〈朱執信與《共產黨宣言》〉（《學叢》1982年2期）、費路〈朱執信論德國〉（載張憲文主編《民國研究》第3輯，南京大學出版社，1996）、朱文原〈辛亥革命時期的朱執信〉（《廣東文獻》19卷2期，民80年6月）、黃興濤〈朱執信對民初兵士心理的探析及其改造思想述論〉（《軍事歷史研究》1988年2期）、曾業英〈朱執信在護國戰爭時期的一段經歷〉（《近代史研究》1987年4期）、柳智元〈朱執信與《建設》雜誌〉（《近代中國》107期，民84年6月）、呂芳上〈朱執信與新文化運動〉（載汪榮祖編《五四研究論文集》，臺北，民68）。關於陸皓東有李光群《陸皓東》（臺北，臺灣兒童書局，民46）、王勁〈我國近代民主革命的第一位烈士—陸皓東〉（《蘭州學刊》1981年4期）、錢昌明〈傑出的愛國主義者陸皓東〉（載《中國近代愛國主義論文集》，1984；又載《近代中國史論叢》，1984）、吳東權《革命第一烈士—陸皓東傳》（臺北，近代中國出版社，民71）及《陸皓東傳》（臺北，雨墨出版社，民83）、章君穀《陸皓東傳》（臺北，金蘭出版社，民74）、何伯言《陸皓東、史堅如》（重慶，青年出版社，民35）、兆猷〈為共和革命而犧牲的陸皓東〉（《文物天地》1982年5期）、劉世昌〈陸皓東（1868-1895）〉（載《中華民國名人傳》第6冊，臺北，近代中國出版社，民75）、陳哲三〈陸皓東烈士的生平事蹟—兼致黃兆鵬、張鏡波兩先生〉（《逢甲青年》第4期，民67年7月；亦收入氏著《讀史論集》，臺中，國彰出版社，民74）、定一〈孫帝象、陸皓東與青天白日旗〉（《浙江月刊》25卷4期，民84年12月）。關於史堅如有〈史堅如烈士史料輯錄〉（《近代中國》第7期，民67年9月）、王紹通〈追懷史堅如烈士〉（《廣東文獻》10卷4期，民69年12月）、李光群《史堅如》（臺北，臺灣兒童書局，民46）、吳東權《浩氣英風—史堅如傳》（臺北，近代中國出版社，民72）、章君穀《史堅如》（臺北，金蘭出版社，民74）、丁東〈史堅如慷慨赴義〉（《廣東文獻》20卷1期，民79年3月）、趙矢元〈史堅如及其供詞、絕筆考辨〉（《辛亥革命史叢刊》第2輯，1980）、實元〈史堅如烈士《致妹書》辨偽〉（《文史》1963年3期）。關於尢列有尤嘉博編纂《尢列集》（香港，編者自印，1978）、蔣永敬〈尢列（1865-1936）〉（載《中華民國名人傳》第5冊，臺北，近代中國出版社，民75）、馮忠效〈革命元勳尢少紈〉（《廣東文獻》11卷1-3期，民70年3、6、9月）、莊政〈革命先進尢列生平及其志業考述〉（《復興崗學報》33期，民74年6月）、吳原〈記尢少紈（列）〉（《越風半月刊》14期，民25年5月）、章志誠〈尢列與中和堂〉（《杭州師院學報》1985年3期）。關於楊衢雲有華中興〈楊衢雲研究〉（《國史館館刊》復刊14期，民82年6月）為臺灣史學界首篇對楊氏的學術性研究論著、吳竟、陳長賓〈略論楊衢雲〉（《蘭州大學學報》1987年3期）、佚名《楊衢雲略史》

（香港，1927）、李雲漢〈楊衢雲（1861-1901）〉（載《中華民國名人傳》第6冊，臺北，近代中國出版社，民75）、趙廣示〈楊衢雲和輔仁文社〉（《貴州師大學報》1987年2期）、王興瑞〈清季輔仁文社與革命運動的關係〉（《史學雜誌》創刊號，重慶，民34年12月）、賀躍夫〈輔仁文社與興中會關係辨析〉（《孫中山研究論叢》第2集，1984）、袁鴻林〈興中會時期的孫、楊兩派關係〉（《紀念辛亥革命七十周年青年學術討論會論文集》，1983）、Hsüeh Chün-tu（薛君度），"Sun Yat-sen, Yang Chü-yüan, and the Early Revolutionary Movement in China."（The Journal of Asian Studies, Vol. 19, No.3, May 1960）。關於吳樾有哈曉斯〈吳樾名考〉（《江淮論壇》1982年5期）、孫永成〈驚雷一聲，浩氣長存一試評為共和捐軀的吳樾烈士〉（《通化師院學報》1982年1期）、林適存《霹靂手段一吳樾傳》（臺北，近代中國出版社，民71）、南郭《吳樾》（臺北，金蘭出版社，民74）、張湘炳《吳樾一生》（安徽少年兒童出版社，1987）、張嘯岑〈吳樾烈士事迹〉（《史學工作通訊》1957年2期）、眭雲章〈吳樾謀誅五大臣三件歧異之史說〉（《三民主義半月刊》11期，民42年10月）、周文虎〈大好頭顱拼一擲一清末狙擊出洋五大臣的愛國志士吳樾〉（《陝西青年》1982年6期）、唐寶林〈吳樾炸五大臣策劃經過〉（《安徽史學》1984年3期）、李宗侗〈五大臣出洋與北京第一顆炸彈〉（《傳記文學》4卷4期，民53年4月）、吳原編著《吳樾（附熊成基）》（南京，正中書局，民25）。關於熊成基有金戈〈熊成基與安慶起義〉（《安徽史學》1984年5期）、朱蘭亭、徐鳳晨〈熊成基謀刺載洵辨析〉（《近代史研究》1988年6期）及〈熊成基〝謀刺載洵〞質疑〉（《東北師大學報》1988年6期）、楊文思〈熊成基〝謀刺載洵〞辨〉（《社會科學戰線》1988年2期）、黃德昭〈熊成基〉（載《民國人物傳》第1卷，北京，中華書局，1978）、喬釗〈試論同盟會1909年的北方起義計劃與熊成基〉（《博物館研究》1984年1期）、胡寄樵〈熊成基馬炮營起義會址考〉（《安徽史學》1986年5期）、徐鳳晨〈傑出的民主革命家—熊成基〉（《吉林師大學報》1980年2期）、范崇山〈熊成基革命事略〉（載《一次反封建的偉大實踐》，江蘇人民出版社，1983）、徐鳳晨〈熊成基及其在吉林就義始末〉（載吉林史學會編《歷史人物論集》，吉林人民出版社，1982）、馬國晏〈辛亥革命烈士熊成基在吉林〉（《吉林青年》1981年10期）、喬釗〈遍流英雄血·灌溉自由花—辛亥英烈熊成基在吉林〉（《黑龍江文物叢刊》1984年4期）、嚴昌洪〈熊成基謀刺載洵一案應予否定〉（《研究生學報（華中師範學院）》1980年創刊號）、中國第一歷史檔案館〈熊成基被捕案〉（《歷史檔案》1982年3期）、呂鑒〈關於熊成基烈士的新史料〉（同上）、蕭華〈熊成基在獄中的兩份〝供詞〞〉（《安徽史學》1984年5期）、胡秀《血路—范傳甲、倪映典、熊成基三烈士傳》（臺北，近代中國出版社，民71）、范崇山〈熊成基的愛國主義思想〉（《揚州師院學報》1986年4期）。關於蔣翊武有鄧可吾等〈蔣翊武在武昌首義中〉（《新湘評論》1982年5期）、鄧可吾、王先勝〈試論蔣翊武與孫武分裂的性質〉（《湖南教育學院學報》1983年1期）、鄧可吾〈蔣翊武研究評介〉（《湖南師大學報》1987年1期）、〈蔣翊武事略〉（《史學月刊》1986年3期）及〈蔣翊武論略〉（《江漢論壇》1986年10期）、闞國瑄〈武昌首義人物志：蔣翊武（1885-1913）〉（《傳記文學》44卷1期，民73年1月）、漫征

〈蔣翊武烈士傳稿〉（《辛亥革命史叢刊》第6輯，1986）、梁碧蘭〈保衛民主共和鬥爭中的蔣翊武〉（《學術論壇》1991年5期）、姚跨鯉〈蔣翊武傳〉（《湖南文獻》8卷4期，民69年10月）、湖南省澧縣政協〈武昌首義中的蔣翊武〉（《文史通訊》1985年4期）、郭世佑〈試論蔣翊武革命的一生〉（《湖南師院學報》1982年1期）、〈有關孫武、蔣翊武的認識問題〉（《益陽師專學報》1984年3期）及〈關於蔣翊武就義日期質疑〉（同上，1982年2期）、周秋光〈蔣翊武非時務學堂學生考〉（《湖南師大學報》1987年1期）。關於陳少白有陳少白先生治喪委員會編《陳少白先生哀思錄》（廣州，民25鉛印本；重慶，中國文化服務社，民30；臺北，文海出版社影印，民61）、陳德芸述《陳少白先生年譜》（臺北，文海出版社影印，民61）、黃雍廉《是天民之先覺者—陳少白傳》（臺北，近代中國出版社，民72）、江青松《陳少白與中國革命》（臺灣大學三民主義研究所碩士論文，民74年5月）、王長庄〈關於陳少白等人參加〝黃花崗〞起義的辨誤〉（《羊城今古》1992年3期）、顏慧文〈陳少白的革命思想與事業〉（《近代中國》24期，民70年8月）、吳梓明〈嶺南大學的第一位學生—陳少白〉（《中國歷史學會史學集刊》23期，民80年7月）、張瑛〈孫中山的戰友陳少白〉（《文物天地》1985年2期）、許師慎〈陳少白（1869-1934）〉（載《中華民國名人傳》第6冊，臺北，近代中國出版社，民75）、佘祖明〈陳少白先生之高風亮節〉（《廣東文獻》3卷1期，民62年3月）、陳崇興〈陳少白先生傳略〉（同上，2卷3期，民61年9月）、盧偉林〈開國元勳陳少白的風範〉（同上，16卷4期，民75年12月）、關國煊〈細說〝四大寇〞—孫中山、陳少白、尢列、楊鶴齡〉（《傳記文學》43

卷5期，民72年11月）。關於劉揆一有饒懷民編之《劉揆一集》（武昌，華中師大出版社，1991）、饒氏並撰有〈劉揆一家世源流考〉（《求索》1993年3期）、《劉揆一與辛亥革命》（長沙，岳麓書社，1992）、〈論辛亥革命時期劉揆一的近代化思想－以工商總長任內的經濟改革為中心〉（《求索》1993年1期）及〈論劉揆一〉（《湖南師院學報》1984年6期）、李靜之〈革命志士愛國兄弟－劉揆一、劉道一傳略〉（《新湘評論》1982年3期）、朱德裳《造時勢之英雄劉揆一》（上海，商務印書館，民元年）、張益弘〈劉揆一（1878-1950）〉（載《中華民國名人傳》第3冊，臺北，近代中國出版社，民75）及〈劉揆一先生傳〉（《湖南文獻》11卷1期，民72年1月）、虞和平〈論劉揆一的工商活動〉（《湖南師大學報》1985年5期）。關於陳其美（英士）有國民黨黨史會編《陳英士先生文集》（臺北，編者印行，民66）及《陳英士先生紀念集》（同上）、何仲簫編《陳英士先生紀念全集》（民19年鉛印本，臺北，文海出版社影印，民59）、浙江省政協文史資料委員會編《陳英士（浙江文史資料選輯36輯）》（杭州，浙江人民出版社，1986）、邵元沖《陳英士先生革命小史》（上海，民智書局，民14；《浙江月刊》9卷4期，民66年4月）、星洲追悼會編印《陳英士先生暨近年殉難諸烈士哀思錄》（民5年7月）、何仲簫編《陳英士先生年譜》（上海，中國文化服務社，民35，臺北，文海出版社影印，民59）、李警眾《陳英士》（上海，震亞圖書局，民17）、章君穀《陳其美》（臺北，金蘭出版社，民74）、民心社編《大革命家陳其美》（上海，泰東圖書局，民5）、程途編著《陳英士》（南京，正中書局，民25）、孔繁霖《陳英士》（重慶，青年出版社，民34）、潘公展《陳其美》（南京，勝利出版公司，民35）及《陳其美評傳》（《藝文誌》32、33期，民57年5、6月）、杜呈祥《陳英士傳》（臺北，國防部總政戰部）、徐詠平《民國陳英士先生其美年譜》（臺北，臺灣商務印書館，民69）、郭伶芬《陳其美參與中國革命之經過及其貢獻》（政治大學歷史研究所碩士論文，民68年6月）及〈參與籌組中華革命黨與討袁之役的陳其美〉（《近代中國》12期，民68年8月）、朱馥生、姚輝《陳英士評傳》（北京，團結出版社，1989）、莫永明《陳其美傳》（上海，上海社會科學院出版社，1985）、查顯琳《扶顛持危：陳英士傳》（臺北，近代中國出版社，民73）、陳祖基、徐重慶《滬軍都督—陳英士傳奇》（杭州，浙江文藝出版社，1987）、姚輝主編《陳英士》（杭州，浙江人民出版社，1987）、姚凡《滬軍都督：辛亥革命的陳英士》（上海，上海文藝出版社，1992）、杜呈祥〈陳英士先生留給青年們的典型〉（《幼獅》5卷3期，民46年3月）、黃德昭〈陳其美〉（載《民國人物傳》第1卷，北京，中華書局，1978）、蔣永敬〈陳其美（1877-1916）〉（載《中華民國名人傳》第5冊，臺北，近代中國出版社，民75）、陳在俊〈革命先烈陳其美先生〉（《浙江月刊》16卷8期，民73年8月）、浙江月刊資料室〈陳英士先生的豐功偉績〉（同上，2卷4、5期，民59年4、5月）、莫永明〈陳英士與鎮江光復〉（《學海》1993年2期）、吳訒〈辛亥光復前後陳其美、程德全和江蘇政權〉（《南京師大學報》1988年2期）、林泉〈特立獨行的陳英士一為革命先烈陳英士先生百年誕辰紀念而作〉（《自由青年》57卷2期，民66年2月）、莫永明〈陳英士思想略論〉（《蘇州大學學報》1992年2期）、陳梅龍〈陳其美思想論〉（《民國檔案》1991年3期）、張達夫《陳其美與中國革命》（中國文化學院史學研究所碩士論文，民66年6月）、陳在俊〈光爭日月的陳英士先烈—紀念陳烈士成仁八十週年〉（《近代中國》112期，民85年4月）、李雲漢〈陳英士先生的志節和精神〉（《中央月刊》9卷4期，民66年2月）、莫永明〈論陳英士的民族氣節〉（《江蘇社會科學》1993年3期）、張應超〈陳其美革命活動述評〉（《西北大學學報》1988年2期）、袁建祿〈智勇雙全的陳英士烈士〉（《浙江月刊》15卷10期，民72年10月）、陳在俊〈革命先烈陳其美先生〉（同上，16卷8期，民73年8月）、陶永銘〈陶成章與陳英士〉（《紹興師專學報》1985年3期）、姚全興〈陳其美與上海光復〉（《社會科學》1981年2期）、向楚〈陳英士先生哀辭〉（《四川大學季刊》第1期，民24）、沈雲龍〈陳英士、李平書與上海光復—辛亥革命七十週年紀念專稿之四〉（《傳記文學》37卷6期，民69年12月）、耘農（沈雲龍）〈黃克強與陳英士〉（《新中國評論》11卷5期-12卷1期，民45年11月-46年1月）、徐嘉思〈陳其美與王金發〉（《紹興師專學報》1987年1期）、林光灝〈伍廷芳與陳其美〉（《中外雜誌》50卷1期，民80年7月）、潘良熾〈陳其美與上海光復及出任都督問題的辨正〉（《九州學刊》3卷4期，1990年9月）、蘇貴慶〈重評滬軍都督陳其美〉（《鹽城師專學報》1995年2期）、莫永明〈論陳英士與南京光復〉（《江海學刊》1989年5期）、方平〈陳其美與會黨關係述論〉（《江海學刊》1994年2期）、趙矢元〈略論陳其美與孫中山〉（《史學集刊》1986年3期）、蔣琦亞〈辛亥革命烈士陳英士〉（《歷史教學問題》1986年2期）、莫永明〈論陳英士與中華革命黨〉（《北方論叢》1986年5期）、鍾甫平〈陳英士事略〉（《民國檔案》1986年2期）、趙宗頗〈關於評價陳其美的幾個問題〉（《學術月刊》1986年2期）、姚輝〈評辛亥革命時期的陳其美〉（《浙江學刊》1986年1、2期）、胡春惠〈陳其美與亞洲獨立運動〉（《中國現代史專題研究報告》14輯，民81年11月）、陳梅龍〈陳其美與善長典〉（同上）、彭慶修〈記陳英士先生被刺殉國的司法公案〉（《傳記文學》22卷6期，民62年6月）。關於劉師培（光漢）有劉師培撰、錢玄同編次《劉申叔先生遺書》（共4冊，寧武南氏鉛印本，民25；臺北，大新書局影印，民54；京華書局影印，民59；華世出版社影印，民64）、王森然〈劉師培傳〉（《國風半月刊》4卷9期，民23年5月）、汪東〈劉師培傳〉（《國史館館刊》2卷1號，民38年1月）、尹炎武〈劉師培外傳〉（載閔爾昌編《碑傳集補》卷末，四部善本叢書館印行）、萬易〈劉師培年表〉（《文教資料簡報（江蘇）》1985年2期）及〈劉師培專論目錄〉（同上）、李妙根編《劉師培論學論政》（上海，復旦大學出版社，1990）、陳燕〈劉師培（1884-1919）其人其事〉（《中山大學學報》第3期，民75年6月）及《劉師培及其文學理論》（臺北，華正書局，民78）、丸山松幸〈劉師培傳略初稿〉（《東京大學人文科學紀要》55號，1972）、小島晉治〈劉師培「亞洲現勢論」〉（《中國》99號，1972）、李耀仙〈劉師培政治功過的評價—為紀念辛亥革命七十周年而作〉（《南充師院學報》1981年4期）、朱維錚〈劉師培：一個〝不變〞與〝善變〞的人物〉（《書林》1989年2期）、D. W. Y Kwok（郭穎頤）〝Anarchism and Traditionalism, Liu Shih-Pei〞（《香港中文大學中國文化研究所學報》4卷2期，1971年12月）、富田昇〈劉師培變節問題の再檢討〉（《東北大學論集（人間·語言·情報）》98號，1990年12月）、林斌〈劉師培失足成恨〉（《中外雜誌》13卷4期，民62年4月）、經盛鴻

〈論劉師培的前期思想發展〉(《徐州師院學報》1988年2期)及〈論劉師培的三次思想轉變〉(《東南文化》1988年2期)、嵯峨隆《近代中國の革命幻影―劉師培の思想と生涯》(東京,研文出版,1996)及《劉師培の思想―清末·民國初における革命と傳統》(慶應大學法學研究所碩士論文,1977)、有田和夫〈劉師培におけるアナーキズム〉(《中國近代思想史研究會會報》28、29號,1962年11月,1963年2月)、胡志偉《劉師培政治思想研究》(香港中文大學中國文史研究所博士論文,1995)、何若鈞〈論劉師培政治思想的演變〉(《華南師院學報》1983年2期)、周新國〈試析1903-1908年劉師培的政治思想〉(《江海學刊》1989年1期)、李妙根〈辛亥革命前後劉師培的政治思想〉(《求是學刊》1983年4期)、吳雁南〈劉師培的資產階級民主思想與心學〉(《貴州社會科學》1992年11期)、浦偉忠〈論劉師培《左庵集》的學術思想〉(《清史研究》1992年4期)、鄭師渠〈劉師培史學思想〉(《史學史研究》1992年4期)、森時彥〈民族主義と無政府主義―國學の徒、劉師培の革命論〉(載小野川秀美等編《辛亥革命の研究》,東京,筑摩書房,1978)、蔣俊〈劉師培的無政府主義思想剖析〉(《山東大學文科論文集刊》1981年2期)、吳雁南〈劉師培的無政府主義〉(《貴州社會科學》1981年5期)、趙廣洙《劉師培的無政府思想》(臺灣大學政治研究所碩士論文,民75年6月)、小野川秀美〈劉師培と無政府主義〉(《東方學報》36冊,1964年10月)、嵯峨隆〈無政府主義者としての劉師培〉(《アジア研究》26巻1號,1979)、經盛鴻〈劉師培的無政府主義思想〉(《南京大學學報》1986年3期)、翟文奇〈劉師培無政府主義思想活動的述評〉(《江西大學學報》1990年4期）、王汎森〈劉師培與清末無政府主義運動〉（《大陸雜誌》90卷6期，民84年6月）、洪德先〈劉師培與社會主義講習會〉（《思與言》22卷5期，民74年1月）、陳奇〈劉師培對傳統經學的批判〉（《貴州大學學報》1989年2期）、〈劉師培的〝六經皆史〞觀〉（同上，1994年2期）、〈劉師培的今古文觀〉（《近代史研究》1990年2期）、〈劉師培的漢、宋學觀〉（同上，1987年4期）、〈劉師培〝力攻今文〞析〉（《貴州社會科學》1989年2期）、《辛亥革命時期劉師培的經學》（四川大學歷史學碩士論文，1986年10月）、〈劉師培的經學與資產階級民主宣傳〉（《貴州大學學報》1987年4期）及〈劉師培的經學與資產階級民族主義宣傳〉（《貴州師大學報》1987年2期）、吳雁南〈劉師培與《中國民約精義》〉（《歷史知識》1981年4期）、胡楚生〈劉師培《攘書考〉（載《第一屆清代學術研討會論文集》，臺北，民78）、蔣俊〈論劉師培的村辦企業思想〉（《北京農工大學社會科學情報》1993年1、2期）、田漢雲〈劉師培的一首佚詞〉（《揚州師院學報》1986年3期）、小林武〈劉師培における「我」の諸相〉（《京都產業大學論集》18卷4號—人文科學系列之16，1989年3月）、林麗明〈劉師培的史學〉（《教學與研究》第1期，民68年2月）、王淩〈劉師培與《中國歷史教科書》研究〉（《華東師大學報》1988年4期）、李鐵軍〈論劉師培對中國近代史學的貢獻〉（《錦州師專學報》1991年2期）、姚偉〈劉師培與資產階級方志學〉（《中國地方志通訊》1985年4期）、蔣俊〈論劉師培解決中國農民問題的思路〉（《齊魯學刊》1994年1期）、鄭師渠〈章太炎與劉師培交誼論〉（《近代史研究》1993年5期）、張灝 “Lui Shih-P'ei （1884-1919） and His

Moral Quest"（載《第二屆國際漢學會議論文集》第3冊，民75）、郭明道〈論劉師培校釋群書的方法〉（《揚州學派研究》，揚州師院學報1987年專刊）、王淩〈有關劉師培一則早期反清史料〉（《歷史檔案》1988年3期）、馮永敏《劉師培及其文學研究》（臺灣師大國文研究所碩士論文，民81）及〈論劉師培的白話文〉（《臺北市師院學報》23期，民81年6月）、小島祐馬〈劉師培の學〉（《藝文》11卷5、7號，1920）、宋信人〈讀劉師培與端方書－革命前的一幕〉（《清華週刊》42卷6期，民24）、胡健〈論劉師培的美學思想〉（《西北大學學報》1996年2期）、方志華〈試論劉師培對《左傳》的整理和研究〉（《孔子研究》1995年4期）、宋惠如《劉師培《春秋左傳》學之研究》（中央大學中文研究所碩士論文，民85年6月）、張高評〈劉申叔「中國文字流弊論」平議〉（《屏女學報》第4期，民67年10月）、王琦珍〈論劉師培的文學觀與文學史研究〉（《文學遺產》1986年5期）、陳慶煌《劉申叔先生之經學》（政治大學中文研究所博士論文，民71）、Martin Bernal, "Liu Shih-P'ei and National Essence."（In Charlotte Furth ed., The Limits of Change: Essays on Conservative Alternatives in Republican China, Cambridge, Mass.: Harvard University Press, 1976）、湯志鈞〈劉師培和《經學教科書》〉（《東海學報》33卷，民81年6月）。關於趙聲有李守孔〈趙聲與清季革命〉（載《第二屆國際漢學會議論文集》第3冊，75）及〈趙聲（1881-1911）〉（載《中華民國名人傳》第5冊，臺北，近代中國出版社，民75）、王立編《趙聲》（上海，文明書局鉛印，民2）、蔣君章〈趙聲先生生平事蹟〉（《中國現代史專題研究報告》第10輯，民70）、沈雲龍〈革命先烈趙伯先的一生奮鬥〉

（《新時代》1卷10期，民50年10月）、張錦貴〈趙聲生年考〉（《揚州師院學報》1962年6期）及〈辛亥革命時期知識分子的傑出代表—趙聲〉（《群衆論壇》1981年5期）、宋婕〈民主革命的先驅者趙聲〉（《江蘇青年》1981年10期）及〈論趙聲〉（載《一次反封建的偉大實踐》，江蘇人民出版社，1983）、蕭楚龍、戴志恭〈傑出的資產階級民主革命家趙聲〉（同上）、祁龍威〈趙聲的《歌保國》〉（《江海學刊》1961年9期）、束世澂〈趙聲傳記考異〉（《建國月刊》15卷5期，民25年5月）。關於林覺民有侯志揚〈林覺民〉（《教學通訊》1982年11期）、高陽《林覺民》（臺北，金蘭出版社，民74）、潘興富〈林覺民小傳〉（《中學歷史》1983年2期）、范兆琪〈〝為天下人謀永福〞—黃花崗烈士林覺民〉（《中學歷史教學參考》1983年5期）、盧鍾雄〈黃花崗山兩英雄—介紹林覺民與喻培倫〉（《中學文科教學參考資料》1983年10期）、欒茞軍《雙傑傳—方聲洞、林覺民傳》（臺北，近代中國出版社，民68）、雲北、管伯華《閩都驕子：林覺民傳》（福州，海峽文藝出版社，1992）、天嘯生〈〝幾告大罪，幾今死矣〞（林覺民傳）〉（《少年先鋒》1卷1期，民15年9月）、劉世昌〈林覺民（1887-1911）〉（載《中華民國名人傳》第6冊，臺北，近代中國出版社，民75）、落霞〈碧血丹心照千秋—讀林覺民烈士的《與妻書》〉（《夜讀》1981年 2期）、梁尚玉〈情詞壯美，浩氣長存—淺談林覺民《與妻書》的寫作背景及藝術特色〉（《福建師大學報》1982年2期）、何卓〈一片丹心，光照日明—《與妻書》簡析〉（《南寧師院學報》1982年3期）、王培堯〈林覺民伉儷情深〉（《中外雜誌》9卷4期，民60年4月）。關於羅福星有覃怡輝《羅福星抗日革命事件研究》（臺北，中央研究院三民主義研究所，民70）、蔣子駿《羅福星與臺灣抗日革命活動之研究》（高雄，黃埔出版社，民70）、羅秋昭《羅福星傳》（臺北，黎明文化出版公司，民63）、《大湖英烈－羅福星傳》（臺北，近代中國出版社，民67）及〈羅福星烈士的大智、大仁、大勇－紀念先祖父百歲冥誕〉（《近代中國》47期，民74年6月）、羅元一（羅香林）〈臺灣革命先烈羅福星傳〉（《文史教學》第2期，民30年5月）及〈臺灣大革命運動－臺灣革命首領羅福星〉（《南風》1卷4期、6期，民34年7月）、陳三井〈羅福星與中國革命〉（《中華民國建國史討論集》第1册，民70；亦載《中華文化復興月刊》14卷10期，民70年10月）、〈羅福星與國民革命〉（《國魂》424期，民70年3月）、〈羅福星（1886-1914）〉（載《中華民國名人傳》第1册，臺北，近代中國出版社，民75）及〈羅福星暨臺灣志士與辛亥革命〉（《傳記文學》38卷4期，民70年4月）、戴國煇〈臺灣の詩と真實－羅福星の生涯〉（《アジア》6卷10號，1971年12月）、段柏林〈羅福星の人と思想—孫文革命黨の臺灣烈士〉（《アジア 文化》15號，1990年5月）、永井算巳著、蔡茂豐譯《羅福星事件》（臺北，中國文化學院日本研究所，民56）、莊金德、賀嗣章合編《羅福星抗日革命案全檔》（臺北，臺灣文獻委員會，民54）、潘君祥〈臺灣籍辛亥革命志士羅福星〉（《人物》1982年5期）、戚宜君〈臺灣抗日英雄羅福星二三事〉（《國魂》416期，民69年7月）、心園〈至大至剛的羅福星烈士〉（《今日中國》91期，民67年11月）、王成聖〈辛亥開國臺胞抗日怒潮－羅福星烈士被捕前後〉（《中外雜誌》9卷4-6期，民60年4-6月）及〈羅福星與張佑〉（同上，9卷6期，民60年6月）、潘君祥〈臺灣籍辛亥革命志士羅福星〉（《人物》1982年5期）。其他如毛注青〈為振興中華而效命前驅一傑出的民主主義戰士譚人鳳〉（《新湘評論》1983年5期）、張華騰〈譚人鳳思想的特色〉（《殷都學刊》1987年4期）、譚人鳳《石叟牌詞》（蘭州，甘肅人民出版社，1983）、饒懷民〈讀《石叟牌詞》評譚人鳳事功〉（《湖南師院學報》1982年4期）及〈譚人鳳與《石叟牌詞》〉（《社會科學（甘肅）》1984年3期）、石芳勤〈試論譚人鳳成為民主革命家的轉變過程〉（《歷史教學》1986年3期）及《譚人鳳集》（長沙，湖南人民出版社，1985）、孫子和〈革命先進、開國宿將譚人鳳〉（《國魂》422、423期，民70年1、2月）、康樂天、康中華〈譚人鳳與辛亥革命〉（《河北大學學報》1981年3期）、周秋光〈激進的民主主義革命家譚人鳳〉（載《石叟牌詞》，蘭州，甘肅人民出版社，1983）及〈譚人鳳傳略〉（載《辛亥革命在湖南》，湖南人民出版社，1984）、饒懷民〈譚人鳳〝十三歲中秀才〞質疑〉（《華中師大學報》1986年4期）、吳德志《吳兆麟傳》（武漢，湖北人民出版社，1996）、周學舜〈武昌首義中的劉復基烈士〉（《湖南師院學報》1981年4期）、朱介凡《武昌起義的前導一彭楚潘、劉復基、楊宏勝傳》（臺北，近代中國出版社，民71）、王怡《俠骨忠魂一鄭埌傳》（同上，民72）、鄧文來《霹靂行一溫生才、林冠慈、陳敬岳、鍾明光合傳》（同上）、天恨生輯《新編溫生才行刺始末記》（石印本，出版時地不詳）、魏希文《溫生才》（臺北，金蘭出版社，民74）王紹通〈記廣州紅花岡四烈士（溫生才、陳敬岳、林冠慈、鍾明光）〉（《廣東文獻》15卷1期，民74年3月）、牧甫〈紅花岡四烈士〉（同上，19卷1期，民80年3月）、章君穀《彭家珍》（臺北，金蘭出版社，民74）、宣建人《彭家珍、楊禹昌、張先培、黃之萌合傳》（臺北，近代中國出版社，民71）、趙宗頗〈論革命實業家禹之謨〉（《上海師大學報》1988年2期）、郭世佑〈禹之謨與辛亥革命志士階級屬性新論〉（《求索》1991年6期）、劉泱泱〈簡論禹之謨〉（《益陽師專學報》1986年3期）、田海林、王凱〈禹之謨思想論略〉（《史學月刊》1993年2期）、成曉軍《禹之謨》（上海，上海人民出版社，1984）、聞少華〈禹之謨〉（載《民國人物傳》第1卷，北京，中華書局，1978）、洪喜美〈禹之謨〉（載《中華民國名人傳》第8册，臺北，近代中國出版社，民77）、菅原正〈「割閩換遼」要求風説と湖南・禹之謨〉（《奈良史學》14號，1996年12月）、〈禹之謨幾則史實初考〉（《湘潭大學學報》1980年2期）及〈〝甘為國民死，不為奴隸生〞—禹之謨革命事跡述略〉（《新湘評論》1981年5期）、馬洪林〈禹之謨為救中國而死〉（《歷史知識》1987年1期）、中村義〈中國における革命的民主主義者の途—禹之謨とその周邊〉（《東アジア近代史の研究》，東京，御茶の水書房，1967）、成曉軍、禹堅白〈禹之謨革命事略〉（《辛亥革命史論叢》第3輯，1981）、邢鳳麟〈壯族歷史人物傳：跟隨孫中山先生革命的壯族將領—黃明堂〉（《廣西民族學院學報》1978年4期）、蕭定吉《辛亥元勳黃明堂》（接力出版社，1995）、謝漢俊《辛亥名宿王和順》（同上）、李振英〈革命先進王和順〉（《廣西文獻》第9期，民69年7月）、凌冰〈開國元老闞仁甫〉（《廣東文獻》13卷3期，民72年9月）、司馬中原《喻培倫》（臺北，金蘭出版社，74）、楊天石〈從維新到革命的畢永年〉（《歷史月刊》12期，民78年1月）、王怡《俠骨忠魂—鄭士良傳》（臺北，近代中國出版社，民72）、李雲漢〈連雅堂與中國革命〉（《三民主義學報（師大三研所）》第1期，民66年6月）、李國祁〈林森對辛亥革命及民國政治的貢獻〉（《師大歷史學報》20期，民81年6月）、高純淑〈林森與辛亥革命〉（《中國歷史學會史學集刊》12期，民69年5月）、陳孝華〈林森與辛亥革命〉（《福建學刊》1992年6期）、蕭忠生〈試論林森對辛亥革命的貢獻〉（《福建文博》1991年1、2期合刊）、林湘〈林森與辛亥革命〉（《傳記文學》41卷3期，民71年9月）、陳哲三〈張繼與辛亥革命〉（《逢甲學報》16期，民72年11月）、井泓瑩《張繼早年革命事業之研究（1882-1927）》（政治大學歷史研究所碩士論文，民70年6月）、郭芳美《居正與中國革命（1905-1916）》（同上，民68年1月）、〈同盟會時期居正在南洋的革命活動〉（《中國歷史學會史學集刊》11期，民68年5月）及〈居正與武昌革命〉（《中華學報》6卷2期，民68年7月）、張俊顯〈吳敬恆早期革命思想之研究〉（《近代中國》16期，民69年4月）、楊愷齡〈革命奇人張靜江〉（同上，28期，民71年4月）、孫運開〈革命奇人張靜江〉（《中外雜誌》23卷4期，民67年4月）、劉公昭《張人傑與中國革命建設》（臺灣大學三民主義研究所碩士論文，民66年6月）、李書華〈辛亥革命前後的李石曾先生〉（《傳記文學》24卷2期，63年2月）、呂芳上〈鄧澤如與辛亥革命（1906-1912）〉（載《南洋華人辛亥革命討論集》，臺北，民75）、波多野善大〈辛亥革命期の汪兆銘〉（《愛知學院大學文學部紀要》12號，1983年3月）、牧角悦子〈清末革命運動と周樹人〉（《中國文學論集（九州大學中國文學會）》11號，1982年10月）、鄧嗣禹〈蔡元培的革命活動〉（《中華民國建國史討論集》第1冊，民70）、王曉華、雷近芳〈論胡瑛〉（《信陽師院學報》1982年2期）、石芳勤〈孫武的一生〉（《河北大學學報》1980年3期）、阮知〈孫武發家及其政治上的墮落〉（《近代史研究》1983年1期）、高籌觀原著、劉望齡輯校〈湖北起義首領孫武傳〉（載《辛亥革命史叢刊》第7輯，北京，1987）、李志新〈孫武與先君次生〉（《傳記文學》38卷6期，民70年6月）、喻鍾鈺〈黃花崗七十二烈士之一－喻培倫〉（《西南師院學報》1983年1期）、陳立臺《戴季陶早年革命事業之研究（1910-1915）》（政治大學歷史研究所碩士論文，民69年6月）、許繼峰《鄒魯與中國革命（西元1885-1925）》（臺灣大學三民主義研究所碩士論文，民68年6月）、李雲漢〈總統蔣公與辛亥革命－蔣總統早期革命經歷研究之一〉（《師大歷史學報》第4輯，民65年4期）、陸培湧〈蔣介石先生參加孫中山先生的革命活動（1906-1916）〉（《孫中山先生與近代中國學術討論集》第2冊，民74）、張玉法〈蔣公與辛亥革命〉（《中華文化復興月刊》8卷10期，民64年10月）、川上哲正〈景梅九と辛亥革命〉（《學習院史學》34號，1996年3月）、吳松薰《陳果夫革命事業之研究》（政治大學三民主義研究所碩士論文，民71年6月）、蔡德金〈同盟會女傑方君瑛〉（《傳記文學》68卷2期，民85年2月）、李又寧〈辛亥革命先進方君瑛女士〉（《傳記文學》38卷5期，民70年5月）及〈徐宗漢與黃興〉（《黃興與近代中國學術討論會論文集》，民82）、Li Yu-Ning（李又寧），“Hsu Tsung-han（1877-1944）: Tradition and Revolution”（Republican China, Vol. 10, No.1a, November 1984；亦載Chinese Studies of History, No.20, 1986-87）、徐嵩齡〈徐宗漢－黃克強夫人〉（《中國婦女》1958年4期）、王紹通〈徐宗漢女士傳略〉（《廣東文獻》14卷4期，民73年12月）、羅紹志等〈同盟會第一個女會員唐群英〉（《新湘評論》1981年11期）、胡國樞〈巾幗雙傑—尹銳志、尹維峻〉（《史學集刊》1982年3期）、周簡段〈中山先生的女保鑣—尹銳志〉（《廣東文獻》25卷2期，民84年6月）、尹銳志〈銳志革命回憶錄〉（《民光》第1期，民35年12月）、剡曲老人〈周亞衛與尹銳志〉（《浙江月刊》3卷2-4期，民60年2-4月）、吳傳清〈辛亥女傑張竹君學籍考〉（《華中師大學報》1994年5期）、鈕先銘〈辛亥女傑張竹君—兼及胡漢民·馬君武·黃興〉（《中外雜誌》10卷4、5期，民60年10、11月）、梁惠錦〈張竹君〉（載《中華民國名人傳》第8冊，臺北，近代中國出版社，民77）、王玥明〈女界之梁啟超—張竹君〉（《食貨月刊》復刊10卷7期，民69年10月）、徐輝琪〈辛亥革命時期著名的愛國女醫生張竹君〉（《廣州研究》1987年6期）、羅月秋〈秋瑾的閨中密友：革命知己徐自華〉（《浙江月刊》27卷1期，民84年1月）、鄭彥棻〈革命女傑卓國華〉（《中外雜誌》28卷3期，民69年9月）、嚴友梅〈革命新娘—卓國華〉（《近代中國》18期，民69年8月）。李新、任一民編《辛亥革命時期的歷史人物》（北京，中國青年出版社，1983）、Hsüeh Chün-tu（薛君度），ed., Revolutionary Leaders of Modern China.（New York: Oxford University Press, 1971）；劉昕主編《辛亥革命人物像傳》（武漢，武漢大學出版社，1993）收錄從1900年自立軍之役至1913年二次革命失敗此一時期的有影響的辛亥革命人物計174名、唐文權等編《辛亥人物碑傳集》（北京，團結出版社，1991），該書選輯與辛亥革命有多種關係之人物碑傳250餘件，分為15卷，1-6卷為革命人物，7-11卷為民初政治軍事人物，12-14卷為清廷人物，第15卷泛收其他人物（游移於共和與君主政體間之人物等）；中華民國各界紀念國父百年誕辰籌備委員會學術論著編纂委員會編《革命先烈先進傳》（臺北，編者印行，民54），共收錄先烈傳213篇，先進傳113篇；國民黨黨史會編印《革命人物誌》（共123集，臺北，民58-78）、杜英穆《革命先烈先賢別傳》（3冊，臺北，名望出版社，民74）。由於革命人物實在太多，不勝枚舉，其中有些在後來的民國史上知名度甚高，如胡漢民、蔡元培、汪精衛等人，則容後再舉。

㈨民國的確立

1.南京臨時政府始末

清宣統三年10月13日（1911年12月3日），獨立各省代表議決「中華民國臨時政府組織大綱」21條，根據此一大綱，各省代表於同年11月10日（12月29日）選出孫中山為中華民國臨時大總統。民國元年（1912）1月1日，孫中山在南京就任臨時大總統，1月3日任命各部總長、次長，南京臨時政府於焉組成。4月2日，參議院議決臨時政府遷往北京，4月6日，黃興就任南京留守（至5月31日撤銷），4月29日，參議院在北京行開院禮，至此南京臨時政府已形同結束。這方面的論著及資料有鄭治發〈對《中華民國臨時政府組織大綱》的幾點認識〉（《北京政法學院學報》1983年1期）、蔣宜興〈評説辛亥組建中央臨時政府之爭〉（《學海》1996年5期）、劉杕堂〈略論辛亥革命中心由武漢向滬寧的轉移〉（載吳劍杰主編《辛亥革命研究》，武漢出版社，1991）、吳乾兑〈滬軍都督府與南京臨時政府的籌建〉（《史林》1992年4期）、朱宗震〈辛亥革命時的上海和南京建都〉（《江海學刊》1992年5期）、許師慎

《國父選任臨時大總統實錄》（中國文化服務社，民27；臺北，國史叢編社，民56）、楊華山〈孫中山當選為臨時大總統的原因新探〉（《華中師大學報》1996年6期）、王耿雄〈孫中山任臨時大總統紀事〉（《上海師院學報》1982年3期）、尹承瑜〈選舉孫中山為臨時大總統的代表及人數〉（《歷史檔案》1982年4期）、片岡一忠〈孫文「中華民國臨時大總統就職宣言書」の異本の存在について〉（載《中國近現代史論集》，東京，汲古書院，1985）、尚明軒〈任臨時大總統前後的孫中山〉（《新時期》1981年9期）、陳勝鄰〈論孫中山在創建南京臨時政府時期的鬥爭〉（《中山大學學報》1979年4期）、胡繩武、金沖及〈孫中山在臨時政府時期的鬥爭〉（《歷史研究》1980年2期）、王英〈孫中山與南京臨時政府〉（載《一次反封建的偉大實踐》，江蘇人民出版社，1983）、陳錫祺〈論孫中山在南京臨時政府成立前後的活動〉（載氏著《孫中山與辛亥革命論集》，中山大學出版社，1984）、徐梁伯〈近代歷史的豐碑—南京臨時政府的創立〉（《民國春秋》1992年1期）、平佚〈臨時政府成立記〉（《東方雜誌》8卷11號，民元年5月）、王文素〈南京臨時政府性質初探〉（《齊齊哈爾師院學報》1992年1期）、趙矢元〈論南京臨時政府的性質〉（《吉林師大學報》1979年）、應家淦〈論南京臨時政府的資產階級性質〉（《浙江學刊》1981年4期）、石芳勤〈辛亥革命與南京臨時政府〉（《學習與研究》1983年2期）、彭明〈論南京臨時政府〉（《近代史研究》1981年3期）、劉桂五〈論南京臨時政府〉（《天津社會科學》1981年1期）、蘇家明《民元南京臨時政府之研究》（臺灣大學政治研究所碩士論文，民63年5月）、狹間直樹〈南京臨時政府について—辛亥革命におけるブルジョワ革命派の役割〉（載小野川秀美等編《辛亥革命の研究》，東京，1978）、唐上意〈試論南京臨時政府的兩個階段〉（《武漢師院學報》1981年3期）、楠瀨正明〈南京臨時政府について〉（《中國における權力構造の史的研究》，1982）、中村義〈南京臨時政府とその時代—宋教仁、胡漢民論爭を中心にして〉（《東京學藝大學紀要》24號，1972年11月）、徐矛〈南京臨時政府始末〉（《辛亥革命資料（上海）》1986年2期）、舒翼〈南京臨時政府和戰決策的變化及其對袁世凱的退讓〉（載《一次反封建的偉大實踐》，江蘇人民出版社，1983）、李國華〈為建設南京臨時政府的思想準備〉（《歷史教學》1985年6期）、沈道立〈南京臨時政府官員議員之政治資源及其運用方式〉（政治大學政治研究所碩士論文，民65年7月）、陳瑞雲〈南京政府組織法變更淺議〉（《史學集刊》1991年1期）、黃武、何磊〈南京臨時政府的政治制度〉（《歷史檔案》1984年2期）、李琪〈南京臨時政府行政建設與行政改革初探〉（《華東師大學報》1988年4期）、張立國〈淺述南京臨時政府的行政建設和改革〉（《渤海學刊》1989年2期）、蔡鴻源、孫必有〈試論南京臨時政府對官制的改革〉（載《一次反封建的偉大實踐》，江蘇人民出版社，1983）、朱志騫《南京臨時政府財政問題之研究（民國元年1月-4月）—中山先生辭讓臨時大總統的金錢因素》（臺北，知音出版社，民81）、賈德臣〈財政問題對南京臨時政府夭折的影響〉（《南都論壇》1989年3期）、韓森〈南京臨時政府的財政問題〉（《歷史教學》1990年1期）、李榮昌〈南京臨時政府財政問題初探〉（《辛亥革命史叢刊》第5輯，1983）、梁忠民〈南京臨時政府財政危機與影響〉（《唐都學刊》1989年4期）、湯可可、尤學民

〈南京臨時政府的幣制金融問題〉(《近代史研究》1984年1期)、于彤〈南京臨時政府的幣制金融措施〉(《歷史檔案》1989年2期)、狹間直樹〈南京臨時政府的財政失利—革命派和立憲派的鬥爭〉(《中學歷史教學》1984年1期)、加田宏一〈輪船招商局と南京臨時政府〉(《廣島大學東洋史研究室報告》第8號,1986年10月)、渡邊惇〈辛亥革命と鹽税—南京臨時政府時期の兩淮鹽政を中心として〉(載《木村正雄先生退官記念東洋史論集》,1976)、劉海軍〈臨時政府軍鈔發行知多少〉(《近代史研究》1990年3期)、徐友春〈論南京臨時政府的對外政策〉(《史學論文集》第2輯,1983)、俞辛焞〈南京臨時政府時期的中日外交〉(《南開學報》1994年5期)、楊日旭〈中山先生就任中華民國臨時大總統期間的中美關係—「美國外交關係」及「美國軍事情報密檔」文件研究〉(《現代中國軍事史評論》第4期,民77年2月)、朱皓〈論南京臨時政府的外交承認〉(《安慶師院學報》1996年1期)、唐上意〈南京臨時政府的立法建制〉(《近代史研究》1981年3期)、邱遠猷〈試論南京臨時政府的法制〉(《西南政法學院學報》1981年4期)及〈南京臨時政府法律淺談〉(《群衆論壇》1981年5期)、稻生典太郎〈辛亥斷髮令餘聞〉(《學藝》5卷6號,1948年8月)、李振墀、汪家靖〈近代中國法制史上重要的一頁—試論南京臨時政府的法制建設〉(《法律史論叢》第3輯,1983)、邱遠猷〈南京臨時政府的司法改革〉(《法學雜志》1983年3期)、柯欽〈《暫行新刑律》是南京臨時政府頒布的嗎?〉(《法學雜志》1987年1期)、張希坡〈南京臨時政府的工商管理法規〉(同上,1988年6期)、武崇文〈南京臨時政府的教育措施〉(《上海教育》1981年5期)、韓延龍〈南京臨時政府警政建設述略〉（《中國人民警察大學學報》1986年4期）、蔣順興、杜裕根〈南京臨時政府保護華僑的政策〉（《江海學刊》1990年3期）、李祚民、孔慶泰〈南京臨時政府的文書制度〉（《歷史檔案》1982年3期）、朱蘭芳〈辛亥革命時期南京臨時政府的文書改革〉（《檔案學通訊》1988年3期）、蔡鴻源、宋成康〈南京臨時政府的軍隊建設〉（《江海學刊》1983年6期）、劉鳳翰〈南京臨時政府軍事實況〉（《中華民國史專題論文集：第一屆討論會》，臺北，國史館，民81）、茅海建〈南京臨時政府軍制初探〉（《軍事歷史研究》1989年2期）、陳長河〈辛亥革命之際南京臨時政府的陸軍〉（《南京史志》1986年4期）、汪朝光〈辛亥革命後南京臨時政府的軍事善後〉（《北京檔案史料》1992年1期）、劉鳳翰〈黃興與陸參兩部及留守府（1912年1月9日－6月14日）〉（《黃興與近代中國學術討論會論文集》，台北，民82）、江沛〈南京政府時期輿論管理評析〉（《近代史研究》1995年3期）、王天獎〈中國近代化的重要歷程－南京臨時政府成立前後的民主熱潮簡述〉（《中州學刊》1981年3期）、殷耀德〈中華民國南京臨時政府人權保障探析〉（《黃岡師專學報》1996年1期）、彭明〈中國歷史上第一個資產階級共和國－南京《臨時政府公報》研究札記〉（《歷史檔案》1981年3期）、梁忠民〈南京臨時政府夭折原因新探〉（《唐都學刊》1992年3期）、李益然〈簡論南京臨時政府迅速夭折的主觀原因〉（《安徽史學》1984年5期）；以及中國第二歷史檔案館編《中華民國史檔案資料匯編．第2輯：南京臨時政府》（南京，江蘇古籍出版社，1979）、朱言明〈民初臨時政府時期軍紀與對政治外交影響之研究〉（《興大人文社會學報》第5期，民85年3

月）、許指嚴《民國十週紀事本末》（2册，香港，大東圖書公司，1976年）、谷鍾秀《中華民國開國史》（一名《中華民國臨時政府實錄》，上海，泰東書局，民3；臺北，文星書店影印，民51）、尚秉和《辛壬春秋》（臺北，文星書店影印，民51）、唐德剛〈韃虜易驅·民國難建—「細說辛亥革命」（下）〉（《傳記文學》60卷2期，民81年2月）。

2.南北議和與清帝退位

清宣統三年10月28日（1911年12月18日），民（民軍）、清（清廷）議和代表伍廷芳、唐紹儀會議於上海，至民國元年（1912）1月2日，袁世凱准唐紹儀辭代表職為止，是為南北議和。民國元年2月12日，清帝溥儀下詔辭位，結束清朝二百六十餘年的統治。這方面的論著及資料有中國第一歷史檔案館〈1912年南北議和電報選〉（《歷史檔案》1989年4期）、劉紹唐〈「民國初建與南北議和」主題說明〉（《傳記文學》36卷1期，民69年1月）、王廷鋒《民國元年南北和議對孫中山先生革命建國事業影響》（臺灣師大三民主義研究所碩士論文，民84）、沈雲龍〈民國初建與南北議和〉（《傳記文學》36卷1期，民69年1月）、黃秋田《民國元年南北政府和議之研究》（臺灣大學政治研究所碩士論文，64年6月）、永井算巳〈辛亥南北議和交涉の經過〉（《和田博士古稀記念東洋史論叢》，東京，講談社，1961）、謝冰〈孫中山與南北議和〉（《中南民族學院學報》1996年5期）、沈毅〈革命黨人南北和談原因新探〉（《遼寧大學學報》1988年6期）、（澳）L. 西格爾著、丁賢俊譯〈1911年南北和議之重新考察〉（載《國外中國近代史研究》第2輯，1980）、蔣永敬〈朱芾煌與辛亥南北議和〉（《傳記文學》19卷2期，民60年8月）、甘麗珍《袁世凱與南北議和》（政治大學歷史研究所碩士論文，民75年6月）、周彥〈南北議和與孫中山讓位問題之我見〉（《學習與探索》1991年5期）、波多野善大〈辛亥革命の南北議和と汪兆銘―汽が議和會議に參加した日附について〉（載《小野勝年博士頌壽紀念―東方學論集》，京都，龍谷大學東洋史學研究會，1985）、丁賢俊、陳錚〈唐紹儀與辛亥南北議和〉（《歷史研究》1990年3期）、朱英〈唐紹儀與辛亥南北議和〉（《廣東社會科學》1989年2期）、李守孔〈辛亥革命時期張謇與南北議和〉（《東海學報》21期，民69年6月）、黃仁章、何澤福〈廖宇春與辛亥革命時的南北議和〉（《華東師大學報》1981年5期）、黃征〈嚴復參與辛亥革命南北議和的補證〉（《南京大學學報》1980年3期）、周彥〈日本與辛亥革命時期的〝南北議和〞〉（《北方論叢》1994年3期）、林海龍〈英國與武昌起義後的南北和談〉（《華南師大學報》1990年2期）、張存武〈伍廷芳與辛亥革命〉（《中國現代史專題研究報告》第6輯，民65）、觀渡廬（伍廷芳）編《共和關鍵錄》（上海，著易堂書局，民元年）、錢基博〈辛亥南北議和別記〉（《國學叢刊》1卷1期，民12年3月）。李約翰（John Gilbert Reid）著、孫瑞芹、陳澤憲譯《清帝遜位與列強（1908-1912）：第一次世界大戰前的一段外交插曲》（北京，中華書局，1982）、永井算巳〈清帝退位の經過に關する覺書―所謂讓國御前會議を中心として〉（《信州大學文理學部紀要》12號，1963年3月）、齊藤恒〈清帝の退位と袁世凱〉（《史學雜誌》27卷12號，1916）、李守孔〈南京臨時政府成立前後清帝退位之交涉〉

（《孫中山先生與辛亥革命》下册，民70）、張玉芬〈清末統治集團內部紛爭與清帝退位〉（《遼寧師大學報》1993年1期）、王壽南〈辛亥武昌起義後清廷之困境與清帝退位〉（《政大歷史學報》第4期，民75年3月）、青柳篤恒〈支那革命の當時統治權が清帝國から中華民國へ移轉せう法理の考察〉（《早稻田政治經濟學雜誌》第1號，1925）、逯耀東〈對清廷退位詔書幾點蠡測〉（《中國歷史學會史學集刊》第6期，民63年5月）、朱志騫〈張謇與清帝辭位諭旨〉（《龍華學報》10期，民82年6月）、藤岡喜久男〈惜陰堂策劃と清帝退位の詔〉（《法學政治學の課題》，日本評論社，1977）。

3.讓位袁氏與政府北遷

民國元年（1912）2月13日，孫中山向參議院辭職並薦袁世凱以代，2月15日，參議院選出袁世凱為臨時大總統，3月10日，袁在北京就職，4月1日，孫中山解職，次日，參議院議決臨時政府遷往北京。這方面的論著及資料有鄭森〈武昌起義爆發後袁世凱〝出山〞史實考辨〉（《求索》1991年6期）、尹全海〈袁世凱再起考論〉（《信陽師院學報》1988年3期）及〈袁世凱攘權考論〉（同上，1989年2期）、吳相湘〈袁世凱謀取臨時大總統的經過〉（載《中國現代史叢刊》第1册，臺北，正中書局，民49）、夏良才〈袁世凱謀取共和國總統的最初一次活動〉（《近代史研究》1982年4期）、廖一中〈袁世凱被推舉為民國臨時大總統的原因〉（《天津社會科學》1990年5期）、胡繩武〈袁世凱為什麼能竊取臨時大總統的席位〉（《文史知識》1984年9期）、劉鳳翰〈袁世凱獲任中華民國大總統的經過〉（《近代中國》86期，民80年12月）、王鐵群

〈革命黨讓權袁世凱淺論〉（《河北大學學報》1990年1期）、顧衛民〈先行者的苦衷－孫中山辭去大總統職位原因析〉（《上海教育學院學報》1991年3期）、丁賢俊〈論孫中山民元讓位〉（《歷史研究》1988年6期）、竇成關〈論南北議和與孫中山讓位〉（《紀念辛亥革命七十周年學術討論會論文集》上册，北京，中華書局，1983）、徐梁伯〈應該重新評價〝孫中山讓位〞〉（《社會科學戰線》1980年4期）、楊思慎〈如何認識孫中山〝讓位〞問題〉（《天津社會科學》1981年1期）、劉雲波〈關於孫中山讓位的兩個問題〉（《貴州社會科學》1988年12期）、胡繩武〈孫中山讓位於袁世凱的歷史環境〉（《歷史研究》1987年1期）、王業興〈論孫中山讓位袁世凱的原因〉（《歷史教學》1989年2期）、黃良元〈孫中山為何〝讓權〞予袁世凱〉（《江海學刊》1985年3期）、楊學東〈論孫中山的〝以人就法〞原則—兼論孫中山辭職讓權的思想原因〉（《湘潭大學學報》1994年4期）、楊波〈孫中山讓位袁世凱的原因探析〉（《中南民族學院學報》，1996年2期）、韓明〈孫中山讓位於袁世凱原因新議〉（《歷史研究》1986年5期）、池田誠〈臨時總統の〝讓位〞における孫文の立場〉（《立命館法學》99、100號，1972年3月）及〈孫文における〝讓位〞の意味—中國における舊民主主義の命運〉（《田村博士頌壽東洋史論叢》，1968）、尹全海〈孫中山對民元讓位的總結與檢討〉（《中州學刊》1990年3期）、黃玉妹〈試析孫中山退位的歷史原因〉（《孝感師專學報》1996年3期）、王勇〈我對孫中山讓位給袁世凱的幾點看法〉（《廣西民族學院學報》1983年4期）、羅耀九〈對袁世凱妥協是孫中山的戰略和策略〉（《學術月刊》1988年5期）。胡繩武〈民元定都之爭〉（《民國檔案》1987年2期）、章開沅〈民元〝爭都〞淺釋〉（《北方論叢》1979年1期）、王曉華〈孫中山的定都主張〉（《社會科學輯刊》1988年3期）、莊政〈國父定都南京〉（《江蘇文獻》44期，民76年11月）、陶英惠〈蔡元培壬子迎袁始末〉（《新知雜誌》第2年第6期，民61年12月）、唐振常〈蔡元培北上迎袁考略〉（《近代史研究》1983年4期）、沈雲龍〈民元臨時大總統孫、袁易位與北京兵變〉（《傳記文學》51卷3期，民76年9月）、謝再興〈袁世凱與北京兵變析疑〉（《臺州師專學報》1985年1期）、國事新聞社《北京兵變始末記》（臺北，文星書店影印，民51）、李學智〈南京臨時政府北遷原因之我見〉（《歷史教學》1996年1期）、印紅標〈臨時政府北遷後的民主憲政實驗〉（《史學集刊》1982年3期）、徐矛、姜天鷹、樂嘉慶〈北京臨時政府始末〉（《辛亥革命資料（上海）》1986年3期）。

㈩其他

其他與辛亥革命有關的論著非常多，舉不勝舉，茲擇要列之，如梁敬錞著、周陽山譯〈1911年的中國革命〉（載張玉法主編《中國現代史論集》第3輯，臺北，聯經出版公司，民69）、金耀基〈從社會系統論分析辛亥革命〉（同上）、張濤〈辛亥革命一傳統政治現代化的方式〉（《河南大學學報》1996年3期）、唐德剛〈細說辛亥革命（上）一紀念「武昌起義」八十週年〉（《傳記文學》59卷5期，民80年11月）、黃大受〈辛亥革命史話〉（《中外雜誌》40卷4期，民75年10月）、梁啟錞著、張源譯〈辛亥革命〉（《傳記文學》19卷4期，民60年10月）、李新〈辛亥革命〉（《歷史檔案》1981年4期）、段昌同〈辛亥革命〉（《歷史教學》1952年7期）、永井算巳

〈辛亥革命〉（載《中華帝國の崩壞》，世界文化社，1969）、宋雲彬〈辛亥革命新論〉（《文萃》第2年1期，民35年10月）、薛君度〈辛亥革命新論〉（載《紀念辛亥革命七十周年學術討論會論文集》下册，北京，1983）、（美）高慕軻（Michael Gasster）〈辛亥革命之再檢討〉（同上）、狹間直樹〈辛亥革命〉（載《岩波講座世界歷史》23卷，東京，岩波書店，1969；又載《中國革命講座現代中國2》，大修館書店，1969）、吳玉章〈辛亥革命〉（載《辛亥革命史論文選（1949-1979）》，北京，三聯書店，1981）及〈論辛亥革命〉（載《中國近代史論文集》下册，北京，中華書局，1979）、張玉法〈論辛亥革命〉（收入氏著《歷史演講集》，臺北，東大圖書公司，民80）、渡邊龍策〈吳玉章の「辛亥革命論」〉（《中京大學論叢》第4號，1963年12月）、白蕉〈辛亥革命史的回顧〉（《越風半月刊》20期，民25年10月）、王伯群〈辛亥革命的回顧〉（《東方雜誌》28卷19號，民20年10月）、趙之恒〈辛亥革命歷史的回顧〉（《察哈爾省文獻》28、29期，民80年12月）、吳開先〈中國革命全程中的辛亥革命〉（《中央週刊》2卷11、12期，民28年10月）、林牧〈對辛亥革命的再認識〉（《社會科學評論》1985年9期）、張玉法〈清季革命運動的背景〉（《中國現代史專題研究報告》第1輯，民60）、熊玠〈由政治學眼光窺探辛亥革命的歷史背景〉（《孫中山先生與辛亥革命》下册，民70）、余英時〈從思想史角度看辛亥革命〉（同上）、波多野善大著、李永熾譯〈從西方的衝擊看辛亥革命的動因〉（《大陸雜誌》36卷10期，民57年5月）、李炳南〈導發辛亥革命的客觀背景之分析〉（《近代中國》67期，民77年10月）及《辛亥革命起因之分析》（臺灣大學三民主義研究所碩士論文，民72年6月；臺北，正中書局，民76）、李細珠〈辛亥革命起因新論〉（《湖南師大學報》1993年2期）、胡瑞舟《中國辛亥革命形成之研究》（政治作戰學校政治研究所碩士論文，民75）、黃慶華〈辛亥革命思潮淵源〉（《現代史學》51卷1期，民31年3月）、述之〈辛亥革命的原因與結果〉（《嚮導周報》86期，民23年10月）、王正明《辛亥革命成敗之因果》（中國文化學院史學研究所碩士論文，民53年5月）。張玉法“The Nature and Significance of the Rovloution of 1911: A Retrospective After 70 Years”（《辛亥革命研討會論文集》，民72）及〈辛亥革命的性質〉（收入氏著《歷史演講集》，臺北，東大圖書公司，民80）、張朋園〈辛亥革命的意義〉（《中華民國建國七十年建國史專題演講集》，教育部高教司，民71）、胡繩〈辛亥革命的歷史意義〉（《紅旗》1981年19期）、菊池貴晴《現代中國革命の起源—辛亥革命の史的意義》（東京，巖南堂，1970）、佐藤慎一〈こつの「革命史」をめぐつて(2)—辛亥革命の歷史意識〉（《法學》43卷1號，1979年5月）、上田仲雄〈辛亥革命の歷史的意義〉（《中國研究》18號，1971年9月）、曹立夫〈辛亥革命史的意義〉（《中華月報》1卷8期，民22年10月）、達威〈辛亥革命反封建專制鬥爭的歷史意義〉（《社會科學（上海）》1981年4期）、陳華新〈論辛亥革命的偉大意義〉（《廣州師院學報》1981年4期）、劉冠超〈辛亥革命的歷史意義及其經驗教訓〉（《渝州大學學報》1991年1期）、陶希聖〈辛亥革命的意義〉（《東方雜誌》28卷19號，民20年10月）、楊東蓴〈辛亥革命的意義及其教訓〉（《新世紀》1卷2期，民25年10月）、大雷〈辛亥革命在中國革命上之意義〉（《嚮導周報》86期，民13年10月）、天行〈辛亥革命之歷史觀〉（《中學生》38期，民22年10

月）、如俠〈論辛亥革命的性質問題〉（《近代中國》46期，民74年4月）、李大方〈辛亥革命的性質問題〉（《中學歷史教學》1958年4期）、鍾珍維〈論辛亥革命的性質〉（同上，1982年1期）、王彥民〈關於辛亥革命的性質和領導問題〉（《大慶社會科學》1991年1期）、章開沅〈就辛亥革命性質問題答臺北學者〉（《近代史研究》1983年1期）及〈關於辛亥革命的性質問題〉（載氏著《辛亥革命與近代社會》，天津人民出版社，1984）、菊池貴晴〈辛亥革命の性格によせて〉（《歷史教育》13卷1號，1965年1月）、劉大年〈赤門談史錄：論辛亥革命的性質〉（北京，人民出版社，1981）、王永康〈談談關於辛亥革命的性質問題〉（《史學月刊》1959年12期）、李茜〈略論辛亥革命的性質與類型〉（《史學月刊》1960年8期）、王鴻慈〈試談辛亥革命的歷史地位〉（載《紀念辛亥革命七十周年學術討論會文集》，民革黑龍江省委員會等，1981）、嚴任寬〈論辛亥革命的歷史地位〉（《嘉興師專學報》1981年2期）、鍾維珍、盧翠蘭〈略論辛亥革命的歷史地位〉（《暨南大學學報》1981年4期）、胡繩武〈辛亥革命的歷史功績〉（載《「史學」論文選》第1集，北京，光明日報社，1984）、曾景忠〈試論辛亥革命的歷史功勛—紀念辛亥革命八十周年〉（《北京檔案史料》1991年3期）、張國權〈辛亥革命的歷史功績和教訓〉（《鞍山師專學報》1991年2期）、王肇治〈辛亥革命偉大的現實意義〉（載《紀念辛亥革命七十周年學術討論會文集》，民革黑龍江省委員會，1981）、孫叔平〈辛亥革命是劃時代的歷史事件，孫中山先生是劃時代的歷史人物〉（載《一次反封建的偉大實踐》，江蘇人民出版社，1983）、翦伯贊〈論辛亥革命與中國歷史之新的轉向〉（載氏著《中國史論集》第1輯，上海國際文化服務社，1951）、章顯勛〈辛亥革命的歷史教訓〉（《黃石師院學報》1982年2期）、甘棠〈辛亥兩次革命的經過及教訓〉（《三軍聯合月刊》8卷9期，民59年11月）、王來棣〈關於辛亥革命的評價問題—兼與胡繩同志商榷〉（《近代史研究》1985年1期）、閻志強〈試以馬列主義為指導評價辛亥革命〉（《徐州師院學報》1981年4期）、金沖及〈辛亥革命的歷史評價〉（載《近代中國資產階級研究》，上海，復旦大學出版社，1984）、Mary C. Wright著、魏外揚譯〈辛亥革命的本質〉（載張玉法主編《中國現代史論集》第3輯，臺北，聯經出版公司，民69）、朱榕〈論辛亥革命的實質—從清末官制改革立憲運動談起〉（《江漢論壇》1982年2期）、吳雁南〈再論辛亥革命的特點〉（《重慶師院學報》1981年4期）、大西齋〈辛亥革命論〉（載《アジア問題講座》第1冊，東京，創元社，1939）、清水稔〈革命と反革命—辛亥革命を中心として〉（《鷹陵史學》15號，1989年9月）、黑田明伸〈權力的改革の構造とその背景—辛亥革命の經濟史的位置〉（《歷史學研究》547卷，1985年10月）、賴澤涵〈辛亥革命的社會意義〉（《中華學報》9卷1期，民71年1月）。

劉大年〈評國外看待辛亥革命的幾種觀點〉（《近代史研究》1980年3期）、藤井昇三〈列寧對辛亥革命和孫中山的評價〉（《國外社會科學》1981年10期）、張磊〈列寧論辛亥革命〉（載《紀念辛亥革命七十周年學術討論會論文集》上冊，北京，1983）、徐立亭〈毛澤東同志論辛亥革命〉（載《紀念辛亥革命七十周年學術討論會文集》，民革黑龍江省委會等，1981）、辛仲〈談談有關辛亥革命研究中的幾個問題〉（《江西大學學報》1980年1期）、吳雁南〈辛亥革命研究中的幾個問題〉（《重慶師院學報》1980年4期）、章開沅

〈辛亥革命研究的幾個問題〉（《華中師院學報》1979年1期）、周俊旗〈〝軍事冒險〞論辨析—對辛亥革命史研究中一個傳統觀念質疑〉（《南開史學》1981年2期）、沈渭濱〈關於辛亥革命的幾個問題〉（《文科月刊》1983年4期）、大隅逸郎〈辛亥革命の諸問題〉（載《近代革命の再檢討》，東京，岩波書店，1964）、陳旭麓〈辛亥革命史的分期和研究中的若干問題〉（載氏著《近代史思辨錄》，廣東人民出版社，1984）及〈關於辛亥革命教學中的若干問題〉（《華東師大史學集刊（1955-1957）》，1958）、黎澍〈辛亥革命幾個問題的再認識—紀念辛亥革命七十周年〉（《中國社會科學》1981年5期）、章開沅〈辛亥革命研究如何深入〉（《近代史研究》1985年5期）、〈解放思想，實事求是，努力研究辛亥革命史〉（載《辛亥革命史叢刊》第1輯，1980）及〈要加強對辛亥革命期間社會環境的研究〉（載氏著《辛亥革命與近代社會》，天津人民出版社，1984）、Hsueh Chun-tu（薛君度），New Aspects of the 1911 Revolution〞（Chinese Studies in History, Vol.16, No.3／4,1983）。劉強倫〈辛亥革命應以癸丑〝二次革命〞為下限〉（《湖南師大學報》1985年3期）、朱宗震〈辛亥革命的下限〉（《近代史研究》1979年1期）、韓學貴〈也談辛亥革命的下限〉（《揚州師院學報》1991年3期）、孔凡嶺〈辛亥革命應是中國近代史的開端〉（《學術研究》1991年6期）、徐立亭〈關於辛亥革命起點問題〉（《東北地方史研究》1991年3期）。霍維洮、趙矢元〈論辛亥革命的政治基礎〉（《東北師大學報》1992年6期）、唐傳泗、徐鼎新〈辛亥革命的社會經濟基礎〉（《中國經濟問題》1981年5期）、葉玉琴〈關於辛亥革命的階級基礎問題〉（《中國社會經濟史研究》1994年1期）、郭世佑〈辛亥革命階級基礎再認識—兼論海峽兩岸學者關於辛亥革命性質的意見分歧〉（《中國社會科學》1992年3期）、張延舉〈辛亥革命運動中各個階級的具體表現〉（《歷史教學》1953年9期）、章開沅、劉望齡〈從辛亥革命看民族資產階級的性格〉（載《辛亥革命五十周年紀念文集》，北京，中華書局，1962）、汪詒蓀〈辛亥革命時期資產階級與農民的關係〉（同上）、史全生〈從民族資產階級的特性看辛亥革命的成敗〉（載《一次反封建的偉大實踐》，江蘇人民出版社，1983）、李侃〈從江蘇、湖北兩省若干州縣的光復看辛亥革命的勝利和失敗—兼論資產階級革命黨人與農民的關係〉（《紀念辛亥革命七十周年學術討論會論文集》上冊，北京，1983）、陳志讓〈資產階級在辛亥革命中的作用〉（《國外辛亥革命史研究動態》1983年1期）、董叢林〈資產階級革命黨人向西方學習的新特點〉（《河北師院學報》1991年3期）、劉岳斌〈資產階級革命派在政權問題上的幼稚病〉（同上）、陳衛平〈特徵·意義·教訓—論中國近代資產階級革命派的進化論〉（收入胡偉希編《辛亥革命與中國近代思想文化》，北京，中國人民大學出版社，1991）、齊大芝〈辛亥革命最終完成了商人階級層社會地位的轉變過程〉（《北京社會科學》1991年3期）、小島淑男〈辛亥革命時期資產階級結集和經濟改革的摸索〉（載中央研究院近代史研究所編《中國現代化論文集》，臺北，民80）、劉明華〈辛亥革命——次不成熟的資產階級革命〉（《學術交流》1996年3期）、劉慧宇〈辛亥革命中資產階級革命派失敗的文化追蹤〉（《學海》1996年3期）、武克全、潘君祥〈辛亥革命時期中產階級革命派教育改革初探〉（載《清末民初中國社會論文集》，上海，復旦大學出版社，

1983）、朱英〈商人與辛亥革命〉（《香港中國近代史學會會刊》第6期，1993年7月）及〈清末商會與辛亥革命〉（《華中師大學報》1988年5期）、朱英《辛亥革命時期新式商人社團研究》（北京，中國人民大學出版社，1991）、吳雁南〈工人階級在辛亥革命時期的地位和作用〉（《中州學刊》1981年3期）、朱學範〈辛亥革命與中國工人〉（《中國建設》1981年7期）、蘭裕業〈辛亥革命與工人階級〉（《工人之路》108期，民14年10月）、吳雁南〈辛亥革命與農民問題〉（《紀念辛亥革命七十周年學術討論會論文集》，北京，中華書局，1983）、邵循正〈辛亥革命時期資產階級革命派和農民關係問題〉（《北京大學學報》1961年6期）、胡勛明〈關於辛亥革命時期資產階級革命黨同農民的關係問題〉（《黃石教師進修學院學報》1986年1期）、王承仁、柏盛湘〈試論辛亥革命時期資產階級革命派對農民的發動和領導〉（載吳劍杰主編《辛亥革命研究》，武漢大學出版社，1991）、章征科〈辛亥革命時期沒有〝大的農村變動〞原因剖析〉（《安徽師大學報》1994年2期）。

王繼平〈辛亥革命成敗新議—城市市民社會心理的選擇與制約〉（《廣州研究》1987年10期）、季雲飛〈論辛亥前後國民政治心態的演化與辛亥革命的成敗〉（《江海學刊》1991年3期）、成曉軍〈政體西化與辛亥革命的成功和失敗〉（《歷史教學》1992年7期）、李時岳〈辛亥革命的成功與失敗〉（《人文雜誌》1959年3期）、胡曲園〈辛亥革命的成功與失敗〉（《週報》第6期，民34年10月）、純青〈辛亥革命的成功與失敗〉（《中國建設》7卷1期，民37年10月）、夏東元〈論辛亥革命的勝利與失敗〉（《歷史教學問題》1959年1期）、師籍〈辛亥革命運動之成敗觀〉（《中興週刊》16

期，民22年10月）、陶希聖〈辛亥革命之成功及其挫折〉（《東方雜誌》復刊15卷4期，民70年）、黃保萬、董力生〈辛亥革命的勝利是怎樣取得的－與夏東元先生商榷〉（《學術月刊》1961年9期）、徐升〈辛亥革命迅速勝利原因之初探〉（《玉林師專學報》1996年4期）、森田大耕〈軍命まだ成功せず－辛亥革命から六十週年目を迎えて〉（《外交時報》1086號，1971年6月）、黃大受〈辛亥革命成功的分析〉（收入《中華民國建國七十年建國史專題演講集》，臺北，教育部高教司，民71）、徐復觀〈辛亥革命成功的兩大要素及其偉大地精神傳統〉（《湖北文獻》62期，民71年1月）、蕭季文〈試論辛亥革命失敗的必然性〉（《學術界》1989年3期）、梁義群〈無法擺脱財政困難是辛亥革命失敗的直接原因〉（《許昌師專學報》1990年3期）、汲廣遠、丁興福〈財政困難是辛亥革命失敗原因之一〉（《山東師大學報》1986年2期）、施學〈論辛亥革命失敗的經濟因素〉（《遼寧師大學報》1991年5期）、汪林茂〈從文化背景看辛亥革命的失敗〉（《中州學刊》1988年1期）、徐方治〈論辛亥革命的失敗〉（《廣西民族學院學報》1980年2期）、余思偉〈也談辛亥革命失敗的基本原因〉（同上，1981年3期）、胡維革〈半殖民地意識與辛亥革命的失敗〉（《東北師大學報》1991年5期）、徐梁伯〈辛亥革命〝失敗說〞獻疑〉（《社會科學戰線》1996年2期）、守康〈辛亥革命失敗的教訓〉（《譯報週刊》1卷1期，民27年10月）、藍啟黎〈辛亥革命失敗的深刻教訓〉（《工農兵評論》1976年6期）、徐鳳晨〈辛亥革命及其失敗的歷史教訓〉（《新長征》1983年2期）、施達〈辛亥革命失敗的歷史教訓的藝術概括－讀魯迅《吶喊》《徬徨》札記〉（《甘肅師大學報》1976年2

期）、李冰堅〈魯迅對辛亥革命失敗教訓的總結〉（《北京師院學報》1975年3期）、郭文韜〈簡述辛亥革命失敗的原因〉（《電大文科園地》1983年2期）、祁之太〈我對辛亥革命失敗原因的幾點認識〉（《青海師專學報》1982年1期）、吳忠亞〈辛亥失敗之原因與目前應有之努力〉（《中興週刊》16期，民22年10月）。胡繩武〈論中國資產階級民主革命派的形成〉（載復旦大學歷史系等編《近代中國資產階級研究》，上海，復旦大學出版社，1984）、李澤厚〈二十世紀初中國資產階級革命派思想論綱〉（載《辛亥革命史論文選（1949-1979）》，北京，三聯書店，1981）、林家有〈從思想戰線上的鬥爭看辛亥革命的結局－兼論孫中山為首的革命派對君權思想的批判〉（載《孫中山研究論叢》第2集，1983）。李雲漢〈庚子至辛亥期間革命思想的分析〉（《近代中國維新思想研討會》，民67）、李良玉〈辛亥革命時期的排滿思潮〉（《南京大學學報》1989年2期）、王中茂、胡占君〈淺論清末的〝反滿〞思潮〉（《鄭州大學學報》1994年4期）、陳永進〈晚清革命黨排王與排滿思想的結合〉（《中山學術論叢》第4期，臺灣大學三民主義研究所，民73年7月）、劉大年〈辛亥革命與反滿問題〉（《歷史研究》1961年5期）、鍾珍維〈如何看待辛亥革命的反滿問題〉（《華南師院學報》）、章開沅〈「排滿」平議－對辛亥前後民族主義的再認識〉（《國史館館刊》復刊16期，民83年6月）、尹全海〈辛亥革命與〝反滿聯盟〞〉（《齊魯學刊》1993年6期）、李國祁〈民族主義與辛亥革命〉（《近代中國》51期，民75年2月）、范榮春〈辛亥革命時期的民族問題－兼論孫中山的民族主義〉（《貴州民族研究》1988年4期）、胡繩武、金沖及〈辛亥革命和中國近代的民族覺醒〉（載二氏著《從辛亥革命到五四運動》，湖南人民出版社，1983）、王笛〈辛亥革命反帝鬥爭的特點〉（《社會科學》1981年4期）、胡繩〈辛亥革命中的反帝、民主、工業化問題〉（《歷史研究》1981年5期）、黎明〈論辛亥革命黨人的反帝愛國思想〉（《鹽城師專學報》1987年3期）、章開沅〈論辛亥革命時期愛國主義思想的特徵〉（《華中師院學報》1982年5期）、謝本書〈辛亥革命與近代愛國主義思潮〉（《雲南教育學院學報》1991年4期）、陳崇橋〈繼承和發揚辛亥革命的愛國主義傳統〉（《中國經濟問題》1981年5期）、閔慶祝〈紀念辛亥革命，發揚愛國主義精神〉（《山東工業大學學報》1991年3期）、Henry Y. S. Chan, Terrorism and Revolution: A Study of Political Assassination in Late Imperial China, 1900-1911.（Ph. D. Dissertation, Columbia University [New York], 1987）、胡繼申〈論辛亥革命前無政府主義對革命黨人的影響〉（《史學月刊》1989年3期）、熊自珍〈20世紀初年中國無政府主義與資產階級革命運動〉（《武漢大學學報》1989年4期）、朱文原〈無政府主義思潮與辛亥革命〉（《三民主義學報（師大三研所）》13期，民78年8月）、Peter Gue Zarrow, Chinese Anarchists: Ideals and the Revolution of 1911.（Ph. D. Dissertation, Columbia University [New York], 1987）、Arif Dirlik, " Vision and Revolution: Anarchism Trought on the Eve of the 1911 Revolution. "（Modern China, Vol. 12, No.2, April 1986）、Robert A. Scalapino and Harold Schiffrin, "Early Socialist Currents in the Chinese Revolutionary Movement."（Journal of Asian Studies, Vol. 18, No.3, May 1959）、Chang Uü-fa（張玉法），The Effects of Western socialism on the 1911

Revolution in China.（M. A. Thesis, Columbia University [New York], 1970）、楊安、段雄〈辛亥革命時期革命黨人有關社會主義思想述評〉（《社會主義研究》1991年5期）、陳高原〈辛亥革命與改造國民性思潮〉（《廣州研究》1988年7期）、片岡一忠〈辛亥革命時期の五族共和論をめぐつて〉（載《中國近現代史の諸問題－田中正美先生退官記念論集》，東京，國書刊行會，1984）、野村浩一〈辛亥革命の政治文化－民權・立憲・皇權〉（《思想》1994年7-9號）、久保田文次〈辛亥革命は絕對主義變革か〉（載勝維藻、奥崎裕司編《東アジア世界史探究》，東京，汲古書院，1986）。

陳旭麓〈〝揖美追歐，舊邦新造〞－辛亥革命與王朝時代的終結〉（《學術季刊》1991年1期）、周武〈辛亥革命與皇朝體制的終結〉（《史林》1991年4期）、羅福惠〈辛亥革命與再建統一〉（《湖北社會科學》1991年1期）、楊榮〈辛亥革命在亞洲打落了第一個皇冠〉（《社會科學輯刊》1981年5期）、王春良〈辛亥革命在〝亞洲覺醒〞中的地位和作用〉（《山東師院學報》1962年1期）、洪征嗣〈辛亥革命在亞洲覺醒中的地位和作用〉（《湖南師院學報》1981年4期）、呂亞紅〈辛亥革命在亞洲覺醒中的地位和作用〉（《寧波師院學報》1991年2期）、艾周昌〈亞洲資產階級革命運動與辛亥革命〉（《華東師大學報》1981年2期）。羅福惠〈辛亥革命與中國早期現代化〉（《學習與實踐》1991年10期）、丁三青〈辛亥革命與中國現代化〉（《史學月刊》1995年5期）、胡松〈辛亥革命延緩了中國現代化的發展進程嗎？〉（《真理的追求》1996年5期）、苑書義〈辛亥革命與中國近代化〉（《河北師院學報》1991年3期）、黃保信〈辛亥革命與中國教育近代化〉（《河南大學學報》1991年4期）、陸仰淵〈辛亥革命對中國近代經濟發展的推動作用〉（《江海學刊》1991年5期）、高秋萍〈辛亥革命促進了中國資本主義經濟的發展〉（載《一次反封建的偉大實踐》，江蘇人民出版社，1983）、Huang Yiping, "The Role of the 1911 Revolution in Promoting National Capitalist Industry."（Chinese Studies in History, Vol.16, NO. 3／4, 1981）、虞和平〈辛亥革命與中國經濟近代化的社會動員〉（《社會科學研究》1992年5期）、北村敬直〈辛亥革命と產業構造〉（載桑原武夫編《ブルジョワ革命の比較研究》，東京，筑摩書房，1964）及〈辛亥革命と產業構造一問題の設定〉（《經濟學雜誌》48卷5號，1963年5月）、菊池貴晴〈經濟恐慌と辛亥革命への傾斜〉（載《中國近代化の社會構造—辛亥革命の史的位置》東京，1960）、吳雁南〈辛亥革命時期中國社會的主要矛盾〉（載《辛亥革命五十周年紀念文集》，北京，中華書局，1962）、林家有〈辛亥革命的社會影響及其歷史啟示〉（《中山大學學報》1991年4期）、李時岳〈近代中國社會的演化和辛亥革命〉（《吉林大學社會科學學報》1981年5期）、章開沅《辛亥革命與近代社會》（天津，天津人民出版社，1985）、朱小玲〈從社會心理看辛亥革命的歷史局限〉（《徐州師院學報》1996年1期）、（蘇）齊赫文斯基著、蔡靜儀譯〈辛亥革命中民族因素和社會因素的相互關係〉（載《國外中國近代史研究》第2輯，1980）、（韓）許宗浩、李準允〈關於在辛亥革命中的社會問題與民族問題〉（載《紀念辛亥革命七十周年學術討論會論文集》下册，北京，1983）、嚴昌洪〈辛亥革命與移風易俗〉（《華中師院學報》1982年5期）、徐永志〈辛亥革命與婚姻家庭變革〉（《河北師院學報》1989年2期）。陳錫祺、桑兵〈太平天國與辛亥革命〉(《學術研究》1981年3期)、艾天〈太平天國與辛亥革命的現實啟示〉(《湖湘論壇》1991年5期)、陳錫祺〈關於戊戌維新與辛亥革命〉(載氏著《孫中山與辛亥革命論集》,中山大學出版社,1984)、木村茂夫〈中國の近代化—義和團と辛亥革命〉(《歷史教育》3巻12號,1955年12月)、菊池貴晴〈經濟恐慌と辛亥革命への傾斜〉(載《中國近代化の社會構造》,東京,教育書籍,1960;其中譯文爲鄒念之譯〈清末經濟恐慌與辛亥革命之聯繫〉,載《國外中國近代史研究》第2輯,1980)、李文海〈清末災荒與辛亥革命〉(《歷史研究》1991年5期)、謝玉章、謝慧玲〈正朔問題與辛亥革命〉(《城市改革理論研究》1987年6期)、孫立平〈辛亥革命中的地方主義因素〉(《天津社會科學》1991年5期)、龔書鐸〈辛亥革命與文化〉(《歷史研究》1989年5期)、胡希偉編《辛亥革命與中國近代思想文化》(北京,中國人民大學出版社,1991)、皮明庥《辛亥革命與近代思想》(西安,陝西師大出版社,1986)、汪悅〈試論辛亥革命在中國思想文化近代化中的地位和作用〉(《天津黨校學刊》1996年1期)、Joseph W. Esherick, " The Theses on Chinese Revolutoin." (Modern China, Vol.21, No.1, 1995)、周育民〈辛亥革命與遊民社會〉(《上海師大學報》1991年3期)、馬克鋒〈辛亥與啟蒙〉(《寶雞師院學報》1989年2期)、范鵬〈辛亥革命與中體西用〉(收入胡偉希編《辛亥革命與中國近代思想文化》,北京,中國人民大學出版社,1991)、高振農〈辛亥革命與佛教〉(同上)、羅福惠〈略論辛亥革命前後的"分""合"觀念〉(同上)、郭世佑〈辛亥革命的歷史條件與歷史結局再認識〉(《清史研究》1995年3期)、胡養之〈辛亥革命與中華民族〉(《明報(月刊)》11卷10期,1976年10月)、徐萬成〈辛亥革命與中國共產黨的創立〉(《教學與研究》1991年6期)、王平〈辛亥革命與革命精神〉(《南亞學報》第5期,民74年11月)。馮正安〈就辛亥革命試論知識與革命的關係〉(《武漢教育學院學報》1988年2期)、馬勇〈辛亥革命:現代化的主觀意圖與客觀效果〉(《近代史研究》1995年1期)、張濤〈辛亥革命—傳統政治現代化的方式〉(《河南大學學報》1996年3期)、何若鈞〈辛亥革命前夕資產階級革命派對封建主義的批判〉(載《紀念辛亥革命七十周年學術討論會論文集》中冊,北京,1983)、沈嘉榮等〈辛亥革命是一次反封建的偉大實踐〉(載《一次反封建的偉大實踐》,江蘇人民出版社,1983)、范文瀾〈辛亥革命:三條路線鬥爭的結果〉(《范文瀾歷史論文選集》,北京,中國社會科學出版社,1979)、蕭致治〈論辛亥革命領導群體的集體作用〉(《武漢大學學報》1991年5期)、宏軒〈辛亥革命聯合戰線的建立初探〉(《臨汾師專學報》1990年3期)、王貴忠〈試論辛亥革命時期國內兩個反清共和統一戰線的形成和演變〉(《瀋陽師院學報》1996年4期)、陳南星《辛亥革命時期的群眾運動(1905-1911)》(政治作戰學校政治研究所碩士論文,民65年8月)、伊原澤周〈書信から見る辛亥革命資金の調達〉(《追手門學院大學年報(文學之部)》第7號,1992年11月)、陳小雅〈關於辛亥革命〝避免論〞的幾點思考〉(《求索》1992年6期)、田士道〈試論辛亥革命中的民主問題〉(《浙江師院學報》1982年2期)、鄧初民〈辛亥革命與民主政治〉(《中蘇文化》4卷3期,民28年10月)、山本秀夫〈三民主義と辛亥革命—とくに「平均地權」について〉(《歷史教育》13卷12號,1965年12月)、張晉藩、邱遠猷〈辛亥革命在國家政權問題上所提供的歷史經驗〉（載《辛亥革命史論文選（1949-1979）》，北京，三聯書店，1981）、陳國慶〈論辛亥革命與傳統觀念的演變〉（《西北大學學報》1991年3期）、馬洪標〈辛亥革命志士的價值觀〉（《歷史教學》1994年2期）、高瑞泉〈辛亥革命與近代中國的價值變遷〉（收入胡偉希編《辛亥革命與中國近代思想文化》，北京，中國人民大學出版社，1991）、Don C. Price, "Early Chinese Revolutionaries: Autonomy, Family and Nationalism."（載《近世族與政治比較歷史論文集》下册，臺北，中央研究院近代史研究所，民81）、林家有〈滿族人民對辛亥革命的貢獻〉（載《辛亥革命史論文選（1949-1979）》，北京，三聯書店，1981）、房學嘉〈客家人與辛亥革命〉（載謝劍、鄭赤琰主編《國際客家學研討會論文集》，香港，中文大學香港亞太研究所海外華人研究社，1994）、丘菊賢、羅英祥〈客家人在辛亥革命中的貢獻〉（《中南民族學院學報》1995年2期）、徐立亭〈辛亥革命與〝多黨政治〞〉（《史學集刊》1993年2期）、高雲漢〈美國革命與中國革命之比較研究〉（《復興崗學報》第9期，民60年6月）、林荃〈中法大革命之比較研究〉（《雲南師大學報》1987年1期）、野澤豐〈辛亥革命と大正政變〉（載《中國近代化の社會構造—辛亥革命の史的位置》，東京，1960）、井口和起〈辛亥革命と政變〉（載《講座日本史》第6卷，東京大學出版會，1970）、李英銓〈辛亥革命時期土匪活動的反動性〉（《中南民族學院學報》1996年1期）、久保田文次〈辛亥革命と民眾運動〉（《歷史學研究別冊特集—世界史における民族と民主主義》，東京，1974）、林增平〈〝拼將十萬頭顱血，須把乾坤力挽回〞—贊辛亥革命時期的革命派〉（《新湘評論》1981年3期）、張利民〈辛亥革命時的海軍起義〉（《南開學報》1990年1期）、張芹〈辛亥武漢之戰中的清海軍〉（《歷史教學》1988年8期）、吳守成〈辛亥革命中海軍的重要影響〉（《近代中國》103期，民83年10月）、徐建東、劉永路〈辛亥海軍舉義述論〉（《遼寧師大學報》1994年3期）、張懌伯〈辛亥海軍舉義記〉（《中國海軍》第2期，民36年4月）、張朋園〈辛亥革命時期領袖群的進取與保守〉（《中華文化復興月刊》4卷7期，民60年7月）、李惠英〈兩岸學者同堂討論辛亥革命〉（《華中師院學報》1982年5期）、張玉法〈辛亥革命時期的南北問題〉（《中國歷史學會史學集刊》13期，民70年5月）及〈關於辛亥革命的一些統計研究〉（《新知雜誌》第2年第1期，民61年2月）、狹間直樹〈共和制と帝制—辛亥革命における革命派の認識と行動〉（《東方學報》43冊，1972年3月）、任卓宣〈革命初期底新文化運動〉（《學宗》3卷3、4期，民51年9、12月）、鄧慰梅〈辛亥革命的洪流〉（《軍事與政治》2卷1期，民30年10月）、伍紀〈辛亥革命裏面史〉（《政治月刊》1卷5、6期，2卷2期，民30年-8月）、沈友谷〈辛亥革命中的革命武力問題〉（《群衆》1卷37期，1947年10月）、趙振宇〈辛亥革命之總體戰略〉（《三軍聯合月刊》14卷8期，民65年10月）、李立華〈辛亥〝革命三策〞之由來與演化〉（《軍事歷史研究》1994年4期）、張齊政〈伊朗革命與辛亥革命之比較〉（《衡陽師專學報》1994年1期）、任遠〈辛亥革命的兩重任務和一個目標〉（《新知半月刊》2卷4、5期，民28年10月）、佐信〈論晚清革命派小說理論體系〉（《文史知識》1993年11期）、劉納〈辛亥革命時期文學人生內容的一個方面—中年哀樂〉（《社會科學戰線》1988年4期）、朱班遠

〈晚清民間戲曲革命意涵的研尋〉（《社會文化學報（中央大學共同科）》第2期，民84年5月）、柏昭〈服務政治激情洋溢－略論辛亥革命時期資產階級革命派的詩歌〉（載《中國近代文學論文集（1947-1979）詩文卷》，北京，中國社會科學出版社，1984）、龔書鐸〈辛亥革命與戲劇〉（載《紀念辛亥革命七十周年學術討論會論文集》下册，北京，中華書局，1983）、Roger V. Des. Forges, Hsi-liagn（錫良）and the Chinese Revolution.（New Haven, Conn.: Yale University Press, 1973）、馮天瑜、周積明〈魯迅作品中所表現的辛亥革命〉（載《辛亥革命論文集》，上册，武漢師範學院，1981）、孫嘉鴻《晚清革命文學研究》（政治大學中文研究所碩士論文，民74）、李瑞騰《晚清的革命文學》（中國文化大學中文研究所博士論文，民76）、張玉法編《晚清革命文學》（臺北，經世書局，民70）、華中師院中文系辛亥革命時期的詩歌編寫組編《辛亥革命時期的詩歌》（北京，中華書局，1978）、劉運祺、蔡炘生編注《辛亥革命時期詩詞選》（長江文藝出版社，1980）、李長林〈辛亥革命中的文藝作品〉（《歷史月刊》45期，民80年10月）、蕭平、吳小如注《辛亥革命烈士詩文選》（北京，中華書局，1962）、中華民國各界紀念國父百年誕辰籌備委員會學術論著編纂委員會編《革命先烈先進詩文選集》（臺北，編者印行，民54）。

二、民初政局（1912-1916）

「民初」是一個概略的名詞，一般以民初為題的論著，其所涵蓋的時間範圍，多無一致的標準，除非其於題目之中或之後注明其起訖年份。本專題所謂的民初，係指民國元年至五年（1912-1916）而言，其內容不僅包括與民初政局有關的重要史事，且涉及民初政治、外交、經濟、社會、教育、文化、思想等各方面。

㈠通　論

有張玉法主編《中國現代史論集·第4輯－民初政局》（臺北，聯經出版公司，民69）、中華文化復興運動推行委員會主編《中國近代現代史論集·19至21編－民初政治》（臺北，臺灣商務印書館，民75）、李宗一等《中華民國史·第2編－北洋政府統治時期·第1卷（1912-1916）》（北京，中華書局，1987）。教育部主編《中華民國建國史·第2篇－民初時期㈠、㈡、㈢、㈣》（臺北，國立編譯館，民76）、蕭乾主編《民初史料》（臺北，臺灣商務印書館，民84）。

㈡民主政治的嘗試

民國肇建，清帝退位，意味著君主專制時代的結束，民主共和時代的來臨，於是政黨如雨後春筍般紛紛成立，一時稱盛。除政黨政治繁興外，他如議會制度（中央為國會，地方為省議會）的確立、內閣制的實行、憲法（約法）的制訂，也都是近代西方民主政治中的重要內涵，民初在這些方面的努力，雖有其缺失，但基本上是值得肯定的，惜袁世凱毀法亂紀，專權獨裁，甚至帝制自為，粗具規模的民主政治乃備受打擊摧殘。

1.民初政黨

以張玉法《民國初年的政黨》（臺北，中央研究院近代史研究所，民74）最為重要，堪稱其中的代表作。該書引用中、日、英文資料二百餘種，為目前有關民初政黨研究最詳盡的一本書，作者並使用統計分析方法，說明民初政黨的性質，對民初黨會的名稱、成立地點、成立時間、重要成員宗旨及活動列有簡表，查閱甚為方便，對政黨與國會內閣，以及制憲的關係，都有清楚的分析，有助於讀者了解民初政黨政治的實況。孫子和編《民國政黨史料》（臺北，正中書局，70），為一資料集，惟所收錄的資料僅限於中國國民黨、中國青年黨和中國民主社會黨。其他的專書有竹內克己、柏田忠一《支那政黨結社史》（2冊，漢口，崇文閣，1918）、松本鎗吉、波多野乾一《支那政黨史稿》（東京，1918）係由波多野乾一將松本鎗吉留學北京時所搜集的有關資料整理成書出版，全書共分六編，雖曾徵引文電、章則、時論，皆未註明其來源；稍後該書又增補擴充為《支那の政黨》（東京，東亞實進社，1919）。謝彬《民國政黨史》（上海，學術研究會總會，民13；稍後又加增補訂正，民14出版，臺北，文星書店影印，民51）、原田政治《中華民國政黨史》（東京，事業之日本社出版部，1925）、印維廉編《中國政黨史》（上海，中央圖書局，民16）、Jernya Chi-Hung Lynn, Political Parties in China（Peking, 1930），出版前曾連載於《華北正報》（North China Standard），為較通俗之讀物；佐藤俊三《支那近世政黨史》（東京，大阪屋號書店，1935），楊幼炯《中國政黨史》（上海，商務印書館，民25），為中國第一本取材較為嚴謹、結構較為完整的政黨史，書後並列有參考書近五十種；日森虎雄《現代支那の政黨》（東京，生活社，1941）、蕭哲文《現代中國政黨與政治》（南京，中外文化社，民35）、溫連熙《中國政黨史》（臺北，幼獅書店，民49）、一卒《清末民初政黨發展史》（香港，中山圖書公司，1972）、薩孟武等《中國政黨評論集》（同上）、孤軍社《孤軍雜誌政黨專號》（臺北，文海出版社影印，民62）、王覺源《中國黨派史》（臺北，正中書局，民72），為介於學術性與通論性之間的著作，各章雖有注釋，並非列出史源，大多只是把正文中所提到的人物作一介紹，書後列有參考書七十餘種，史料來源部分採自書報，部分得自作者身歷、耳聞、目見，主觀論斷之處甚多；彭懷恩《民國初年的政黨政治》（臺北，洞察出版社，民78）、胡小娟《民國初年政黨政治運作之研究（1912-1914）》（臺灣師大三民主義研究所碩士論文，民71年6月）、朱建華、宋春《中國近現代政黨史》（哈爾濱，黑龍江人民出版社，1984）、宋春主編《中國的政黨》（政治學知識叢書，北京，人民出版社，1988）、邱錢牧主編《中國政黨史：1894-1949》（太原，山西人民出版社，1991）、楊慧君《我國政黨政治發展之研究》（中山大學中山學術研究所碩士論文，民77年8月）、朱漢國《中國政黨制度》（合肥，安徽人民出版社，1995）、宋春主編《中國政黨辭典》（長春，吉林文史出版社，1988）。

論文方面，有張玉法〈中國政黨史研究〉（載《六十年來的中國近代史研究》上冊，臺北，中央研究院近代史研究所，民78）、〈民國初年對政黨移植問題的爭論〉(《中央研究院近代史研究所集刊》第4期上册,民62年5月)、〈民初政黨的調查與分析〉(同上,第5期,民65年6月)、〈民初國會中的保守派政黨〉(同上,第8期,民68年10月)及〈民初國會中的激進派政黨〉(同上,第8期,民68年10月)及〈民初國會中的激進派政黨〉(《歷史學報(臺灣師大)》第7期,民68年5月)、高一涵〈二十年來之中國政黨〉(《東方雜誌》21卷1、2號合刊,民13年1月)、汪中〈民國初年政黨演變史略〉(《人文月刊》8卷5期,民26年2月)、李守孔〈民初之政黨〉(《中國現代史專題研究報告》第1輯,民60)、王覺源〈中國政黨概述〉(《中山學術文化集刊》22至25集,民67年12月,68年3月、11月,69年3月)、藤井新一〈中華民國の政黨に就いて〉(《支那》30卷8號,1939)、胡繩〈民國初年的政黨活動—中國近代史筆記之一〉(《新文化》2卷10期,民35年12月)、李時友〈初期多黨政治的回顧與檢討〉(《東方雜誌》43卷18號,民36年12月)、陳寧生〈論民國初年的政黨政治〉(《武漢大學學報》1991年5期)、謝俊美〈略論民國初年的政黨政治〉(《探索與爭鳴》1991年5期)、滕亞屏〈民初政黨述要〉(《史學集刊》1984年1期)、李書源〈民初政黨史辨誤二則〉(《近代史研究》1991年2期)及〈近代資產階級政黨與民主革命〉(《社會科學戰線》1990年3期)、曾憲林、徐凱希〈略論民初資產階級政黨的歷史地位及其局限〉(《中南民族學院學報》1991年5期)、操國勝〈試論民初中國政黨的畸形演變〉(《安徽教育學院研究報》1995年3期)、曹木清〈試論辛亥革命後中國政黨的畸形發展〉(《求索》1986年3期)、陳立生、吳家雄〈中國近代政黨發展的歷史啟示〉(《學術論壇》1992年4期)、童慧玲〈民初南京臨時政府時期的政黨政治〉（《三民主義學報》（師大三研所）第3期，民68年6月）、王國聯〈民初政黨之研究〉（同上，12期，民77年8月）、楊立強〈論民國初年的政黨、黨爭與社會〉（《復旦學報》1993年2期）、顧大全〈民初政黨與政爭〉（《貴州民族學院學報》1982年5期）、李淑蘭〈民初主要政黨團體簡介〉（《自修大學》1984年7期）、曾業英、徐輝琪〈民初政黨概述〉（《貴州社會科學》1982年1-6期）、鄭武吉〈我國民初政黨政治探微〉（《華夏學報》25期，民80年11月）、姜魯鳴〈略論民初國會中資產階級政黨政治的發展〉（《蘭州教育學院學報》1986年2期）、戴傳安〈中國政黨探源〉（《國專月刊》3卷1-3期，民25）、申志誠〈我國〞政黨政治〞的歷史考察〉（《河南大學學報》1989年6期）、楊幼炯〈我國政黨政治之蛻變及其對近代文化之影響〉（《東方雜誌》34卷7號，民26）、張洪恩〈中國近代政黨系統進化探討〉（《寧夏社會科學》1989年5期）、劉求南〈辛亥革命前後的政黨與國會〉（《法商學報》11期，民64年9月）、許承璽〈我國政黨政治發展研究〉（《三民主義學報（中國文化大學）》第6期，民71年4月）、山田辰雄〈中國政黨史論〉（載《現代中國の政治世界》，東京，岩波書店，1988）、李書源〈近代資產階級政黨與民主革命〉（《社會科學戰線》1990年3期）、伊原澤周〈中國の政黨と軍隊〉（《追手門大學文學部東洋文化研究所年報》35號，1996年11月）、劉憲奇等〈民國初年多黨制的試驗與失敗〉（《黨校論壇》1990年6期）、張承綱、張健群〈論民國初年多黨政和議會制〉（《民主》1991年10期）、蔣永敬〈張著『民國初年的政黨』評析〉（《近代中國史研究通訊》第1期，民75）、陳寧生〈辛亥革命與民初政黨政治〉（載吳劍杰主編《辛亥革命研究》,武漢大學出版社,1991)、吳明山〈民初兩黨政治之研析〉(《三民主義教學研究叢刊》15期,中華民國三民主義教育學會編印,民81年11月)、李守孔〈民初之政黨、國會與黨爭〉(《傳記文學》34卷1期,民68年1月)、張學繼、劉育綱〈民國初年的政黨政治為什麼失敗〉(《文史雜誌》1992年2期)、何虎生〈民國初年中國資產階級政黨政治的成功與失敗〉(《河北師院學報》1996年3期)、姚琦〈民初政黨報刊與政制之爭〉(《貴州大學學報》1996年3期)、姜波〈梁啟超與民國初年的政黨政治〉(《江蘇社會科學》1992年1期)、李守孔〈梁任公與民初之黨爭〉(《新時代》3卷6期,民52年6月)、徐輝琪〈略論孫中山與民初政黨政治〉(《近代史研究》1993年6期)、陳德華〈試論宋教仁的政黨政治和責任內閣制〉(《安徽師大學報》1987年4期)、姜義華〈民初政黨政治與黃興民主政治思想的發展〉(《黃興與近代中國學術討論會論文集》,民82;亦載《復旦學報》1994年4期)。

專以民初某一政黨為題的有王中茂〈論民國元年三月的同盟會改組〉(《洛陽師專學報》1990年3期)及〈1912年3月同盟會改組再認識〉(《史學月刊》1995年5期)、袁南生、向陽輝〈怎樣看待宋教仁把同盟會改組為國民黨?〉(《益陽師專學報》1992年1期)、李書源〈宋教仁與民初國民黨的建立〉(《長白學刊》1993年3期)、陶用舒〈宋教仁組建國民黨述論〉(《山東醫科大學學報》1990年1期)、李天松〈宋教仁與民初國民黨的建立〉(《武漢大學學報》1988年2期)、李雲漢〈民元國民黨組黨的背景和過程〉(《國父一百二十五歲誕辰紀念中山學術論文集》,臺北,民79年11月)、國民黨黨史會編《革命文獻·41輯—民國初年國民黨史料》（臺北，編者印行，民57）、孫子和〈民初政黨政治中的國民黨〉（載《中華民國史料研究中心十周年紀念論文集》，臺北，民68）、George T. Yu（于子橋），Party Politics in Republican China: Kuomintang, 1912-1924（Berkeley: University of California Press, 1966），原係作者加州大學的博士論文，經修改後出版成書，為第一本較有系統討論國民黨的英文專書，全書共計七章，其中第三、四、五章為論述民初同盟會、國民黨、中華革命黨者；李偉科〈宋教仁與民國初年國民黨〉（《文史知識》1987年4期）、楊遠超〈論宋教仁與國民黨〉（《國際政治學院學報》1984年3期）、尚明軒〈孫中山與民初國民黨〉（《近代史研究》1992年1期）、魯廣錦〈孫中山與民初國民黨〉（《孫中山研究論叢》第8集，1991）、王中茂〈民初國民黨論略〉（《河南師大學報》1988年2期）、陳忠庸《民國初年的黨爭（民元—民14）—國民黨勢力的起伏因素分析》（臺灣大學三民主義研究所碩士論文，民72年6月）、李書源〈二次革命前國民黨組織的分化〉（《史學月刊》1989年6期）、李育民〈民初國民黨與進步黨離合關係初探〉（《湖南師大學報》1985年6期）、張玉法〈國民黨與進步黨的比較研究〉（《中央研究院近代史研究所集刊》10期，民70年7月）、深町英夫〈民國初年の廣東における中國同盟會と國民黨—政黨組織·地域社會·政治參加〉（《歷史學研究》670號，1995年4月）、史建霞〈國民黨北京執行部始末〉（《北京黨史研究》1992年3期）、蔡清泉《民初政黨政治成敗之研究—以國民黨為例（1912-1913）》（中國文化大學政治研究所碩士論文，民80年6月）、劉源森《中國國民黨發展過程之研究，1912-1923》（政治大學三民主義研究所碩士論文，民76）。張朋園

〈進步黨─兼論清末民初溫和型知識分子的來龍去脈〉（《中國現代史專題研究報告》第1輯，民60）及〈進步黨之結合與權力分配〉（《中華民國史料研究中心十周年紀念論文集》，民68）、陳適吾〈進步黨成立記〉（《神州叢報》1卷1期，民2年8月）、李育民〈進步黨述論〉（《近代史研究》1986年2期）、馬天增〈民國初年的進步黨〉（《黃石師院學報》1981年3期）、楊天宗〈民初進步黨綜論〉（《宜春師專學報》1990年1期）、錢坤〈湯化龍，進步黨與民初政局〉（《廣西師大學報》1989年2期）、劉福祥、趙矢元〈略論護國運動中的進步黨─兼論護國運動的領導權問題〉（《北方論叢》1986年3期）、楊天宗〈進步黨與袁世凱關係的新思索〉（《北京大學研究生學刊》1990年3期）、黃芙蓉《袁世凱與進步黨》（政治大學歷史研究所碩士論文，民70年6月）、陳長河〈民初進步黨等黨派在直隸各縣的組織〉（《北京檔案史料》1996年2期）、董方奎〈1911年至1914年間的梁啟超與進步黨〉（《文史哲》1980年1期）、錢坤〈湯化龍、進步黨與民初政局〉（《廣西師大學報》1989年2期）、姚琦〈民國初年進步黨人對西南的經營〉（《青海師大學報》1989年1期）、潘榮〈進步黨人謀取西南地盤的活動〉（《南開學報》1986年4期）。程為坤〈民初共和黨的形成、組織及其派系〉（《近代史研究》1986年3期）及〈從民國初年環繞軍民分治問題所開展的鬥爭看共和黨〉（《歷史學刊》1986年3期）、饒懷民整理〈共和黨資料選〉（《辛亥革命史叢刊》第8輯，1991）。李書源〈民初民主黨述略〉（《史學集刊》1990年1期）、曾業英〈民國初年的民主黨〉（《歷史研究》1991年5期）及〈梁啟超與民主黨〉（《近代史研究》1995年1期）。張玉法〈民國初年的中國社會黨

1911-1913〉（《中央研究院近代史研究所集刊》20期，民80年6月）、夏良才〈試論民國初年的中國社會黨〉（《歷史教學》1980年4期）、吳相湘〈江亢虎與中國社會黨〉（載吳氏主編《中國現代史叢刊》第2冊，臺北，正中書局，民49）、方度秋〈江亢虎的〝新主義〞與中國社會黨的浮沉〉（《民國檔案》1989年4期）、曾業英〈民元前後的江亢虎和中國社會黨〉（《歷史研究》1980年3期）、小島淑男〈中國社會黨と社會黨—辛亥革命の一側面〉（《中國研究》18號，1971年9月）及〈辛亥革命期の勞農運動と中國社會黨〉（《歷史學研究》別冊特集，1971年10月）、司馬城選編〈共和實進會史料〉（《北京檔案史料》1989年2期）、〈公民黨史料〉（同上，1988年4期）及〈民憲黨史料〉（同上，1989年1期）、曾業英〈關於民憲黨的幾個問題〉（《近代史研究》1990年4期）及〈民國初年的自由黨〉（《歷史教學》1990年2期）、李時岳〈辛亥革命前後的中國工人運動和中華民國工黨〉（《史學集刊》1957年1期）、梁玉魁〈關於中華民國工黨的性質問題〉（《歷史研究》1959年6期）、小島淑男〈辛亥革命期における工黨と農黨〉（《歷史評論》256號，1971年11月）及〈辛亥革命期江南の農民運動と中華民國農黨〉（《歷史學研究》372號，1971年5月）。李育民〈憲法研究會拚組前兩政團名稱辨誤〉（《近代史研究》1989年3期）、李書源〈研究系述略〉（《吉林大學學報》1991年3期）、彭明〈〝五四〞前後的研究系〉（《歷史教學》1964年1期）。

2.民初議會（參議院、國會、省議會）

顧敦鍒《中國議會史》（民20初版；臺中，東海大學，民51年臺一版），引證宏富，結構嚴謹，為第一本關於中國議會史的論著；李守孔《民初之國會》（臺北，中國學術著作講助委員會，民53），則為第一本專以民初國會為研究對象的論著，自「各省代表團時代」始，至1914年1月國會解散止，分期論述國會之演變，兼述及國會內外的政黨活動，全書結構勻稱，引證皆註明史源，附錄列有歷屆國會議員名單，十分實用；李氏另發表有〈民初之國會與黨爭〉（《中國現代史叢刊》第5冊，臺北，文星書店，民55）之論文，並編有〈民初之國會〉（臺北，正中書局，民66）之資料集；張玉法〈民國初年的國會（1912-1913）〉（《中央研究院近代史研究所集刊》13期，民73年6月）、張朋園〈從民初國會選舉看政治參與一兼論蛻變中的政治優異分子〉（《師大歷史學報》第7期，民68年5月），也都是其中具有代表性的論著。其他尚有楠瀨正明〈中華民國の成立と臨時參議院〉（棋山英、曾田三郎編《中國の近代と政治的統合》，東京，溪水社，1992）、寄齋〈臨時參議院一年大事記〉（《新東方》1卷6期，民29年7月）、林長民〈參議院一年史〉（收入經世文編社編《民國經世文編》第1冊內，臺北，文星書店影印，民51）、王家儉〈民初改造參議院風潮〉（《中華民國初期歷史研討會論文集》上冊，民73）、胡繩武〈民元南京參議院風波〉（《近代史研究》1989年5期）、張朋園〈清末民初的兩次議會選舉〉（《中國現代史專題研究報告》第5輯，民64）、朱味誠〈國會成立記〉（《神州叢報》1卷1期，民2年8月）、胡象賢《民初國會之淵源與演進及其失敗原因的分析研究》（臺北，學海出版社，民72）、Edward Feiedman, The Center Cannot Hold: The Failure of Parliamentary Democracy in China from the Chinese Revolution of 1911 to the World War in 1914.（Ph. D. Dissertration, Harvard University [Cambridge, MA.], 1968）、Chang P'eng-Yuan（張朋園），"Political Participation and Political Elites in Early Republican china: The Parliament of 1913-1914."（The Journal of Asian Studies, Vol.37, No.2, February 1978）、許秀碧《民國二年的國會—國會的背景分析》（政治大學政治研究所碩士論文，民66年7月）、劉偉〈民初國會：知識精英的政治理想〉（《華中師大學報》1989年3期）、寶成關〈民初國會述論〉（《社會科學戰線》1985年4期）及〈民初國會的歷史評價〉（《吉林大學研究生論文集刊》1982年2期）、王羊勺〈民初國會述略〉（《貴州文史叢刊》1994年4期）、沈雲龍〈民初國會之淵源及其演進〉（《傳記文學》34卷1期，民68年1月）、北京圖書館文獻信息服務中心剪輯《民國初年的國會—臺灣及海外中文報刊資料專輯（特輯）》（北京，書目文獻出版社，1987）、王繼平〈第一屆國會選舉平議〉（《湘潭大學學報》1992年3期）、徐輝琪〈論第一屆國會選舉〉（《近代史研究》1988年2期）、狹間直樹〈中華民國第一回國會選舉における國民黨の勝利〉（《東方學報》52册，1980）、田中比呂志〈第一回國會議員選舉と國民黨〉（《一橋論叢》104卷2號，1990）、張亦工〈第一屆國會初探〉（《學習與思考》1981年6期）及〈第一屆國會的建立及階級結構〉（《歷史研究》1984年6期）、楠瀨正明〈中華民國初期の梁啟超と第一國會〉（《史學研究》206號，1994年10月）、姜魯鳴〈民初國會與中國資產階級〉（《檔案與歷史》1988年3期）及〈民初國家議會的權力實施效益〉（《民國檔案》1987年1期）、李書源〈二次革命後的國會與黨爭〉（《東北師大學報》1991

年5期）、趙小平〈論民初國會的失敗〉（《四川大學學報》1995年2期）、劉求南〈辛亥革命前後的政黨與國會〉（《法商學報》11期，民64年9月）、管美蓉《吳景濂與民初國會》（臺北，國史館，民84）、沈雲龍〈宋教仁與民初國會〉（《傳記文學》36卷2期，民69年2月）、張華騰〈袁世凱與民初議會〉（《殷都學刊》1996年2期）、焦靜宜〈袁世凱與民初國會〉（《歷史檔案》1996年2期）、曾濟群〈中國立法機構發展的回顧之一—民初的議會〉（《人文學報》第3期，中華民國人文科學研究會，民67年4月）、劉懷榮〈民國初期的議會政治〉（《北京農業工程大學社會科學學報》1994年1、2期）、林增平〈試論民國初期的議會政治〉（《湖南師大社會科學學報》1990年6期）、姬麗萍〈民初議會制度的確立及其運作〉（《民國檔案》1996年1期）、魏芳〈論民初議會政治的悲劇〉（《教學與研究》1993年2期）、謝偉〈論民初議會政治失敗原因〉（《江海學刊》1995年2期）、王業興〈論民國初年議會政治失敗的原因〉（《歷史檔案》1996年4期）、張華騰〈近年來中國議會史研究綜述〉（《河南師大學報》1990年1期）、黃武、何磊〈北洋時期議會制度述評〉（《政治學研究》1986年1期）、謝偉〈論中國近代議會政治思潮的歷史意義及其失誤〉（《安徽史學》1994年2期）、鐙屋一〈民國初期における章士釗の議會主義政治論〉（《史境》17號，1988年10月）、陳惠芬《民國初年的省議會》（臺灣師範大學歷史研究所碩士論文，民74年6月）及〈從民元臨時省議會的成立看辛亥革命後的政治參與〉（《師大歷史學報》14期，民75年6月）、王樹槐〈清末民初江蘇省諮議局與省議會〉（同上，第6期，民67年5月）、蘇雲峰〈湖北省諮議局與省議會〉（《中央研究院近代史研究所集刊》第7期，民67年6月）、呂芳上〈民國初年的江西省議會，1912-1924〉（同上，18期，民78年6月）、呂實強〈民初四川的省議會，1912-1926〉（同上，16期，民76年6月）、張朋園〈清末民初湖南議會政治的開端〉（《歷史學報（臺灣師大）》第4期，民65年4月）。

3.民初內閣

這方面的論著比較少，只有張玉法〈民國初年的內閣〉（《復興崗學報》14期，民65年4月）、童慧玲〈民初的內閣與黨爭〉（《三民主義學報》（師大三研所）第4期，民69年6月）、郭寶平〈移植西方政府體制的一段試驗—論北洋時期的內閣制〉（《史學彙刊》1992年1期）、郭劍林〈北洋政府時期的內閣制度〉（《歷史教學》1986年7月）、李育民〈論民初的內閣制政體〉（《貴州社會科學》1996年2期）、劉懷榮〈北洋政府歷屆內閣職官沿革〉（《北京檔案史料》1988年1-3期）、謝彬〈中國內閣變迭史〉（載氏著《民國政黨史》附錄，臺北，文星書店影印，民51）、補齋〈民國十三年間北京政府國務總理更迭與政潮起伏之因果〉（《人文月刊》5卷9期，民23年11月）、不管〈民元後內閣之更迭（史料彙刊）〉（《新青年》1卷11期，民29年5月）、商音〈中華民國內閣升沉錄〉（《子曰叢刊》第6輯，民38年4月）、郭劍林〈北洋政府閣潮概述〉（《天津師專學報》1983年4期）、姚琦〈民初內閣風潮述論〉（《貴州文史叢刊》1996年1期）、羅志淵〈論施政五十天的唐內閣〉（《政治學報》第1期，民61年9月）、朱沛蓮〈北京臨時政府與唐內閣〉（《暢流》37卷5，民57年4月）、王永貞〈熊閣芻議〉

(《聊城師院學報》1986年4期)、與人〈熊內閣始末記〉(《神州叢報》1卷2期,民3年4月)、丁世嶧〈論熊內閣之失敗〉(《正誼》1卷3期,民3年3月)、李書源〈〝超然內閣〞風波與民初黨爭〉(《學術交流》1992年2期)。鐙屋一〈中國における議院內閣制論に關する一考察—1912年の國民黨の結成とその論理〉(《歷史人類》22號,1994年3月)、陳德華〈試論宋教仁的政黨政治和責任內閣制〉(《安徽師大學報》1987年4期)、廉青〈試論宋教仁的內閣政見〉(《湖南教育學院學報》1990年3期)、李益然〈宋教仁力主責任內閣制及其失敗〉(《史學月刊》1981年3期)、何善川〈試論民初〝總統制〞到〝內閣制〞的轉變〉(《徐州師院學報》1992年2期)。

4.民初立法和制憲

以張玉法〈民初對制憲問題的爭論〉(《中央研究院近代史研究所集刊》12期,民72年6月)一文為其中之代表作;胡春惠〈民國初年的制憲活動及其特質〉(《近代中國》19期,民69年10月)、張學繼〈民國初年的制憲之爭〉(《近代史研究》1994年2期)及〈民國初年爭奪制憲權的鬥爭〉(《北京檔案史料》1992年4期)、張茂霖《辛亥革命前後憲法制訂過程之研究》(中山大學中山學術研究所碩士論文,民82年6月)。〈中華民國鄂州約法草案〉(載《檔案資料》1982年6期)、李鍔、林啟彥〈辛亥革命時期的共和憲法〉(《近代史研究》1982年2期)、渡邊龍策〈臨時約法(民國元年)の性格と背景〉(《中京商學論叢》11卷3號,1964年12月)、陳國千〈《中華民國臨時約法》的歷史述評〉(《青年法學》1986年1

期）、邱遠猷〈《中華民國臨時約法》淺析〉（《文史知識》1982年3期）、曹三明〈試論《中華民國臨時約法》的歷史功績〉（《山西大學學報》1982年3期）、周衍發〈略論《臨時約法》的歷史意義—紀念辛亥革命七十周年〉（《南京大學學報》1981年4期）、劉錫斌〈《中華民國臨時約法》評析〉（《遼寧大學學報》1989年4期）、劉望齡〈評《中華民國臨時約法》〉（《華中師院學報》1984年4期）、侯貴生〈重評《中華民國臨時約法》〉（《東方論壇》1996年3期）、正恩〈臨時約法（歷史教學小辭典）〉（《歷史教學問題》1958年12月）、謝剛〈關於《中華民國臨時約法》的理論來源〉（《華東師大學報》1984年6期）、劉旺洪〈《中華民國臨時約法》的文化透視〉（《江蘇社會科學》1991年4期）、楠瀨正明〈中華民國臨時約法の一考察—主權論を中心にして〉（《地域文化研究（廣島大學）》17號，1992年2月）、張晉藩〈剖析〝中華民國臨時約法〞，吸取歷史的經驗和教訓〉（《政法研究》1962年1期）、張國福〈關於《中華民國臨時約法》的起草日期和主稿人問題—兼述《中華民國臨時約法》制訂過程〉（《北京大學學報》1984年1期）、松本英紀〈中華民國臨時約法の成立と宋教仁〉（《立命館史學》第2號，1981）、潘念之〈〝中華民國臨時約法〞的產生和被撕毀〉（《政法研究》1962年1期）、張亦工〈《中華民國臨時約法》起草人辨正〉（《歷史研究》1983年3期）、劉昭瑩《臨時約法與民初政局》（彰化，品高圖書出版社，民84）、張晉潘〈《約法》、毀法、護法—紀念辛亥革命七十周年〉（《法學雜誌》1981年4期）、楠瀨正明〈中華民國初期の憲法構想—いおける天壇憲法制定過程を中心に〉（《地域文化研究》20號，1994年12

月）、張華騰〈《天壇憲法草案》新論〉（《鄭州大學學報》1991年6期）。約法會議秘書廳《約法會議紀錄》（3冊，民4刊本，臺北，文海出版社影印，民57）、春宮千鐵〈中華民國制憲史の一齣—袁約法の成立過程〉（《支那研究》50號，1939）、李育民〈民初憲政實驗夭折後的探索〉（《湖南師大社會科學學報》1996年3期）。與本主題相關而內容不局限於民初的論著有王景廉、唐乃霈《中華民國法統遞嬗史》（無錫，民治社印行，民11）、胡春惠編《民國憲政運動史》（臺北，正中書局，民67）、王文〈中國憲政史實考—清末至雲南起義〉（《德明學報》第2期，民63年11月）、李鴻禧〈戰前中國憲法史の展開に及ぼした日本憲法の影響〉（《法學論叢》22卷1期，臺灣大學法律系，民81年12月）、荊知仁《中國立憲史》（臺北，聯經出版公司，民74）、謝振民《中華民國立法史》（長沙，民27；上海，正中書局，民37）、張善恭《中國立法史論》（北京，三聯書店，1994）、楊幼炯《中國立法史》（上海，民24；臺北，中國文化事業公司，民49）、《近代中國立法史》（臺北，臺灣商務印書館增訂本，民55）及《中國近代法制史》（臺北，中華文化出版事業委員會，民47）、展恒舉《中國近代法制史》（臺北，臺灣商務印書館，民62）、范明辛、雷晟富編著《中國近代法制史》（西安，陝西人民出版社，1988）、張國福《中華民國法制簡史》（北京，北京大學出版社，1986）、余明俠《中華民國法制史》（徐州，中國礦業大學，1995）、吳經熊、黃公覺《中國制憲史》（2冊，商務印書館，民26）、劉振鎧《中國憲政史話》（臺北，憲政論壇社，民49）、繆全吉編《中國制憲史資料彙編—憲法篇》（臺北，國史館，民78）、岑德彰等編《中華民國憲法史料》（序於民

22；臺北，文海出版社影印，民61）、郭衛編《中華民國憲法史料》（序於民36，同上，民62）、石川忠雄《中國憲法史》（東京，慶應通信，1955）、吳宗慈編《中華民國憲法史》（2冊，北京，東方時報館，民13；臺北，臺聯國風出版社，民62）、陳玄茹《中國憲法史》（上海，世界書局，民22）、潘樹藩《中華民國憲法史》（上海，商務印書館，民24）、羅志淵《中國憲法史》（臺北，臺灣商務印書館，民56）、張國福《民國憲法史》（北京，華文出版社，1991）、蔣碧昆編著《中國近代憲法史略》（北京，法律出版社，1988）、公丕祥主編《中國法制現代化進程·第1冊—激蕩的法制變革浪潮（1840-1949）》（北京，中國人民公安大學出版社，1991）、薩孟武〈中國最近三十年來的政治制度和憲政運動〉（《文化建設》1卷9、10期，民24）、林永義《清末民初法律演變研究》（中國文化大學法律研究所碩士論文，民77年6月）、劉求南〈中國憲政運動之歷程及其歸宿〉（《民族月刊》1卷3期，民33年2月）、沈雲龍〈我國憲政體制之回顧〉（《世界新專學報》第2期，民75年10月）、李育民〈民初憲政實驗夭折後的探索〉（《湖南師大社會科學學報》1996年3期）、張學繼〈有賀長雄與中國憲政〉（《歷史月刊》83期，民83年12月）。

㈢二次革命

民國元年（1912）8月國民黨成立後，一再採取聯合袁世凱的策略，然而民國二年春夏因宋案（國民黨代理事長宋教仁被刺身亡，袁涉嫌重大）、善後大借款案、俄蒙協約之承認等，與袁氏關係瀕於破裂，同年六月，袁先後下令將國民黨籍的江西都督李烈鈞、安徽都督柏文蔚、廣東都督胡漢民免職，7月12日，李烈鈞在江西之湖口起兵討袁，各省紛起響應，是為國民黨之討袁「二次革命」，亦稱「癸丑之役」、「贛寧之役」。然前後僅約兩個月，國民黨的討袁軍事行動竟告全盤失敗。

1.發生的背景之一——宋教仁被刺案

有關宋氏的重要史料是宋本人所撰《我之歷史》（民9年湖南石印本；臺北，文星書店影印，民51），這是他清末留學日本時期的日記。其日譯本有松本英紀譯注《宋教仁の記》（東京，同朋社，1989），松本之注亦有其價值。國民黨黨史會編《革命先進先烈詩文選集》（臺北，民54），其中有〈宋教仁詩文選集〉。陳旭麓主編《宋教仁集》（北京，中華書局，1984），蒐集宋氏一生言論、書信等資料最為詳盡。國民黨黨史會編《革命文獻第42、43輯一宋教仁被刺及袁世凱違法大借款史料》（臺北，編者印行，民57），則專事蒐集宋案前後有關的電文、輿論的反應等資料。其他尚有葉楚傖等《宋漁父》（臺北，文星書店影印，民51）、徐血兒編《宋漁父先生傳略。遺著。哀誄》（臺北，文海出版社影印，民61）、徐血兒等編，蔚庭、張勇整理《宋教仁血案》（長沙，岳麓書社，1986）、國民圖書局編《革命偉人宋教仁被刺始末記》（2冊，上海，編者印行，民2）、紀人氏《宋教仁被害記》（民2年出版）、北海後身編《桃源痛史（第1冊）》（群學書社，民2）、王建中《洪憲慘史》（臺北，文海出版社影印，民62）則附有〈錄宋案重犯洪述祖判詞〉。研究成果方面，吳相湘〈「宋教仁與中國革命」引用史源及重要參考資料〉（《中國現代史叢刊》第2冊，臺北，正中書局，民49）、吳志鏗〈有關宋教仁的史料及研究成果簡介〉（《近代中國》22期，民70年4月）、呂芳上〈有關宋教仁的史料與研究〉（同上，94期，民82年4月）、郭漢民〈宋教仁與辛亥革命研究述評〉（《湖南師大社會科學學報》1991年2期）、劉泱泱〈宋教仁研究芻議〉（《船山學報》1987年1期），對有關宋氏的研究成果，研究方向，都有所論述。吳相湘另撰有《宋教仁－中國民主憲政的先驅》（臺北，文星書店，民53）一書，是研究宋氏較早，具有代表性的重要論著。Liew K. S.（劉吉祥），Struggle for Democracy：Sung Chiao-jen and the 1911 Chinese Revolution（Berkeley and Los Angeles：University of California Press, 1971）引用大量中、日、英文有關資料，探討宋教仁在革命史上應有的地位，在所有關於宋氏的研究成果中，本書無疑是最具份量，最嚴謹的著作。其他尚有陳旭麓、何福澤《宋教仁》（南京，江蘇古籍出版社，1984）、方祖燊《三湘漁父－宋教仁傳》（臺北，近代中國出版社，民69）、李育民等《宋教仁》（北京，國際展望出版社，1992）、李譽眾《宋漁父》（上海，震亞圖書館，民17）、朱浤源《宋教仁的政治人格》（臺灣大學政治研究所碩士論文，民66年6月）、史連聘《宋教仁與民初政局》（中國文化學院政治研究所碩士論文，民57年6月）、吳相湘〈宋教仁先生八十年祭〉（《新時代》2卷4期，民51年4月）、宋蘭儀〈宋教仁與民主憲政〉（《近代中國》22期，民70年4月）、方祖燊〈為民主捐軀的宋教仁〉（同上）、吳相湘〈宋教仁為憲法犧牲〉（載吳相湘《民國百人傳》第1册，臺北，傳記文學出版社，民60）、左舜生〈宋教仁評傳〉（《新中國評論》32卷2期至33卷2期，民52年2至8月）、李方晨〈為政黨政治犧牲的宋教仁〉(《政治評論》15卷1期,民54年9月)、賴澤涵〈宋教仁傳〉(《近代中國》94期,82年4月)及〈宋教仁〉(載《中華民國名人傳》第8册,臺北,近代中國出版社,民77)、周天度〈宋教仁〉(載《民國人物傳》第1卷,北京,中華書局,1978)、陳旭麓〈論宋教仁〉(《歷史研究》1961年5期)、今村與志雄〈宋教仁小論—中國近代の知識人と古典〉(《漢文教室》110號,1974年6月)、習五一〈論宋教仁〉(載中國社科院近代史研究所《近代史研究》編輯部編《近代中國人物》,1983)、國民黨黨史會編《宋教仁》(臺中,編者印行,民38)、黨德信〈宋教仁—中國資產階級民主革命的卓越活動家〉(載《紀念辛亥革命七十周年學術討論論文集》,1981)、李英庭〈資產階級革命家宋教仁的一生〉(《廣西大學學報》1980年22期)、Hsüeh Chün-tu(薛君度),"A Chinese Democrat: The Life of Sung Chiao-jen."(In Hsüeh Chün-tu ed., Revolutionary Leaders of Modern China, London: Oxford University Press, 1971)、劉本炎〈我國民主憲政先驅宋教仁〉(《湖南文獻》9卷1期,民70年1月)、秦力〈中國近代民主憲政的先驅宋教仁〉(《文史知識》1985年1期)、彭興國〈資產階級民主憲政的先驅—宋教仁事略〉(《新湘評論》1981年6期)、陳旭麓、何澤福〈為憲法流血的第一人—《宋教仁集》序言〉(載《辛亥革命史集刊》第1輯,1980)及〈桃源漁父宋教仁〉(載《辛亥革命在湖南》,湖南人民出版社,1984)、燕國楨〈關於宋教仁評價的幾個問題〉(《求索》1988年2期)、李元燦〈宋教仁家世考〉(《求索》1988年5期)、郭世佑〈宋教仁與湖湘文化〉(《湖南社會科學》1989年1期)、片倉芳和〈清末湖南の知識人と宋教仁〉(《松村潤先生古稀記念清代史論叢》、東京，汲古書院，1994）、陳敬之〈為憲政而犧牲的兩個湖南典型人物—談譚嗣同和宋教仁〉（《湖南文獻》6、7期合刊，民69年11月加印）、片倉芳和著，蔣道鼎譯〈在日本逗留期間的宋教仁〉（《辛亥革命史叢刊》第3輯，1981）、李喜所〈宋教仁留日時期的思想特徵〉（《河北學刊》1984年4期）、小松原伴子〈宋教仁，その青年時代と日本〉（《呴沫集》第5號，1987年3月）、松本英紀〈宋教仁和間島問題〉（《紀念辛亥革命七十周年學術討論會論文集》下冊，1981）、趙越智〈宋教仁與間島問題〉（《求是學刊》1988年3期）、梁小進〈宋教仁《間島問題》略論〉（《武陵學刊》1996年2期）、遲雲飛〈宋教仁與〝間島問題〞新證〉（《近代史研究》1996年1期）、金元山、王曉兵〈中日間島交涉與宋教仁、吳祿貞〉（《日本研究》1993年1期）、拓曉堂〈宋教仁關於〝間島問題〞的兩封信〉（《文獻》38期，1988年10月）、松本英紀〈革命、愛國、節操－讀宋教仁《致李胡二星使書》〉（《湖南師大學報》1987年6期）、唐文權〈同盟會倡始時期宋教仁心態研究〉（《近代史研究》1988年4期）、朱浤源〈宋教仁的革命人格〉（載張玉法主編《中國現代史論集》第3輯，臺北，聯經出版公司，民69）、Don C. Price, “Sung Chiao-jen, Confucianism and Revolution.”（Ch'ing-Shih Wen-ti〔清史問題〕，Vol.3, No.7, November 1977）、馮祖貽〈民主報時期的宋教仁〉（《貴州社會科學》1988年2期）、陳珠培〈宋教仁與同盟會戰略的轉移〉（《武陵學刊》1991年1期）、松本英紀〈中部同盟會と辛亥革命—宋教仁の革命方策〉（載《辛亥革命の研究》東京，筑摩書房，1978）及〈中華民國臨時約法の成立と宋教仁〉（《立命館史學》第2號，1981）、習五一〈辛亥革命前後宋教仁與日本的關係〉(《歷史研究》1991年6期)、片倉芳和〈武昌起義と宋教仁〉(《史叢》15、16號,1972年3月、9月)、吳曉迪、林宏鳴〈武昌起義前後的宋教仁〉(《爭鳴》1981年3期)、張卓帆〈論民國初年宋教仁的政治活動〉(《上海社會科學院學術季刊》1989年2期)、蕭致治〈民國初年宋教仁政治活動平議〉(《廣東社會科學》1991年2期)、蘇振興〈試評民國初年宋教仁的政治活動及其失敗〉(《河北師範大學學報》1987年4期)、董家安〈宋教仁的政治理想與民初民主政治的條件〉(《三民主義學報(師大三研所)》13期,民78年8月)、羅平〈論宋教仁的議會活動〉(載《法律史論叢》第2輯,北京,中國社會科學出版社,1981)、朱宗震〈宋教仁與民初法治〉(《廣東社會科學》1987年4期)、沈雲龍〈宋教仁與民初國會〉(《傳記文學》36卷2期,民69年2月)、程滄波〈續論「宋教仁與民初國會」〉(同上,36卷3期,民69年3月)、李偉科〈宋教仁與民國初年國民黨〉(《文史知識》1987年4期)、楊超遠〈論宋教仁與國民黨〉(《國際政治學院學報》1984年3期)、李天松〈宋教仁與民初國民黨的建立〉(《武漢大學學報》1988年2期)、袁南生、向陽輝〈怎樣看待宋教仁把同盟會改組為國民黨?〉(《益陽師專學報》1992年1期)、李書源〈宋教仁與民初國民黨的建立〉(《長白學刊》1993年3期)、孫子和〈宋教仁與民初民主憲政〉(《近代中國》94期,民82年4月)、陶用舒〈宋教仁組建國民黨述論〉(《山東醫科大學學報》1990年1期)、田中比呂志〈民國元年の政治と宋教仁〉(《歷史學研究》615號,1991年1月)、閻偉琴〈宋教仁與二次革命〉(《史薈》第8期,民67年5月)、〈宋教仁の〝革命〞論〉(《歷史學研究》609號,1990年8

月）、Don C. Price, “Sung Chiao-jen's Political Strategy in 1912.”（載《中華民國初期歷史研討會論文集，1912-1927》上冊，臺北，民73）、楊柳〈宋教仁的政治思想和政治活動〉（《江漢學報》1963年7期）、陶用舒〈宋教仁的政治思想及其悲劇〉（《益陽師專學報》1983年2期）及〈評宋教仁的議會政治〉（《江漢論壇》1987年9期）、遲景德〈宋教仁的政治主張述論〉（《中國現代史專題研究報告》14輯，民81）、華友根〈宋教仁憲政思想初探〉（《政治與法律》1987年2期）、王國席〈宋教仁的憲政思想〉（《安慶師院學報》1992年3期）、陶季邑〈宋教仁從來就主張內閣制〉（《求索》1988年4期）、李益然〈宋教仁力主責任內閣制及其失敗〉（《史學月刊》1981年3期）、陳德華〈試論宋教仁的政黨政治和責任內閣制〉（《安徽師大學報》1987年4期）、廉青〈試論宋教仁的內閣政見〉（《湖南教育學院學報》1990年3期）、于沛霖〈宋教仁與民初法制〉（《錦州師院學報》1992年4期）、郎佩芳、孫石月〈宋教仁民國初年在資本主義法制建設上的貢獻〉（《山西師大學報》1990年4期）、張華騰〈宋教仁法制思想〉（《南都學壇（南陽師專學報）》1995年2期）、（美）普萊斯〈革命與憲法：宋教仁政治策略的發展〉（載《辛亥革命七十周年學術討論會論文集》下冊，1981）、王公度〈宋教仁之死和近代議會政治在中國的破滅〉（《臺州師專學報》1991年1期）、劉望齡等〈宋教仁〞議會政治〞淺論〉（載《辛亥兩湖史事新論》，湖南人民出版社，1988）、楊天宏〈梁啟超與宋教仁議會民主思想異同論〉（《戰略與管理》1996年5期）、朱宗震〈宋教仁議會迷病申論〉（《貴州社會科學》1988年1期）、魯廣錦〈宋教仁的〞政黨與政黨政治論〞試析〉（《東北師大學報》1989年1期）、謝俊美〈略論宋教仁的政治制度思想〉（《歷史教學問題》1993年2期）、江涌、劉湘湘〈論宋教仁的愛國主義思想〉（《武陵學刊》1996年2期）、姜中秋〈從間島問題看宋教仁的愛國主義思想〉（《北京檔案史料》1996年4期）、駱順森〈宋教仁的資產階級民族民主思想和反袁鬥爭〉（《杭州師院學報》1996年4期）、片倉芳和〈宋教仁の經濟思想〉（《日本大學經濟學部經濟研究所紀要》21號，1996年3月）、周星林〈宋教仁的教育思想略論〉（《武陵學刊》1996年1期）、楊宇清〈宋教仁哲學思想傾向簡議〉（《江西社會科學》1989年5期）、樊明方〈宋教仁與中國邊疆史地研究〉（《西北大學學報》1991年4期）、陳大康〈宋教仁與《石頭記》〉（《紅樓夢學刊》1992年3輯）、習五一〈宋教仁與陽明心學〉（《歷史研究》1990年1期）、成曉軍、林曾〈試論宋教仁對不平等條約的認識和態度〉（《歷史教學》1987年12期）、呂劍軒〈宋教仁利用外資思想探異〉（《河南師大學報》1996年5期）、邵雍〈宋教仁與會黨的關係〉（《求索》1992年6期）、武道文〈宋教仁與同盟會遼東支部的建立〉（《克山師專學報》1984年3期）、立早〈簡論宋教仁的愛國主義〉（《湘潭大學學報》1988年3期）、王曉華〈宋教仁與孫中山政見論略〉（《河南師大學報》1988年2期）、渡邊京二〈孫文と宋教仁一辛亥革命における民族の問題〉（《歷史公論》5卷4號，1979年4月）、久保田文次〈辛亥革命と孫文・宋教仁一中國革命同盟會の解體過程〉（《歷史學研究》408號，1974年5月）、陶用舒〈辛亥革命後的孫中山、黃興、宋教仁〉（《雲夢學刊》1996年1期）、遲雲飛〈宋教仁與孫中山〉（《大慶師專學報》1987年4期）、李希泌〈宋教仁、于右任的革命情誼〉（《人物》1983年3期）、小島淑男〈辛亥の春、孫竹丹·趙聲·宋教仁〉（《辛亥革命研究》第5號，1985年10月）、判澤弘〈北一輝と宋教仁〉（《傳統と現代》6卷2號，1975年3月）、何澤福〈宋教仁與袁世凱〉（《上海師大學報》1980年3期）、胡國臺〈宋教仁·蔡元培·傅增湘〉（《歷史月刊》22期，民78年11月）、習五一〈辛亥革命前後宋教仁與日本的關係〉（《歷史研究》1991年6期）、狹間直樹〈宋教仁にみる傳統と近代—《日記》を中心に〉（《東方學報》62冊，1990年3月）、文思〈對新版《宋教仁日記》校注的質疑與補充〉（《常德師專學報》1983年2期）、桶泉克夫〈宋教仁「我の歷史」について〉（《和光大學人文學部紀要》16號，1982年3月）、片倉芳和〈ある中國人革命家の滯在日記—宋教仁の「我の歷史」〉（《付屬廣報》25號，1982年10月）及〈宋教仁年譜稿〉（《武藏野》第2號，1986年3月）、陳旭麓〈讀《宋教仁集》〉（《書林》1982年2期）、楊天石〈宋教仁佚文鉤沉〉（《華東師大學報》1985年2期）、王方曙〈民國初年的政局和宋教仁烈士殉國的史實〉（《湖南文獻》8卷3期，民69年7月）、汝豐〈宋教仁之死〉（《中國青年》1963年20、21期）、苗培時〈宋教仁之死〉（同上，1981年2期）、覃振〈宋教仁殉國記〉（《時代精神》6卷6期，民31年9月）。專以宋案為題的論文（或文章）有施溪潭〈宋案背景之探討〉（《思與言》7卷2期，民58年7月）、方祖燊〈宋案始末〉（《中華文化復興月刊》13卷3期，民69年3月）、李素芳〈由宋案談起〉（《史學會刊（東海大學歷史學會）》第6期，民65年6月）、宋志信〈宋教仁為何被暗殺〉（《文史通訊》1985年3期）、片倉芳和〈宋教仁暗殺事件について〉（《史叢》27號，1982年10

月）、徐梁伯〈宋教仁被刺〉（《中學歷史》1983年2期）、黨德信〈"宋案"的破獲和刺宋凶犯的可恥下場〉（《歷史知識》1984年5期）、周南陔口述〈宋教仁被刺之秘密〉（《近代史資料》68號，1988年1月）、余菁〈宋教仁被刺秘聞〉（《中外雜誌》26卷1期，民68年7月）、渡邊龍策〈宋教仁被刺之秘密〉（《近代史資料》68號，1988年1月）、余青〈宋教仁被刺秘聞〉（《中外雜誌》26卷1期，民68年7月）、陳言〈宋教仁被刺案始末〉（《革命思想》2卷4期，民46年4月）、渡邊龍策〈宋教仁暗殺事件の意味するもの—民初政爭の一斷面〉（《中京大學論叢（教養篇）》第3號，1962年11月）、饒懷民〈宋教仁血案及其政治風潮〉（《湖南師大社會科學學報》1987年3期）、刁抱石〈宋教仁被刺內幕〉（《中外雜誌》37卷1期，民74年1月）、蔣君章〈宋案真相〉（同上，15卷6期，民63年6月）、萬墨林〈宋教仁遇刺偵破詳記〉（同上，31卷3、4期，民71年3、4月）、許雪姬〈宋教仁遇刺案的檢討－原因及反響〉（《史薈》第4期，民63年5月）、吳相湘〈袁世凱殺害宋教仁之真正原因〉（《新時代》1卷6期，民50年6月）、石彥陶、石勝文〈孫中山對"宋案"處置態度的蠡測〉（《社會科學戰線》1995年6期）、石彥陶〈孫中山、黃興對"宋案"態度之比較再研究〉（《益陽師專學報》1994年1期）、白蕉〈民國初年有關大局的三件暗殺案〉（《人文月刊》5卷10期，民23年12月）、沈雲龍〈暗殺宋教仁的要犯洪述祖〉（《新時代》1卷5期，民50年5月）、黃一歐〈刺殺宋教仁主謀洪述祖被捕經過〉（《文史集萃》第2輯，1983）、何磊〈從洪述祖案看北洋時期的司法獨立〉（《北京檔案史料》1986年4期）、洪久泉〈趙秉鈞〉（《南開史學》1991年1期）、邵雍〈應桂馨其人〉（《檔案與歷史》1989年6期）、朱宗震〈應夔丞與袁世凱〉（《歷史月刊》52期，民81年5月）。

2.發生的背景之二──善後大借款案

有國民黨黨史會編《革命文獻·42、43輯－宋教仁被刺及袁世凱違法大借款史料》（臺北，編者印行，民57）、張忠紱〈民國初期善後借款之交涉〉（《武漢大學社會科學季刊》5卷2期，民24年5月）、王綱領《民初（1912-1922）列強銀行貸款與善後大借款》（中國文化學院史學研究所碩士論文，民57年6月）、〈列強銀行團與民國二年善後大借款〉（《思與言》16卷2期，民67年7月）、〈列強兩次善後大借款的控制政策，1912-1920〉（《中國歷史學會史學集刊》13期，民70年5月）及《民初（1912-1922）列強對華貸款之聯合控制－兩次善後大借款之研究》（臺北，中國學術著作獎助委員會，民71）、張水木〈民國二年善後大借款初探〉（《東海大學歷史學報》第2期，民67年7月）及〈民國二年列強銀行團對華善後大借款及中國政治風潮之激盪〉（同上，第3期，民68年7月）、賀恒禎〈民二善後大借款的歷史是非〉（《南開學報》1989年6期）、副島圓照〈善後借款の成立〉（載小野川秀美等編《辛亥革命の研究》，東京，筑摩書房，1978）、許珖、王善中〈試論善後大借款〉（《中央財金學院學報》1986年3期）、賀水金〈重評善後大借款〉（《江漢論壇》1995年5期）、張濟之〈大借款始末記〉（《言治》1卷3期，民2年7月）、朱味誠〈大借款始末記〉（《神州叢報》1卷1期，民2年8月）、高勞〈大借款之經過及其成立〉（《東方雜誌》9卷12號，民2年7月）、中國第二歷史檔案館〈法日公使與袁世凱關於善後大借款的談話〉（《歷史檔案》1982年3期）、馬陵合〈周學熙與善後大借款〉（《南開史學》1992年1期）、P'u Yu-sho, The Consortium Reorganization Loan to China, 1911-1914: An Episode in Pre-war Diplomacy and International Finance.（Ph. D. Dissertation, University of Michigan-Ann Arbor, 1951）。

3.二次革命始末

重要的資料集有國民黨黨史會編《革命文獻·44輯—二次革命史料》（臺北，編者印行，民57）、存萃學社編集《二次革命》（香港，崇文書店，1973）、朱宗震、楊光輝編〈民初政爭與二次革命〉（2冊，上海，上海人民出版社，1983）；其他尚有中國第二歷史檔案館〈1913年贛寧之役檔案史料選〉（《歷史檔案》1981年4期）。論著方面張玉法〈二次革命的根源〉（《孫中山先生與近代中國學術討論集》第2冊，民74）及〈二次革命：國民黨與袁世凱的軍事抗爭（1912-1914）〉（《中央研究院近代史研究所集刊》15期上冊，民75年6月）為其中之代表作。其他有董家安《民初二次革命之研究》（臺灣師大三民主義研究所碩士論文，民63）及〈民初二次革命之評論〉（《三民主義學報》第6期，民71年6月）、黎建軍〈"二次革命"研究述評〉（《辛亥革命研究動態》1995年2期）、朱漢國〈"二次革命芻議"〉（《爭鳴》1993年6期）、錢淑華〈二次革命探析〉（《中正嶺學研究集刊》第5集，民75年6月）、章開沅〈試論1913年的"二次革命"〉（《新建設》1964年2期）、胡繩武、金沖及〈從南京臨時政府結束到二次革命〉（載《歷史論叢》第3、4輯，1981）及〈民初政局和二次革命〉（載二氏著《從辛亥革命到五四運動》，湖南人民出版社，1983）、劉湘雅〈〝二次革命〞始於何時新議〉（《湖南師大社會科學學報》1988年6期）、陶清〈〝二次革命〞是反袁武裝鬥爭的開端〉（《南昌職業技術師院學報》1986年1期）、姜中秋、王光遠〈1913年〝二次革命〞大事記〉（《北京科技大學學報》1983年4期）、劉強倫〈辛亥革命應以癸丑〝二次革命〞為下限〉（《湖南師大學報》1985年3期）、朱宗震講演、內藤明子譯〈孫中山の第二革命發動の曲折した過程〉（《孫文研究》20輯，1996）、全國華〈辛亥革命後〝二次革命〞爆發的原因和經過〉（《史學月刊》1981年5期）、毛振發〈論〝二次革命〞的幾個軍事問題〉（載《辛亥革命史叢刊》第3輯，1981）、朱宗震〈試論〝二次革命〞的戰略格局—兼與毛振發同志商榷〉（同上，第6輯，1986）、許海泉〈〝二次革命〞前李烈鈞與袁世凱的鬥爭〉（《爭鳴》1986年1期）及〈李烈鈞與〝二次革命〞爆發〉（《歷史教學》1994年8期）、周慈忠〈二次革命與李烈鈞〉（《爭鳴》1981年3期）、洪喜美〈李烈鈞與二次革命〉（《近代中國》21期，民70年2月）、許海泉〈李烈鈞湖口討袁起義三題〉（《江西師大學報》1986年4期）、毛振發〈關於湖口起義幾個問題的探討〉（《江西大學學報》1981年1期）、俞兆鵬〈1913年的湖口起義〉（同上，1979年4期）、陳立明〈論湖口起義及其經驗教訓〉（《江西社會科學》1993年10期）、鐙屋一〈「二次革命」における江西の獨立：分權論と革命論〉（《社會文化史學》25號，1989年12月）、張琳〈〝二次革命〞在江西〉（《江西教育學院學報》1981年1期）、黃麟州〈二次革命與江西〉（《江西文獻》92期，民67年4月；亦載《李烈鈞先生百年誕辰紀念集》，民70）、劉江船、郭平生

〈贛、寧兩役之比較與述評〉(《江西師大學報》1994年2期)。朱宗震〈〝二次革命時的南京之戰〞〉(《群衆論壇》1981年5期)、孫宅巍〈試論二次革命中的南京保衛戰〉(《江海學刊》1992年2期)、經盛鴻〈南京〝二次革命〞述評〉(《揚州師院學報》1986年22期)、陳言〈癸丑討袁與南京之守〉(《革命思想》1卷3期,民45年9月)、陳長河〈黃興與1913年南京反袁獨立〉(《學術月刊》1992年2期)、李喜所〈黃興在〝二次革命〞中的地位和作用〉(《南開學報》1993年5期)、劉湘雅〈為黃興癸丑討袁一辨〉(《湖南師大學報》1991年5期)、張湘炳〈〝二次革命〞在安徽〉(《安徽史學》1988年1期)、沈寂〈柏文蔚與反清反袁革命〉(同上,1986年3期)。倪俊明、陳敏〈二次革命在廣東〉(《廣東社會科學》1989年1期)、蕭治龍〈二次革命與廣東政局〉(《廣東史志》1987年1期)、顧大全〈廣東二次革命與龍濟光禍粵〉(《貴州文史叢刊》1985年1期)、吳菊英〈〝二次革命〞前後的粵省政局〉(《民國檔案》1990年3期)。鮮于浩〈〝二次革命〞在湖南〉(載《辛亥革命在湖南》,湖南人民出版社,1984)及〈二次革命湖南宣布獨立日期辨誤〉(《湖南師院學報》1982年1期)、顧大全〈試論〝二次革命〞期間黔、桂、滇的革命鬥爭〉(《貴州社會科學》1986年4期)及〈論癸丑四川起義與黔軍入川〉(《貴州文史叢刊》1985年1期)、華生〈民國二年四川討袁始末〉(《四川文獻》106期,民60年6月)、謝本書〈雲南楊春魁起義—〝二次革命〞的尾聲〉(《近代史研究》1985年55期)。俞辛焞〈二次革命前期孫中山的反袁策略與日本〉(《歷史研究》1988年1期)、波多野勝〈中國第二次革命と日本の反應—山本內閣の外交指導について〉

（《季刊國際政治》87號，1988年3月）、佐藤三郎〈中華民國第二革命時に起つた兗州·漢口·南京の日中紛爭二事件について—近代日中交涉史上の一齣 として 〉（《山形大學紀要（人文科學）》6卷3號，1968年1月）、曾業英〈蔡鍔與〝二次革命〞〉（《歷史研究》1983年1期）、王仲〈試論〝二次革命〞與資產階級革命派〉（《近代史研究》1984年1期）、丁日初〈二次革命中的上海資本家階級〉（《近代史研究》1985年6期）。溫錦州〈民二討袁之役失敗原因之研究〉（中國文化大學政治研究所碩士論文，民70年7月）、賀軍〈二次革命及其失敗的原因〉（《歷史教學》1988年9期）、石彥陶〈重評〝二次革命〞的敗因〉（《史學月刊》1988年4期）、趙矢元〈論〝二次革命〞與〝辛亥革命〞〉（載《紀念辛亥革命七十周年學術討論會論文集》上冊，北京，中華書局，1983）。與其相關的則有Jeffrey Ching-lin Wang, The Kuomintang Struggle for Republicanism: The Role of the Military, 1911-1916.（2Vols., Ph. D. Dissertation, Georgetown University [Washington, D. C.], 1988）、呂明章《民初革命之研究（民二—民五）》（政治大學三民主義研究所碩士論文，民73年6月）。

4.失敗後革命黨人的活動

有國民黨黨史會編《革命文獻·45輯—中華革命黨史料》（臺北，編者印行，民58）及《革命文獻·48輯—中華革命黨時期函牘》（同上），《革命文獻·第5輯》（臺中，民43）亦錄有部分中華革命黨史料。李雲漢〈中華革命黨的組黨過程及其組織精神〉（《孫中山先生與近代中國學術討論集》第2冊，民74）及〈由中華革命黨組黨看孫逸仙先生的志節和思想〉（《珠海學報》15期，1987年10月）、董家安〈國父組織中華革命黨的經緯〉（臺中，昭文出版社，民65）及〈由國父在革命史上的領袖地位看中華革命黨之組織〉（《中華民國歷史與文化討論集》第1册，民73）、王瑋琦《中華革命黨之研究》（臺北，正中書局，民68）、羅若湘《中華革命黨組織活動之研究（1913-1916）》（臺灣大學政治研究所碩士論文，民64年12月）及《中華革命黨改組初期的體系整合》（《三民主義學報（中國文化學院）》第1期，民66年5月）、Edward Friedmana, Backward Toward Revolution: The Chinese Revolutionary Party.（Berkeley: University of California Press，1974）為第一本關於中華革命黨研究的學術性論著，作者引用了不少的文集檔案和報紙來支持其觀點，自有其不錯的成績，劉真武〈中華革命黨別議〉（《江淮論壇》1982年6期）、王杰〈中華革命黨略論〉（載《紀念辛亥革命七十周年青年學術討論會論文選》下册，北京，中華書局，1983）、（美）弗里德曼〈中華革命黨：組織與革命〉（《孫中山研究論叢》第5集，1987）、高橋良和〈中華革命黨組織に關する黨え書き〉（載《中國近現代大史論集》，東京，汲古書院，1985）、張寄謙〈關於中華革命黨研究述評〉（載《回顧與瞻望—國內外孫中山研究述評》，北京，中華書局，1986）、趙矢元〈關於孫中山與國民黨中華革命黨的研究〉（同上）、蔣永敬〈國父組織中華革命黨與討袁〉（《新時代》2卷11期，民51年11月）、馮祖貽〈孫中山與中華革命黨〉（《孫中山研究論叢》第3集，1985）、寺廣映雄〈中華革命黨と孫文思想の形成について〉（《大阪學藝大學紀要》10號，1962年3月）、吳志剛〈對中華革命黨的歷史地位和作用的再認識〉（《黨史研究與教學》1994年3期）、石彥陶〈重評中華革命黨〉（《社會科學戰線》1992年4期）、劉真武《中華革命黨收捲民族主義旗幟的原因及意義》（《學術月刊》1983年5期）、三輪雅人〈孫文の革命思想と中華革命黨の問題點について〉（《中國學志》10號，1995年2月）、洪水深《中華革命黨與討袁運動》（中國文化學院史學研究所碩士論文，民61年6月）、羅若湘〈中華革命黨與討袁之役〉（《近代中國》22期，民70年4月）、呂芳上〈中華革命黨的討袁宣傳〉（《中華學報》6卷1期，民68年1月）、董家安〈中華革命黨討袁期間的對外策略〉（載《國父建黨一百週年學術討論集》第1冊，民83；亦載《近代中國》104期，民83年12月）、曲曉璠〈中華革命黨在東北的三次反袁活動〉（《東北師大學報》1993年3期）、陳長河〈從檔案資料看肇和艦起義〉（《史學月刊》1988年3期）、王翔〈有關肇和艦起義的幾點思考〉（《民國春秋》1989年6期）、郭伶芬〈參與改組中華革命黨與討袁之役的陳其美〉（《近代中國》12期，民68年8月）、劉鳳翰〈陳其美被刺案考實〉（同上，36期，民72年8月）、李守孔〈蔣中正先生與討袁運動〉（載《蔣中正先生與現代中國學術討論集》第2冊，民75）、卓遵宏〈總統蔣公與討袁之役〉（《中國現代史專題研究報告》第6輯，民65）、闞玲玲〈許崇智與民初之三次革命〉（《東吳文史學報》第8號，民79年3月）、汪友明〈述論中華革命軍東北軍〉（《臨沂師專學報》1990年1期）、郭芳美〈居正與討袁東北軍〉（《近代中國》11期，民68年6月）及〈居正與山東討袁運動〉（《臺北商專學報》39期，民81年12月）、延國符〈山東革命討袁紀要〉（載《雲南起義擁護共和五十周年紀念特刊》，民55）、許鼎彥《山東的反袁帝制運動》(臺灣大學歷史研究所碩士論文,民73年6月)、エリア・リンス〈中國の第3革命と日本—1916年山東省における反袁運動を中心に〉(《史苑(立教大學史學會)》54卷1號,1993年12月)、波多野勝〈中國第三革命と日本外交〉(《アジア研究》36卷4號,1990年9月)、淺川道夫〈討袁革命と北一輝—「支那革命外史」成立の背景〉(《國際關係研究(國際關係編,日本大學發行)》11卷1號,1990年10月)、高光漢〈論中華革命黨在護國運動中的作用和地位〉(《雲南社會科學》1985年6期)及〈中華革命黨與護國戰爭〉(《學術論壇》1983年2期)、李守孔〈中華革命黨與護國軍〉(《中華學報》2卷1期,民64年1月)、王杰〈護國軍與中華革命黨倒袁成敗初探〉(《昆明師院學報》1981年1期)、松本英紀〈中華革命黨和歐事研究會—第二次革命後孫文與黃興的革命觀〉(《民國檔案》1990年3期)、石彥陶〈黃興拒絕參加中華革命黨新議〉(《史學月刊》1987年3期)、高橋良和〈中華革命黨結成時における孫黃決裂の意味について〉(《名古屋大學東洋史研究報告》第7號,1981)、蔣永敬〈歐事研究會的由來和活動〉(《傳記文學》34卷5期,民68年5月)、王志宇《歐事研究會初探(1914-1916)》(東海大學歷史研究所碩士論文,民81年1月)、劉以城《民初國父兩次改組國民黨之意義評析》(臺北,幼獅文化事業公司,民74)、蘇哲峰《討袁時期國父思想戰之研究》(政治作戰學校政治研究所碩士論文,民78年6月)。以整個民初革命為題(含第二次、三次革命等在內)的有呂民章《民初革命之研究(民二—民五)》(政治大學三民主義研究所碩士論文,民73)。

㈣洪憲帝制與反帝制戰爭

民國初年的帝制運動，可分為兩支在進行，一為欲恢復清朝擁遜帝溥儀重行登位的復辟運動，一為欲開創新朝帝制自為的袁氏（袁世凱）帝制運動。民國四年（1915），袁氏以大權在握，恣意而為，於是年12月接受「民意推戴」為皇帝，改民國五年為洪憲元年，並於是年1月1日登基。然而民國四年12月25日雲南首義宣布獨立，揭開反帝制戰爭—護國之役（亦稱護國運動）的序幕，次年1月至5月，相繼有貴州、廣西、廣東、浙江、陝西、四川、湖南各省宣布獨立，袁雖於3月22日下令撤銷帝制而回任民國總統，已難以平息眾怒，至6月6日病死，護國討袁的目的因而告成。

1.關於袁世凱

史料方面有故宮博物院編輯委員會編〈袁世凱奏摺專輯〉（8冊，臺北，故宮博物院，民59），為故宮博物院珍藏之袁氏奏摺原件，上有清帝之硃批，共收光緒23年（1897）7月至33年（1907）7月之袁氏奏摺1365件，摺片931件，為同類資料集中份量最重者，比《諭摺彙存》（共56冊，臺北，文海出版社影印，民56）中散見之袁氏奏摺多出很多。沈祖憲輯錄、袁克桓校刊《養壽園奏議輯要》（臺北，文海出版社影印，袁世凱史料彙刊，民55），按：養壽園為袁世凱清末隱居洹上時之園名，輯錄者沈祖憲為袁之幕僚，因工作之便，收錄袁之奏稿（光緒24年至33年）共44卷，然後自其中擇其要者1556件，輯成是書，惟這些奏稿上無清帝之硃批，是為其缺點。天津圖書館等編，廖一中等整理《袁世凱奏議》（3册，天津，天津古籍出版社，1987）、中央研究院近代史研究所輯《袁世凱家書》（臺北，輯者印行，民79）、天津市檔案館編《袁世凱天津檔案史料匯編》（天津古籍出版社，1990）、沈祖憲輯錄《養壽園電稿》（臺北，文海出版社影印，民55）為光緒12年（1886）至24（1898）年袁世凱駐韓時期及中日甲午戰爭前後致直隸總督北洋大臣李鴻章及其他有關方面之電稿；陸純編《袁大總統書牘彙編》（同上）為袁氏民國元年、二年之書牘，分為文辭、政令、咨文、獎勵、批詞、函牘等6類收錄之；徐有朋編輯《袁大總統書牘匯編》（上海，廣益書局，民3；臺北，文星書店影印，民51）內容與陸純編之書大致相同；上海會文堂新記書局編輯《袁大總統文牘類編（文牘指南）》（編輯者印行，民3）內容分就職、政體、議會、憲法、政治、外交、風尚、治安、財政、軍政等20類編排；袁世凱輯《新建陸軍兵略錄存》（光緒24年新建陸軍排印，臺北，文海出版社影印，民55），其內容為章制、禁令、訓練、操法等；段祺瑞、馮國璋、王世（士）珍纂校《訓練操法詳目析圖說》（光緒25年9月武衛右軍印藏，臺北，文海出版社影印，民55），係光緒25年（1899）袁世凱率其武衛右軍（原新建陸軍）駐防山東之德州時，奉清帝諭旨命將該軍平日訓練情形詳悉陳奏，並將各種操法繪圖貼說進呈備覽，袁即命其部屬段祺瑞等著手纂校，造成清冊12本、陣圖1本、圖說清單一件，一併呈上，內容有訓練、行軍、攻守、駐紮、步隊操法、體操法（舞槍法）、步隊操槍法、步隊全隊全營戰法、砲隊操法、馬隊操法、馬隊陣法、馬隊戰法、工程隊操法等，鉅細靡遺；袁克文撰《洹上私乘》（上海，大東書局，民15；臺北，文海出版社影印，民55），袁克文為袁世凱次子，書中有其所撰「先公紀」、「先嫡母」、「家慈傳」、「先生母傳」、「諸庶母傳」、「大兄傳」、「自述」等，與前列之《袁世凱家書》，並為研究袁世凱及其家屬之絕佳資料，書後並附《圭堂唱和詩》收錄有袁世凱等所撰之詩多首，其他如甘厚慈輯《北洋公牘類纂》（3冊，同上）中有不少袁世凱的文牘、批示、札文、照會等，天津歷史博物館編《北洋軍閥史料－袁世凱卷》（天津，天津古籍出版社，1992）；張維瀚輯《民初文獻一束》（同上）則錄有一些有關袁氏的資料，其中以影印自日本東洋文庫所藏之「袁氏與英使朱爾典討論君主立憲之筆錄」最為珍貴。

專書方面，有沈祖憲、吳闓生編纂《容庵弟子記》（民2年2月校印，臺北，文星書店影印，民51；文海出版社影印，民55），自袁世凱出生述起，至隱居洹上村武昌起義爆發前為止，其述袁事，多有誇大、溢美之處；佚名《袁世凱全傳》（臺北，文海出版社影印，民55）、野史氏《袁世凱軼事》（同上）、袁靜雪、袁克齊《袁世凱秘辛》（香港，東西文化事業公司，1986）、紀佩《袁世凱》（清宣統元年石印本）、賈克《袁世凱演義（插圖本）》（北京，團結出版社，1993）；陶菊隱《袁世凱演義》（北京，中華書局，1979）採傳統章回小說體裁，以袁世凱一生的經歷為經，以當時各方面的大事為緯，並穿插一些傳聞、軼事而成書；向壽民《袁世凱演義》（4卷，臺北，中國近代小說史料彙編手稿影印本，民69）、高明鏡編《袁前大總統略傳》（北京，川息左時報社，民5）、向陽編著《袁世凱醜惡的一生》（北京，通俗讀物出版社，1957）、陳伯達《竊國大盜袁世凱》（北京，人民出版社，1962）、陳鑫坡《袁世凱的傳奇故事》（臺北，漢湘文化公司，民84）、章君穀《袁世凱傳》（臺北，中外圖書公司，民59）、霍必烈《袁世凱傳》（臺北，國際文化出版社，民77）、秋楠《袁世凱》（北京，中華書局，1962）、民心社編《最新袁世凱》（編者印行，民5）、青谷、林言椒《袁世凱》（北京，三聯書店，1963）、王欽祥、辛學明《袁世凱全傳》（青島，青島出版社，1996）、辛泉《洪憲夢：竊國大盜袁世凱傳奇》（太原，北岳文藝出版社，1993）、徐剛《風雨瓊樓：袁世凱沉浮》（北京，中國青年出版社，1994）。學術性的著作則有李宗一《袁世凱傳》（北京，中華書局，1980）、韓作《袁世凱評傳》（香港，東西文化事業公司，1995）、侯宜杰《袁世凱評傳》（鄭州，河南教育出版社，1986）及《袁世凱一生》（鄭州，河南人民出版社，1982，1984修訂再版）、林明德《袁世凱與朝鮮》（臺北，中央研究院近代史研究所碩士論文，民71年6月）、池在運《袁世凱與中日甲午戰爭》（政治大學外交研究所碩士論文，民66年6月）、尚重廉《袁世凱與新建陸軍》（香港中文大學碩士論文，1967）、劉鳳翰《新建陸軍》（臺北，中央研究院近代史研究所，民56）及《袁世凱與戊戌政變》（臺北，文星書店，民53）、班一魯《拳亂前後袁世凱的處變》（臺灣大學歷史研究所碩士論文，民61年6月）、謝本書《袁世凱與北洋軍閥》（上海，上海人民出版社，1984）、萬仁元主編《袁世凱與北洋軍閥》（上海，商務印書館，1994）、姜曼麗《袁世凱的政治權謀》（臺北，東英出版社，民68）、黎澍《辛亥革命與袁世凱》（北京，三聯書店，1950）、甘麗珍《袁世凱與南北議和》（政治大學歷史研究所碩士論文，民75年6月）、朴東濬《民國初年袁世凱奪權之研究》（臺灣大學政治研究所碩士論文，民75年6月）、蕭再涓《民初袁世凱外交政策之研究（1911年10月至1916年6月）》（文化大學政治研究所碩士論文，民71年1月）、橫山宏章《孫文と袁世凱—中華統合の夢》（東京，岩波書店，1996）、黃芙蓉《袁世凱與進步黨》（政治大學歷史研究所碩士論文，民70年6月）、劉昭瑩《袁世凱與民初國體政體的變革》（彰化，品高圖書出版社，民84）、馬震東《袁氏當國史》（北平，中華印書局，民19）、范文瀾、陳伯達《曾國藩和袁世凱》（華中新華報出版社，民35）、周岩《袁世凱家族》（北京，中國青年出版社，1991）。外文著作有Jerome ch'en（陳志讓），Yuan Shih-k'ai（Stanford: Stanford University Press, 1961），是第一本對袁氏一生作較深入和完整研究的英文著作，尤其對袁氏興起與敗亡的時代背景及其政策的批評，有獨到之見解，其中譯本為傅志明、鮮于浩譯《亂世奸雄袁世凱》（長沙，湖南人民出版社，1988）、Ernest P. Young, The Presidency of Yuan Shih-K'ai: Liberalism and Dictatorship in Early Republican China.（Ann Arbor: University of Michigan Press, 1977）全書重心在探討1912至1916年袁氏總統任內（含洪憲帝制）的對內對外政策，以及政治上的種種衝突情形，並多有所分析、解釋，對袁氏有與眾不同的看法和評價；Stephen R Mackinnen, Prwer and Politics in Late Imperal China: Yuan Shih-k'ai in Baijing and Tanjin, 1901-1908.（Berkeley: University of California Press, 1980），則論述袁氏在天津任直隸總督兼北洋大臣和內調北京任軍機大臣兼外務部尚書時期的措施和事跡。其他尚有Oris Dewayne Friesen, Republic to Monarchy: the Impact of the Twenty-one Demands Crisis on the Yuan Shih-k' ai.（Ph. D. Dissertation, Arizona State University, 1982）、內藤順太郎《正傳袁世凱》（東京，博文館，1913；其中譯本爲范石渠譯之《袁世凱》，上海，文匯圖書局，民3；另一譯本爲張振秋譯《袁世凱正傳》，上海，廣益書局，亦係民3年初版）、天籟道人《陰謀家袁世凱》（東京，健行會，1913）、關矢充郎《怪傑袁世凱》（東京，實業之日本社，1913）、奈良一雄《中華民國大事件と袁世凱》（天津，中東石印局，1915）、佐久間東山《袁世凱傳》（東京，現代思潮社，1985）。

論文方面，有余非〈北洋人物志㈠—袁世凱傳〉（《新知雜誌》第2年第2期，民61年4月）、魏淑娜〈千古罪人袁世凱〉（《石家庄市教育學院學報》1986年3期）、左舜生〈民國叛徒袁世凱〉（《民主潮》14卷10、11、13期，民53年10-12月）、章君穀〈一代梟雄袁世凱傳〉（《中外雜誌》5卷1-6期、6卷1-6期、7卷1期，民58年1-12月、59年1月）、李宗一〈袁世凱〉（載《民國人物傳》第1卷，北京，中華書局，1978）、林明德〈袁世凱〉（載《中華民國名人傳》第2册，臺北，近代中國出版社，民75）、市古宙三〈袁世凱〉（《歷史教育》2卷1號，1954年1月）、季雲飛〈袁世凱〉（《青年一代》1981年1期）、黃祿〈風流人物袁世凱〉（《中外雜誌》54卷1期，民82年7月）、王成聖〈風雲際會袁世凱〉（同上，18卷6期、19卷1期，民64年12月、65年1月）、陳舜臣〈中國近代史ノート(8)：わかりやすい男＝袁世凱〉（《朝日アジアレビュー》5卷4號，1975年6月）、莫安仁〈論袁世凱〉（《大同》2卷7期，民5年7月）、池田誠〈內藤湖南の袁世凱論〉（《立命館法學》14號，1963年2月）、郭劍林〈關於袁世凱評價的幾個問題〉（《河北學刊》1994年6期）、張神根〈對國內外袁世凱研究的分析與思考〉（《史學月刊》1993年3期）、唐德剛〈袁世凱史傳再發掘－從蔣中正與毛澤東說到袁世凱〉（《傳記文學》68卷3期，民85年3月）、陸詒〈漫談袁世凱－張一麐談袁追記〉（《民主》1卷34期，民35年6月）、永石〈袁世凱的籍貫〉（《史學集刊》1982年1期）、袁靜雪〈我的父親袁世凱〉（《中外雜誌》47卷4-6期，48卷1期，民79年4-7期）、羅繼祖〈袁世凱的早年〉（《史學集刊》1987年3期）、劉鳳翰〈袁世凱的發跡〉（《文星》16卷7期，民54年11月）、張玉法〈袁世凱的仕宦階梯，1881-1911〉（載《近代中國歷史人物學術討論會論文集》，民82年）、劉路生〈袁世凱在朝鮮〉（《韓國學報》11期，民81年6月）、藤岡喜久男〈朝鮮時代の袁世凱〉（《東洋學報》52卷4號，1970年3月）、中國第一歷史檔案館〈袁世凱駐節朝鮮期間函牘選輯〉（《歷史檔案》1992年3期）、周松柏〈試析袁世凱青壯年時期軍事上的表現〉（《貴州文史叢刊》1993年6期）、駱寶善、劉路生〈甲午戰爭時期的袁世凱〉（《淡江史學》第3期，民80年6月）、輔明〈清末袁世凱新建陸軍及其編制〉（《民國春秋》1987年1期）、季雲飛〈新建陸軍研究二題〉（《河北學刊》1992年6期）、吳兆清〈袁世凱練新軍政軍制及其歷史地位〉（《歷史檔案》1987年1期）、鄧亦兵〈論袁世凱的建軍實踐〉（《北方論叢》1988年3期）、王公度〈袁世凱和近代新軍及清帝退位〉（《合州師專學報》1990年2期）、詹素平〈袁世凱與中國陸軍近代化〉（《吉安師專學報》1996年3期）、渡邊惇〈清末袁世凱と北洋新政－北洋派の形成をめぐつて〉（《歷史教育》16卷1、2號，1968）及〈袁世凱－北洋派政權奪取の道〉（《歷史學研究》258號，1961年10月）、Stephen R. Mackinnon, “The Peiyang

Army, Yuan Shih-k'ai and the Origins of Modern Chinese Warlordism"（Journal of Asian Studies, Vol.32, NO.3, May 1973）、王覺源〈項城與北洋之始末（忘機隨筆）〉（《時代精神》6卷4期，民31年6月）、史全生〈袁世凱北洋班底的形成〉（《民國春秋》1988年2期）、徐景星〈袁世凱與北洋軍閥集團〉（《文史參考資料匯編（天津）》1983年6期）、李明偉〈試論清末北洋集團的政治文化〉（《史學月刊》1993年5期）、桑田耕治〈北洋新軍の成立過程とその諸問題—袁世凱を直隸總督在任期中心に〉（《兵庫中學研究》38號，1992年10月）、貴志俊彥〈清末の軍制改革—「北洋六鎮」成立過程にみられる中央と地方の改革モデル〉（《島根縣立國際短紀要》第3號，1996年3月）、任恒俊〈談清末北洋六鎮的編練〉（《近代史研究》1984年6期）、陳崇橋〈北洋六鎮後勤史論〉（《遼寧大學學報》1985年1期）、劉梅生、尹一〈清季北洋六鎮之源流〉（《信陽師院學報》1990年4期）、李學通〈北洋六鎮編練過程考〉（《歷史檔案》1993年3期）、李援、羅慶旺〈袁世凱對近代軍隊進行的改革及其評價〉（《軍事歷史研究》1988年3期）、劉鳳翰〈清末袁世凱治兵之道—近代軍事傳承與創新〉（《近代中國》103期，民83年10月）、姜廷玉〈略述袁世凱的軍事教育思想及其實踐〉（《歷史教學》1990年11期）、王漢昌〈論袁世凱的軍事教育方針〉（《河北大學學報》1996年1期）、楊德才〈論袁世凱創辦的軍事學堂〉（《歷史檔案》1993年3期）、貴志俊彥〈清末の都市行政の一環—袁世凱の教育政策をめぐって〉（《Monsoon（廣島大學アジア史研究所）》第2號，1989年10月）、梁義群、宮玉振〈袁世凱與滿族親貴爭奪軍權鬥爭述論〉（《許昌師專學報》

1994年2期）、孔祥吉〈袁世凱上翁同龢説帖述論〉（《歷史研究》1995年3期）、劉鳳翰〈袁世凱「戊戌日記」考訂〉（《幼獅學誌》2卷1期，民52年1月）、黃彰健〈論戊戌政變的爆發非由袁世凱告密〉（載氏著《戊戌變法史研究》，臺北，中央研究院歷史語言研究所，民59）、翟國璋〈《戊戌日記》考訂〉（《徐州師院學報》1983年2期）、趙立人〈袁世凱與戊戌政變關係辨析〉（《廣東社會科學》1996年2期）、廖一中〈善始而惡終：袁世凱與維新運動新論〉（《益陽師專學報》1992年2期）、劉路生〈袁世凱致袁世勛家書考辨一兼論〃宮門告密〃〉（《江西社會科學》1993年11期）、駱寶善〈袁世凱自首真相辨析〉（《學術研究》1994年2期）、廖一中〈山東局勢與袁世凱接任山東巡撫原委〉（《東岳論叢》1994年3期）、王神蔭〈庚子辛丑年間袁世凱在山東與傳教士的勾結〉（《山東師院學報》）、林華國〈庚子戰前裕祿與袁世凱對反教會鬥爭的不同對策〉（《北京大學學報》1992年3期）、張禮恒〈袁世凱與義和團〉（《晉陽學刊》1989年4期）、黃裕民〈論袁世凱對義和團的政策〉（《阜陽師院學報》1987年2期）、劉鳳翰〈拳亂時期的袁世凱〉（《傳記文學》10卷5期，民56年5月）、端木琳〈袁世凱與東南互保的關係〉（《史薈》第9期，民68年5月）、一中〈〃東南互保〃與袁世凱〉（《軍事史林》1994年3期；《貴州社會科學》1994年4期）及〈袁世凱與《辛丑和約》的簽定〉（《貴州社會科學》1991年4期）、任恒俊〈關於袁世凱署直隸總督兼北洋大臣的考察〉（《文史》22期，1985）、侯宜杰、任恒俊〈袁世凱〃新政〃評議〉（《河北師院學報》1987年1期）、梁義群〈袁世凱與丙午改制〉（《中州學刊》1992年3期）、張華騰〈袁世凱奏參賣礦賊〉

（《殷都學刊》1994年4期）、廖一中〈袁世凱與日俄戰爭〉（《歷史教學》1985年2期）、崔淑芬〈日清戰爭後の袁世凱の教育新政〉（《アジア文化》19號，1994年10月）、王振科等〈論袁世凱與奉天政局（1907-1916）〉（《松遼學刊》1986年3期）、廖大偉〈袁世凱與預備立憲〉（《史林》1992年3期）、陸建洪〈袁世凱地方自治剖析〉（《史學月刊》1991年4期）、陳美健〈論袁世凱的軍事教育方針〉（《河北大學學報》1996年1期）、喬惠茹、高慧開〈論袁世凱的自開商埠主張與實踐〉（《河南師大學報》1996年5期）、廖一中〈袁世凱與巡警的創建〉（《天津社會科學》1984年5期）、王炎〈袁世凱與近代鐵路〉（《社會科學研究》1992年5期）、蘇全有、朱選功〈袁世凱與中國經濟近代化—袁氏重農、重工、重商思想研究〉（《河南師大學報》1994年4期）、朱英〈袁世凱晚清經濟思想及其政策措施〉（《天津社會科學》1991年2期）、蘇全有、魏佩周〈論袁世凱的財政金融思想與實踐〉（《河南師大學報》1996年1期）、唐克敏〈袁世凱與中國資本主義〉（《近代中國》第4輯，上海社會科學院出版社，1994）、王曉華〈略論袁世凱的教育主張〉（《史學月刊》1988年2期）、蘇全有〈論袁世凱的對外理性抗爭思想〉（《河南師大學報》1995年4期）、顧衛民〈試析袁世凱在晚清的特殊地位〉（《中州學刊》1989年3期）、候宜杰〈評清末官制改革中趙炳麟與袁世凱的爭論〉（《天津社會科學》1993年1期）、楊天宏〈袁世凱與清廷的矛盾〉（《四川師大學報》1990年3期）、尹全海〈袁世凱被黜考辨〉（《信陽師院學報》1988年1期）、張潤三、華乃千〈從隱居到竊國〉（《文史通訊》1983年3期）、尹全海〈袁世凱客居彰德的隱衷〉（《中州今古》1989年5期）、謝照明〈袁世凱客居安陽的原因〉(《中學歷史教學》1983年4期)、張金鑑〈袁世凱與洹上村〉(《中原文獻》1卷3期，民58年1月)、莊安正〈張謇袁世凱洹上會晤探〉(《貴州師大學報》1991年1期)、夏林根〈武昌起義前後張(謇)袁關係論〉(《學術研究》1985年10期)、梁華慶〈張謇擁袁淺議〉(《歷史教學》1983年12期)、尹全海〈袁世凱再起考論〉(《信陽師院學報》1988年3期)、李建武〈辛亥革命前的袁世凱〉(《歷史教學》1982年8期)、唐德剛〈亂世抓槍桿·有槍便是權－辛亥前的袁世凱(上、中、下篇)〉(《傳記文學》68卷5-6期及69卷1期，民85年5-7月)、野澤豐〈辛亥革命と日本外交－日本における袁世凱 認識との關連において〉(《近きに在りて》20號，1991年11月)、鄭森〈武昌起義爆發後袁世凱〝出山〞史實考辨〉(《求索》1991年6期)、宋雲彬〈辛亥革命與袁世凱〉(《文藝生活》1卷2期，民30年10月)、季雲飛〈論袁世凱在辛亥革命中的作用〉(《學術月刊》1989年4期)、侯宜杰〈如何評價袁世凱在辛亥革命中的作用－向季雲飛先生請教〉(《近代史研究》1992年6期)、姜新〈重評辛亥革命前期的袁世凱〉(《徐州師院學報》1992年4期)、王善中〈關於袁世凱在辛亥革命中的三個問題〉(《江西師大學報》1986年4期)、鄭焱〈武昌起義後袁世凱與清廷關係探析〉(《湖南師大學報》1991年4期)、杜永鎮輯〈武昌起義期間各處致袁世凱的函電及探報〉(《中國歷史博物館館刊》1979年1期)、閻沁恒〈美國駐華代辦看武昌起義時的袁世凱〉(《現代中國軍事史評論》第2期，民76年10月)、楊華山〈武昌起義後時人對袁世凱的期盼心態探析〉(《中州學刊》1996年6期)、莊練〈袁世凱與辛亥革命〉(《中華文化復興月刊》12卷1

期，民68年1月）、Lin Ming-te（林明德），"Yuan Shih-k'ai and the 1911 Revolution"（《中央研究院近代史研究所集刊》11期，民71年7月）、楊立強〈辛亥革命後的袁世凱〉（《學習與批判》1976年8期）、齊藤恒〈清帝の退位と袁世凱〉（《中學雜誌》27卷12號，1916）、時文〈袁世凱重新上臺以後〉（《遼寧大學學報》1976年4期）、渡邊惇〈袁世凱—北洋派政權奪取の道〉（《歷史學研究》258號，1961）、Ernest P. Young, "Yuan Shih-K'ai Rise to the Presidency"（Mary C. Wright ed., China in Revolution: The First Phase 1900-1913，New Haven: Yale University Press, 1968；其中譯文爲王小荷譯〈袁世凱何以能登上總統寶座〉，載《辛亥革命史叢刊》第4輯，1982）、吳相湘〈袁世凱謀取臨時大總統的經過〉（《中國現代史叢刊》第1冊，臺北，正中書局，民49）、夏良才〈袁世凱謀取共和國總統的最初一次活動〉（《近代史研究》1982年4期）、鄭永福〈袁世凱策劃河南〝共和不獨立〞醜劇始末〉（《中州今古》1986年2期）、尹全海〈袁世凱攘權考論〉（《信陽師院學報》1989年2期）、中國第一歷史檔案館〈1912年袁世凱被炸案〉（《歷史檔案》1983年3期）、賈宗勻〈張先培、黃之萌刺袁世凱經過補正〉（《貴州文史叢刊》1991年3期）、吳兆清〈袁世凱與良弼被炸案〉（《近代史研究》1987年2期）、王鐵群〈革命黨讓權袁世凱淺議〉（《河北大學學報》1990年1期）、王勇〈我對孫中山讓位給袁世凱的幾點看法〉（《廣西民族學院學報》1983年4期）、羅耀九〈對袁世凱的妥協是孫中山的戰略與策略〉（《學術月刊》1988年5期）、廖一中〈袁世凱被推舉為民國臨時大總統的原因〉（《天津社會科學》1990年5期）、胡繩武〈袁世凱為什麼能竊取臨時大總統的席位〉

（《文史知識》1984年9期）、劉鳳翰〈袁世凱獲任中華民國大總統的經過〉（《近代中國》86期，民80年12月）、藤岡喜久男〈袁世凱の總統就任〉（《東洋學報》48卷3號，1965年12月）、Ernest P. Young主講、朱開芳譯〈從袁世凱出任民國總統談起〉（《師大歷史學報（臺灣師大）》第8期，民69年5月）、單寶〈袁世凱竊取政權的原因〉（《史學月刊》1984年5期）、李時岳〈辛亥革命時期袁世凱的竊國陰謀〉（《新史學通訊》1956年9期）、顧衛民〈試論袁世凱以政治方式解決南北問題的原因〉（《江漢論壇》1990年11期）、夏斯雲〈袁世凱接受共和原因新探〉（《上海師大學報》1994年1期）、陶英惠〈蔡元培壬子迎袁始末〉（《新知雜誌》第2年第6期，民61年12月）、唐振常〈蔡元培北上迎袁考略〉（《近代史研究》1983年4期）、謝再興〈袁世凱與北京兵變析疑〉（《臺州師專學報》1985年1期）、姜德福〈袁世凱與民初黨爭〉（《佳木斯師專學報》1987年2期）、焦靜宜〈袁世凱與民初國會〉（《歷史檔案》1996年3期）、張華騰〈袁世凱與民初議會〉（《贛南師院學報》1996年2期）、沈雲龍〈袁世凱與民初司法〉（《傳記文學》38卷2期，民70年2月）、胡春惠〈民初袁世凱在財政上的集權措施〉（《近代中國》27期，民71年2月）、江玉鳳〈袁世凱之權術與民初政治之關係〉（《樹德學報》10期，民74年6月）及〈袁世凱對於中國近代政治影響之研究〉（同上，第8期，民72年6月）、王善中〈民初袁世凱與民族資產階級的關係〉（《社會科學（上海）》1989年6期）、余明俠〈袁世凱和民國初期的徐州賈汪煤礦〉（《民國檔案》1989年3期）、尹全海〈袁世凱與革命黨的兩樁疑案〉（《爭鳴》1994年1期）、中國第二歷史檔案館〈袁世凱等有關張振武案的電文一組〉（《歷史檔案》1983年1期）、劉振嵐〈黎元洪、袁世凱謀殺張振武內幕〉（《歷史月刊》79期，民83年8月）、梁義群〈袁世凱與日本〉（《歷史教學》1991年7期）、莊鴻鑄〈袁世凱與日本帝國主義的關係及其實質〉（《新疆大學學報》1982年4期）、Yim Kwanka, "Yuan Shih-K'ai and the Japanese"（The Journal of Asian Studies, Vol. 24, No.1, Nov. 1964）、王建華〈袁世凱與留日士官生〉（《蘇州大學學報》1994年1期）、米慶餘〈對《袁世凱的帝制計畫與二十一條》一文的質疑〉（《近代史研究》1983年1期）、楊天宗〈進步黨與袁世凱關係的新思考〉（《北京大學研究生學刊》1990年3期）、胡柏立〈袁世凱獨裁統治的建立及其覆滅〉（《學習與探索》1981年3期）、張憲文〈試論袁世凱的集權政治與省區的地方主義〉（載《中國歷史上的分與合學術研討會論文集》，臺北，聯合報文化基金會，民84）、白蕉〈袁世凱的壓迫言論自由〉（《人文月刊》6卷5期，民24年6月）、李全望〈袁世凱怎樣摧毀民主政治〉（《群衆週刊》9卷21期，民33年11月）、郭生〈袁世凱與國民黨政制比較〉（《週報》31期，民35年4月；亦載《文林》第8期，民35年9月）、陳志勇〈〝非袁莫屬〞與文化傳統〉（《學海》1993年2期）、李韋〈袁世凱親筆所書民國總統繼承順位「金簡」〉（《傳記文學》56卷3期，民79年3月）、張琦翔〈袁世凱之子品評袁世凱〉（《社會科學戰線》1982年4期）、姚崧齡〈芮恩施所認識的袁世凱〉（《傳記文學》16卷6期，民59年6月）、巢辛甫〈袁世凱興學與其所為詩〉（《子曰叢刊》第4期，民37年9月）、張華騰〈清末袁世凱與岑春煊關係述論〉（《河南大學學報》1996年5期）、石立民〈岑春煊與袁世凱〉（《民國檔案》1988年3期）、程為坤〈袁瞿黨爭及其對清末憲政改革的影響〉（《清史研究通訊》1990年1期）、森悦子〈袁世凱と勞乃宣「義和拳教門源流考」〉（《史窗》48號—學園創立八十周年史孚科創設四十周年紀念專號，1991年3月）、張守初〈清末民初兩梟雄袁世凱黎元洪的真面目〉（《中外雜誌》36卷5期，民73年11月）、龍寶麒〈慈禧、袁世凱、康有為〉（同上，5卷6期，民58年6月）、張培堯〈張謇、袁世凱、梅蘭芳〉（同上，7卷1期，民59年1月）、潘宏〈軍閥袁世凱的三次背叛行動〉（《軍事歷史》1995年5期）、安宇〈論孫中山對袁世凱再度妥協的原因〉（《徐州師院學報》1986年3期）、山根幸夫〈袁世凱と日本人たち—坂西利八郎を中心として〉（《早稲田大學社會科學討究》30卷3號，1985年4月）及〈袁世凱と坂西利八郎〉（載山根幸夫《近代中國のなかの日本人》，東京，研文出版，1994）、坂西利八郎〈有賀博士と袁世凱〉（《外交時報》67卷1號，1933）、張鐵綱〈閻錫山與袁世凱〉（《山西地方志》1986年6期）、張守初〈袁世凱子孫的異行〉（《中外雜誌》32卷2期，民71年8月）、袁靜雪原作〈袁世凱的家庭與妻妾子女〉（《傳記文學》57卷1期，民79年7月）、沈雲龍〈袁世凱的妻妾子女〉（《傳記文學》10卷3期，民56年3月）及〈汪兆銘與袁世凱〉（同上，49卷5期，民75年11月）、林光灝〈袁世凱汪精衛〉（《中外雜誌》16卷5期，民63年11月）、朱宗震〈應夔函與袁世凱—兼論民國初年會黨問題〉（《歷史月刊》52期，民81年5月）、孫大勛、褚家偉〈袁世凱與《居仁日覽》〉（《文物天地》1981年6期）、徐一士〈榮祿與袁世凱〉（《逸經》22期，民26年1月）、夏東元〈盛宣懷與袁世凱〉（《歷史研究》1987年6期）、何澤福〈宋教仁與袁世凱〉（《上海師大學報》1983年3

期）、馬克鋒〈嚴復與袁世凱〉（《福建論壇》1994年6期）、沈思齊〈袁世凱與林長民〉（《人文月刊》8卷1期，民26年2月）、潘日波〈論梁啟超與袁世凱〉（《贛南師院學報》1996年1期）、孫昌〈袁世凱逝世時間小證〉（《許昌師專學報》1986年3期）、戴志強、劉順〈袁世凱為什麼葬在安陽？〉（《中州今古》1983年1期）。

2.洪憲帝制

有陳志讓〈洪憲帝制的一些問題〉（《中華民國初期歷史研討會論文集》上册，中央研究院近代史研究所，民73）、雷慧兒〈洪憲帝制的緣起〉（《食貨月刊》復刊12卷12期，民72年3月）、蕭良章〈論洪憲帝制運動發生的原因〉（《中華民國史專題論文集：第一屆討論會》，臺北，國史館，民81）、林麗明《民國初年政治人物與建國歷程：袁世凱改元洪憲的背景分析》（臺北，唐山出版社，民73）、賀凌虛〈民初的帝制運動〉（《近代中國》100期，民83年4月）、馬勇〈辛亥革命帝制復辟思潮平析〉（《二十一世紀》第7期，民80年10月）、吳文燦〈試論袁世凱的封建帝王思想和活動〉（《齊魯學刊》1987年2期）、孫克復等《袁世凱尊孔復辟醜劇》（北京，中華書局，1975）、丁中江〈袁世凱稱帝始末〉（載《雲南起義擁護共和五十周年紀念特刊》，臺北，民54）、白蕉〈袁世凱帝制思想之由來與日本〉（《人文月刊》7卷8期，民25年10月）、久保田文次〈袁世凱の帝制計畫と二十一ケ條要求〉（《史艸》20號，1979年11月）、山田辰雄〈袁世凱の政治と帝制論〉（宇野重昭、天兒慧編《二〇世紀の中國》東京大學出版會，1994）及〈袁世凱帝制論再考一フラン·J.ヴツドナウと楊度〉（載山田辰雄編《歷史のなかの現代中國》，東京，勁草書房，1996）、曾村保信〈袁世凱帝制問題と日本の外交〉（《國際法外交雜誌》56卷2號，1957）、青柳篤恒〈袁世凱の帝業に對する大隈內閣の外文〉（《早稻田政治經濟學雜誌》第9號，1928）、林明德〈日本與洪憲帝制〉（《中國現代史專題研究報告》第3輯，民62）、周彥〈日本與洪憲帝制〉（《求是學刊》1994年2期）、馮祖貽〈袁世凱帝制復辟與日本對華策略〉（載《中日關係史論集》，吉林人民出版社，1984）、黃德福《袁世凱政權與英國：從辛亥革命到洪憲帝制》（臺北，元氣齋，民83）、王綱領〈美國與洪憲帝制〉（《華岡文科學報》15期，民72年12月）、張素平譯、楊立強校〈美國與洪憲帝制：《1915年美國外交文件》選譯〉（《檔案與歷史》1987年4期）、林明仁《列強（日、英、美）各國對洪憲帝制的態度》（臺灣大學政治研究所碩士論文，民64年6月）、陳長河〈袁記〝大典籌備處〞成立於何時〉（《史學月刊》1983年3月）、劉昭瑩〈袁世凱與民初國體政體的改革〉（《建國學報》15期，民85年6月）、戚世皓〈袁世凱稱帝前後（1914至1916年）：日本、英國、美國檔案之分析與利用〉（《漢學研究》7卷2期，民78年12月）、劍舞〈袁世凱稱帝前後〉（《教學通訊》1983年12期）、戚似楫〈論袁世凱的翻案復辟〉（《廈門大學學報》1976年2期）、齊思〈袁世凱的復辟醜劇〉（《學習通訊》1976年3期）、紀能文〈從共和總統到洪憲皇帝一袁世凱洪憲復辟的歷史透視〉（《天津師大學報》1996年4期）、雲南政報發行所編《袁世凱偽造民意紀實》（昆明，編者印行，民5）、彭明〈袁世凱的竊國和敗亡〉（《軍事史林》1988年1期）、胡柏立《袁世凱稱帝及其敗亡》（鄭州，河南人民出版社，1981）、魏開肇〈袁世凱竊國紀略〉（《學習與研究》1982年2期）、中華書局編輯部《袁世凱竊國記》（臺北，臺灣中華書局，民56臺1版；該書原名《六君子傳》，作者爲陶菊隱）、黃毅《袁氏盜國記》（上海，國民書社印行，民5年5月初版，同年12月增訂3版；臺北，文海出版社影印，民55）、白蕉《袁世凱與中華民國》（上海，人文月刊社，民25；臺北，文星書店影印，民51；該書原爲連載於《人文月刊》上之文章）、高勞〈帝制運動始末〉（《東方雜誌》13卷11號，民5年7月）、《帝制運動始末記》（上海，商務印書館，民12；臺北，文海出版社影印，民56）、亞蘇《救亡（袁世凱叛國自帝之真相）》（亞強社，民4）、二陵〈袁世凱稱帝及馮國璋〉（《越風》2卷1期，民26年1月）、劉成禺、張伯駒著、吳德鐸標點《洪憲紀事詩》（上海，上海古籍出版社，1983）、天懺生、冬山編《八十三日皇帝之趣談：一世之雄而今安在》（上海，文藝編譯社，民6；香港，中山圖書公司翻印，1973，易名爲《八十三日皇帝軼事》）、吳長翼編《八十三天皇帝夢》（北京，文史資料出版社，1983）、北京大學歷史系70級第5組學員〈八十三天的〝洪憲皇帝〞—《反動派當權總是不能長久的》之一〉（《北京大學學報》1974年1、2期）、李永璞〈袁世凱做皇帝天數的訂正〉（《近代史研究》1982年1期）、郭天祥〈袁世凱做皇帝還是八十三天〉（同上，1983年1期）、孫從遠〈袁世凱做皇帝〝83天說〞辨誤〉（《瀋陽師院學報》1993年4期）及〈袁世凱做皇帝的傳統說法辨誤〉（《歷史檔案》1996年1期）、殷延明〈袁世凱復辟帝制〝百日〞說〉（《蘇州大學學報》1995年4期）、張守常〈袁世凱稱帝和〝洪憲科舉〞〉（《北京檔案史料》1995年2

期）、載學稷〈洪憲帝制的夭折和林彪復辟陰謀的破產〉（《文物》1974年5期）。其他相關的論著和資料有郅玉汝〈袁世凱的憲法顧問古德諾〉（《中國現代史專題研究報告》第7輯，民66）及“Goodnow's Missionto China，1913-1915”（《清華學報》新13卷1、2期，民70年12月）、Noel H. Pugach, “Embarrassed Monarchist: Frank Goodnow, and Constitutional Development in China, 1913-1915.”（Pacific Historical Review, No.42, 1995）、郭存孝〈袁世凱的顧問莫里循〉（《民國春秋》1996年6期）、Lan Kit-ching, Sir John Jordan and the Affairs of China, 1906-1916, with Special Reference to the 1911 Revolution and Yuan Shin-Ka'i.（Ph. D. Dissertation, University of London [London], 1968）、趙大為〈有賀長雄及其《共和憲法持久策》〉（《近代史研究》1996年2期）、祝彥〈楊度及其《君憲救國論》〉（《江西教育學院學報》1995年4期）、唐自斌〈楊度與民初兩次復辟〉（《湖南師大學報》1992年2期）、黃中興《楊度與民初政局（1911-1916）》（臺北，師範大學歷史研究所，民75）、王覺源〈洪憲六人幫的楊度〉（《中外雜誌》35卷6期，民73年6月）、諸葛耀麟〈從保皇派到共產主義戰士：楊度人生道路析評〉(《廣西藝術學院學報》1996年增刊）、中村義〈嘉納治五郎と楊度〉（《辛亥革命研究》第5號，1985年10月）、曾田三郎〈楊度研究ノート〉（《廣島大學東洋史研究室報告》第4號，1982年10月）、胡建紅〈楊度晚期突變原因探析〉（《武陵學刊》1996年4期）、羅尊柱〈楊度的一生〉（《湖南文獻》19卷2期，民80年4月）、劉晴波〈政見分歧，終為摯友－黃興與楊度的關係述略〉（載蕭致治主編《領袖與群倫－黃興與各方人物》，武漢大學出版社，1991）、田遨《楊度外傳》（鄭州，河南人民出版社，1984）、羅寶軒〈楊度〉（《歷史教學》1985年3期）、劉晴波〈論楊度—《楊度集》代序言〉（《歷史研究》1985年4期）、唐伯因〈楊度早期思想初探〉（《邵陽師專學報》1986年2期）、鄒紹芬〈試論世界近代政治思潮對楊度思想的影響〉（《湘潭師院學報》1987年2期）、蔣懿茵〈迷途知返的楊度〉（《綿陽師專學報》1986年1期）、楊松容〈梁士詒與洪憲帝制運動〉（《讀史劄記》第3期，星加坡南洋大學歷史學會，1969年6月）、張一麐〈記籌安會始末（心太平齋隨筆）〉（《大風半月刊》63、64期，民29年3月）、籌安會《君憲問題文電彙編》（臺北，文海出版社影印，民62）；《君憲紀實（第1冊）》（全國請願聯合會，民4）、金世和等編《君憲紀盛》（奉天，奉天國民代表選舉事務所，民4）、南華居士編纂《國體問題（首卷）》（2冊，北京，直隸書局，民4）、鶴戾生編《最近國體風雲錄》（編者印行，民4）、喬琪〈論1915年〝國體〞之爭〉（《史學月刊》1992年5期）、元青〈也談《異哉所謂國體問題者》之真義〉（《貴州文史叢刊》1992年2期）、劉淑杰〈梁士詒與〝洪憲帝制〞〉（《大慶高等專校學報》1994年2期）、許鼎彥〈梁士詒與洪憲帝制時期的外交〉（《國史館館刊》復刊19期，民84年12月）、波多野善大〈袁世凱の帝制と段祺瑞・馮國璋〉（《日本名古屋大學文學部二十周年紀念論集》）、胡毅華〈試論洪憲帝制前後馮國璋同袁世凱的關係〉（《近代中國》第5輯，上海社會科學院出版社，1995年6月）、樊建瑩〈〝洪憲改制〞中馮、袁關係探微〉（《許昌師專學報》1993年2期）、左雙文〈民初反袁輿論鬥爭及其局限性芻議〉（《華南師大學報》1995年3期）、許鼎彥〈中國、交通銀行與帝制運動〉（《中國歷史學會史學集刊》27期，民84年7月）、王善中〈1916年中、交兩行停兑與袁世凱倒臺〉（《歷史教學》1987年1期）、張守常〈袁世凱稱帝和洪憲〝科舉〞〉（《北京檔案資料》1995年2期）、韓省之〈末代太子袁克定〉（《歷史知識》1987年3期）、袁家賓〈我的大伯袁克定〉（《傳記文學》58卷2期，民80年2月）、Ursula Richter，"Did Yuan Shih-K'ai's Son Dine With the Kaiser?：Some Evidences for Yuan K'o-ting's Journey to German in 1913"（《中央研究院近代史研究所集刊》17期上册，民77年6月）、陸丹林〈洪憲軼聞〉（《改造雜誌》第2期，民36年1月）。

3.反帝制戰爭（護國之役或護國運動）

通盤性的資料集有李希泌、曾業英、徐輝琪編《護國運動資料選編》（2册，北京，中華書局，1984），所收資料自1915年8月籌安會發生前後至1916年7月軍務院撤消止，絕大部分為第一手資料，其中有不少是從未刊行的檔案資料和私人藏札。雲南省社會科學院、貴州省社會科學院歷史研究所編《護國文獻》（2册，貴陽，貴州人民出版社，1985），所收均為原始文件，上冊分三部分，依序為孫中山、黃興、中華革命黨護國反袁文電、雲南、貴州起義文電、梁啟超、蔡鍔、唐繼堯、劉顯世護國反袁文電；下冊分四部分，依序為護國軍文電通訊與戰報、雲貴人民反袁鬥爭、各省、政團、華僑、留學生反帝制文電和戰況、兩廣都司令部與護國軍務院；並附錄袁世凱復辟帝制文件。全國政協文史資料研究委員會暨雲南、貴州、四川、廣西、廣東、湖南等省區政協文史資料研究會合編《護國討袁親歷記》(北京，文史資料出版社，1985)，紀念護國戰爭七十周年而編，共收27篇資料。他如存萃學社編集周康燮主編《護國運動》(南京，江蘇古籍出版社，1988)、中華新報館編《護國軍紀事》(4册，臺北，國民黨黨史會影印，民59；原係上海，泰東書局印行，民5)、志恢編《再造共和新文牘》(上海，崇義書社，民5)收書信、通電、宣言90餘篇，均為袁世凱稱帝後全國各界名流及組織勸袁退位或討袁所發者。論著方面以謝本書等著《護國運動史》(貴陽，貴州人民出版社，1984)所述最為完整、詳盡；其他尚有護國文集編輯組編《護國文集：護國起義七十周年學術討論會論文選集》(石家庄，河北教育出版社，1988)、游悔原《中華民國再造史》(上海，民權出版部，民6，臺北，文海出版社影印，民57)、謝本書〈護國運動史研究述評〉(《近代史研究》1987年5期)、〈護國運動史的幾個問題〉(《貴州社會科學》1982年5期)及〈護國運動史研究的現狀及展望〉(《貴州文史叢刊》1985年4期)、陶任之〈關於護國運動史研究的管見〉(《雲南文史叢刊》1985年3期)、林能士〈臺灣學者對護國運動史的研究與評估〉(《政大歷史學報》13期，民85年4期)、曾景鐘〈兩種護國運動史資料書評介〉(《貴州文史叢刊》1985年4期)、李慧琴〈護國運動的性質及其歷史作用〉(《雲南師大學報》1985年2期)、唐德剛〈「護國運動」的宏觀認知與微觀探索—「紀念雲南起義八十週年學術研討會」講辭節要〉(《傳記文學》68卷1期，民85年1月)、徐宗勉〈護國戰爭中有關〝維護共和〞的若干觀念與構想〉(《近代史研究》1988年5期)、夏光輔〈護國運動的領導問題〉(《昆明師院學報》1980年5期)、閻書欽〈護國運動領導權問題之我見〉（《河北學刊》1993年5期）、金沖及〈護國運動中的幾種政治力〉（《歷史研究》1986年2期）、楊維駿〈領導護國運動的是什麼政治力量〉（《西南軍閥史研究叢刊》第1輯，1982）、常玲〈護國運動中的幾種政治勢力〉（《雲南民族學院學報》1986年3期）、謝本書〈對〝護國戰爭〞幾個問題的認識〉（《歷史教學》1966年3期）、謝本書、高光漢〈論護國戰爭〉（載《西南民族歷史研究集刊》第1輯，1980）、毛振發〈護國戰爭的幾個軍事問題〉（《研究集刊（雲南省歷史研究所）》1981年1期）、孫代興〈略論護國戰爭的勝利問題〉（同上，1982年1期）、謝本書〈護國戰爭的結束及其善後處理〉（《思想戰線》1982年3期）、鄧之誠〈護國軍紀實〉（《史學年報》2卷2期，民24年9月）、張維翰〈護國軍戰役實錄〉（《雲南文獻》第5-6期，民64年12月、65年12月）、錢淑華〈反洪憲帝制運動初探〉（《中正嶺學術研究集刊》第6集，民76年6月）、〈反洪憲帝制思潮之探析〉（《革命思想》62卷4期，民76）及〈反洪憲帝制運動之情勢探析〉（同上，63卷3-4期，民76）、謝本書〈反袁大聯合的勝利—紀念護國戰爭勝利80周年〉（《求索》1996年1期）。

護國運動在各地方面有庾恩暘《雲南首義擁護共和始末記》（2冊，昆明，雲南圖書館，民6；臺北，文海出版社影印，民57）、雲南起義擁護共和五十周年紀念大會籌備委員會編《雲南起義擁護共和五十周年紀念特刊》（臺北，編者印行，民55）、白之瀚《雲南護國簡史》（昆明，新雲南叢書社，民35）、李宗黃《雲南起義信史》（中國地方自治學會，民35）、曾業英《雲南護國起義的醞釀與發動》（《歷史研究》1986年2期）、顧大全〈試論雲南護國起義〉（《西南軍閥史研究》第4輯，1985）、熊宗仁〈雲南起義與護國運動〉（《貴州社會科學》1982年2期）、胡繩武、金沖及〈雲南護國運動（1915）的真正發動者是誰？－兼論護國運動的社會背景與性質〉（《復旦學報》1956年22期）、何慧青〈雲南起義經過〉（《雲南文獻》21期，民80年12月）及〈護國之役雲南起義秘史〉（《逸經》21期，民26）、陶熔貫成〈紀念雲南起義促進中國統一－為紀念雲南起義七十八週年作〉（《雲南文獻》23期，民82年12月）、邱開基〈雲南起義真相〉（同上，12期，民71年12月）、李達人〈紀念雲南起義七十周年〉（同上，15期，民74年12月）、林翠〈與臺大李守孔教授論雲南護國起義〉（《雲南文獻》第5期，民64年12月）、張維翰〈雲南起義護國之史實〉（同上，第7期，民66年12月）、后希鎧〈雲南起義護國的我見〉（同上，15期，民74年12月）、李宗黃〈雲南起義在歷史課本上嚴重錯誤之糾正〉（同上，第2期，民61年12月）、譚家祿〈雲南起義再造共和〉（《雲南文獻》17期，民76年12月）、眭雲章〈雲南起義是怎樣發動的之真相〉（《三民主義半月刊》35期；民43年10月）、林翠〈雲南護國起義〉（《政治評論》15卷9期，民55年1月）及〈雲南起義國定紀念日史略〉（同上，17卷8期，民55年12月）、李宗黃〈雲南起義與各省響應〉（《中國地方自治》6卷3期，民45年1月）、〈雲南起義與上海之關係〉（同上，12卷10期，民49年1月）、〈國父領導的雲南起義〉（同上，18卷7期，民54年11月）及〈雲南起義紀念日之史實〉（同上，19卷9期，民56年1月）、楊亮臣〈雲南首義推翻洪憲帝制史實〉（《雲南文獻》21期，民80年12月）、宋彬、陳起麟、沈永曦、朱家修〈歷史事實，不容顛倒－雲南首義護國紀念感言〉（同上，25期，民84年12月）、董坤維〈雲南起義八十週年話護國〉（同上）、白之瀚〈雲南起義史實之正誤及與進步系始合終離之前因後果〉（《中國地方自治》15卷9期，民52年1月）及〈雲南起義史實正誤之餘〉（同上，15卷11期，民52年3月）、李宗黃〈雲南首義身歷記〉（《傳記文學》14卷2、3期，民58年2、3月）及〈雲南起義與護國三傑〉（《雲南文獻》第4期，民63年12月）、丘峻〈雲南起義與梁蔡師生〉（《民主潮》4卷19期，民43年12月）、沈澤清〈雲南起義與黨派團結〉（同上，3卷3期，民42年1月）、申度璧〈國父與雲南起義〉（《中國地方自治》18卷7期，民54年11月）及〈國父對雲南起義之評價及其啟示〉（《民主憲政》9卷7期，民44年12月）、張貢新〈雲南各族人民發動護國起義的經過〉（《民族文化》1982年3期）、郭惠青〈試論雲南人民對護國戰爭的偉大貢獻〉（《雲南師大學報》1986年4期）、吳達德〈雲南講武堂與護國運動〉（《自貢師專學報》1990年3期）、許惠民〈護國戰爭與雲南財政〉（《思想戰線》1991年6期）、寺廣映雄〈雲南護國軍について—起義の主體と運動の性質〉（《東洋史研究》17卷3號，1958年12月）、張維翰〈陸軍第十九鎮與辛亥革命丙辰護國之役〉（《雲南文獻》第8期，民67年12月）、朱心一〈從「雲南護國軍」的全勝談「政戰制度」的功能與維護〉（同上，22期，民81年12月）、萬揆一〈雲南護國軍討袁時期的「號外」〉（同上，25期，民84年12月）。顧大全《護國戰爭與貴州》（貴陽，貴州人民出版社，1985）及〈貴州護國起義〉（《貴州文史叢刊》1985年4期）、胡以欽〈王文華在貴州護國運動中的作用〉（同上，1986年3期）、貴州省檔案館〈護國戰爭時期貴州宣布獨立文件〉（《歷史檔案》1985年2

期）、吳雪儔〈貴州響應護國起義前內部鬥爭〉（載《護國文集—護國起義七十周年學術討論會論文選集》，河北教育出版社，1988）、朱崇演〈貴州參加護國運動的內因初探〉（同上）、莫健、雷永明〈貴州的倒袁鬥爭及其貢獻〉（同上）、李曉紅〈袁世凱復辟帝制期間貴州人民的反袁鬥爭〉（《貴州文史叢刊》1986年2期）、徐進筆述《貴州獨立記》（上海，泰東圖書局，民5）、梁學乾〈廣西與討袁護國〉（《廣西文獻》65期，民83年7月）、周開慶《四川與護國之役》（臺北，四川文獻研究社，民64）、孫震〈四川護國討袁記〉（《四川文獻》第4期，民51年12月）、孫代興〈護國戰爭中的川南之役〉（《貴州文史叢刊》1985年4期）、王繼平〈護國黔軍攻克沅陽、麻陽時間辨正〉（同上，1987年2期）、唐學鋒〈護國戰爭中的四川軍民〉（《重慶社會科學》1991年1期）、高勞〈四川與護國之役〉（《四川文獻》95期，民59年7月）、華生〈四川護國之役〉（同上，112期，民60年12月）、庚恩暘〈護國軍四川方面之軍情〉（同上，104期，民60年4月）、顧大全〈護國之役洋軍在川湘之罪行與戰區人民的討袁鬥爭〉（《貴州文史叢刊》1985年2期）。梁學乾〈廣西護國軍討袁運動〉（《廣西文獻》65期，民83年7月）、鍾珍維、夏琢瓊〈論廣東地區 護國運動的發展〉（《中學歷史教學》1986年2期）、陳長河〈隆世儲與欽廉反袁起義〉（《軍事史林》1989年2期）、王勁、王問〈陝西護國運動述評—為紀念孫中山誕辰120周年而作〉（《蘭州大學學報》1986年4期）、曾立人、張行〈護國運動中陝西的反袁逐陸引爭〉（《西北大學學報》1981年3期）、郭潤宇〈反袁護國在陝之戰〉（《軍事歷史》1994年2期）、陳長河〈遼東護國軍反袁起義經過〉（《歷史檔案》1996年2

期）、曲曉璠〈遼寧護國軍起義與民初東北反袁鬥爭〉（《遼寧師大學報》1990年4期）及〈中華革命黨在東北的三次反袁活動〉（《東北師大學報》1993年3期）、延國符〈民五山東革命討袁紀要〉（載《雲南起義擁護共和五十周年紀念特刊》民55）及〈山東討袁革命史〉（《傳記文學》15卷6期、16卷1期，民58年12月、59年1月）、許鼎彥《山東的反袁帝制運動》（臺灣大學歷史研究所碩士論文，民73年6月）、エリア・リンス〈中國の第3革命と日本—1916年山東省における反袁運動を中心に〉（《史苑（立教大學史學會）》54卷1號，1993年12月）、郭芳美〈居正與山東討袁運動〉（《臺北商專學報》39期，民81年12月）、〈居正與討袁東北軍〉（《近代中國》11期，民68年6月）、汪友明〈述論中華革命軍東北軍〉（《臨沂師專學報》1990年1期）、王繼平〈論護國戰爭時期的湘西戰場〉（《吉首大學學報》1988年2期）、胡國樞〈浙江人民對護國運動貢獻〉（載《護國文集—護國起義七十周年學術討論會論文選集》，河北教育出版社，1988）。

護國運動與人物方面：關於護國軍神蔡鍔有劉達武編、石陶鈞編輯《蔡松坡先生遺集》（線裝12冊，湖南邵陽蔡公遺集編印委員會刊行，民32；臺北，文星書店影印，民51）、毛注青等編《蔡鍔集》（長沙，湖南人民出版社，1983）、曾業英編《蔡松坡集》（上海，上海人民出版社，1985）、蔡端編《蔡鍔集》（北京，文史資料出版社，1982）、蔡鍔《松坡軍中遺墨》（松坡學會重印，民15；臺北，文海出版社影印，民56）、劉達武輯印《蔡松坡先生榮哀錄》（民24排印本）、雲南國是報社編《蔡（鍔）黃（興）追悼錄》（臺北，文海出版社影印，民56）、天懺生、冬山編《黃克強·蔡松坡軼事》（上海，文藝編譯社，民5；臺北，文海出版社影印，民60）、譚錫康《蔡松坡軼事》（上海，新進齋書局，民13）、林逸《民國蔡松坡先生鍔年譜》（臺北，臺灣商務印書館，民76）、吳天任編著《蔡松坡將軍年譜》（臺北，國立編譯館，民78）、李文漢《蔡邵陽年譜》（2卷，嵩明縣教育科石印本，民32）、宗澤《蔡鍔與護國運動》（北京，雲海出版社，1951）、謝本書編著《蔡鍔傳》（天津，天津人民出版社，1983）、劉福祥、趙矢元《蔡鍔》（哈爾濱，黑龍江人民出版社，1984）、李旭《蔡松坡》（青年出版社，民35年再版）、劉光炎《蔡松坡》（香港，亞州出版社，1958）、毛振發《蔡鍔》（北京，軍事科學出版社，1988）、王丕震《蔡鍔》（臺北，秋海棠出版社，民83）、河洛圖書出版社編印《一代英才蔡松坡》（臺北，民68）、國家出版社編印《護國名將蔡松坡》（臺北，民72）、任光椿《將軍行—蔡鍔傳》（北京，團結出版社，1996）、魏偉奇《風雲長護—蔡松坡傳》（臺北，近代中國出版社，民72）、丁鳳麟、施宣圓《護國運動主將蔡鍔》（上海，上海人民出版社，1984）、張震《梁啟超與蔡鍔》（香港中文大學碩士論文，1973）、胡平生《梁蔡師生與護國之役》（臺灣大學文學院，民65）、〈蔡鍔〉（載《中華民國名人傳》第6冊，臺北，近代中國出版社，民75）及〈辛亥革命前的蔡松坡〉（《中華文化復興月刊》7卷10期，民63年10月）、張振鶴〈蔡鍔（1882-1916）〉（載《民國人物傳》第1卷，北京，中華書局，1978）、駱正光〈試評蔡鍔〉（《雲南省歷史研究所研究集刊》1981年3、4期）、謝本書〈蔡鍔述評〉（同上，1982年1、2期）、〈論蔡鍔〉（《歷史研究》1979年11期）及〈再論蔡鍔〉（《求索》1984年2期）、吳寶璋、范建華〈談蔡鍔的評價〉（《昆明師院學報》1983年3期）、謝本書、孫代興、高光漢〈關於蔡鍔評價的若干問題〉（《雲南社會科學》1983年2期）、林螢〈蔡鍔將軍〉（《新湘評論》1981年11、12期）、李恩普〈蔡鍔二三事〉（《中學歷史教學》1982年6期）、左舜生〈記蔡松坡〉（《湖南文獻》3卷4期，民64）、范奇浚〈蔡鍔的故事〉（《中外雜誌》24卷6期，民67年12月）、李恩民、刑麗荃〈蔡鍔研究七十年〉（《貴州社會科學》1987年12期）、林荃〈蔡鍔傳〉（《雲南文史叢刊》1986年1期）及〈共和英傑蔡松坡〉（《四川文物》1988年3期）、吳相湘〈護國軍神蔡松坡〉（《傳記文學》4卷5期，民53年5月）、召日安〈蔡松坡先生的生平與功業〉（《近代中國》26期，民70年12月）、羅城〈蔡松坡之生平與事功〉（《生力》9卷97期，民64）、蕭平〈蔡鍔將軍─邵陽出來的文武全才〉（《邵陽師專學報》1996年4期）、胡平生〈再造共和蔡鍔將軍傳〉（《湖南文獻》18卷1期，民79年1月）、陳復光〈蔡公松坡別傳〉（《清華週刊》100期，民6）、士敏、桂昌〈蔡鍔將軍幾件事─訪蔡鍔之子蔡端〉（《新時期》1981年10期）、張貢新〈論蔡鍔的歷史地位及其功過─紀念雲南護國運動六十七周年〉（《民族文化》1982年6期）、姚遠〈蔡鍔史事鉤沉〉（《高校圖書館工作》1981年4期）、謝本書〈蔡鍔名字考辨〉（《雲南社會科學》1982年6期）、吳景熙〈松坡將軍名諱質疑〉（《文獻》第8輯，1982）、鐵鷹〈略談蔡鍔的童年傳說〉（《邵陽師專學報》1996年4期）、馬少僑〈蔡鍔將軍的學生時代〉（同上）、楊維駿〈蔡鍔的政治傾向〉（《雲南社會科學》1983年2期）、林荃〈蔡鍔是改良派、立憲黨人嗎？〉（同上，1984年1期）、賈同耀〈蔡鍔派別析〉（《雲南師大學報》1989年2期）、鎌田和宏〈史料紹介：

蔡鍔と日本〉（《辛亥革命研究》第7號，1987年11月；其中譯文爲依聞譯〈蔡鍔與日本〉，載《船山學刊》1996年1期）、中村義〈資料紹介：成城學校と蔡鍔・陶成章〉（同上，第4號，1984年5月）、曾業英〈蔡鍔與《清議報》〉（《郭廷以先生九秩誕辰紀念論文集》，臺北，中央研究院近代史研究所，民84年2月）、盧仲維〈蔡鍔在桂始末〉（《廣西師大學報》1988年3期）、謝本書〈蔡鍔與清末廣西幹部學堂風潮〉（《史學月刊》1984年4期）、〈蔡鍔與雲南〉（《昆明社科》1996年5期）、〈蔡鍔與辛亥革命雲南的改革〉（《名人傳記》1988年9期）及〈蔡鍔與辛亥雲南起義〉（《民族文化》1982年6期）、楊臣〈蔡鍔與雲南〉（《雲南文獻》15期，民74年12月）、劉毅翔〈也談蔡鍔派滇軍援川援黔的動機和責任〉（《貴州社會科學》1983年4期）、趙興勝〈民初蔡鍔入藏平叛的失敗〉（《民國春秋》1993年4期）、王學庄、曾業英〈蔡鍔的同盟會會籍問題〉（《近代史研究》1987年6期）、方早成〈蔡鍔參加同盟會考一兼與戴建國同志商榷〉（《求索》1985年3期）、徐博東〈蔡鍔參加過進步黨〉（同上，1982年4期）、〈蔡鍔確曾參加過進步黨〉（《學術研究》1984年4期）及〈蔡鍔對民初政黨態度及其與進步黨的關係〉（《齊魯學刊》1987年2期）、戴建國〈蔡鍔黨籍考〉（《雲南社會科學》1982年2期）、陳長河〈蔡鍔與軍人〝不黨主義〞〉（《檔案史料與研究》1993年3期）、曾業英〈蔡鍔與〝二次革命〞〉（《歷史研究》1983年1期）、方早成〈蔡鍔不是擁袁派〉（載《護國文集—護國起義七十周年學術討論會論文選集》，石家庄，河北教育出版社，1988）、謝本書〈蔡鍔與民初政局〉（《社會科學戰線》1996年6期）、魏明〈蔡鍔出京與袁世凱的智鬥及史實訂正〉（《中州學刊》1986年1期）、李性忠〈蔡鍔天津脫險的新史料〉（《思想戰線》1988年2期）、黃清〈黃毓成和周沆—兼談護國起義前夕蔡鍔來滇經過〉（《雲南文獻》24期，民83年12月）、苗培時〈蔡鍔起義〉（《中國青年》1981年3期）、顧大全〈蔡鍔與雲南護國起義〉（《貴州社會科學》1983年3期）、錢家先〈蔡鍔與雲南護國起義的爆發〉（《曲靖師專學報》1989年2期）、周慶餘〈蔡松坡與雲南起義的真相〉（《湖南文獻》9卷3期，民70年7月）、夏鼎民〈護國戰爭中的蔡鍔〉（《文史知識》1981年5期）、謝本書〈蔡鍔與護國戰爭〉（《百科知識》1980年5期）、吳建華〈護國戰爭中的蔡鍔〉（《黃石師院學報》）、沈雲龍〈雲南起義與護國三傑（蔡鍔、李烈鈞、唐繼堯）：紀念雲南護國起義七十周年〉（《雲南文獻》16期，民75年12月）、高光漢〈略論蔡鍔在護國戰爭中的作用〉（《民族文化》1982年6期）、鎌田和宏〈護國運動における蔡鍔の役割について〉（《史潮》新30號，1992年2月）、林建曾〈中國資產階級中間派的一次政治崛起—兼論蔡鍔在護國運動中的作用〉（《貴州社會科學》1983年6期）、謝本書〈蔡鍔在四川〉（《檔案史料與研究》1996年3期）、毛振發〈從護國戰爭看蔡鍔的軍事思想〉（《學術論壇》1983年2期）、李雙璧〈論蔡鍔的軍事思想〉（《貴州文史叢刊》1987年4期）、周一鳴〈略論蔡鍔的軍事思想〉（《邵陽師專學報》1996年4期）、奚紀榮〈蔡鍔軍事思想研究〉（《軍事歷史研究》1996年4期）、丁鳳麟、施宣圓〈蔡鍔的軍事救國思想初探〉（《求索》1987年5期）、鄭清平〈論蔡鍔的救國思想〉（《青海師大學報》1986年3期）、余子道〈蔡鍔《軍事計畫》和蔣百里《軍事常識》兩書的軍事思想〉（《復旦學報》1990年6期）、李雙璧〈論蔡鍔的軍事思想〉（載《護國文集—護國起義七十周年學術討論會論文選，河北教育出版社，1988）、牛後法等〈蔡鍔的軍事變革思想初探〉（同上）、毛振發〈蔡鍔與《五省邊防計畫》〉（《軍事歷史》1988年5期）、成曉軍〈從《曾胡治兵語錄》看蔡鍔對曾國藩治軍思想的敬重與推崇〉（《貴州文史叢刊》1996年6期）、李富軒、李雄〈蔡鍔思想之異彩〉（《華中理工大學學報》1996年4期）、郎萬生〈蔡鍔的愛國精神與廉潔奉公的品格〉（《邵陽師專學報》1996年4期）、陳新憲、李鴻宣〈略論蔡鍔的性格特徵及主導思想〉（同上）、章猶才、歐陽斌〈從蔡鍔人格的複雜性看湖湘文化的近代嬗變〉（《湖南師大社會科學學報》1996年6期）、張莉〈蔡鍔的人格力量和文化環境〉（《探索與爭鳴》1996年12期）、趙佛重〈蔡松坡（鍔）先生的高風亮節〉（《湖南文獻》13卷2期，民74年4月）、楊念群〈蔡鍔與梁啟超關係初探〉（《雲南社會科學》1985年6期）、謝本書〈蔡鍔與黃興〉（同上，1982年1期）、唐井肖〈千里論交十五年—黃興與蔡鍔的深摯情誼〉（《湖南文獻》23卷1期，民84年1月）、蕭政治〈〃寄字遠從千里外，論交深在十年前〃—黃興與蔡鍔〉（載《領袖與群倫—黃興與各方人物》，武漢大學出版社，1991）、蔡學忠〈黃興與蔡鍔〉（《近代中國》第5期，民67）、后希鎧〈唐繼堯與蔡鍔：紀念「雲南起義」七十周年並試釋唐蔡「爭功」公案〉（《傳記文學》47卷6期、48卷1期，民74年12月、75年1月）、謝本書〈蔡（鍔）唐（繼堯）龍（雲漢）之比較〉（《雲南方志》1989年3期）、楊維真〈論蔡鍔與唐繼堯〉（《政大歷史學報》13期，民85年4月）、李天健〈唐繼堯與蔡鍔〉（《雲南文獻》25期，民84年12月）、楊亮臣〈護國三傑賓主立場之論述〉（同上，15期，民74年12月）、原馥庭〈閻錫山與蔡鍔及李敏〉（同上，25期，民84年12月）、謝荔〈從幾件歷史文物看護國討袁時期的蔡鍔與朱德〉（《四川文物》1987年3期）、艾冰生〈蔡鍔和朱德〉（《邵陽師專學報》1996年4期）、邵仰之〈英辭誦金石，護國樹豐碑：讀蔡鍔《護國岩銘並序》刻石〉（同上）、范叔寒〈蔡松坡與護國巖〉（《湖南文獻》3卷1期，民64年1月）、吳景熙、薛英〈蔡鍔對聯辨〉（《文獻》第8輯，1982）、北京晨報《蔡松坡十周年忌紀念特刊》（民15年11月8日）、王培堯〈蔡松坡鳳仙戀〉（《中外雜誌》10卷1-3期，民60年7-9月）、陳維旺〈也談蔡松坡與小鳳仙〉（同上，16卷2期，民63年8月）、袁建祿〈小鳳仙的二三事〉（《浙江月刊》11卷3期，民68年3月）、曾虛白〈賽金花與小鳳仙〉（《東方雜誌》復刊8卷1期，民63年7月）、陳旭麓〈小鳳仙其人〉（載氏著《近代史思辨錄》，廣東人民出版社，1984）、羽軍〈蔡鍔死後的小鳳仙〉（《歷史知識》1982年1期）、金承藝〈名妓小鳳仙的出身和下落〉（《傳記文學》50卷3期，民76年3月）、彭醇士〈小鳳仙考〉（《民主評論》4卷22期，民42年11月）；又1996年11月紀念蔡鍔逝世80周年國際學術討論會於蔡氏的家鄉湖南省之邵陽舉行，使蔡鍔的研究更向前邁進一大步。關於梁啟超與護國運動有梁氏所撰〈護國之役電文及論文〉（臺北，文海出版社影印，民56）、《盾鼻集》（臺北，臺灣中華書局，民50臺一版）及〈護國之役回顧談〉（收入氏著《飲冰室文集》之39，同上，民49臺一版）；世界時報社編輯《康・梁・徐討袁文》（舊金山，編輯者印行，出版時間不詳）；董方奎《梁啟超與護國戰爭之役》（臺北，臺灣大學文學院，民65），論文方面約有二十餘篇，已在前辛亥革命中改良與革命梁啟超條目中列舉過，可參閱之，此處不再贅舉。關於唐繼堯與護國運動有楊維真〈唐繼堯與護國之役〉（《雲南文獻》18期，民77年12月）、〈唐繼堯與護國戰爭的發動〉（《文史雜誌》1993年3期）及〈論護國前夕唐繼堯的政治態度〉（《雲南文獻》25期，民84年12月）、高建國〈試論唐繼堯在護國運動中的作用〉（《雲南師大學報》1988年3期）、李行健〈唐繼堯與護國運動〉（《雲南文史叢刊》1995年3期）、李維〈唐繼堯與護國運動—十二月廿五日的一點聯想〉（《歷史月刊》11期，民77年12月）、顧金龍〈唐繼堯在護國起義中的作用〉（載《護國文集—護國起義七十周年學術討論會論文選集》，1988）、張貢新〈論唐繼堯的護國革命思想及其對護國運動的特殊貢獻〉（《民族文化》1983期）、孫代興〈試評唐繼堯在護國運動中的態度和作用〉（《研究學刊》1980年1期）、李侃、李占領〈護國時期的唐繼堯與孫中山梁啟超〉（《民國檔案》1995年3期）、鄒明德〈1915年唐繼堯任可澄致袁世凱漾電的考證〉（《學術月刊》1980年11期）、王一景、陳正卿〈護國戰爭後期唐繼堯、繆嘉壽等來往密電及有關佚文〉（《檔案與歷史》1987年4期）、中國第二歷史檔案館〈護國運動期間唐繼堯等文電一組〉（《歷史檔案》1981年4期）。其他人士有周元高〈試評護國戰爭中的李烈鈞〉（《史林》1990年3期）、顧大全〈劉顯世與袁世凱—評劉顯世參加護國運動〉（《西南軍閥史研究叢刊》第1輯，1982）、高光漢〈陸榮廷與討袁護國戰爭〉（《雲南教育學院學報》1986年1期）、林茂高〈陸榮廷與護國運動〉（《廣西師院學報》1983年4期）、丁長清〈陸榮廷附幟討袁史略〉（《史志文萃》1989年1期）、李寧、李鳳飛〈試論陸榮廷參加討袁護國戰爭的主要原因及其歷史作用〉（《松遼學刊》(四平師院學報)，1996年1期）、李魄〈陸榮廷與辛亥革命、討袁、護法及其失敗〉（《廣西文獻》第4期，民68年4月）、高光漢〈孫中山與護國運動〉（《雲南社會科學》1982年2期）、顧大全〈孫中山與護國運動〉（《貴州文史叢刊》1982年3期）、孫占元〈論護國與護法運動中的孫中山—兼論護國運動的領導者和護國、護法運動的作用問題〉（《山東師大學報》1994年5期）、林家有〈孫中山對袁世凱的鬥爭—兼論護國運動的性質〉（《學術研究》1996年4期）、龍之鴻〈戴戡的一生〉（《貴州文史叢刊》1993年4期）、黃發政〈護國戰爭時期的戴戡〉（《貴州師大學報》1987年1期）、何輯五〈護國討袁幕後人物王伯群與王文華〉（《雲南文獻》12期，民71年12月）、胡以欽〈王文華在貴州護國運動中的作用〉（《貴州文史叢刊》1985年4期）、李宏生〈山東討袁護國司令薄子明〉（《山東師大學報》1993年2期）、楊麗祝〈岑春瑄與民初政局〉（《嘉義農專學報》12期，民74年10月）。政黨派系與護國運動的關係有劉福祥、趙矢元〈略論護國運動中的進步黨—兼論護國運動的領導權問題〉（《北方論叢》1986年3期）、李天松〈淺談孫中山領導的中華革命黨及其在護國運動中的歷史地位〉（《武漢大學學報》1991年5期）、高光漢〈論中華革命黨在護國運動中的作用和地位〉（《雲南社會科學》1985年6期）及〈中華革命黨與護國戰爭〉（《學術論壇》1983年2期）、李守孔〈中華革命黨與護國軍〉（《中華學報》2卷1期，民64年1月）、王杰〈護國軍與中華革命軍倒袁成敗初探〉（《昆明師院學報》1981年1期）、郭洛〈論舊桂系在護國運動中的作用〉（《廣西黨校學報》1989年1期）、黃宗炎〈護國運動與舊桂系的興亡〉(《學術論壇》1988年3期)、常玲〈護國運動中的各種政治勢力〉(《雲南民族學院學報》1986年3期)、謝本書、高光復〈護國戰爭中資產階級革命派與改良派的聯合〉(載《紀念辛亥革命七十周年學術討論會論文集》上册,北京,中華書局,1983)。其他與護國運動相關的論著有王善中〈護國戰爭第一通電報〉(《雲南社會科學》1982年2期)及〈護國戰爭第一通電報〉(《雲南社會科學》1982年2期)及〈為什麼護國戰爭討袁漾電有兩種文本?〉(《河北師大學報》1982年1期)、馮祖貽〈護國戰爭爆發前的天津密會〉(《貴州文史叢刊》1985年4期)、謝本書等〈〃護國演説社〃評介〉(《研究集刊》1981年1期)、力文〈論〃護國演説社〃〉(《歷史檔案》1985年2期)、李慧琴〈《滇聲報》的反袁護國思想〉(《雲南師大學報》1986年6期)、陳長河〈護國軍軍費的籌措〉(《貴州檔案史料》1989年1期)、巴斯蒂(Marianne Bostid-Bruguiere)〈法國與護國運動(1915-1916)〉(《國父建黨革命一百週年學術討論集》第1册,民84)、董家安〈日本倒袁侵華策略之分析〉(《教育學院學報》第1期,彰化,民65年4月)、林明德"A Study of Japan's Anti-Yuan Policy,1915-1916"(《師大歷史學報》第9期,民70年5月)、伊原澤周〈護國討袁與久原借款〉(《珠海學報》15期,1987年10月)、何斯強〈護國戰爭時期的軍務院〉(《思想戰線》1982年1期)、兩廣都司令部參謀廳編纂《軍務院考實》(上海,商務印書館,民5)、曾業英〈中華民國軍務院成立述評〉(《貴州文史叢刊》1986年3期)、王守正〈軍務院稱謂辨析〉(《雲南教育學院學報》1995年4期)、〈淺談軍務院〉(《史學集刊》1989年2期)及〈略談軍務院的性質〉(《青海師大學報》1988

年4期）、徐矛、楊雯〈軍務院始末〉（《辛亥革命資料（上海）》1986年4期）、林荃〈論軍務院〉（《西南軍閥史研究叢刊》第1輯，1982）、鐙屋一〈「三次革命」と「軍務院」の生成と消滅─民國初期議會政治史の一斷面〉（載野口鐵郎編《中國における教と國家─筑波大學創立二十周年記念東洋史論集》，東京，雄山閣出版，1994）。莫世祥〈護國運動時期商人心理研究〉（《歷史研究》1986年4期）、黃慶雲〈華僑對護國反袁鬥爭的貢獻〉（載《護國文集─護國起義七十周年學術討論會論文選集，1988）、郭景榮〈愛國華僑在反袁鬥爭中的貢獻〉（載《孫中山研究論叢》第1集，1983）。

㈤其他

1.民初政治

有胡春惠〈聯邦主義與民國初年的分與合〉（載《中國歷史上的分與合學術討論會論文集》，臺北，聯合報文化基金會，民84）、張憲文〈試論袁世凱政權的集權政治與省區的地方主義〉（同上）、石川忠雄〈清末及び民國初年における連邦論と省制論〉（《法學研究》24卷9、10期，1951年10月）、胡春惠〈民初的地方分權主義〉（《中山學術文化集刊》28、29集，民71年3月、72年3月）、李維峰〈民國初年的地方分權與中央集權之爭〉（載張憲文主編《民國研究》第2輯，南京大學出版社，1995）、John H. Fincher, Chinese Democracy: The Self-Government in Local, Provincial and National Politics, 1905-1914.（New York: St. Martins Press, 1981）、Franklin W. Houn, Central Government of China, 1912-1928: An

Institutional Study.（Madison: University of Wisconsin Press, 1957）、林忠山〈民初政治與行政分合現象之研究—唐紹儀內閣以前〉（《中國文化大學政治學研究所學報》創刊號，民81年1月）、中村義〈軍民分治論について—民國初年政治史研究覺書〉（《史海》19號，1972年2月）、賀凌虛〈民初政府體制的變革〉（《近代中國》82期，民80年4月）、〈民初共和國體的確立〉（收入氏著《孫中山政治思想論集》，臺灣大學三民主義研究所，民84）及〈民國初建國家結構的爭議〉（同上）、徐矛〈西方政制的引入與民國初年的政局〉（《復旦學報》1987年5期）、何振東〈辛亥革命前後國家體制的變革〉（《徐州師院學報》1988年1期）、姚琦〈論民初中央政府組織形式之爭〉（《歷史檔案》1995年2期）、李雲漢〈民國開國規模與政風〉（《中華文化復興月刊》12卷1期，民68年1月）、吕實強〈孫中山與中華民國—開國勳業與立國宏規〉（載《中華民國建國八十年學術討論集》第1册，民80）、賀淵〈民國初年的政治制度〉（《中國行政管理》1991年2期）、張亦工〈民國初年政治的結構和文化初探〉（《天津社會科學》1993年5期）、王家儉〈民初地方行政現代化的探討（1912-1916）〉（《師大歷史學報》第9期，民70年5月）、片倉芳和〈張振武、方維銃殺事件について〉（《史叢》18號，1974年9月）、朱宗震〈張振武案及其政治風潮〉（《辛亥革命史叢刊》第4輯，1982）、劉振嵐〈黎、袁勾結謀殺張振武一案內幕及其政治風波〉（《首都師大學報》1995年6期及1996年1期），其他有關張振武案的論文已在前「袁世凱」有關論著資料中舉述，可參閱之；駱惠敏編、劉桂梁等譯《清末民初政情內幕—《泰晤士報》駐北京記者袁芯凱政治顧問喬·厄·莫理循書信集》（2

冊，北京，知識出版社，1986）、閻泌恒〈袁世凱當政初期的政情分析〉（《現代中國軍事史評論》第4期，民77年2月）、陳曼娜〈略論辛亥革命後〝二次革命〞前的政治格局〉（《南都論壇（南陽師專）學報》1992年1期）、周樹人〈袁世凱時期的內憂外患〉（同上）、季雲飛〈試論1912-1915年袁世凱政權的性質〉（《學術界》1990年1期）、賀凌虛〈民初的監察制度〉（《近代中國》91期，民81年10月）、陶希聖〈民國初期司法制度〉（《食貨月刊》復刊1卷7、8期，民69年10、11月）、鄒永炳《論民初前後的民主運動》（中國文化大學政治研究所碩士論文，民71年1月）、朱宗震《民國初年政壇風雲》（鄭州，河南人民出版社，1990）、林桶法〈民國初期反「政治現代化」現象之分析（民國元年至17年）〉（《國史館館刊》復刊13期，民81年12月）、貴志俊彥〈袁世凱政權の內モンゴル地域支配體制の形成〉（《史學研究》185號，1989年9月）、狹間直樹〈清末民初の民族主義に關する若干の考察—「排滿」と五族共和をめぐって〉（載河內良弘編《清朝治下の民族問題と國際關係》，1991）、貴志俊彥〈最近の袁世凱政權研究の動向〉（《廣島大學東洋史研究室報告》第8號，1986年10月）。其部分內容與本主題有關的論著有錢實甫《北洋政府時期的政治制度》（2冊，北京，中華書局，1984）為第一部系統論述北洋政府時期（1912-1928）政治機構專著，書末並附有政治制度重要變化簡表、特殊職官簡表、重要法規目錄、名詞索引、名詞簡注等，便於查閱使用；錢端升等《民國政制史》（2冊，長沙，商務印書館，民28），論述1911年至1939年間的中國政治制度，是同類出版品中知名度最高的一部論著，有英譯本，1950由哈佛大學出版；徐矛《中華民國政治制度史》(上海，上海人民出版社，1992)、袁維成、李進修、吳德華主編《中華民國政治制度史》(武漢，湖北人民出版社，1991)、李進修《中國近代政治制度史綱》(北京，求實出版社，1988)、史遠芹、曹貴民、李玲玉《中國近代政治體制的演變》(北京，中央黨史資料出版社，1990)、王永祥《戊戌以來的中國政治制度》(天津，南開大學出版社，1991)、李劍農《最近三十年中國政治史》(上海，太平洋書店，民19)、賈逸君《中華民國政治史》(2冊，北平，文化學社，民18)、秦孝儀主編〈中華民國政治發展史〉(4冊，臺北，近代中國出版社，民74)、雷飛龍主編《中華民國開國七十年來的政治》(臺北，廣文書局，民70)、市古宙三《近代中國の政治と社會》(東京，東京大學出版會，1979)、衛藤瀋吉《近代中國政治研究》(同上)及《現代中國政治の構造》(東京，日本問題研究所，1982)、橫山英編《中國の近代化と地方政治》(東京，勁草書房，1985)、池田誠《中國現代政治史》(東京，法律文化社，1962)、張玉法《中國現代政治史論》(臺北，東華書局，民77)、石川忠雄〈民國政治史論〉(《三田治學會誌》33號、34號，1950年7月、1951年7月)、董霖《中國政府》(上海，世界書局，30)、陳之邁《中國政府》(3冊，第1、2冊爲重慶，商務印書館，民33、34初版，第3冊爲上海，商務印書館，民34初版)、傅啟學《中國政府》(臺北，三民書局，民45)、王家儉《清末民初我國警察制度現代化的歷程(1910-1928)》(臺北，臺灣商務印書館，民73)及〈清末民初我國警察制度現代化的歷程(1901-1915)〉(《師大歷史學報》10期，民71年5月)、郭寶平〈民國時期的國家元首制〉(《民國春秋》1989年2期)、孟奎〈北洋時期的審計機關與審計制度〉（《民國檔案》1993年4期）、林忠山《清末民初中央官僚體制變革之研究—取士之分析》（臺灣大學政治研究所博士論文，民80年7月）及〈清末民初的考試制度之演進〉（《華岡法科學報》第2期，民68年5月）、尹全海、曹政武〈北洋政府文官考試制度述評〉（《信陽師院學報》1993年3期）、陳瑞雲〈論民國政府〉（《史學集刊》1988年3期）、盧僎〈北洋政府始末〉（《歷史學習》1988年4期）、青山武憲〈中華民國國家機構概說〉（《紀要（亞細亞大學アジア研究所）》20號，1994年2月）、蔣永敬、陳進金〈民國以來政權統合的方式與主張〉（載《中國歷史上的分與合學術研討會論文集》，民84）、薛虹〈中華民國統治時期的中央政府〉（《方志研究》1993年1期）、張朋園〈清末民初民主政治之興衰〉（載「中國民主前進研討會」論文，民78年8月）、西順藏、島田虔次編譯《清末民國初政治評論集》（東京，平凡社，1971）、Tsai Wen-hui（蔡文輝），Patterns of Political Elite Mobility in Modern China., 1912-1949.（Hong Kong: Chinese Materials Center, 1983）、寺木德子〈清末民國初年の地方自治〉（《お茶の水史學》第5號，1962年10月）、林緒武〈清末民初地方自治述議〉（《辛亥革命研究動態》1996年1期）、李喜所、許寧〈民元前後（1911-1913）國民〝參政熱〞評析〉（《天津社會科學》1992年2期）、李松林等編《最高權力人物：民國歷屆總統》（臺北，風雲時代出版公司，民83）、張樸民《北洋政府國務總理列傳》（臺北，臺灣商務印書館，民73）、楊大辛主編《北洋政府總統與總理》（天津，南開大學出版社，1989）、傅錫誠《政治精英與政治秩序—民初國務員之研究（1912-1915）》（臺灣大學政治研究所碩士論文，民72年7月）、錢實甫編著、黃清根整理《北洋政府職官年表》（上海，華東師大出版社，1991）、劉壽林編《辛亥以後十七職官年表》（北京，臺北，中華書局，1966；臺北，文海出版社影印，民63）及《民國職官年表》（北京，中華書局，1995）、東方雜誌社編《民國職官表，民國元年1月起民國七年6月止》（臺北，文海出版社，民60）、賈士毅《民國初年的幾任財政總長》（臺北，傳記文學出版社，民56）、卓遵宏〈民國首任財政總長陳錦濤的一生〉（《國史館館刊》復刊第6期，民78年6月）、David Pong, "The Ministry of Foreign Affairs During the Republican Period, 1912-1920."（In Zara Steiner, ed, The Times Survey of Foreign Ministries of the World, London: Times Books, 1982）、張亦工、徐思彥〈二十世紀初期資本家階級的政治文化與政治行為方式初探〉（《近代史研究》1992年2期）、陳慶〈二十年來的中國政治與批評〉（《廣西大學周刊》2卷1-3期，民21）、朱宗震《民國初年政壇風雲》（鄭州，河南人民出版社，1990）、臼井勝美著、陳鵬仁譯〈從辛亥革命到袁世凱的沒落(1)—(10)〉（《近代中國》77-86期，民79年6、8、10、12月，80年2、4、6、8、10、12月）、呂明章《民初革命之研究（民二－民五）》（政治大學三民主義研究所碩士論文，民73）、皮明勇〈清末民初中央政府治邊固防之經驗教訓〉（《戰略與管理》1995年1期）、毛鑄倫〈中國在清末民初的重要轉變－不能振作之原因探〉（《史薈》創刊號，民60年5月）、潘邦正《國父的民初（1911-1919）重要政治主張》（臺灣大學三民主義研究所碩士論文，民74年6月）。

2.民初外交

史料方面以陳志奇輯編《中華民國外交史料彙編》（15冊，臺北，新文豐出版公司，民85）最為詳備，該彙編蒐集民國元年至34年的外交檔案史料，「寓紀事本末體於編年體內」。論著方面有中華文化復興運動推行委員會編《中國近代現代史論集·第23編：民初外交》（臺北，臺灣商務印書館，民75）、有張忠紱《中華民國外交史》上卷（北平，北京大學出版組，民25；臺北，正中書局，民46臺二版），自1911年述起，至1922年為止，係根據原始資料寫成，引用之史源均分別註明；Daniel M. Crane & A. Breslin, An Ordinary Relationship: American Opposition to Republican Revolution in China.（Miami: Florida International University Press, 1986），敘事始自清末，止於1918年第一次世界大戰結束前後，作者引用不少檔案文件（如美國外交關係文書、國會紀錄）、報紙、年鑑及專書論文，結構嚴謹，論述觀點亦尚持平，其內容與作者之一Daniel M. Crane的博士論文"The United States and the Chinese Republic: Profit, Power and the Politics of Benevolence"（University of Virginia, 1974）相近似；Michael H. Hunt, The Making of a Special Relationship: The United States and China to 1914.（New York: Columbia University Press, 1983）、Duane Conan Ellison, The United States and China, 1913-1921: A Study of the Strategy and Tactics of the Open Door Policy.（Washington, D. C.: George Washington University, 1974）、Thomas Edward Nutter, American Telegraphy and Open Door Policy in China, 1900-1930.（Ph. D. Dissertation, University of Missouri-Columbia, 1974）、Jerry Israel, Progressivism and the Open

Door： American and China, 1905-1921.（Pittsburgh Penn.: University of Pittsburgh Press, 1971）、Patrick John Scanlan, No Longer a Treaty Port: Paul S. Reinsch and China, 1913-1919.（Ph. D. Dissetation, University of Wisconsin-Madison, 1973）、劉彥《最近三十年中國外交史》（上海，太平洋書店，民21）；有關這方面的論著（含博士論文）尚有不少，不再一一列舉。黃德福〈袁世凱政權與英國；從辛亥革命到洪憲帝制〉（臺北，元氣齋，民83）、R. K. Newman, "India and the Anglo-Chinese Opium Agreements, 1907-14."（Modern Asian Studies, Vol.23, Part3, July 1984）、S. W. Edward, British Diplomacy and Finance in China, 1895-1914.（Oxford: Clarendon Press, 1987）、夏良才〈1911-1914年日英對華政策之比較〉（《近代史研究》1994年1期）、池井優〈日本の對袁外交（辛亥革命期）〉（《法學研究（慶應大學）》35卷4、5號，1962年4、5月）、Rose Pik Siu Chan, The Great Powers and the Chinese Revolution, 1911-1913.（Ph. D. Dissertation, Fordham University [New York], 1971）、Tuan Chang-Kuo（段昌國），Russia and the Making of Modern China, 1900-1916.（Ph. D. Dissertation, Princeton University [Princeton, N. J.], 1983）、入江啟四郎〈辛亥革命と新政府の承認〉（載《近代日本外交史の研究》，1956）、野村乙二郎〈中華民國承認問題にみる日本外交の特質—「米獨の態度への對應」等に關して〉（《政治經濟史學》95號，1973）、朱文原〈日本外交承認中華民國之探討〉（《國史館館刊》復刊18期，民84年6月）、俞辛焞〈第2革命と護國戰爭期の中日外交史論〉（《愛知大學國際問題研究所紀要》98號，1993年2月）、

張水木〈1913年列強對中華民國政府之外交承認〉(《中國歷史學會史學集刊》14期，民71年5月)、呂士朋〈民國二年美國承認中華民國的經過〉(《孫中山先生與近代中國學術討論集》第2冊，民74)、洪桂己〈辛亥革命美國檔案選輯一美國承認中華民國始末〉(《國史館館刊》復刊第5期，民77年12月)、守川正道〈アメリカの民國政權承認問題〉(載小野川秀美等編《辛亥革命の研究》，東京，筑摩書房，1978)、Meribeth E. Cameron, American Recognition Policy Toward the Republic of China, 1912-1913. (Pacific Historical Review II, 1933)、陳驥"Woodrow Wilson's China Policy, 1913-1917: An Historiographical Approach" (《淡江學報》13期一區域研究部門，民63年11月)、Li Tien-yi, Woodrow Wilson's China Policy, 1913-1917. (New York: University of Kansas, Twayne Publishers, 1952)、魏良才"Sino-American Relation, 1913-1945: Uneasy Friendship" (《政大歷史學報》第6期，民77年9月)、方國永《民初美國對華外交政策之透視(1911至1913年)》(臺灣大學三民主義研究所碩士論文，民75年12月)、吳力行〈清末民初的美國對華外交〉(《問題與研究》17卷10期，民67年7月)、陶文釗《中美關係史(1911-1950)》(重慶，重慶出版社，1993)、John A. Moore Jr., The Chinese Consortiums and America-China Policy, 1909-1917. (Ph. D. Dissertation, Claremont Graduate School [Claremont, CA.], 1972)、王綱領《歐戰時期的美國對華政策》(臺北，臺灣學生書局，民77)、周武、陳先春〈論第一次世界大戰期間日本對華政策〉(《史林》1992年3期)、黃尊嚴〈膠澳戰爭前夕袁世凱政府的外交政策述評〉(《齊魯學刊》1996年5期)、林明德〈民初日

本對華政策之討探（1911-1915）〉（《中央研究院近代史研究所集刊》第4期下册，民63年12月）及〈民初日本對「滿」政策之形成〉（《中華民國建國史討論集》第2册，民70）、黃嘉謨〈中國對歐戰的初步反應〉（《中央研究院近代史研究所集刊》第1期，民58年8月）、沈予〈第一次世界大戰後美、英與日本在華新角逐和日本侵華策略的演變〉（《近代史研究》1988年1期）、劉彥《歐戰期間中日交涉史》（上海，民10；臺北，文海出版社影印，民76）、王芸生編《六十年來中國與日本》（共7卷，天津，大公報社，民21-23）、陳在俊〈中、日關係史上一樁重大疑案的辨正－所謂「孫文密約」真相〉（《近代中國》83、84期，民80年6、8月）、藤井昇三〈21カ條交涉時期の孫文と「中日盟約」〉（載市古教授退官記念論叢編集委員會編《論集近代中國研究》，東京，山川出版社，1981；其中譯文爲陳明譯，文載《嶺南文史》1986年2期）、Ernest P. Young, "Chinese Leaders and Japanese Aid in the Early Republic."（In Akira Iriye, ed., The Chinese and the Japanese: Essays on Political and Cultural Interactions, Princeton, N. J.: Princeton University Press, 1980）、張水木《歐戰時期中國對德外交關係之轉變》（東海大學歷史研究所碩士論文，民62年6月）、王健、陳先春〈試析一戰時期中德關係的演變〉（《史林》1993年1期）、雲中君〈歐戰時期的法國對華政策〉（載《中華民國建國八十年學術討論集》第2册，民80）、艾周昌〈民國時期的中非關係（1911-1949）〉（《北大史學》1993年1期）、李潤蒼〈1911-1913年時期帝國主義列強對中國的侵略政策〉（《歷史教學》1958年9期）、陳世昌《中國與門戶開放－清末民初外患史》（臺北，海國出版社，民66）。

至於民初外蒙古問題及其交涉始末有札奇斯欽〈外蒙古的獨立、自治和撤治〉（載吳相湘主編《中國現代史叢刊》第4冊，民50）、范植衡《從獨立到自治的外蒙古（1911-1915）》（臺灣大學政治研究所碩士論文，民64年5月）、汪朝光〈略論民國初年的中俄外蒙交涉〉（《南京大學學報》1986年1期）、周樹人〈清末民初外蒙與中國的關係〉（《現代中國軍事史評論》第2期，民76年10月）、劉華明、赤真〈1911-1921年的外蒙古問題〉（《民國檔案》1994年1期）、李毓澍《民國初年的蒙古問題》（臺北，蒙藏委員會，邊疆歷史語言叢書之3，民57）及《蒙事論叢》（臺北，撰者印行，民79）、呂秋文《中俄外蒙古交涉始末》（臺北，成文出版社，民65）、朴英圭《有關外蒙主權之中俄交涉》（政治大學外交研究所碩士論文，民49年1月）、劉華明、赤真〈1911-1921年的外蒙古問題〉（《民國檔案》1994年1期）、耘農（沈雲龍）〈民初外蒙獨立與中俄交涉〉（《民主潮》6卷1期，民45年1月）、呂秋文〈俄帝煽動外蒙獨立之經過〉（《新時代》1卷1期，民50年9月）、高勞〈外蒙古之宣佈獨立〉（《東方雜誌》9卷2號，民元年8月）、Lan Mei-hua（藍美華），The Mongolian Independence Movement of 1911: An Pan-Mongolian Endeavor.（Ph. D. Dissertation, Harvard University [Cambridge, MA.], 1996）、白拉都格其〈沙皇俄國與辛亥革命時期外蒙古的〝獨立〞〝自治〞〉（《內蒙古近代史論叢》第2輯，1983）、羅應榮〈外蒙古第一次獨立始末（1905-1917）〉（《嶺南大學歷史政治學報》第2期；亦收入中華文化復興運動委員會主編《中國近現代史論集》21編，臺北，臺灣商務印書館，民75）、高勞〈獨立後之庫倫及俄蒙協約〉（《東方雜誌》9卷8號，民2年2月）、東方雜誌社編〈俄蒙協約全文〉（同上，30卷24號，民22年12月）、劉彥《俄蒙協約與中國之前途》（《民主報》臨時增刊，民2）、決死征蒙狂熱生編《俄蒙交涉之真相》（民2年）、張啟雄《外蒙主權歸屬交涉（1911-1916）》（臺北，中央研究院近代史研究所，民84）、〈民初中俄〝外蒙主權〞交涉－陸庫北京會議〉（《思與言》30卷2期，民81年6月）、〈中華思想下的〝外蒙主權〞談判－民初陸庫北京會議〉（《中央研究院近代史研究所集刊》21期，民83年6月）及〈民初中俄恰克圖會議的名分論爭與交涉－外蒙國號帝號年號及政府名義的改廢〉（同上，24期，民84年6月）、高勞〈中俄關於蒙事協商之成立〉（《東方雜誌》10卷6號，民2年12月）、畢桂芳《外蒙交涉始末記》（序於民17，臺北，文海出版社影印，民57）、陳籙《止室筆記》（臺北，文海出版社影印，民57），其中有「恰克圖議約日記」、「奉使庫倫日記」，記其1915年代表北京政府簽定恰克圖協約以及擔任第一任都護使駐紮庫倫之經過；張啟雄〈民國四五年間冊封外蒙哲佛的難局與交涉〉（《國史館館刊》復刊19期，民84年12月）、李毓澍《外蒙古撤治問題》（臺北，中央研究院近代史研究所，民50）及〈民八外蒙撤治問題癥結的探討〉（載《中華民國建國史討論集》民70）、林秋雪〈外蒙古的撤治與民國元年至八年之中俄「蒙」交涉經過〉（《史薈》第7期，民66年5月）、呂秋文〈徐樹錚介入外蒙撤治功過之研究〉（載《中華民國蒙藏學術會議論文集》，臺北，民77）、〈徐樹錚之武力撤消外蒙自治〉（載《近代中國歷史人物論文集》，臺北，民82）及〈徐樹錚對外蒙改治之功過〉（收於《趙鐵寒先生紀念論文集》，臺北，文海出版社，民67）、林松友〈徐樹錚與外蒙撤治〉（《美和護專學報》第4期，民69年12

月）、呂秋文《外蒙古與中俄關係》（政治大學外交研究所碩士論文，民45年12月）、王英男〈論外蒙古與中俄關係〉（《文史學報（中興大學）》19期，民77年3月）、Eric Hyer, "Like Piled up Eggs: Mongolia Between Russia and China"（載聯合報文化基金會國學文獻館編印《慶祝札奇斯欽教授八十壽辰學術論文集》，臺北，民84）、謝彬《蒙古問題》（上海，商務印書館，民15）、張遐民《俄帝侵略下之外蒙古》（臺北，蒙藏委員會，民53）、陳春華《俄國外交文書選譯—關於蒙古問題》（哈爾濱，黑龍江教育出版社，1991）、Peter S. H. Tang, Russia and Soviet Policy in Manchuria and Outer Mongolia, 1911-1932.（Durham, N. C.: Duke University Press,1959），原為其1952年之Columbia University博士論文；遠東外交研究會《最近十年之中俄交涉》（哈爾濱，撰者印行，民12）、Thomas E. Ewing, Between the Hammer and Anvil?: Chinese and Russion Policies on Outer Mongolia, 1911-1921.（Bloomington, Indiana: Research Institute for Inner Asian Studies, 1980）及" Ching Policies in Outer Mongolia, 1900-1911. "（Modern Asian Studies, Vol.14, Part 1, February 1980）、傅啟學《六十年來的外蒙古》（臺北，臺灣商務印書館，民64）。

民初西藏問題及其交涉始末有何烈〈民初中英西藏交涉〉（《史原》創刊號，民59年7月）、程時敏《清末民初外人侵我西藏史》（臺北，蒙藏委員會，民43）、呂秋文《中英西藏交涉始末》（臺北，臺灣商務印書館，民63）、馮明珠《近代中英西藏之交涉（1876-1923）》（臺灣大學歷史研究所碩士論文，民67年6月）、〈析論清末民初川藏邊情及中英西藏交涉（1906-1912）〉（載《西藏研究論文集》第3輯，民79）、〈第一次世界大戰期間中英西藏交涉與川藏邊情（1914-1919）〉（同上，第4輯，民82）、〈歐戰期間的中英西藏交涉（1914-1919）〉（《近代中國》58、59期，民76年4、6月）、《近代中英西藏交涉與川藏邊情—從廓爾喀之役到華盛頓會議》（臺北，故宮博物院，民85）、〈論近代中英西藏交涉與川藏邊情—從廓爾喀之役到華盛頓會議〉（載《中國邊疆史學術研討會論文集》，臺北，蒙藏委員會，民84年6月）及〈近代中英西藏交涉的變化與〝主權〞之爭〉（《歷史月刊》83期，民83年12月）、聶好春〈試論民國初年中英西藏交涉〉（《河南師大學報》1994年6期）、陳雲騰《民國以來之西藏交涉》（臺灣大學政治研究所碩士論文，民66年6月）、張忠紱〈民國初期之中英西藏交涉〉（《東方雜誌》32卷7號，24年4月）及〈英帝國主義與西藏〉（《西北研究》第3期，民21年1月）、Chandra Kanta Khan, Trans-Himalayan Politics: China, Britain and Tibet, 1842-1914.（Ph. D. Dissertation, Pennsylvania State University-University Park, 1984）、Kalvance Mudiyanse Werake, Foreign Policy of Yuan Shih-Kai With Special Emphasis on Tibet, 1912-1916.（Ph. D. Dissertation, University of Washington [Seattle], 1980）、李方晨〈西藏與民國的政治關係〉（《反攻》318-320期，民57年9月）、秦和平〈1912年民國政府治西藏措施述評〉（《中國藏學》1993年4期）、聶好春〈試論民國初年的中英西藏交涉〉（《河南師大學報》1994年6期）、西藏研究編輯部編《民元藏事電稿》（拉薩，西藏人民出版社，1983）、帝國主義侵華史編寫組〈英國第二次侵略中國西藏地方的戰爭〉（《近代史研究》1984年5期）、丁名楠、張振鵾〈帝國主義侵略中國領土西藏的罪惡歷史〉（《歷史研究》1959年5期）、金炳亮〈清末民初西藏問題初探〉（《中山大學研究生學刊》1989年1期）、孫子和〈英印侵略康藏邊境述要〉（《近代中國》59期，民76年6月）及《十三輩達賴喇嘛走印至西姆拉會議以前之藏事》（臺北，蒙藏委員會，蒙藏專題研究叢書之54；亦收入孫子和《西藏史事與人物》，臺北，臺灣商務印書館，民84）、謝彬《西藏問題》（上海，商務印書館，民19）、郭衛平〈民國藏事輯要〉（《西藏民族學院學報》1986年3、4期）、起原等編《中華民國時期中央政府與西藏地方的關係》（北京，中國藏學出版社，1991）、喜饒尼瑪〈芻議民國時期十三世達賴喇嘛與中央政府的關係〉（《西藏研究》1993年1期）、郭洋《第十三輩達賴喇嘛時期西藏涉外關係之研究》（政治大學邊政研究所碩士論文，民64）、石楠〈關於英俄爭奪西藏的矛盾與衝突〉（《近代史研究》1987年2期）、劉貫一《帝國主義侵略西藏篇史》（世界知識出版社，1951）、列昂節夫著、張方廉譯《外國在西藏的擴張（1888-1919）》（民族出版社，1959）、王英男〈西藏問題新探〉（《文史學報（中興大學）》17期，民76）、山東大學歷史系西藏史小組編著《帝國主義侵略西藏史》（濟南，山東人民出版社，1959）、黃鴻釗《西藏問題的歷史淵源》（香港，商務印書館，1993）、馮明珠〈中英希姆拉會議〉（《思與言》16卷3期，民67年9月）、盧撰〈西姆拉會議始末〉（《歷史學習》1988年1期）、黎蔚謙《西姆拉會議經過及其影響之研究》（政治大學外交研究所碩士論文，民60）、王美霞《西姆拉會議後康藏界務》（臺北，蒙藏委員會，民75）、董志勇〈評所謂的《1914年英藏通商章程》〉（《近代史研究》1992年6期）、喜饒尼瑪〈民國時期的西藏地位爭議〉（《青海民族學院學報》1995年2期）、薛榮祥《西藏民族政治意識之研究，1912-1988》（政治大學三民主義研究所碩士論文，民79）、日人貞兼綾子編、鍾美珠譯、青山校《西藏研究文獻目錄日文，中文篇，1877-1977》（許昌，中州古籍出版社，1986）甚有參考價值。其他如孫子和《西藏研究論集》（臺北，臺灣商務印書館，民78）及《西藏史事與人物》（同上，民84），其中各有數篇論文，與民初藏事有關；Melvyn C. Goldstein, A History of Modern Tibet, 1913-1951: the Demise of the Lamaist State.（Berkeley: University of California Press, 1989）、Eva M. Neterowicz, The Tragedy of Tibet.（Washington, D. C.: The Council for Social and Economic Studies, 1989）、趙學毅等編《清末以來中央政府對西藏的治理與活佛轉世制度史料匯集》（北京，華文出版社，1996）、Alastair Lamb, The McMahon Line: A Study in the Relations Between India, China and Tibet, 1904 to 1914.（2 Vols, London: Toutledge and Kegan Paul, 1966）、呂秋文〈西藏的法律地位〉（《中國文化大學政治學研究所學報》第3期，民83年1月）、〈清季末葉沙俄對西藏政策之研究〉（同上，創刊號，民81年1月）及〈晚清以來西藏地方與中央政治屬關係鬆弛之研究〉（同上，第4期，民85年1月）、孫子和〈抗戰前中央與西藏關係述略〉（《中國邊政》97期，民76年3月）、薛榮祥《西藏民族政治意識之研究（1912-1988）》（政治大學三民主義研究所碩士論文，民79年5月）、周錫銀〈從民國時期達賴班禪的轉世談中央主權的行使〉（《西藏研究》1995年2期）。

中日二十一條交涉史料集有中央研究院近代史研究所編印

《中日關係史料—二十一條交涉》（2冊，臺北，民74）。論著則以李毓樹《中日二十一條交涉（上）》（臺北，中央研究院近代史研究所，民55）及堀川武夫《極東國際政治史序説：二十一箇條要求の研究》（東京，有斐閣，1958）二書最為重要；前者引用不少外交檔案等第一手資料，惜只有上冊，有不完整之憾；後者內容充實，敍事詳盡有序，惟中文資料之利用較少。Oris Dewayne Friesen, Republic to Monarchy：The Impact of the Twenty-one Demands Crisis on the Yuan Shih-K'ai.（Ph.D. Dissertation, Arizona State University [Tempe], 1982）則為尚未出版之博士論文。畢公天《辱國春秋》（臺北，文海出版社影印，民55）、黃毅、方夢超共編《中國最近恥辱記》（國恥社，民4）、吉野作造《日支交涉論》（東京，警醒社，1915）、松本忠雄《日支新交涉に依る帝國の利權》（東京，清書追，1915）、張忠紱〈民三山東問題之交涉—中華民國外交史之一頁〉（《北大社會科學季刊》5號3期，民5），都是當時人的論著，兼具史料價值；譚天凱《山東問題始末》（上海，商務印書館，民24）。其他尚有張梓生〈中日二十一條交涉之解剖〉（《東方雜誌》20卷4號，民12年2月）、衛藤瀋吉〈二十一ヶ條要求〉（《中國》20號，1965年7月）、山根幸夫〈二十一箇條交涉と日本人の對應〉（《佐久間論集》，1983）、長岡新治郎〈對華二十一ヶ條要求の決定とその背景〉（《日本歷史》144號，1960）、野原四郎〈二十一カ條要求をおぐつて〉（《中國》20號，1965）、堀川武夫〈二十一ヶ條要求に關する若干の考察〉（《國際法外交雜誌》56卷3、6期，1957）、王鐵崖〈二十一條約的研究〉（《清華週刊》36卷8期，民20）、趙炎煒〈中日二十一條之研究〉(《萬能學報》第9期，民76年5月)、陳水逢〈中日二十一條要求〉(《中央圖書館館刊》新3卷3、4期，民59)、米澤秀夫〈二十一ケ條と中國民族〉(《改造》33卷，1952年5月)、清水稔〈近代日中關係の一斷面—21か條要求をめぐって〉(《佛教大學總合研究所紀要》第1號，1994年3月)、郎維成〈日本的大陸政策和二十一條要求〉(《東北師大學報》1984年6期)及〈再論日本大陸政策與二十一條要求〉(載蔣永敬、張玉法等編《近百年中日關係論文集》，臺北，中華民國史料研究中心，民80)、崔丕〈也談日本的大陸政策和二十一條要求：與郎維成同志商榷〉(《世界歷史》1986年3期)、米慶餘〈日本對華提出《二十一條》的背景〉(《歷史檔案》1982年6期)、龔炳南〈〝二十一條〞最後通牒的時限〉(《近代史研究》1986年5期)、刑建榕〈〝二十一條〞密約曝光始末〉(《歷史大觀園》1993年12期)、趙映林〈絕密的《二十一條》是誰洩露的〉(《民國春秋》1993年3期)、陳青青譯〈中日二十一條交涉〉(《國立中央圖書館館刊》新3卷3、4期，民59年10月)、吳天威〈日本向袁世凱所提〝二十一條〞與新發現的孫中山〝日中盟約〞—為紀念〝五九國恥日〞七十七週年〉(《傳記文學》60卷5期，民81年5月)、荒井信一〈對華21ケ條要求(利權獨占か機會均等か—中國植民地化の主導權をめぎして)〉(《エユノミスト》45卷50號，1967年12月)、稻葉正夫〈二十一箇條問題關係資料〉(《軍事史學》第3號，1965年11月)、植田捷雄〈大正4年日華二十一箇條條約と滿洲事變—特に條約の效力を中心として〉(載《現代中國を繞る世界の外交》，東京，野村書店，1951)、藤井昇三著、陳明譯〈第二次革命失敗後孫中山亡命日本和二十一條問題〉（《嶺南文史》1986年1期）、島田洋〈對華21か條要求—加藤高明の外交指導〉（《政治經濟史學》259、260號，1987年11、12月）、王秀華〈張作霖與二十一條交涉〉（《社會科學輯刊》1995年4期）、黃自進〈從〝二十一條要求〞看吉野作造的日本在華權益觀〉（《中央研究院近代史研究所集刊》23期上册，民83年6月）、遼寧省檔案館〈〝二十一條〞簽訂經過的史料一組〉（《歷史檔案》1983年2期）、原多喜子〈二十一ケ條要求關係年表〉（《中國》20號，1965）、山本四郎〈參戰·二一カ條要求と陸軍〉（《史林》57卷3號，1974）、野村乙二朗〈對華二十一ケ條問題と加藤高明—特に第5號の理解について〉（《政治經濟史學》131、132、134、135號，1977）、王綱領〈美國與二十一條件之交涉〉（《華岡文科學報》14期，民71年6月）及〈美國與民國初期之中日關係—以二十一條件交涉為例〉（載胡春惠主編《近代中國與亞洲學術討論會論文集》下册，香港，珠海書院亞洲研究中心，1995）、邵宗海〈美國對〝二十一條要求〞事件之反應〉（《中山社會科學期刊（政治大學）》第2期，民80年2月）、金光耀〈顧維鈞與中美關於〝二十一條〞的外交活動〉（《復旦學報》1996年5期）、三宅正樹〈二十一箇條要求をめぐる日露關係—ベルリン版露外交文書集による一考察〉（《歷史教育》16卷3號，1968年3月）、趙炎煒〈中日二十一條之研究〉（《萬能學報》第9期，民76年5月）、李文心〈萊安對於中日二十一條交涉的態度〉（《大陸雜誌》8卷6期，民43年3月）、姚崧齡〈芮恩施評述「二十一條要求」〉（《傳記文學》17卷3期，民59年3月）、郭盛淇〈「二十一條要求」に於ける日本の意義〉（《中日文化（文化大學日本研究所）》第4期，民61年6

月)、細谷千博〈「二十一條要求」とアメリカの對應〉(《一橋論叢》43卷1號,1960年1月)、原多喜子〈「二十一カ條要求」をめぐるアメリカの對應〉(《史論》19號,1968年3月)、石田榮雄〈二十一箇條問題と列國の抵抗〉(《日本外交史研究(大正時代)》,1958)及〈對華二十一箇條要求と列國の態度—特に米國〉(《國際法外交雜誌》58卷4號,1959年9月)、黃紀蓮〈沙俄在日本對華〞二十一條〞交涉中的態度〉(《近代史研究》1982年1期)、平間洋一著、紀美、以明譯〈對華二十一條與英、日關係〉(《民國檔案》1995年2期)、Luo Zhitian(羅志田),"National Humiliation and National Assertion: The Chinese Response to the Twenty-One Demands."(Modern Asian Studies, Vol. 27, Part 2, May 1993)、羅志田〈「二十一條」時期的反日運動與辛亥革命五四期間的社會思想潮〉(《新史學》3卷3期,民81年9月)、馬烈〈民初佛教復興運動和日本〞二十一條〞〉(《江西社會科學》1996年11期)、藤原鎌足著、小島麗逸編《革命搖籃期の北京—辛亥革命から山東出兵まで》(東京,社會思想社,1974)、劉大可《日本侵略山東史》(濟南,山東大學出版社,1991)、Craig Noel Canning, The Japanese Occupation of Shantung During World War I.(Ph. D. Dissertation Stanford University [Stanford, Calif.], 1975)、李俊熙《日本對山東的殖民經營,1914-1922》(政治大學歷史研究所碩士論文,民84年6月)、李毓澍主編《中日關係史料:歐戰與山東問題》(臺北,中央研究院近代史研究所,民63)、內山正熊〈日獨戰爭と山東問題〉(《法學研究》33卷2號,1960年2月)、清水秀子〈山東問題〉(載《1930年代の日本外交》，東京，日本國際政治學會，1977）、張忠紱〈民三山東問題之交涉—中華民國外交史之一頁〉（《北大社會科學季刊》5卷3期，民24年9月）。

3.民初經濟

有劉翠溶〈民國初年的經濟與實業〉（《中華民國建國史討論集》第2冊，民70）、魏明〈民初近代化經濟事業的新格局〉（《南開學報》1990年2期）、方曉珍、方曉宏〈淺談民國初年的經濟政策〉（《安慶師院學報》1995年1期）、徐建生〈民初經濟政策評析〉（《教學與研究》1994年4期）、濱口允子〈袁世凱政權の經濟政策〉（《辛亥革命研究》第7號，1987年11月）、渡邊惇〈袁世凱政權の經濟的基盤—北洋派の企業活動〉（載《中國近代化の社會構造—辛亥革命の史的位置》東京，1960）及〈袁世凱政權の財政經濟政策〉（《近きに在りて》11號，1987）、野澤豐〈民國初期袁世凱政權の經濟政策と張謇〉（同上，第5號，1984；其中譯文載《社會科學戰線》1984年2期）、李平〈袁世凱政府失敗的經濟因素〉（《長沙水電師院社會科學學報》1988年4期）、虞和平〈民國初年經濟法制建設〉（載《二十一世紀》第7卷，1991）及〈民國初年經濟法制建設述評〉（《近代史研究》1992年4期）、Tim Wright ed., The Chinese Economy in the Early Twentieth Century.（London: St. Martin's 1992）、許珖〈袁世凱政府財政問題初探〉（《中央財政金融學院學報》1987年3期）、梁義群、丁進軍〈袁世凱統治時期的財政〉（《民國檔案》1991年1期）、柏井象雄〈民國初期の財政政策とその成果〉（《東亞人文學報》3卷3號，1945）、王善中〈民國初年的財政與外債評述〉（《北京社會科學》1991年2期）、劉海平〈略談民初國債問題〉（《文史雜誌》1991年4期）、梁啟超講、孫碧奇記〈民國初年之幣制改革〉（《清華周刊》26卷11期，民15）、馬東玉〈民初的幣制改革與〝京鈔風潮〞〉（《歷史教學》1990年3期）、馬振華〈論清末民初的幣制改革〉（《南開史學》1988年1期）、朱宗震〈袁世凱政府的幣制改革〉（《近代史研究》1989年2期）、葉世昌〈民初金屬本位制度的討論〉（《中國錢幣》1993年3期）、李育安〈北洋政府時期的幣制和紙幣流通〉（《鄭州大學學報》1995年6期）、郝慶元〈北洋銀元局政製銅元的意義及其影響〉（《天津社會科學》1985年1期）、三木毅〈清朝末および中華民國の貨幣制度〉（《札幌醫科大學醫學進學課程紀要》第4號，1963年7月）、卓遵宏〈民初銀行業發展與北伐（1912-1928）〉（《中國現代史專題研究報告》18輯，民85）、陳俊仁《中國近代（1897-1927）銀行史之研究－清末民初本國銀行業發展的整體分析》（香港新亞研究所碩士論文，1990年8月）、胡繩武、程為坤〈民國初年振興實業的熱潮〉（《學術月刊》1987年2期）、趙洪寶〈清末民初商會對政府制訂工商政策的影響〉（《學術界》1994年2期）、張學繼〈袁世凱政府振興實業的措施〉（《歷史檔案》1990年4期）及〈論袁世凱政府的工商業政策〉（《中國經濟史研究》1991年1期）、阮忠仁《清末民初農工商機構的設立－政府與經濟近代化關係之探究（1903-1916）》（臺灣師範大學歷史研究所碩士論文，民77年12月）、曹均偉〈民初和北洋時期利用外資及其利弊〉（《學術月刊》1990年12期）、野澤豐〈民國初期の政治過程と日本の對華投資－とくに中日實業會社の設立をめぐって〉（《史學研究》東京，教育大學文學部紀要）號，1958年3月）、羅志平〈歐戰前美國在華的企業投資與中美關係〉（《近代中國》100、101期，民83年5、6月）及《清末民初美國在華的企業投資（1818-1937）》（臺北，國史館，民85）、胡波〈論辛亥革命前後（1895-1915）的中英金融關係〉（《廣東社會科學》1991年6期）、王仲〈袁世凱統治時期的鹽務和〝鹽務改革〞〉（《近代史研究》1987年4期）、陳爭平〈民國初年的鹽務改革〉（《中國經濟史研究》1994年增刊）、趙洪寶、朱俊強〈北洋政府時期中國鹽政主權喪失述論〉（《社會科學家》1994年4期）、徐柳凡〈清末民初開商埠簡論〉（《歷史教學》1995年3期）及〈清末民初自開商埠探析〉（《南開學報》1996年5期）、高綱博文〈第一次大戰期における中國〝國民經濟〞成長〉（載《五四運動史像の再檢討》，中央大學出版部，1986）、王翔〈民國前期蠶業改良〉（《中國經濟史研究》1993年3期）、劉克祥〈清末民初農業發展轉折時期的政策思路述略〉（同上，1993年1期）、王金香〈辛亥革命前後的農業〉（《山西師大學報》1992年3期）、張玉法〈二十世紀初期的中國農業改良（1901-1916）—沿海沿江十三個省區的比較研究〉（《史學評論》第1期，民68年7月）、〈清末民初的民營工業〉（《中央研究院近代史研究所集刊》18期，民78年6月）、〈清末民初的外資工業〉（同上，16期，民76年6月）、〈清末民初的官督商辦工業〉（同上，17期下册，民77年12月）、〈清末民初的官辦工業〉（《清季自強運動研討會論文集》，民76）及〈一次大戰期間中國棉紡織業的發展〉（《中華民國初期歷史研討會論文集》下册，民73）、田近一浩〈第一次大戰前の中國紡績工業の再生產構造—南通大生紗廠の發展を中心として〉（《アジア經濟》

12卷1號，1971年1月）、魏雄運〈第一次世界大戰期間における中國の工業化と日本帝國主義〉（載勝雄藻、奥崎裕司編《東アジア世界史探究》，東京，汲古書院，1986）、董劍平〈北洋政府初期民族資本工業的發展及其所遇到的困難〉（《煙臺師院學報》1995年2期）、常全喜〈袁世凱政府與民初民族資本工業的發展〉（《殷都學刊》1995年1期）、李瑚〈第一次世界大戰時期的中國工業〉（《學術論壇》1958年1期）、張玉法〈近代中國工業發展中的一些問題，1860-1916〉（載中央研究院近代史研究所編《中國現代化論文集》，臺北，民80）、劉翠溶〈民國初年製造業之發展〉（《經濟論文》11卷1期，民72年3月）及"The Problem of Food Supply in China, 1912-1927"（《中華民國初期歷史研討會論文集》下冊，民73）、王樹槐"The Effect of Railroad Transportation in China, 1912-1927"（《中央研究院近代史研究所集刊》12期，民72年6月）、謝國興〈民初漢冶萍公司所有權歸屬問題（1912-1915）〉（同上，15期上冊，民75年6月）、虞和平〈清末民初經濟倫理的資本主義化與經濟社團的發展〉（《近代史研究》1996年4期）、樊百川〈二十世紀初期中國資本主義發展的概況與特點〉（《歷史研究》1983年4期）、胡繩武、戴鞍鋼〈財政問題與民初資產階級革命黨人〉（《民國檔案》1986年1期）、黃逸平、虞寶棠主編《北洋政府時期經濟》（上海，上海社會科學院出版社，1995）。其他以民國或近、現代為名的經濟史、財政史通論性的論者有銀行學會《民國經濟史》（臺北，華文書局，近代中國經濟叢編之5，民56）、朱斯煌《民國經濟史》（上海，民37）、劉仲廉《民國經濟史》（上海，民37）、秦孝儀等《中華民國經濟發展史》（3冊，臺北，近代中國出版社，民72）、史全生主編《中華民國經濟史》（南京，江蘇人民出版社，1988）、胡仰淵、方慶秋主編《民國社會經濟史》（北京，中國經濟出版社，1991）、于素雲等《中國近代經濟史，1840-1940》（瀋陽，遼寧人民出版社，1983）、魏永理《中國近代經濟史綱（上冊），1840-1914》（蘭州，甘肅人民出版社，1983）、蔣建平《簡明中國近代經濟史》（北京，北京大學出版社，1995）、王方中《中國近代經濟史稿（1840-1927）》（北京，北京出版社，1982）、黃逸峰等《中國近代經濟史論文集》（南京，江蘇人民出版社，1981）、大塚恆雄《中國經濟近代化の史的展望》（東京，白桃書房，1982）、侯厚培《中國近代經濟發展史》（漢口，大東書局，民18）、錢亦石編《近代中國經濟史》（重慶，生活書店，民28）、聶希斌、胡盛芳主編《中國近代經濟史》（北京，中共中央黨校出版社，1991）、鄭鳳權編《簡明近代中國經濟史》（北京，北京師範大學出版社，1992）、孟憲章《中國近代經濟史教程：大學用書》（上海，中華書局，1951）、周開慶主編《近代中國經濟叢編》（臺北，華文書局，民56）、黃逸平《近代中國經濟變遷》（上海，上海人民出版社）、小竹文夫《近代支那經濟史研究》（東京，弘文堂，1942）、平瀨巳之吉《近代支那經濟史》（東京，中央公論社，1942）、善生永助《最近支那經濟》（東京，丁未出版社，1917）、田中正俊《中國近代經濟史研究序說》（東京，東京大學出版會，1973）、陳友琴《現代中國經濟略史》（真美書社，民16）、天野元之月功《現代中國經濟史》（京都，雄渾社，1967）、施復亮《中國現代經濟史》（上海，良友圖書公司，民21）、黎惠瑛《中國現代經濟史》（長春，吉林大學出版社，1991）、張海聲主編

《中國近百年經濟史辭典》（蘭州，蘭州大學出版社，1992）、中國通商銀行編《五十年來之中國經濟》（上海，編者印行，民36）、Tim Wright, ed., The Chinese Economy in the Early Twentieth Century.（Basingstoke: Macmillan, 1992）、Dwight Perkins, ed., China's Modern Economy in Historical Persective.（Stanford: Stanford University Press, 1975）、 Albert Feuerwerker, The Chinese Economy, 1912-1949.（Ann Arbor: University of Michigan Press, 1968）、The Institute of Economics, Academia Sinica, Proceedings of Conference on Modern Chinese Economic History.（Taipei: Academia Sinica, 1942）、吳傑編《中國近代國民經濟史》（北京，人民出版社，1958）、湖北大學政治經濟學教研室《中國近代國民經濟史講義》（北京，高等教育出版社，1958）、趙德馨、周秀鸞等《中國近代國民經濟史講義》（北京，高等教育出版社，1958）、日華實業協會《支那近代の政治經濟》（東京，外交時報社，1931）、賈士毅《民國財政史（正續編）》（5冊，臺北，臺灣商務印書館，民51）、賈德懷《民國財政簡史》（2冊，上海，商務印書館，民36）、楊汝梅《民國財政論》（同上，民16）、楊蔭溥《民國財政史》（北京，中國財政經濟出版社，1985）、桑潤生編著《簡明近代金融史》（立信會計圖書用品社，1995）、田中壽雄〈中國金融近代史〉（《京都產業大學經濟經營論叢》30卷1號，1995年6月）。其他相關的專書、論文甚多，不再一一贅舉。

4.民初社會

以馬小泉、王杰著《強權與民聲：民初十年社會透視》（開封，河南大學出版社，1991）最為重要；蔡尚思等《論清末民初中國社會》（上海，復旦大學出版社，1983；臺北，谷風出版社翻印，民75），為一論文集，共收論文16篇，其中以Albert Feuerwerker所撰、鄒明德譯之〈論二十世紀初年中國社會危機〉一文析論深入，最具參考價值；胡維革〈對民初社會風尚變化的考察與反思〉（《學習與探索》1990年4期）、胡繩武、程為坤〈民初社會風尚的演變〉（《近代史研究》1986年4期）、喬志強、趙曉華〈清末民初民族資產階級心態初探〉（《山西大學學報》1995年4期）、姚會元〈民國初年中國金融資產階級的獨立發展要求〉（《學術月刊》1995年4期）、黨德信〈民國初年資產階級革命黨人革除社會惡習的努力〉（《社會》1983年6期）、梁景和〈資產階級上層集團與民初社會習俗的改造〉（《史學月刊》1993年1期）、羅檢秋〈民國初年的婚俗變革〉（《婦女研究論叢》1996年1期）、耿雲志〈民初社會變之一證〉（《民俗研究》1988年1期）、梁景時〈論民初至五四時期的〝家庭革命〞〉（《晉陽學刊》1994年6期）、周俊旗、汪丹〈略論民國初年的轉型社會特徵〉（《天津師大學報》1996年2期）及《民國初年的動盪—轉型期的中國社會》（天津，天津人民出版社，1996）、陳來幸〈清末民初の商會と中國社會〉（《現代中國》70號，1996年7月）。專談民初士農工商各社會階層的論著，有蘇雲峰〈民初之知識分子〉（載中央研究院三民主義研究所編《中國社會史研討會論文集》，臺北，民71年8月）、張朋園〈清末民初的知識分子（1898-1921）〉（《思與言》7卷3期，民58年9月）、陳三井〈民初知識份子的勤儉觀及其實踐〉（《中華文化與現代生活國際學術研討會論文》，臺北，民78年12月）、今關天彭〈民國初年の文人たち〉（《中國文學》70號，1941）、趙淑萍《民國初年的女學生（1912-1928）》（臺灣師範大學歷史研究所碩士論文，民85年6月）、蘇雲峰〈民初之商人，1912-1928〉（《中央研究院近代史研究所集刊》11期，民71年7月），最具代表性，蘇雲峰尚撰有〈民初農村社會〉（《民國初期歷史研討會論文集》下册，民73），對民初農民生活水準問題有所論述。其他方面的論著有楊懋春〈清末民初中國新知識階級的形成〉（《中央研究院民族學研究所集刊》38期，1975）、黃碧雲《清末民初知識分子的「社會」觀念》（清華大學歷史研究所碩士論文，民85年1月）、楠瀨正明〈民國初期における知識人の苦惱—黃遠庸を中心にして〉（《アジア研究》第3號1983）、崔運武〈從實利主義到實用主義—民初教育界對社會需求的思考〉（《史學月刊》1992年4期）、崔樹民〈論民初教育界進步知識〉（《晉陽學刊》1990年6期）、〈論民初教育界的進步知識分子〉（同上，1987年4期）、朱志敏〈民初到五四知識份子政治心態的若干變化〉（《中州學刊》1993年2期）、姚會元〈民國初年中國金融資產階級的獨立發展要求〉（《學術月刊》1995年4期）、陳明銶〈民國初年勞工運動的再評估〉（《食貨月刊》復刊15卷9、10期，民75年4月）、王家儉〈民初的女子參政運動〉（《師大歷史學報》11期，民72年6月）、高小蓬《民國初年的婦女運動（1911-1913）》（政治作戰學校政治研究所碩士論文，民77）、陳月霞〈民國初期婦女運動的緣起及發展經過〉（《史薈》13期，民72年5月）、三上諦聽〈民國初期的婦女解放運動〉（《龍谷史壇》32、34號，1950年12月，1951年3月）、張蓮波〈民國初年的婦女參政〉（《史學月刊》1988年2期）、羅蘇文〈清末民初女性妝飾的變遷〉（《史林》1996年3期）、金炳亮〈民初女子服飾改革述論〉（《史學月刊》1994年6期）及〈論民初婦女的實業活動〉（《孫中山研究論叢》第6集，1988）、經盛鴻〈民初女權運動述略〉（《江海學刊》1989年5期）、王奇生〈民國初年的女性犯罪（1914-1936）〉（《近代中國婦女史研究》第1期，民82年6月）、周敍琪《1901-1920年代都會新婦女生活風貌－以《婦女雜誌》為分析實例》（臺北，臺灣大學文學院，民85）、Charles A. Keller, "Nationalism and Chinese Christians: The Rwligiouse Freedom Compaign and Movement for Independent Chinese Churches, 1911-1917."（Republican Chia, Vol.17, No.2, April 1992）、增田福太郎〈清末民國初における庶民の宗教と生活〉（《福崗大學研究所報》第8號，1966年11月）、Wang Fan Shen（王泛森），"Evolving Prescriptions for Social Life in the Late Qing and Early Republic: From Qunxue to Society."（Chinese Studies in History, Vol. 29, No.4, Summer 1996）、行龍〈清末民初婚姻生活中的新潮〉（《近代史研究》1991年3期）、李國祁〈清末民初我國人口及其流動〉（《中山學術文化集刊》29集，民72年3月）、程為坤〈民國初年的私風易俗團體〉（《益陽師專學報》1989年2期）、〈民初〝剪辮熱〞述論〉（《社會科學研究》1987年3期）及〈民初禁煙運動〉（《江海學刊》1989年2期）、王宏斌〈民國初年禁煙運動述論〉（《民國檔案》1996年1期）、上海市禁毒工作領導小組辦公室、上海市檔案館編《清末民初的禁煙運動和萬國禁煙會》（上海科學技術文獻出版社，1996）、喬志強、趙曉華〈清末民初民族資產階級心態初探〉（《山西大學學報》1995年4期）、田濤〈清末民初在華基督教醫療衛生事業及其專業化〉

（《近代史研究》1995年5期）、嚴昌洪、楊華山〈民初〝中央學會〞的籌設與夭折〉（同上，1995年6期）、高純淑《華洋義賑會與民初合作運動》（政治大學歷史研究所碩士論文，民71年6月）。至於民初盜匪及其活動有Phil Billingsley，“Bandits Bosses, and Bare Sticks: Beneath the Surface of Local Control in Early Republican China.”（Modern China, Vol.7, No.3, July 1981）、吳蕙芳《民初直魯豫盜匪之研究（1911-1928）》（臺北，臺灣學生書局，民79）、張鵬揚〈民初年代魯北匪患〉（《山東文獻》14卷4期，民78年3月）、方洪疇〈民初河南巨匪白狼、老洋人實錄〉（《中原文獻》6卷6期，民63年6月）、楊炳延《白朗起義》（鄭州，河南人民出版社，1978）、杜春和編《白朗起義》（北京，中國社會科學院出版社，1980）、中國社會科學院近代史研究所中華民國史研究室《白朗起義》（北京，中國社會科學出版社，1980）、吳鳴世〈白朗起義〉（《中國科學院河南分院歷史研究所集刊》1960年2期）、史向紅〈關於白朗起義〉（《江海學刊》1961年9期）、王天從〈民初匪禍話「白狼」〉（《中原文獻》10卷2、3期，民67年2、3月）及〈白狼其人其事〉（《春秋》11卷3期，民58年9月）、羅吉彥〈民初白狼事件之研究—白狼身世探討〉（《明新學報》13期，民83年12月）、〈民初白狼事件之研究—白狼與革命黨人的關係〉（同上，14期，民84年6月）、〈民初白狼事件之研究—白狼軍的軍事發展〉（同上，15期，民84年12月）及〈民初白狼事件之研究—白狼軍的性質分析〉（《明新學報》16期，民85年6月）、程玉鳳〈白狼史話〉（《中原文獻》10卷4-9期，民67年4-9月）、董克昌〈白朗起義性質與作用的研究〉（《學術論壇》1958年3期）及〈關於白朗起義的性質〉（《史學月刊》1960年5期）、來新夏〈談民國初年白朗領導的農民起義〉（同上，1957年6期）、杜春和〈關於白朗起義的幾個問題〉（《近代史研究》1981年1期）、周源〈白朗起義與反帝問題一也談白朗起義的性質〉（同上，1984年4期）、〈略論白朗起義性質一兼與周源同志商榷〉（《鄭州大學學報》1991年4期）、王宗虞〈試論白朗起義的性質〉（《史學月刊》1964年12期）、林建發〈白狼軍性質分析〉（《食貨月刊》復刊15卷9、10期合刊，民75年4月）、開封師院歷史系、河南歷史研究所白朗起義調查組〈白朗起義調查報告〉（《開封師院學報（歷史）》1960年5期）及〈白朗起義調查簡記〉（《史學月刊》1960年2期）、黃廣廓《白朗起義的性質》（同上，1982年4期）、黃廣廓〈有關帝國主義對白朗起義干涉的資料〉（同上，1960年4期）、胡思庸等〈白朗起義的一些資料〉（《史學月刊》1960年2期）、周衍發〈關於黃興致白朗之秘函〉（《北京師大學報》1963年1期）、坂野良吉〈白朗起義の歷史的意義をめぐつて一民國初年の反軍閥鬥爭〉（《歷史評論》243號，1970年10月）、任新建〈白狼、白蘭考辨〉（《社會科學研究》1995年2期）、李征祥〈白朗與白朗軍〉（《課外學習》1983年8期）、雲崗〈民初的一支流寇一白狼軍〉（《春秋》9卷3期，民57年9月）、劉汝明〈入伍與打白狼〉（《傳記文學》5卷3期，民53年9月）、白水〈白朗起義與革命黨人關係述論〉（《史學月刊》1986年1期）、滕凌飛整理〈記癸丑狼匪之亂〉（《中州學刊》1985年4期）、鄭國良〈白朗起義軍入皖和安徽反倪武裝鬥爭〉（《安徽史學》1985年5期）、韓學儒〈白朗起義軍在陝西的鬥爭〉（《史學月刊》1965年7期）、嶋本信子〈白朗の亂にみる辛亥革命と華北民眾〉（青年中國研究者會議編《中國民衆反亂の世界》，東京，汲古書院，1974）及〈白朗の亂㈢—河南の第2革命と白朗〉（《史論》43號，1990年3月）、馬小泉、張朝鳳整理〈白朗起義軍在河南浙川境內活動情況調查報告〉（《民國檔案》1994年4期）、關連吉〈白朗起義軍在甘肅的活動及其衰敗原因〉（《社會科學（甘肅）》1990年5期）及〈白朗在臨潭〉（《史學月刊》1982年5期）、余堯〈白朗起義軍在隴南的活動〉（《甘肅師大學報》1981年4期）、彭登墀〈白狼（朗）劫掠棗陽始末〉（《湖北文獻》106期，民82年1月）、岳申州〈白朗起義軍破棗陽前後〉（《中州學刊》1987年3期）、王善中〈如何理解白朗起義〉（同上，1982年2期）、今井駿〈白朗の亂についての一考察一白朗集團の組織實態について〉（《人文論論集（靜岡大學人文學部）》42號，1992年1月）、劉漢東、王建吾〈白朗起義失敗的原因究竟是什麼？〉（《中州學刊》1985年6期）、Elizabeth J. Perry " Social Banditry Revisited, the Case of Bai Lang, a Chinese Brigand"（Modern China, Vol.9, No.3, 1983）、C. H egel, The White Wolf: The Career of a Chinese Bandit, 1912-1914.（M. A. Thesis, Columbia University [New York], 1969）。其他以中國近代、現代、中華民國為名的社會史通論性的著作有朱其華《中國近代社會史解剖》（上海，上海新新出版社，民22）、喬志強主編《中國近代社會史》（北京，人民出版社，1992）、嚴昌洪《中國近代社會風俗史》（杭州，浙江人民出版社，1992）、陳旭麓《近代中國社會的新代謝》（上海，上海人民出版社，1992）、敖文蔚《中國近現代社會與民政（1906-1949）》（武昌，武漢大學出版社，1992）、周谷城《中國社會之變化（一名

「現代中國社會變遷概論」）》（上海，新生命書局，民20）、Ramon H. Myers, "Society and Economy in Modern China: Some Historical Interpretations"（《中央研究院近代史研究所集刊》11期，民71年7月）、秦孝儀主編《中華民國社會發展史》（臺北，近代中國出版社，民74）。

5.民初教育

有王萍〈民初教育問題（民國元年至十五年）〉（《中華民國歷史與文化討論集》第3冊，民73）、阿部洋〈民國初期の教育狀況〉（《韓》5卷5·6號，1976年6月）、趙長征〈民國初創與女子教育〉（《民國檔案》1992年1期）、小林善文〈清末から民國初期における中國女子教育〉（《神户女子大學文學部紀要》28卷，第1分冊，1995）、蔭山雅博〈中國近代教育史研究の方法と對象に關する考察—清末民初におけるエリート層の教育認識を中心として〉（《アジア教育史研究》第4號，1995）、林乙烽〈清末民初的中小學教育〉（《徐州師院學報》1982年3期）、伍卓章〈論民國初年的師範教育〉（《雲南教育學院學報》1988年2期）及〈民國成立至五四運動時期的師範教育〉（《四川教育學院學報》1988年3、4期）、蕭成全〈清末民初的職業教育〉（同上）及〈清末民初我國職業教育之興起初探〉（《南京教育學院學報》1986年2期）、蔡敏崑《民國早期的職業教育運動》（中國文化學院史學研究所碩士論文，65年6月）、韓玉霞〈清末民初的軍國民教育〉（《史學月刊》1987年5期）、方國安《清末民初中國軍國民教育之研究》（中國文化學院史學研究所碩士論文，民65年6月）、王笛〈清末民初我國農業教育的興起和發展〉（《中國農史》1987年1期）、鄭之書《清末民初的歷史教育（1902-1917）》（臺灣師範大學歷史研究所碩士論文，民80年6月）、許劍英〈清末民初義務教育的歷史回溯〉（《教育叢刊》1989年3期）、曾華錚《民國初年社會教育政策之研究》（臺灣師大社會教育研究所碩士論文，民81）、張友剛等〈清末民初時期的音樂教育〉（《西南師大學報》1989年4期）、張友剛〈我國清末民初的音樂教育〉（《中央音樂學院學報》1989年4期）、鶴田武良〈清末民國初期の美術教育—近百年來中國繪畫史研究4〉（《美術研究》365號，1996年10月）、朱建新〈論清末民初的軍事學校〉（《中州學刊》1993年3期）、郭鳳明《清末民初陸軍學校教育（1895-1916）》（中國文化學院史學研究所博士論文，民65年11月）、宋子武〈論清末民初的陸軍教育〉（《廣東文獻》21卷3期，民80年9月）、蘇貽鳴〈民國前期軍校教育概論〉（《軍事歷史教育》1990年3期）、葉龍彥《清末民初之法政學堂》（中國文化學院史學研究所博士論文，民64年8月）、郭鳳明〈民初平民教育運動興盛之背景〉（《中國歷史學會史學集刊》13期，民70年5月）、何清素〈民國11年新學制釀成過程之探討〉（《教育學刊》第5期，民73年2月）、笹島恒輔〈清朝末期（阿片戰爭以後）より中華民國初期（壬戌學制發布前まで）の中國における體育とスポーツ〉（《體育研究所紀要（慶應大學）》1卷1號，1961年9月）及〈清朝末期から中華民國初期における中國女子體育に對する一考察〉（同上，7卷1號，1967年12月）、張正藩〈民初的學校體育〉（《中外雜誌》26卷2期，民68年8月）、康明安〈試論清末民初的學堂樂歌〉（《安慶師院學報》1996年2期）。其他相關的論著有丁明憲〈中國近代的師範教育〉（《南京師大學報》1986年4期）、陳伯陶〈中國教育近代化的背景〉（《淡江學報》21期，民73年6月）、盧廷彬《民初美國訪華教育學者對中國新教育影響之研究》（政治大學教育研究所碩士論文，民70年6月）、Stephen C. Averill, "Education, Politics and Local Elite Society in Early Twentieth Century China."（《民國研究》第3期，1996年1月）、Barry C. Keenan, "Educational Reform and Politics in Early Republican China."（The Journal of Asian Studies, Vol.33, No.2, February 1974）、江淑文《清末民初小學教師專業化的研究，1903-1927》（東海大學歷史研究所碩士論文，民78年2月）、郭明璋〈論清末民初教會大學之發展〉（《基督書院學報》創刊號，民83年6月）、教育部主編《中華民國教育史·第2編—民初時期》（臺北，國立編譯館，民75）、熊明安《中華民國教育史》（重慶，重慶出版社，1990）、吳俊升等《中華民國教育誌》（2冊，臺北，中華文化出版事業委員會，民44）、陳啟天《最近三十年中國教育史》（上海，太平洋書店，民19；臺北，文星書店影印，民51）、莊俞、賀聖鼐編《最近三十五年之中國教育史》（上海，商務印書館，民20）、蔡元培等《晚清三十五年來之中國教育：1897-1931》（香港，龍門，1969）、舒新城編《中國近代教育史資料》（3冊，北京，人民教育出版社，1962）、多賀秋五郎編《近代中國教育史資料》（臺北，文海出版社影印，民65）、陳學恂主編《中國近代教育史教學參考資料》（3冊，北京，人民教育出版社，1986-1987）、陳元暉、陳學恂主編《中國近代教育史資料匯編》（10冊，上海教育出版社，1990-1995）、朱有瓛主編《中國近代學制史料》（7冊，上海，華東師大出版社，1983-

1993）、李桂林主編《中國現代教育史教學參考資料》（北京，人民教育出版社，1987）、陳學恂主編《中國近代教育文選》（同上，1983）、鄭世興《中國現代教育史》（臺北，三民書局，民70）、高奇主編《中國現代教育史》（北京，北京師大出版社，1985）、古木某《現代中國及其教育（一名「新中國新教育背景」）》（2冊，上海，中華書局，民23）、林友春編《近世中國教育史研究》（東京，國土社，1958）、小野忍、齋藤秋男〈中國の近代教育〉（東京，河出書房，1948）、平塚益德《近代支那教育文化史：第三國對支那教育活動を中心として》（東京，目黑書店，1942）、齋藤秋男、新島淳良《中國現代教育史》（東京，國土社，1962）、陳元暉《中國現代教育史》（北京，人民教育出版社，1979）、周予同《中國現代教育史》（上海書局，1985）、李桂林《中國現代教育史》（青春，吉林教育出版社，1991）、華東師範大學教育系與教科所編《中國現代教育史》（上海，華東師大出版社，1983）、中央教育科學研究所編《中國現代教育大事記（1991-1949）》（北京，教育科學出版社，1988）、陳景磐《中國近代教育史》（北京，人民教育出版社，1980）、董寶良《中國教育史綱，下冊一近代之部》（同上，1991）、陸鴻基《中國近世的教育發展，1800-1949》（香港，華風書局，1983）、司琦《中華民國教育發展史》（臺北，三民書局，民70）、丁致聘編《中國近七十年來教育記事》（初版於民24；臺北，臺灣商務印書館，民50）、張正藩《近卅年中國教育述評》（臺北，正中書局，民53）、程嫡凡《中國現代女子教育史》（上海，中華書局，民25）、伍振鷟《中國大學教育發展史》（臺北，三民書局，民74）。

6.民初思想、文化及其他

有王爾敏〈中華民國開國初期之實業建國思想〉（《中華民國建國史討論集》第2冊，民70）、鮑家麟〈民初的婦女思想（1911-1923）〉（同上）、中山義弘〈民國初めにおける婦人解放論〉（《大下學園女子短大研究集報》第8號，1971年2月）及〈20世紀初めの中國婦人雜誌と婦人解放論〉（同上，第4號，1966年12月）、何靖〈論民初民主共和思潮的高漲及其歷史作用〉（載《孫中山研究論叢》第6集，1988）、陳慶勝〈民國初年民主共和思潮述論〉（《中山大學研究生學刊》1987年3期）、施樂伯、于子橋〈民國初年社會主義的概念和發展趨向〉（《中華民國建國史討論集》第2冊，民70）、萬麗鵑《辛亥革命時期的社會主義思潮（1895-1913）》（政治大學歷史研究所碩士論文，民76年1月）、陳壽熙〈辛亥前後社會主義浪潮〉（《中正嶺學術研究集刊》第2集，民72年6月）、李喜所〈略論民國初年的社會主義思潮〉（《北方論叢》1983年6期）、吳雁南〈民初社會思潮的特點〉（載張憲文主編《民國研究》第1輯，1994）、Arif Dirlik、Edward S. Krebs, " Socialism and Anarchism in Early Republican China. "（Modern China, Vol.7, No.2, April 1981）、楊才玉〈論民國初年的無政府主義思潮〉（《學術月刊》1983年2期）、崔小茹《清末民初的達爾文進化論》（清華大學歷史研究所碩士論文，民80年6月）、鮑紹霖，"National Images in the Study of Late-Ching and Early Republican Sino-Western Cultural Relations."（《漢學研究》7卷2期，民77）、Lawrence D. Kessier, "Introduction：Christianity and Chinese Nationalism in the Early Republican Period"（Republican China, Vol.17, No. 2, 1992）、呂實強〈民初知識分子反基督教思想之分析〉（《中華民國建國史討論集》第2册，民70）、葉嘉熾〈宗教與中國民族主義：民初知識分子反教思想的學理基礎〉（《中國現代史專題研究報告》第2輯，民61）、Guy S.Alitto〈民初時代的文化守成論者：在世界史視野上的中國反現代化思潮〉（《中華民國初期歷史研討會論文集》下册，民73）、張玉法〈二十世紀初年的中國自由主義運動〉（同上）、張顯菊〈二十世紀初思想解放運動的高潮〉（《社會科學輯刊》1986年5期）、閻小波〈論二十世紀初資產階級的"國民學說"〉（《蘭州學刊》1986年5期）、王世揚〈本世紀初我國進步思想界對奴隸主義的批判〉（《史學月刊》1986年1期）、王業興〈二十世紀初中西文化交融與中國近代化的進程〉（《史學月刊》1993年4期）、張俊霞〈論二十世紀初年的國民思潮〉（《近代史研究》1993年1期）、黃克武〈清末民初的民主思想：意義與淵源〉（載《中國現代化論文集》，臺北，中央研究院近代史研究所，民80）、朱中和《清末民初憲政思想之演進》（政治大學三民主義研究所碩士論文，民76年6月）、仲偉民〈二十世紀初期的反國粹主義思潮〉（《學術界》1988年4期）、蕭瓊瑤《清末民初國粹思想研究》（清華大學歷史研究所碩士論文，民80年6月）、蝦名良亮〈中華民國初期における大眾論の意味〉（《中國哲學研究》第7號，1993年12月）、陳迺臣《清末民初的教育思想》（政治大學教育研究所碩士論文，民59年6月）及〈清末民初教育思想〉（《女師專學報》10期，民67年6月）、權容玉《民初中國教育思想演變之研究》（政治大學教育研究所碩士論文，民83年7月）、大村興道〈民國初期における教育思想の底流〉（《史學》第2號，1959年10月）、許文宗《民初唯實主義教育思潮的演進與影響》（政治大學教育研究所碩士論文，民68年6月）、田正平、李笑賢〈論民國初年的早期實用主義教育思潮〉（《教育研究》1993年4期）、吳洪成〈略論民初的實用主義教育思潮〉（《上海教育科研》1993年2期）、瞿立鶴〈清末民初的軍國民教育思想〉（《師大學報》29期，民73年6月）、〈清末民初自衛的民族主義教育思潮〉（收入蔣一安主編《中山學術論集》上冊，臺北，正中書局，民75）及《清末民初民族主義教育思潮》（臺北，中央文物供應社，民73）、陳世恩《清末民初軍國教育之體育思想》（臺灣師範大學體育研究所碩士論文，民78）、陳仲瑜《民國初年農業改良思想（1912-1937）》（臺灣師範大學歷史研究所碩士論文，民75年6月）、謝元坤《清末民初經濟發展思潮的現代評估：民生主義經濟時代的發軔》（中山大學中山學術研究所碩士論文，民77）、劉聖宜〈略論民國初年的理財思想〉（《華南師大學報》1994年1期）、李宇平《近代中國的貨幣改良思潮（1902-1914）》（同上，民75年12月）、李孝悌〈民初的戲曲改良論〉（《中央研究院近代史研究所集刊》22期，下冊，民82年6月）、馬勇〈辛亥革命後尊孔思潮評議〉（《安徽史學》1992年2期）、鐙屋一〈孔教會と孔教の國教化—民國初期の政治統合と倫理問題〉（《史峰》第4號，1990年3月）、黃克武〈民國初年孔教問題之爭論（1912-1917）〉（《師大歷史學報》12期，民73年6月）、劉萍〈論民國初年的國教運動〉（《四川師大學報》1995年1期）、劉守榮、李登華編輯《反對國教始末記》（天主教中華全國進行會，民3）、林麗容《民初讀經問題初探（1912-1917）》（臺灣師範大學歷史研究所碩士論文，民75年6月）、麻天祥〈清末民初佛教文化勃興的原因〉（《哲學與文化》18卷10期，民80年10月）、謝蕙風《民國初年新聞自由的研究（1912-1928）》（臺灣師大歷史研究所碩士論文，民75年7月）、桑兵〈論清末民初傳播業的民間化〉（收入胡偉希編《辛亥革命與中國近代思想文化》，北京，中國人民大學出版社，1991）、劉阿榮〈清末民初社會主義傳入中國的流派與發展一作為一種歷史發展的反省和啟示〉（《中山學術論叢》13期，民84年6月）、狹間直樹〈民國初年における勞働尊重觀念の形成〉（《日本文化と東アジア》，東京，1988）、林傳芳〈清末民初における中國の廢佛毀釋について〉（《印度學佛教學研究》20卷2號，1972年3月）、熊野正平〈清末民初の中國人の西學・西洋文明に對する態度〉（《一橋論叢》49卷2號，1963）、翁君聰〈資產階級法制思想與清末民初政局〉（《福建論壇》1990年1期）、武仲弘明〈清末民國初における公理意識とナショナリズム〉（《歷史學研究》415號，1974年12月）、丸山松幸〈民國初年の「調和論」〉（《關西大學中國文學會紀要》第2號，1969年3月）、任卓宣〈民國初年底新文化運動〉（《學宗》5卷1期，民52年12月）。其他相關的論著有秦孝儀主編《中華民國文化發展史》（4冊，臺北，近代中國出版社，民70年）、史全生主編《中華民國文化史》（3冊，長春，吉林文史出版社，1990）等、皮明勇〈民國初年中國海軍戰略戰術理論述論〉（《軍事歷史研究》1994年2期）、左雙文〈民初反袁與輿論鬥爭及其局限性芻議〉（《華南師大學報》1995年3期）、Arthur N. Waldron, The Chinese Civil Wars 1911-1949.（New York: St. Martin's Press, 1995）、賀麟《當代中國哲學》（臺北，宗青圖書公司翻印，民67）、王雲五《民國政治思想與中國政治思想之綜合研究》（臺北，臺灣商務印書館，民59）、夏炎德《中國近百年經濟思想》（臺北，華世出版社，民68）、郭湛波《近五十年中國思想史及補編》（香港，龍門書店，1966）、胡秋原《一百三十年來中國思想史綱》（臺北，學術出版社，民68）、黃公偉《中國近代學術思想變遷史》（臺北，幼獅文化事業公司，民65）、易君左〈清末民初中國詩壇〉（《東方雜誌》復刊3卷5-7期，民58年11、12月、59年1月）、倉田貞美《清末民初を中心とした中國近代詩の研究》（大修館書店，1969）、〈清末民初の詩壇に及ぼした龔定盦の影響〉（《香川大學學藝部研究報告（第1部）》12號，1959年8月）及〈民初における前清遺老の詩〉（載《內野博士還曆記念東洋學論文集》，漢魏文化研究會，1964）、袁荻涌〈民初文壇論外國文學〉（《青海社會科學》1995年3期）、劉納〈民初文學的一個奇景：駢文的興盛〉（《鄭州大學學報》1996年5期）、陳燕《清末民初的文學思潮》（臺北，華正書局，民82）及〈清末民初中國文學批評裡的美學思想—兼論中國美學史的起源〉（《近代中國文學與思想》第1號，中央大學中文系，民84）、趙孝萱〈才子情淚·兒女愁多—民初小説的傷感特質〉（同上）、張法〈民初小説與時代心態〉（《中國文化研究》1996年冬之卷）、劉納〈民初小説的感情取向和文體特色〉（《海南師院學報》1996年3期）、袁進〈民初小説再探索〉（《學術研究》1987年3期）、李健祥〈清末民初的舊派言情小説〉（收入林明德主編《晚清小説研究》，臺北，聯經出版公司，民77）、黃美玲《清末民初小説語言轉變之探討》（中山大學中文研究所碩士論文，民82年6月）、李慶國〈論清末民初近代小説讀者的形成及其特徵〉（《人文論叢（三重大學人文·文化學科）》13號，1996年3月）、今關天彭〈清代及び民國初期の學術界〉（《雅友》32號，1957）、樽本照雄〈清末民初における定期刊物の時空〉（《清末小説》13號，1990）、林鋒雄〈清末民初的戲曲新風尚〉（載政治大學中文系所編《漢學論文集》第3集，臺北，文史哲出版社，民73）、曾西霸〈清末民初的中國戲劇之嬗遞〉（《世界新聞傳播學院學報》第6期，民85年10月）、韓國簣〈清末民初西樂的輸入〉（《九州學刊》3卷3期，1989年冬季號）、山腰敏寛〈同時代アメリカ人による為中華民國（1912-1945）頌〉（《鳴門史學》第8號，1994年8月）、卓文義《民國初期的國語文運動》（中國文化學院史學研究所碩士論文，民62）。

國家圖書館出版品預行編目資料

中國現代史書籍論文資料舉要(一)

胡平生編著.—初版.— 臺北市：
臺灣學生，1999-[民 88]

ISBN 957-15-0934-5(第一冊；精裝)
ISBN 957-15-0935-3(第一冊；平裝)

1. 中國-歷史-現代(1900-)-目錄
2. 中國-歷史-現代(1900-)-專題研究

016.628 88000805

中國現代史書籍論文資料舉要(一)

編著者：胡平生
出版者：臺灣學生書局
發行人：孫善治
發行所：臺灣學生書局
臺北市和平東路一段一九八號
郵政劃撥帳號00024668號
電話：(02)23634156
傳真：(02)23636334
本書局登記證字號：行政院新聞局局版北市業字第玖捌壹號
印刷所：宏輝彩色印刷公司
中和市永和路三六三巷四二號
電話：(02)22268853

定價：精裝新臺幣七四〇元
平裝新臺幣六六〇元

西元一九九九年二月初版

01607

ISBN 957-15-0934-5 (精裝)
ISBN 957-15-0935-3 (平裝)

臺灣 學生書局 出版

史學叢刊

❶ 李鴻章傳　李守孔著
❷ 民國時期的復辟派　胡平生著
❸ 史學通論　甲　凱著
❹ 清世宗與賦役制度的變革　莊吉發著
❺ 北宋茶之生產與經營　朱重聖著
❻ 泉州與我國中古的海上交通　李東華著
❼ 明代軍戶世襲制度　于志嘉著
❽ 唐代京兆尹研究　張榮芳著
❾ 清代學術史研究　胡楚生著
❿ 歐戰時期的美國對華政策　王綱領著
⓫ 清乾嘉時代之史學與史家　杜維運著
⓬ 宋代佛教社會經濟史論集　黃敏枝著
⓭ 民國時期的寧夏省(1929-1949)　胡平生著
⓮ 漢代的流民問題　羅彤華著
⓯ 中國史學觀念史　雷家驥著
⓰ 嵇康研究及年譜　莊萬壽著
⓱ 民初直魯豫盜匪之研究　吳蕙芳著
⓲ 明代的儒學教官　吳智和著
⓳ 明清政治社會史論　陳文石著
⓴ 元代的士人與政治　王明蓀著
㉑ 清史拾遺　莊吉發著
㉒ 六朝的城市與社會　劉淑芬著
㉓ 明代東北史綱　楊　暘著

㉔ 唐繼堯與西南政局	楊維眞著
㉕ 廿二史劄記研究	黃兆強著
㉖ 廿四史俠客資料匯編	龔鵬程、林保淳著
㉗ 王安石洗冤錄	孫光浩著
㉘ 從函電史料觀汪精衛檔案中的史事與人物新探(一)	陳木杉著
㉙ 海峽兩岸編寫臺灣史的反思與整合	陳木杉著
㉚ 太平洋島嶼各邦建國史	小林泉著，劉萬來譯
㉛ 史學三書新詮—以史學理論爲中心的比較研究	林時民著
㉜ 武進劉逢祿年譜	張廣慶著
㉝ 史學與文獻	東吳大學歷史系主編
㉞ 孫立人傳	沈克勤著
㉟ 孫案研究	李　敖編
㊱ 方志學與社區鄉土史	東吳大學歷史系主編
㊲ 史學與文獻(二)	東吳大學歷史系主編
㊳ 中國現代史書籍論文資料舉要	胡平生編著